www.bragelonne.fr

Terry Goodkind

La Pierre des Larmes

L'Epée de Vérité - livre deux

Traduit de l'anglais (États-Unis) par Jean Claude Mallé

Bragelonne

Collection dirigée par Stéphane Marsan et Alain Névant

1ère édition : octobre 2003
2e tirage : avril 2004
3e tirage : mai 2005
4e tirage : janvier 2006
5e tirage : juillet 2006

Illustration de couverture :
© Keith Parkinson

Carte :
© Terry Goodkind

ISBN : 2-914370-58-X

Bragelonne
35, rue de la Bienfaisance - 75008 Paris - France

E-mail : info@bragelonne.fr
Site Internet : http://www.bragelonne.fr

Pour mes parents,
Natalie et Leo

REMERCIEMENTS

Je tiens à remercier mon directeur d'ouvrage, James Frankel, pour avoir eu l'intégrité de ne rien accepter quand je n'avais pas donné mon meilleur. Idem pour Caroline Oakley, qui s'occupe éditorialement de moi en Angleterre, pour son soutien et ses encouragements. Également merci à mes amis Bonnie Moretto et Donald Schassberger (médecine) pour leurs avis d'experts. Enfin, bravo à Keith Parkinson pour sa fabuleuse illustration de couverture.

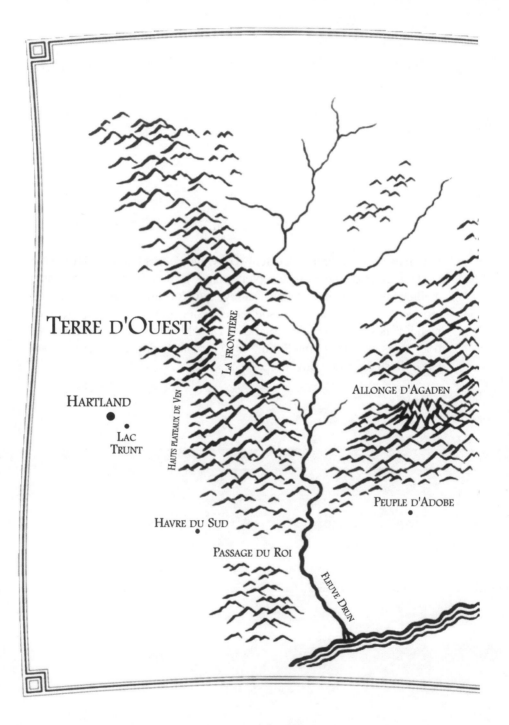

TERRE D'OUEST

HARTLAND

LAC
TRUNT

HAUTS PLATEAUX DE VEN

LA FRONTIÈRE

ALLONGE D'AGADEN

PEUPLE D'ADOBE

HAVRE DU SUD

PASSAGE DU ROI

FLEUVE DRUN

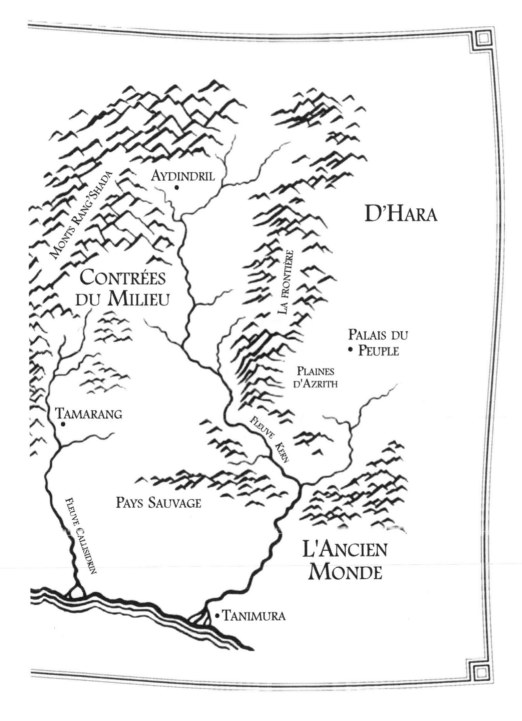

Chapitre premier

Rachel serra la poupée contre sa poitrine et regarda la silhouette noire qui l'épiait, cachée dans les fourrés.

Mais l'épiait-elle vraiment ? Difficile à dire, puisque les yeux de la créature étaient aussi sombres que son corps, sauf quand la lumière s'y reflétait. Dans ces moments-là, ils émettaient une vive lueur jaune.

La petite fille avait souvent vu des animaux dans la forêt : des lapins, des ratons laveurs, des écureuils et bien d'autres encore. Cette bête-là était beaucoup plus grosse. Au moins aussi grande que Rachel et peut-être davantage. Les ours avaient une fourrure noire. Et si c'en était un ?

Cela dit, l'enfant n'était pas vraiment dans la forêt, mais à l'intérieur d'un bâtiment. La première fois de sa vie qu'elle voyait des bois *couverts*. Y trouvait-on les mêmes animaux que dans la véritable nature ?

Si Chase n'avait pas été là, elle aurait été morte de peur. Avec lui, elle ne craignait rien, parce que c'était l'homme le plus courageux du monde ! Pourtant, elle ne se sentait pas très rassurée. Selon Chase, elle était la *petite fille* la plus courageuse du monde. Alors, pas question qu'il la croie terrorisée par un gros lapin !

Il s'agissait peut-être seulement de ça ; un gros lapin assis sur un rocher ou une souche. Mais elle ne voyait pas ses longues oreilles. Et un ours n'en avait pas…

Rachel mordit très fort le pied de sa poupée.

Elle tourna la tête vers l'étendue d'herbe – au bout du sentier, au-delà des parterres de fleurs et des murets couverts de lierre – où Chase était en grande conversation avec Zedd, le vieux sorcier. Debout devant un autel de pierre, ils regardaient trois petites boîtes et se demandaient ce qu'ils allaient en faire. Rachel savait ce que ça signifiait : Darken Rahl n'avait pas gagné et il ne ferait plus jamais de mal à personne. Une nouvelle qui la comblait de joie.

La petite fille tourna de nouveau la tête et constata, soulagée, que le monstre noir était parti. Sondant les alentours, elle ne le vit nulle part.

— Sara, où est-il allé ? souffla-t-elle.

La poupée ne répondit pas. Rachel lui mordit le pied plus fort et décida de rejoindre Chase. Même si ses jambes auraient aimé courir, il ne fallait pas que son nouveau papa doute de sa bravoure. Ses compliments lui avaient fait tellement plaisir ! En marchant, elle jeta un coup d'œil derrière son épaule et ne vit pas trace du monstre. Il était sûrement retourné dans son terrier, s'il en avait un.

Les jambes de Rachel insistaient toujours pour courir, mais elle les en empêcha.

Quand elle eut rejoint Chase, elle se blottit contre lui et passa les bras autour d'une de ses énormes cuisses. Sachant qu'il était impoli d'interrompre les adultes, elle attendit en tétant le pied de Sara.

— Qu'arriverait-il si tu refermais simplement le couvercle ? demanda Chase au sorcier.

— Comment veux-tu que je le sache ? s'écria Zedd, les bras levés au ciel, sa crinière blanche en bataille ondulant en rythme. Bon sang, je ne suis pas devin ! Connaître la nature des boîtes ne suffit pas à savoir comment procéder, maintenant que Darken Rahl en a ouvert une. La magie d'Orden l'a puni en lui ôtant la vie. Elle aurait aussi bien pu détruire le monde. Si je referme la boîte, elle risque de me tuer. Ou de faire pire encore…

— On ne peut pas laisser ces trucs comme ça, soupira Chase. Il faut agir !

Sourcils froncés, le sorcier étudia les boîtes. Après une longue minute de silence, Rachel tira sur la manche du garde-frontière, qui baissa les yeux vers elle.

— Chase…

— Comment ça, *Chase* ? Je croyais t'avoir informée des règles en vigueur chez moi… (Il plaqua les poings sur ses hanches et fit une grimace comique pour avoir l'air sévère. Rachel éclata de rire et lui serra plus fort la jambe.) Tu es ma fille depuis quelques semaines et tu désobéis déjà ? « Papa », voilà comment il faut m'appeler ! Aucun de mes gosses n'a le droit de me donner du « Chase ». C'est compris ?

— Oui, Cha… papa.

Le garde-frontière roula de gros yeux et secoua la tête. Puis il ébouriffa les cheveux de la fillette.

— Que se passe-t-il, ma chérie ?

— Une bête se cache dans les fourrés. Je crois que c'est un ours. Tu devrais dégainer ton épée et aller voir…

— Un ours ? C'est un jardin intérieur, Rachel. Il n'y a aucun danger. Tu as peut-être vu une ombre. Ici, la lumière a des effets bizarres…

— Ce n'était pas une ombre, Cha… papa, insista Rachel. Et ça me regardait !

Chase lui ébouriffa de nouveau les cheveux, posa un de ses battoirs sur sa joue et l'attira plus près de sa jambe.

— Reste près de moi et ce gros monstre ne t'embêtera plus.

Rachel se blottit de plus belle, le pied de Sara toujours dans la bouche. Rassurée, maintenant qu'elle était avec son protecteur, elle osa regarder de nouveau les fourrés.

Dissimulée derrière un muret, la créature noire approchait lentement. Rachel mordit le pied de Sara, gémit et leva les yeux vers Chase, qui désignait l'autel.

— Et cette pierre, ou cette gemme… enfin, ce *machin* ? Est-il sorti de la boîte ?

— Oui, répondit Zedd. Mais je ne te dirai pas ce que c'est avant d'en être sûr. En tout cas, pas à haute voix…

— Papa, pleurnicha Rachel, le monstre approche !

— Oui, oui…, fit Chase en baissant les yeux sur l'enfant. Tu veux bien le surveiller pour moi ? (Il regarda de nouveau le sorcier.) Comment ça, tu ne me diras rien ? Ça a un rapport avec l'histoire du voile déchiré, entre le royaume des morts et notre monde ?

Zedd se massa le menton du bout de ses doigts décharnés et contempla dubitativement la pierre noire posée devant la boîte ouverte.

— C'est bien ce qui m'inquiète…

Rachel essaya de voir où était le monstre et frissonna quand une main s'accrocha au rebord du muret. La bête approchait toujours. Et ce n'était pas une main, mais une patte, avec de longues griffes recourbées.

Elle leva les yeux vers Chase, pour voir s'il était assez bien armé. Son… papa… portait au ceinturon une multitude de couteaux, une énorme hache et des massues hérissées de piques. Une grande épée pendait à son épaule, juste à côté d'une arbalète. La fillette espéra que ça suffirait. Si cette panoplie effrayait les hommes, elle ne semblait pas impressionner la créature noire. Le sorcier, lui, n'avait même pas une dague. Dans sa tunique toute simple, il paraissait squelettique. Tout le contraire de Chase ! Mais ses pouvoirs feraient peut-être fuir le monstre…

La magie ! Rachel se souvint du bâton de feu que Giller, un autre sorcier, lui avait donné. Elle glissa une main dans sa poche et le saisit, décidée à être courageuse si Chase avait besoin d'aide. La bête ne ferait pas de mal à son nouveau papa !

— Cette pierre est dangereuse ? demanda le garde-frontière au sorcier.

— Si c'est ce que je pense, répondit Zedd, le regard noir sous ses sourcils broussailleux, et qu'elle tombe entre de mauvaises mains, « dangereuse » est un foutu euphémisme !

— Dans ce cas, on devrait la détruire, ou la jeter au fond d'une crevasse.

— Pas question ! Nous pourrions en avoir besoin.

— Alors, si on la cachait ?

— C'est la meilleure solution. Mais où ? Et il y a d'autres difficultés. Avant de décider du sort de la pierre et des boîtes, je dois emmener Adie en Aydindril et étudier les prophéties avec elle.

— En attendant d'être sûr, que proposes-tu ?

Rachel surveillait toujours le monstre, qui s'était approché au maximum sans se faire voir. Les griffes toujours accrochées au rebord, il regarda par-dessus le muret et ses yeux plongèrent dans ceux de la fillette.

La créature sourit, révélant ses crocs acérés. Le souffle coupé, Rachel vit les épaules du monstre tressauter. Il riait ! Le cœur battant la chamade, l'enfant écarquilla les yeux de terreur.

— Papa…, gémit-elle.

Chase ne la regarda pas et lui fit signe de se taire. Toujours hilare, la créature entreprit d'enjamber le muret. Elle étudia Chase et Zedd, puis s'accroupit en lâchant un sifflement amusé.

Rachel tira sur la jambe de pantalon du garde-frontière et lutta pour parler malgré sa gorge nouée.

— Papa, le monstre est là !

— Merci, ma chérie… Zedd, je ne sais toujours pas…

À la vitesse de l'éclair, la créature chargea en hurlant. Elle courait si vite qu'on voyait seulement une ombre noire.

Rachel cria et Chase se retourna au moment où la bête le percutait. Alors que des griffes déchiraient l'air, le garde-frontière s'écroula, laissant le monstre sauter sur Zedd.

Le sorcier battit des bras. Des éclairs jaillirent du bout de ses doigts, ricochèrent sur la peau de la créature et allèrent frapper le sol. Comme Chase, Zedd bascula en arrière et s'écroula.

Moitié riant, moitié hurlant, le monstre se jeta sur le garde-frontière, qui tentait de tirer sa hache de sa ceinture. Rachel cria quand les affreuses griffes entaillèrent les chairs de Chase. Plus rapide qu'aucun animal qu'elle ait vu, la bête frappait si vite qu'on ne distinguait plus ses pattes.

Rachel comprit que son papa souffrait atrocement.

Sans cesser de rire, la créature fit sauter la hache des mains de Chase.

La fillette sortit son bâton magique, avança et appuya la pointe sur le dos du monstre.

— Brûle pour moi ! cria-t-elle.

La bête noire s'embrasa, lâcha un affreux hurlement et se retourna, sa gueule grande ouverte déjà enveloppée de flammes. Elle riait toujours, mais pas du tout comme les grandes personnes, quand elles trouvent une situation amusante…

Rachel en eut la chair de poule.

Toujours en flammes, le monstre se jeta sur l'enfant, qui recula d'un bond.

Chase leva un bras. S'encourageant d'un grognement, il lança une de ses massues hérissées de piques, qui s'enfonça dans l'épaule de leur agresseur. La bête se tourna vers le garde-frontière, rit de plus belle, leva un bras en arrière et arracha l'arme. Puis elle chargea l'humain qui avait osé l'attaquer.

Zedd se releva. Des flammes jaillirent de ses mains et vinrent s'ajouter à celles qui léchaient déjà le monstre. Dans un concert d'éclats de rire moqueur, toutes les langues de feu s'éteignirent. Quand la fumée se fut dissipée, la bête réapparut, identique à ce qu'elle était avant l'attaque. D'ailleurs, pensa Rachel, elle semblait avoir déjà été brûlée, avant même qu'elle n'utilise son bâton magique.

Chase se remit debout, couvert de sang. Le voyant ainsi, l'enfant ne put retenir ses larmes. Mais le garde-frontière, insensible à la douleur, s'empara de son arbalète et, à une vitesse ahurissante, décocha un carreau. Le projectile s'enfonça dans l'épaule du monstre… qui l'arracha en riant aux éclats.

Chase jeta l'arbalète, dégaina son épée et chargea. Il frappa, mais sa cible se déplaçait trop vite et la lame siffla dans le vide. Par bonheur, Zedd dessina dans l'air des arabesques qui envoyèrent la créature bouler dans l'herbe, comme si un bélier invisible l'avait percutée. Épée brandie, Chase se campa devant Rachel. De sa main libre, il la tira derrière lui.

Le monstre se releva, étudiant ses trois adversaires.

— Marchez ! cria Zedd. Ne courez pas ! Mais ne restez pas immobiles non plus !

Chase prit Rachel par le poignet et recula lentement. Le sorcier imita la manœuvre.

Décontenancée, la créature cessa de rire et les regarda.

Sa cotte de mailles et sa tunique de cuir zébrées de griffures, le garde-frontière haletait. Sentant ruisseler sur le dos de sa main le sang qui coulait le long du bras de son « papa », Rachel éclata en sanglots. Elle adorait Chase et refusait qu'il souffre ! Paniquée, elle serra plus fort Sara et son bâton magique.

— Continue de marcher ! dit Zedd à Chase.

Le sorcier s'immobilisa. La créature le suivit des yeux, un sourire fendant de nouveau son affreuse gueule. Un ricanement jaillit de sa gorge et elle bondit, griffant l'air devant elle.

Zedd leva les mains. Dans un tourbillon d'herbe et de terre, le monstre fut propulsé en arrière. Avant qu'il n'ait touché le sol, des rayons bleus le percutèrent. Enveloppé de fumée, il atterrit lourdement, et salua sa chute d'un éclat de rire tonitruant.

Alors, quelque chose d'autre se produisit. Rachel ne comprit pas pourquoi, mais la bête, après s'être relevée, resta plantée là, les bras tendus comme si elle voulait courir et n'y parvenait pas. Malgré ses efforts rageurs, elle ne réussit pas à bouger d'un pouce...

Zedd décrivit de nouvelles arabesques dans les airs, puis tendit les mains. Le sol trembla comme si la foudre l'avait frappé et des éclairs blancs firent chanceler la créature noire. Elle rit plus fort.

Il y eut un bruit sec, comme un craquement de bois mort, et elle sauta sur son agresseur.

Zedd recula de quelques pas. Perplexe, le monstre plissa le front. Le sorcier s'arrêta et leva les bras. Une boule de feu vola vers son adversaire – qui venait de repartir à l'assaut – grossissant à mesure qu'elle approchait de sa cible.

L'impact fut si violent que la terre trembla. Aveuglée par l'explosion de lumière bleu-jaune, Rachel dut baisser les paupières.

La boule de feu enveloppa le monstre et se consuma en rugissant.

Plus hilare que jamais, la créature à la peau fumante s'arracha du brasier, dont les flammes moururent dans un ultime crépitement d'étincelles.

— Fichtre et foutre ! jura le sorcier en faisant quelques pas en arrière.

Rachel ignorait ce que ça voulait dire, mais elle avait entendu Chase demander à Zedd de ne pas utiliser ces mots quand elle était là. Pourquoi, elle ne le savait pas non plus...

Avec ses cheveux blancs emmêlés et collés par la sueur, le vieil homme ressemblait à un épouvantail.

Rachel et Chase avaient presque atteint la porte du jardin. Zedd les rejoignit à reculons. Dès qu'il s'immobilisa, le monstre se remit en mouvement.

Un mur de flammes lui barra le chemin, mais il continua d'avancer et le traversa. Une nouvelle muraille de feu apparut... et n'eut pas davantage d'effet.

Zedd recula de nouveau. La créature s'arrêta près d'un mur couvert de lierre et l'observa attentivement. Alors, des vrilles épaisses s'écartèrent, s'allongèrent en un clin d'œil et s'enroulèrent autour de ses membres et de son torse.

— On fait quoi, maintenant ? demanda Chase.

— On espère pouvoir emprisonner cette horreur dans le jardin..., répondit le sorcier, l'air épuisé.

Sans perdre de temps à observer le combat du monstre contre les vrilles qui tentaient de le clouer au sol, les trois rescapés franchirent le portail. Zedd et Chase poussèrent les lourds battants recouverts d'or et les verrouillèrent.

Derrière, un hurlement retentit, suivi d'un bruit assourdissant. Propulsé dans les airs par la bosselure qui jaillit du métal martyrisé, Zedd atterrit lourdement sur le dos.

Une main sur chaque battant, Chase banda ses muscles pour repousser la charge du monstre.

À grands coups de griffes, celui-ci parvint à transpercer les portes. Couvert de sueur et de sang, Chase ne tiendrait plus longtemps. Se relevant péniblement, Zedd vint lui prêter main-forte.

Une griffe s'insinua entre les deux battants et les écarta. Une seconde s'infiltra sous la porte…

De l'autre côté, Rachel entendait le rire hystérique de la bête. Grognant comme un ours, Chase résistait toujours. Mais le métal grinçait de plus en plus sinistrement.

Zedd recula et tendit les bras, les paumes en avant comme s'il voulait repousser l'air. Aussitôt, les grincements cessèrent et le monstre hurla de rage.

Le sorcier tira le garde-frontière par la manche.

— Filons d'ici !

Chase recula et désigna la porte.

— Tu crois que ça le retiendra ?

— J'en doute… Si le monstre t'attaque, marche normalement. Courir ou s'immobiliser attire son attention. Dis-le à tous les gens que tu verras.

— Zedd, quelle est cette créature ?

Il y eut un autre bruit sourd, puis une seconde bosselure déforma la porte. Des griffes traversèrent le métal et entreprirent de le déchirer.

Le bruit aigu perça les tympans de Rachel.

— Filez ! Vite ! cria Zedd.

Chase passa un bras autour de la taille de la fillette, la souleva de terre et fonça dans le couloir.

Chapitre 2

À travers le tissu grossier de sa tunique, Zedd palpa distraitement la pierre qu'il avait glissée dans une de ses nombreuses poches intérieures. Alors que les griffes du grinceur – le nom, ô combien évocateur, de la bête – élargissaient les brèches dans le métal, il tourna la tête et vit le garde-frontière dévaler le couloir, Rachel sous le bras. Ils étaient encore à dix pas du portail quand un des battants vola dans les airs avec un bruit de fin du monde, les charnières en acier explosant comme du verre.

Zedd plongea à terre. Le rectangle de métal plaqué d'or le manqua d'un cheveu, traversa le couloir et s'écrasa contre le mur en granit. Des fragments de pierre et des éclats de métal volèrent partout. Le sorcier se releva puis détala sans demander son reste.

Le grinceur sortit du Jardin de la Vie et déboula dans le couloir. Son corps était à peine plus qu'un squelette courtaud couvert d'une fine couche de peau noire desséchée, tendue à craquer. On eût dit un cadavre exposé au soleil pendant des années. Des os blancs apparaissaient là où son épiderme, un peu plus flasque par endroits, avait éclaté pendant le combat. La créature ne semblait pas s'en soucier. Venue du royaume des morts, elle ne se laissait pas perturber par les ridicules contingences de la vie. Et aucun liquide ne coulait de ses plaies...

En la déchiquetant, voire en la hachant menu, il était sûrement possible de s'en débarrasser. Mais elle se déplaçait beaucoup trop vite pour ça. Et les sorts ne lui faisaient aucun effet. Créée par la Magie Soustractive, elle absorbait comme une éponge les attaques de la Magie Additive.

La Magie Soustractive devait pouvoir la détruire, ou au moins l'affecter, mais Zedd n'avait aucun don en ce domaine, comme tous les sorciers depuis des milliers d'années. Certains pouvaient en acquérir un contrôle relatif – Darken Rahl l'avait prouvé – mais aucun ne naissait avec une aptitude naturelle.

Bref, ses pouvoirs ne lui seraient d'aucune utilité. Du moins, directement. Mais *indirectement*?

Zedd recula. Le monstre le regarda en clignant des yeux, déboussolé.

Maintenant, pensa le sorcier, *alors qu'il ne bouge pas !*

Il se concentra et rendit l'air assez dense pour qu'il soulève le battant de porte. Déjà épuisé, le vieil homme dut produire un violent effort. Avec un grognement mental, il fit pression sur l'air jusqu'à ce que le battant s'écrase sur le dos de la bête, qui s'écroula en hurlant.

Zedd se demanda si c'était de rage ou de douleur…

Le battant se souleva en lâchant une pluie de copeaux. Le monstre le tenait d'une seule patte griffue. Il riait aux éclats, une vrille de lierre – l'arme que Zedd avait utilisée pour tenter de l'étrangler – toujours enroulée autour du cou.

— Fichtre et foutre ! s'exclama le vieil homme. Rien n'est jamais facile…

Il continua à reculer. Le battant retomba sur le sol quand le grinceur s'en fut dégagé. Se relevant d'un bond, il entreprit de suivre sa proie. Comble de malheur, il commençait à comprendre que les gens qui marchaient n'étaient pas différents de ceux qui couraient ou ne bougeaient pas. Mais ce monde lui restait étranger. Le sorcier devait trouver une idée avant qu'il ne s'adapte.

S'il n'avait pas été aussi fatigué…

Chase finissait de dévaler un grand escalier de marbre. Zedd lui emboîta le pas. Certain que le monstre n'était pas aux trousses du garde-frontière, ou de Rachel, il aurait choisi un autre chemin pour éloigner le danger de ses amis. Sans connaître les motivations du grinceur, il préférait les suivre et ne pas laisser Chase seul contre un tel adversaire.

Un homme et une femme en robes blanches gravissaient l'escalier. Chase tenta de leur faire rebrousser chemin, mais ils le contournèrent.

— Marchez ! cria Zedd. Ne courez surtout pas ! Et faites demi-tour, sinon vous êtes perdus !

Ils le regardèrent, désorientés.

Le monstre approchait de l'escalier, ses griffes grinçant sur le marbre. Zedd entendait ses halètements rauques ponctués d'éclats de rire qui lui tapaient de plus en plus sur les nerfs.

Les deux fidèles aperçurent la créature noire et se pétrifièrent, leurs yeux bleus écarquillés. Zedd les força à se retourner et les poussa dans la bonne direction. Arrachés à leur hébétude, ils dévalèrent les marches quatre à quatre, leurs cheveux blonds et leurs robes voletant autour d'eux.

— Ne courez pas ! crièrent en cœur Zedd et Chase.

Le grinceur se dressa sur ses orteils griffus, fasciné par les mouvements rapides des fidèles. Avec un gloussement triomphal, il fonça vers l'escalier.

Le « poing d'air » qu'invoqua Zedd percuta la poitrine de la bête, la forçant à reculer d'un pas. Pas plus perturbée que ça, elle se pencha en avant, sonda l'escalier et repéra les deux humains qui couraient. Enjambant la balustrade, elle couina de joie, sauta dans le vide et atterrit près des deux fidèles.

Chase plaqua le visage de Rachel contre son épaule et rebroussa chemin. Certain de ce qui allait se passer, il ne pouvait rien faire pour l'empêcher.

Zedd l'attendait en haut des marches.

— Dépêchons-nous, pendant qu'il est occupé à autre chose !

Il y eut des bruits de lutte – très courts – puis des cris, tout aussi brefs. Un geyser de sang arrosa les marches, manquant de peu celles que le garde-frontière finissait de monter. Sans s'autoriser un gémissement, Rachel se pressa davantage contre Chase et serra plus fort son cou de taureau.

La fillette impressionnait Zedd. Il n'avait jamais rencontré une gamine aussi intelligente et courageuse. Giller avait eu raison de recourir à elle pour tenter de priver Darken Rahl de la troisième boîte d'Orden. La tactique traditionnelle des sorciers, pensa le vieil homme, amer : se servir des gens pour accomplir à tout prix ce qui devait l'être.

Chase et Zedd coururent dans le couloir jusqu'à ce que le monstre remonte sur le palier. Puis ils recommencèrent à marcher lentement et à reculons.

Le grinceur sourit, dévoilant ses crocs rouges de sang. Touchés par les rayons de soleil qui jaillissaient d'une haute fenêtre, ses yeux plus noirs que la nuit émirent une vive lueur jaune. Grimaçant de dégoût, car il détestait la lumière, il lécha le sang qui maculait ses griffes et se lança à la poursuite des trois humains. Il les suivit dans un nouvel escalier, s'arrêtant parfois, dubitatif, comme s'il se demandait si c'étaient bien les proies qu'on lui avait désignées.

Chase tenait Rachel d'une main, son épée dans l'autre. Zedd se plaça entre le monstre et eux tandis qu'ils reculaient dans un étroit couloir. Derrière, acharné à les suivre, le monstre escaladait à demi les murs. Au passage, il entaillait la pierre lisse et lacérait les tapisseries.

Des dessertes en noyer poli, leurs trois pieds sculptés de feuilles de vignes et de floraisons dorées à l'or fin, basculèrent dans le couloir quand le grinceur les poussa du bout d'une griffe. Le bruit des vases, lorsqu'ils explosèrent sur le sol de marbre, lui arracha un sourire ravi. Alors que l'eau et les fleurs se répandaient sur les tapis, le monstre sauta dans le vide, atterrit souplement, et, riant aux éclats, réduisit en lambeaux un précieux tapis tanimurien bleu et jaune. Puis il grimpa le long du mur, jusqu'au plafond, où il rampa comme une araignée, la tête renversée afin de ne pas quitter ses proies des yeux.

— Comment fait-il ça ? murmura Chase.

Zedd se contenta de secouer la tête tandis qu'ils battaient en retraite vers l'immense couloir central du Palais du Peuple. Ici, où s'alignait une impressionnante série d'arches nervurées à quatre branches soutenue par des colonnes, la voûte était à plus de quinze pieds de haut.

Rapide comme l'éclair, le grinceur rampa jusqu'à l'extrémité du plafond du petit couloir et sauta sur les trois humains.

Zedd tenta de le toucher en vol, mais son rayon magique le rata, frappa le mur et y laissa une traînée de suie noirâtre avant de se dissiper.

Pour la première fois, Chase ne manqua pas son coup. Il abattit sa lame de toutes ses forces et trancha net un bras du grinceur, qui hurla enfin de douleur et fila se cacher derrière une colonne de marbre gris veiné de vert. Son bras coupé, abandonné sur le sol, continuait de bouger, la main griffant frénétiquement l'air.

Des soldats déboulèrent dans le couloir. Le vacarme d'enfer que produisaient leurs bottes sur le carrelage de la cour de dévotion qu'ils contournaient couvrait presque le cliquetis de leurs armes et de leurs armures qui se répercutait à l'infini le long de la voûte. Les guerriers de D'Hara étaient féroces, et la présence d'un envahisseur dans le palais ne les incitait pas à la mesure.

À leur vue, Zedd éprouva une étrange appréhension. Quelques jours plus tôt, ils l'auraient capturé et traîné devant Darken Rahl avant de l'exécuter. À présent, ils étaient les loyaux serviteurs du nouveau maître Rahl : Richard, le petit-fils du sorcier.

En regardant approcher les soldats, Zedd s'avisa que les couloirs étaient noirs de monde. Logique, juste après les dévotions du soir. Même si le monstre était manchot, il risquait d'y avoir un bain de sang. Des dizaines de fidèles périraient avant même de penser à fuir. Et ceux qui détaleraient ne connaîtraient pas un destin plus clément. Il fallait que ces gens fichent le camp de là, mais lentement…

Les soldats entourèrent le sorcier et sondèrent les alentours pour repérer leur ennemi. Zedd se tourna vers leur chef, un type musclé en tenue de cuir, la poitrine protégée par un plastron brillant où s'affichait, gravée en relief, la lettre R. Le symbole de la Maison Rahl ! Les « galons » du militaire étaient scarifiés sur ses bras couverts d'une cotte de mailles rudimentaire. Sous son casque soigneusement poli, ses yeux bleus brillaient comme des étoiles.

— Que se passe-t-il ici ? demanda-t-il. Qui nous attaque ?

— Faites dégager ce couloir ! Ces gens sont en danger de mort.

Sous les plaques de protection du casque, les joues de l'homme virèrent au rouge.

— Je suis un soldat, pas un foutu berger !

— Protéger les civils est le premier devoir d'un militaire, lâcha Zedd. Si vous refusez d'obéir, je m'assurerai que vous finissiez pour de bon dans un champ, avec des tas de moutons !

Enfin conscient de l'identité de son interlocuteur, l'homme porta un poing à son cœur – le salut traditionnel – et répondit d'une voix beaucoup plus respectueuse.

— À vos ordres, sorcier Zorander ! (Comme tout bon militaire, il défoula sa frustration sur ses hommes.) Videz-moi ce couloir, et que ça saute ! Dispersez ces abrutis !

Les soldats se déployèrent en éventail, poussant devant eux les fidèles hébétés. Quand ils auraient fini, pensa Zedd, tout le monde étant en sécurité, ces hommes l'aideraient peut-être à coincer le grinceur et à le tailler en pièces.

À cet instant, le monstre jaillit de derrière sa colonne, se jeta sur un groupe de fidèles et les renversa comme des quilles. Dans le couloir, des cris et des gémissements se mêlèrent aux éclats de rire horripilants de la bête.

Des soldats se jetèrent sur elle. Ils furent aussitôt repoussés, couverts de sang. D'autres vinrent à leur rescousse. Mais leurs coups d'épée ou de hache, très imprécis dans la cohue, n'empêchèrent pas le grinceur de se frayer un chemin sanglant dans cette marée de corps, les innocents désarmés aussi impitoyablement déchiquetés que les guerriers.

— Fichtre et foutre ! s'écria Zedd. Chase, reste à côté de moi ! Il faut attirer la créature ailleurs ! (Il regarda autour de lui.) La cour de dévotion !

Ils coururent vers le bassin carré situé sous une ouverture du toit. Contre les colonnes, les rayons du soleil explosaient en myriades d'étincelles dorées. Une cloche était fixée sur le rocher noir qui se dressait au centre de l'eau, où des poissons nageaient paresseusement, indifférents au drame qui se déroulait à la surface.

Zedd avait eu une idée. À part lui faire roussir la peau, le feu, c'était démontré, ne pouvait rien contre le grinceur. Faisant abstraction des cris d'agonie des fidèles et des soldats, le sorcier tendit les mains au-dessus de l'eau et se concentra. Très vite, de la vapeur monta du bassin magiquement réchauffé. Estimant que ça suffisait, le vieil homme garda l'eau à cette température, juste au-dessous du point d'ébullition.

— Quand le monstre arrivera, dit-il à Chase, il faudra l'attirer dans le bassin.

Le garde-frontière acquiesça. Zedd se félicita qu'il ne soit pas le genre d'enquiquineur toujours avide d'explications. À certains moments, poser des questions était une perte de temps.

— Ne t'éloigne pas de moi, ordonna Chase en posant Rachel sur le sol.

Elle ne discuta pas non plus et se contenta de serrer plus fort sa poupée. Zedd vit qu'elle tenait son bâton magique dans l'autre main. Décidément, cette enfant ne manquait pas de tripes !

Le vieux sorcier se tourna vers le couloir et envoya des langues de flammes lécher le corps du grinceur, occupé à faire un massacre. Les soldats reculèrent comme un seul homme…

Le monstre se redressa, fit volte-face, et, dans le même mouvement, lâcha le cadavre mutilé qui pendait entre ses mâchoires. De la fumée montant de sa peau noire, il défia du regard – et de son rire ! – le sorcier campé devant la cour de dévotion.

Bien qu'ils n'aient plus vraiment besoin d'encouragements pour fuir, les soldats continuaient à pousser les fidèles le long du couloir.

Zedd fit rouler des boules de feu sur le sol en direction du monstre, qui les écarta de son chemin à grands coups de pied.

Les flammes étaient impuissantes contre cette créature et le sorcier ne l'avait pas oublié. Mais il tenait à attirer son attention. Et cette tactique fonctionna.

— Chase, il faut que la bête tombe dans l'eau !

— Si elle est morte avant, ça te dérangera ?

— Pas du tout !

Ses griffes raclant le sol, le monstre chargea le ridicule vieillard qui prétendait s'opposer à lui. Zedd lança un nouveau « poing d'air », histoire de le ralentir un peu. Sinon, ils ne pourraient pas mettre sa stratégie en œuvre… Le grinceur tomba plusieurs fois sous l'impact, mais il se releva sans difficulté.

Armé d'une masse d'armes à six lames, Chase attendait aussi, ramassé sur lui-même pour encaisser le choc.

Le grinceur bondit dans les airs – on aurait juré qu'il volait – et atterrit sur Zedd avant que celui-ci n'ait eu le temps de s'écarter. En s'écroulant, le vieil homme tissa devant lui une toile d'air pour se protéger des griffes et des dents qui visaient sa gorge.

Le sorcier et le monstre roulèrent ensemble sur le sol. Chase visa la tête du grinceur avec sa masse d'armes et fit mouche. Il réitéra son coup quand la créature se retourna, la toucha à la poitrine et la propulsa loin de Zedd, qui entendit un craquement d'os. Comme d'habitude, le grinceur ne sembla pas se soucier des dégâts.

Son unique bras tendu, il faucha les jambes du garde-frontière et lui sauta dessus dès qu'il fut à terre. Rachel avança et plaqua son bâton sur le dos de la bête, qui s'embrasa mais ne broncha pas. Zedd lutta pour reprendre ses esprits, puis poussa violemment l'air avec l'espoir de propulser leur adversaire dans l'eau.

Ses yeux noirs brillant de colère au milieu des flammes, un rictus sur la gueule, le grinceur s'accrocha à Chase de toutes ses griffes.

Le garde-frontière leva sa masse d'armes et l'abattit sur le monstre. Le formidable impact le propulsa directement dans l'eau, qui bouillonna rageusement.

Zedd embrasa l'air, à l'aplomb du bassin. Son feu magique aspira toute la chaleur du liquide, qui se transforma aussitôt en glace et emprisonna le monstre. Puis le feu s'éteignit, privé de combustible. Le silence revint, à peine troublé par les gémissements des blessés qui gisaient dans le couloir.

Rachel se jeta sur le garde-frontière.

— Chase, Chase ! sanglota-t-elle. Tu vas bien ?

— Je suis en pleine forme, ma chérie, mentit son nouveau père.

Il s'assit péniblement et enlaça la fillette.

— Chase, fit Zedd, conscient que son ami n'allait pas bien du tout, va t'asseoir sur ce banc avec Rachel. Je dois m'occuper des blessés, et il ne faut pas qu'elle voie ça…

Cette ruse l'empêcherait de courir partout avant qu'on ait pu le soigner. Quand Chase obéit sans protester, Zedd comprit qu'il était vraiment amoché.

L'officier et huit soldats déboulèrent dans la cour de dévotion. Quelques hommes étaient couverts de sang, leurs plastrons zébrés de griffures. Tous regardèrent le monstre enchâssé dans la glace.

— Du joli travail, sorcier Zorander, fit l'officier, admiratif. Il y a quelques survivants dans le couloir. Très mal en point… Vous pouvez les soigner ?

— Je vais voir ça… En attendant, vos hommes devraient débiter ce monstre en rondelles avant qu'il fasse fondre la glace.

— Il est toujours vivant ?

— Oui… Il vaudrait mieux ne pas perdre de temps !

Les soldats avaient déjà saisi leurs haches, attendant les ordres. Sur un signe de leur chef, ils se ruèrent vers leur proie.

— Sorcier Zorander, demanda l'officier, de quel monstre s'agit-il ?

— C'est un grinceur, répondit Zedd en jetant un coup d'œil à Chase, qui ne broncha pas, aussi impassible que d'habitude.

— Les grinceurs, lâchés dans notre monde ? s'étrangla le militaire. Sorcier Zorander, vous ne parlez pas sérieusement ?

Étudiant son interlocuteur, Zedd vit sur son visage des cicatrices qu'il n'avait pas encore remarquées. Sans nul doute, il les avait récoltées lors de combats à mort, car les soldats de D'Hara ne connaissaient pas d'autre façon de se battre. Ce gaillard n'était pas du genre à montrer sa peur, même face au pire danger.

Le sorcier soupira de lassitude. Il n'avait pas dormi depuis des jours… Quand le *quatuor* de Rahl avait tenté de capturer Kahlan, lui annonçant que Richard était mort, l'Inquisitrice s'était plongée dans le Kun Dar – la Rage du Sang. Après qu'elle eut tué leurs agresseurs, Chase, Zedd et elle avaient marché trois jours et trois nuits pour atteindre le palais. Kahlan entendait se venger, et personne ne pouvait arrêter une Inquisitrice possédée par l'antique magie du Kun Dar.

Au palais, dans le Jardin de la Vie, ils avaient découvert que Richard n'était pas mort. Tout ça datait de la veille, mais on eût dit qu'une éternité s'était écoulée.

Sous leurs yeux impuissants, Darken Rahl avait travaillé toute la nuit pour s'approprier la magie d'Orden. Quelques heures plus tôt, il avait ouvert la mauvaise boîte et perdu la vie. Tué par la Première Leçon du Sorcier, superbement utilisée par Richard. Une preuve que le jeune homme avait le don, même s'il refusait d'y croire. Car il fallait ça pour retourner la Première Leçon contre un sorcier de l'envergure de Darken Rahl.

— Quel est votre nom ? demanda Zedd, pendant que les soldats s'acharnaient sur le monstre.

L'homme se mit au garde-à-vous.

— Général en chef Trimack, Première Phalange de la garde du palais.

— Première Phalange ?

L'officier bomba le torse, les mâchoires serrées.

— Le cercle de fer qui protège maître Rahl, sorcier Zorander. Deux mille guerriers d'élite. Nous étripons quiconque ose menacer le seigneur Rahl !

— Général, un homme comme vous sait que les chefs sont condamnés à assumer seuls le fardeau de la connaissance…

— Bien sûr !

— La nature de ce monstre doit rester secrète jusqu'à nouvel ordre…

— Je comprends, sorcier Zorander, fit l'homme en claquant des talons. Et les blessés, dans le couloir, pouvez-vous les aider ?

Un soldat qui se souciait de victimes innocentes… De quoi s'attirer le respect de Zedd. Ainsi, l'indifférence du général, au début, était due au sens du devoir, pas à la sécheresse de cœur.

Zedd avança dans le couloir et Trimack lui emboîta le pas.

— Vous savez que Darken Rahl est mort ?

— Oui. J'étais avec les autres, devant le palais, ce matin. Et j'ai vu le nouveau maître Rahl, avant qu'il ne s'envole à dos de dragon rouge.

— Servirez-vous Richard aussi fidèlement que votre précédent maître ?

— Il est de la Maison Rahl, non ?

— C'est un Rahl…

— Et il a le don ?

— Exact…

— Nous le défendrons jusqu'à notre dernier souffle. Personne ne touchera à un de ses cheveux.

— Le servir ne sera pas facile, lâcha Zedd. Le bougre est têtu comme une mule !

— C'est un Rahl… Donc, ça va sans dire.

Zedd ne put réprimer un sourire.

— C'est aussi mon petit-fils, même s'il ne le sait pas encore. Pour tout vous avouer, il ignore qu'il est un Rahl. Et encore plus *le* maître Rahl. À mon avis, il ne sera sûrement pas ravi de l'apprendre. Mais un jour ou l'autre, il aura besoin de vous. Si vous lui témoignez un peu d'indulgence, général Trimack, je tiendrai ça pour une faveur personnelle.

Trimack regarda autour de lui, à l'affût du moindre danger.

— Je donnerai ma vie pour lui !

— Au début, un peu d'indulgence et de compréhension lui sera plus utile. Le pauvre garçon se prend pour un simple guide forestier. C'est un meneur d'hommes né, mais il n'en sait rien ! Il voudra fuir ses responsabilités. Pourtant, elles lui tomberont quand même sur le dos.

— Marché conclu, dit Trimack, en souriant pour la première fois. (Il s'arrêta de marcher et dévisagea le sorcier.) Comme tout soldat de D'Hara, je sers maître Rahl. Mais il doit aussi nous servir. Moi, je suis l'acier qui affronte l'acier. Il sera la magie qui s'oppose à la magie. Sans l'acier, il survivra peut-être, mais privés de sa magie, nous n'aurons aucune chance… À présent, dites-moi pourquoi un grinceur est sorti du royaume des morts.

— Votre ancien maître s'est frotté à une magie dangereuse, répondit Zedd. Celle du royaume des morts, justement. Il a déchiré le voile qui le sépare de notre monde.

— Que ce fou soit maudit ! Il devait nous protéger, pas attirer sur nous une nuit éternelle. Quelqu'un aurait dû le tuer !

— Un homme l'a fait : Richard.

— Alors, le nouveau maître Rahl est déjà notre protecteur.

— Il y a quelques jours, certains auraient pris ces paroles pour une trahison.

— Livrer les vivants à la violence des morts est une pire félonie !

— Hier, général, vous auriez abattu Richard pour l'empêcher de nuire à Darken Rahl…

— Et lui m'aurait égorgé pour parvenir jusqu'à son adversaire. Aujourd'hui, nous nous servons mutuellement. Seul un fou marche vers l'avenir à reculons.

Zedd approuva du chef cette sage déclaration et fit au militaire un sourire plein de respect. Puis il plissa le front et se pencha en avant.

— Si la déchirure du voile n'est pas refermée, le Gardien entrera dans notre univers. Alors, nous connaîtrons tous le même sort. D'Hara disparaîtra et le reste du monde avec ! D'après ce que je connais des prophéties, Richard est le seul homme qui puisse empêcher ça. Souvenez-vous-en, si quelqu'un essaie de toucher à un de ses cheveux.

— L'acier luttera contre l'acier, promit Trimack, afin que la magie puisse s'opposer à la magie.

— Parfait ! Vous avez tout compris.

Chapitre 3

Zedd baissa les yeux sur les morts et les agonisants qui jonchaient le couloir. Impossible de faire un pas sans marcher sur du sang !

Un seul grinceur, pensa le sorcier, le cœur serré.

Que se passerait-il s'ils attaquaient en masse ?

— Général, faites venir des guérisseuses. Je ne peux pas m'occuper de tant de gens...

— Je m'en charge, sorcier Zorander.

Zedd entreprit d'examiner les blessés. Des soldats de la Première Phalange circulaient entre les cadavres, souvent ceux de leurs frères d'armes. Ils tentaient de dégager le passage et s'arrêtaient parfois pour réconforter les blessés. Le vieux sorcier posa le bout de ses doigts sur le front de tous les survivants pour déterminer la gravité de leurs plaies. Certains seraient sauvés par de simples guérisseuses. D'autres auraient besoin d'interventions plus « pointues ».

Il examina un jeune soldat qui s'efforçait de respirer malgré le sang qui emplissait sa bouche, et lâcha un grognement sinistre. Le plastron du pauvre garçon était déchiqueté et on voyait les côtes pointer sous la chair en lambeaux. Alors que Zedd s'efforçait de ne pas vomir, Trimack s'agenouilla de l'autre côté du jeune blessé. Quand les regards des deux hommes se croisèrent, ils hochèrent tristement la tête. Les poumons de ce soldat-là n'aspiraient plus beaucoup d'air.

— Allez voir les autres, dit le général. Je reste avec ce pauvre gosse...

Zedd s'éloigna alors que Trimack, après avoir pris la main du garçon, lui débitait des mensonges réconfortants.

Trois femmes vêtues de longues jupes marron truffées de poches arrivèrent en courant. Quand elles découvrirent le carnage, leurs visages impressionnants de maturité ne trahirent aucune panique.

Elles sortirent de leurs poches des bandages et des cataplasmes, se penchèrent sur les blessés et commencèrent à recoudre leurs plaies ou leur administrer des potions. La plupart des dommages rentraient dans les compétences de ces guérisseuses. Les autres dépassaient souvent celles de Zedd.

Il approcha de la femme qui semblait la moins susceptible de discuter un ordre, et lui demanda d'aller s'occuper de Chase, toujours sur son banc, le menton posé sur la poitrine. Assise à ses pieds, Rachel s'accrochait à ses jambes.

Le sorcier et les deux guérisseuses restantes passèrent d'un blessé à l'autre. Soulageant quand ils le pouvaient, ils se détournaient lorsque c'était impossible.

Penchée sur une patiente récalcitrante qui lui faisait signe de la laisser en paix, une des femmes appela Zedd à l'aide.

En s'accroupissant, il posa les genoux sur la robe poisseuse de sang de la malheureuse. D'une main, elle écarta le bras qu'il tendait vers elle. De l'autre, elle tentait de garder ses intestins en place dans son ventre ouvert.

— Ne vous occupez pas de moi ! D'autres ont besoin d'aide !

La femme avait déjà un teint de cendre… Une fine chaîne d'or où pendait une pierre bleue ceignait son front. La gemme étant de la même couleur que ses iris, on aurait pu croire qu'elle avait trois yeux. Reconnaissant la pierre, Zedd se demanda si elle était authentique, ou s'il s'agissait d'un bijou fantaisie. Voilà des lustres qu'il n'avait plus vu quelqu'un arborer ainsi ce symbole. Une si jeune femme ne savait sûrement pas ce qu'il signifiait.

— Je suis le sorcier Zeddicus Zu'l Zorander. Mon enfant, qui es-tu pour oser me donner des ordres ?

— Pardonnez-moi, sorcier…, souffla la moribonde.

Elle se calma un peu quand Zedd lui posa ses doigts sur le front. Mais la douleur qui déferla en lui le força à retirer sa main et il dut lutter pour refouler ses larmes.

Il n'y avait plus de doute : elle portait la pierre en toute connaissance de cause. Ce troisième œil, celui de l'esprit, était le talisman de sa vision intérieure.

Quelqu'un tira soudain sur la tunique du vieil homme.

— Sorcier, lança une voix geignarde dans son dos, occupez-vous d'abord de moi ! (Zedd se retourna et découvrit un visage aussi désagréable que la voix – et peut-être même un peu plus.) Je suis dame Ordith Condatith de Dackidvich, de la Maison Burgalass. Cette fille est une vulgaire servante. Si elle avait couru assez vite, je ne serais pas dans cet état. Elle était si lente que j'aurais pu y laisser la vie. Occupez-vous de moi ! Je risque d'expirer à tout moment.

Avant même de la toucher, Zedd aurait juré qu'elle n'avait pas grand-chose.

— Veuillez me pardonner, ma dame…, dit-il en lui palpant le front.

Exactement ce qu'il pensait : des côtes fêlées, des contusions aux jambes et une petite coupure sur un bras. Un ou deux points de suture et il n'y paraîtrait plus !

— Alors ? demanda la dame en tirant sur la fraise couleur argent qui lui serrait le cou. Ah, ces sorciers, de vrais bons à rien ! Et les gardes ! On aurait dit qu'ils dormaient debout ! Maître Rahl en sera avisé ! Qu'en est-il de mes blessures ?

— Ma dame, je doute de pouvoir quelque chose pour vous…

— Quoi ? (Elle tira violemment sur la fraise, comme pour se donner de l'air.) Soignez-moi, ou je m'assurerai que votre tête finisse au bout d'une pique. Alors, on verra quel bien vous apporte votre fichue magie !

— Ma dame, je vais faire de mon mieux…

Zedd saisit la manche droite de la femme, là où elle était entaillée, et tira d'un coup sec pour déchirer sur toute sa longueur le satin marron hors de prix. Puis il reposa une main sur l'épaule de la fille à la pierre bleue, lui transmit un peu de sa force et bloqua la douleur. Voyant que sa respiration se calmait, il laissa sa main en place et utilisa sa magie pour réconforter la patiente.

— Ma robe ! couina dame Ordith. Elle est fichue !

— Désolé, mais la plaie risquait de s'infecter. Mieux vaut perdre un vêtement qu'un bras. N'est-ce pas ?

— Eh bien, je suppose que oui…

— Une quinzaine de points de suture devraient suffire, dit Zedd à la guérisseuse agenouillée entre les deux blessées.

La femme regarda la plaie minuscule, puis dévisagea le sorcier.

— Je suis sûre que vous savez ce que vous dites, sorcier Zorander, fit-elle, son regard trahissant qu'elle avait compris les intentions de Zedd.

— Quoi ? s'égosilla la dame. Vous n'allez pas laisser cette charcutière prendre soin de moi ?

— Ma dame, je suis âgé, la couture me dépasse, et mes mains tremblent parfois beaucoup. J'ai peur de faire plus de mal que de bien, mais si vous insistez…

— Non… Va pour la charcutière…

— Parfait. (Zedd regarda la guérisseuse. Elle n'avait pas bronché, mais légèrement rosi.) Pour les autres blessures de cette dame, considérant sa souffrance, j'ai peur qu'il n'y ait qu'un espoir. Avez-vous de la racine de mimosa ?

— Oui, mais…

— Très bien, coupa Zedd. Deux cubes devraient suffire.

— Deux ? Mais…

— Ne lésinez pas ! s'écria dame Ordith. Si vous tombez à court, quelqu'un de moins important que moi devra s'en passer, c'est tout ! Je veux la plus forte dose !

— Bien dit ! fit Zedd. Guérisseuse, donnez-lui trois cubes. Râpés, pas entiers !

— Râpés ? répéta la guérisseuse, époustouflée.

Zedd acquiesça fermement et la « charcutière » sourit. Cette racine apaiserait la douleur, mais il n'y avait aucune raison de la râper. Et un cube aurait suffi. Trois, sous cette forme, ficheraient des coliques d'enfer à la noble dame, qui ne sortirait pas beaucoup de ses toilettes pendant une semaine.

— Comment vous nommez-vous, ma chère ? demanda Zedd à la guérisseuse.

— Kelley Hallick.

— Eh bien, Kelley, d'autres blessés ont-ils besoin de mes soins ?

— Non, messire. Middea et Annalee peuvent s'en charger.

— Alors, auriez-vous la bonté de conduire dame Ordith dans un endroit où elle cessera… hum… où elle sera à son aise pendant que vous la secourez ?

Kelley baissa les yeux sur la fille à la pierre bleue.

— Bien sûr, sorcier Zorander. Vous avez l'air épuisé. Quand vous aurez fini, passez me voir et je vous ferai une tisane à la sténadine.

La guérisseuse eut de nouveau un petit sourire. Connue pour ses vertus reconstituantes, cette décoction était aussi un redoutable aphrodisiaque. Et cette femme devait savoir la préparer à la perfection…

— Je viendrai peut-être, répondit le sorcier, non sans un clin d'œil à la séduisante guérisseuse.

À un autre moment, ça n'aurait pas été des paroles en l'air. Pour l'heure, il avait d'autres soucis en tête.

— Dame Ordith, comment s'appelle votre servante ?

— Jebra Bevinvier. Elle ne vaut rien ! Paresseuse et arrogante, voilà ce qu'elle est !

— Eh bien, vous n'aurez plus à la supporter. Sa convalescence sera longue et vous quitterez bientôt le palais…

— Moi, quitter le palais ? Je n'en ai pas la moindre intention.

— L'endroit n'est plus assez sûr pour quelqu'un de votre importance. Et comme vous le dites si bien, les gardes passent leur temps à ronfler. Il faut partir, ma dame, je vous en conjure !

— Mais je n'avais pas prévu de…

— Kelley, coupa Zedd, il est temps de conduire dame Ordith dans un lieu plus digne de son statut.

Kelley emporta la dame – comme un vulgaire sac de linge – avant qu'elle ait eu le temps de protester davantage. Zedd sourit à Jebra et écarta doucement les mèches de cheveux blonds collées à son front. La jeune femme tenait toujours un bras sur sa blessure. Le sorcier avait réussi à enrayer l'hémorragie, mais ça ne suffirait pas à la sauver. Il fallait remettre ses entrailles à leur place.

— Merci, messire. Je me sens déjà beaucoup mieux. Si vous m'aidez à me lever, je cesserai de vous embêter…

— Ne bouge pas, mon enfant. Nous devons parler…

D'un regard, il signifia aux curieux de s'éloigner. Les soldats de la Première Phalange n'eurent pas besoin d'un dessin pour disperser l'attroupement.

— Je vais mourir, n'est-ce pas ? demanda Jebra, son souffle s'accélérant.

— Pour ne pas te mentir, mon enfant, guérir ta blessure serait déjà à la limite de mes compétences sans mon épuisement actuel. Hélas, si je prends le temps de récupérer, ce sera trop tard pour toi. Et sans intervention, tu succomberas. Mais si j'essaye, cela hâtera peut-être ta fin.

— Combien de temps me reste-t-il ?

— Sans soins, peut-être quelques heures. Voire la nuit… Et j'apaiserai la douleur pour que ton agonie soit supportable.

— Je n'aurais pas cru tenir autant à la vie, gémit Jebra.

— À cause de la Pierre de Divination que tu portes ?

— Vous l'avez reconnue ? Et vous savez qui je suis ?

— Oui. Il y a longtemps qu'on n'identifie plus les pythies à leur pierre, mais je suis très vieux… Pourquoi as-tu d'abord refusé que je t'aide ? Tu craignais que ton contact me fasse du mal ?

— Oui… Mais soudain, j'ai eu très envie de vivre.

— C'est tout ce que je voulais savoir, fit Zedd en tapotant l'épaule de la jeune femme. Ne t'en fais pas pour moi. Je suis un sorcier du Premier Ordre, pas un débutant.

— Du Premier Ordre ? J'ignorais qu'il en restait encore… S'il vous plaît, messire, ne risquez pas votre vie pour moi !

— Ma vie n'est pas en danger, même si je souffrirai un peu. Au fait, mon nom est Zedd !

Jebra réfléchit un court moment. Puis sa main libre agrippa la manche du vieux sorcier.

— Zedd, puisque j'ai le choix, je veux tenter de survivre…

— Dans ce cas, je jure de faire de mon mieux… (Alors qu'il lui caressait le front, elle s'accrocha à lui comme un naufragé à une planche.) Mais peux-tu t'arranger pour que les visions ne me fassent pas trop souffrir ?

— Non… Je suis navrée… Peut-être ne devriez-vous pas…

— Plus un mot, mon enfant !

Zedd prit une grande inspiration, posa une main sur le bras de Jebra, qui compressait la blessure, et plaça doucement son autre paume sur ses yeux. Les dégâts ne pouvaient pas être réparés de l'extérieur. Il devait agir de l'intérieur, avec l'aide psychique de Jebra. Cela pouvait la tuer. Et lui avec.

Zedd rassembla ses forces et leva tous ses boucliers mentaux. Le déferlement de douleur lui coupa le souffle et il n'osa pas gaspiller son énergie à tenter de le reprendre. Les dents serrées, les muscles durs comme de la pierre, il lutta pour résister à l'assaut. Et il n'avait pas encore effleuré la douleur de la blessure ! Avant de s'attaquer à ce problème, il lui fallait s'accommoder de celle que lui infligeaient les visions de Jebra.

Torturé, son esprit sombra dans un torrent d'obscurité où tourbillonnaient des images fantômes. Si leur sens lui échappait, leur *réalité* le blessait comme une lame. Bien qu'il eût fermé les yeux, des larmes s'en échappèrent, et ses membres tremblèrent sous l'effort qu'il produisait pour nager à contre-courant du flot d'angoisse. Car s'il se laissait emporter, il ne retrouverait jamais les rivages de la vie…

L'émotion que charriaient les visions le frappa plus violemment à mesure qu'il s'enfonçait dans l'esprit de la jeune femme. De sombres pensées, tapies sous la surface de cet océan, s'accrochèrent à sa volonté comme des griffes et tentèrent de l'entraîner dans les profondeurs d'une résignation sans espoir. Ses souvenirs les plus pénibles remontèrent à sa conscience pour se jeter dans le fleuve de tristesse qu'était depuis toujours la vie de Jebra. Une atroce confluence de douleur et de folie ! N'étaient son expérience et sa détermination, la santé mentale et la volonté de Zedd auraient été inexorablement entraînées vers les hauts-fonds de l'amertume et du chagrin.

Sa lutte fut récompensée quand il atteignit l'essence même de Jebra, au centre de son âme, où régnaient le calme et une douce lumière blanche. Après ce qu'il venait de traverser, Zedd trouva presque réconfortant le contact de la douleur « modérée » liée à une blessure pourtant mortelle. L'imagination dépassait toujours la réalité, et dans cet imaginaire-là, la souffrance existait bel et bien.

Autour de cette oasis de paix, les ténèbres glaciales de la mort gagnaient inexorablement du terrain sur la chaude lumière de la vie, impatientes d'envahir à jamais l'esprit de leur proie. Zedd repoussa ce linceul d'obscurité et laissa la vive lueur de son pouvoir illuminer et réchauffer l'esprit de la jeune femme. Devant la puissance de la Magie Additive, les ombres furent contraintes de reculer.

La force de cette magie, son amour profond de la vie, remirent les organes de Jebra là où la nature les avait placés.

Zedd n'ayant pas osé consacrer une once de son énergie à calmer la douleur, Jebra hurla et cambra le dos. Le vieil homme partagea ce calvaire, son propre abdomen tellement déchiré qu'il tremblait comme une feuille.

Quand le plus difficile – qui resterait toujours au-delà de sa compréhension – fut accompli, le sorcier détourna un peu d'énergie pour apaiser les tourments de Jebra. Avec un soulagement qu'il éprouva dans sa propre chair, elle se laissa retomber sur le sol en gémissant.

Zedd utilisa son pouvoir pour l'ultime étape : refermer la plaie. Les tissus se ressoudèrent, strate par strate, formant des muscles puis une peau aussi lisse que celle d'un nouveau-né.

Le miracle réalisé, Zedd devait sortir de l'esprit de Jebra, une étape encore plus dangereuse que les autres, surtout dans son état d'épuisement. S'inquiéter étant une perte de temps, il s'abandonna au torrent de douleur…

… et se retrouva, une bonne heure après le début du sauvetage, à genoux sur le sol, le dos voûté, des larmes ruisselant de ses yeux.

Jebra s'assit, lui passa un bras autour des épaules et le serra contre lui. Soudain conscient qu'il était revenu dans le monde réel, Zedd reprit le contrôle de son corps et de ses émotions, et adopta une posture plus adaptée à son statut. Jetant un coup d'œil autour de lui, il constata que les soldats et les curieux se tenaient à une distance respectable, quasiment hors de portée d'oreille. Seul un fou aurait voulu rester près d'un sorcier dont la magie arrachait des cris pareils à une jeune femme…

— Et voilà, dit-il, sa dignité en partie retrouvée, ce n'était pas si terrible. Je crois que tout est rentré dans l'ordre…

Jebra eut un étrange petit rire et le serra plus fort contre elle.

— On m'a enseigné qu'un sorcier ne pouvait pas guérir une pythie…

— Un sorcier ordinaire en serait incapable, pontifia Zedd en levant un index décharné. Mais je suis Zeddicus Zu'l Zorander, du Premier Ordre…

— Je n'ai rien de valeur à vous offrir, dit Jebra en écrasant une larme sur sa joue. À part cela… (Elle retira la chaîne qui ceignait son front et la tendit au vieil homme.) Veuillez accepter cet humble présent…

— C'est très gentil à toi, Jebra Bevinvier, dit Zedd en baissant les yeux sur le bijou. Crois-moi, je suis très touché. (*Et un rien coupable de t'avoir suggéré cette idée*, ajouta-t-il *in petto*.) C'est une belle chaîne… Je l'accepte avec une profonde et modeste gratitude. (Invoquant une infime volute de pouvoir, il sépara la pierre de son support – la seule chose dont il avait besoin.) Mais garde donc ta pierre, mon enfant. Elle te revient de droit.

Jebra prit la pierre et embrassa le sorcier sur la joue.

— À présent, mon enfant, fit Zedd, enchanté de ce baiser, tu vas devoir te reposer. Pour te guérir, je t'ai pris beaucoup de force. Quelques jours au lit et tu seras en pleine forme.

— Vous m'avez guérie, Zedd, mais aussi… hum… débarrassée de ma patronne. Je dois trouver un emploi pour me nourrir. (Elle regarda sa robe verte déchirée et tachée de sang.) Et me vêtir.

— Pourquoi portais-tu la pierre, si tu étais vraiment la servante de dame Ordith ?

— Peu de gens savent ce que représente ce symbole. Dame Ordith l'ignorait. Son époux, le duc, en était informé. Il voulait en tirer partie, mais son dragon d'épouse n'aurait jamais accepté qu'il ait une femme à son service. Du coup, il m'a engagée comme dame de compagnie pour elle… Je sais que se prêter à ce genre de stratagème n'est pas honorable pour une pythie, mais il y a beaucoup de misère en Burgalass. Parce qu'ils redoutaient mes visions, mes parents m'ont mise à la porte… Juste avant de mourir, ma grand-mère m'avait donné la pierre et dit qu'elle serait honorée si je la portais. Merci de me l'avoir rendue… d'avoir si bien compris…

Ces deux dernières phrases ravivèrent la culpabilité du sorcier.

— Ainsi, le duc te demandait de le servir en douce ?

— Oui. Cela dure depuis une dizaine d'années. Étant la dame de compagnie de son épouse, j'étais presque toujours présente lors des cérémonies ou des négociations. Après, le duc me consultait en secret, pour que je lui dise ce que j'avais vu sur ses adversaires. Grâce à moi, il est devenu puissant et riche. Presque plus personne ne sait ce que signifie une Pierre de Divination. Le duc méprisait les ignorants. Me laisser porter l'artéfact était une manière de se moquer de ses idiots d'adversaires. J'étais aussi chargée de surveiller dame Ordith, qui n'aurait pas détesté devenir veuve avant le temps. Ayant constaté qu'elle n'y parvenait pas, elle s'est contentée de quitter le château du duc le plus souvent possible. Elle aurait adoré être débarrassée de moi, mais son mari usait de toute son influence pour qu'elle me garde à son service.

— Pourquoi aurait-elle aimé ne plus t'avoir avec elle ? Serais-tu paresseuse et arrogante, comme elle le prétendait ?

Zedd sourit pour signifier qu'il plaisantait.

— Non, répondit Jebra en lui rendant son sourire. C'est à cause des visions. Quand j'en ai… Eh bien, en me guérissant, vous avez éprouvé une grande souffrance. Si c'est moins grave pour moi, ça m'empêche parfois de faire mon autre travail.

— Puisque te voilà au chômage, fit Zedd en se grattant le menton, rien ne t'empêche de passer ta convalescence ici, comme invitée d'honneur. J'ai une certaine influence au Palais du Peuple… (*Le plus surprenant,* pensa-t-il en sortant une bourse bien garnie de sa poche, *c'est que je dis la stricte vérité !*) Accepte cet argent pour tes menues dépenses et en guise d'avance sur ton salaire, si je peux te convaincre de prendre un nouvel employeur.

Jebra soupesa soigneusement la bourse.

— Si ce sont des pièces de cuivre, ça ne suffira pas, sauf pour vous. (Elle sourit et se pencha vers le sorcier, une lueur amusée – mais un rien réprobatrice – dans le regard.) Et si elles sont en argent, c'est beaucoup trop !

— Elles sont en or, dit Zedd, soudain très sérieux. Mais tu ne travailleras pas directement pour moi.

Jebra regarda la bourse, les yeux écarquillés, puis les releva vers le vieil homme.

— Pour qui, alors ?

— Richard. Le nouveau maître Rahl.

Jebra blêmit, secoua vigoureusement la tête et rendit la bourse au sorcier.

— Non. Désolée, mais je ne veux pas être à son service.

— Pourtant, il n'est pas maléfique. C'est même un très gentil garçon.

— Je sais.

— Tu le connais ?

— Je l'ai vu hier… Oui, le premier jour de l'hiver.

— Et tu as eu des visions à son sujet ?

— Oui…, souffla Jebra.

— Dis-moi ce que tu as vu. Sans rien omettre. C'est très important !

Jebra resta silencieuse un long moment.

— C'était pendant les dévotions du matin…, dit-elle enfin. Quand la cloche a sonné, je suis allée dans une cour, et il était là, immobile devant un bassin, comme fasciné par les poissons. Je l'ai remarqué parce qu'il portait l'épée du Sourcier. Et aussi à cause de sa taille et de sa beauté. De plus, il ne s'était pas agenouillé… À un moment, nos regards se sont croisés, et le pouvoir que j'ai senti en lui m'a coupé le souffle. C'était le *don*, Zedd, et je suis capable de le reconnaître, comme toutes les pythies… J'ai déjà vu des gens qui le détiennent. Leur aura est unique. Tous étaient comme vous, débordant de chaleur et de gentillesse. Votre aura est magnifique. La sienne est différente. Il a vos qualités… avec quelque chose de plus.

— La violence, souffla Zedd. Parce qu'il est le Sourcier.

— Peut-être… Je ne saurais le dire, car je n'avais jamais rien vu de comparable. Mais je sais ce que ça m'a fait. On aurait cru qu'on me plongeait la tête dans un baquet d'eau glacée, sans que j'aie pu prendre une inspiration avant… Parfois, je n'ai pas de vision au sujet d'une personne. Dans d'autres cas, elles explosent dans mon esprit. Impossible de dire quand ça se produira. Mais lorsque les gens sont désespérés, leur aura brille plus, et les visions viennent plus facilement. L'aura de Richard évoquait un éclair au plus fort de la tempête. Il était à la torture, comme un animal pris au piège qui se ronge une patte pour fuir. Terrifié par l'idée de devoir trahir ses amis pour les sauver… Je n'ai pas compris ce que ça signifiait. Pour moi, ça n'avait aucun sens. Mais j'ai vu l'image d'une femme superbe aux cheveux très longs. Peut-être une Inquisitrice, même si ça paraît impossible, dans ce contexte… L'aura de Richard irradiait tant d'angoisse pour elle que je me suis touché le visage, craignant que ma peau ne soit brûlée. C'était si douloureux que je me serais jetée à genoux, même si ça n'avait pas été l'heure des dévotions…

» Je voulais courir le réconforter quand deux Mord-Sith sont arrivées. Elles ont bien entendu remarqué qu'il était debout… Il n'a pas eu peur, mais s'est agenouillé quand même, accablé par la trahison qu'il allait devoir commettre. Quand j'ai vu ça, j'ai cru en avoir fini avec lui et cela me soulagea. Avoir des visions sur cet homme aurait été terrible !

— Mais tu n'en avais pas fini avec lui…

— Non… Je croyais que le pire était passé, mais je me trompais. (Jebra se tordit nerveusement les mains.) Nous récitions la prière au Petit Père Rahl. Soudain, Richard s'est relevé en souriant. J'ai compris qu'il avait trouvé une solution à son dilemme. Oui, la dernière pièce du puzzle était en place ! Dans son aura, il n'y avait plus que le visage de la femme, et son amour pour elle.

La pythie secoua mélancoliquement la tête.

— Je plains le fou ou la folle qui tentera de s'interposer entre ces deux-là… Le meilleur moyen d'être broyé en un clin d'œil, et je ne suis pas sûre qu'ils s'en apercevraient !

— La femme s'appelle Kahlan, précisa Zedd avec un petit sourire. Que s'est-il passé ensuite ?

— Les visions ont défilé dans ma tête… J'ai vu Richard tuer un homme, mais je n'aurais pas pu dire comment. Pas en versant son sang. Pourtant, le résultat était le même. Puis j'ai vu qui était sa cible : Darken Rahl. Après, j'ai appris qu'il était son père, mais Richard l'ignorait. J'avais en face de moi l'héritier de Darken Rahl – le futur maître. Son aura était déchirée par de terribles conflits. Un homme du peuple destiné à devenir roi…

Zedd posa une main amicale sur l'épaule de la pythie.

— Darken Rahl voulait s'approprier une magie dangereuse pour régner sur le monde. En l'arrêtant, Richard a épargné la torture ou la mort à une multitude d'innocents. Même si commettre un meurtre est mal, c'était pour la bonne cause. Tu n'as sûrement pas peur de lui à cause de ça…

— Non, c'est la suite qui m'a terrorisée. Quand il s'est levé, en plein milieu de la dévotion, les deux Mord-Sith se sont interposées. L'une d'elle a brandi un Agiel, et j'ai vu qu'il en portait un autour du cou. Rouge, comme les leurs… Il l'a saisi et a annoncé qu'il les tuerait si elles ne s'écartaient pas. Son aura exprimait une violence qui m'a coupé le souffle. Il aurait aimé qu'elles relèvent son défi ! Elles l'ont senti et se sont effacées…

» J'ai eu les autres visions au moment où il s'en allait… (Des larmes perlant à ses paupières, Jebra se posa une main sur le cœur.) Zedd, elles ne sont pas toujours claires. Parfois, leur signification m'échappe. Un jour, j'ai vu une famille entière de fermiers dont des oiseaux picoraient les entrailles. Comment donner un sens à ça ? Plus tard, j'ai appris que des merles avaient dévoré leurs semailles. Ils ont pu replanter et protéger leurs champs. Mais s'ils n'avaient pas réussi, tous seraient morts de faim.

» Parfois, j'ignore si les visions se réaliseront. Pour certaines, je *sais* que les choses se passeront ainsi.

— Je comprends, Jebra… Les visions sont une forme de prophétie, donc elles peuvent être déroutantes. Comment étaient celles que tu as eues au sujet de Richard ? Confuses ou précises ?

— Elles allaient de l'imprécision totale à la clarté la plus limpide. Un torrent d'images comme je n'en avais jamais connu. En principe je n'ai qu'une vision et les choses sont simples : je sais ou non ce qu'elle signifie et si elle se réalisera. Avec Richard, c'était une tempête d'images ! Mais toutes charriaient la douleur, la violence et le danger. Celles qui prédisaient vraiment son avenir étaient les pires. J'ai vu quelque chose, autour de son cou… Sans savoir ce que c'est, j'ai la certitude que ça lui fera du mal. Et que ça le séparera de cette femme… Kahlan… Et de tous ceux qu'il aime. Il sera prisonnier, loin de tout…

— Richard a été capturé et torturé par une Mord-Sith. C'est sans doute ça que tu as vu…

— Il ne s'agissait pas du passé, mais de l'avenir. Et la douleur n'était pas celle qu'inflige une Mord-Sith.

— Quoi d'autre ? demanda Zedd.

— Je l'ai vu dans un sablier. Il était à genoux dans la moitié inférieure et pleurait d'angoisse. Le sable tombait autour de lui, mais pas un grain ne le touchait. Dans la partie supérieure, hors de sa portée, se dressaient les pierres tombales de tous ceux qu'il aime. J'ai vu un couteau pointé sur son cœur. Et c'était lui qui le tenait, les mains tremblantes. Mais une nouvelle image a chassé celle-là avant que j'aie vu la suite. Ça ne signifie pas qu'il ait survécu, car les visions ne se présentent pas toujours dans l'ordre chronologique. Richard portait un splendide manteau rouge avec des boutons et des épaulettes en or. Il gisait sur le ventre, un couteau dans le dos. Il était mort, et pourtant… il ne l'était pas vraiment. Il a tenté de se retourner, mais une autre image a jailli avant que je voie son masque mortuaire… Ce fut la plus forte, et la pire. (À présent, Jebra sanglotait. Zedd lui tapota l'épaule pour l'encourager à continuer.) J'ai vu sa peau brûler ! (Elle essuya ses larmes et se balança d'avant en arrière, comme un enfant qui se berce.) Il hurlait et je sentais l'odeur de ses chairs calcinées. Puis ce qui le torturait, je ne peux pas dire quoi, s'est éloigné de lui, et il a perdu connaissance. Sur sa peau, j'ai vu une marque, comme gravée au fer rouge.

Zedd se racla la gorge, sèche comme du papyrus.

— As-tu distingué ce qu'elle représentait ?

— Pas clairement… Mais je sais qu'elle était là, aussi sûrement que le soleil dans le ciel, à midi. C'était le signe de la mort, celui du Gardien. Il en avait fait sa créature !

— Tu as eu d'autres visions ?

— Oui. Mais elles étaient moins puissantes, et je ne les comprenais pas. Elles défilaient trop vite pour que je capte autre chose que la douleur. Puis cela cessa d'un coup…

» Alors que les Mord-Sith le regardaient partir, je suis allée m'enfermer dans ma chambre, et j'ai pleuré pendant des heures, tétanisée sur mon lit. Dame Ordith est venue frapper à ma porte. Comme j'ai prétendu être malade, elle a fini par partir en me maudissant. J'ai sangloté jusqu'à l'épuisement. Richard est un homme de bien. J'étais terrifiée de voir le mal s'emparer de lui. Et toutes ces visions, bien que différentes, avaient un point commun : le danger entoure cet homme comme l'eau enveloppe un poisson. (Elle se reprit un peu.) Voilà pourquoi je ne travaillerai pas pour lui. Que les esprits du bien me protègent ! Je ne veux rien avoir à faire avec le danger qui le guette. Ni avec le royaume des morts.

— Je comprends, mais j'espérais, avec ton pouvoir, que tu l'aiderais à éviter ce danger…

— Même si on m'offrait toute la puissance et la fortune du duc, je ne voudrais pas être au service de maître Rahl. Je ne suis pas lâche, mais je n'ai rien d'une héroïne… ni d'une imbécile. Mes entrailles sont revenues dans mon ventre. Pas question qu'elles en ressortent – et mon âme avec !

En silence, Zedd regarda Jebra reprendre lentement le contrôle d'elle-même et chasser de son esprit les terribles visions. Quand ce fut fait, et qu'elle leva les yeux sur lui, il dit simplement :

— Richard est mon petit-fils.

— Que les esprits du bien me pardonnent ! gémit Jebra. (Elle ferma les yeux, se plaqua une main sur la bouche et resta ainsi un long moment.) Zedd, je suis navrée de vous avoir dit tout ça. Si j'avais su… Je vous en prie, excusez-moi !

— La vérité est ce qu'elle est, Jebra. Je ne suis pas homme à t'en vouloir parce que tu me l'as montrée. Et n'oublie pas : étant un sorcier, je savais que le danger guettait Richard. C'est pour ça que je voulais t'engager. Le voile est déchiré, mon enfant. Le monstre qui t'a éventrée venait du royaume des morts. Si la brèche s'élargit, le Gardien en sortira aussi. Les actes de Richard, selon les prophéties, font de lui le seul homme susceptible de refermer le voile.

Le sorcier posa les pièces d'or sur les genoux de Jebra. Alors qu'elle baissait les yeux, il retira son bras, et elle fixa la bourse comme si c'était un animal qui risquait de la mordre.

— Ce sera dangereux ? demanda-t-elle d'une toute petite voix.

— Pas plus qu'une petite promenade digestive dans une forteresse ennemie, fit Zedd en souriant.

La main de Jebra serra convulsivement son ventre, là où il aurait dû être encore ouvert. Elle sonda le grand couloir, comme si elle cherchait un moyen de fuir, ou craignait une attaque.

— Ma grand-mère était une pythie, dit-elle sans regarder Zedd, et mon unique guide. Elle m'a dit un jour que les visions me vaudraient une vie de souffrance, et que je ne pourrais pas m'en débarrasser. Mais si j'avais l'occasion de les utiliser pour faire le bien, a-t-elle ajouté, cela allégerait mon fardeau. C'était le soir où elle m'a remis la pierre…

Jebra prit la bourse et la jeta sur les genoux de Zedd.

— Je ne ferais pas ça pour tout l'or de D'Hara. Mais pour vous, je n'hésiterai pas…

Zedd sourit et lui tapota la joue.

— Merci, mon enfant. (Il lui relança la bourse, les pièces cliquetant joyeusement.) Tu auras des frais, donc… L'excédent sera à toi. C'est ma volonté.

— Si vous insistez… Que devrai-je faire ?

— D'abord, nous avons tous les deux besoin d'une bonne nuit de sommeil. Dans quelques jours, dame Bevinvier, ta convalescence terminée, tu devras entreprendre un petit voyage. (Il sourit de la voir froncer comiquement les sourcils.) Nous sommes tous les deux très fatigués. Demain, quand je serai frais et dispos, je devrai partir pour accomplir une mission de la première importance. Avant mon départ, nous reparlerons de tout ça. Mais dès à présent, je te demande de ne plus porter la pierre en public. Montrer ton pouvoir à nos adversaires ne serait pas malin.

— Ainsi, mon nouvel employeur veut aussi que je travaille sous couverture. Voilà qui n'est pas très honorable…

— Ceux qui pourraient te reconnaître ne s'en prendraient pas à ton or, car ce seraient des serviteurs du Gardien. Ils voudront beaucoup plus que de l'or. Et s'ils te débusquent, tu regretteras que je t'aie sauvée aujourd'hui.

Jebra acquiesça avec une grimace éloquente.

Chapitre 4

Pour se relever, Zedd dut soutenir son genou droit d'une main. Puis il aida Jebra à se remettre debout. Comme il le prévoyait, elle dut s'appuyer sur lui pour ne pas tomber. Alors qu'elle s'en excusait, il la fit sourire en déclarant que tenir une jolie jeune femme par la taille valait bien un petit effort.

Autour d'eux, les gens retournaient lentement à leurs occupations. Beaucoup murmuraient en jetant des regards inquiets alentour. Le palais, décidément, n'était plus si sûr que ça... Les blessés et les morts évacués, des servantes en larmes nettoyaient le sol et essoraient leurs serpillières dans des seaux remplis d'une eau rougeâtre. Les soldats de la Première Phalange surveillaient la zone. Zedd avisa Trimack au bout du couloir et le salua amicalement.

— Quitter le palais ne me brisera pas le cœur, dit Jebra. J'ai vu ici des auras qui m'ont donné des cauchemars.

— Que sens-tu chez l'homme qui approche de nous ? demanda le sorcier en désignant Trimack.

La pythie étudia l'officier, qui vérifiait le déploiement de ses hommes.

— Une aura peu brillante... Le sens du devoir. (Elle fronça les sourcils.) Jusque-là, c'était un fardeau pour lui. Désormais, il espère en être fier. Ça vous aide un peu ?

— Beaucoup, oui... Tu as une vision ?

— Non. Rien, à part son aura...

Le sorcier eut l'air pensif, puis il changea abruptement de sujet.

— Je m'étonne qu'une belle fille comme toi n'ait pas encore de mari...

— Trois hommes ont demandé ma main. À chaque fois, quand ils se sont age-nouillés devant moi, je les ai vus au lit avec une autre femme.

— Leur as-tu dit pourquoi tu les refusais ?

— Je n'ai pas *refusé*... Tous ont reçu une telle gifle qu'ils ont dû entendre sonner les cloches un bon moment.

Zedd rit de si bon cœur qu'elle s'esclaffa avec lui.

Ils reprirent leur sérieux quand Trimack se campa devant eux.

— Général, puis-je vous présenter dame Bevinvier ? (L'officier s'inclina.) Comme nous, elle a mission de protéger le nouveau maître. Tant qu'elle sera ici, j'aimerais qu'on lui affecte des gardes du corps. Le seigneur Rahl a besoin de son aide. Et aujourd'hui, elle a failli mourir…

— Entre ces murs, elle sera aussi en sécurité qu'un bébé dans les bras de sa mère. (Trimack se retourna et se tapa sur l'épaule – un code militaire. Aussitôt, une vingtaine de soldats accoururent et se mirent au garde-à-vous devant lui.) Voilà dame Bevinvier. Vous la protégerez au mépris de vos vies.

Tous les hommes se frappèrent le cœur du poing droit. Deux d'entre eux prirent le relais de Zedd pour soutenir Jebra.

Le sorcier remarqua que la pythie serrait toujours sa pierre dans une main. La bourse d'or faisait une bosse dans la poche de sa longue jupe verte souillée de sang séché.

— Soldats, vous lui trouverez des quartiers confortables et vous vous chargerez de lui apporter à manger. Veillez à ce que personne ne la dérange, à part moi. (Le sorcier tapota le bras de la pythie.) Repose-toi, mon enfant. Je viendrai te voir demain matin.

— Merci pour tout, Zedd…

Alors que Jebra et les soldats s'éloignaient, le vieil homme se tourna vers Trimack.

— Il y a au palais une certaine dame Ordith Condatith de Dackidvich. Le seigneur Rahl n'a pas besoin d'une enquiquineuse pareille. Jetez-la dehors avant ce soir. Si elle refuse, donnez-lui le choix entre un carrosse et la potence.

— Je m'occuperai de son cas en personne…

— S'il y a d'autres trublions notoires entre ces murs, faites-leur la même proposition. À nouveau règne, nouvelles lois !

Zedd ne voyait pas les auras, mais il aurait parié que celle de Trimack brillait comme un petit soleil.

— Hélas, certains individus sont rétifs au changement, sorcier Zorander.

À l'évidence, Trimack en avait gros sur le cœur…

— Avez-vous des supérieurs hiérarchiques au palais, à part maître Rahl ? demanda Zedd.

Trimack croisa les mains dans son dos et sonda le couloir du regard.

— Un seul. Demmin Nass, le chef des *quatuors*…

— Il est mort, annonça Zedd, l'estomac retourné à ce souvenir.

Trimack hocha la tête, visiblement soulagé.

— Sous le palais, trente mille soldats sont cantonnés dans les entrailles du plateau. Leurs chefs me commandent sur le terrain, mais ils n'ont pas leur mot à dire ici. Certains apprécieront le changement. D'autres non…

— Richard aura déjà du mal à être la magie qui affronte la magie. Alors, l'acier ne doit pas lui poser de problème… Général, je vous donne carte blanche. Faites tout ce que vous jugerez nécessaire pour le protéger.

— Le Palais du Peuple, même s'il n'est qu'un seul énorme bâtiment, fonctionne comme une ville. Des milliers de personnes y vivent. Des caravanes de marchands et des colporteurs solitaires viennent et repartent chaque jour dans toutes les directions, sauf vers l'est, où s'étendent les plaines d'Azrith. Les routes de ce pays sont les artères qui nourrissent le cœur de D'Hara – le Palais du Peuple.

» À l'intérieur du plateau, il y a deux fois plus de salles qu'au niveau du sol. Comme pour toutes les mégalopoles, il est impossible de connaître avec certitude les motivations des flots de visiteurs. Par prudence, j'ordonnerai la fermeture des portes intérieures pour isoler la partie supérieure du palais. Cela n'a plus été fait depuis des siècles, et ça inquiétera les D'Harans. Mais je prendrai le risque de laisser courir les rumeurs. Le seul moyen d'accès, quand les portes intérieures sont fermées, est la falaise située à l'est. Je m'assurerai que le pont-levis soit dressé en permanence.

» Cela nous laisse quand même les milliers de résidents du palais. Tous sont des ennemis en puissance. Et les soldats dont je vous parlais ont pour chefs des hommes qui toucheraient volontiers aux cheveux de maître Rahl... Le nouveau seigneur n'a rien à voir avec l'ancien, et ils détesteront ça.

» D'Hara est un grand empire sillonné de routes commerciales. Il serait judicieux que certaines divisions soient chargées de surveiller ces voies de communication, en particulier au sud, à la frontière du Pays Sauvage, où les troubles sont incessants. Je suggère aussi que des hommes choisis parmi les régiments loyaux viennent grossir les rangs de la Première Phalange, que je verrais bien forte de six mille têtes...

— Je ne suis pas un militaire, dit Zedd, mais vos idées semblent raisonnables. Le palais doit être aussi sûr que possible. La façon de s'y prendre vous regarde.

— Demain matin, je vous communiquerai les noms des généraux fiables et de ceux qui ne le sont pas.

— Et qu'en ferai-je, de votre liste ?

— Des ordres de cette nature doivent être donnés par quelqu'un qui détient le don.

— Fichtre et foutre, non ! Les sorciers ne dirigent pas les gens. Ça ne marche pas comme ça.

— C'est la règle en D'Hara. La magie et l'épée... Je veux protéger le seigneur Rahl, et c'est comme ça que les choses doivent être faites.

— Trimack, fit Zedd, soudain très las, savez-vous que j'ai combattu et tué des sorciers qui voulaient s'approprier le pouvoir ?

— Messire Zorander, si on me donne le choix, je préfère servir sous les ordres d'un homme que le poids du pouvoir accable. Ceux qui le convoitent sont rarement de bons chefs...

— Eh bien, va pour la liste..., capitula Zedd. Il y a un autre point, encore plus important : le Jardin de la Vie doit rester sous bonne garde. C'est là que le grinceur a attaqué. D'autres pourraient venir... Avant tout, il faudra réparer les portes. Puis placer des soldats autour de l'enceinte. Juste assez loin les uns des autres pour pouvoir manier une hache. Personne n'aura le droit d'entrer, à part Richard, moi ou quelqu'un muni de votre autorisation.

— Nous combattrons jusqu'au dernier, sorcier Zorander ! lança Trimack en se frappant la poitrine.

— Très bien... Le seigneur Rahl aura peut-être besoin des objets conservés dans le Jardin. Pour le moment, je préfère qu'ils y restent, car ils sont très dangereux. Cette mission de surveillance est capitale, général. D'autres grinceurs risquent de venir. Ou de pires monstres encore...

— Quand faut-il craindre une nouvelle attaque ?

— J'aurais juré que nous ne verrions pas de grinceur avant une bonne année. Savoir que le Gardien est déjà capable de lâcher ces monstres m'inquiète beaucoup. J'ignore quelle était la mission de celui-là. Peut-être massacrer à l'aveuglette, et rien de plus. Le Gardien n'a pas besoin de motifs pour tuer. Demain, je quitterai le palais pour tenter d'en apprendre aussi long que possible avant un nouvel assaut…

— Savez-vous quand reviendra le seigneur Rahl ?

— Non… Je pensais avoir un peu de temps pour lui enseigner certaines choses. Mais je vais lui envoyer un messager pour qu'il me rejoigne au plus vite en Aydindril. Là-bas, nous tenterons de mettre un plan au point. Richard est en danger et il ne le sait pas. Pour une fois, les événements m'ont pris de vitesse. Personne ne peut dire ce que le Gardien a en tête, mais j'ai peur que ses tentacules soient très longs. En fait, ils enserraient déjà Darken Rahl avant que le voile ne soit déchiré. La preuve que je me suis fait rouler dans la farine depuis le début !

» Si Richard revenait sans prévenir, ou s'il m'arrivait malheur, aidez-le ! Il croit être un guide forestier, pas le nouveau maître Rahl. Il se méfiera de vous. N'hésitez pas à vous recommander de moi.

— Et pourquoi me croirait-il ?

— Dites-lui que c'est vrai comme verrue de verrat. Il comprendra…

— Vous voulez que le général de la Première Phalange répète une idiotie pareille au seigneur Rahl ?

— Eh bien… hum… (Zedd se redressa et s'éclaircit la gorge.) C'est un code, général. Il en faut, en temps de guerre.

Trimack acquiesça, mais il paraissait sceptique.

— Je vais m'occuper du Jardin de la Vie et des autres problèmes. Ne le prenez pas mal, mais un peu de repos vous ferait du bien. (Il désigna les servantes qui continuaient à nettoyer le sol maculé de sang.) Guérir tant de gens a dû vous épuiser.

— C'est vrai… Merci, général. Je vais suivre votre conseil.

Trimack salua et fit mine de partir. Mais il se ravisa.

— Messire Zorander, puis-je vous faire une confidence ? C'est un plaisir d'avoir au palais un sorcier qui s'acharne à remettre les tripes des gens dans leurs ventres. Le précédent adorait faire l'inverse, et je n'aimais pas ça du tout.

— Général, je suis navré de n'avoir rien pu pour ce jeune soldat…

— Je sais que vous êtes sincère, sorcier Zorander. Oui, c'est vrai comme verrue de verrat !

Zedd regarda le général traverser le couloir et attirer des soldats en armures comme un aimant géant. Puis il leva une main et contempla la chaîne en or enroulée autour de ses doigts squelettiques.

Il soupira de lassitude. L'éternelle méthode des sorciers : utiliser les gens. Et souvent pour le pire !

Morose, il sortit de sa poche la pierre noire en forme de larme, et maudit les esprits pour toutes les vilenies qu'un sorcier devait faire.

Puis il enchâssa la gemme noire à la place de la pierre bleue. Du pouvoir jaillit de ses doigts, assurant la soudure. Un truc élémentaire...

Espérant qu'il se trompait, le vieil homme raviva un pénible souvenir de sa femme, morte depuis longtemps. Ses boucliers mentaux ayant été laminés par l'esprit de Jebra, ce ne fut pas difficile. Quand une larme roula sur sa joue, il l'écrasa du bout du pouce, et repoussa la terrible image au prix d'un violent effort. Quelle fichue ironie ! Les sorciers en arrivaient à s'utiliser eux-mêmes, et cette atroce réminiscence avait ramené avec elle un souvenir plaisant – comme une sorte de compensation.

La pierre posée dans la paume de sa main droite, il la frotta avec son pouce humide. La gemme prit peu à peu une couleur ambrée. Le cœur du sorcier se serra. À présent, il n'y avait plus le moindre doute...

Résigné à faire ce qu'il fallait, il tissa une Toile de Sorcier autour de la pierre. Ce sort dissimulerait sa véritable nature aux yeux de tout le monde, à part Richard. Plus important encore, il attirerait l'attention du Sourcier sur la gemme. S'il la voyait, cette attraction serait irrésistible.

Son œuvre accomplie, Zedd regarda Chase, allongé sur son banc, une jambe dépassant dans le vide. Assise à même le sol, Rachel avait passé un bras autour du mollet de son « papa », la tête blottie contre son genou.

Le garde-frontière portait un énorme bandage autour du crâne.

En approchant de ses amis, Zedd se demanda ce que le brave Chase serait censé garder, à présent que la frontière avait disparu. Quand il s'arrêta près du banc, le colosse parla sans retirer le bras musclé posé sur ses yeux.

— Zedd, mon vieil ami, si une foutue guérisseuse bâtie comme un lutteur me force encore à avaler – sur ton ordre ! – une décoction à faire vomir un cochon, je te tordrai tellement le cou que tu devras marcher à reculons pour voir où tu vas !

Zedd jubila, désormais certain d'avoir sélectionné la meilleure candidate pour s'occuper du gaillard.

— Chase, ça avait vraiment mauvais goût ? demanda Rachel.

— Appelle-moi encore une fois *Chase*, et tu le sauras par toi-même ! grogna le garde-frontière en soulevant assez son bras pour foudroyer – gentiment – la fillette du regard.

— Pardon, *papa*... Je déteste que tu aies dû boire cet affreux médicament. Mais j'étais morte de peur en voyant tout ce sang sur toi... La prochaine fois que je te dirai de dégainer ton épée, tu m'écouteras peut-être, et ça t'évitera tous ces malheurs.

Zedd s'émerveilla du mordant de cette pique enveloppée dans une parfaite innocence enfantine. Chase leva un peu la tête, le bras en suspension dans l'air, et dévisagea sa nouvelle fille. Le sorcier n'avait jamais vu un homme lutter si violemment pour ne pas éclater de rire. Devant sa grimace comique, Rachel ne put se retenir de glousser.

— Que les esprits du bien aient pitié de ton futur mari, marmonna Chase. Au moins, qu'ils laissent à ce malheureux crétin quelques années de paix avant que tu lui mettes la main dessus.

— Et ça veut dire quoi ? demanda Rachel, le nez plissé.

Chase déplia son autre jambe et s'assit sur le banc. Soulevant l'enfant, il la posa sur ses genoux.

— Je vais t'expliquer… Il existe une nouvelle règle. Et tu n'auras pas intérêt à la violer.

— Je la respecterai, papa, juré ! Mais c'est quoi ?

— À dater de ce jour, si tu veux me dire quelque chose d'important et que je n'écoute pas, tu devras me botter les fesses. Très fort ! Et continuer jusqu'à ce que je te prête attention. Compris ?

— Oui, papa !

— Et ce n'est pas une blague. J'y tiens !

— C'est promis, Chase.

Le colosse roula de gros yeux, puis serra l'enfant contre lui d'un seul bras, exactement comme elle aimait blottir sa poupée.

Zedd ravala la boule qui s'était formée dans sa gorge. À ce moment précis, il ne s'aimait pas beaucoup et détestait encore plus les options qui s'offraient à lui.

Il s'agenouilla pourtant devant l'enfant, sa tunique, raide de sang séché, ayant quelque mal à suivre le mouvement autour de ses articulations.

— Rachel, je voudrais que tu fasses quelque chose pour moi.

— Quoi donc, Zedd ?

Il leva une main et brandit la chaîne en or où se balançait désormais la pierre ambrée.

— Ce bijou appartient à une amie… Accepterais-tu de le porter pour le moment ? Et d'y faire attention ? Un jour, Richard viendra peut-être le prendre pour le ramener là où il doit être, mais je ne sais pas quand…

Chase riva sur le sorcier un regard qui le fit frissonner. De ceux qu'une souris piégée par un chat voit une seconde avant sa fin…

— Il est très joli, Zedd. Je n'ai jamais rien eu d'aussi beau.

— Il est aussi très important… Comme la boîte que t'avait confiée Giller.

— Mais Darken Rahl est mort. Tu m'as dit qu'il ne pouvait plus faire de mal à personne.

— C'est vrai, ma chérie. Pourtant, ça reste important. Tu t'en es très bien tirée avec la boîte. J'aimerais que tu portes ce collier jusqu'à ce que son propriétaire vienne le chercher. En attendant, tu ne devras jamais t'en séparer ! Ne laisse personne l'essayer, même pour s'amuser. Car ce n'est pas un jouet !

— Si tu dis que c'est important, je veillerai dessus, Zedd, c'est promis.

Chase attira la tête de Rachel contre sa poitrine et lui plaqua les mains sur les oreilles.

— Sorcier, que magouilles-tu encore ? C'est bien ce que je pense ?

— J'essaye d'éviter que tous les enfants du monde fassent d'affreux cauchemars… jusqu'à la fin des temps.

— Zedd, je ne tolérerai pas…

— Chase, coupa le vieil homme, depuis combien de temps me connais-tu ? (Le garde-frontière ne répondit pas.) M'as-tu jamais vu nuire à quelqu'un, surtout à un enfant ? Ai-je l'habitude de mettre les autres en danger pour rien ?

— Non, concéda Chase, sinistre. Et je ne voudrais pas que tu commences aujourd'hui.

— Dis-toi que je sais ce que je fais… (Il tourna la tête vers l'endroit où le monstre avait massacré des innocents.) Ce que nous avons vécu aujourd'hui n'est rien à côté de ce qui nous attend. Si le voile n'est pas refermé, la souffrance et la mort feront des ravages que tu ne peux imaginer. J'agis comme un sorcier doit agir. À l'instar de Giller, j'ai *reconnu* cette enfant. Elle est destinée à accomplir de grandes choses. Oui, elle laissera une trace dans l'histoire du monde…

» Quand nous étions dans la tombe de Panis Rahl, pour voir si on la murait correctement, j'ai pu étudier les runes gravées sur les murs. Je ne comprends pas bien le haut d'haran, mais ce que j'ai déchiffré m'a suffi. Ce sont des instructions pour aller dans le royaume des morts. Tu te souviens de la table de pierre, du Jardin de la Vie… C'est un autel sacrificiel. Darken Rahl l'utilisait pour traverser les frontières et passer dans le royaume des morts.

— Darken Rahl n'est plus… Que… ?

— Il tuait des enfants et offrait leurs âmes innocentes au Gardien pour payer son droit de passage ! Comprends-tu ce que je dis ? Il avait conclu un pacte avec le mal ! Ça signifie que le Gardien a utilisé des êtres de notre monde. Beaucoup d'êtres ! Et maintenant, le voile est déchiré. L'attaque du grinceur en est la preuve.

» Une grande partie des plus anciennes prophéties parlent de ce qui vient de commencer… et de Richard. Celui qui les a écrites voulait l'aider à travers le torrent du temps. Selon moi, c'est pour qu'il lutte contre le Gardien. Mais beaucoup d'événements, au fil des millénaires, ont obscurci le sens de ces mots. J'ai peur que ce soit le résultat des patientes manœuvres du Gardien.

» La patience est sa meilleure arme, car il a l'éternité à sa disposition. Il a prudemment déployé ses tentacules dans notre monde pour influencer les gens, et convaincre des sorciers comme Darken Rahl de travailler dans son intérêt. Nous avons cruellement besoin des prophéties, et il ne reste plus de sorciers pour les déchiffrer. Je suis sûr que ce n'est pas une coïncidence. Mais j'ignore quel est le but du Gardien, et ce qu'il prémédite…

Les yeux de Chase brillaient toujours, mais sa colère ne visait plus Zedd.

— Dis-moi ce que je peux faire pour t'aider.

Le sorcier eut un sourire mélancolique et tapota le bras de son ami.

— Apprends ce que tu sais à cette enfant. Elle est très intelligente. Incite-la à donner le meilleur d'elle-même ! Enseigne-lui le maniement de toutes les armes que tu connais. Développe en elle la force et la vitesse…

— Une si petite guerrière…, soupira Chase.

— Demain matin, je partirai chercher Adie et nous irons en Aydindril. Je voudrais que tu files chez les Hommes d'Adobe. Au triple galop ! Richard, Kahlan et Siddin resteront avec Écarlate ce soir, et elle les conduira là-bas demain. Le voyage te prendra des semaines et nous ne devons pas perdre de temps.

» Une fois arrivé, dis à Richard et à Kahlan de me rejoindre d'urgence. Répète-leur tout ce que je viens de te révéler. Ensuite, essaye de conduire Rachel en sécurité. S'il y a encore un endroit sûr en ce monde…

— Veux-tu que je fasse autre chose ?

— Le plus important est de contacter Richard. J'étais idiot de croire que nous aurions un répit… (Le sorcier se frotta le menton.) Tu devrais peut-être lui annoncer que je suis son grand-père, et qu'il est le fils de Darken Rahl. Comme ça, sa colère sera retombée quand nous nous retrouverons.

Zedd eut un sourire désarmant d'innocence.

— Tu sais comment l'appelle le Peuple d'Adobe ? Richard Au Sang Chaud ! Tu te rends compte ! Richard, le plus gentil garçon que j'aie connu… Mais l'Épée de Vérité a dévoilé une autre facette de sa personnalité.

— Apprendre que tu es son grand-père ne l'énervera pas, dit Chase. Il t'adore !

— C'est possible, mais je doute qu'il soit ravi de découvrir l'identité de son père. Et surtout, de savoir que je lui ai caché la vérité. George Cypher l'a élevé, et tous les deux s'aimaient beaucoup.

— C'était ainsi, et ça le restera…

Zedd acquiesça et brandit de nouveau le collier.

— Me feras-tu confiance ?

Chase évalua le sorcier du regard un moment. Puis il rassit Rachel bien droite sur ses genoux et lui lâcha les oreilles.

— Je m'occupe du fermoir pour toi, ma chérie…

Après qu'il lui eut passé le bijou au cou, Rachel prit la pierre couleur d'ambre dans sa minuscule main et se pencha pour l'étudier.

— Je veillerai sur elle, Zedd…

— Je n'en doute pas…

Le sorcier ébouriffa les cheveux de la fillette. Puis il posa un index de chaque côté de son front et laissa la magie couler librement, implantant dans son esprit l'idée que la pierre était importante, qu'elle ne devait en parler à personne, et qu'il fallait la protéger aussi bien que la boîte d'Orden.

Quand il retira ses doigts, elle rouvrit les yeux et sourit. Chase la souleva par les aisselles et la posa sur le banc, près de lui. Il regarda la collection de couteaux accrochée à sa ceinture et défit les lanières du plus petit, dégageant le fourreau.

— Puisque tu es ma fille, dit-il, tu porteras un couteau, comme moi. Mais pas question de le dégainer avant que je t'aie appris à t'en servir. Tu pourrais te faire très mal. Après mes leçons, tu le manieras comme une championne. Je veux t'apprendre à te protéger toi-même, parce que c'est le meilleur moyen d'être en sécurité. Ça te va ?

— Je deviendrai comme toi ? s'extasia l'enfant. Ce serait formidable, Chase !

Le garde-frontière grogna avant d'accrocher le fourreau à la ceinture de l'enfant.

— Je me demande si je serai un bon professeur… Dire que je ne t'ai même pas appris à m'appeler « papa » !

—Tu sais, souffla Rachel, « Chase » et « papa », pour moi, ça signifie la même chose !

Le garde-frontière secoua la tête avec un sourire résigné.

Zedd se releva et lissa sa tunique.

— Chase, si tu as besoin de quelque chose, le général Trimack s'en occupera. Emmène avec toi autant d'hommes que tu voudras.

— Je partirai seul. Quand on est pressé, les escortes sont encombrantes. De plus, un père et sa fille attireront moins l'attention qu'une colonne de cavaliers. N'est-ce pas ce que tu veux ?

Il désigna la pierre, au cou de Rachel.

Zedd se félicita que le garde-frontière ait l'esprit si vif. Rachel et lui feraient une sacrée équipe !

— Je voyagerai avec vous jusqu'à la route qui conduit chez Adie. Demain matin, j'ai une petite formalité à remplir. Nous partirons dès que j'aurai fini.

— Parfait. Mais tu as l'air d'un type à qui un peu de repos ne ferait pas de mal.

— Tu parles d'or, mon ami…

Zedd comprit soudain pourquoi il était si fatigué. Les récentes nuits blanches n'étaient pas en cause. Mais après des mois passés à combattre Darken Rahl, alors qu'il pensait avoir gagné, il s'était aperçu que la guerre commençait à peine. Et cette fois, ses amis et lui n'affrontaient plus un sorcier, aussi dangereux fût-il, mais le Gardien du royaume des morts.

Contre Darken Rahl, il connaissait l'essentiel des règles. Informé du temps dont ils disposaient, il savait presque tout au sujet des boîtes d'Orden. Là, il avançait à l'aveuglette. Dans cinq minutes, le Gardien pouvait avoir remporté la partie. Voilà ce qui le minait : l'ignorance ! Et il lui faudrait construire une stratégie avec les quelques bribes d'information qu'il *pensait* détenir.

— Au fait, dit Chase en ajustant le fourreau à la ceinture de Rachel, une des guérisseuses, Kelley, m'a donné un message pour toi.

Il fouilla dans sa poche, en sortit un petit morceau de papier et le tendit au sorcier.

Le message était énigmatique : *Aile ouest, rue des Hautes-Terres du Nord, troisième galerie.*

— Kelley a dit que tu la trouverais là… D'après elle, tu as besoin de repos. Si tu vas la voir, elle te fera une tisane à la sténadine ; pas très forte, pour que tu puisses bien dormir. Tu y comprends quelque chose ?

Zedd froissa le message en souriant.

— Vaguement… (Il se tapota pensivement les lèvres.) Tu devrais aller te reposer aussi. Si tu as peur que la douleur te réveille, je peux demander à une guérisseuse de te préparer…

— Non ! s'écria le garde-frontière. Je dormirai comme une masse !

— Si tu le dis… (Zedd tapota le bras de Rachel et l'épaule de Chase. Il s'éloigna, mais une idée traversa son esprit, le forçant à se retourner.) As-tu déjà vu Richard dans un manteau rouge avec des boutons et des épaulettes en or ?

— Richard ? ricana Chase. Zedd, tu l'as à demi élevé. Tu devrais savoir mieux que moi qu'il n'a pas de vêtement de ce genre. Son manteau du dimanche est marron. Comme tous les guides forestiers, il aime les couleurs qui rappellent la terre. Je ne l'ai même jamais vu avec une chemise rouge… Mais pourquoi cette question ?

Zedd ne daigna pas s'expliquer.

— Quand tu le verras, dis-lui de ne jamais mettre un manteau rouge. (Il agita un index devant le nez du garde-frontière.) Jamais ! N'oublie pas, parce que c'est très important. Pas de manteau rouge !

— Compris, fit Chase, conscient qu'il serait inutile de presser le vieil homme de questions.

Zedd sourit à Rachel et la serra dans ses bras avant de s'éloigner, se demandant où était le réfectoire le plus proche. L'heure du dîner devait être presque passée.

Soudain, il s'avisa qu'il ne savait pas où aller, car il ne s'était pas soucié de trouver un endroit où dormir.

Eh bien, ce n'était pas grave, puisque les chambres d'invités ne manquaient pas au palais, comme il l'avait expliqué à Chase…

Sans trop savoir pourquoi, il déplia le petit morceau de papier et le parcourut distraitement des yeux. Avisant un passant très distingué à la barbe grise joliment nattée, superbe dans sa tunique jaune officielle, il l'aborda courtoisement.

— Messire, je m'excuse, mais savez-vous où sont… (Il regarda de nouveau le message.) Hum… l'Aile Ouest et la rue des Hautes Terres du Nord, troisième galerie ?

— C'est très simple, messire. Ce sont les quartiers des guérisseuses. Je vais dans cette direction. Faisons un bout de chemin ensemble, puis je vous indiquerai la suite.

— Très aimable à vous…, répondit Zedd, qui ne se sentait plus si fatigué, tout d'un coup.

Chapitre 5

A lors que sœur Margaret s'engageait dans le couloir, au sommet de l'escalier de pierre, une servante armée d'un seau et d'une serpillière l'aperçut et tomba aussitôt à genoux. Margaret s'arrêta pour poser une main sur la tête de la femme.

— Que la bénédiction du Créateur soit sur sa fille, dit-elle.

La servante releva les yeux et se fendit d'un sourire édenté.

— Merci de votre grâce, ma sœur, et qu'Il vous bénisse aussi dans Ses œuvres.

Margaret sourit en regardant la vieille domestique descendre le couloir, voûtée par le poids du seau.

La pauvre, pensa-t-elle, *être obligée de travailler au milieu de la nuit...*

Mais après tout, elle aussi était debout à cette heure indue...

Sa robe tirait inconfortablement sur son épaule. Baissant les yeux, Margaret s'aperçut qu'elle avait fermé de travers les trois boutons du haut. Elle y remédia avant de pousser la lourde porte de chêne et de s'avancer dans les ténèbres.

Une sentinelle l'aperçut et courut vers la sœur, qui leva devant sa bouche le livre qu'elle portait pour que l'homme ne voie pas qu'elle bâillait.

— Ma sœur, dit le garde en s'immobilisant, où est la Dame Abbesse ? Le prisonnier a beuglé qu'il voulait la voir. J'en ai encore des frissons dans le dos... Où est-elle ?

Margaret foudroya l'impudent du regard jusqu'à ce qu'il se souvienne des usages et la salue d'une rapide révérence. Ensuite, elle se dirigea vers les remparts, l'homme sur ses talons.

— Il ne suffit pas que le Prophète siffle pour que la Dame Abbesse accoure...

— Mais il a exigé de la voir en personne...

Margaret s'arrêta et posa sa main libre sur celle qui tenait le livre.

— Aimeriez-vous frapper à sa porte en pleine nuit pour lui annoncer que le Prophète la demande ?

— Non, ma sœur, fit l'homme, soudain très pâle.

— Il suffit amplement qu'on m'ait tirée du lit pour satisfaire les caprices du Prophète.

— Vous ne savez pas ce qu'il a dit, ma sœur. Il criait et…

— Assez ! grogna Margaret. Dois-je vous rappeler que répéter ses paroles vous vaudrait la décapitation ?

— Je ne m'y risquerais pas, souffla le garde en portant les mains à son cou. Sauf devant une sœur…

— Même devant une sœur, vous ne devez pas les répéter !

— Pardonnez-moi… Mais il n'a jamais crié aussi fort. En réalité, j'ai rarement entendu sa voix, sauf quand il appelle une sœur. Ses propos m'ont alarmé. C'est la première fois qu'il profère de telles paroles en ma présence.

— Il a pu faire passer sa voix à travers les boucliers… Cela arrive de temps en temps. C'est pour ça que ses gardes personnels doivent jurer de ne rien répéter. Quoi que vous ayez entendu, dépêchez-vous de l'oublier, si vous ne voulez pas que nous vous y *aidions*.

L'homme hocha la tête, trop terrifié pour parler. Margaret n'aimait pas recourir à la menace, mais il fallait empêcher qu'il raconte n'importe quoi en se soûlant avec ses camarades. Les prophéties n'étaient pas pour le commun des mortels…

— Comment vous nommez-vous, soldat ?

— Kevin Andellmere, ma sœur.

— Si vous jurez, Kevin, de tenir votre langue jusqu'à votre dernier souffle, je m'occuperai de vous trouver un autre poste. À l'évidence, vous n'êtes pas fait pour celui-là…

Kevin s'agenouilla.

— Le Ciel vous bénisse, ma sœur. Je préférerais affronter une horde de barbares du Pays Sauvage plutôt qu'entendre la voix du Prophète. Je promets, sur ma vie, de garder le secret à jamais.

— Qu'il en soit ainsi… Retournez à votre poste. À la fin du service, dites au capitaine de la garde que sœur Margaret veut qu'on vous affecte ailleurs. (Elle posa une main sur la tête du soldat.) Que la bénédiction du Créateur soit sur son fils…

— Merci de votre bonté, ma sœur.

Margaret traversa les remparts jusqu'à la colonnade qui se dressait au bout, descendit un escalier battu par le vent et s'engagea dans le couloir chichement éclairé qui conduisait aux appartements du Prophète. Deux gardes flanquaient la porte. Ils s'inclinèrent avec un bel ensemble.

— On m'a dit que le Prophète a parlé à travers les boucliers ?

— Vraiment ? fit un des hommes. Moi, je n'ai rien remarqué. (Sans quitter Margaret du regard, il demanda à son compagnon.) Tu as entendu quelque chose ?

Le soldat s'appuya sur sa lance et cracha par terre avant de répondre :

— Rien du tout ! Il est aussi muet qu'un cadavre.

— Kevin vous a raconté des âneries ? demanda le premier garde.

— Il y a longtemps que le Prophète n'a pas percé nos boucliers pour dire autre chose que le nom de la sœur qu'il veut voir, affirma le deuxième homme. Kevin n'avait jamais entendu sa voix, c'est tout…

— Voulez-vous qu'on s'assure qu'il n'entende plus jamais rien ? Et qu'il ne *dise* plus rien ?

— Ce ne sera pas nécessaire. Il m'a donné sa parole, et il sera bientôt muté.

— Sa parole, grogna le premier garde. Un serment n'est qu'un vulgaire bavardage. L'acier d'une lame serait plus fiable…

— Voilà qui est intéressant ! Dois-je croire que votre engagement au secret est un « bavardage » ? Devrions-nous garantir votre discrétion par des moyens plus « fiables » ?

Margaret dévisagea le soldat jusqu'à ce qu'il baisse les yeux.

— Non, ma sœur. Mon serment était sincère.

— J'aime à le penser… Quelqu'un d'autre l'a-t-il entendu crier ?

— Non. Dès qu'il a braillé à tue-tête pour appeler la Dame Abbesse, nous avons vérifié qu'il n'y avait personne dans le coin. Après, j'ai posté des gardes devant toutes les issues, puis ordonné qu'on aille chercher une sœur. Décider de réveiller la Dame Abbesse en pleine nuit n'est pas de mon ressort…

— Bien raisonné…

— À présent que vous êtes là, nous devrions aller voir les autres. (Le garde eut un regard noir.) Histoire d'être sûrs que personne n'a rien entendu…

— Tant que vous y êtes, priez pour que le soldat Andellmere soit prudent et ne se brise pas le cou en tombant des créneaux. Car si ça devait arriver, je reviendrais vous voir… (Le type grogna, désappointé.) Mais si vous l'entendez répéter un mot de ce qu'il a surpris ce soir, appelez immédiatement une sœur.

Dès qu'elle eut passé la porte et se fut engagée dans le couloir intérieur, Margaret sentit les boucliers. Le livre serré contre la poitrine, elle se concentra, cherchant une brèche. Un sourire apparut sur ses lèvres quand elle la découvrit : une infime distorsion, dans le champ de force. Le Prophète y travaillait sans doute depuis des années. Les yeux fermés, Margaret ferma la fissure avec un barbillon de pouvoir qui vaudrait un cuisant échec au bonhomme s'il tentait de refaire le même coup. L'ingénuité et l'obstination du Prophète l'impressionnaient. Cela dit, se souvint-elle, il n'avait pas grand-chose d'autre à faire dans la vie…

Toutes les lampes brûlaient dans les grands appartements. Des tapisseries décoraient un des murs et le sol était couvert de tapis bleu et jaune – une spécialité locale. Les étagères de la bibliothèque à demi vides, des livres ouverts gisaient un peu partout : sur les chaises, les sofas, les oreillers, ou en pile près du fauteuil favori du Prophète, à côté de la cheminée éteinte.

Margaret approcha de l'élégant bureau en bois de rose poli qui occupait tout un côté de la pièce. Prenant place sur le siège rembourré, elle posa son livre sur le lutrin et le feuilleta jusqu'à ce qu'elle trouve une page blanche.

Le maître des lieux n'était nulle part en vue. La double porte qui donnait sur le jardin étant ouverte, Margaret supposa qu'il s'y promenait. Ouvrant le tiroir du bureau, elle sortit un encrier, une plume et une petite boîte pleine de sable fin, et posa le tout devant le Livre des Prophéties.

Quand elle releva les yeux, elle vit une silhouette se découper sur le seuil de la porte. Vêtu d'une bure noire à capuchon, le Prophète la regardait. Immobile, les mains glissées dans ses manches, sa simple « présence » était au moins aussi impressionnante que sa taille.

Margaret retira le bouchon de l'encrier.

— Bonsoir, Nathan…

L'homme avança lentement de trois pas pour passer de la pénombre à la lumière. Il abaissa sa capuche, révélant la longue crinière blanche qui cascadait sur ses épaules. À son cou, on apercevait le bord d'un collier en métal. Les muscles de ses mâchoires puissantes se tendirent et ses sourcils neigeux se froncèrent au-dessus de ses yeux bleu azur. Rasé de près, il restait d'une rude beauté, même si c'était le plus vieil homme que Margaret eût jamais connu.

Et il était fou à lier… Ou rusé au point de vouloir être pris pour un aliéné ? La sœur ignorait la réponse à cette question. Comme tout le monde…

Quoi qu'il en fût, c'était l'homme le plus dangereux du monde.

— Où est la Dame Abbesse ? demanda-t-il d'une voix grave, menaçante.

Margaret s'empara de la plume.

— Il est très tard, Nathan. On ne réveillera pas la Dame Abbesse parce que vous faites un caprice. Toutes les sœurs peuvent rédiger les prophéties. Asseyez-vous, et nous nous mettrons au travail.

Nathan approcha du bureau et se campa en face de Margaret.

— Pas d'épreuve de force avec moi, ma sœur ! C'est important !

— Ne jouez pas avec moi non plus, Nathan… Dois-je vous rappeler ce que vous y perdriez ? Puisque vous m'avez tirée du lit, finissons-en, que je puisse dormir un peu.

— Je voulais voir l'Abbesse. C'est très grave.

— Nathan, il nous reste à interpréter des prophéties qui datent de plusieurs années. Quelle différence, si vous me dictez celle-là ou non ? L'Abbesse la lira demain matin, la semaine prochaine, ou dans un an. Pour ce que ça change…

— Je n'ai pas de prophétie à dicter.

— Vous m'avez réveillée pour vous tenir compagnie ? s'étrangla Margaret.

— Ça vous dérange ? demanda Nathan avec un grand sourire. C'est une nuit merveilleuse. Vous êtes plutôt pas mal, dans le genre coincé. (Il inclina malicieusement la tête.) Ça ne vous dit rien ? Bon, puisque vous êtes là, et qu'il vous faut une prophétie, voulez-vous entendre parler de votre mort ?

— Le Créateur me rappellera à Lui quand Il le voudra. Je laisse cela entre Ses mains.

Nathan acquiesça sans la regarder dans les yeux.

— Sœur Margaret, pourriez-vous faire venir une vraie femme ici ? À force, je me sens un peu seul…

— Nous ne sommes pas là pour vous fournir des catins.

— Jadis, en échange des prophéties, on m'envoyait des courtisanes…

Margaret posa la plume sur le bureau avec une lenteur calculée.

— La dernière s'est enfuie avant que nous puissions lui parler. Elle était à demi nue… et à moitié folle. Personne ne sait comment elle a trompé la vigilance des gardes. Vous aviez pourtant promis de ne pas lui confier de prophétie, Nathan. *Promis* ! Avant qu'on ait pu lui remettre la main dessus, elle a répété vos paroles, qui se sont répandues comme une traînée de poudre, provoquant une guerre civile. Six mille personnes sont mortes à cause de vos bavardages.

— Vraiment ? fit Nathan, l'air désolé. Je l'ignorais…

Margaret prit une grande inspiration – histoire de ne pas exploser.

— Nathan, je vous ai déjà raconté ça trois fois !

— Je suis désolé, Margaret…

— *Sœur* Margaret !

— Une sœur, vous ? Vous êtes bien trop séduisante pour ça. Une novice, peut-être…

Margaret referma le livre, le ramassa et se leva.

— Asseyez-vous, sœur Margaret ! feula le Prophète.

— Vous n'avez rien à me dire. Alors, je retourne dans mon lit.

— Ai-je prétendu n'avoir rien à dire ? Je n'ai pas de prophétie, c'est tout…

— Sans vision ni prédiction, qu'auriez-vous donc à me communiquer ?

— Asseyez-vous, si vous voulez le savoir.

Margaret envisagea d'utiliser son pouvoir. Mais elle jugea qu'il serait plus facile, et plus rapide, de céder au caprice du Prophète.

— Voilà, je me suis rassise, et je vous écoute.

— Une prophétie a bifurqué…, murmura Nathan, les yeux écarquillés.

— Quand ? s'exclama Margaret en se levant d'un bond.

— Aujourd'hui même…

— Alors, pourquoi m'avez-vous appelée en pleine nuit ?

— Parce que je m'en suis aperçu ce soir.

— Et ça ne pouvait pas attendre demain ? Ce n'est pas la première Fourche, que je sache…

— C'est vrai, mais il n'y en avait jamais eu comme celle-là…

L'annoncer aux autres n'enchantait guère Margaret. Personne ne serait ravi d'apprendre ça. À part Warren, bien sûr, qui jubilerait à l'idée d'avoir une pièce de plus à mettre en place dans le puzzle des prophéties. Sinon, nul ne se réjouirait, car ça impliquait des années de travail supplémentaires.

Certaines prophéties « bifurquaient », offrant plusieurs possibilités. Avec les prédictions qui se succédaient sur chaque branche de cette arborescence, on obtenait un fouillis divinatoire dans lequel il devenait impossible de déterminer quel événement se produirait ou non.

Quand une de ces prophéties pluri-virtuelles se réalisait, une branche se révélant la bonne, on disait qu'une Fourche s'était produite. Toutes les prédictions qui se rattachaient à la « branche morte » devenaient alors de fausses prophéties. Cet enchevêtrement d'augures mensongers remplissait le Livre des Prophéties d'informations fausses et contradictoires qui ajoutaient à la confusion. Quand une Fourche survenait, il fallait traquer dans l'arborescence toutes les mauvaises prédictions et les éliminer.

Un travail de titan ! Et plus l'événement décisif se produisait en aval de la Fourche, plus il devenait difficile de se repérer. Pire encore, on avait du mal à déterminer si deux prédictions liées l'une à l'autre devaient se suivre rapidement ou se réaliser à des milliers d'années d'intervalle. Parfois, la nature même des événements aidait les analystes à les classer dans l'ordre chronologique, mais ça n'était pas systématique. Plus on s'éloignait de la Fourche, plus les rapports entre les choses se brouillaient…

Il fallait des années pour obtenir un résultat – et encore n'était-il que partiel… À ce jour, Margaret et ses compagnes ne savaient jamais si elles lisaient une vraie prophétie, ou la lointaine « descendante » d'une branche morte. Pour cette raison, certains érudits jugeaient les prophéties peu fiables, voire totalement inutiles. Mais si les sœurs étudiaient une Fourche à sa naissance – en distinguant la bonne branche des autres – elles disposeraient d'un guide fiable.

Margaret se rassit.

— La prophétie à Fourche est-elle importante ?

— C'est une prophétie centrale. Aucune n'a plus de valeur.

Des décennies… Il ne faudrait pas des années, mais des décennies ! Une prophétie centrale avait des ramifications partout. Margaret en eut le tournis. C'était comme avancer à l'aveuglette. Jusqu'à ce que le fruit pourri soit tombé de la mauvaise branche, ils ne pourraient plus se fier à quoi que ce soit.

Elle chercha le regard de Nathan.

— Vous savez quelle prophétie a eu une Fourche ?

— Je connais la mauvaise branche et la bonne, se rengorgea le Prophète. Et je sais ce qui se réalisera !

Nous tenons enfin quelque chose ! pensa Margaret.

Si Nathan pouvait distinguer les branches, et définir leur nature, ce seraient des informations d'une grande valeur. Les prophéties n'étant jamais chronologiques, il resterait impossible de suivre simplement une branche, mais ils sauraient au moins où commencer. Une bonne base, surtout en ayant appris l'existence de la Fourche au moment où elle se produisait, pas des années après.

— Du bon travail, Nathan. (Il sourit comme un enfant félicité par sa mère.) Asseyez-vous près de moi et racontez-m'en plus…

Le Prophète tira une chaise et prit place de l'autre côté du bureau. Il semblait excité comme un chiot qui s'amuse avec un bâton. Margaret espéra ne pas devoir lui faire mal pour lui arracher son jouet de la gueule.

— Nathan, dites-moi quelle prophétie est concernée…

— Êtes-vous sûre de vouloir le savoir, ma sœur ? demanda le Prophète, l'air plus espiègle que jamais. Les prophéties sont dangereuses. La dernière fois que j'en ai confié une à une jolie femme, des milliers de gens sont morts. C'est vous-même qui me l'avez appris.

— Nathan, je vous en prie ! C'est très important.

— Je ne me souviens plus exactement des mots…, avoua le vieil homme, soudain mortellement sérieux.

Margaret n'en crut rien. Dès qu'il s'agissait de prophéties, Nathan voyait mentalement les paroles comme si elles étaient gravées sur une tablette de pierre.

— C'est compréhensible, dit-elle en posant une main rassurante sur le bras du vieil homme. Je sais qu'il est difficile de tout mémoriser. Récitez-les du mieux que vous pouvez…

— Eh bien, voyons ça… (Il contempla le plafond en se massant le menton entre le pouce et l'index.) La prophétie parle de l'homme de D'Hara qui attirera l'obscurité sur le monde en recensant les ombres.

— Très bien, Nathan. Vous pouvez m'en dire plus ? (Il se souvenait sans doute de chaque syllabe, mais il adorait qu'on le supplie.) Cela m'aiderait tellement !

Il la dévisagea un moment, ravi, puis déclama :

— « *Au premier souffle de l'hiver, les ombres recensées fleuriront. Si l'héritier de la vengeance de D'Hara les recense de la bonne manière, son ombre recouvrira le monde. S'il se trompe, sa vie lui sera confisquée.* »

Un modèle de prophétie à Fourche ! La veille, on était le premier jour de l'hiver… Margaret ignorait le sens de cette prédiction, mais elle connaissait ces phrases par cœur. Elles faisaient l'objet d'études et de débats incessants entre les sœurs, dans les salles des catacombes, et elles se demandaient en quelle année cela s'accomplirait.

— Et quelle direction a pris la prophétie ?

— La pire possible, dit Nathan, sinistre.

— L'ombre de l'homme de D'Hara nous recouvrira ? demanda Margaret en jouant nerveusement avec un bouton de sa robe.

— Vous devriez étudier les prophéties plus attentivement, ma sœur. La suivante dit : « *Si les forces de la confiscation se déchaînent, le monde sera obscurci par une luxure plus noire encore, qui jaillira de la déchirure. Les chances de salut, alors, seront aussi fines que la lame blanche de Celui qui est Né dans la Vérité.* » Sœur Margaret, le seul être dont la luxure soit plus noire est le Seigneur de l'Anarchie.

— Que la Lumière du Créateur nous protège…, murmura Margaret.

— La prophétie ne mentionne nulle part qu'Il viendra à notre secours, fit Nathan avec un sourire moqueur. Si vous cherchez Sa protection, il faut suivre la bonne branche de la Fourche. C'est ainsi qu'Il vous offre une infime chance de vous défendre contre ce qui doit advenir.

Margaret lissa distraitement les plis de sa robe.

— Nathan, j'ignore ce que signifie cette prophétie. Sans connaître son sens, comment suivre la bonne ou la mauvaise Fourche ? Vous prétendez pouvoir les distinguer. Voulez-vous m'éclairer ? Me fournir une prédiction relative à chaque branche, afin que nous identifiions les deux pistes ?

— « *Sous la domination du Maître, la vengeance exterminera tous ses ennemis. La terreur, la désolation et le désespoir régneront alors sans partage.* » Cette prédiction-là conduit à la mauvaise branche.

Margaret fut un peu rassérénée. La bonne prophétie ne pouvait pas être pire.

— Et l'autre branche ?

— Très près de la Fourche, sur la bonne piste, voilà ce qui est dit : « *Parmi tous ceux qui sont nés de la magie pour délivrer la vérité, un seul survivra quand la menace des ténèbres sera dissipée. Alors viendra une pire obscurité : celle des morts. Afin que la vie ait une chance, celle qui est en blanc devra être offerte à son peuple, pour lui apporter la joie et la prospérité.* »

Margaret compara les deux prophéties. La première semblait assez simple à comprendre. À partir de là, ils pourraient suivre la mauvaise branche pendant un temps. La seconde était plus ambiguë, mais l'interpréter serait possible, avec un peu de persévérance. En tout cas, elle concernait une Inquisitrice. Et « celle qui est en blanc » désignait spécifiquement la *Mère* Inquisitrice.

— Merci, Nathan. Grâce à vous, il sera facile de suivre la mauvaise bifurcation. Avec la bonne, ce sera plus ardu, mais avec une prophétie pour nous ouvrir la voie, nous devrions nous y retrouver. Il suffira de chercher des prédictions qui s'éloignent chronologiquement de l'événement-source. L'Inquisitrice est destinée à apporter le bonheur à son peuple. (Margaret eut un petit sourire.) Ça peut vouloir dire qu'elle se mariera... ou quelque chose dans ce genre.

Le Prophète la regarda, cillant des yeux, puis renversa la tête en arrière et éclata de rire. Se levant d'un bond, il continua jusqu'à en perdre le souffle. Rouge comme une pivoine, il se tourna alors vers Margaret.

— Tas d'imbéciles pompeuses ! Cette manière dont les sœurs se rengorgent, comme si leurs idioties avaient la moindre importance ! Et comme si elles savaient ce qu'elles font ! En vous voyant, je pense à des volailles qui caquettent entre elles, persuadées qu'elles comprennent les mathématiques supérieures. Je sème les graines de la prophétie à vos pieds. Stupides poules, vous plantez vos becs dans la poussière et en ramenez simplement des cailloux !

Pour la première fois depuis qu'elle était une sœur, Margaret se sentit minuscule et ignorante.

— Nathan, cela suffit !

— Tas de crétines ! cracha le Prophète.

Il avança sur elle si brusquement qu'elle frissonna. Par réflexe, elle lui expédia une décharge de pouvoir qui le fit tomber à genoux. Le souffle court, il porta une main à sa poitrine. Margaret rappela le pouvoir à elle, désolée d'avoir cédé à la peur.

— Je m'excuse, Nathan. Mais vous m'avez effrayée. Ça va ?

Il saisit le dos de la chaise et se releva péniblement en hochant la tête. Margaret ne bougea pas. Mal à l'aise, elle attendit qu'il récupère.

Soudain, il sourit aux anges.

— Je vous ai effrayée, croyez-vous ? lança-t-il. Aimeriez-vous avoir peur pour de bon ? Et si je vous *montrais* une prophétie ? Je ne parle pas de la réciter, mais de vous la faire voir ! De découvrir comment elles me parviennent ! Aucune sœur n'a jamais eu droit à ça. Vous les étudiez, sûres de pouvoir les interpréter, mais vous vous fourvoyez complètement. Elles ne fonctionnent pas comme ça !

— Que voulez-vous dire, Nathan ? Elles sont censées prédire des événements... et c'est exactement ce qu'elles font.

— En partie, oui... Elles sont transmises par des gens comme moi, des prophètes qui détiennent le don. Et conçues pour être lues et comprises à travers ce don – par mes semblables. Ces graines ne sont pas faites pour gaver la volaille dotée de vos ridicules pouvoirs !

Alors qu'il se redressait, de nouveau enveloppé d'une aura d'autorité, Margaret sonda son visage. Elle ne l'avait jamais entendu parler comme ça. Disait-il la vérité, ou brodait-il sous le coup de la colère ? Car si c'était vrai...

— Nathan, tout ce que vous pouvez me dire, ou me montrer, me sera d'un grand secours. Nous luttons tous dans le camp du Créateur. Sa cause doit l'emporter. Les forces de Celui Qui N'A Pas de Nom tentent de nous réduire au silence. Alors, oui, je veux bien que vous me montriez comment vous arrive une prophétie, si c'est possible...

Le Prophète dévisagea Margaret avec une intensité brûlante.

— Comme il vous plaira, ma sœur.

Il se pencha vers elle, l'air si grave qu'elle faillit en avoir le souffle coupé.

— Plongez vos yeux dans les miens, dit-il. Perdez-vous dans mon regard.

Elle obéit jusqu'à ce que le bleu azur de ses iris envahisse son champ de vision, lui donnant l'impression de contempler un ciel limpide. Elle aurait juré que Nathan la vidait lentement de l'air qu'elle aspirait dans ses poumons…

— Je vais vous répéter la bonne prophétie. Mais cette fois, vous la verrez telle qu'elle est conçue pour m'apparaître. (En l'écoutant, Margaret eut le sentiment de partir à la dérive dans un étrange océan…) *« Parmi tous ceux qui sont nés de la magie pour délivrer la vérité, un seul survivra quand la menace des ténèbres sera dissipée… »*

Les mots moururent et Margaret vit soudain des images défiler dans son esprit. Aspirée par ce vortex, elle quitta le palais et bascula dans l'univers de la prédiction.

Elle vit une magnifique femme aux cheveux longs vêtue d'une robe blanche en satin. La Mère Inquisitrice ! Puis elle assista à la mort de ses collègues, exécutées par les *quatuors* de D'Hara, et fut submergée d'horreur par ces crimes. Enfin, quand la meilleure amie – la sœur adoptive ! – de la Mère Inquisitrice mourut dans ses bras, elle partagea son chagrin et sa rage.

Alors, elle vit la dernière Inquisitrice, campée devant l'homme de D'Hara qui commandait aux *quatuors*. Ce superbe seigneur de blanc vêtu contemplait trois petites boîtes. À sa grande surprise, la première projetait une ombre, la deuxième deux, et la troisième trois. Dessinant des runes dans du sable de sorcier, l'homme en blanc invoquait la magie du royaume des morts. Il s'échina toute la nuit, jusqu'à l'aube. Étrangement, quand le soleil se leva, Margaret sut que c'était celui de la veille – le premier jour de l'hiver. Ce qu'elle voyait datait d'hier !

Le sorcier avait terminé ses préparatifs. Souriant, il tendit une main et ouvrit la boîte du milieu, celle qui projetait deux ombres. Une chaude lumière jaillit de l'artéfact et l'enveloppa. Alors qu'il croyait triompher, la magie de la boîte l'emprisonna et lui arracha la vie. Ayant fait le mauvais choix, il était condamné à livrer son essence même à la puissance qu'il avait prétendu soumettre.

Margaret vit ensuite la Mère Inquisitrice en compagnie de l'homme qu'elle aimait. Elle sentit sa joie – un bonheur que cette femme n'avait jamais éprouvé avant. Le cœur de la sœur s'emplit de la félicité que l'Inquisitrice connaissait près de son amoureux. Et la scène à laquelle elle assistait se déroulait en ce moment même…

L'esprit de Margaret fut soudain emporté dans les tourbillons du temps et elle vit la guerre et la mort déferler sur le monde. Le Gardien du royaume des morts semait la destruction dans celui des vivants avec un plaisir pervers qui manqua la faire défaillir de terreur.

Une nouvelle image explosa dans son esprit : la Mère Inquisitrice, debout sur une estrade au centre d'une foule en liesse…

L'événement heureux qui ferait bifurquer la prophétie. Une des virtualités qui devaient se réaliser pour que le monde échappe aux ténèbres qui le convoitaient. Influencée par l'humeur joyeuse de la foule, Margaret, de nouveau capable d'espoir, se demanda si l'homme que la Mère Inquisitrice se préparait à épouser était son bien-aimé. S'agissait-il de la cérémonie censée, selon la prophétie, apporter la joie et la prospérité au peuple de l'Inquisitrice ? Margaret implora le Créateur qu'il en soit ainsi.

Mais quelque chose clochait. L'extase de la sœur s'évanouit, et elle eut soudain la chair de poule.

Le cœur serré, elle vit que la Mère Inquisitrice avait les mains liées. L'homme debout près d'elle n'était pas son amoureux, mais un bourreau à la cagoule noire qui brandissait une énorme hache. L'inquiétude de Margaret se transforma en horreur.

Une main força l'Inquisitrice à s'agenouiller, saisit ses cheveux coupés très court et plaqua sa tête sur le billot.

L'Inquisitrice ferma les yeux, sans parvenir à endiguer ses larmes.

Margaret voulut prendre une inspiration et n'y parvint pas.

Alors que la robe blanche de la condamnée brillait au soleil, la hache au tranchant en forme de croissant s'éleva dans l'air. Tel un jaillissement de lumière mortelle, elle s'abattit et s'enfonça dans le billot.

Margaret cria quand la tête de l'Inquisitrice tomba dans le panier, sous les applaudissements de la foule.

Du sang gicla et souilla la robe blanche lorsque le corps sans tête s'écroula sur les planches de l'échafaud. Une mare rouge se forma sous le cadavre et la populace exulta en voyant le tissu blanc virer au vermillon.

Margaret hurla et crut qu'elle allait vomir. Le Prophète la rattrapa au moment où elle basculait en avant, déchirée de sanglots, et la serra contre lui comme un père résolu à réconforter sa fille après un cauchemar.

— Nathan, est-ce là l'événement qui apportera la joie et la prospérité à son peuple ? Cela doit-il arriver pour que notre monde soit sauvé ?

— Oui… Le long de la bonne branche, presque toutes les prophéties ont une Fourche. Pour que les vivants échappent au Gardien, il faut que chaque événement emprunte le bon chemin. Dans cette prédiction, les gens doivent se réjouir de la mort de la Mère Inquisitrice, car l'autre branche conduit aux ténèbres éternelles du royaume des morts. J'ignore pourquoi il en est ainsi.

Margaret sanglota de plus belle et Nathan la serra très fort contre lui.

— Créateur bien-aimé, gémit-elle, aie pitié de Ta pauvre enfant ! Donne-lui de la force !

— Quand on combat le Gardien, la pitié n'existe pas.

— Nathan, j'ai lu des prophéties qui annonçaient la mort d'une personne. Mais ce n'étaient que des mots. Assister à cette scène m'a blessée jusqu'au plus profond de l'âme.

Le Prophète tapota le dos de sa geôlière.

— Je sais cela… Mieux que personne !

Margaret s'écarta du vieil homme et essuya ses larmes.

— C'est la vraie prophétie qui suit celle qui a bifurqué hier ?

— Exactement.

— Et c'est ainsi que vous les recevez toutes ?

— Oui… Elles viennent toujours à moi de cette manière. Je vous ai fait partager ce que je vois. Les mots arrivent en même temps, et ils doivent être transcrits fidèlement. Ainsi, ceux qui n'ont pas le droit de connaître les prophéties ne parviennent pas à les interpréter. Les autres, ceux qui sont destinés à savoir, comprennent quand ils lisent les textes. Je n'avais jamais *montré* une prophétie à quelqu'un…

— Pourquoi avoir dérogé à cette règle ?

— Nous affrontons le Gardien. Vous deviez être informée du danger.

— Nous combattons le Gardien depuis toujours !

— Mais cette fois, la lutte est différente…

— Je dois dire aux autres que vous pouvez leur montrer des images. Il faut que vous nous aidiez à comprendre les prophéties.

— Non. Je ne partagerai plus jamais mes visions ! Même si on me torture, je ne céderai pas. Cette expérience ne se répétera pas, ni avec vous ni avec une autre sœur.

— Pourquoi ?

— Vous n'êtes pas destinées à voir, mais à lire les prophéties.

— N'est-il pas possible de… ?

— Il doit en être ainsi ! Sinon, votre pouvoir vous les révélerait. Vous n'êtes pas destinées à les voir. Et ceux qui n'ont pas votre don n'ont pas le droit de les entendre. Vous me l'avez assez souvent répété !

— Pourtant, cela nous aiderait…

— Souvenez-vous de la fille à qui j'ai parlé. Connaître une prophétie ne l'a pas aidée, et il y a eu ensuite des milliers de victimes. Vous me gardez prisonnier ici pour que mes paroles ne tombent pas dans de mauvaises oreilles. Ma mission est d'incarcérer dans leur ignorance les autres humains, à part les prophètes comme moi. C'est la volonté de Celui qui nous a donné le pouvoir. S'Il avait voulu que vous sachiez, Il aurait ajouté le don à vos capacités. Mais Il ne l'a pas fait…

— Nathan, on vous torturera pour que vous cédiez.

— Je ne révélerai rien, quoi qu'on me fasse. Les sœurs me tueront si ça leur chante, mais elles n'obtiendront rien de moi. (Il baissa la voix.) Si vous ne leur dites rien, elles n'essaieront pas…

Margaret le regarda, le découvrant sous un jour inédit. De tous les prophètes, c'était le moins franc du collier, et elles n'avaient jamais pu lui faire confiance. Tous les autres leur avaient dit la vérité sur leur don et leur pouvoir. Nathan mentait sans cesse, au minimum par omission. La sœur se demanda ce qu'il savait vraiment et de quoi il était capable.

— J'emporterai dans la tombe ce que vous m'avez montré, Nathan…

— Merci, mon enfant…

Certaines sœurs auraient torturé le Prophète s'il avait osé les appeler ainsi. Margaret n'était pas du nombre…

Elle se leva et lissa sa robe.

— Ce matin, j'informerai les autres qu'une prophétie a bifurqué, et je leur répéterai celles qui appartiennent à la bonne et à la mauvaise branche. Il leur faudra les interpréter avec les moyens que leur a donnés le Créateur.

— C'est ainsi que les choses doivent être…

Margaret rangea l'encrier, la plume et la boîte de sable dans le tiroir.

— Nathan, pourquoi vouliez-vous voir la Dame Abbesse ?

— Cela non plus, sœur Margaret, ne vous regarde pas. Allez-vous me torturer pour que je vous le révèle ?

La sœur reprit son Livre des Prophéties.

— Non, Nathan, vous n'avez rien à craindre.

— Alors, transmettriez-vous un message à la Dame Abbesse ?

— Que voulez-vous que je lui dise ? répondit Margaret en essuyant les larmes qui perlaient encore à ses paupières.

— Emporterez-vous cela aussi dans votre tombe ? Le répéterez-vous seulement à l'Abbesse ?

— Si c'est votre volonté, oui, bien que je ne comprenne pas pourquoi. Vous pouvez vous fier aux sœurs…

— Sûrement pas ! Margaret, écoutez-moi attentivement. Quand on combat le Gardien, il ne faut faire confiance à personne. Je prends des risques en pariant sur votre loyauté, et sur celle de l'Abbesse. Ne vous fiez à personne ! Car seuls ceux que vous croirez fidèles pourront vous trahir vraiment.

— C'est compris, Nathan… Quel est le message ?

— Dites à l'Abbesse que le caillou est dans la mare.

— Pardon ? Que signifie…

— Mon enfant, coupa le Prophète, n'avez-vous pas eu assez peur ? Ne surestimez pas votre résistance.

— *Sœur Margaret*, Nathan… Je ne suis pas « votre enfant ». Veuillez me témoigner le respect qui m'est dû.

— Pardonnez-moi, sœur Margaret. (Parfois, le regard de cet homme faisait frissonner son interlocutrice.) Il y a encore une chose…

— Laquelle ?

Nathan tendit une main et écrasa une larme sur la joue de Margaret.

— Je ne sais rien au sujet de votre mort. (La sœur ne parvint pas à cacher son soulagement.) Mais je détiens une autre information sur vous, très importante pour notre combat contre le Gardien.

— Si cela peut m'aider à faire régner la lumière du Créateur sur le monde, je vous écoute…

Le Prophète sembla se retirer en lui-même, la regardant soudain de très loin.

— Il viendra un moment, très bientôt, où vous butterez sur un problème et où vous aurez besoin de connaître la réponse à une question. J'ignore laquelle, mais quand cela se produira, venez me voir. À ce moment-là, je saurai. Cela non plus, ne le répétez à personne…

— Merci, Nathan… (Elle posa une main sur les siennes.) Que la bénédiction du Créateur soit sur son fils…

— Inutile de dire ça, ma sœur. Je ne veux plus rien recevoir de Lui.

— Parce que nous vous gardons prisonnier ici ?

— Il y a différentes sortes de prisons… Pour moi, Ses bénédictions sont un cadeau empoisonné. Une seule chose est pire que d'être touché par le Créateur : l'être par le Gardien ! Et cela, je le refuse !

— Je prierai quand même pour vous, Nathan, dit Margaret en retirant sa main.

— Si vous vous souciez autant de moi, libérez-moi !

— Désolée, mais je ne peux pas.

— Non, vous ne voulez pas !

— Croyez ce qui vous chante… Mais votre place est ici.

Nathan se détourna et Margaret se dirigea vers la porte.

— Ma sœur, m'enverrez-vous une femme pour une ou deux nuits ?

La douleur, dans la voix du Prophète, manqua arracher des larmes à sa geôlière.

— Je croyais que ces choses-là n'étaient plus de votre âge…

— Vous avez un compagnon, sœur Margaret…, dit le vieil homme en se tournant vers elle.

La sœur sursauta. Comment savait-il ? Non, il ne savait rien, mais il tentait de deviner. Jeune et séduisante, Margaret avait ses admirateurs. Et les hommes ne lui étaient pas indifférents. Nathan devait bluffer.

Mais aucune sœur ne savait vraiment de quoi il était capable…

Le seul sorcier qu'elles ne pouvaient pas croire sincère au sujet de ses pouvoirs.

— Vous écoutez les ragots, Nathan ?

— Sœur Margaret, avez-vous prévu à quel moment vous serez trop vieille pour l'amour ? Y compris pour une nuit de temps en temps ? À quel âge précis perd-on le goût d'aimer ?

Margaret ne répondit pas tout de suite, un peu honteuse.

— J'irai en ville, Nathan, et je vous choisirai une compagne pour quelques jours. Tant pis si je dois la payer de mes deniers. Je ne puis jurer que vous la trouverez belle, car je ne connais pas vos critères esthétiques, mais elle ne sera pas idiote, et je crois que c'est plus important que vous ne voulez bien l'admettre.

— Merci, sœur Margaret, dit le Prophète, une unique larme au coin d'un œil.

— Mais vous devez me jurer de ne pas lui confier de prophétie.

— Bien sûr, ma sœur. Je vous en donne ma parole de sorcier.

— C'est très sérieux, Nathan. Pas question que je sois responsable de la mort d'innocents. Lors des troubles dont je vous parlais, des hommes ont péri, mais aussi des femmes. Je ne supporterais pas d'être impliquée dans de pareilles horreurs.

— Même si vous saviez, sœur Margaret, qu'une de ces femmes, si elle avait vécu, aurait eu un fils qui serait devenu un tyran ? Un monstre qui aurait torturé et massacré des milliers d'innocents, femmes, vieillards et enfants compris ? Même si vous aviez pu, ma sœur, en révélant une prophétie, empêcher qu'elle bifurque vers l'horreur la plus absolue ?

— Nathan, murmura Margaret, êtes-vous en train de me dire que… ?

— Bonne nuit, ma sœur, coupa le Prophète.

Il passa la porte et releva sa capuche avant de se replonger dans la solitude de son minuscule jardin.

Chapitre 6

Le vent faisait voler autour d'elle les vêtements de Kahlan. Après ses malheurs capillaires de la veille, elle se félicita d'avoir pensé à attacher sa somptueuse crinière. Les yeux fermés, elle serra plus fort la taille de Richard et pressa une joue contre son dos.

Cela se reproduisait : le sentiment de devenir lourde qui faisait descendre le nœud, dans son estomac, beaucoup plus bas qu'elle ne l'aurait voulu. Si ça continuait, elle allait être malade. Effrayée d'ouvrir les yeux, elle savait ce qui arrivait à coup sûr quand elle se sentait ainsi…

Richard lui cria de regarder.

Elle leva à peine les paupières et plissa le front. Ainsi qu'elle le craignait, le monde était incliné selon un angle absurde. Sa tête tournait comme une toupie. Pourquoi la femelle dragon se sentait-elle obligée de faire des acrobaties chaque fois qu'elle changeait de direction ? Pressée contre les écailles rouges du monstre, la Mère Inquisitrice se demanda par quel miracle elle ne basculait pas dans le vide.

Selon Richard, c'était comme lorsqu'on portait un seau plein en équilibre sur la tête, l'eau ne se renversant pas. Kahlan n'avait jamais mis de seau sur son crâne, et elle ne croyait pas vraiment que l'eau ne débordait pas.

Baissant les yeux, elle vit ce que Richard désignait : le village du Peuple d'Adobe.

Quand Écarlate amorça la descente – en vrille, bien entendu – Siddin cria de joie sur les genoux de Richard. Alors que la femelle dragon fonçait vers la terre ferme, la Mère Inquisitrice eut le sentiment que le nœud baladeur lui remontait dans la gorge. Comment ses compagnons pouvaient-ils aimer voler ? Elle ne comprenait pas. Pourtant, ils se régalaient. Les bras levés, ils riaient comme deux gamins. Pour Siddin, qui en était un, cela pouvait s'admettre. Mais Richard…

Kahlan sentit un sourire naître sur ses lèvres. Puis elle éclata aussi de rire. Pas à cause du vol à dos de dragon, mais parce que voir Richard heureux la comblait de bonheur. Pour qu'il soit ainsi, elle aurait volontiers chevauché un monstre tous les jours.

Relevant la tête, elle lui posa un baiser sur la nuque. Les bras tendus en arrière, son compagnon lui caressa lentement les jambes. Ravie, elle se serra plus fort contre lui et oublia un peu son mal de l'air.

Richard demanda à Écarlate de se poser sur la grande place du village. Au crépuscule, les derniers rayons du soleil coloraient de rouge vif les bâtiments en terre ocre du Peuple d'Adobe. Malgré l'altitude, Kahlan sentait déjà la fumée des feux de cuisson. Affolés par l'ombre gigantesque qui planait sur eux, les villageois couraient se mettre à couvert, leurs occupations abandonnées.

L'Inquisitrice espéra qu'ils n'auraient pas trop peur. Lors de sa dernière visite, Écarlate avait Darken Rahl pour cavalier. Furieux de ne pas avoir trouvé Richard, il s'était sauvagement vengé sur des innocents.

Les survivants ignoraient que la femelle dragon était victime d'un chantage, Rahl lui ayant volé son œuf pour la forcer à coopérer. De toute façon, même sans un sorcier noir sur le dos, tout reptile volant aurait été perçu comme une menace mortelle. Et seul un fou n'aurait pas détalé devant une femelle rouge, membre de la race de dragons la plus belle et la plus dangereuse. Face à ces créatures, on avait seulement deux solutions : tenter de les abattre ou prendre ses jambes à son cou.

Sauf quand on s'appelait Richard Cypher ! Qui d'autre aurait songé à apprivoiser un monstre volant ? Risquant sa vie pour récupérer l'œuf d'Écarlate, il avait fini par s'en faire une amie « à la vie, à la mort », même si elle répétait sans arrêt qu'elle le dévorerait un jour ou l'autre. Selon Kahlan, ce devait être un gag intime entre eux, puisque Richard s'esclaffait à chaque fois. Mais elle n'était pas sûre d'avoir raison, et ça l'inquiétait un peu…

Les yeux toujours baissés sur le village, elle espéra que les chasseurs ne tireraient pas de flèches empoisonnées avant d'avoir vu qui chevauchait la femelle dragon.

Dès qu'il aperçut sa maison, Siddin pointa un doigt et parla à Richard dans la langue des Hommes d'Adobe. Bien qu'il ne comprît pas un mot, le Sourcier sourit et ébouriffa joyeusement les cheveux du petit garçon. Puis tous deux s'accrochèrent aux piques d'Écarlate, qui se préparait à atterrir. Soulevée par les battements de ses ailes, une colonne de poussière brouilla momentanément la vue de Kahlan.

Richard hissa Siddin sur ses épaules et se mit debout sur le dos d'Écarlate. Le vent glacé chassa la poussière et révéla un cercle de chasseurs, leurs arcs pointés sur les trois visiteurs.

Kahlan retint son souffle.

Siddin salua son peuple des deux mains, comme Richard le lui avait suggéré. Écarlate inclina le cou pour que les villageois puissent identifier leurs visiteurs. Stupéfaits, les chasseurs baissèrent lentement leurs arcs. L'Inquisitrice soupira de soulagement quand elle les vit relâcher la tension sur les cordes…

Une silhouette vêtue d'une tunique et d'un pantalon en peau de daim se fraya un chemin parmi les chasseurs.

De longs cheveux gris cascadant sur ses épaules, c'était l'Homme Oiseau. Et il n'essayait pas de cacher sa surprise…

— C'est moi, Richard ! Avec votre aide, nous avons vaincu Darken Rahl. Et nous ramenons le fils de Savidlin et de Weselan.

L'Homme Oiseau dévisagea Kahlan pendant qu'elle traduisait.

— *Votre peuple vous accueille à bras ouverts,* répondit-il, tout sourires, quand elle eut fini.

Les femmes et les enfants se glissèrent entre les chasseurs, leurs cheveux amidonnés par la boue faisant comme un écrin à leurs yeux écarquillés.

Écarlate se baissa au maximum. Richard glissa le long de son épaule et se réceptionna en souplesse sur le sol. Siddin au creux d'un bras, il tendit l'autre pour aider Kahlan à descendre. Revenue sur le plancher des vaches, elle se sentit tout de suite dans une forme éblouissante.

Weselan courut vers eux, Savidlin sur les talons.

Siddin sauta littéralement au cou de sa mère. Pleurant et riant à la fois, Weselan essaya en vain d'étreindre son fils et les deux jeunes gens. Plus digne, Savidlin tapota le dos de Siddin en regardant l'Inquisitrice et le Sourcier avec des yeux humides.

— *Il a été courageux comme doit l'être un chasseur,* dit Kahlan.

L'Homme d'Adobe hocha sobrement la tête. Puis il avança et flanqua une gifle amicale à la jeune femme.

— *Que la force accompagne l'Inquisitrice Kahlan,* dit-il.

Elle lui rendit sa gifle, le salut traditionnel du Peuple d'Adobe. Alors, oubliant sa réserve, il la prit dans ses bras et la serra un long moment contre lui. Quand il la lâcha enfin, il remit en place la peau de coyote, sur son épaule, et regarda Richard, l'air émerveillé. Puis il lui décocha un formidable direct au menton, histoire de prouver à quel point il le respectait.

— *La force accompagne Richard Au Sang Chaud.*

Kahlan regretta l'excès de zèle de l'Homme d'Adobe. À voir les yeux de Richard, elle devinait qu'il souffrait d'une terrible migraine. Cela avait commencé la veille, sans vraiment s'arranger malgré une bonne nuit de sommeil dans la grotte d'Écarlate.

Siddin avait joué avec le bébé dragon jusqu'à ce qu'il tombe de fatigue et se blottisse contre eux pour dormir à poings fermés.

Après plusieurs nuits blanches, Kahlan s'attendait à s'écrouler comme une masse. Mais elle avait passé une petite éternité à regarder Richard. La tête posée sur son épaule, la main du jeune homme entre les siennes, elle avait fini par s'endormir en souriant. Ils avaient tous besoin de repos. Hanté par des cauchemars, Richard s'était réveillé plusieurs fois, le front ruisselant de sueur. Bien qu'il ne se soit pas plaint, Kahlan avait vu que ses maux de tête le torturaient.

Il retourna pourtant son « salut » à Savidlin avec un sourire.

— La force accompagne mon ami Savidlin.

Le protocole ayant été respecté, l'Homme d'Adobe s'autorisa des manifestations d'amitié plus spontanées.

Après avoir salué l'Homme Oiseau, Richard s'adressa à la foule.

— Cette courageuse et noble femelle dragon, Écarlate, dit-il d'une voix assez forte pour que tout le monde entende, m'a aidé à tuer Darken Rahl et à venger nos frères assassinés. Puis elle nous a conduits ici, afin que Weselan et Savidlin ne passent pas une nouvelle nuit à se ronger les sangs au sujet de leur fils. C'est mon amie, et également celle de mon peuple.

Kahlan traduisit dans un silence stupéfait.

Les chasseurs bombèrent le torse en entendant qu'un ennemi du Peuple d'Adobe avait été tué par un des leurs, aussi récemment adopté fût-il. Ces gens vénéraient la force. Abattre quelqu'un qui les avait frappés en était une éclatante manifestation.

Écarlate baissa la tête et foudroya Richard du regard.

— Ton amie ? Les dragons rouges ne copinent avec personne ! Tout le monde nous craint.

— Et pourtant, tu es mon amie.

La femelle dragon exhala un petit nuage de fumée.

— Foutaises ! Tu t'en apercevras quand je te croquerai tout cru.

Richard sourit et désigna l'Homme Oiseau.

— Regarde-le bien, Écarlate. C'est lui qui m'a donné le sifflet que j'ai utilisé pour sauver ton œuf. Sans ça, les garns auraient dévoré ton enfant. (Il caressa le museau de la femelle dragon.) Et ç'aurait été dommage, parce qu'il est magnifique.

Écarlate étudia attentivement l'Homme Oiseau.

— Même pas de quoi faire un amuse-gueule convenable… Ce village entier ne réussirait pas à me rassasier. Alors, inutile de me donner du mal pour rien. (Elle tendit le cou vers le Sourcier et ajouta, plus bas.) Si ce sont tes amis, ce sont aussi les miens…

— Écarlate, cet Ancien s'appelle l'Homme Oiseau parce qu'il adore les créatures ailées.

— Vraiment ? (La femelle dragon tendit de nouveau le cou vers l'Homme Oiseau. Les villageois debout près de lui reculèrent prudemment, mais il ne broncha pas.) Merci d'avoir aidé Richard, qui a sauvé mon petit. Le Peuple d'Adobe n'a rien à craindre de moi. Parole de dragon rouge !

L'Homme Oiseau écouta la traduction de Kahlan, sourit à Écarlate et se tourna vers son peuple.

— *Comme Richard Au Sang Chaud l'a dit, cette noble femelle dragon est notre amie. Elle pourra chasser sur nos terres sans que nous lui fassions de mal. Et elle ne nous en fera pas non plus…*

Des ovations saluèrent cette déclaration. Avoir une femelle rouge comme amie, pour ces gens, était un hommage à leur force. Criant de joie, les villageois levèrent les bras au ciel et esquissèrent quelques pas de danse. Écarlate participa aux réjouissances à sa façon. Tendant le cou, elle cracha vers le ciel une colonne de flammes rugissantes.

Les villageois applaudirent à tout rompre.

Remarquant que Richard jetait des coups d'œil inquiets sur sa gauche, Kahlan tourna la tête et aperçut un groupe de chasseurs qui restaient à l'écart, la mine sinistre. Elle reconnut leur chef : lors de leur séjour au village, après le massacre, il avait accusé Richard d'avoir attiré le malheur sur le Peuple d'Adobe.

Alors que l'allégresse était à son comble, Richard fit signe à Écarlate de s'approcher de lui. Quand elle eut baissé le cou, il lui parla à l'oreille. Elle l'écouta attentivement avant de reculer et de hocher la tête.

Richard brandit le sifflet en os pendu autour de son cou par une lanière de cuir et se tourna vers l'Homme Oiseau.

— Quand tu m'as offert ce sifflet, mon ami, tu pensais qu'il ne me servirait à rien parce que j'appelais tous les oiseaux du ciel en même temps. Je crois que les esprits du bien voulaient qu'il en soit ainsi. Ce « don » étrange m'a aidé à sauver le monde de Darken Rahl. Et à garder Kahlan en vie. Accepte tous mes remerciements…

L'Homme Oiseau écouta la traduction, l'air ravi.

Richard souffla à Kahlan qu'il serait vite de retour et sauta sur le dos d'Écarlate.

— Honorable Ancien, mon amie et moi voudrions aussi te faire un présent. Veux-tu venir avec nous dans le ciel, afin de connaître l'endroit où s'ébattent tes chers oiseaux ?

Il tendit la main au véritable chef du Peuple d'Adobe.

Dès que Kahlan eut traduit, l'Ancien jeta un regard angoissé à la femelle dragon. Ondulant au rythme de sa respiration, ses écailles rouges brillaient de mille feux sous les derniers rayons du soleil et son énorme queue frôlait les premières maisons, au bout de la place. Quand elle déploya ses ailes, l'Homme Oiseau regarda Richard, qui lui tendait toujours la main.

Enfin, un sourire d'enfant s'afficha sur ses lèvres. Sous le regard ému de Kahlan, il saisit le poignet du Sourcier et se laissa hisser sur le dos du reptile volant.

Alors qu'Écarlate décollait, Savidlin approcha de l'Inquisitrice. Sous les acclamations de la foule, elle regarda la femelle dragon s'éloigner, les yeux rivés sur le dos de Richard. Quand l'Homme Oiseau éclata de rire, elle espéra qu'il serait toujours aussi enthousiaste une fois que leur monture aurait viré une ou deux fois sur l'aile.

— *Richard Au Sang Chaud est une personne comme on en rencontre rarement*, dit Savidlin.

Kahlan approuva du chef puis tourna la tête vers le chasseur que toute cette affaire n'amusait pas le moins du monde.

— *Savidlin, comment s'appelle cet homme ?*

— *Chandalen… Selon lui, Richard est responsable du massacre perpétré par Darken Rahl.*

La Première Leçon du Sorcier revint à l'esprit de l'Inquisitrice : les gens étaient capables de croire n'importe quoi.

— *Sans Richard, Darken Rahl régnerait aujourd'hui sur le monde, et des milliers d'autres innocents auraient péri…*

— *Il ne suffit pas d'avoir des yeux pour ne pas être aveugle… Et Toffalar, l'Ancien que tu as tué, était son oncle…*

Kahlan hocha distraitement la tête.

— *Attends-moi ici*, dit-elle à l'Homme d'Adobe.

Elle traversa la place et détacha ses cheveux en marchant. Avoir découvert que Richard l'aimait et ne souffrirait pas de sa magie continuait à la troubler. Comment croire qu'une Inquisitrice pouvait connaître l'amour ? Cela allait contre tout ce qu'on lui avait enseigné. Pour l'heure, son seul désir était d'entraîner le jeune homme dans un endroit tranquille, de l'embrasser et le serrer dans ses bras jusqu'à ce qu'ils soient tous deux des vieillards décrépits.

Pas question que Chandalen fasse le moindre mal à Richard ! Maintenant qu'elle avait – par miracle – un avenir avec lui, personne ne s'interposerait entre eux.

L'idée que quelqu'un puisse nuire au jeune homme suffisait à faire bouillir dans ses veines la Rage du Sang – le Kun Dar. Elle ignorait être dotée de cette magie jusqu'à ce qu'elle ait cru son bien-aimé mort. Depuis, elle sentait cette puissance tapie en elle, comme les autres composants de sa magie d'Inquisitrice.

Les bras croisés, Chandalen la regardait approcher, ses hommes derrière lui, appuyés à leurs lances. Visiblement, ils revenaient d'une chasse, car leurs corps étaient couverts d'une boue visqueuse. Au repos, mais prêts à bondir, ils portaient leurs arcs à l'épaule, un carquois d'un côté de la ceinture, et un coutelas de l'autre. Certains avaient des traînées de sang sur la poitrine. Les broussailles accrochées autour de leurs bras et de leurs têtes aidaient à les rendre invisibles quand ils maraudaient dans les plaines…

Kahlan s'arrêta devant Chandalen et le regarda dans les yeux avant de lui flanquer la gifle rituelle.

— *La force accompagne Chandalen !*

L'homme détourna la tête, garda les bras croisés et cracha sur le sol.

— *Que voulez-vous, Mère Inquisitrice ?*

Les chasseurs se permirent un petit sourire méprisant. Leur pays était le seul au monde où ne pas être giflé passait pour une insulte.

— *Richard Au Sang Chaud a consenti à de terribles sacrifices pour protéger notre peuple de Darken Rahl. Pourquoi le détestez-vous ?*

— *Tous les deux, vous avez attiré le malheur sur la tête des miens. Et vous recommencerez.*

— *Des* nôtres, corrigea Kahlan. (Elle déboutonna son poignet, remonta la manche de sa chemise jusqu'à l'épaule et brandit son bras devant le chasseur.) *Toffalar m'a blessée, et voilà la cicatrice qu'il m'a laissée. Je l'ai tué pour me défendre. En m'attaquant, il avait signé son arrêt de mort. Ce n'est pas moi qui l'ai défié…*

— *Mon oncle n'a jamais su se servir d'un couteau*, lâcha Chandalen. *C'est dommage…*

Kahlan serra les mâchoires sous l'insulte. À présent, elle ne pouvait plus reculer.

Plongeant de nouveau son regard dans celui de l'Homme d'Adobe, elle embrassa le bout de ses doigts et les posa sur la joue du guerrier, là où elle l'avait giflé. Derrière lui, ses hommes crièrent à l'outrage et martelèrent le sol du bout de leurs lances. Chandalen s'empourpra, la haine brûlant dans son regard.

La pire insulte qu'on pouvait faire à un chasseur ! En ne giflant pas Kahlan, il l'avait humiliée. Cela ne voulait pas dire qu'il ne respectait pas sa force, simplement qu'il refusait de lui témoigner du respect. Avec le baiser posé sur la joue qu'elle avait frappée, l'Inquisitrice *effaçait* sa marque de considération. En clair, elle ne reconnaissait plus sa force, et manifestait qu'elle le tenait pour un enfant stupide. C'était pire que si elle avait craché sur son honneur…

Bien que ce fût un comportement très risqué, il était encore plus dangereux, face au Peuple d'Adobe, de montrer sa faiblesse devant un ennemi. Un moyen sûr d'être égorgé pendant son sommeil ! Car après un tel aveu, on n'avait plus le droit d'affronter un adversaire à la lumière du jour. L'honneur exigeait que les défis soient lancés ouvertement. L'offense que Kahlan venait de commettre en public exigeait une réplique tout aussi directe.

— *À partir de cet instant*, dit-elle, *si tu veux mon respect, tu devras le mériter.*

Le passage au tutoiement aussi, dans ce contexte, était un défi.

Chandalen leva le poing, prêt à frapper.

Kahlan tendit le menton.

— *Ainsi, tu décides de montrer ton respect pour ma force ?*

Chandalen regarda quelque chose, derrière l'Inquisitrice. Ses chasseurs tressaillirent et, à contrecœur, reposèrent l'embout de leurs lances sur le sol. Se retournant, Kahlan vit une cinquantaine d'hommes, arcs prêts à tirer. Toutes les flèches étaient pointées sur Chandalen et ses neuf compagnons.

— *Ainsi,* ricana le chasseur, *tu n'es pas si forte que ça, puisque tu demandes à d'autres de t'aider…*

— *N'intervenez pas,* ordonna Kahlan à ses renforts. *Personne ne doit se mêler de cette affaire. C'est entre Chandalen et moi…*

Les hommes baissèrent leurs arcs et désencochèrent les flèches.

— *Tu n'es pas forte,* insista Chandalen. *Car tu te caches derrière l'épée du Sourcier.*

Kahlan lui saisit l'avant-bras et serra très fort. L'Homme d'Adobe se pétrifia, les yeux écarquillés. Quand une Inquisitrice touchait quelqu'un de cette façon, c'était une menace sans détour, et il le savait. Bien qu'il fût prêt à la défier, il ne pensa pas un instant à bouger. Ses muscles étaient moins vifs que l'esprit de la femme, et il lui suffirait d'une pensée pour le vaincre.

— *En un an,* souffla-t-elle, *j'ai tué plus d'hommes que tu te vantes d'en avoir abattu dans ta vie. Si tu t'en prends à Richard, ton nom s'ajoutera à la liste de mes victimes. Ose seulement le menacer devant moi, et je t'écraserai comme un moustique !*

Elle balaya du regard le groupe de chasseurs dissidents.

— *Je vous tendrai toujours la main de l'amitié… Mais si l'un de vous brandit un couteau contre moi, il mourra de la même façon que Toffalar. N'oubliez pas que je suis la Mère Inquisitrice : quelqu'un qui peut tuer d'une pensée… et qui n'hésitera pas à le faire.*

Tous les chasseurs hochèrent la tête, conscients qu'elle ne se vantait pas. Chandalen s'entêta jusqu'à ce que la pression, sur son bras, devienne intolérable. Alors, lui aussi acquiesça.

— *Cette affaire restera entre nous et je n'en parlerai pas à l'Homme Oiseau.* (Kahlan lâcha le bras du chasseur. Un rugissement, dans le lointain, annonça le retour de la femelle dragon.) *Nous sommes dans le même camp, Chandalen. Chacun de nous lutte pour la survie du Peuple d'Adobe. Je respecte cela en toi…*

Kahlan gratifia Chandalen d'une petite gifle. Sans lui laisser la possibilité de la lui retourner ou non, elle fit volte-face. Cette claque ferait remonter la cote du chasseur auprès de ses hommes, et il aurait l'air idiot et lâche s'il l'attaquait maintenant. En faisant cette concession, Kahlan montrait qu'elle agissait honorablement. Aux chasseurs de Chandalen de décider s'il en allait de même pour lui. Brutaliser une femme n'avait rien de valorisant…

Cela dit, elle était une Mère Inquisitrice, pas une femme ordinaire…

Kahlan expira longuement en approchant de Savidlin, qui observait l'atterrissage d'Écarlate. À ses côtés, Weselan serrait toujours Siddin dans ses bras. L'enfant semblait aux anges. L'Inquisitrice frissonna en pensant à ce qui avait failli lui arriver.

— *Mère Inquisitrice, tu ferais un bon Ancien,* dit Savidlin. *Tu sais commander et enseigner l'honneur aux autres.*

— Je préférerais de loin que ces leçons ne soient pas nécessaires…

L'Homme d'Adobe émit un grognement approbateur.

Le courant d'air provoqué par les ailes d'Écarlate fit voleter le manteau de Kahlan. Elle reboutonnait sa manche au moment où Richard et l'Homme Oiseau sautaient à terre.

Un rien verdâtre, l'Ancien affichait pourtant un grand sourire. Il caressa affectueusement une écaille de la femelle dragon puis lui débita un petit discours qu'il demanda à Kahlan de traduire.

L'Inquisitrice s'exécuta de bonne grâce.

— L'Homme Oiseau dit que tu lui as fait un très grand honneur. Et un cadeau qui n'a pas de prix : une nouvelle façon de voir le monde. À dater de ce jour, si ton enfant ou toi avez besoin d'un refuge, vous serez les bienvenus sur le territoire du Peuple d'Adobe.

— Merci, Homme Oiseau, dit Écarlate avec l'équivalent draconique d'un sourire. Je suis très touchée… (Elle baissa le cou pour parler à Richard.) Il faut que je vous quitte. Mon petit est seul depuis trop longtemps, et son estomac doit grommeler…

— Merci pour tout, Écarlate. Ton enfant est superbe… Encore plus beau que toi ! Prends soin de vos deux vies et préserve à jamais votre liberté.

Écarlate ouvrit grand la gueule et fourra une patte au fond de sa gorge. Un bruit sec retentit. Quand la femelle dragon ressortit sa patte, elle tenait la pointe d'un croc – longue de six bons pouces – entre deux de ses serres aux extrémités noires.

— Les dragons ont des pouvoirs magiques, dit-elle. Tends la main. (Elle laissa tomber le croc dans la paume de Richard.) Tu as un véritable génie pour te fourrer dans les ennuis. Garde ce croc. En cas de danger, utilise-le pour m'appeler, et je viendrai. Mais choisis le bon moment, car ça ne marchera qu'une fois.

— Comment faire pour t'appeler ?

— Tu as le don, Richard Cypher. Serre le croc dans ta main, pense à moi, et je t'entendrai. Mais n'oublie pas : il faut que tu aies vraiment besoin de secours !

— Merci, Écarlate. Hélas, je n'ai pas le don…

La femelle dragon éclata de rire, faisant trembler le sol et vibrer ses écailles. Quand son hilarité fut calmée, elle baissa la tête pour braquer son regard jaune sur le Sourcier.

— Si tu n'as pas le don, personne ne l'a, mon garçon ! Vis libre et heureux, Richard Cypher !

Alors que tous regardaient le reptile volant décoller et s'éloigner à tire-d'aile, Richard prit Kahlan par la taille et la serra contre lui.

— J'espère avoir entendu pour la dernière fois ces absurdités au sujet de mon « don », marmonna-t-il. Au fait, Kahlan, je t'ai vue de là-haut. Que faisais-tu avec ces chasseurs ?

Toujours au milieu de ses hommes, Chandalen s'efforçait de ne pas regarder l'Inquisitrice.

— Rien d'important…, éluda la jeune femme.

— Allons-nous enfin être seuls ? demanda Kahlan avec un sourire effarouché. Si ça continue, je vais t'embrasser devant tous ces gens !

La douce lumière du crépuscule éclairait la fête improvisée. Sous l'abri au toit d'herbes tressées, les Anciens au grand complet, drapés dans leurs peaux de coyote, bavardaient en souriant. Leurs épouses et quelques enfants s'étaient joints à eux. Les villageois s'arrêtaient sans cesse pour saluer les deux jeunes gens et échanger avec eux des gifles amicales.

Sur la place, des gamins poursuivaient en riant de gros poulets marron en quête d'un endroit où se percher pour la nuit. Caquetant d'abondance, les volatiles déguerpissaient en battant follement des ailes…

Kahlan se demanda comment les enfants supportaient d'être nus par un froid pareil.

Superbes dans leurs robes brillantes, des femmes faisaient circuler des plateaux chargés de morceaux de pain de tava et de coupes remplies de poivrons frits, de haricots bouillis, de viande rôtie ou de gâteaux de riz.

— Tu espères pouvoir partir avant que nous leur ayons raconté notre grande aventure par le menu ? demanda Richard.

— Quelle grande aventure ? Je me souviens seulement d'avoir été morte de peur et confrontée à des problèmes dont j'ignorais la solution. (Elle frissonna en repensant que Richard avait été capturé par une Mord-Sith.) Et je t'ai cru mort…

— Quoi d'étonnant ? Une aventure, c'est exactement ça : être dans la mouise jusqu'au cou !

— Dans ce cas, j'en ai eu mon compte jusqu'à la fin de mes jours.

— Moi aussi, avoua Richard, le regard soudain lointain.

Les yeux de Kahlan se posèrent sur l'Agiel rouge pendu autour du cou du Sourcier. Puis elle prit un morceau de fromage, sur un plateau, et le porta aux lèvres de son compagnon.

— Et si nous inventions une histoire qui les satisfera ? Une très courte aventure ?

— Ce sera parfait pour moi, fit Richard avant de mordre à belles dents le morceau de fromage.

Il s'étrangla, cracha dans sa main et cria :

— Ce truc est infect !

— Vraiment ? (Kahlan renifla le fromage et le mordilla.) Ma foi, je n'aime pas ça, mais celui-là ne me paraît pas plus mauvais que d'habitude. En tout cas, il n'est pas moisi…

— Ce n'est pas ce que me dit ma langue ! grogna Richard.

Kahlan réfléchit quelques secondes, puis plissa le front.

— Hier, au Palais du Peuple, tu n'as pas aimé le fromage. Et Zedd a affirmé qu'il était très bon.

— Très bon ? Il avait un goût de pourri ! Et je sais de quoi je parle, parce que j'adore cet aliment. J'en mange tous les jours, et je peux dire quand il n'est pas bon !

— Moi, je n'en mange jamais… Tu adoptes peut-être mes habitudes…

Richard prit un morceau de tava, le fourra de lanières de poivrons et en fit un petit rouleau.

— Il y a de pires destins, dit-il en souriant.

Kahlan allait lui rendre son sourire quand elle vit que deux chasseurs approchaient. Sentant qu'elle se raidissait, le Sourcier rectifia sa position, le dos bien droit.

— Ce sont des hommes de Chandalen. Je me demande ce qu'ils veulent. (Kahlan fit un clin d'œil à son compagnon.) Tu te tiendras bien ? Ce n'est pas le moment d'avoir une nouvelle aventure…

Sans répondre, Richard regarda les deux hommes, qui s'arrêtèrent devant Kahlan, à la lisière de l'abri. Ils posèrent l'embout de leurs lances sur le sol et s'appuyèrent des deux mains sur la hampe. Les yeux plissés, un sourire sur les lèvres, ils ne semblaient pas hostiles. Le plus proche ajusta son arc sur son épaule, puis tendit une main vers l'Inquisitrice, paume visible.

Kahlan savait ce que signifiait ce geste – une main ouverte et pas d'arme dedans.

— *Chandalen approuve-t-il votre démarche ?* demanda-t-elle.

— *Nous sommes ses chasseurs, pas ses enfants.*

Kahlan posa sa main dans celle de l'homme, qui lui flanqua une gentille petite gifle.

— *La force accompagne l'Inquisitrice Kahlan. Je suis Prindin, et voilà mon frère, Tossidin.*

Kahlan gratifia Prindin d'une claque et lui souhaita que la force l'accompagne. Tossidin tendit à son tour la main et eut droit aux mêmes salutations. Surprise par la bienveillance des deux hommes, l'Inquisitrice tourna la tête vers Richard. L'allusion étant limpide, les chasseurs giflèrent et saluèrent le Sourcier.

— *Nous voulions te dire que tu as parlé avec force et honneur, aujourd'hui,* déclara Prindin. *Chandalen est un homme dur et il n'est pas facile de bien le connaître. Mais il n'est pas mauvais. Il aime notre peuple et veut le protéger. C'est ce que nous désirons tous…*

— *Richard et moi faisons aussi partie du Peuple d'Adobe…*

Les deux frères sourirent.

— *Les Anciens nous l'ont annoncé… Nous vous défendrons aussi, comme tous nos frères et sœurs !*

— *Et que fera Chandalen ?*

Prindin et Tossidin sourirent de plus belle, mais ne répondirent pas. Soulevant leurs lances, ils s'apprêtèrent à partir.

— Dis-leur qu'ils ont des arcs magnifiques, souffla Richard.

L'Inquisitrice jeta un coup d'œil au Sourcier, puis traduisit ses propos.

— *Et nous sommes très adroits avec,* répondit l'Homme d'Adobe.

— *Dis-leur aussi que leurs flèches semblent d'une excellente facture,* ajouta Richard. *Et demande si je peux en examiner une.*

Kahlan traduisit sans cacher sa perplexité.

Rayonnant de fierté, Prindin tira une flèche de son carquois et la tendit au Sourcier. L'Inquisitrice remarqua que les Anciens s'étaient tus et regardaient Richard faire rouler le projectile entre ses doigts. Toujours aussi impassible, il examina l'encoche, au bout de la hampe, puis s'intéressa à la tête plate en métal.

— De l'excellent travail…, dit-il en rendant la flèche à son propriétaire.

Kahlan traduisit pendant que Prindin remettait le projectile dans son carquois. S'appuyant de nouveau sur sa lance, le chasseur sourit.

— *Si Richard Au Sang Chaud sait se servir d'un arc, nous l'invitons à une compétition amicale, demain.*

Savidlin intervint avant que l'Inquisitrice ait pu traduire.

— *Lors de votre dernière visite, Richard m'a dit qu'il avait laissé son arc chez lui, et qu'il lui manquait. Pour votre retour, je lui en ai fabriqué un, et je veux lui faire la surprise. C'est un cadeau, pour le remercier de m'avoir appris à construire des toits qui ne fuient pas. L'arme est chez moi. Je voulais la lui offrir plus tard. Dis-le-lui. Et ajoute que si cela lui convient, quelques-uns de mes guerriers et moi l'accompagnerons demain.* (Il sourit de toutes ses dents.) *Nous verrons s'il tire aussi bien que nous !*

Les deux frères sourirent, enthousiasmés par cette proposition… et apparemment convaincus de remporter la compétition.

Quand Kahlan lui eut rapporté les propos de Savidlin, Richard parut surpris… et touché.

— Les arcs des Hommes d'Adobe comptent parmi les plus beaux que j'aie vus. Je suis très honoré, Savidlin. C'est un présent très généreux, et je serai ravi de t'avoir à mes côtés. Nous donnerons une leçon de précision à ces jeunes gens !

Prindin et Tossidin s'esclaffèrent quand Kahlan eut traduit la dernière phrase.

— *À demain, donc*, conclut Prindin.

Son frère et lui s'éloignèrent. L'air sombre, Richard les regarda un long moment sans desserrer les mâchoires.

— Où était le problème avec leurs flèches ? lança Kahlan.

— Demande à Savidlin de me confier une des siennes, et je te montrerai.

L'Homme d'Adobe tendit son carquois au Sourcier, qui en sortit une poignée de projectiles, écartant ceux qui avaient des pointes en bois durci. Ceux-là, Kahlan le savait, étaient empoisonnés.

Richard sélectionna une flèche à tête plate en fer et la brandit devant les yeux de l'Inquisitrice.

Elle la fit rouler entre ses doigts, comme l'avait fait son compagnon. Ne voyant rien de spécial, elle étudia l'encoche puis la tête.

— Pour moi, c'est une flèche comme les autres, avoua-t-elle.

— Comme les autres, vraiment ? (Il tira une nouvelle flèche du carquois et montra à Kahlan la petite pointe ronde.) Les deux se ressemblent ?

— Eh bien, non… La pointe de celle-là est petite, allongée, fine et ronde. L'autre a une tête en fer, comme celle de Prindin…

— Non, dit Richard, pas exactement comme celle de Prindin… (Il posa la flèche à pointe ronde, reprit l'autre et montra à Kahlan le bout de la hampe.) Tu vois l'encoche. La flèche se positionne sur la corde comme cela, l'encoche en position verticale. Ça te dit quelque chose ? (Kahlan secoua la tête.) Certaines flèches ont un empennage en spirale, afin de tourner sur elles-mêmes. Des experts prétendent que ça augmente leur puissance. J'ignore si c'est vrai, mais là n'est pas la question. Toutes les flèches des Hommes d'Adobe ont des empennages droits, ce qui stabilise leur vol. En d'autres termes, elles touchent leur cible dans la position où on les a tirées.

— Je ne vois toujours pas en quoi celle-là est différente des flèches de Prindin.

Richard glissa l'ongle de son pouce dans l'encoche.

— C'est comme ça que la flèche se met en place sur la corde. Tu vois que l'encoche est en position verticale ? Quand la flèche quitte l'arc et quand elle touche sa cible, c'est pareil, puisque la hampe ne tourne pas sur elle-même. À présent, regarde la tête du projectile. Tu vois qu'elle est en position verticale aussi ? Comme l'encoche ? Bref, la tête et la corde sont dans le même plan. Toutes les flèches à tête métallique de

Savidlin sont comme ça…

» Tu sais pourquoi ? Parce qu'il les utilise pour chasser de gros animaux, comme les sangliers ou les daims. Les côtes de ces bêtes sont disposées verticalement. Cette configuration de tête donne une meilleure chance aux flèches de passer entre les os, au lieu de rebondir dessus.

Richard se pencha vers sa compagne.

— Les flèches de Prindin sont différentes, avec des têtes inclinées à quatre-vingt-dix degrés. Quand on les encoche, la pointe est horizontale. Donc, elles ne sont pas conçues pour chasser des animaux aux côtes disposées verticalement. Celles de leurs cibles sont en position *horizontale*. Conclusion : Prindin et les autres chassent des humains.

Kahlan en eut aussitôt la chair de poule.

— Pourquoi feraient-ils ça ?

— Les Hommes d'Adobe sont très jaloux de leur territoire et y laissent rarement entrer des étrangers. Selon moi, Chandalen et ses compagnons ont mission d'empêcher qu'on franchisse leurs frontières. Ce sont probablement les plus féroces chasseurs de leur communauté… et les meilleurs archers. Demande à Savidlin comment ils s'en sortent avec leurs arcs ?

Kahlan traduisit la question.

— *Aucun de nous n'a jamais battu les archers de Chandalen,* répondit leur ami. *Même si Richard Au Sang Chaud est très bon, il n'a aucune chance. Mais ils prendront garde à ne pas trop nous humilier, car ce sont des vainqueurs magnanimes. Que Richard ne s'inquiète pas, il aimera cette journée et apprendra beaucoup de choses ! C'est pour ça que je veux emmener mes hommes. Les archers de Chandalen leur font faire des progrès. Chez nous, être le meilleur implique des responsabilités vis-à-vis des autres. Il faut les aider à s'améliorer. Dis aussi à Richard qu'il ne peut plus reculer, à présent qu'il a relevé le défi.*

— J'ai toujours pensé qu'apprendre ne fait de mal à personne, déclara Richard quand Kahlan eut traduit. Je ne me déroberai pas.

Le regard intense du Sourcier força l'Inquisitrice à sourire jusqu'à ce qu'elle en ait mal aux mâchoires. Souriant aussi, il tendit un bras, tira son sac vers lui et en sortit une pomme. La coupant en deux, il retira les pépins et tendit une moitié à Kahlan.

Les Anciens s'agitèrent nerveusement. Dans les Contrées du Milieu, tous les fruits à peau rouge étaient empoisonnés à cause d'une magie maléfique. Ces hommes ignoraient qu'en Terre d'Ouest, le pays de Richard, on pouvait les consommer sans danger. Ils l'avaient vu croquer une pomme lors de son premier séjour. Une ruse pour ne pas être obligé de prendre pour épouse une femme du village, sous prétexte que ses habitudes alimentaires rendaient sa semence mortelle pour la malheureuse… Voir les deux jeunes gens partager une pomme inquiétait visiblement les vieux sages.

— Que fais-tu donc ? demanda Kahlan.

— Mange ta moitié, puis traduis ce que je vais dire.

Quand ils eurent fini, le Sourcier se leva et fit signe à l'Inquisitrice de l'imiter.

— Honorables Anciens, me voilà de retour après avoir neutralisé la menace qui pesait sur notre peuple. À présent, j'aimerais vous demander une permission… Et j'espère que vous me jugerez digne de la recevoir. Car si vous le voulez bien, je désire prendre pour épouse une Femme d'Adobe. Comme vous venez de le voir, Kahlan mange aussi des fruits à la peau rouge. Ils ne lui font aucun mal, elle ne risque donc pas d'être empoisonnée par ma semence. Et bien qu'elle soit une Inquisitrice, je ne risque rien de son pouvoir. Nous aimerions être unis, et nos cœurs seraient comblés de joie si nous pouvions nous marier devant notre peuple.

La gorge nouée, Kahlan eut du mal à terminer sa traduction, et plus de difficulté encore à ne pas jeter ses bras autour du cou de Richard. Les larmes aux yeux, elle dut toussoter plusieurs fois pour pouvoir finir de parler. Les jambes mal assurées, elle se serra contre le Sourcier afin de ne pas tomber.

Les Anciens rayonnèrent et l'Homme Oiseau sourit comme un enfant.

— *Je vois que vous avez enfin appris à vous comporter en dignes membres du Peuple d'Adobe*, dit-il. *Rien ne nous ferait plus plaisir que de célébrer votre mariage.*

Sans attendre la traduction, Richard donna à Kahlan un baiser qui lui coupa le souffle. Les Anciens et leurs épouses applaudirent chaleureusement.

Pour l'Inquisitrice, s'unir à Richard devant le Peuple d'Adobe était un grand bonheur, car elle se sentait chez elle parmi ces gens. Lors de leur première visite commune, quand ils cherchaient de l'aide contre Darken Rahl, Richard avait enseigné aux Hommes d'Adobe la fabrication des toits en tuiles. Ils s'étaient fait des amis dans le village, avaient combattu à leurs côtés, célébrant leurs triomphes et pleurant leurs morts. Des liens étroits s'étaient tissés. Pour les récompenser de leur courage, l'Homme Oiseau avait fait d'eux des membres de son peuple.

L'Ancien se leva et serra Kahlan dans ses bras. Une façon de lui montrer, comprit-elle, qu'il savait par quoi elle était passée, et qu'il se réjouissait de la voir enfin heureuse.

L'Inquisitrice versa quelques larmes sur l'épaule de son « père adoptif ». Leur aventure, une longue série d'épreuves, l'avait conduite des profondeurs du désespoir aux plus hautes cimes de la joie. Le combat s'était achevé la veille et Kahlan avait encore du mal à y croire.

La fête continua, au grand dam de la jeune femme, qui brûlait d'envie d'être seule avec Richard. Séparés pendant un mois, alors qu'il était prisonnier, ils s'étaient retrouvés depuis un peu plus de vingt-quatre heures et n'avaient pas encore eu le temps de parler vraiment. Et encore moins de se serrer l'un contre l'autre…

Les enfants dansaient autour des feux pendant que les adultes, rassemblés près des torches, mangeaient en bavardant joyeusement. Weselan vint s'asseoir près de Kahlan, la serra dans ses bras et déclara qu'elle se chargerait de lui confectionner une robe de mariée rituelle. Savidlin embrassa l'Inquisitrice sur la joue et flanqua une formidable claque sur l'épaule de Richard.

Kahlan avait du mal à détacher son regard de celui du jeune homme. D'ailleurs, elle ne le voulait pas. Plus jamais !

Des chasseurs approchèrent de l'abri des Ancien. Présents dans la plaine le jour où l'Homme Oiseau avait tenté d'enseigner à Richard l'usage du sifflet, ils étaient morts de rire en le voyant émettre une note qui appelait tous les habitants du ciel en même temps.

Sous leurs yeux fascinés, Savidlin demanda à Richard de leur montrer le sifflet et de raconter comment il avait attiré des milliers d'oiseaux dans une vallée infestée de garns. Les volatiles avaient dévoré les mouches à sang des monstres, semant la panique. Grâce à cette diversion, Richard avait pu récupérer l'œuf d'Écarlate.

L'Homme Oiseau éclata de rire, bien qu'il eût déjà entendu trois fois l'histoire. Savidlin, hilare, tapa de nouveau sur l'épaule du Sourcier. Les chasseurs ne furent pas en reste. Et Richard lui-même se laissa gagner par leur bonne humeur.

— Je crois que nous avons trouvé une aventure qui les satisfait, dit Kahlan, tout aussi joyeuse. (Elle réfléchit un peu et plissa le front.) Comment Écarlate a-t-elle pu te déposer assez près des garns sans qu'ils la voient ?

Richard ne répondit pas tout de suite.

— Elle a atterri dans la vallée, de l'autre côté des collines qui entourent Source Feu. Je suis passé par les grottes…

— Et il y avait vraiment un monstre dans les tunnels ? Un shadrin ?

Le Sourcier soupira et détourna le regard.

— Oui… Et bien d'autres horreurs encore… (Kahlan posa une main sur son épaule et il lui embrassa les doigts.) J'ai cru mourir, seul dans ces boyaux. Et ne plus jamais te revoir.

Il secoua la tête, comme pour chasser de mauvais souvenirs, et la regarda avec un étrange sourire.

— Le shadrin m'a laissé des plaies qui ne sont pas encore cicatrisées. Mais pour te les montrer, je devrais retirer mon pantalon…

— Vraiment ? lança Kahlan avec un rire de gorge. Il vaudrait mieux que je jette un coup d'œil… Pour voir si tout va bien.

Soudain, la jeune femme s'avisa que les Anciens les regardaient. Empourprée, elle prit un morceau de gâteau au riz et le grignota, soulagée que les Hommes d'Adobe ne comprennent pas leur langue. Quant à leurs regards, elle espéra qu'ils ne les comprendraient pas non plus. Désormais, se tança-t-elle, il ne faudrait plus oublier où elle était.

Richard se rassit dès qu'il eut fini de raconter son histoire. Kahlan prit une coupe de viande rôtie – des côtes de sanglier, apparemment – et la posa sur les genoux du Sourcier.

— Tiens, mange un peu…

Regardant un groupe de femmes, elle brandit son morceau de gâteau et sourit.

— *C'est très bon !*

Les cuisinières rayonnèrent de fierté. Quand l'Inquisitrice se tourna de nouveau vers Richard, il regardait la coupe de viande, blanc comme un linge.

— Enlève ça de là, souffla-t-il.

Kahlan obéit et le dévisagea, inquiète.

— Richard, que se passe-t-il ?

Il fixait toujours ses genoux, comme si la coupe y était encore.

— Je ne sais pas… J'ai regardé la viande et j'ai senti son odeur. Ça m'a rendu malade. On aurait dit qu'il ne s'agissait pas de nourriture, mais d'un cadavre d'animal… Comme si j'allais dévorer une charogne. Qui pourrait faire ça ?

Kahlan chercha ses mots, consciente que Richard ne se sentait pas bien du tout.

— Je crois que je comprends… Jadis, alors que j'étais malade, on m'a fait manger du fromage. J'ai tout vomi. Pensant que c'était bon pour moi, on m'en a gavée jour après jour. Je l'ai vomi jusqu'à ce que je sois rétablie. C'est pour ça que je ne supporte plus d'en avaler. Il t'arrive peut-être la même chose, parce que tu as une migraine.

— C'est possible… J'ai passé un long moment au Palais du Peuple, où on ne mange pas de viande. Comme Darken Rahl refusait d'en consommer, personne n'y avait droit. Je me suis peut-être habitué à m'en priver…

Kahlan lui massa le dos tandis qu'il se prenait la tête à deux mains et se passait les doigts dans les cheveux. D'abord le fromage, et maintenant la viande. Ses habitudes alimentaires devenaient aussi bizarres que celles… d'un sorcier.

— Kahlan, dit-il, je suis navré, mais j'ai besoin de calme. Ma tête me fait un mal de chien.

L'Inquisitrice toucha le front du jeune homme. Sa peau était froide et moite, et il semblait sur le point de s'effondrer.

Kahlan alla s'agenouiller devant l'Homme Oiseau.

— *Richard ne se sent pas bien. Il a besoin de calme. Ça pose un problème ?*

L'Ancien pensa d'abord deviner pourquoi les deux jeunes gens voulaient s'éclipser. Son sourire s'évanouit quand il lut l'angoisse dans le regard de l'Inquisitrice.

— *Conduis-le dans la maison des esprits. Il y sera tranquille. Personne ne le dérangera. Appelle la guérisseuse Nissel, si tu crois que ça peut être utile.* (L'Homme Oiseau sourit de nouveau.) *Il a peut-être passé trop de temps à dos de dragon. Je remercie les esprits que mon baptême de l'air ait été si court !*

Kahlan hocha la tête, incapable de sourire, et souhaita rapidement bonne nuit à l'assemblée. Ramassant leurs deux sacs, elle passa sa main libre sous le bras de Richard et l'aida à se relever. Il avait fermé les yeux, le front plissé. La souffrance semblant diminuer un peu, il leva les paupières, prit une grande inspiration et suivit l'Inquisitrice.

Les ombres étaient très denses entre les bâtiments, mais la lumière de la lune leur permit de se repérer. Alors que les bruits de la fête s'estompaient, Kahlan entendit les grincements des bottes de Richard sur la terre sèche.

— Je crois que ça va mieux, dit-il en se redressant un peu.

— Tu as souvent des migraines ?

— Je suis célèbre pour ça ! Selon mon père, ma mère en avait d'aussi fortes. De celles qui finissent par vous coller des nausées terribles. Mais aujourd'hui, c'est différent. On dirait que quelque chose essaye de sortir de ma tête. (Il reprit son sac à Kahlan et le hissa sur son épaule.) C'est beaucoup plus douloureux que d'habitude.

La maison des esprits se dressait dans un espace libre.

Les rayons de lune se reflétaient sur le toit de tuiles que Richard avait construit avec les Hommes d'Adobe et des volutes de fumée s'échappaient de la cheminée flambant neuve.

Devant la maison, des poulets s'étaient perchés sur un muret. Ils regardèrent Kahlan ouvrir la porte, sursautèrent quand les charnières grincèrent, et se calmèrent quand les deux jeunes gens furent entrés.

Richard se laissa tomber devant le feu. Kahlan sortit une couverture de son sac, le fit s'allonger, et la lui cala sous la tête. Alors qu'il se plaquait le dos des mains sur les yeux, elle s'assit près de lui.

— Je devrais aller chercher Nissel, dit-elle. Elle pourra sans doute t'aider.

— Pas la peine, ça va aller… J'avais surtout besoin de silence. (Il sourit.) Tu as remarqué quels mauvais convives nous faisons ? Chaque fois que nous participons à une fête, quelque chose tourne mal.

Kahlan réfléchit à toutes les festivités où ils étaient ensemble.

— Ma foi, tu as raison… (Elle laissa courir une main sur la poitrine du jeune homme.) Pour éviter ça, la meilleure solution est de rester tous les deux…

— Voilà qui me plairait, fit Richard en lui embrassant les doigts.

Elle prit sa main entre les siennes, désireuse de sentir sa chaleur pendant qu'elle le regardait se reposer. À part les crépitements du feu, un silence parfait régnait dans la maison des esprits. L'Inquisitrice en profita pour écouter la respiration régulière de son bien-aimé.

Après un moment, il retira les mains de ses yeux et la regarda. Quelque chose, dans son visage et au fond de ses iris, interloqua la jeune femme. Il ressemblait à quelqu'un qu'elle avait rencontré. Mais qui ? Si une petite voix murmurait un nom au fond de son esprit, elle n'arrivait pas à l'entendre…

Kahlan écarta une mèche rebelle du front de Richard et constata, soulagée, que sa peau était moins froide.

— Une idée vient de me frapper, dit-il en s'asseyant d'un bond. J'ai demandé aux Anciens la permission de t'épouser… mais je ne t'avais pas posé la question avant.

— C'est exact…

— Vraiment stupide, comme comportement, fit-il, l'air embarrassé. Désolé, je ne m'y suis pas bien pris. J'espère que tu ne m'en voudras pas. Mais c'est ma première demande en mariage…

— Pour moi aussi…

— Ce n'est pas un endroit très romantique pour ça, pas vrai ?

— Le lieu où nous sommes ensemble est le plus romantique du monde…

— Peut-être, mais je dois avoir l'air idiot de parler de ça alors que je me bats contre une migraine.

— Si tu n'en viens pas au fait, Richard Cypher, je serai forcée de t'arracher les mots un par un !

Richard osa enfin croiser le regard de sa compagne.

— Kahlan Amnell, veux-tu m'épouser ?

À sa grande surprise, la jeune femme fut incapable de répondre. Des larmes roulant sur ses joues, elle ferma les yeux, enlaça Richard et le serra contre elle au risque de l'étouffer.

— Oui, dit-elle enfin en s'écartant un peu. Oh, oui !

Elle posa la tête sur l'épaule du Sourcier, qui lui caressa les cheveux en écoutant sa respiration et les crépitements du feu. Il lui embrassa le sommet du crâne, conscient que les mots ne servaient plus à rien.

En sécurité dans ses bras, Kahlan exorcisa enfin son chagrin. La douleur de l'aimer plus que tout et de savoir qu'il avait été torturé par une Mord-Sith avant qu'elle ait pu le lui dire… La souffrance de l'avoir cru inaccessible, parce qu'elle était une Inquisitrice dont le pouvoir le détruirait… L'angoisse d'avoir tant besoin de lui et de l'aimer à la folie…

Débarrassée de tout cela, elle fut submergée par la joie en pensant à ce qui l'attendait : une vie entière à ses côtés. C'était plus grisant que les meilleurs crus du monde ! Elle s'accrocha à Richard, voulant se fondre en lui et ne plus faire qu'un avec sa chair.

Elle sourit aux anges. Être unie à lui signifierait exactement cela : ne plus faire qu'un. Zedd lui avait dit un soir que c'était comme d'avoir trouvé l'autre moitié de soi-même.

Quand elle leva la tête vers Richard, elle vit une larme sur sa joue. Elle essuya les siennes et il l'imita. En pleurant, avait-il, comme elle, chassé à jamais tous ses démons ?

— Je t'aime…, souffla-t-elle.

Richard la serra plus fort contre lui et suivit du bout des doigts le tracé de sa colonne vertébrale.

— Je trouve frustrant qu'il n'y ait pas d'autres mots que ceux-là pour exprimer ce que je ressens pour toi, dit-il.

— Moi, ils me suffisent…

— Alors, sache que je t'aime, Kahlan ! Mille fois, un million de fois, laisse-moi te dire que je t'aime. Pour toujours !

Kahlan écouta les crépitements du feu, les battements de cœur de Richard et les siens… Elle aurait voulu rester dans ses bras jusqu'à la fin des temps.

Soudain, le monde lui semblait être un endroit merveilleux.

Richard la prit par les épaules et l'écarta un peu de lui pour la regarder.

— Tu es si belle, souffla-t-il, que j'ai parfois du mal à en croire mes yeux. Je n'ai jamais vu une telle perfection ! (Il laissa courir une main dans la crinière de l'Inquisitrice.) Je suis heureux de ne t'avoir pas coupé les cheveux, le jour où tu me l'as demandé. Ils sont magnifiques ! N'y touche jamais !

— Aurais-tu oublié que je suis une Inquisitrice ? Mes cheveux symbolisent mon pouvoir. De plus, je ne peux pas les couper. Quelqu'un doit s'en charger à ma place.

— Eh bien, ne compte pas sur moi ! Je t'aime comme tu es, avec le pouvoir et tout le reste. Ne laisse personne te les couper ! Je les aime depuis notre rencontre, dans les bois de Hartland.

Kahlan sourit à ce souvenir. Richard l'avait aidée à se tirer des griffes d'un *quatuor*, lui sauvant la vie…

— Ça semble si loin… Ne regrettes-tu pas cette époque ? L'existence insouciante d'un guide forestier célibataire ?

— Avec toi à mes côtés, le célibat ne me manquera pas ! L'existence insouciante de guide forestier, c'est une autre affaire. Mais pour le meilleur ou le pire, je suis le véritable Sourcier. Le porteur de l'Épée de Vérité et des responsabilités qui vont avec… Aimeras-tu être la femme du Sourcier ?

— J'aimerai vivre dans un tronc d'arbre creux, si tu es avec moi. Mais, Richard, je suis toujours la Mère Inquisitrice, et j'ai aussi des responsabilités.

— Je sais ce que ça représente… Quand tu touches un homme avec ton pouvoir, sa personnalité est détruite et il n'éprouve plus qu'une dévotion absolue pour toi. C'est comme ça que tu forces les criminels à avouer, et à faire ce que tu désires. Mais quelles sont tes autres responsabilités ?

— Je ne t'en ai pas parlé jusque-là, parce que ça n'avait aucune importance. Si nous avions perdu contre Rahl, nous serions morts. En cas de victoire, je pensais que tu retournerais chez toi, et que nous ne nous reverrions plus. À présent qu'un avenir s'offre à nous, tu dois connaître certaines choses.

— Tu fais allusion aux attributs de ta fonction qui te rendent plus puissante qu'une reine ?

— Oui. Le Conseil des Contrées du Milieu, en Aydindril, est composé de représentants des principaux royaumes du territoire. Il dirige les Contrées, même si celles-ci sont en théorie indépendantes. Grâce à la Confédération, nous préservons la paix et luttons pour des objectifs communs. Bref, les gens négocient au lieu de se battre. Si un royaume attaque un voisin, les autres tiennent cela pour une agression contre le concept d'unité, et ils réagissent. Les rois, les reines, les chefs politiques, les notables et les marchands – et bien d'autres encore – viennent présenter leurs desiderata devant le Conseil : des accords commerciaux, des revendications frontalières, des pactes relatifs à la magie… La liste serait interminable !

— Je comprends. Cela se passe ainsi en Terre d'Ouest. Notre Conseil ressemble au vôtre. Mon pays natal n'est pas assez grand pour compter des royaumes, mais il existe des régions autonomes représentées par des conseillers, à Hartland. Mon frère ayant été conseiller, puis Premier Conseiller, j'ai fréquenté les cercles du pouvoir. Les émissaires venaient des quatre coins de Terre d'Ouest pour présenter leurs requêtes. Étant donné mon métier, je les accompagnais presque toujours. Et j'ai appris bien des choses en leur parlant. Mais revenons à toi. Quel est le rôle de la Mère Inquisitrice ?

— Eh bien, le Conseil dirige les Contrées du Milieu… (Kahlan se racla la gorge et baissa les yeux.) Et la Mère Inquisitrice dirige le Conseil.

— Tu veux dire… Les rois et les reines t'obéissent ? Les Contrées entières sont à tes ordres ?

— En un sens, oui… Mais tous les pays ne sont pas représentés au Conseil. Certains sont trop petits. Par exemple, Tamarang, le fief de feu la reine Milena, ou le territoire du Peuple d'Adobe. D'autres sont des terres de magie, comme la patrie des flammes-nuit. La Mère Inquisitrice est l'avocate de ces pays-là. Si on les laissait faire, les royaumes puissants les annexeraient aussitôt. Et ils ont les armées pour y parvenir. Je parle pour ceux qui ne se feraient pas entendre sinon…

» L'autre problème, c'est que les royaumes sont fréquemment en désaccord. Certains ont des querelles qui remontent à l'aube des temps. Le Conseil est souvent dans une impasse quand des dirigeants, ou leurs représentants, tentent de défendre leurs intérêts au détriment de celui des Contrées du Milieu. La Mère Inquisitrice se soucie exclusivement de l'intérêt général.

» Sans un chef impartial, les royaumes utiliseraient le Conseil pour augmenter leur pouvoir. La Mère Inquisitrice assure l'équilibre au nom d'une vision universelle.

» Arbitre suprême de la vérité, grâce à sa magie, elle est aussi le juge ultime en matière de pouvoir politique. Sa parole a force de loi.

Elle prit la main de Richard et la serra entre les siennes.

— Comme beaucoup de celles qui m'ont précédée, je laisse le Conseil gouverner les Contrées à sa guise. Mais quand il y a un conflit, ou qu'un accord désavantage les pays non représentés, j'interviens et je dicte ma volonté.

— Et on t'obéit toujours ?

— Oui.

— Pourquoi ?

— Si un royaume refuse de s'incliner, il sait qu'il se retrouvera seul et vulnérable face à des adversaires plus puissants. Si une guerre générale éclatait, les plus forts écraseraient les autres, comme Panis Rahl, le père de Darken, l'a fait en D'Hara. Chez nous, tous les dirigeants savent qu'un Conseil dirigé par une personne indépendante est au bout du compte un bien pour eux.

— Mais il arrive parfois que les plus forts l'oublient, supposa Richard. Alors, il faut davantage que de la compassion et du bon sens pour les remettre dans le droit chemin.

Kahlan lui sourit, impressionnée.

— Je vois que les jeux du pouvoir n'ont pas de secrets pour toi. Tu as raison ! Par bonheur, ils savent que, s'ils laissent libre cours à leurs ambitions, la Mère Inquisitrice, ou une de ses sœurs, viendra s'occuper avec sa magie de leur roi ou de leur reine. Mais il y a plus encore. Les sorciers nous soutiennent.

— Je croyais qu'ils refusaient de se mêler de ces affaires-là…

— Ils n'en ont pas besoin… La menace de leur intervention suffit à calmer les ambitieux. Ils appellent cela le paradoxe du pouvoir : quand on est puissant et décidé à agir, cela devient très rarement nécessaire. Les royaumes le savent : s'ils refusent de coopérer et bravent l'autorité équitable de la Mère Inquisitrice, les sorciers viendront leur prouver qu'il n'est pas profitable de se montrer déraisonnable ou cupide.

» C'est un système complexe d'interrelations, mais la vérité ultime, c'est que si je n'étais pas là pour arbitrer, les pays faibles ou pacifiques seraient envahis, et les autres se battraient jusqu'à ce que seuls les plus forts soient encore debout.

Richard ne relança pas la conversation et prit le temps de réfléchir à ces informations. En regardant les reflets du feu danser sur son visage, Kahlan devina qu'il pensait au jour où, d'un geste, elle avait contraint la reine Milena à s'agenouiller devant elle, à lui baiser la main et lui jurer fidélité. Kahlan aurait préféré ne pas lui révéler à quel point elle était puissante et redoutée, mais elle n'avait pas eu le choix. Certaines personnes n'entendaient pas d'autre discours que celui de la force. Devant elles, un chef devait s'affirmer, ou abdiquer…

Le Sourcier s'arracha enfin à sa méditation.

— Il va y avoir beaucoup de problèmes… Les sorciers se sont suicidés après t'avoir envoyée à la recherche de Zedd. La menace cachée derrière la Mère Inquisitrice n'existe plus. Et toutes tes sœurs sont mortes, exécutées par Darken Rahl. Tu es la dernière, et tu n'as plus d'alliés. Qui prendrait ta place s'il t'arrivait malheur ? Zedd veut nous voir en Aydindril. Il doit s'inquiéter aussi…

» D'après ce que je sais des puissants, qu'il s'agisse des conseillers de Terre d'Ouest, des souverains des Contrées ou de Darken Rahl – et même de mon propre frère – ils te verront comme un obstacle dressé sur leur chemin. Pour la survie des Contrées, il faut que la Mère Inquisitrice exerce le pouvoir. Tu auras besoin d'aide, et nous sommes tous les deux au service de la Vérité. Je lutterai à tes côtés ! Si vos conseillers avaient peur des sorciers, attends un peu qu'ils aient croisé le Sourcier !

— Tu es une personne comme on en rencontre rarement, Richard Cypher, dit Kahlan en caressant le visage du jeune homme. Face à la femme la plus puissante des

Contrées, tu lui donnes l'impression de porter la traîne de ton glorieux manteau…

— Je suis seulement l'homme qui t'aime plus que tout. Et c'est la seule gloire à laquelle j'aspire. (Il soupira.) Tout était plus simple quand nous étions seuls dans les bois, et que je faisais rôtir ton dîner sur un feu de camp. Tu me laisseras toujours te préparer à manger, n'est-ce pas, Mère Inquisitrice ?

— Je doute que maîtresse Sanderholt apprécie beaucoup. Elle déteste que des intrus investissent ses fourneaux.

— Tu as une cuisinière ?

— Tout bien réfléchi, je ne l'ai jamais vue préparer un plat. Elle court partout et règne sur ses marmitons en brandissant une cuiller de bois qu'elle doit prendre pour un sceptre. Elle goûte chaque préparation et engueule copieusement son petit personnel. Bref, tout ce que doit faire un chef de cuisine !

» Dès que je m'aventure dans son fief, j'ai droit à un concert de lamentations. Maîtresse Sanderholt me supplie d'aller voir ailleurs si elle y est ! Selon elle, j'effraie ses employés, qui tremblent toute la journée dès qu'ils m'aperçoivent. Du coup, j'essaye d'éviter, mais j'aime bien cuisiner aussi…

Kahlan sourit au souvenir de la terrible maîtresse Sanderholt. Absente de chez elle depuis des mois, elle commençait à se languir de son foyer…

— Des cuisiniers…, marmonna Richard. J'ai toujours préparé ma popote tout seul ! J'espère que ta maîtresse Sanderholt me laissera accéder à ses casseroles quand j'aurai envie de te mitonner une de mes spécialités.

— Je parie que tu la séduiras en un éclair !

— Kahlan, peux-tu me promettre quelque chose ? Un jour, je voudrais que tu viennes avec moi en Terre d'Ouest. Il y a dans les bois de Hartland des coins que je suis le seul à connaître. Je rêve de te les montrer…

— J'adorerais ça…, murmura Kahlan.

Richard se pencha pour l'embrasser. Avant que leurs lèvres n'aient pu se toucher, il grimaça de douleur et dut, en gémissant, poser la tête contre l'épaule de la jeune femme.

Elle le serra contre lui, folle d'angoisse, puis le fit s'allonger et… paniqua quand il se prit le crâne à deux mains, le souffle coupé.

Basculant sur le côté, il se recroquevilla en position fœtale.

— Je vais chercher Nissel, dit Kahlan. Ce ne sera pas long…

Tremblant de tous ses membres, Richard parvint quand même à hocher la tête.

L'Inquisitrice courut vers la porte, l'ouvrit et sortit dans la nuit paisible. Un nuage de vapeur blanche voleta devant sa bouche quand elle expira. Sur le muret baigné de rayons de lune, les poulets avaient disparu.

Une forme noire se tapissait derrière leur perchoir abandonné. Elle se déplaça un peu et la lumière de l'astre nocturne conféra des reflets jaunes à ses yeux noirs.

Chapitre 7

L e monstre se releva, les griffes accrochées au rebord du muret, et lâcha un rire grinçant qui fit frissonner Kahlan de la tête aux pieds. La jeune femme s'immobilisa, le souffle court. La silhouette de la bête formait comme une tache d'ombre sur fond noir. Ses yeux ne luisaient déjà plus…

L'Inquisitrice réfléchit, tentant de faire correspondre ce qu'elle avait vu à ses connaissances sur le bestiaire du royaume des morts.

Elle devait fuir, mais dans quelle direction ? Vers Richard, ou vers le village, pour rameuter du secours ? Elle ne voyait plus les yeux du monstre, mais les sentait toujours peser sur elle, froids comme la mort.

La bête sauta sur le muret et éclata de rire.

Derrière Kahlan, la porte de la maison des esprits s'ouvrit à la volée et alla s'écraser contre le mur. Une seconde plus tard, une note cristalline annonça à l'Inquisitrice que le Sourcier venait de dégainer l'Épée de Vérité. Le monstre tourna aussitôt la tête vers Richard et un rayon de lune fit de nouveau briller ses yeux. Le Sourcier prit Kahlan par le bras et la poussa à l'intérieur, où elle s'étala de tout son long. D'un coup de pied, il referma la porte derrière lui.

De l'autre côté du battant, un rire tonitruant retentit. Aussitôt après, la bête commença à marteler le bois de coups.

Kahlan se releva et dégaina son couteau. Dehors, Richard luttait, sa lame sifflant dans l'air. Un bruit sourd apprit à l'Inquisitrice qu'un corps venait de percuter la façade de la maison des esprits.

La jeune femme flanqua un coup d'épaule à la porte et sortit. Au terme d'un roulé-boulé, elle se releva souplement, aperçut une petite silhouette noire derrière elle et abattit sa lame, qui manqua sa cible.

La créature revint à la charge. Avant qu'elle soit sur Kahlan, Richard lui décocha un coup de pied qui l'envoya de nouveau percuter le mur. L'Épée de Vérité s'abattit… et ne fit pas mouche. Des éclats de briques en boue séchée et de plâtre volèrent partout sous les ululements de la créature.

Richard tira l'Inquisitrice vers lui juste à temps pour l'écarter du chemin de leur agresseur. Par réflexe, elle frappa et son couteau rencontra une chair aussi dure que de l'os. Une griffe rata sa joue d'un souffle, suivie d'un coup d'épée de Richard, qui resta lui aussi sans effet.

Haletant, le Sourcier sonda l'obscurité. Jaillissant de nulle part, la créature lui sauta dessus et le fit tomber à la renverse. Le combat s'engagea, dans un tourbillon de griffes et d'acier. Kahlan n'aurait su dire qui était qui...

Avec un grognement rauque, Richard parvint à repousser le monstre vers le muret. Il sauta aussitôt dessus, s'immobilisa et regarda les deux jeunes gens reculer lentement.

Soudain, des sifflements caractéristiques déchirèrent le silence. En une fraction de seconde, une dizaine de flèches s'enfoncèrent dans le corps du monstre. Pas une n'avait manqué sa cible, et une deuxième volée suivit, tout aussi précise. Plus hilare que jamais, la bête perchée sur son muret ressemblait à une pelote d'épingles géante.

Stupéfaite, Kahlan la vit arracher négligemment de sa poitrine une poignée de projectiles. Les défiant de son rire grinçant, la créature plissa les yeux pour mieux les regarder reculer. Pourquoi restait-elle là comme une cible sur un champ de tir ? Une autre volée de flèches fit mouche. Sans y prêter attention, le monstre sauta simplement de son perchoir.

Une silhouette sombre chargea, lance brandie. Sortant de l'ombre du muret, la bête bondit sur son agresseur, qui projeta son arme. À une vitesse incroyable, sa cible s'écarta et, de ses crocs, intercepta la lance au vol. D'un coup de mâchoires – et en riant ! – elle brisa la hampe en deux.

Dès que le chasseur recula, le monstre parut perdre tout intérêt pour lui, et se tourna vers Richard et Kahlan.

— Que fait cette saloperie ? souffla le Sourcier. Pourquoi s'immobilise-t-elle pour nous regarder ?

Soudain, Kahlan comprit.

— C'est un grinceur ! s'exclama-t-elle. Que les esprits du bien nous protègent, c'est un grinceur !

Sans quitter la créature des yeux, les deux jeunes gens reculèrent encore, chacun accroché à la manche de l'autre.

— *Fuyez !* cria l'Inquisitrice aux chasseurs. *Mais en marchant ! Ne courez surtout pas !*

Au lieu d'obéir, les Hommes d'Adobe lâchèrent une nouvelle volée de flèches, aussi inutile que les précédentes.

— Par là ! dit Richard. Entre les bâtiments, où il fait sombre.

— Non ! Ce monstre y voit mieux la nuit que nous en plein jour. Il vient du royaume des morts !

— D'accord..., fit le Sourcier, le regard rivé sur le grinceur, toujours immobile sous la lumière de la lune. Puisque tu en sais si long, que faut-il faire ?

— Je l'ignore... Mais ne cours pas, et ne t'immobilise pas non plus. Ça attire son attention. La seule façon de le tuer, je crois, est de le tailler en pièces.

— C'est bien ce que j'essayais de faire, grogna Richard, furieux.

Kahlan sonda le passage, entre deux bâtiments, dont ils approchaient toujours.

— On devrait s'y engager quand même, dit-elle. Le grinceur ne nous suivra peut-être pas. Et s'il nous traque, ça éloignera le danger de nos compagnons.

Le monstre avança soudain, les épaules secouées par son rire pervers.

— Rien n'est jamais facile, marmonna Richard.

Ils progressèrent dans l'étroite ruelle, le grinceur sur les talons. Les chasseurs le suivirent, résolus à avoir sa peau.

— Pourquoi n'es-tu pas restée dans la maison des esprits ? demanda Richard à Kahlan. Je voulais que tu sois en sécurité !

L'Inquisitrice reconnut dans la voix du jeune homme la fureur que lui inspirait la magie de l'épée. La main qu'elle gardait posée sur sa manche était chaude et humide. Elle la leva, et constata qu'elle était rouge de sang.

— Parce que je t'aime, espèce de grand abruti ! Ne me refais jamais un coup pareil !

— Si on s'en sort vivants, je te flanquerai la fessée de ta vie ! lança Richard alors qu'ils s'enfonçaient à reculons dans l'allée obscure.

— Rien que pour voir ça, j'espère qu'on s'en sortira ! Au fait, qu'est devenue ta migraine ?

— Je n'en sais rien… Elle a disparu en un éclair, et j'ai senti le monstre, dehors, puis entendu son foutu rire.

— Tu l'as senti, vraiment ? Ou tu l'as imaginé parce que tu l'as entendu ?

— Qui sait ? Tu as peut-être raison… Mais c'était une sensation très étrange.

Kahlan tira Richard dans un passage latéral encore plus sombre. Sur leur gauche, les rayons de lune se réverbéraient en haut d'un mur. Terrifiée, Kahlan vit la silhouette noire du grinceur voleter dans la lumière comme un énorme moustique bourdonnant.

— Comment peut-il faire ça ? souffla Richard.

Kahlan aurait été bien en peine de lui répondre. Les lueurs vacillantes de torches apparurent derrière eux. Les chasseurs arrivaient, tentant de coincer leur assaillant.

— S'ils approchent trop, ils se feront tuer, dit Richard alors qu'ils arrivaient à l'intersection de plusieurs allées. Je ne peux pas permettre ça ! (Il regarda sur sa droite et aperçut un autre groupe de chasseurs.) Va rejoindre ces hommes et reste derrière eux !

— Richard, je ne m'éloignerai pas de toi…

— Obéis-moi ! cria le Sourcier en poussant la jeune femme. Tout de suite !

Ébranlée par le ton de son compagnon, Kahlan recula d'instinct. Richard s'immobilisa à l'intersection, l'épée tenue à deux mains, la pointe reposant sur le sol. Le grinceur, pendu au mur face à lui, éclata de rire comme s'il reconnaissait sa proie. Se laissant glisser jusqu'au sol, il se réceptionna plutôt lourdement.

Les mâchoires serrées, un signe de colère chez lui, Richard regarda le monstre charger, la pointe de son épée toujours baissée.

Pas maintenant ! pensa Kahlan. *Richard ne peut pas mourir alors que nous avons gagné !*

Mais le grinceur allait sans doute le tuer, et ce serait la fin de tout. Cette idée coupa le souffle de l'Inquisitrice. Du fond d'elle-même, la Rage du Sang jaillit comme une éruption de lave.

Le monstre sauta dans les airs. L'Épée de Vérité se leva et l'embrocha en plein vol. Un bon pied et demi d'acier dépassa du dos du grinceur, qui couina de… jubilation.

Saisissant la lame avec ses griffes, il tira pour l'enfoncer davantage et se rapprocher du Sourcier, sans se soucier des doigts qu'il se sectionnait au passage. Mais Richard secoua violemment l'épée, et le monstre, tel un vulgaire morceau de viande sur une brochette, s'en détacha et alla s'écraser contre le mur.

Il revint aussitôt à l'assaut. Le Sourcier leva de nouveau son arme. Enragée *et* paniquée, Kahlan réagit sans avoir vraiment conscience de ce qu'elle faisait. Le poing fermé, elle tendit un bras vers l'abomination qui voulait tuer Richard, l'homme qu'elle aimait, et le seul qu'elle aimerait de sa vie.

Alors que le grinceur était presque sur sa proie, l'Inquisitrice sentit le pouvoir couler en elle, tel un torrent, et le libéra. Un rayon bleu jaillit de sa main, illuminant la scène comme en plein jour.

L'Épée de Vérité et l'énergie magique frappèrent le grinceur en même temps. Il explosa, projetant alentour des lambeaux de chair noire. Ayant déjà vu la lame de Richard faire ce genre de dégâts, Kahlan n'aurait su dire si c'était l'acier ou le Kun Dar qui avait vaincu le monstre.

Dans le silence revenu, l'écho du roulement de tonnerre de la frappe magique retentit longtemps aux oreilles des deux jeunes gens et des Hommes d'Adobe.

Kahlan courut vers Richard et lui jeta les bras autour du cou.

— Tu vas bien ?

Il l'attira contre lui de sa main libre et hocha la tête. Alors que les chasseurs les entouraient en braillant, elle le serra dans ses bras un long moment.

Puis le Sourcier rengaina son épée et Kahlan vit la plaie qui barrait le haut de son bras. Déchirant sa manche, elle enroula le morceau de tissu autour de la blessure.

— *Tout le monde est indemne ?* demanda l'Inquisitrice aux chasseurs.

— *Je savais que vous attireriez le malheur sur nous* ! répondit Chandalen en avançant sous la lumière des torches.

Kahlan soutint son regard un long moment avant de le remercier d'avoir tenté de les aider.

— Kahlan, dit Richard, quelle était cette créature ? Et par tous les esprits, que lui as-tu fait ?

Voyant qu'il titubait, l'Inquisitrice passa un bras autour de la taille du Sourcier.

— Le monstre était un grinceur. Je crois qu'on l'appelle comme ça à cause de son rire… Quant à ce que j'ai fait, je n'en suis pas sûre moi-même.

— Un grinceur ? Mais que…

Richard ne finit pas sa phrase. Il tomba à genoux, se prit la tête à deux mains et ferma les yeux. Puis il bascula en avant. Kahlan essaya en vain de le retenir et Savidlin se précipita une seconde trop tard. Écroulé face contre terre, le Sourcier gémit de douleur.

— *Savidlin, portons-le dans la maison des esprits et envoie quelqu'un chercher Nissel ! C'est très urgent !*

L'Homme d'Adobe cria un ordre à un de ses hommes. D'autres vinrent l'aider à soulever Richard. Appuyé sur sa lance, Chandalen ne leva pas le petit doigt.

Suivis par des porteurs de torches, Savidlin et ses chasseurs gagnèrent la maison des esprits, y entrèrent et déposèrent Richard devant la cheminée. Puis l'Ancien renvoya tout le monde et resta au chevet du jeune homme avec Kahlan.

Elle s'agenouilla près du malade, lui tâta le front et le trouva glacial. Une sueur tout aussi froide ruisselait sur le visage du Sourcier, qui avait perdu connaissance. L'Inquisitrice se mordit les lèvres pour ne pas crier.

— *Nissel le soignera*, dit Savidlin. *C'est une très bonne guérisseuse...*

Kahlan se contenta d'acquiescer, inquiète de voir Richard marmonner des paroles incohérentes en agitant la tête de droite à gauche, comme s'il cherchait une position moins douloureuse.

— *Mère Inquisitrice*, demanda doucement Savidlin, *comment as-tu vaincu la bête ?*

— *Je ne peux pas t'expliquer, mais cela fait partie de ma magie. On nomme cet état le Kun Dar...*

L'Homme d'Adobe s'assit sur le sol et ramena les genoux contre sa poitrine.

— *Je ne savais pas que les Inquisitrices pouvaient tuer à distance avec des éclairs...*

— *Je l'ignorais moi-même jusqu'à ces derniers jours...*

— *Et le monstre ?*

— *Je crois qu'il venait du royaume des morts...*

— *Comme les ombres qui nous ont attaqués lors de ta dernière visite ?*

— *Oui...*

— *Mais pourquoi cet assaut, alors que vous avez gagné ?*

— *Navrée, mon ami, mais je n'ai pas la réponse. Si d'autres monstres se présentent, dis aux nôtres de fuir. Mais sans courir. Ils ne devront pas non plus rester immobiles, mais s'éloigner lentement... et venir m'avertir.*

Savidlin assimila en silence ces informations. Il réfléchissait toujours, quand la porte s'ouvrit pour laisser passer une silhouette voûtée, flanquée de deux porteurs de torches.

Kahlan se leva d'un bond.

— *Nissel, merci d'être venue*, dit-elle en prenant la main de la guérisseuse.

— *Comment va votre bras, Mère Inquisitrice ?* demanda la vieille femme en tapotant l'épaule de Kahlan.

— *Il est guéri, grâce à vous. Mais Richard n'est pas bien du tout. Il a de terribles maux de tête.*

— *Voyons un peu ça...*

Un des hommes qui accompagnaient Nissel lui tendit un sac en tissu. Elle s'agenouilla près du Sourcier, posa son matériel près d'elle, et fit signe au chasseur d'approcher avec sa torche. Après avoir retiré le bandage improvisé, elle appuya sur la blessure avec ses pouces et jeta un coup d'œil à Richard pour voir s'il réagissait. Il ne broncha pas.

— *Je vais m'occuper de son bras pendant qu'il est inconscient...*

Sous le regard de Kahlan et des trois Hommes d'Adobe, elle nettoya la plaie et commença à la recoudre. La lumière crépitante des torches accentuait l'atmosphère déjà surnaturelle de la maison des esprits. Elle se reflétait étrangement sur les crânes des ancêtres qui, eux aussi, semblaient observer la scène.

Se parlant toute seule à l'occasion, Nissel finit de placer ses points de suture, posa sur la plaie un cataplasme à la douce odeur d'épines de pin, puis l'enveloppa d'un bandage propre. Tout en fouillant dans son sac, elle signala aux hommes qu'ils pouvaient partir. Avant de sortir, Savidlin pressa gentiment l'épaule de Kahlan et promit de revenir dès l'aube.

Quand les deux femmes furent seules, Nissel se tourna vers Kahlan.

— *J'ai entendu dire que vous alliez épouser ce garçon... La dernière fois, vous m'avez laissé entendre que l'amour vous était interdit, car votre pouvoir le détruirait au moment où... hum... vous feriez des enfants.*

— *Richard est très spécial... Sa magie le rend insensible à la mienne...*

Les deux jeunes gens avaient promis à Zedd de ne jamais révéler la vérité : l'amour de Richard pour la Mère Inquisitrice l'avait protégé...

— *Je suis contente pour vous, mon enfant...* (Nissel sortit enfin de son sac une poignée de minuscules fioles.) *Il a souvent mal à la tête ?*

— *Assez, oui, d'après ce qu'il m'a dit. Mais cette fois, c'était plus douloureux, comme si quelque chose essayait de sortir de son crâne. Il n'avait jamais eu ça... Vous pensez pouvoir l'aider ?*

— *Nous verrons bien...*

Nissel ouvrit les fioles et les passa les unes après les autres sous le nez de Richard, qui finit par se réveiller. Mettant de côté le petit flacon qui avait agi, la guérisseuse fouilla de nouveau dans son sac.

— Qu'est-ce qu'elle fait... ? marmonna Richard.

— Nissel va te soulager, dit Kahlan en se penchant pour lui poser un baiser sur le front. Reste tranquille.

Le jeune homme ferma les yeux, arqua le dos et se plaqua les mains sur les tempes.

Nissel lui appuya le pouce et l'index sur la mâchoire, le forçant à ouvrir la bouche. De l'autre main, elle lui glissa quelques petites feuilles entre les dents.

— *Dites-lui de les mâcher...*

Kahlan traduisit et Richard obéit, la douleur si forte qu'il roula sur le côté et se recroquevilla en position fœtale. Kahlan lui caressa les cheveux, accablée de ne rien pouvoir faire pour lui. Le voir souffrir la terrifiait.

Nissel prit une gourde, versa un peu de liquide dans une coupe et ajouta une poudre jaunâtre. Kahlan et elle aidèrent le malade à avaler la décoction. Quand ce fut fait, il se rallongea, le souffle court, et continua à mâcher les feuilles.

— *Le breuvage l'endormira*, dit Nissel en se levant. (Kahlan l'imita et prit le petit sac qu'elle lui tendait.) *Donnez-lui des feuilles à mâcher chaque fois que la douleur reviendra.*

L'Inquisitrice se pencha un peu pour ne pas toiser la vieille femme de toute sa hauteur.

— *Nissel, savez-vous ce qu'il a ?*

La guérisseuse enleva le bouchon de la fiole qui avait réveillé Richard et la fit renifler à Kahlan. Le produit sentait le lilas et la réglisse.

— *L'esprit...*, lâcha-t-elle.

— *Que voulez-vous dire ?*

— *C'est son esprit qui est malade. Pas son sang, ni son équilibre, ni son air. Son esprit !*

L'Inquisitrice ne comprit pas un mot de ce discours. De toute façon, ce n'était pas ce genre de diagnostic qui l'intéressait.

— *Va-t-il guérir ?* demanda-t-elle. *Vos potions et vos feuilles le débarrasseront-elles de son mal ?*

— *J'ai très envie d'assister à votre mariage. Quoi qu'il arrive, je ne renoncerai pas. Si ce traitement échoue, j'en essayerai d'autres...*

Kahlan prit la vieille femme par le bras et la raccompagna jusqu'à la porte.

— *Merci pour tout, Nissel...*

Dehors, Chandalen se tenait près du muret, ses hommes debout un peu plus loin. Prindin était là aussi, adossé à la façade de la maison des esprits.

— *Vous voulez bien escorter Nissel jusque chez elle ?* lui demanda Kahlan.

— *Bien sûr*, répondit le chasseur.

Il s'éloigna, le bras de la vieille femme posé sur le sien.

Kahlan croisa le regard de Chandalen, le soutint un long moment, puis approcha de lui.

— *Merci d'avoir monté la garde pour nous...*

— *Ce n'est pas vous que nous protégeons, mais notre peuple... De vous et de la prochaine catastrophe que vous lui apporterez.*

— *Eh bien, dans tous les cas, si un autre monstre attaque, n'essayez pas de le tuer vous-mêmes. Je ne veux pas qu'un seul Homme d'Adobe meure, toi compris, Chandalen. Face à ces créatures, ne restez pas immobiles et ne courez pas non plus. Sinon, elles vous tueront. Il faudra vous éloigner en marchant et venir me chercher. Ne tentez pas de combattre. C'est compris ? Remettez-vous-en à moi...*

— *Et tu lanceras d'autres éclairs magiques ?*

— *S'il le faut, oui...* (Et si c'était possible, car elle ignorait comment elle avait réussi cela.) *Richard Au Sang Chaud est malade. Il ne pourra peut-être pas venir se mesurer à tes hommes, demain...*

— *Je savais bien qu'il trouverait un moyen de se dérober...*, fit Chandalen, méprisant.

Kahlan prit une grande inspiration et serra les dents. Échanger des insultes avec un crétin ne lui disait rien. Surtout quand Richard pouvait avoir besoin d'elle...

— *Bonne nuit, Chandalen...*

Toujours allongé sur le dos, le Sourcier mâchait consciencieusement ses feuilles. L'Inquisitrice s'assit près de lui, rassurée de le voir un peu plus vaillant.

— Quand on insiste, ça finit par avoir moins mauvais goût...

— Comment te sens-tu ?

— Pas en pleine forme... La douleur s'en va et revient. Les feuilles me soulagent, mais elles me font tourner la tête.

— Des vertiges valent mieux que des coups de poignard dans le crâne, non ?

— Et comment ! (Richard posa une main sur le bras de Kahlan et ferma les yeux.) Avec qui parlais-tu ?

— Avec cet abruti de Chandalen... Il reste près de la maison des esprits, de peur que nous attirions d'autres catastrophes.

— Il n'est pas si stupide que ça... Si nous n'étions pas là, le monstre ne serait sans doute pas venu. Comment l'as-tu appelé, déjà ?

— Un grinceur.

— Et c'est quoi, un grinceur ?

— Je ne sais pas trop... Personne de ma connaissance n'en a vu, mais j'ai entendu des descriptions. On dit qu'ils viennent du royaume des morts.

Richard cessa de mâcher et rouvrit les yeux.

— Le royaume des morts ? Que sais-tu au sujet des grinceurs ?

— Pas grand-chose… (Kahlan plissa soudain le front.) As-tu déjà vu Zedd ivre mort ?

— Zedd ? Jamais ! Il n'aime pas le vin. Ce vieux gredin mange comme vingt, mais il dit que l'alcool empêche de réfléchir, ce qui est, à ses yeux, l'activité la plus importante au monde. Selon lui, plus un homme réfléchit mal, mieux il sait boire.

— Eh bien, les sorciers soûls sont rudement inquiétants… Un jour, quand j'étais enfant, dans la Forteresse, j'étudiais des manuels de langues, car c'est là qu'ils sont conservés… Mais ne nous égarons pas ! Bref, j'étudiais et quatre sorciers lisaient un Livre des Prophéties. Le premier que j'aie vu…

» Ils étaient penchés sur le livre et s'excitaient de plus en plus. Quand j'ai compris qu'ils avaient peur, j'ai trouvé plus amusant de les regarder que d'étudier.

» Lorsqu'ils ont vu que je les observais, ils se sont tournés vers moi, très pâles, puis ont refermé le livre. Je me souviens encore que le bruit de la couverture m'a fait sursauter. Les sorciers sont restés tranquilles un instant, puis l'un d'eux est allé chercher une bouteille. Sans dire un mot, il a servi tout le monde, et ils ont vidé leurs coupes cul sec. Assis autour de la table où reposait le gros livre, ils ont descendu la bouteille en quelques minutes. Après, ils semblaient beaucoup plus contents. Ils riaient et chantaient comme des gamins. J'étais fascinée, parce que je n'avais jamais vu des sorciers se comporter ainsi.

» À un moment, ils m'ont demandé d'approcher. Je n'en avais pas envie, mais je les connaissais bien et ils ne me faisaient pas peur. L'un d'eux m'a hissée sur ses genoux et m'a proposé de chanter avec eux. J'ai répondu que j'ignorais les paroles de leur chanson. Après s'être consultés du regard, ils ont déclaré qu'ils allaient me l'apprendre. Ça a pris un bon moment, mais ils ont réussi.

— Et tu t'en souviens encore ?

— Je ne l'ai jamais oubliée…

Kahlan tira sur sa robe puis commença à chanter.

— *Les grinceurs sont lâchés, le Gardien peut gagner.*
Ses assassins viendront et vous écorcheront.
Si vous tentez de fuir, leurs yeux jaunes alertés
Les grinceurs en riant aux éclats vous tueront.

Marchez à pas très lents, ou ils arracheront
Votre cœur en riant comme des forcenés.
Si vous ne bougez pas, leurs yeux jaunes verront
Leur proie et la tueront, car pour ça ils sont nés.

Taillez-les en morceaux, découpez-les menu !
Ou ils vous coinceront et vous serez perdus.
Si vous leur échappez, attention au Gardien,
Qui voudra vous griller vifs avec ses deux mains.

Il prendra vos esprits et volera vos âmes.

Privés de votre vie, parmi les morts errant
Vous agoniserez jusqu'à la fin des temps.
Car pour lui exister est une offense infâme.

Les grinceurs vous auront tôt ou tard c'est écrit.
Et s'ils ne vous ont pas, le Gardien le fera,
Sauf si celui qui de la vérité naquit,
Pour les chances de vie, héroïque se bat.

Mais cet homme est marqué. Ce n'est pas un hasard
Car l'ombre sait qu'il est le caillou dans la mare.

— Apprendre une chanson pareille à une gamine est dégoûtant, lâcha Richard quand sa compagne eut fini.

Maussade, il recommença à mâchouiller ses feuilles.

— Cette nuit-là, soupira Kahlan, j'ai eu d'affreux cauchemars. Ma mère m'a entendue crier et elle est venue dans ma chambre. Après m'avoir consolée, elle m'a demandé ce que j'avais. Je lui ai chanté cette horreur. Du coup, elle a dormi avec moi.

» Le lendemain, elle est allée voir les sorciers. Je n'ai jamais su ce qu'elle leur a fait, ou dit, mais des mois durant, ils passèrent leur chemin dès qu'ils l'apercevaient. Et ils m'ont fuie pendant encore plus longtemps !

Richard prit une autre feuille dans le sac et la mit dans sa bouche.

— Les grinceurs seraient envoyés par le Gardien du royaume des morts ?

— C'est ce que dit la chanson et ça doit être vrai. Quelle créature de notre monde pourrait encaisser autant de flèches en riant ?

— Et que signifie le « caillou dans la mare » ?

— Je n'en avais jamais entendu parler avant. Et je n'en ai plus jamais entendu parler depuis…

— Et ton éclair magique ? Comment as-tu réussi ça ?

— C'est lié au Kun Dar… J'ai fait la même chose devant le *quatuor*, quand j'ai cru que tu étais mort. Avant, je ne sentais pas la Rage du Sang en moi. À présent, elle est là en permanence, sous la surface, comme ma magie d'Inquisitrice. Et il y a un lien entre les deux. J'ai dû éveiller ce nouveau pouvoir… Je crois qu'Adie m'a mise en garde contre lui, quand nous étions chez elle. Mais j'ignore comment ça fonctionne.

— Tu ne cesseras jamais de m'étonner, la taquina Richard. Si je venais de me découvrir une aptitude pareille, je n'en parlerais pas aussi calmement.

— Eh bien, garde à l'esprit ce que je peux t'infliger, au cas où une jolie fille te ferait de l'œil.

— Je ne connais pas d'autres jolies filles que toi…, assura le Sourcier en prenant la main de sa compagne.

— Puis-je faire quelque chose pour toi ? demanda-t-elle en lui passant sa main libre dans les cheveux.

— Oui… Allonge-toi à mes côtés. J'ai peur de ne plus me réveiller, et je veux te sentir contre moi.

— Tu te réveilleras, promit Kahlan.

Elle prit une autre couverture, s'allongea et la tira sur eux. Blottie contre lui, la tête sur son épaule, un bras autour de sa taille, elle essaya de ne pas paniquer en pensant à ce qu'il venait de dire.

Chapitre 8

Quand Kahlan se réveilla, serrée contre Richard, de la lumière filtrait sous la porte. Elle s'assit, se frotta les yeux et regarda son compagnon.

Allongé sur le dos, il respirait lentement en contemplant le plafond. La jeune femme sourit, émue par le plaisir de voir son visage familier. Il était tellement beau qu'elle en avait le cœur serré.

Soudain, avec un sursaut, elle comprit qui lui rappelait ce visage si agréable à regarder. Richard ressemblait à Darken Rahl ! Sans son impossible perfection – ces traits dépourvus de défaut qui semblaient appartenir à une statue plutôt qu'à un être humain –, comme s'il s'agissait d'une version plus dure et irrégulière de leur adversaire mort. Plus réelle, en somme…

Avant qu'ils aient vaincu Rahl, quand la voyante Shota était apparue à Richard sous les traits de sa mère, Kahlan s'était aperçue que le Sourcier avait reçu en héritage la bouche et le nez de la défunte. Comme s'il portait le visage de Darken Rahl, mais adouci par le legs maternel. Le maître avait de longs cheveux blonds très fins. Ceux de Richard étaient plus épais et bien plus sombres. Et si ses yeux étaient gris, et non pas bleus, le regard des deux hommes avait la même intensité. Un regard capable d'hypnotiser et qui semblait pouvoir couper de l'acier…

Bien qu'elle ignorât comment c'était possible, Kahlan comprit que le sang de Rahl coulait dans les veines de Richard. Pourtant, l'un était de D'Hara et l'autre de Terre d'Ouest. Deux régions très éloignées… Le lien, conclut-elle, devait remonter à un lointain passé.

Richard fixait toujours le plafond. Elle lui posa une main sur l'épaule et la serra doucement.

— Comment va ta tête ?

Le Sourcier sursauta, regarda autour de lui puis se frotta les yeux.

— Hein ? Je dormais… Qu'as-tu dit ?

— Non, tu ne dormais pas…

— Bien sûr que si ! Comme une masse !

— Tu avais les yeux ouverts, dit Kahlan, prise d'une vague inquiétude.

Elle n'ajouta pas que seuls les sorciers, à sa connaissance, dormaient parfois sans baisser les paupières.

— Vraiment ? Dis-moi, où est le sac de feuilles ?

— À côté de toi. Ça fait toujours très mal ?

— Oui, mais j'ai connu pire. (Il s'assit, prit quelques feuilles, les fourra dans sa bouche et se passa une main dans les cheveux.) Au moins, je peux parler. (Il sourit à Kahlan.) Et te sourire sans avoir le sentiment que ma tête va éclater.

— Si tu te sens mal, tu ne devrais pas aller tirer à l'arc aujourd'hui…

— Savidlin a dit que je ne pouvais pas reculer. Et je ne veux pas le laisser tomber. En plus, j'ai envie de voir l'arc qu'il m'a fabriqué. Je ne me rappelle plus quand j'ai décoché ma dernière flèche.

Après qu'il eut passé quelques minutes à mâcher des feuilles, ils plièrent les couvertures et se mirent en quête de Savidlin. Ils le trouvèrent chez lui, où Siddin lui décrivait son voyage à dos de femelle dragon. L'Homme d'Adobe adorait les histoires. Même quand un enfant les racontait, il écoutait avec une attention soutenue, comme si un adulte de retour de la chasse lui détaillait sa journée. Kahlan nota avec fierté que le récit du petit garçon était d'une précision frappante, sans enjolivure superflue.

Siddin demanda s'il pourrait avoir un dragon comme animal de compagnie. Son père lui répondit qu'Écarlate n'était pas un jouet, mais une amie de leur peuple. En revanche, s'il dégotait un poulet rouge, il pourrait le garder…

Weselan préparait une bouillie de flocons d'avoine aux œufs. Elle invita les deux jeunes gens à partager ce petit déjeuner, et leur tendit des bols fumants quand ils se furent assis en tailleur sur le sol. En guise de cuiller, ils utilisèrent un morceau de pain de tava plié.

Richard pria Kahlan de demander à Savidlin s'il avait un outil capable de percer un trou. L'Homme d'Adobe tendit une main et tira de sous un banc une fine tige de métal. Il la donna au jeune homme, qui sortit son croc de dragon. L'air perplexe, il étudia la tige, la posa à la base du croc et la fit tourner prudemment.

— *Tu veux percer un trou dans le croc ?* demanda Savidlin en riant. *Donne-moi ça. Je vais te montrer comment faire.*

L'Ancien utilisa la pointe de son couteau pour amorcer le trou, puis tendit les jambes et coinça le croc entre ses pieds. Laissant tomber quelques grains de sable dans la petite encoche, il y positionna ensuite la tige. Après avoir craché dans ses mains, il la fit tourner entre ses paumes en lui imprimant également un mouvement d'avant en arrière. De temps en temps, il s'arrêtait pour rajouter du sable ou essuyer la salive tombée autour du trou. En quelques minutes, il eut traversé le croc. Après avoir lissé avec son couteau l'orifice de sortie, il étudia fièrement son travail, puis rendit son bien à Richard, qui le remercia de bon cœur.

Le Sourcier passa dans le trou une lanière de cuir et pendit le nouveau talisman à son cou, avec le sifflet de l'Homme Oiseau et l'Agiel de la Mord-Sith.

Une vraie collection ambulante, pensa Kahlan.

Et dont elle n'aimait pas toutes les pièces…

— *Ta tête va mieux ?* demanda Savidlin en sauçant son bol avec un morceau de tava.

— Un peu, mais je souffre encore… Les feuilles de Nissel me soulagent. Au fait, je suis gêné que vous ayez dû me porter, hier soir…

— *Un jour, j'ai été salement blessé…*, dit Savidlin en désignant une petite cicatrice ronde, sur son flanc. *Et des femmes m'ont ramené chez moi !* (Il se pencha en avant et fronça les sourcils.) *Porté par des femmes !* (Weselan le foudroya du regard, mais il fit mine de ne pas s'en apercevoir.) *Quand mes hommes ont su ça, ils se sont tenu les côtes un bon moment. Mais quand je leur ai dit* quelles *femmes m'avaient secouru, ils ont voulu savoir comment j'avais été blessé, histoire d'avoir droit au même traitement.*

— Et comment as-tu été blessé ? demanda Richard.

— *Comme je l'ai dit à mes hommes, rien de plus simple ! Il suffit de rester planté là comme un lapin pendant qu'un intrus vous enfonce sa lance dans le corps !*

— Et pourquoi ne t'a-t-il pas achevé ?

— *Parce que je lui ai tiré une flèche « dix-pas » dans la gorge.*

— Une flèche « dix-pas » ?

Savidlin sortit de son carquois, posé près de lui, une flèche barbelée à la pointe très fine.

— *Une de celles-là… Tu vois la substance noire, sur la pointe ? C'est du poison ! On l'appelle « dix-pas ». Quand un homme est touché, il fait encore dix pas, puis tombe raide mort.* (Il éclata de rire.) *Mes gars ont décidé de trouver un autre moyen d'attirer l'attention de ces beautés…*

Weselan se pencha et fourra un morceau de tava dans la bouche de son mari.

— *Les hommes adorent raconter des histoires affreuses*, dit-elle à Kahlan. *Mais je me suis rongé les sangs jusqu'à ce qu'il soit remis. Mon inquiétude a disparu la nuit où il m'a fait Siddin. Là, j'ai compris que tout allait bien…*

Kahlan s'aperçut qu'elle avait traduit sans vraiment enregistrer le sens de ces paroles. Sentant ses oreilles chauffer, elle évita de regarder Richard et se concentra sur ses flocons d'avoine. Pour une fois, elle se félicita que ses cheveux cachent si bien ses lobes…

— *Tu découvriras vite que les femmes, elles aussi, aiment raconter des histoires*, fit Savidlin en lançant à Richard un regard de mâle outragé.

Kahlan chercha en vain un moyen d'orienter la conversation sur un autre thème. Par bonheur, Savidlin s'en chargea pour elle.

— *Il sera bientôt l'heure de partir…*

— Comment le sais-tu ? demanda Richard.

— *Je suis là, tu es là, et certains de mes hommes sont là. Quand ils seront tous arrivés, l'heure du départ aura sonné.*

Savidlin se leva et alla prendre dans un coin de la pièce un arc beaucoup plus grand que celui qu'il utilisait. La taille idéale pour Richard. S'aidant d'un pied, il banda adroitement l'arme.

Tout sourires, le Sourcier déclara que c'était le plus bel arc qu'il ait jamais vu. Savidlin rayonna de fierté et lui tendit un carquois plein de flèches.

Richard arma l'arc, testant la résistance de la corde.

— Comment as-tu réussi ça ? s'étonna-t-il. Le réglage est parfait pour moi !

— *J'ai pensé à la force avec laquelle tu m'as témoigné ton respect, lors de notre première rencontre. La tension de la corde est trop élevée pour moi, mais je l'ai jugée idéale pour toi.*

— Tu es sûr de vouloir partir ? demanda Kahlan. Comment va ta tête ?

— Un enfer ! Mais avec les feuilles, ça devrait s'arranger. Savidlin attend impatiemment la compétition, et je ne voudrais pas le décevoir.

— Tu veux que je vienne avec toi ? demanda l'Inquisitrice.

— Non, répondit Richard en lui posant un baiser sur le front. Je n'aurai pas besoin d'une traductrice pour comprendre qu'on m'a battu à plate couture. Et il est inutile de donner à Chandalen une occasion de m'humilier encore plus…

— Zedd m'a dit que tu étais très bon au tir… Plus que bon, même !

Richard jeta un coup d'œil à Savidlin, occupé à bander son propre arc.

— Je n'ai pas tiré depuis une éternité… Zedd s'amusait à brouiller les cartes, comme d'habitude…

Il embrassa sa compagne au moment où Savidlin en terminait avec son arc, puis sortit avec lui.

Le goût de ses lèvres sur les siennes, Kahlan les regarda s'éloigner.

Impassible, Chandalen leva les yeux de la flèche qu'il examinait et attendit que Savidlin et Richard le rejoignent. Prindin et Tossidin, très souriants, sautaient d'un pied sur l'autre, tant ils étaient impatients que le concours commence. Le Sourcier croisa le regard des hommes massés là, qui lui emboîtèrent prestement le pas. Il les dépassait tous d'une bonne tête. On eût dit un groupe d'enfants marchant sur les talons d'un adulte. Mais ces enfants-là jouaient avec des flèches empoisonnées et certains ne portaient pas le Sourcier dans leur cœur.

Décidément, Kahlan n'aimait pas cette histoire…

— *Savidlin m'a promis qu'il veillerait sur Richard*, dit Weselan. *Ne t'inquiète pas, Chandalen ne fera rien de stupide.*

— *Peut-être… Mais je me demande quelle est sa définition de ce mot…*

Weselan s'essuya les mains avec un chiffon et regarda Siddin du coin de l'œil. Le petit garçon boudait parce qu'elle lui avait interdit d'aller jouer dehors. Elle approcha et le couva un long moment du regard. Quand il releva la tête, elle lui flanqua avec son chiffon un petit coup plein de tendresse.

— *Va donc t'amuser*, dit-elle. (Siddin partit en trombe et sa mère soupira.) *Les petits ignorent combien la vie est précieuse… Et fragile !*

— *C'est pour ça que nous voudrions tous redevenir des enfants…*

— *Peut-être…* (Les yeux de Weselan pétillèrent soudain.) *Quelle couleur veux-tu porter pour ton mariage ?*

— *Eh bien…* (Kahlan réfléchit puis sourit.) *Richard adore le bleu…*

— *J'ai exactement ce qu'il te faut ! Un tissu que je gardais pour un événement spécial…*

Weselan alla dans la chambre et en revint avec un paquet. S'asseyant sur un banc, près de Kahlan, elle entreprit de le déballer. Le tissu, superbe, était d'un bleu soutenu avec de petites fleurs imprimées d'un ton plus clair. Le caressant entre le pouce et l'index, Kahlan pensa qu'il ferait une magnifique robe.

— *Quelle splendeur !* dit-elle. *Comment l'as-tu eu ?*

— *Du troc...*, répondit Weselan. *Avec des gens venus du nord. Ils aimaient les coupes que je fabrique, alors nous avons fait un échange.*

Consciente du prix de ce tissu, Kahlan se demanda combien de coupes la Femme d'Adobe avait dû leur céder...

— *Il serait injuste que je le porte, mon amie. Tu as travaillé dur pour l'avoir. Il t'appartient.*

Weselan étudia le tissu bleu et hocha la tête, ravie.

— *Absurde ! Richard et toi avez fait tellement pour nous. D'abord, nous avons appris à construire des toits qui ne fuient pas. Puis vous avez sauvé Siddin des ombres, en nous débarrassant au passage d'un vieux fou dont Savidlin a pu prendre la place. Mon époux n'a jamais été aussi heureux de sa vie ! Et quand notre fils a été enlevé, vous nous l'avez ramené. Pour finir, vous avez vaincu l'homme qui voulait nous réduire en esclavage. Vous êtes les protecteurs de notre peuple. À côté de ça, que vaut un morceau de tissu ?*

» Je serai fière que la Mère Inquisitrice, maîtresse des Contrées du Milieu, se marie dans une robe que j'ai confectionnée ; moi, une simple Femme d'Adobe, pour quelqu'un – mon amie ! – qui a visité des endroits merveilleux que je ne peux même pas imaginer ! Kahlan, en acceptant, tu ne me prendras rien. C'est toi qui m'offriras quelque chose !

— *Tu n'as pas idée du bonheur que tu me fais,* dit Kahlan, émue aux larmes. *Le destin d'une Inquisitrice est d'être redoutée. Depuis toujours, les gens me fuient comme la peste. Personne ne m'a jamais traitée comme un être humain normal. Avant Richard, personne ne s'est avisé que j'en étais un. Et avant toi, aucune femme ne m'avait accueillie chez elle. Et encore moins laissé serrer son fils dans mes bras.* (Elle essuya ses larmes.) *Ce sera la plus belle robe que j'aie jamais portée. Et la plus précieuse, parce qu'une amie me l'aura fabriquée...*

— *Quand le Sourcier te verra dedans,* fit Weselan avec un regard coquin, *il te fera tout de suite un fils ou une fille...*

Riant et pleurant à la fois, Kahlan serra la Femme d'Adobe dans ses bras. Jamais elle n'avait rêvé qu'une chose pareille lui arrive : être traitée comme une femme, pas comme une Inquisitrice !

Aussi excitées l'une que l'autre, les deux amies passèrent une bonne partie de la matinée à tailler et à coudre. Weselan, avec ses aiguilles en os, n'avait rien à envier aux meilleures couturières d'Aydindril. De facture assez simple, la robe mettrait en valeur la féminité de Kahlan.

À midi, elles mangèrent du bouillon de poulet et du tava. Weselan annonça qu'elle en avait assez de coudre et demanda à Kahlan ce qu'elle voulait faire l'après-midi. Cuisiner un peu serait un plaisir, répondit l'Inquisitrice.

Elle n'acceptait jamais de viande quand elle venait en visite officielle, car elle savait que les Hommes d'Adobe, pour s'approprier les vertus de leurs ennemis, consommaient parfois de la chair humaine. Soucieuse de ne pas les offenser, elle se prétendait végétarienne. La veille, Richard avait réagi étrangement face à un plat de viande. La jardinière de légumes que proposa Weselan lui parut donc tout à fait adaptée.

Elles débitèrent des racines de tava, d'autres tubercules couleur rouille, inconnus de Kahlan, et des poivrons puis les jetèrent dans le chaudron qui bouillonnait sur le petit feu. Elles ajoutèrent des haricots, des légumes verts, des champignons séchés et de la noix muscade. En alimentant le feu en bois sec, Weselan informa Kahlan que les hommes, selon elle, ne reviendraient pas avant la nuit. En attendant, elles pouvaient aller rejoindre les autres femmes, dehors, et les aider à préparer et à cuire le pain de tava.

— *J'aimerais beaucoup ça*, dit l'Inquisitrice.

— *On parlera du mariage*, ajouta Weselan. *C'est un excellent sujet de conversation, surtout quand il n'y a pas d'hommes dans le coin...*

Kahlan fut ravie d'apprendre que les villageoises accepteraient de converser avec elle. Lors de ses précédentes visites, elles s'étaient toujours montrées très réservées.

Les plus âgées eurent plaisir à évoquer le futur mariage. Les plus jeunes bombardèrent l'Inquisitrice de questions sur les endroits qu'elle avait visités. Était-il vrai que les hommes lui obéissaient au doigt et à l'œil ?

Elles écarquillèrent les yeux quand Kahlan leur parla du Conseil et expliqua comment elle protégeait les petits peuples de la convoitise des grands. Bien qu'elle ait du pouvoir, ajouta-t-elle, elle s'en servait uniquement dans l'intérêt général. Et, non, elle ne commandait pas des armées, car cela n'entrait pas dans ses attributions. Son objectif, au contraire, était d'encourager la coopération pour qu'il n'y ait plus de guerre.

Ses compagnes voulurent savoir combien elle avait de domestiques et quelles robes magnifiques elle portait. Cet interrogatoire rendit nerveuses les aînées et tapa un peu sur les nerfs de Kahlan.

Elle aplatit une boule de pâte sur le plan de travail, faisant voleter un nuage de farine.

— *Ma plus belle robe sera celle que Weselan me prépare, parce que c'est le don d'une amie, et pas une commande passée à une couturière. L'amitié est le bien le plus précieux au monde. J'abandonnerais tout ce que j'ai, quitte à porter des haillons et à manger des racines, pour avoir une amie...*

Cette déclaration calma les jeunes femmes et combla d'aise les plus âgées. La conversation revint sur le mariage, au grand ravissement de l'Inquisitrice, qui laissa les Femmes d'Adobe mener le bal.

Vers la fin de l'après-midi, Kahlan entendit un brouhaha de voix dans le lointain. Quelques minutes plus tard, elle aperçut la silhouette de Richard. À grandes enjambées, il se dirigeait vers la maison de Savidlin et Weselan. Même de loin, elle vit qu'il était furieux. Des chasseurs l'accompagnaient, trottinant parfois pour suivre le rythme.

L'Inquisitrice essuya avec un chiffon ses mains couvertes de farine. Sortant de l'abri où étaient les fours, elle courut vers les hommes et les rejoignit alors qu'ils descendaient une allée, entre deux bâtiments.

Se frayant un chemin entre les chasseurs, elle rattrapa Richard au moment où il arrivait devant la porte de la maison. Flanqué de Savidlin, Chandalen le suivait comme son ombre. Du sang avait coulé sur son épaule et un cataplasme de boue séchée reposait entre son cou et sa clavicule. Il semblait d'humeur à casser des cailloux avec les dents.

Quand Kahlan tira Richard par la manche, il se retourna, l'air enragé, mais s'adoucit un peu en la reconnaissant, et éloigna sa main de la garde de l'Épée de Vérité.

— Que s'est-il passé ? demanda Kahlan.

Le Sourcier regarda les autres hommes, dévisagea plus longuement Chandalen, puis posa de nouveau les yeux sur l'Inquisitrice.

— J'ai besoin de tes talents de traductrice. Nous avons eu une… hum… mésaventure… et je n'ai pas réussi à leur expliquer ce qui est arrivé.

— *Je veux savoir pourquoi il a essayé de me tuer !* cria soudain Chandalen.

— De quoi parle-t-il ? Tu as tenté de l'assassiner ?

— L'assassiner ? Cet imbécile heureux me doit la vie ! Ne me demande pas pourquoi je l'ai sauvé ! J'aurais dû le laisser crever ! Et la prochaine fois, je le ferai ! (Richard se passa une main dans les cheveux.) Ma tête me fait un mal de chien !

Chandalen désigna sa blessure à l'épaule.

— *Il l'a fait exprès ! Ça ne pouvait pas être un accident. Il tire trop bien pour ça !*

— Triple abruti ! beugla le Sourcier en levant les bras au ciel. (Il planta son regard dans celui de l'Homme d'Adobe.) Tu m'as vu tirer, non ? Crois-tu, si j'avais voulu te tuer, que tu serais encore ici à nous casser les pieds ? Bien sûr que je l'ai fait exprès ! C'était la seule façon de sauver ta misérable peau ! (Il tendit un bras, leva une main devant les yeux de Chandalen et écarta légèrement son pouce et son index.) Voilà la place que j'avais pour tirer. Et encore ! Si je n'avais pas pris le risque, tu serais mort !

— *Que raconte-t-il ?* demanda l'Homme d'Adobe.

— Richard, calme-toi ! implora Kahlan. Et dis-moi ce qui est arrivé.

— Ces gens ne comprennent pas un mot à ce que je raconte ! Je n'ai pas pu m'expliquer… Kahlan, j'ai tué un homme aujourd'hui.

— Quoi ? Un chasseur de Chandalen ?

— Mais non ! Ce n'est pas ça qui les met en colère. Ils sont contents que j'aie abattu ce type et sauvé Chandalen. Mais ils pensent que…

— Mets de l'ordre dans tes idées, puis exprime-toi. Je traduirai fidèlement…

Richard prit une grande inspiration et se frotta les yeux du dos de la main. Quand il se fut passé les doigts dans les cheveux, sa façon à lui de les peigner, il parut aller un peu mieux.

— Chandalen, je ne m'expliquerai qu'une fois. Si ça ne rentre pas dans ton crâne de crétin, nous nous placerons chacun à un bout du village, et nous nous tirerons dessus jusqu'à ce qu'un des deux s'écroule. Mais je te préviens, il me suffira d'une flèche pour obtenir ce résultat.

— *J'écoute,* dit l'Homme d'Adobe en croisant ses bras musclés.

— Tu étais assez loin de moi, dans la plaine. Pour une raison que j'ignore, j'ai senti que cet homme était là, derrière toi. Je me suis retourné, et tout ce que j'ai vu… (Il prit Kahlan par le bras, la plaça face à Chandalen et s'accroupit derrière elle.) C'était comme ça… J'apercevais seulement le haut de son crâne. Et son bras levé, une lance prête à s'abattre dans ton dos. J'avais une seule chance de te sauver la vie, et une fraction de seconde pour agir. Avec pour unique cible le sommet de sa tête.

» Si j'avais visé trop haut, la flèche aurait rebondi sur son front et il t'aurait tué. La seule façon de l'en empêcher, c'était de passer à travers le gras de ton épaule, pour le toucher entre les deux yeux.

Richard écarta de nouveau le pouce et l'index.

— C'était ma marge de manœuvre. Si j'avais tiré un peu trop bas, ta clavicule aurait arrêté ou dévié la flèche, et c'en était fini de toi. Un poil trop haut, pour ne pas te blesser, et tu étais également fichu. Je savais que la flèche fabriquée par Savidlin pouvait traverser ta chair et le tuer. Il n'y avait pas d'autre solution et il fallait intervenir vite. Quelques points de suture sont un prix négligeable pour ta vie…

— *Comment savoir que tu dis la vérité ?* demanda Chandalen, ébranlé.

Richard secoua la tête, agacé. Soudain, il eut une idée. Prenant le sac en tissu que tenait un des chasseurs, il en sortit une tête tranchée, la tenant par les cheveux.

Kahlan se plaqua une main sur la bouche et se détourna. Mais du coin de l'œil, elle vit la flèche plantée entre les yeux du mort.

Richard plaça la tête derrière l'épaule de Chandalen et posa la hampe de la flèche sur son épaule, près de la blessure.

— Voilà tout ce que je voyais. Si l'homme s'était tenu plus droit, en le touchant entre les deux yeux, je n'aurais pas traversé ton épaule.

Les chasseurs murmurèrent entre eux, convaincus par la démonstration. Chandalen regarda la hampe de flèche posée sur son épaule, puis la tête de son agresseur. Après une minute de réflexion, il décroisa les bras, prit le crâne et le remit dans le sac.

— *On m'a souvent recousu… Alors, une fois de plus ne me tuera pas. Je vais te croire, Richard Au Sang Chaud. Aujourd'hui…*

Les poings sur les hanches, Richard regarda l'Homme d'Adobe et ses chasseurs s'éloigner.

— Ne vous fendez surtout pas d'un « merci » ! leur cria-t-il.

Kahlan ne jugea pas utile de traduire cette amabilité.

— Pourquoi ont-ils rapporté cette tête ? demanda-t-elle.

— Je n'en sais rien, et ce n'était pas mon idée, tu peux me croire. À ta place, je ne chercherais pas à savoir ce qu'ils ont fait du reste du corps.

— Richard, je ne suis pas une experte, mais ce tir était très osé. À quelle distance étais-tu de Chandalen ?

— Le risque était minime. Et j'étais à une centaine de pas de cet ingrat. Au moins…

— De si loin, tu peux être précis à ce point ?

— J'aurais fait aussi bien à deux cents pas, j'en ai peur. Et même à trois cents. (Il baissa les yeux sur ses mains tachées de sang.) Il faut que je me nettoie… Kahlan, ma tête menace d'exploser. Je dois m'asseoir… Peux-tu faire venir Nissel ? Souffler dans les bronches de cet imbécile m'a permis de tenir debout, mais ça ne durera plus longtemps…

— Entre dans la maison, je cours chercher la guérisseuse.

— Je crois que Savidlin aussi m'en veut. Dis-lui que je suis navré d'avoir bousillé ses flèches…

L'Inquisitrice, l'air perplexe, regarda le jeune homme entrer et refermer la porte. Savidlin fit mine de parler, mais elle le prit par le bras.

— *Richard a besoin de Nissel. Accompagne-moi et raconte-moi ce qui s'est passé.*

— *Richard Au Sang Chaud porte bien son nom, mon amie…*

— *Il est troublé parce qu'il a tué un homme. Vivre avec ça n'est pas facile…*

— *Il ne t'a pas raconté toute l'histoire, Mère Inquisitrice.*

— *Je t'écoute...*

— *Nous tirions flèche sur flèche... Chandalen était furieux à cause des exploits de Richard. N'y tenant plus, il a marmonné que ce fichu Sourcier était un démon, puis s'est éloigné de nous. Personne d'autre n'a bougé, craignant de manquer la démonstration de Richard. Une précision formidable ! Soudain, il a encoché une flèche, s'est tourné vers Chandalen et lui a tiré dessus. Les bras croisés, le chef des chasseurs n'avait pas d'arme sur lui... Nous n'en avons pas cru nos yeux. Comment le Sourcier pouvait-il commettre une telle vilenie ?*

» Pendant que la flèche volait vers Chandalen, deux de ses chasseurs ont armé leurs arcs et tiré. Le premier a décoché une flèche « dix-pas » sur Richard avant même que la sienne ait atteint Chandalen.

— *Cet homme a raté Richard ? Ces chasseurs-là ne manquent jamais leur cible...*

— *Il ne serait pas passé à côté... Mais Richard s'est retourné, il a tiré de son carquois sa dernière flèche, l'a encochée et a tiré. Je n'ai jamais vu quelqu'un réagir si vite.* (Savidlin hésita, comme s'il redoutait que Kahlan ne le croie pas.) *La flèche à tête métallique de Richard a touché l'autre en plein vol et l'a fendue en deux. Les deux moitiés sont passées à un souffle de son visage...*

— *Richard a fait ça ? Toucher une flèche en plein vol ?*

— *Oui, et ce n'est pas tout... L'autre chasseur a tiré, et le Sourcier n'avait plus de flèche. Son arc dans une main, il a attendu que la dix-pas soit presque sur lui...*

Savidlin baissa la voix, comme s'il voulait que personne d'autre n'entende.

— *... Puis il l'a interceptée au vol, comme on attrape une mouche, la hampe entre ses doigts. Ensuite, il l'a encochée dans son arc et l'a pointée sur les hommes de Chandalen en beuglant à tue-tête des mots que nous n'avons pas compris. Mais les chasseurs ont jeté leurs arcs et écarté les bras pour montrer qu'ils n'avaient pas d'autres armes. Nous pensions tous que Richard Au Sang Chaud était devenu fou et qu'il allait faire un massacre. Franchement, je n'ai jamais eu aussi peur de ma vie...*

» Puis Prindin nous a appelés, car il avait découvert le mort, derrière Chandalen. Nous avons vu que Richard avait tué un intrus armé d'une lance. À l'évidence, il n'avait jamais visé Chandalen. Tout le monde était d'accord là-dessus, sauf le principal intéressé, qui saignait comme un porc. Il a rugi de colère quand ses chasseurs sont allés féliciter le Sourcier...

Kahlan resta un moment bouche bée, ne parvenant pas à croire un mot de cette histoire.

— *Richard m'a dit qu'il était désolé d'avoir « bousillé » tes flèches. De quoi parlait-il ?*

— *Tu sais ce qu'est un tir sur la hampe ?*

— *C'est une flèche qui en touche une autre, déjà plantée au centre de la cible, et la fend en deux. Les hommes de la Garde Nationale, en Aydindril, recevaient un ruban chaque fois qu'ils réussissaient ce coup. Quelques soldats en portaient une demi-douzaine. Un archer en détenait dix...*

Savidlin sortit de son carquois une énorme brassée de flèches, toutes fendues en deux.

— *Il serait plus économique de donner un ruban à Richard quand il rate son coup ! Aujourd'hui, ça n'est pas arrivé une seule fois. Il a « bousillé », comme il dit, plus d'une centaine de flèches. Ces projectiles sont difficiles à fabriquer, et nous détestons les gaspiller. Mais nous insistions pour qu'il continue, parce que nous n'avions jamais vu ça. Il a réussi à placer six flèches sur une des miennes, les unes s'enfonçant dans les autres…*

» À un moment, nous avons tué des lapins pour les faire rôtir. Richard s'est assis avec nous pour le repas, mais il n'a rien pu avaler. Très pâle, il est allé continuer à s'entraîner pendant que nous finissions. Il a tué l'intrus peu après…

— Pressons le pas, dit Kahlan. *Il a vraiment besoin de Nissel. Mais Savidlin, pourquoi avoir coupé la tête de l'agresseur ? Une telle cruauté…*

— As-tu remarqué que les yeux du mort sont entourés de peinture noire ? C'était pour que nos esprits ne le voient pas, afin qu'il puisse nous attaquer par surprise. Quelqu'un qui vient chez nous ainsi n'a qu'une raison : tuer ! Le long de nos frontières, Chandalen plante sur des poteaux les têtes de ces maraudeurs, pour décourager ceux qui voudraient les imiter.*

» Tu peux trouver ça cruel ou barbare, pourtant, ça évite des tueries. Ne méprise pas les hommes de Chandalen parce qu'ils ont décapité le cadavre. Ça ne les amuse pas, mais ils savent que des vies seront sauvées…

— Comme Chandalen, dit Kahlan, soudain honteuse, *je suis coupable d'avoir porté un jugement trop hâtif. Ancien Savidlin, pardonne-moi d'avoir pensé sur ton… notre… peuple des choses injustes.*

Touché, l'Homme d'Adobe entoura d'un bras les épaules de l'Inquisitrice et la serra contre lui.

Quand ils revinrent avec la guérisseuse, ils trouvèrent Richard recroquevillé dans un coin, les mains plaquées sur la tête. De nouveau, sa peau était glaciale et couverte d'une sueur froide. Nissel lui fit boire une potion puis lui donna un curieux petit cube à mâcher. Comme Richard souriait en le voyant, Kahlan supposa qu'il savait ce que c'était. La guérisseuse s'assit près de lui et lui prit le pouls un long moment. Quand il eut de nouveau des couleurs, elle lui fit renverser la tête en arrière, lui ouvrit la bouche et lui passa sur les lèvres une sorte de gousse d'ail qu'elle pressa pour en faire sortir le jus. Lorsque le Sourcier fit la grimace, Nissel sourit.

— Je crois que ça va l'aider, annonça-t-elle à Kahlan. *Dites-lui de continuer à mâcher des feuilles. Et rappelez-moi s'il va plus mal.*

— Nissel, ne guérira-t-il pas ? Est-ce impossible ?

— Les voies de l'esprit sont impénétrables… *Il n'écoute pas toujours, surtout quand il ne veut pas entendre.* (Devant l'air ravagé de Kahlan, la guérisseuse modéra ses propos.) *Mais n'ayez crainte, mon enfant, je pourrai le forcer à écouter.*

L'Inquisitrice eut un pâle sourire. Nissel lui tapota l'épaule avant de s'en aller.

— Kahlan, souffla Richard, as-tu dit à Savidlin que j'étais navré, pour ses flèches ?

— Il se désole toujours d'avoir cassé de bons projectiles…

— Je suis le seul à blâmer, déclara Savidlin. *L'arc que je lui ai fabriqué est trop bon… Weselan est occupée à faire du pain, et je dois aller lui parler. Que le Sourcier se repose bien. Nous reviendrons pour le dîner. Je sens que ma femme s'est surpassée, ce soir…*

Après le départ de l'Homme d'Adobe, Kahlan s'assit près de Richard.

— Qu'est-il arrivé aujourd'hui ? Savidlin m'a raconté tes exploits. Tu n'es pas toujours aussi bon, n'est-ce pas ?

— Non… J'ai souvent fendu des flèches, mais pas plus d'une demi-douzaine par séance.

— Et tu en as déjà tiré autant qu'aujourd'hui ?

— Les bons jours, oui, quand je *sentais* la cible. Mais cette compétition, c'était très différent…

— En quoi ?

— Eh bien… Nous sommes allés dans la plaine et ma tête me faisait de plus en plus mal. Quand les hommes ont disposé des cibles sur des ballots de paille, j'ai cru que je ne ferais pas mouche une seule fois, tellement je souffrais. Pour ne pas décevoir Savidlin, j'ai essayé quand même. Et quand j'ai tiré, j'ai pu *appeler* la cible.

— Que veux-tu dire par là ?

— Si je le savais… Je croyais que tous les archers faisaient ça, mais Zedd m'a expliqué que ce n'était pas le cas. Je vois la cible et… je l'attire vers moi. Quand tout va bien, le reste disparaît. Il n'y a plus que moi et l'objet que je veux toucher, comme s'il s'approchait. Parfois, je sens comment la flèche doit être positionnée pour faire mouche à tout coup. Avant même de relâcher la corde, je devine où elle ira…

» Quand j'ai compris que je ne pouvais pas manquer mon coup, dans cet état, j'ai cessé de tirer. Je me contentais de viser, et de me plonger dans cette étrange transe. Puisque j'étais sûr de réussir, pourquoi lâcher la flèche ? Avec le temps, j'ai réussi à maîtriser le phénomène. Enfin, de plus en plus souvent…

— Qu'y avait-il de différent aujourd'hui ?

— Comme je te l'ai dit, ma tête me torturait. Les chasseurs ont tiré avant moi et ils ont fait des prouesses. Quand Savidlin m'a tapé sur l'épaule, j'ai compris que c'était mon tour. J'avais si mal que j'ai cru courir à la catastrophe. Mais j'ai quand même armé l'arc et appelé la cible.

Richard se passa une main dans les cheveux.

— J'ignore comment expliquer ça. Dès que j'ai appelé la cible, ma migraine a disparu. Plus de douleur ! Et j'ai *senti* mon tir comme jamais. On aurait juré qu'il y avait dans l'air un conduit où il me suffisait de glisser ma flèche. Ça n'avait jamais été aussi fort. La cible me paraissait immense et j'aurais dû faire un effort pour la rater.

» Après un moment, pour changer un peu, au lieu de fendre les autres flèches, je me suis amusé à couper les plumes de leur empennage. Les chasseurs ont pensé que j'avais raté mes coups, mais ils ont vite compris que j'essayais quelque chose de plus difficile.

— Et ta migraine avait complètement disparu ?

— Oui…

— Tu sais pourquoi ?

— J'ai peur que oui, répondit le Sourcier sans regarder sa compagne. À cause de la magie…

— La magie ? Que veux-tu dire ?

— Kahlan, j'ignore si tu sens la magie en toi, mais moi, je sens la mienne ! Chaque fois que je dégaine l'Épée de Vérité, le pouvoir coule en moi comme un torrent et devient une partie de mon être. Comprends-moi : je connais les manifestations de la magie. Je les ai souvent expérimentées, de différentes manières, selon les situations et ce que je voulais faire. Comme je suis lié à l'épée, je sens son pouvoir, même quand elle est au fourreau, sur ma hanche. À présent, je peux invoquer sa magie sans avoir besoin de dégainer l'arme. Je la sens en permanence, comme un chien accroupi à mes pieds et prêt à sauter si je le lui ordonne.

» Aujourd'hui, quand j'ai armé l'arc et appelé la cible, j'ai invoqué autre chose : la magie !

» Lorsque Zedd m'a guéri, et quand tu m'as touché, alors que le Kun Dar coulait en toi, j'ai senti votre pouvoir. Dans la plaine, j'en ai invoqué un. Il est différent de celui de Zedd et du tien, mais de la même nature. Quelque chose de vivant, qui respirait en moi… (Il se tapota la poitrine.) Je l'ai senti naître et se développer, puis je l'ai libéré au moment où j'allais tirer.

— Ça a peut-être un rapport avec l'épée, avança Kahlan, frappée par cette description qui correspondait si bien à ses propres expériences.

— Qui peut le dire ? C'est possible… Mais je ne contrôle pas ce pouvoir. Au bout d'un moment, il a disparu, telle une flamme de chandelle soufflée par le vent. Alors, je me suis retrouvé dans l'obscurité, comme si j'étais devenu aveugle. Et la migraine est revenue…

» Incapable d'appeler la cible, j'ai laissé les autres tirer. La magie m'investissait et m'abandonnait à sa guise. Et pas moyen de prévoir ses caprices ! Quand les chasseurs ont mangé, j'ai dû m'éloigner parce que la vue de la viande me rendait malade. Et pendant que je m'entraînais seul, le pouvoir revenait parfois, me débarrassant de la douleur.

— Et quand tu as intercepté une flèche en plein vol ?

— Savidlin t'a tout raconté ? Hum, je m'en doutais… C'était le plus étrange de tout. Comme si j'avais rendu l'air plus épais…

— Plus épais ? répéta Kahlan, perplexe.

— Je devais ralentir la flèche, et j'ai pensé que l'air devait lui opposer une résistance, comme quand j'essaye de frapper avec l'Épée de Vérité et que le coup s'arrête avant d'avoir touché sa cible. Si je ne réussissais pas à épaissir l'air, me suis-je dit, la mort m'attendait. Tout est venu en même temps dans mon esprit : l'idée et sa mise en œuvre. Simultanément ! Sans savoir ce que je faisais, j'ai pensé à ça et vu ma main saisir la flèche en plein vol…

Détournant la tête, Richard se tut, et Kahlan ne sut que dire, une sourde angoisse montant en elle.

— Richard, je t'aime, murmura-t-elle enfin.

— Moi aussi, répondit le Sourcier après un long moment. (Il la regarda de nouveau.) Et j'ai peur…

— De quoi ?

— Quelque chose cloche… Un grinceur nous attaque, j'ai une atroce migraine, tu foudroies des monstres à distance et je fends des flèches par dizaines… Il faut que j'aille voir Zedd en Aydindril. Tout ça a un rapport avec la magie.

Estimant qu'il n'avait peut-être pas tort, Kahlan chercha pourtant d'autres explications.

— Les éclairs sont une manifestation de ma magie. Même si j'ignore comment j'ai fait ça, c'était pour te protéger… Le grinceur venait du royaume des morts, et ça n'a aucun rapport avec nous. C'est un monstre maléfique, voilà tout. Quant à ton expérience, elle est sans doute liée à la magie de l'épée. Enfin, c'est une possibilité…

— Et les migraines ?

— Je n'ai pas d'explication…

— Kahlan, ces maux de tête risquent de me tuer. Ne me demande pas comment je le sais, mais j'en suis sûr. Ce ne sont pas des migraines ordinaires… Ce mal me détruira…

— Richard, ne dis pas ça ! Tu m'angoisses !

— Ça m'angoisse aussi… Si Chandalen m'a tant énervé, c'est parce que j'ai peur qu'il ait raison. J'attire peut-être le malheur sur les autres !

— Nous devrions rejoindre Zedd au plus vite…

— Avec mes maux de tête ? La plupart du temps, je ne tiens pas debout. Tu me vois m'arrêter tous les dix pas pour tirer une flèche ?

— Nissel trouvera peut-être un traitement…

— Non. Elle me soulage un peu, mais ce sera temporaire. Bientôt, elle ne pourra plus rien pour moi. Et j'ai peur de mourir.

Kahlan éclata en sanglots. Richard s'adossa au mur, la tira par l'épaule et la serra contre lui. Il voulut parler, mais elle lui posa un index sur les lèvres, s'accrocha à sa chemise et laissa libre cours à son chagrin. Son univers s'écroulait autour d'elle et l'avenir n'existait plus.

Soudain, elle eut honte de son égoïsme. C'était Richard qui souffrait et qui avait peur ! Lui, qui avait besoin de réconfort…

— Richard Cypher, si tu crois que tout ça te permettra de ne pas m'épouser, tu te trompes !

— Kahlan, je ne… je jure…

L'Inquisitrice sourit et lui caressa la joue.

— Je sais… Richard, nous avons résolu des problèmes bien plus compliqués que celui-là. Nous trouverons la solution, c'est promis. Il le faut bien : Weselan a déjà commencé ma robe !

— Vraiment ? fit Richard en se fourrant quelques feuilles dans la bouche. Je parie que tu seras superbe dedans !

— Pour le savoir, il faudra m'épouser !

— À vos ordres, ma dame !

Savidlin, Weselan et Siddin revinrent quelques minutes plus tard. Revigoré par les feuilles, Richard annonça qu'il se sentait un peu mieux.

Siddin était tout excité. Devenu une célébrité locale après sa chevauchée à dos de dragon, il avait passé son après-midi à raconter ses aventures à ses amis. À présent, il désirait sauter sur les genoux de Kahlan et lui décrire par le menu sa journée de gloire.

Elle l'écouta gentiment pendant qu'ils se régalaient de la jardinière de légumes. À la fin du repas, Richard refusa le fromage que Savidlin lui offrit.

Ils avaient terminé quand l'Homme Oiseau, flanqué de chasseurs armés, se présenta devant la porte. Tous se levèrent, angoissés par son expression sinistre.

— Que se passe-t-il ? demanda Richard.

— *Trois femmes, des étrangères, sont arrivées à cheval…*

Était-ce une raison suffisante pour s'entourer d'hommes en armes ? pensa Kahlan.

— *Que veulent-elles ?*

— *J'ai eu du mal à comprendre, car elles parlent mal notre langue. Mais je crois qu'elles viennent pour Richard. Elles veulent le voir et rencontrer aussi ses parents. Si j'ai bien compris…*

— Mes parents ? Tu es sûr ?

— *Je crois que c'est ce qu'elles tentaient de dire. Elles ont ajouté que tu devais cesser de fuir. Elles sont là pour toi, et il ne faut pas t'échapper. À les en croire, je ne dois pas m'en mêler…*

— Où sont-elles ? demanda Richard, sa main volant vers la garde de son épée.

— *Elles attendent dans la maison des esprits.*

— *Ont-elles dit qui elles sont ?* intervint Kahlan.

— *Elles se sont présentées comme les Sœurs de la Lumière,* répondit l'Homme Oiseau, ses cheveux gris brillant à la lumière du soleil couchant.

Kahlan en eut le souffle coupé. Des frissons dans tous les membres, elle eut le sentiment que ses entrailles se nouaient.

Pétrifiée, elle ne réussit même pas à battre des paupières.

Chapitre 9

–**A**lors, s'impatienta Richard, qu'a-t-il dit ? Qui sont ces femmes ?
Le regard toujours fixe, Kahlan parvint à souffler :
— Les Sœurs de la Lumière…
— Et alors ?
— Alors ? Je ne sais pas grand-chose à leur sujet. Comme tout le monde, en fait… Mais nous devrions partir. (Kahlan agrippa à deux mains le bras de Richard.) Je t'en prie, filons d'ici. Tout de suite !
— Remercie l'Homme Oiseau d'être venu nous prévenir, dit le Sourcier. Ajoute que nous allons nous occuper de tout ça.

Après le départ de l'Ancien et de ses hommes, les deux jeunes gens annoncèrent à Savidlin qu'ils iraient seuls. Richard tira sa compagne par le bras jusqu'à l'angle d'une maison, la poussa doucement contre un mur et la prit par les épaules.

— D'accord, tu ne sais pas *grand-chose* de ces femmes, mais je ne goberai pas que tu ignores tout d'elles. Inutile de lire dans les esprits pour voir que tu détiens des informations… et que tu meurs de peur.

— Elles ont un rapport avec les sorciers. Ceux qui ont le don…

— Que veux-tu dire ?

— Un jour, alors que je voyageais avec Giller, nous avons eu une conversation au sujet de la vie en général et de nos rêves… Tu vois le genre ? Giller avait *appris* à être un sorcier, mais il ne possédait pas le don. Sa plus grande ambition étant de faire partie de cette confrérie, Zedd lui avait *enseigné* ce qu'il fallait savoir. Mais à cause de la Toile de Sorcier que son mentor avait laissée dans les Contrées du Milieu en les quittant, Giller ne se souvenait plus de l'existence de son professeur. Tout le monde avait oublié jusqu'à son nom.

» Ce soir-là, je lui ai demandé s'il aurait aimé avoir plus que la vocation. Détenir le don, si tu préfères… Souriant, il y a réfléchi quelques instants, perdu dans ses pensées. Puis son sourire s'est effacé, il a blêmi et m'a répondu qu'il n'aurait à aucun prix voulu avoir le don.

» J'étais surprise par sa panique. Les sorciers n'ont pas souvent ce genre de réaction à cause d'une simple question. Bien sûr, je lui ai demandé pourquoi il m'avait répondu ainsi. Parce que, a-t-il lâché, s'il avait eu le don, il aurait dû affronter les Sœurs de la Lumière. J'ai tenté de savoir qui elles étaient, mais il a refusé de m'en dire plus. Selon lui, prononcer leur nom à voix haute était déjà dangereux. Il est resté campé sur ses positions, et je me souviens encore de son expression terrifiée...

— Sais-tu au moins d'où elles viennent ?

— J'ai arpenté les Contrées du Milieu toute ma vie. Nul ne m'a jamais dit les avoir vues. Et pourtant, j'ai souvent posé la question.

Richard la lâcha, plaqua un poing sur sa hanche, et, de l'autre main, se pinça la lèvre supérieure en réfléchissant. Puis il croisa les bras et se détourna de Kahlan.

— Voilà qu'on recommence à parler du don ! Je croyais que nous en avions fini avec cette absurdité ! Bon sang, je n'ai pas ce fichu don !

— Richard, je t'en prie, partons d'ici ! Si un sorcier avait peur des Sœurs de la Lumière... Il vaudrait mieux filer !

— Et si elles nous poursuivent ? Imagine qu'elles nous rattrapent au moment où une migraine me met sur le flanc ? Quand je serai sans défense...

— Richard, ces femmes effrayaient un sorcier ! Nous sommes peut-être déjà sans défense...

— Le Sourcier ne craint personne. Hélas, il a ses faiblesses... Mieux vaut les rencontrer selon mes conditions, pas les leurs. Quant au don, j'en ai trop entendu parler ! Compris ?

— Compris... Admettons que le Sourcier et la Mère Inquisitrice ne sont pas sans défense.

— De toute façon, la Mère Inquisitrice ne vient pas avec moi !

— Tu as une corde ?

— Pour quoi faire ?

— Sans m'attacher, tu auras un mal de chien à m'empêcher de t'accompagner.

— Kahlan, pas question que je...

— N'espère pas pouvoir rencontrer une femme qui te plairait plus que moi... sans que je sois là pour lui flanquer une baffe !

Richard la foudroya du regard, agacé, puis se pencha et l'embrassa.

— D'accord... Mais évitons de nous relancer dans une « aventure ».

— Nous allons leur dire que tu n'as pas le don et les renvoyer chez elles. Puis tu auras droit à un baiser digne de ce nom !

Le ciel s'obscurcissait déjà quand ils atteignirent la maison des esprits. Trois chevaux étaient attachés près de l'entrée, leurs selles à haut pommeau et troussequin différentes de toutes celles que Kahlan ait pu voir.

Les deux jeunes gens s'immobilisèrent devant l'entrée, leur souffle formant un nuage de vapeur dans l'air mordant. Ils se sourirent et se prirent la main un bref instant. Après avoir vérifié que l'Épée de Vérité n'était pas coincée dans son fourreau, le Sourcier ouvrit la porte. Comme sa mère le lui avait appris, Kahlan adopta ce qu'elle appelait son masque d'Inquisitrice.

Un petit feu de cheminée et deux torches, fixées dans des supports de chaque côté de l'âtre, éclairaient la maison des esprits. Les sacs des jeunes gens étaient toujours dans un coin. Comme d'habitude, pour que les esprits des ancêtres se sentent à leur aise, des bâtonnets d'encens diffusaient une douce odeur de balsamine qui se mêlait au parfum de poix caractéristique des lieux. Sur leur étagère, les crânes des ancêtres brillaient à la lumière du feu. Grâce au toit en tuiles qu'avait construit Richard, le sol en terre battue était parfaitement sec.

Les trois femmes s'étaient campées au centre de la pièce sans fenêtre. Les capuches de leurs longs manteaux de laine marron étant relevées, on apercevait à peine leurs visages. Vêtues à l'identique, elles portaient des jupes d'équitation sombres et des chemisiers blancs sans ornement.

Elles abaissèrent ensemble leurs capuchons. Celle du milieu, un rien plus grande que les autres – mais pas plus que Kahlan – avait des cheveux bruns bouclés. Ceux de sa compagne de droite, noirs et raides, lui tombaient sur les épaules. La dernière, franchement frisée, avait les tempes grisonnantes. Toutes gardaient les mains jointes devant elles, comme si elles se sentaient très détendues.

Leur seul signe extérieur de décontraction ! Leurs visages mûrs rappelèrent à Kahlan celui de la gouvernante de sa demeure, en Aydindril, une solide matrone qui terrorisait littéralement les domestiques. Le genre d'autorité, pensa la jeune femme, qui tend à devenir une seconde nature. Jetant un nouveau coup d'œil à leurs mains pour voir si elles étaient vides, l'Inquisitrice pensa qu'elles semblaient faites pour tenir et manier une cravache…

— Vous êtes les parents de Richard ? demanda abruptement la Sœur de la Lumière du milieu.

Sa voix était moins dure que Kahlan l'aurait cru, mais à l'évidence accoutumée à donner des ordres.

Richard foudroya les trois femmes du regard, comme si cela avait pu suffire à les faire reculer d'un pas. Avant de répondre, il attendit qu'elles aient dû ciller.

— Non. Je suis Richard… Ma mère est morte quand j'étais petit et mon père a quitté ce monde à la fin de l'été…

Les trois femmes se consultèrent du coin de l'œil.

Kahlan vit la colère briller dans les yeux de Richard. Il puisait la magie de l'épée sans avoir besoin de la dégainer. Un événement, estima-t-elle, qui ne tarderait pas à se produire. Un seul geste inconsidéré de ces femmes, et le Sourcier n'hésiterait pas.

— C'est impossible…, dit la grande brune. Tu es… âgé…

— Pas autant que vous ! riposta Richard.

Les trois Sœurs de la Lumière s'empourprèrent. De la fureur passa dans le regard de leur porte-parole, mais elle se contrôla très vite.

— Nous ne voulions pas dire que tu es vieux… Simplement moins jeune que nous le pensions. Je suis la sœur Verna Sauventreen.

— Et moi, la sœur Grace Rendall, dit la femme aux cheveux longs.

— Et moi, la sœur Elizabeth Myric, annonça la troisième.

— Et toi, qui es-tu, mon enfant ? demanda Verna à Kahlan.

Était-ce l'influence de Richard ? Quoi qu'il en soit, Kahlan sentit aussi la moutarde lui monter au nez.

— Je ne suis pas votre « enfant », mais la Mère Inquisitrice, dit-elle.

En matière d'autorité, ces trois-là n'avaient aucune leçon à lui donner !

Ce fut presque imperceptible, mais les trois femmes tressaillirent avant d'incliner légèrement la tête.

— Veuillez nous excuser, Mère Inquisitrice.

La tension n'avait pas baissé pour autant. Kahlan s'avisa qu'elle avait les poings serrés et comprit qu'elle réagissait ainsi parce qu'on menaçait Richard. Il était temps, décida-t-elle, d'agir comme une Mère Inquisitrice.

— D'où venez-vous ? demanda-t-elle d'une voix glaciale.

— De... très loin d'ici...

— Dans les Contrées du Milieu, on salue la Mère Inquisitrice en s'agenouillant, lâcha Kahlan.

Elle ne s'était jamais vraiment souciée de faire respecter cette coutume... jusque-là.

Les trois femmes se redressèrent de toute leur hauteur, les sourcils froncés d'indignation.

Cela suffit pour que Richard dégaine son épée.

La note caractéristique retentit. Sans dire un mot, le Sourcier saisit la garde à deux mains, les muscles bandés. La magie de l'arme fit briller son regard. Un effet si effrayant que Kahlan se félicita de n'être pas la cause du courroux de son compagnon. Moins terrorisées qu'elles l'auraient dû, les trois femmes mirent néanmoins un genou en terre, la tête inclinée.

— Veuillez nous excuser, Mère Inquisitrice, répéta sœur Grace. Vos coutumes ne nous sont pas familières, mais nous ne voulions pas vous offenser.

Toutes gardèrent la tête baissée. Kahlan attendit le temps requis... et y ajouta quelques secondes.

— Relevez-vous, mes enfants.

Les femmes obéirent et joignirent de nouveau les mains.

— Richard, dit Verna, nous ne sommes pas là pour te menacer, mais pour t'aider. Rengaine ton épée.

La dernière phrase ressemblait à un ordre. Pourtant, le jeune homme ne broncha pas.

— On m'a dit que vous veniez pour moi et que je ne devais pas fuir. Je suis resté. Mais le Sourcier décide seul de rengainer ou non son arme.

— Le Sourcier... ? s'écria sœur Elizabeth. Tu es le Sourcier ?

De nouveau, les trois femmes se regardèrent.

— Dites ce que vous avez à dire, fit Richard. Sur-le-champ !

— Nous ne te voulons pas de mal, assura Grace. Aurais-tu peur de trois femmes ?

— Une seule peut être effrayante... J'ai payé cher pour apprendre cette leçon. Aucun tabou stupide ne m'empêchera plus d'embrocher un corps féminin. Alors parlez, ou partez. C'est ma dernière offre.

— Nous voyons à quelle leçon tu fais allusion, dit Grace, les yeux rivés sur l'Agiel pendu au cou du Sourcier. Richard, tu as besoin de notre aide. Nous sommes là parce que tu as le don.

— Mes dames, on vous aura mal informées. Je n'ai pas le don et je n'en voudrais pas pour un empire ! (Richard rengaina enfin l'épée.) Désolé que vous ayez fait pour rien un si long voyage. (Il prit le bras de Kahlan.) Les Hommes d'Adobe n'aiment pas beaucoup les étrangers. Leurs flèches sont empoisonnées et ils n'hésitent pas à s'en servir. Je leur dirai de vous laisser partir en paix. Mais à votre place, je ne m'écarterais pas du chemin qu'ils vous indiqueront.

Tandis qu'il la tirait vers la porte, Kahlan sentit la colère de son compagnon, qui brillait toujours dans ses yeux. Mais elle capta aussi autre chose : ses maux de tête ! Il souffrait de nouveau…

— Les migraines te tueront, lâcha sœur Grace.

Richard s'immobilisa, le souffle court et le regard vide.

— J'en ai depuis toujours. C'est une question d'habitude…

— Celles-là sont différentes, insista sœur Grace. Nous le voyons dans tes yeux. Reconnaître les douleurs provoquées par le don est notre travail.

— Une guérisseuse s'occupe de moi. Elle m'a déjà beaucoup aidé et je suis sûr qu'elle me guérira.

— Impossible ! Nous seules le pouvons. Si tu refuses notre aide, ces maux de tête te tueront. Voilà pourquoi nous sommes venues…

— Inutile de vous inquiéter pour moi, dit Richard en tendant une main vers le loquet de la porte. Tout va bien et je ne suis pas affligé de votre foutu don ! Je vous souhaite un bon voyage, mes dames…

— Richard, souffla Kahlan en attrapant au vol le poignet du Sourcier, tu devrais peut-être les écouter. Quel mal cela peut-il faire ? Si elles te fournissent un moyen de soulager tes migraines…

— Je n'ai pas le don, et j'entends rester aussi loin que possible de la magie ! Elle m'a toujours valu des problèmes et de la souffrance. Une dernière fois : je n'ai pas le don et ça me comble d'aise !

Il tendit de nouveau une main vers le loquet.

— Tu prétends que tes habitudes alimentaires n'ont pas changé en un éclair ? demanda Grace. Disons… hum… depuis ces derniers jours ?

— Tout le monde aime varier les plaisirs…

— Quelqu'un t'a-t-il regardé dormir ?

— Pardon ?

Si c'est le cas, cette personne aura vu que tu dors désormais les yeux ouverts.

Kahlan frissonna de la tête aux pieds. Toutes les pièces du puzzle se mettaient en place. Les sorciers avaient d'étranges manies alimentaires et ils dormaient parfois les yeux ouverts. Même ceux qui n'avaient pas le don… Quand ils le possédaient, comme Zedd, c'était beaucoup plus fréquent.

— Vous vous trompez, dit Richard, je ferme les yeux dans mon sommeil…

— Tu devrais vraiment les écouter, murmura Kahlan. Accorde-leur le temps qu'il faut…

— Je ne dors pas avec les yeux ouverts ! fit Richard, comme s'il implorait sa compagne de l'aider à fuir cet enfer.

— Si… Pendant que nous combattions Rahl, quand je montais la garde, je t'ai souvent regardé dormir. Depuis notre départ de D'Hara, tu ne fermes plus les yeux, comme Zedd !

— Que voulez-vous et comment entendez-vous m'aider ? demanda le Sourcier sans se retourner vers les trois femmes.

— Nous préférerions t'en parler en face, dit sœur Verna, comme si elle s'adressait à un enfant têtu. Montre-toi un peu poli !

Sûrement pas le genre de choses à dire quand Richard était dans cet état ! Furieux, il ouvrit la porte, sortit et la claqua derrière lui. Kahlan craignit que le battant s'arrache de ses gonds, mais il n'en fut rien. Elle regrettait d'avoir dû se faire l'avocate du diable. Richard voulait qu'elle soit de son côté et il n'était pas d'humeur à entendre la vérité. Cela ne lui ressemblait pas, mais il avait peur de quelque chose…

Kahlan se tourna vers les trois femmes.

Sœur Grace décroisa ses mains et les laissa tomber le long de ses flancs.

— Ce n'est pas un jeu, Mère Inquisitrice. Si nous ne l'aidons pas, il mourra. Et il ne reste pas beaucoup de temps.

— Je vais lui parler, dit Kahlan, sa colère remplacée par une tristesse accablante. Attendez ici, je le ramènerai…

Richard s'était assis sur le sol, près du muret, à l'endroit où l'épée avait fendu la boue séchée, la nuit même, pendant le combat contre le grinceur. Les coudes sur les genoux, il se tenait la tête à deux mains. Quand Kahlan s'assit près de lui, il ne la regarda pas.

— Tu as très mal, n'est-ce pas ?

Le Sourcier acquiesça.

Kahlan arracha une touffe de mauvaise herbe et la fit distraitement tourner entre ses doigts.

Richard prit des feuilles dans la poche de sa chemise et les porta à sa bouche.

— De quoi as-tu peur ? demanda Kahlan en arrachant une petite fleur à la plante sauvage.

Le jeune homme mâcha un moment, puis releva la tête.

— Tu te souviens, juste avant l'attaque du grinceur ? J'ai dit l'avoir senti, et tu pensais que je l'avais peut-être seulement entendu ? (L'Inquisitrice hocha la tête.) Quand j'ai tué cet homme, pendant la compétition, je l'ai *senti*, comme le monstre. C'était pareil. Une impression de danger imminent. Sans savoir de quoi il s'agissait, mais avec une certitude absolue. Je devinais qu'un problème menaçait, sans pouvoir dire lequel.

— Quel rapport avec ces trois femmes ?

— Avant d'entrer dans la maison des esprits, j'ai eu la même sensation. Ne me demande pas ce que ça signifie, mais c'était identique. Ces femmes s'interposeront entre nous, j'en suis certain.

— Richard, comment le saurais-tu ? Elles disent vouloir t'aider…

— C'est comme le grinceur, puis le type qui voulait assassiner Chandalen… Ces femmes sont une menace pour moi, je le jurerais !

— Tu as aussi dit que les migraines te tueraient… Richard, je m'inquiète beaucoup…

— Moi, c'est la magie qui m'inquiète. Je la hais ! Surtout celle de l'épée. Je donnerais cher pour en être débarrassé. Tu ne peux pas imaginer ce que j'ai été contraint de faire. Le prix que je paye pour que la lame devienne blanche ! La magie de Darken Rahl a tué mon père, puis elle m'a volé mon frère. Beaucoup de gens en ont souffert. Oui, j'abomine la magie !

— J'ai aussi un pouvoir, lui rappela Kahlan.

— Et il a failli nous séparer à jamais !

— Failli, seulement… Tu as trouvé une solution. Mais sans ma magie, je ne t'aurais jamais rencontré. C'est la magie qui a rendu son pied à Adie et soulagé tant d'autres malheureux. Ton ami Zedd est un sorcier et il a le don. Trouves-tu que c'est mal ? Il a passé sa vie à aider les autres…

» Richard, tu as aussi un pouvoir. Et le don ! Tu viens de l'admettre en parlant du grinceur et de l'agresseur de Chandalen. Tu m'as sauvée, et l'Homme d'Adobe aussi te doit la vie.

— Je ne veux pas de la magie !

— On dirait que tu penses au problème, pas à la solution. Pourtant, n'est-ce pas ta devise : se concentrer sur la solution, pas sur le problème ?

— C'est à ça que ressemblera notre vie commune ? lâcha Richard, exaspéré. Jusqu'à la fin de mes jours, chaque fois que je serai idiot, tu me le diras ?

— Tu voudrais que je te laisse t'aveugler ?

— Je suppose que non… Ma tête me fait si mal que je suis incapable de penser.

— Alors, essaye d'arranger ça. Retourne dans la maison des esprits et écoute ces femmes. Elles affirment vouloir t'aider.

— Darken Rahl prétendait la même chose !

— Peut-être, mais fuir n'est pas la solution. Devant lui, tu n'as jamais tourné les talons.

Richard réfléchit puis hocha la tête.

— Je les écouterai…

Les trois femmes n'avaient pas bougé. Elles parurent satisfaites que Kahlan leur ramène le Sourcier.

— Nous allons écouter – j'ai bien dit : *écouter* – ce que vous avez à dire sur mes migraines.

— Mère Inquisitrice, déclara Grace, merci de nous avoir aidées, mais nous devons à présent rester seules avec Richard.

La fureur du Sourcier revint au galop. Il réussit pourtant à parler d'une voix égale.

— Kahlan et moi allons nous marier. (Les trois femmes se regardèrent de nouveau, l'air franchement inquiet.) Ce que vous avez à dire la concerne aussi. Si elle s'en va, je partirai. À vous de choisir.

— Qu'il en soit ainsi, capitula Grace après avoir consulté ses compagnes du regard.

— Sachez aussi que je déteste la magie et que je ne suis pas convaincu d'avoir le don. Si je l'ai, ça me déplaît et je ferai tout pour m'en débarrasser.

— Nous ne sommes pas là pour satisfaire tes caprices, mais pour te sauver la vie. Tu dois apprendre à contrôler ton don. Sinon, il te tuera.

— Je comprends… C'était la même chose avec l'Épée de Vérité.

— Voilà ta première leçon, dit sœur Verna. Comme la Mère Inquisitrice, nous devons être traitées avec respect. Pour devenir des Sœurs de la Lumière, nous avons travaillé dur, et nous méritons une certaine déférence. Je suis *sœur* Verna, et mes compagnes se nomment *sœurs* Grace et Elizabeth.

Richard les regarda sans trop d'aménité, puis finit par incliner la tête.

— Comme vous voudrez, sœur Verna. Puisqu'on en parle, qui sont les Sœurs de la Lumière ?

— Les femmes qui forment les sorciers nés avec le don.

— Et d'où venez-vous ?

— Nous vivons et travaillons au Palais des Prophètes.

— Sœur Verna, intervint Kahlan, je n'ai jamais entendu parler de cet endroit. Où est-il ?

— Dans la cité de Tanimura.

— Je connais toutes les villes des Contrées, mais pas celle-là.

— Pourtant, c'est bien de là que nous venons.

— Pourquoi avez-vous été surprises par mon âge ? demanda Richard.

— Parce qu'il est très rare, répondit Grace, que nous ne remarquions pas un détenteur du don dès sa jeunesse.

— À quel âge ?

— Au plus tard, quand il a le tiers du tien.

— Et pourquoi ne m'avez-vous pas repéré ?

— À l'évidence, parce qu'on t'a dissimulé à nos yeux.

Richard, constata Kahlan, s'était glissé dans sa peau de Sourcier. Il voulait des réponses avant de s'engager, aussi peu que ce fût.

— Avez-vous formé Zedd ?

— Qui ?

— Zeddicus Zu'l Zorander, sorcier du Premier Ordre.

— Nous ne connaissons pas cet homme.

— Sœur Verna, j'avais cru comprendre que votre travail consistait à identifier ceux qui ont le don.

— Et toi, tu connais ce sorcier ?

— Oui. Pourquoi ignorez-vous jusqu'à son nom ?

— Est-il vieux ? (Richard fit oui de la tête.) Alors, c'était peut-être avant notre époque…

— Peut-être… (Un poing sur la hanche, Richard leur tourna le dos et fit quelques pas nonchalants.) Et comment avez-vous appris, pour moi ?

— Notre travail est de tout savoir sur ceux qui ont le don. Bien qu'on t'ait soustrait à nos regards, quand il s'est éveillé en toi, nous l'avons su…

— Et si je refuse de devenir un sorcier ?

— C'est ton affaire ! Notre mission est de t'apprendre à contrôler la magie – afin que tu vives. Après, à toi de voir !

Richard se retourna et approcha de Verna.

— Comment savez-vous que j'ai le don ?

— Les Sœurs de la Lumière sont faites pour ça…

— Vous pensiez trouver un enfant encore dépendant de ses parents, vous ignoriez que j'étais le Sourcier, et vous n'avez jamais entendu parler de Zedd. Pour des femmes « faites pour ça », vous n'êtes pas très douées. Et si vous vous trompiez aussi au sujet de mon don ? Sœur Verna, vos erreurs ne m'inspirent pas confiance. Peut-on en commettre autant et prétendre au respect des autres ?

Les trois femmes virèrent à l'écarlate.

— Richard, dit Verna, faisant un effort visible pour contrôler sa voix, notre mission – notre vocation – est d'aider ceux qui ont le don. Nous y consacrons nos vies. Mais nous venons de très loin, et la précision de nos informations a souffert de cette distance. De plus, nous n'avons pas toutes les réponses. Les choses dont tu parles sont sans importance. L'essentiel, c'est que tu as le don. Et si tu refuses notre aide, tu mourras.

» Nous intervenons en général quand notre « sujet » est jeune, et ce n'est pas par hasard. Vois les difficultés que nous avons en ce moment ! Quand nous pouvons parler d'abord aux parents, il est plus simple de déterminer ce qui sera le mieux pour leur enfant. Un père et une mère s'inquiètent du bien-être et de l'avenir de leur fils. Un jeune homme comme toi est insouciant. Te former sera plus difficile. Un esprit jeune pose moins de problèmes…

— Parce qu'il est malléable à loisir, sœur Verna ? (La femme ne répondit pas.) Comment savez-vous que j'ai le don ?

— Quand un être naît avec le don, répondit Grace, le pouvoir est d'abord latent et inoffensif. Nous nous efforçons de repérer ces garçons dès leur plus jeune âge, et nous avons de nombreux moyens d'y parvenir. Il arrive qu'un « sujet » active précocement le don. Alors, la croissance et l'évolution du pouvoir sont en danger. Et l'individu aussi. Cela dit, nous ignorons comment tu as échappé à notre vigilance.

» Une fois éveillé, le pouvoir évolue, et il est impossible de l'arrêter. Faute de le contrôler, tu mourras. Voilà ce qui t'arrive, et il est très rare que ça se produise ainsi. Pour être honnête, aucune de nous n'a l'expérience de cette situation, même si elle s'est déjà présentée dans un lointain passé. Au Palais des Prophètes nous consulterons les archives qui traitent de ces cas. Mais l'essentiel demeure : tu as le don, il est activé, et ton évolution a commencé.

» C'est la première fois que nous formerons quelqu'un d'aussi vieux. Je redoute déjà le remue-ménage que cela provoquera au palais. Recevoir notre enseignement exige une grande discipline. Les gens de ton âge y sont souvent rétifs…

— Sœur Grace, dit Richard, la voix calme mais le regard dur, je pose la question une dernière fois : comment savez-vous que j'ai le don ?

— Dis-le-lui, souffla Grace en se tournant vers Verna.

L'air accablé, la sœur tira un petit livre noir de sa ceinture et le feuilleta.

— Ceux qui sont nés avec le don l'utilisent tout au long de leur vie, même quand il n'est pas encore éveillé. As-tu remarqué que tu pouvais réussir des choses qui restaient hors de portée des autres ? Oui, bien sûr… Le don est en général activé par l'utilisation de la magie. Et le phénomène est irréversible. Voilà ce que tu as fait.

Elle continua à tourner les pages.

— C'est ici… Il faut réaliser trois choses, dans l'ordre, pour éveiller le don. La nature précise de ces actes nous échappe, mais nous en comprenons les principes généraux. *Primo*, on doit utiliser le don pour sauver quelqu'un. *Secundo*, s'en servir pour se sauver soi-même. *Tertio*, le mobiliser pour tuer quelqu'un qui le possède aussi. Tu as fait les trois. Vu l'exploit que ça représente, tu comprendras pourquoi ça ne se produit pas souvent. Et pourquoi nous n'en avons jamais été témoins.

— Qu'y a-t-il d'écrit sur moi dans votre livre ?

Verna consulta de nouveau l'ouvrage, puis releva les yeux pour s'assurer que Richard l'écoutait attentivement.

— Tu as d'abord utilisé le don pour secourir quelqu'un qui était entraîné dans le royaume des morts. Pas physiquement, mais en esprit. Tu as arraché cette femme au mal. Sans toi, elle aurait été perdue. Tu vois de quoi je veux parler ?

Kahlan regarda Richard. Tous les deux le voyaient très bien.

— Dans le pin-compagnon, dit l'Inquisitrice, la nuit de notre rencontre... Richard, tu m'as empêchée de sombrer dans le royaume des morts.

— Oui, sœur Verna, souffla le Sourcier, je vois de quoi vous voulez parler.

— À présent, fit Verna, baissant de nouveau les yeux sur le livre, voyons la deuxième étape... se sauver soi-même... un instant... Ah, j'y suis ! Tu as compartimenté ton esprit. Ça te dit quelque chose ?

— Oui, souffla piteusement Richard.

Cette fois, Kahlan ne comprit pas de quoi il était question.

— Enfin, tu as utilisé le don pour tuer un sorcier nommé Darken Rahl.

— Comment savez-vous tout ça ?

— Pour réussir ces exploits, tu as recouru à une magie spécifique, qui a laissé une *essence* à cause de ce que tu es et de ton absence de formation. Si tu avais été entraîné, il n'y aurait pas eu de trace et nous n'aurions rien su. Chez nous, au Palais des Prophètes, certaines personnes captent ce genre de choses...

— Vous m'avez espionné, sans aucun respect pour mon intimité ! Et en ce qui concerne votre troisième point, je n'ai pas *vraiment* tué Darken Rahl.

— Je comprends ton indignation, dit sœur Grace, mais nous avons agi pour ton bien. Et polémiquer à l'infini sur les trois déclencheurs ne servira à rien. Tu as accompli ces actes, et te voilà en train de devenir un sorcier. Tu peux refuser d'y croire, ou accepter ton destin, cela ne changera rien aux faits. Nous n'avons pas placé ce fardeau sur tes épaules. Et nous voulons t'aider à le porter.

— Mais...

— Il n'y a pas de « mais » ! Quand la magie est éveillée, trois changements au moins se produisent. D'abord, le sujet développe des manies alimentaires. Il cesse de consommer des choses qu'il aimait et dévore celles qui lui déplaisaient. Nous avons étudié ce phénomène, sans parvenir à des conclusions, sinon qu'il a un lien avec l'éveil du don.

» Ensuite, le sujet commence à dormir, pas toujours, mais souvent, avec les yeux ouverts. Tous les sorciers le font, même ceux qui ont seulement la vocation. Cela a un rapport avec l'apprentissage de la magie – ou son éveil, quand on a le don.

» Enfin, il y a les migraines. Elles sont mortelles si on n'apprend pas à contrôler le pouvoir.

— Quel délai ? Combien de temps me reste-t-il si je refuse votre aide ?

— Richard..., murmura Kahlan, une main sur le bras du jeune homme.

— Combien de temps !

— Selon nos archives, déclara Elizabeth, un sujet a survécu quelques années... Un autre est mort en quelques mois. Le sursis dépend de la force du pouvoir. Plus il est puissant, plus les douleurs sont fortes. Et plus le pronostic est sombre. Dans moins d'un mois, tes migraines seront assez violentes pour te rendre inconscient.

— C'est déjà arrivé, révéla Richard.

Les trois sœurs écarquillèrent les yeux.

— Nous avons commencé à te chercher *avant* que tu fasses ces trois choses, dit Verna. Depuis notre départ du palais, tu as accompli les trois. Ce livre est magique. Quand on écrit un message dans son jumeau, au palais, il apparaît dedans. C'est comme ça que nous avons été informées. Quand as-tu tué Darken Rahl ?

— Il y a trois jours… Et j'ai perdu conscience dès la deuxième nuit.

— La deuxième !

Une nouvelle fois, les trois femmes échangèrent un coup d'œil lourd de signification.

— Arrêtez de faire ça ! explosa Richard. Pourquoi ces regards entendus ?

— Parce que tu es une personne comme on en rencontre rarement, Richard, répondit Verna. De bien des façons… Nous n'avons jamais découvert autant de choses surprenantes chez un seul individu.

— Vous avez raison, dit Kahlan en passant un bras autour de la taille du Sourcier, c'est un homme exceptionnel. Et celui que j'aime. Que pouvez-vous faire pour lui ?

Avec son « sang chaud », Richard risquait de dissuader les trois femmes de l'aider. Et il ne fallait pas que ça arrive !

— Il devra obéir à une série de règles. Nous le devons tous, car elles sont incontournables. Rien n'est négociable. Il faut qu'il s'en remette à nous et qu'il nous accompagne au Palais des Prophètes. Seul, précisa Grace, le regard mélancolique.

— Combien de temps ? lâcha Richard.

— Cela dépend de toi. Si tu apprends bien, ça ira vite. Sinon…

— Pourrai-je venir le voir ? demanda Kahlan, le cœur serré.

— Non, répondit Grace. C'est impossible. Et il y a plus. (Elle regarda brièvement l'Agiel, puis sortit de sous son manteau un anneau de métal large comme la main. Bien qu'il parût d'une seule pièce, il s'ouvrit en deux quand Grace le manipula.) Tu devras porter ce collier. On l'appelle le Rada'Han.

Richard blêmit et porta une main à sa gorge.

— Pourquoi ? gémit-il.

— Les règles s'appliquent et les questions n'ont plus cours. (Verna et Elizabeth se campèrent derrière Grace, les mains le long du corps, alors qu'elle brandissait le collier.) Ce n'est pas un jeu, Richard. À partir de maintenant, seules les règles comptent. Écoute bien ce que je vais te dire…

» Tu auras trois chances d'accepter le Rada'Han, trois occasions de recevoir notre aide – une par Sœur de la Lumière. Il y a trois raisons de porter le collier, et chaque sœur t'en révélera une. Tu pourras accepter ou refuser, mais après trois réponses négatives, ce sera terminé, et nous ne t'aiderons pas. J'espère que ça ne se produira pas, car tu seras condamné à mort par le don.

— Pourquoi dois-je porter un collier ? gémit Richard, les mains toujours autour de sa gorge.

— Pas de discussion ! cria Grace. Écoute-nous, c'est tout. Tu devras mettre toi-même en place le Rada'Han, de ta propre volonté. Après, tu ne pourras plus l'enlever. Seules

les sœurs en ont le pouvoir, et c'est nous qui déciderons quand l'heure sera venue.

Le regard rivé sur le collier, Richard respirait laborieusement. Dans ses yeux, Kahlan vit une terreur qui lui glaça les sangs.

— Écoute la première raison, Richard, dit Grace. Car je suis celle qui te l'exposera…

» Moi, la Sœur de la Lumière Grace Rendall, je te donne une chance d'être aidé. La première raison d'accepter le Rada'Han est de garder les migraines sous contrôle et d'ouvrir ton esprit à l'enseignement qui te permettra d'utiliser le don.

» Tu peux accepter ou refuser. Je te conseille la première solution, car la deuxième raison sera plus difficile à admettre, et la troisième davantage encore. Je t'en prie, Richard, dis oui maintenant. Ta vie en dépend.

Grace se tut et attendit. Le regard fou de Richard se posa de nouveau sur le collier d'argent. Kahlan ne l'avait jamais vu aussi près de sombrer dans la panique.

— Je ne porterai plus jamais de collier, croassa-t-il. Pour personne et pour aucune raison. Jamais !

— Tu refuses le Rada'Han ? demanda Grace, l'air sincèrement étonné.

— Oui.

Soudain blanche comme un linge, Grace se tourna vers ses deux compagnes.

— Pardonnez-moi, mes sœurs, car j'ai échoué. (Elle tendit le Rada'Han à Elizabeth.) Tout dépend de toi, à présent.

— La Lumière te pardonne, souffla Elizabeth avant d'embrasser Grace sur les deux joues.

— La Lumière te pardonne, répéta Verna avant d'embrasser aussi sa compagne.

Grace se tourna de nouveau vers Richard.

— Puisse la Lumière te tenir pour l'éternité entre ses mains bienveillantes, dit-elle. Et fasse le Ciel que tu trouves un jour le bon chemin…

Son regard plongeant dans celui du jeune homme, Grace leva une main et fit un brusque mouvement du poignet. Un couteau sortit de sa manche. De la garde argentée ne dépassait pas une lame, mais une tige cylindrique pointue.

Richard recula d'un bond et dégaina son épée. La note métallique déchira le silence.

Grace fit adroitement tourner l'arme dans sa main et orienta la pointe vers sa propre poitrine. Puis elle se la plongea dans le cœur.

Un éclair aveuglant sembla jaillir de ses yeux avant qu'elle ne s'écroule, raide morte.

Richard et Kahlan reculèrent, horrifiés. Verna se pencha, retira l'arme de la poitrine de Grace et la glissa sous son manteau.

— Nous t'avions dit que ce n'était pas un jeu, fit-elle en se relevant. À présent, tu dois enterrer Grace toi-même. Si tu laisses quelqu'un d'autre le faire, tu auras jusqu'à la fin de tes jours des cauchemars provoqués par la magie. Rien ne pourra t'en débarrasser. Alors, charge-toi de lui offrir une sépulture. (Les deux femmes relevèrent leur capuche.) Tu as refusé la première des trois chances. Nous reviendrons…

Elles approchèrent de la porte et sortirent.

La pointe de l'Épée de Vérité retomba lentement vers le sol. Des larmes dans les yeux, Richard baissa son regard sur le cadavre.

— Je ne porterai plus jamais de collier, murmura-t-il. Pour personne !

Avec une raideur inquiétante, il sortit de son sac une petite tête de pelle et un manche, et les glissa dans sa ceinture. Puis il fit rouler Grace sur le dos, lui croisa les mains et la souleva de terre. Un bras glissa du ventre de la femme et pendit dans le vide. Sa tête se renversa, les yeux morts fixant le plafond. Sur son chemisier, une rose de sang s'épanouissait lentement.

— Je vais l'enterrer, dit Richard. Et j'aimerais être seul.

Kahlan acquiesça et le regarda ouvrir la porte d'un coup d'épaule. Dès qu'elle se fut refermée, l'Inquisitrice se laissa tomber sur le sol et éclata en sanglots.

Chapitre 10

Le regard rivé sur les flammes, l'Inquisitrice était assise devant la cheminée quand Richard revint. Il était resté longtemps absent. Ses sanglots apaisés, Kahlan était allée informer Savidlin et Weselan des derniers événements. Après qu'ils lui eurent dit de ne pas hésiter à venir les chercher en cas de besoin, elle était retournée attendre le Sourcier dans la maison des esprits.

Il s'assit près d'elle, l'enlaça et posa la tête sur son épaule. Lui caressant la nuque, Kahlan le serra très fort contre elle. Comme elle ne savait que dire, elle se contenta de le rassurer par sa présence.

— Je hais la magie, murmura-t-il enfin. Elle se dresse de nouveau entre nous !

— Nous ne la laisserons pas faire. Il doit exister une autre solution.

— Pourquoi Grace s'est-elle tuée ?

— Je n'en sais rien…

Richard lâcha sa compagne et sortit quelques feuilles de la poche de sa chemise. Il les mâcha en contemplant le feu, le front légèrement plissé à cause de la douleur.

— J'aimerais fuir, mais où aller ? Et comment s'éloigner de quelque chose qu'on a en soi ?

— Richard, je sais que ce sera dur à entendre pour toi, mais tu dois m'écouter. La magie n'est pas mauvaise. (Voyant qu'il n'émettait pas d'objection, Kahlan continua.) Les gens l'utilisent parfois pour faire le mal. Comme Darken Rahl… Moi, je suis née avec un pouvoir, et j'ai dû apprendre à vivre avec. Me détestes-tu à cause de ça ?

— Bien sûr que non.

— M'aimes-tu malgré ma magie ?

Là, Richard réfléchit un court moment.

— Non… J'aime tout ce que tu es, et ta magie est une part de toi. C'est comme ça que j'ai échappé à ton pouvoir d'Inquisitrice. En t'aimant *malgré* ta magie, je ne t'aurais pas entièrement acceptée. Et j'aurais été détruit.

— Tu vois ? Toute magie n'est pas nécessairement mauvaise. Les deux personnes que tu aimes le plus au monde ont un pouvoir. Je parle de Zedd et de moi, Richard ! Alors, écoute-moi : tu as le don ! Le don, pas une malédiction ! C'est une chose rare et merveilleuse qui peut souvent servir à aider les autres. Tu le sais, puisque tu l'as déjà fait. Essaye de penser à tout ça de cette façon, au lieu de combattre ce qui ne peut pas l'être.

— Je ne porterai plus de collier, murmura Richard après un long silence.

Kahlan regarda l'Agiel de cuir rouge pendu au cou de son compagnon. Un instrument de torture, elle le savait. Mais comment agissait-il ? Ça, elle l'ignorait. Cela dit, elle détestait qu'il ne s'en sépare jamais…

— La Mord-Sith t'a-t-elle forcé à en porter un ?

— Elle s'appelait Denna…

— Denna… t'en a-t-elle imposé un ?

— Oui… (Une larme roula sur la joue de Richard.) C'était un moyen de m'humilier. Elle accrochait la chaîne à sa ceinture et me promenait comme un animal. Et quand elle attachait la chaîne à un objet, je n'avais pas le droit de la déplacer. Denna contrôlait la douleur que m'inflige l'épée quand je l'utilise pour tuer. Elle pouvait l'amplifier au point que tirer sur la chaîne me faisait souffrir. Je n'ai pas cédé tout de suite, et tu n'imagines pas à quel point j'ai souffert. Denna m'a obligé à mettre ce collier. Elle m'a fait faire tant de choses…

— Mais tes migraines te tueront. Les Sœurs ont dit que ce collier-là supprimerait la douleur et t'aiderait à contrôler le don…

— C'est une des trois raisons, et je ne connais pas les deux autres. Kahlan, tu penses que je suis stupide, et une partie de moi est d'accord avec toi. Ma tête te donne raison. Mes tripes me disent autre chose !

Kahlan tendit une main et saisit l'Agiel, le faisant rouler entre ses doigts.

— À cause de cet objet ? Et de ce que Denna t'a fait avec ? (Richard hocha la tête sans cesser de regarder les flammes.) Dis-moi tout !

Richard leva enfin les yeux et ferma un poing sur l'Agiel.

— Touche ma main. Pas l'Agiel, seulement ma main.

Kahlan obéit et retira aussitôt ses doigts en criant de douleur. Pour la chasser, elle secoua vigoureusement sa main.

— Pourquoi n'ai-je pas eu mal la première fois que je l'ai touché ?

— Parce qu'il n'a pas servi à te dresser.

— Dans ce cas, pourquoi n'as-tu pas mal quand tu le touches ?

— Ça fait mal, dit Richard sans lâcher l'Agiel.

— Tu souffres en ce moment même ? Comme quand j'ai touché ta main ?

— Non, répondit Richard, les yeux voilés par la douleur d'un accès de migraine. Ma peau, comme un bouclier, a atténué la souffrance.

— Je veux savoir, dit Kahlan en tendant de nouveau la main.

Richard lâcha l'Agiel.

— Non ! Je refuse que tu subisses ça. Rien ne devra jamais te faire aussi mal !

— Richard, je t'en prie ! Je dois savoir… et comprendre.

Le Sourcier regarda sa compagne dans les yeux et soupira.

— Pourrai-je un jour te refuser quelque chose ? (Il reprit l'Agiel.) Ne l'agrippe pas, tu risquerais de ne pas pouvoir le lâcher assez vite. Pose simplement les doigts dessus. Avant, bloque ta respiration et serre les dents pour ne pas te mordre la langue. Et durcis tes abdominaux.

Le cœur de Kahlan battit la chamade quand elle tendit la main. Elle ne voulait pas sentir la souffrance, l'expérience avec un « bouclier » lui ayant amplement suffi. Mais il fallait qu'elle partage cela avec Richard. Elle devait tout connaître de lui, même ce qui faisait mal.

Elle eut l'impression de toucher la foudre.

La douleur remonta le long de son bras et explosa dans son épaule, la faisant tomber sur le dos. Elle roula sur le ventre en hurlant, la main gauche crispée sur son épaule droite. Ce bras-là ne pouvait plus bouger, mais il tremblait convulsivement. L'intensité et la… pureté… de cette douleur étaient terrifiantes. Tandis qu'elle sanglotait dans la poussière, Richard lui tapota gentiment le dos.

Kahlan pleurait de souffrance… et parce qu'elle comprenait un peu, à présent, ce qu'il avait enduré.

Quand elle put se rasseoir, elle constata qu'il n'avait pas lâché l'Agiel.

— Le tenir te fait souffrir comme ça ?

— Oui.

— Lâche-le ! cria Kahlan en abattant son poing sur l'épaule du Sourcier. Lâche-le tout de suite !

Richard obéit.

— Parfois, le toucher me fait oublier les migraines. Crois-le ou non, mais ça me soulage.

— Les maux de tête sont pires que ça ?

— Sans ce que Denna m'a appris sur la douleur, j'aurais déjà perdu connaissance. Elle m'a enseigné à contrôler et à tolérer la souffrance pour pouvoir m'en infliger davantage.

— Richard, je…, commença Kahlan.

— Ce que tu as éprouvé n'est rien comparé à ce que l'Agiel peut infliger. (Richard saisit de nouveau l'instrument de torture et plaça la pointe au creux de son coude. Quand il la retira, du sang jaillit de la peau.) L'Agiel peut t'écorcher vive et te briser les os. Denna adorait s'en servir pour me fêler les côtes. Elle l'appuyait contre ma cage thoracique et j'entendais le cartilage craquer. Ce n'est pas encore guéri, et j'ai toujours mal quand je m'allonge ou lorsque tu me serres très fort. Cet objet maudit peut faire bien d'autres choses, y compris tuer par simple contact.

» Denna me liait les poignets, les bras derrière le dos, puis elle me suspendait au plafond avec une corde. Ensuite elle me dressait pendant des heures avec l'Agiel. Je la suppliais d'arrêter jusqu'à ce que ma voix se brise. Elle ne l'a jamais fait.

» Je ne pouvais pas lutter ni la convaincre d'arrêter. Elle me dressait parfois jusqu'à ce que j'aie le sentiment de ne plus avoir de sang dans les veines. Pour que la souffrance cesse, je l'implorais de me tuer. Si sa magie ne me l'avait pas interdit, je me serais suicidé. Elle me forçait à m'agenouiller et à la supplier d'utiliser l'Agiel. Et je faisais tout ce qu'elle voulait. Parfois, une amie à elle venait… s'amuser avec moi…

— Richard, je…

— Chaque jour, elle me conduisait dans la pièce où elle me suspendait au plafond. Là, il n'était pas grave que mon sang éclabousse tout. Parfois, elle me torturait du matin au soir, et recommençait la nuit…

» Voilà ce que signifie pour moi le port d'un collier. Tu peux me répéter que ça m'aidera et que je n'ai pas le choix, ça ne changera rien à cette réalité.

» Je sais ce que tu éprouves en ce moment. Tu as l'impression que la peau de ton épaule a brûlé, que les muscles ont été déchirés et que les os ont éclaté. Porter un collier de Mord-Sith a le même effet, mais dans tout le corps, et sans aucune trêve. Ajoute à ça l'idée que tu ne peux rien faire, qu'il te sera impossible de t'évader, et que tu ne reverras plus la seule personne que tu aimes...

» Je préfère crever que sentir de nouveau un collier autour de mon cou !

Kahlan se massa l'épaule. La description était d'une terrible précision, et elle ne savait que dire, tant elle avait de chagrin pour lui. Un long moment, elle le regarda en pleurant, partageant son désespoir. Puis elle s'entendit poser la question qu'elle s'était juré ne jamais laisser sortir de ses lèvres.

— Denna t'a pris pour partenaire, n'est-ce pas ?

— Oui, répondit Richard, sans même tressaillir. Comment le sais-tu ?

— Demmin Nass est venu avec deux *quatuors* pour me capturer. Un sort de Darken Rahl le protégeait de la magie de Zedd et de la mienne. Pris dans une Toile de Sorcier, Zedd ne pouvait pas intervenir. Nass m'a raconté ce qui t'était arrivé, et il a prétendu que tu étais mort. C'est là que j'ai invoqué le Kun Dar pour le tuer.

— Kahlan, dit Richard, une autre larme roulant sur sa joue, je n'ai pas pu empêcher Denna de... Je te le jure ! J'ai essayé, et elle m'a atrocement puni. Cette femme me dominait totalement. Me torturer le jour ne lui suffisait pas, alors elle a trouvé un moyen de continuer la nuit...

— Comment peut-on être aussi monstrueux ?

Richard baissa les yeux sur l'Agiel et referma le poing dessus.

— Elle avait douze ans quand on l'a capturée pour la dresser avec cet instrument maudit. Tout ce qu'elle m'a fait, elle l'avait subi aussi. Et pendant des années ! On a torturé ses parents à mort devant ses yeux. Et il n'y avait personne pour l'aider. Elle a grandi avec cet Agiel pour seul horizon, entourée de gens qui désiraient la voir souffrir. Nul ne lui a jamais dit un mot de réconfort ou d'amour. Et l'espoir n'existait plus pour elle. Peux-tu imaginer sa terreur ? Ses maîtres ont violé son corps et son esprit. Ils l'ont brisée pour qu'elle devienne comme eux. Darken Rahl s'en est chargé en personne.

» Quand elle se servait de son Agiel pour me dresser, elle souffrait, comme moi en ce moment, alors que mon poing est fermé dessus. Un jour, Darken Rahl l'a battue pendant des heures parce qu'il l'estimait trop indulgente avec moi. Son pauvre dos n'était plus qu'une plaie sanguinolente...

Richard baissa la tête et ne tenta plus de retenir ses larmes.

— Alors, après tout ça, au terme d'une vie de douleur et de folie, je suis arrivé, j'ai fait tourner au blanc la lame de l'Épée de Vérité, et je l'ai tuée. Avant de mourir, elle m'a demandé de porter l'Agiel autour du cou et de ne pas l'oublier. J'avais compris sa souffrance. Et c'était son seul désir : celui qui partageait ses tourments devait se souvenir d'elle...

» J'ai promis, et elle m'a passé l'Agiel autour du cou. Ensuite, elle n'a plus bougé pendant que je l'assassinais. Kahlan, elle espérait depuis le début que j'aurais le pouvoir de la tuer ! Voilà comment on devient aussi monstrueux. J'aimerais ramener Darken Rahl à la vie pour l'abattre une seconde fois !

L'Inquisitrice ne dit rien, submergée par trop d'émotions conflictuelles. Elle détestait Denna, le bourreau de Richard, et en était atrocement jalouse. En même temps, elle se désolait pour cette pauvre femme.

— Richard, demanda-t-elle enfin, pourquoi n'ont-ils pas gagné ? Comment as-tu pu garder ta santé mentale face à Denna ?

— Parce que j'ai compartimenté mon esprit, comme l'ont dit les sœurs. Je ne saurais expliquer comment j'ai fait, mais j'ai isolé l'essence de mon être et sacrifié le reste. Denna a pu me faire ce qu'elle voulait. Selon Darken Rahl, avoir réussi ça prouvait que j'avais le don. C'est la première fois que j'ai entendu le verbe « compartimenter ».

Richard s'allongea, un bras sur les yeux. Kahlan prit une couverture et la lui glissa sous la tête.

— J'ai tant de peine pour toi, murmura-t-elle.

— C'est terminé, et c'est tout ce qui importe ! (Il écarta son bras et réussit à sourire.) À présent, nous sommes ensemble. Dans un sens, cette expérience a été positive. Sans elle, je ne pourrais pas supporter les migraines. Denna m'a peut-être aidé. Grâce à elle, il est possible que je m'en sorte…

— Tu as très mal ?

— Oui. Mais plutôt crever que d'avoir de nouveau un collier autour du cou !

Kahlan comprenait, maintenant, même si elle aurait préféré ne rien savoir. Elle se blottit contre Richard et, à travers ses larmes, regarda le feu crépiter.

Chapitre 11

L e lendemain, sous un ciel grisâtre, Richard et Kahlan partirent seuls dans les plaines battues par un vent glacial. Le Sourcier désirait s'éloigner des gens et des bâtiments pour admirer en paix le ciel et la terre.

Ils marchèrent en silence, les bourrasques qui fouettaient les hautes herbes jaunies faisant voleter les pans de leurs manteaux. Richard voulait aussi tirer quelques flèches pour conjurer un moment ses migraines. Kahlan n'avait pas d'autre objectif que d'être avec lui…

Il lui semblait que l'éternité, qui leur paraissait promise deux ou trois jours plus tôt, coulait entre leurs doigts comme du sable. Kahlan brûlait de se battre, mais ignorait comment. Tout ce qui allait bien, d'un coup, avait tourné à la catastrophe.

Elle doutait que Richard accepte le Rada'Han, quoi que lui disent les Sœurs de la Lumière. Apprendre à contrôler le pouvoir, peut-être, mais pas à porter un collier ! Et s'il refusait, il mourrait. Après ce qu'il lui avait révélé – et tout ce qu'il lui avait caché pour ne pas la blesser – comment espérer qu'il se plie aux volontés des Sœurs ? Et comment le lui demander ?

Malgré tout, s'éloigner du village, hors de portée du regard inquisiteur de Chandalen, était agréable. La suspicion du chasseur était un fardeau, mais on pouvait le comprendre. Il semblait bien, finalement, que Richard et elle apportaient sans cesse des problèmes au Peuple d'Adobe. Cela dit, cet homme pensait qu'ils le faisaient sciemment, et cela irritait Kahlan. Elle en avait assez des ennuis qui paraissaient ne jamais vouloir finir. Aujourd'hui, décida-t-elle, mieux valait tout oublier et profiter du bonheur d'être ensemble.

Kahlan ayant dit à Richard qu'elle avait parfois tiré à l'arc, il l'avait incitée à en emprunter un, car le sien était trop grand pour qu'elle puisse l'armer. Ainsi, avait-il promis, il lui donnerait une leçon.

Les cibles installées par les chasseurs étaient restées en place, dressées comme des épouvantails dans la plaine. La comparaison n'avait rien d'absurde, car certaines étaient surmontées d'une boule d'herbe pour figurer une tête. Sur leur « ventre », un X dessiné avec une herbe de couleur différente tenait lieu de mouche. Richard jugeant ces X trop épais, il les dégraissa copieusement.

Ils se placèrent si loin des cibles que Kahlan les apercevait à peine – sans parler des fameux X ! Richard mit le protège-poignet de cuir que Savidlin lui avait fabriqué et tira flèche sur flèche jusqu'à ce que sa migraine ait disparu.

Calme et concentré, il ne faisait qu'un avec son arc. Kahlan sourit de le voir en si bonne forme, et jubila à l'idée qu'ils seraient bientôt unis. Voir ses yeux vierges des stigmates de la douleur lui emplissait le cœur de joie.

Ils approchèrent un peu pour qu'elle puisse tirer.

— Tu ne veux pas aller voir où se sont plantées tes flèches ?

— Je le sais, répondit le Sourcier en souriant. À toi, maintenant !

Kahlan tira quelques flèches.

Appuyé sur son arc, Richard la regarda attentivement.

Kahlan était encore une enfant la dernière fois qu'elle avait manié un arc. Après quelques minutes, son compagnon vint se placer derrière elle. Il lui passa les bras autour du torse, modifia la position de ses mains sur l'arc et saisit la corde entre ses doigts.

— Fais comme moi. Si tu pinces la flèche entre ton pouce et la première phalange de ton index, tu n'auras aucune puissance et très peu de stabilité. Tire la corde avec le majeur, l'annulaire et l'auriculaire et prends la flèche comme si tu voulais qu'elle coulisse entre ton pouce et ton index. Et sers-toi aussi de ton épaule pour bander l'arc. Inutile de vouloir ramener la flèche en arrière. Tire simplement la corde, et le projectile suivra le mouvement. Tu vois ? C'est mieux, non ?

— Surtout avec tes bras autour de moi !

— Un peu de concentration, mauvaise élève !

Kahlan visa et tira. Trouvant le résultat meilleur, Richard lui demanda de recommencer. Après quelques essais, elle eut l'impression d'avoir touché une fois le ballot de paille.

Elle tira de nouveau sur la corde, décidée à ce que l'arc ne tremble pas.

Richard choisit ce moment pour lui chatouiller l'estomac. Elle se tortilla en riant.

— Arrête ça ! cria-t-elle entre deux gloussements. Comment veux-tu que je tire quand tu me fais ça ?

— Tu devrais en être capable, fit le Sourcier en la lâchant.

— Que veux-tu dire ?

— Il ne suffit pas de savoir toucher sa cible. Un bon archer peut tirer dans toutes les circonstances. Si rire t'en empêche, quel effet te ferait la peur ? Toi et la cible, voilà tout ce qui doit exister. Rien d'autre n'importe. Il faut faire abstraction de tout.

» Quand un sanglier te charge, penser à ta peur ou à ce qui arrivera si tu le rates est exclu. Il faut savoir faire mouche sous la pression. Ou avoir à côté de toi un arbre facile à escalader !

— Richard, tu réussis ça parce que tu as le don. Moi, j'en suis incapable.

— Foutaises ! Le don n'a rien à voir là-dedans. C'est une pure affaire de concentration. Je vais t'aider en te parlant. Encoche une flèche.

Il se plaça de nouveau derrière elle, lui écarta les cheveux de la nuque et commença à murmurer pendant qu'elle tirait sur la corde. Il lui dit ce qu'elle devait sentir, comment respirer, où regarder et que voir. Bientôt, ses paroles semblèrent se volatiliser, chassées par les images qu'elles faisaient naître dans l'esprit de la jeune femme. Pour elle, il n'existait plus que trois choses : la flèche, la cible et cet étrange murmure.

Quand tout ce qui l'entourait eut disparu, le ballot de paille sembla grossir devant ses yeux, comme s'il voulait attirer la flèche. Les mots de Richard lui faisaient sentir et faire des choses qu'elle ne comprenait pas. Elle se détendit, expira à fond et resta immobile sans reprendre d'inspiration. Quand elle *sentit* la cible, elle relâcha la corde.

Tel un souffle d'air, la flèche quitta l'arc d'elle-même, comme si elle était animée d'une volonté propre. Dans un silence total, Kahlan vit l'empennage partir majestueusement et sentit la corde percuter son protège-poignet. Appelé par la cible, le projectile vola gracieusement et alla se ficher dans le X.

Alors, Kahlan sentit de l'air s'engouffrer de nouveau dans ses poumons.

Cela ressemblait aux moments où elle libérait son pouvoir d'Inquisitrice. C'était de la magie ! Celle de Richard. Ses mots, un pur enchantement, vous faisaient voir l'univers d'une nouvelle manière.

Comme si elle s'éveillait d'un rêve, Kahlan reprit conscience du monde qui l'entourait. Elle tituba un peu, se retourna et jeta les bras autour du cou de Richard, l'arc toujours serré dans sa main droite.

— Richard, c'est merveilleux ! La cible est venue à moi !

— Tu vois ? Je t'avais dit que tu pouvais le faire.

— Ce n'est pas moi, mais toi qui as réussi ce tir. Je tenais l'arc à ta place, voilà tout !

— Faux. C'est toi qui as tiré. Moi, j'ai montré à ton esprit comment il fallait procéder. C'est cela, enseigner. Je t'ai appris quelque chose, simplement... Essaie encore.

Toute sa vie, Kahlan avait été entourée de sorciers et elle connaissait leurs méthodes. Richard s'était adressé à elle avec son don, qu'il le veuille ou non.

À mesure qu'elle tirait, il lui parla de moins en moins. Sans ses mots pour la guider, se plonger dans l'état idoine devint plus difficile, mais elle y réussit de temps en temps. Quand elle y parvint sans son aide, elle le sentit. Comme il l'avait dit, c'était une affaire de concentration...

Lorsqu'elle commença à savoir faire abstraction du monde au moment de viser, il entreprit d'essayer de la distraire. D'abord, il lui massa l'estomac. Elle sourit, puis s'ordonna de cesser de penser à ces agaceries pour se concentrer sur ce qu'elle devait réussir. Après quelques heures, elle parvint à tirer correctement alors qu'il la chatouillait. Pas toujours, hélas... Mais sentir où la flèche devait aller était une expérience grisante.

— C'est de la magie, dit-elle. Prétends ce que tu veux, mais c'est bien de ça qu'il s'agit.

— Non. Tout le monde peut le faire. Les hommes de Chandalen tirent exactement comme ça. Tous les bons archers aussi. Ton esprit agit, je l'ai simplement aidé en lui montrant la voie. Si tu t'étais entraînée régulièrement, tu aurais découvert ça toute seule. Les choses que tu ignores ne sont pas toutes de la magie !

— Je ne suis pas convaincue, Richard Cypher. À toi de tirer ! Et à moi de chatouiller !

— Quand nous aurons mangé. Et que tu te seras entraînée encore un peu...

Ils piétinèrent un cercle d'herbe, comme pour se ménager un nid, puis s'étendirent sur le dos et dégustèrent des rouleaux de tava farcis en regardant les oiseaux tourner en rond dans le ciel. Se régalant de fruits secs en guise de dessert, ils burent l'eau délicieusement fraîche de leur gourde et se reposèrent un peu, protégés du vent par les hautes herbes environnantes.

Kahlan posa la tête sur l'épaule de Richard. Comme elle, devina-t-elle, il se demandait de quelle manière faire face à la situation.

— Pour me défendre contre les migraines, dit enfin Richard, je pourrais compartimenter mon esprit. Selon Darken Rahl, c'est ce qui m'a évité d'être brisé par Denna.

— Tu as parlé à Rahl ?

— Oui. Pour être franc, j'ai plutôt écouté son monologue. Il m'a dit beaucoup de choses que je n'ai pas crues. Par exemple, que George Cypher n'était pas mon père… D'après lui, j'avais compartimenté mon esprit, et j'étais né avec le don. Il a prétendu aussi qu'on m'avait trahi. À cause de la prédiction de Shota – Zedd et toi utilisant tous les deux votre magie contre moi – j'ai cru que c'était l'un de vous. Et je n'ai pas pensé un instant à mon frère !

» Si je compartimente de nouveau mon esprit, les migraines ne me tueront peut-être pas. Et si c'était ce que les Sœurs de la lumière veulent m'apprendre ? J'ai réussi une fois. Pourquoi pas deux ? Ainsi, je m'en tirerai vivant sans…

Il n'acheva pas sa phrase et se posa un bras sur les yeux.

— Kahlan, je n'ai peut-être pas le don. Il pourrait simplement s'agir de la Première Leçon du Sorcier.

— Que veux-tu dire ?

— Selon Zedd, presque tout ce que croient les gens est faux. La Première Leçon peut leur faire gober un truc parce qu'ils ont envie d'y croire, ou parce qu'ils ont peur que ce soit vrai. L'idée d'avoir le don m'angoisse, et ça risque de me faire penser que les Sœurs de la Lumière disent la vérité. Elles peuvent avoir des raisons de m'en convaincre alors que c'est faux. Conclusion : je n'ai peut-être pas ce foutu don !

— Richard, crois-tu pouvoir t'aveugler ainsi ? Pense à tous ceux qui affirment que tu as le don : Zedd, Darken Rahl, les Sœurs et même Écarlate.

— Écarlate ne sait pas de quoi elle parle, les Sœurs ne sont pas fiables et je n'aurais pas cru Darken Rahl s'il m'avait affirmé que l'eau mouille.

— Et Zedd ? Penses-tu qu'il raconte n'importe quoi ? Tu m'as dit que c'était l'homme le plus intelligent de ton entourage. En plus, c'est un sorcier du Premier Ordre. Le crois-tu capable de se tromper au sujet du don ?

— Il est faillible, comme tout le monde. Être intelligent ne signifie pas qu'on sait tout.

Kahlan réfléchit quelques instants à l'entêtement du Sourcier sur cette affaire de don. Elle aurait voulu que les choses soient comme il les désirait, mais la vérité demeurait…

— Richard, au Palais du Peuple, quand je t'ai touché avec mon pouvoir, nous avons tous pensé que ton esprit avait été emporté. Comment aurions-nous deviné que tu avais découvert un moyen de te protéger ? Ce jour-là, tu as récité le *Grimoire des Ombres Recensées* à Darken Rahl. Je n'en ai pas cru mes oreilles… Comment as-tu appris ce texte ?

— Quand j'étais jeune, mon père m'a amené à l'endroit où il avait caché le grimoire. Il l'avait volé à une bête, chargée de le surveiller par une personne cupide qui viendrait le récupérer un jour. Je sais à présent qu'il s'agissait de Darken Rahl. À l'époque, nous l'ignorions et mon père voulait mettre l'ouvrage à l'abri. Pour plus de sécurité, il m'a fait mémoriser le texte avant de le détruire. Je devais connaître tous les mots afin de les répéter un jour au gardien du grimoire. Il ne savait pas que c'était Zedd.

» Il m'a fallu des années pour apprendre ce texte. Mon père n'y a jamais jeté un coup d'œil, affirmant que j'étais seul à en avoir le droit. Quand j'ai eu terminé, nous avons brûlé le grimoire. Je n'oublierai jamais ce jour. Dans les flammes, nous avons vu danser d'étranges silhouettes. Il y avait aussi des lumières et des sons bizarres…

— De la magie…, murmura Kahlan.

— Sans doute… Mon père est mort parce qu'il avait préservé le grimoire de l'avidité de Darken Rahl. C'était un héros et il nous a tous sauvés.

Kahlan essaya de formuler le mieux possible ce qu'elle devait absolument dire.

— Zedd conservait le grimoire dans sa forteresse. Comment ton père se l'est-il procuré ?

— Il ne me l'a jamais dit.

— Richard, je suis née et j'ai grandi en Aydindril, où j'ai passé une grande partie de mon temps dans la forteresse. Elle est inexpugnable. Jadis, des centaines de sorciers y vivaient. À mon époque, il n'y en avait plus que six, et aucun du Premier Ordre. On n'entre pas dans ces lieux comme dans un moulin. J'y étais autorisée, comme toutes les Inquisitrices, afin de consulter certains ouvrages. Pour toute autre personne, l'accès était interdit par des protections magiques.

— Franchement, je ne sais pas comment mon père a fait. Mais il était malin, et il a dû trouver un moyen.

— Si le grimoire était conservé dans la forteresse, c'est possible… Des sorciers et des Inquisitrices allaient et venaient, et d'autres personnes étaient parfois autorisées à entrer. Quelqu'un aura peut-être réussi à s'y introduire en douce. Mais à l'intérieur aussi, certaines zones étaient interdites par la magie. Même à moi !

» Zedd a dit que le *Grimoire des Ombres Recensées* était conservé dans *sa* forteresse. Le fief du sorcier du Premier Ordre. Et ça change tout. Ce bâtiment fait partie du complexe, mais il en est isolé. J'ai marché le long de ses remparts. De là, on a une vue magnifique sur Aydindril. Et pendant ces promenades, je sentais la puissance des sorts de protection. J'en avais la chair de poule, Richard ! Et quand j'en approchais trop, mes cheveux se dressaient sur ma tête et crépitaient d'étincelles. Si j'insistais, une telle panique me submergeait que je ne pouvais plus forcer mes jambes à avancer…

» Depuis que Zedd a quitté les Contrées du Milieu, longtemps avant notre naissance, personne n'est entré dans son fief. Les autres sorciers ont essayé. Pour passer, il faut toucher une plaque de métal. On dit qu'elle est aussi glacée que le cœur du Gardien du royaume des morts ! Si la magie ne reconnaît pas le visiteur, elle refuse de lui céder le passage. Toucher la plaque sans être protégé par sa propre magie, ou trop approcher des sorts de garde, peut signifier la mort.

» Les sorciers ont tout essayé pour entrer. Le sorcier du Premier Ordre les ayant abandonnés, ils voulaient au moins savoir ce que contenait son fief. Aucun n'a réussi à poser la main sur la plaque. Si cinq sorciers du Troisième Ordre, et un du Deuxième, ont échoué, comment ton père a-t-il fait ?

— J'aimerais pouvoir te répondre, mais je n'en sais rien…

Kahlan répugnait à confirmer les angoisses de Richard, le privant ainsi de tout espoir, mais elle devait le faire. La vérité était la vérité ! Et il devait connaître celle-là, qui le concernait intimement.

— Richard, le *Grimoire des Ombres Recensées* était un livre magique.

— Ça, je n'en doute pas, après l'avoir vu brûler…

Kahlan tapota gentiment la main du jeune homme.

— Dans la forteresse, il y avait d'autres grimoires, moins importants. Les sorciers m'ont permis d'y jeter un coup d'œil. Quand je les consultais, une chose étrange se produisait, parfois après quelques lignes, ou au bout de quelques pages : j'oubliais instantanément ce que je venais de lire ! Impossible de me souvenir d'un seul mot. Si je revenais en arrière, le phénomène se reproduisait.

» Les sorciers me regardaient en souriant, puis éclataient de rire. Après plusieurs expériences de ce genre, j'ai osé demander une explication. Les grimoires, m'ont-ils dit, sont protégés par des sorts d'oubli intégrés à certains mots. Personne ne peut en lire un et le mémoriser, à part quelqu'un qui est né avec le don. Ce n'était pas le cas de ces six sorciers. Eux aussi oubliaient tout ce qu'ils lisaient. À part avec les grimoires mineurs, et parce qu'ils avaient reçu une formation.

» Zedd nous a dit que le *Grimoire des Ombres Recensées* était un des plus importants ! Richard, si tu n'avais pas le don, tu n'aurais pas pu l'apprendre par cœur. C'est incontournable ! Ton père devait le savoir, et c'est pour ça qu'il t'a choisi.

La tête toujours sur l'épaule du Sourcier, Kahlan sentit son souffle s'accélérer au moment où il assimila totalement les implications de ce qu'elle venait de dire.

— Richard, tu te souviens encore du texte ?

— À la virgule près…

— Bien que je t'aie entendu le réciter, je serais incapable de répéter le premier mot ! Les sorts d'oubli ont tout effacé de ma mémoire. Je ne sais plus ce que tu as fait pour vaincre Darken Rahl.

— Le *Grimoire des Ombres Recensées* comporte un avertissement. S'assurer de la véracité de ses phrases, quand elles sont prononcées par une autre personne que le détenteur des boîtes d'Orden – et non lues par celui-ci – exige le recours à une Inquisitrice… Rahl a cru que ton pouvoir m'avait emporté, et il me croyait incapable de mentir. J'ai dit la vérité, en omettant une partie importante, à la fin, pour qu'il choisisse la boîte d'Orden qui le tuerait.

— Tu vois ? Tu te souviens de tout ! Si tu n'avais pas le don, la magie t'en empêcherait. Richard, si nous voulons survivre à ça, il faut regarder la vérité en face. Tu as le don ! La magie est en toi ! Je suis navrée, mais c'est ainsi.

— Je voulais tellement me convaincre du contraire, que j'en suis devenu aveugle et sourd, soupira le Sourcier. Mais la vie ne marche pas comme ça… J'espère que tu ne me prends pas pour un idiot. Et je te remercie de m'aimer assez pour m'avoir ouvert les yeux.

— Tu n'es pas un idiot, mais l'homme que je veux épouser ! Nous trouverons une solution…

Kahlan embrassa le dos de la main de Richard. En silence, ils continuèrent à regarder le ciel grisâtre, un reflet parfait de l'humeur de la jeune femme.

— Je regrette que tu n'aies pas connu mon père, dit enfin Richard. C'était un homme exceptionnel. Et je ne m'étais jamais douté à quel point ! Il me manque beaucoup… Comment était le tien ?

— Mon géniteur était le partenaire de ma mère, une Inquisitrice. Ce n'était pas un père au sens habituel du terme. Touché par le pouvoir, il n'éprouvait plus aucun sentiment, à part de la dévotion pour ma mère. Il s'intéressait à moi uniquement pour lui plaire. Je n'étais pas une personne, à ses yeux, mais un appendice de l'Inquisitrice à qui il était lié.

Richard cueillit un brin d'herbe et le mâchonna pensivement.

— Qui était-il, avant qu'elle le choisisse ?

— Wyborn Amnell, le roi de Galea.

Le Sourcier se redressa sur un coude, les yeux écarquillés.

— Un roi ? Tu es la fille d'un roi ?

D'instinct, Kahlan adopta l'expression fermée et indéchiffrable qu'elle appelait son masque d'Inquisitrice.

— Mon père était le partenaire d'une Inquisitrice. Il n'y avait plus place en lui pour autre chose. Pendant que ma mère agonisait des suites d'une terrible maladie, il était constamment paniqué. Un jour, le sorcier et le guérisseur qui s'occupaient d'elle sont venus nous annoncer qu'il n'y avait plus rien à faire, que les esprits l'emporteraient bientôt très loin de ce monde…

» Avec un cri d'angoisse comme je n'en ai jamais entendu, mon père a porté les mains à sa poitrine, puis il s'est écroulé, raide mort.

— Kahlan, je suis désolé…, souffla Richard.

— C'était il y a si longtemps…

— Alors, avec cette ascendance, es-tu une reine, une princesse ou quelque chose dans ce goût-là ?

Kahlan sourit, consciente que tout cela devait paraître bien étrange au jeune homme. Il ignorait tant de choses sur son monde… et sur sa vie.

— Non. Je suis la Mère Inquisitrice, c'est tout. Pour nous, la lignée paternelle ne compte pas. (Elle se sentit gênée de diminuer ainsi le pauvre Wyborn. Ce n'était pas sa faute si sa mère l'avait choisi…) Veux-tu en savoir plus long au sujet de mon père ?

— Bien sûr… Je veux tout connaître de ta vie, et il y a une part de lui en toi.

Kahlan marqua une pause, se demandant comment le Sourcier allait réagir à ses révélations.

— Eh bien, lorsque ma mère l'a choisi, il était l'époux de la reine Bernadine.

— Elle a pris un homme marié ?

— Ce n'est pas aussi grave qu'il y paraît. Il s'agissait d'une union politique. Wyborn était un guerrier et un grand chef militaire. Le mariage a permis de fondre son royaume et celui de Bernadine, créant ainsi Galea. Il a fait ça pour protéger son peuple de voisins trop hostiles…

» Bernadine était une souveraine sage et respectée. Elle aussi a pensé à l'intérêt général. Mon père et elle ne s'aimaient pas. Mais ils ont donné au peuple de Galea une superbe princesse, Cyrilla, et un prince nommé Harold.

— Ainsi tu as une demi-sœur et un demi-frère.

— Si on veut… Mais pas dans le sens où tu l'imagines. Je suis une Inquisitrice, sans rapport avec la succession royale. J'ai rencontré Cyrilla et Harold. Tous les deux sont des êtres respectables. Cyrilla règne sur Galea depuis la mort de sa mère, il y a quelques années. Harold dirige l'armée, comme son père avant lui. Ils ne pensent pas à moi comme à une parente et je ne les vois pas ainsi non plus. Ma vraie famille, ce sont les Inquisitrices. Et la magie.

— Et ta mère ? Comment en est-elle arrivée là ?

— Elle venait d'être nommée Mère Inquisitrice et elle cherchait un partenaire fort qui lui donnerait une fille en pleine santé. Ayant entendu que Bernadine n'était pas heureuse en ménage, elle est allée lui parler. La reine lui a révélé qu'elle n'aimait pas Wyborn et qu'elle le trompait. Mais même si un autre homme faisait battre son cœur, elle respectait son mari, un guerrier et un chef de premier ordre, et ne permettrait pas que ma mère le touche avec son pouvoir.

» Alors que ma mère réfléchissait à ce qu'elle devait faire, Wyborn a surpris sa femme dans le lit de son amant. Il est passé très près de la tuer. Quand ma mère a appris la nouvelle, elle est retournée en Galea et a résolu le problème avant que Wyborn ajoute le meurtre de l'amant à la raclée qu'il avait flanquée à sa femme.

» Si une Inquisitrice peut redouter beaucoup de choses, être battue par son mari ne figure pas sur la liste.

— Il doit être dur de devoir choisir un compagnon qu'on n'aime pas.

— Je n'avais jamais espéré connaître l'amour, dit Kahlan en se blottissant contre Richard. Je regrette que ma mère n'ait pas eu ce bonheur.

— Et quel genre de père était Wyborn ?

— Pour moi, il s'agissait d'un parfait inconnu. Il n'éprouvait aucune émotion, sauf pour ma mère, et ce n'était pas de l'amour, mais de la dévotion. Elle lui a demandé de s'occuper de moi et de m'enseigner ce qu'il savait. Il l'a fait avec enthousiasme – mais pour elle, pas pour moi !

» Bien entendu, il m'a surtout parlé de l'armée. J'ai tout su sur la tactique de ses ennemis, l'art de voler la victoire à une armée plus forte et plus confiante, et, le plus important, de triompher et survivre en utilisant sa tête au lieu de se fier au règlement. Quand ma mère assistait à ces leçons, il lui demandait sans cesse si elle était satisfaite de sa façon d'enseigner. Elle répondait que oui. Ainsi, disait-elle, j'apprenais tout ce qu'il fallait sur la guerre. Et même si elle espérait que je n'aurais jamais besoin de ces connaissances, elles m'aideraient à survivre, le cas échéant.

» Pour Wyborn, la première qualité d'un guerrier était la cruauté. Il avait souvent vaincu en se montrant impitoyable. La terreur peut balayer la raison, et le rôle d'un bon chef est d'inspirer ce genre de sentiment à l'ennemi.

» Son enseignement m'a aidé à survivre quand les autres Inquisitrices furent assassinées. Grâce à lui, j'ai su tuer lorsque c'était nécessaire. Il m'a appris à ne pas avoir peur de faire ce qui s'impose quand on est menacé de mort.

» Pour cela, je l'ai aimé et détesté à la fois.

— Eh bien, dit Richard, je lui suis très reconnaissant de t'avoir appris à survivre. Sinon, tu ne serais pas avec moi aujourd'hui…

Kahlan tourna légèrement la tête pour regarder un petit oiseau qui pourchassait un corbeau.

— L'horreur, ce n'est pas les choses qu'il savait, mais les gens qui nous poussent à les faire pour ne pas mourir. Il n'a jamais cherché de querelles injustes à quiconque. Comment le blâmer d'avoir su vaincre lorsqu'il devait guerroyer ? Richard, je crois que nous devrions commencer à réfléchir à *notre* survie.

— Tu as raison, dit le Sourcier en enlaçant la jeune femme. Tu sais, j'étais en train de nous comparer à ces ballots de paille. Des cibles immobiles qui attendent passivement qu'une flèche les touche…

— Que devrions-nous faire ?

— Je n'en sais rien… Mais si nous ne bougeons pas, une flèche nous transpercera tôt ou tard. Les Sœurs de la Lumière reviendront. Pourquoi les attendre sans agir ? J'ignore ce qu'il faut faire, mais rester les bras croisés ne nous apportera rien.

— Zedd est peut-être notre seule chance.

— Si quelqu'un est susceptible de nous aider, c'est bien lui… Nous devrions aller le rejoindre.

— Et les migraines ? Si elles empirent pendant le voyage, sans Nissel à tes côtés pour te soulager ?

— Je sais… Mais il faut essayer. Sinon, je suis fichu.

— Alors, partons tout de suite. Sans attendre qu'une nouvelle catastrophe se produise.

— Nous filerons bientôt… D'abord, nous avons une chose importante à faire.

— Laquelle ?

— Nous marier ! Pas question de partir avant que j'aie vu la robe dont on n'arrête pas de me parler !

— Richard, je crois qu'elle sera magnifique ! Weselan sourit aux anges en cousant. Je suis impatiente que tu me voies dedans. Tu adoreras, j'en suis sûre !

— De cela, ma promise, je ne doute pas un instant…

— Tout le monde attend ça ! Un mariage, pour le Peuple d'Adobe, est un grand événement. Il y aura des danseurs, de la musique, des acteurs… Tout le village participera. Selon Weselan, il faudra au moins une semaine pour tout préparer, quand nous aurons donné le signal.

— Eh bien, le signal est donné, dit Richard en serrant Kahlan contre lui.

Ils s'embrassèrent, mais elle sentit qu'il avait de nouveau mal à la tête.

— Viens, allons tirer un peu, histoire que tu ailles mieux.

Ils commencèrent par aller récupérer leurs projectiles. Kahlan cria de joie quand elle vit qu'un de ses tirs avait fendu une flèche logée au centre de la cible par Richard.

— Attends un peu que la Garde Nationale entende parler de ça ! s'écria la jeune femme. Devoir remettre un ruban à la Mère Inquisitrice parce qu'elle a fendu une flèche ! Les officiers en seront verts ! D'ailleurs, ils feraient déjà une drôle de tête en me voyant tenir un arc !

Richard arracha les flèches de la cible en riant de bon cœur.

— Tu devrais continuer à t'entraîner. Ils risquent de ne pas te croire et d'exiger une démonstration. Au moins, pour cette flèche-là, ce n'est pas moi que Savidlin engueulera. (Il se tourna soudain vers Kahlan.) Qu'as-tu dit, hier soir, au sujet des *quatuors* ? Rahl les a envoyés avec un sort qui a empêché Zedd d'intervenir ?

— Oui, répondit Kahlan, très surprise par le changement de sujet. Sa magie était impuissante contre eux.

— C'est parce que Zedd contrôle seulement la Magie Additive, comme tous les sorciers nés avec le don. Darken Rahl était dans le même cas, mais il a appris à utiliser la Magie Soustractive. Zedd est sans défense face à ce pouvoir. Toi aussi. Les sorciers ont créé la magie des Inquisitrices, et ils n'ont pas pu leur donner ce qu'ils ne possédaient pas. Alors, comment as-tu réussi à tuer ces types ?

— Le Kun Dar… Il appartient à la magie des Inquisitrices, mais j'ignorais son existence jusque-là. Le déclencheur, c'est la fureur. Ces deux mots signifient « Rage du Sang ».

— Kahlan, tu sais ce que tu viens de dire ? Tu as recouru à la Magie Soustractive, sinon tu n'aurais pas vaincu ces tueurs. Ces hommes étaient protégés de la Magie Additive. Donc, tu as utilisé l'autre. Mais si les sorciers ont jadis créé ta magie, comment peut-elle avoir une composante soustractive ?

— Je n'en sais rien… Tu dois avoir raison, je suppose… En Aydindril, Zedd pourra peut-être nous expliquer tout ça.

— C'est possible, mais pourquoi les Inquisitrices contrôleraient-elles la Magie Soustractive ? Ça explique peut-être aussi l'éclair qui a tué le grinceur…

Richard, né avec le don, et elle, maîtrisant la Magie Soustractive… Deux idées terrifiantes. Kahlan frissonna, mais pas de froid.

Ils tirèrent à l'arc jusqu'au crépuscule. Les épaules et les bras en feu, l'Inquisitrice annonça qu'elle ne pourrait pas tendre la corde une fois de plus, même si sa vie en dépendait. Mais elle incita Richard à décocher encore quelques traits, afin qu'il échappe plus longtemps à ses maux de tête. Le regardant tirer, elle s'avisa qu'elle n'avait pas encore essayé de le distraire, alors qu'il lui avait promis de la laisser essayer.

— Nous allons voir si tu es aussi bon que tu le prétends, dit-elle en venant se placer derrière lui.

Quand il arma l'arc, elle lui chatouilla les côtes. Sans broncher, il tira avec sa précision habituelle. Mais il éclata de rire dès que la flèche eut quitté la corde. Kahlan continua à l'agacer… et fut incapable de le déconcentrer. Vexée, elle décida de passer à des manœuvres plus radicales.

Elle se plaqua contre son dos, ouvrit les trois premiers boutons de sa chemise, glissa la main dedans et lui caressa la poitrine. Sa peau était tendue sur ses muscles durcis. Une sensation de force. De chaleur. De puissance.

Elle ouvrit d'autres boutons pour pousser plus loin son exploration. Lui caressant le ventre d'une main, elle lui taquina la nuque de l'autre.

Richard continua à tirer.

Lorsqu'elle lui embrassa la nuque, Kahlan oublia qu'elle était censée faire ça pour le déconcentrer…

Le Sourcier tressaillit un peu… quand sa flèche se fut envolée. Puis il en encocha une autre. Ayant ouvert tous les boutons, Kahlan tira les pans de la chemise de la ceinture du jeune homme et lui caressa passionnément le torse des deux mains. Cela n'empêcha pas sa flèche de faire mouche.

La jeune femme ne parvenait pas à le perturber, mais son souffle s'accélérait. Elle décida qu'elle ne perdrait pas à ce jeu-là… et laissa sa main glisser plus bas.

— Kahlan ! Tu triches ! couina Richard.

Cette fois, son arc tremblait, et il s'efforça de le stabiliser.

Kahlan lui mordit délicatement le lobe de l'oreille.

— Je croyais que tu pouvais tirer quoi qu'il arrive, dit-elle en laissant glisser sa main encore plus bas.

— Kahlan… Ce sont des méthodes déloyales…

— N'essaie pas de te défiler ! Tu as dit ça, au mot près. Savoir tirer sous la pression… (Elle lui titilla l'oreille du bout de la langue.) Est-ce une pression suffisante, mon amour ? Peux-tu le faire ? Vas-tu réussir à tirer ?

— Kahlan… c'est de la triche…

L'Inquisitrice eut un rire de gorge et serra plus fort… ce qu'elle tenait. Richard gémit et lâcha la corde. À la voir s'envoler, Kahlan devina qu'ils ne retrouveraient jamais cette flèche-là.

— Tu as raté ton coup…, souffla-t-elle.

Le jeune homme se retourna et lâcha son arc. Rouge comme une pivoine, il emprisonna Kahlan dans ses bras.

— Tricheuse…, lâcha-t-il en lui embrassant l'oreille.

Kahlan gémit, électrisée par le contact de ses lèvres sur son oreille. Elle se serra contre lui quand il écarta ses cheveux et posa sa bouche sur son cou. Se cabrant, elle gémit de nouveau lorsqu'il la fit basculer en arrière, l'étendant sur l'herbe douce.

Avant que leurs lèvres se touchent, elle réussit à souffler « Je t'aime », puis s'abandonna à ses caresses.

Au moment où elle se demandait quand Richard se déciderait à lui rendre la monnaie de sa pièce, en matière d'audace exploratrice, il se releva d'un bond…

… et dégaina son épée.

Dans ses yeux, la colère de l'arme avait remplacé la passion. La note métallique que produisait invariablement l'épée retentissait encore aux oreilles de Kahlan…

Elle se releva sur les coudes.

— Richard, que se passe-t-il ?

— Quelque chose approche. Place toi derrière moi. Vite !

L'Inquisitrice se releva, ramassa son arme et encocha une flèche.

— Quelque chose ? répéta-t-elle.

Dans le lointain, elle vit l'herbe onduler. Pourtant, le vent ne soufflait plus…

Chapitre 12

U ne tête tachetée de gris avançait vers eux, fendant les hautes herbes. Qui que soit son propriétaire, il n'était pas bien grand.

Un autre grinceur ? se demanda Kahlan. À cette idée, elle arma son arc, puis s'avisa qu'une flèche, contre un monstre de cette espèce, n'aurait aucune efficacité. Devait-elle de nouveau faire appel à la Rage du Sang ?

— Attends ! dit Richard en levant un bras.

Une silhouette courtaude apparut. Les bras et les pieds démesurément longs, la créature qui approchait n'avait pas un poil sur le corps. Simplement vêtue d'un pantalon tenu par des bretelles, elle avançait d'une démarche chaloupée et ses yeux jaunes s'écarquillèrent lorsque Kahlan pointa sa flèche à leur niveau.

— Jolie dame ! s'exclama l'être avec un sourire qui dévoila ses crocs pointus.

— Samuel, grogna Richard en reconnaissant le compagnon de Shota. Que fiches-tu ici ?

— L'épée ! À moi ! Donne ! siffla la créature en tendant la main.

Richard pointa la lame, menaçant. Avec une grimace, Samuel retira son bras.

— Que fiches-tu ici ? répéta Richard, l'épée venant titiller le repli de peau qui pendait sous le cou du compagnon.

— Maîtresse veut te voir, dit Samuel, les yeux brillant de haine.

— Eh bien, tu devras rentrer seul chez toi. Pas question que nous allions dans l'Allonge d'Agaden.

— Maîtresse n'est pas dans l'Allonge, dit Samuel. (Il se retourna, se dressa sur la pointe des orteils et pointa un index anormalement long vers l'endroit où se dressait le village du Peuple d'Adobe.) Maîtresse t'attend là-bas. Où vivent tous ces gens… (Il fit volte-face et regarda Richard.) Si tu ne viens pas, elle les tuera et Samuel pourra se faire un grand ragoût.

— Si elle a blessé quelqu'un… ! feula Richard.

— Elle ne leur fera rien… si tu viens.

— Que veut-elle ?

135

— Toi !

— Pourquoi ?

— Elle ne me l'a pas dit. Juste de venir te chercher.

— Richard, intervint Kahlan, son arc à demi désarmé, Shota a juré qu'elle te tuerait si tu croisais de nouveau son chemin.

—˙Non, elle a dit qu'elle me tuerait si je revenais dans l'Allonge d'Agaden. C'est différent…

— Mais…

— Si je n'obéis pas, elle massacrera nos amis. Tu doutes qu'elle le fasse ?

— Non, mais elle risque de te tuer, toi.

— Me tuer ? Ça m'étonnerait. Shota m'aime bien parce que je lui ai sauvé la vie. Indirectement, en tout cas.

Kahlan se raidit. Shota avait tenté d'ensorceler Richard et elle n'était pas près de lui pardonner ça. À part les Sœurs de la Lumière, c'était la dernière personne au monde qu'elle avait envie de revoir en ce moment… et jusqu'à la fin de ses jours.

— Je n'aime pas ça…

— Si tu as une meilleure idée, je t'écoute.

— Nous n'avons pas le choix, on dirait ! Mais que je ne la voie pas te tripoter !

Richard jeta un regard étonné à Kahlan, puis il se tourna vers le compagnon de la voyante.

— Passe devant, Samuel, et n'oublie pas lequel de nous deux tient l'épée. Tu te souviens de ce que je t'ai dit la dernière fois ? Tente un mauvais coup, et je mangerai du ragoût de Samuel ce soir.

Samuel regarda la lame. Puis, sans un mot, il se retourna et jeta un coup d'œil derrière lui pour s'assurer que les deux jeunes gens le suivaient. Richard garda son épée au poing, mit son arc sur son épaule et se plaça entre Kahlan et Samuel. La colère de l'arme faisait toujours briller ses yeux.

— Elle a intérêt à ne plus me recouvrir de serpents ! dit Kahlan dans le dos du Sourcier. Plus jamais de serpents ! Et je ne plaisante pas !

— Comme si nous y pouvions quelque chose…, marmonna Richard.

Il faisait presque nuit quand ils atteignirent le village. Arrivant par l'est, ils remarquèrent aussitôt que toute la population s'était massée à l'extrémité ouest de la place, protégée par une ligne de chasseurs debout épaule contre épaule. Le Peuple d'Adobe, Kahlan le savait, était terrorisé par la voyante. Ici, on ne prononçait même pas son nom à voix haute.

Cela dit, tous les gens qu'elle connaissait, elle comprise, avaient peur de Shota. Cette horrible femme l'aurait tuée, lors de leur première rencontre, si Richard n'avait pas utilisé, pour la sauver, le souhait qui lui était alloué. Hélas, l'Inquisitrice doutait que la voyante lui en accorde un autre…

Samuel prit la direction de la maison des esprits, la démarche assurée comme s'il avait passé sa vie dans le village. Il avançait en ricanant. Chaque fois qu'il tournait la tête, Kahlan le voyait sourire, l'air mauvais, comme s'il savait quelque chose que les deux jeunes gens ignoraient. Quand ce manège l'agaçait, Richard pointait son épée, histoire de calmer un peu l'horripilante créature.

Arrivé devant la maison des esprits, Samuel agrippa le loquet de la porte et lâcha :

— Jolie dame attend ici. Avec moi. Maîtresse veut voir seulement le Sourcier.

— Richard, je viens aussi ! déclara Kahlan.

Le jeune homme lui jeta un regard en coin puis se tourna vers Samuel.

— Ouvre la porte.

Le compagnon obéit. De la pointe de l'épée, Richard fit signe à Kahlan d'entrer. Il la suivit puis claqua le battant aux nez du monstre favori de Shota.

Un grand trône occupait le centre de la pièce. La lumière des torches dansait sur les sculptures qui le décoraient. Des feuilles de vigne dorées à l'or, des serpents, des félins et d'autres animaux encore… Un baldaquin drapé de brocart rouge vif brodé de fil d'or surmontait le siège, qui reposait sur trois plaques de marbre de taille différente, qui tenaient lieu de marches. Ultime touche de munificence, le trône était tendu de somptueux velours rouge.

Kahlan se demanda comment il avait pu passer la porte, et combien d'hommes il avait fallu pour l'apporter là.

Assise dans une pose régalienne, Shota riva ses yeux en amande sur Richard. Elle s'adossa plus confortablement à son siège, les jambes croisées et les bras posés sur les accoudoirs ouvragés. Ses mains reposaient sur des gargouilles d'or qui semblaient lui lécher les poignets tandis qu'elle tapotait la première phalange de son pouce du bout d'un ongle verni. Une fabuleuse crinière rousse cascadait sur ses épaules…

Lentement, la voyante tourna son regard sans âge vers Kahlan, qui eut le sentiment que des yeux plus durs que la pierre tentaient de l'hypnotiser. Un serpent rouge, blanc et noir enroulé autour d'un montant du baldaquin tendit la tête, darda la langue en direction de l'Inquisitrice, puis se laissa tomber sur les genoux de Shota, où il se lova comme un chat.

Le message semblait clair : Kahlan n'était pas la bienvenue, et elle savait à présent ce qui arriverait si la voyante se mettait en colère. L'Inquisitrice avala la boule qui s'était formée dans sa gorge et tenta de ne pas montrer sa peur. Constatant que sa petite démonstration avait été comprise, Shota tourna de nouveau les yeux vers le Sourcier.

— Rengaine ton épée, Richard, dit-elle d'une voix douce comme du velours quand on le caresse dans le bon sens.

Kahlan jugea injuste qu'une femme si belle ait de plus une voix capable de faire fondre du beurre… ou le cœur d'un homme.

— Au souvenir de ce que tu as dit quand nous nous sommes séparés, fit Richard, j'avais peur que tu n'essayes de me tuer.

Pourquoi fallait-il qu'il emploie aussi un ton doux comme le miel ? pensa Kahlan, exaspérée.

— Si je voulais ta mort, mon cher garçon – et il est possible que ce soit le cas –, ton épée ne pourrait rien pour toi.

Le Sourcier poussa soudain un petit cri et lâcha l'arme comme si c'était un morceau de charbon chauffé au rouge. Et il secoua sa main comme s'il venait de se brûler.

— À présent, rengaine-la ! ordonna Shota.

Cette fois, sa voix évoquait du velours qu'on caresse dans le mauvais sens.

Richard jeta un regard noir à la voyante. Puis il ramassa l'Épée de Vérité et la remit au fourreau.

Un petit sourire flotta sur les lèvres de Shota, qui souleva le serpent et le posa à côté d'elle. Après avoir dévisagé le Sourcier un moment, elle se pencha assez en avant pour que son opulente poitrine glisse hors du décolleté généreux de sa robe en dégradé de gris. Ses seins restèrent pourtant en place, un miracle que Kahlan eut du mal à s'expliquer. La petite fiole bouchée pendue à une chaîne oscilla lentement sur sa gorge...

Kahlan s'empourpra quand la voyante descendit gracieusement les trois marches sans quitter Richard des yeux. Sa robe voletait autour d'elle, comme caressée par une douce brise. À ceci près qu'il n'y avait pas l'ombre d'un courant d'air dans la pièce...

Ce tissu, décida l'Inquisitrice, était bien trop fin pour une robe. S'imaginant vêtue ainsi, elle rougit d'embarras.

Une fois sur le sol, Shota retira le bouchon de sa fiole. Aussitôt, les contours du trône se brouillèrent, comme s'il était enveloppé de vapeur. Puis il se transforma en une colonne de fumée grise qui s'étira et vint s'engouffrer dans le petit récipient. Ravie, Shota le reboucha et le nicha de nouveau entre ses seins, l'enfonçant un peu pour qu'il ne soit plus visible.

Kahlan ne put se retenir de ricaner.

Shota baissa les yeux sur la chemise encore ouverte de Richard et sourit. Était-ce d'amusement ou de satisfaction ? Quoi qu'il en soit, le Sourcier s'empourpra.

— Quelle ravissante indécence, minauda la voyante en posant le bout d'un ongle sur la poitrine du jeune homme. (Elle le laissa descendre jusqu'à son ombilic, puis lui tapota gentiment le ventre.) Reboutonne-toi, Richard, ou je pourrais oublier pourquoi je suis ici.

Écarlate, le Sourcier obéit, tandis que Kahlan venait se camper à ses côtés – à tout hasard !

— Shota, dit-il, il faut que je te remercie. Tu l'ignores peut-être, mais tu m'as beaucoup aidé... Grâce à toi j'ai compris beaucoup de choses.

— C'était mon intention...

— Ne te méprends pas sur mes propos... Tu m'as aidé à savoir comment je devais me comporter avec Kahlan. À trouver le moyen d'être avec elle. Et de pouvoir l'aimer. Du coup, nous allons nous marier !

Il y eut un moment de silence... glacial.

— C'est vrai, dit l'Inquisitrice, le menton fièrement levé. Nous nous aimons, et nous pourrons être ensemble. À jamais.

Quelle horreur ! pensa aussitôt Kahlan. Shota avait réussi à la forcer à s'expliquer, et elle s'y était prise comme un manche !

La voyante tourna la tête vers elle, la faisant frissonner.

— Deux enfants ignorants..., murmura-t-elle en secouant la tête. Ignorants et stupides !

— Nous sommes peut-être ignorants, dit Richard, excédé, mais nous allons nous marier, et nous ne sommes plus des enfants ! Je croyais que ça te ferait plaisir, puisque tu y es pour quelque chose...

— Mon garçon, je t'avais dit de la tuer, pas de l'épouser...

— Tout ça est derrière nous ! lança Kahlan. Le problème est résolu, et tout va bien.

L'Inquisitrice cria quand elle sentit ses pieds décoller du sol. Richard et elle volèrent dans les airs et allèrent percuter un mur. L'impact coupa le souffle de la jeune femme, qui vit des étoiles danser devant ses yeux. Troublée, elle secoua la tête pour éclaircir sa vision.

À l'instar de Richard, elle était plaquée au mur à trois bons pieds du sol. Paralysée, elle avait du mal à respirer et seule sa tête consentait à bouger encore un peu. Ses vêtements aussi étaient comme aplatis par une main de fer, son manteau collé contre le mur comme si elle l'avait jeté sur le sol. Aussi impuissant qu'elle, Richard tenta de se débattre et n'obtint aucun résultat.

Shota approcha, paraissant glisser sur l'air, et se campa devant Kahlan.

— Il a eu raison de ne pas te tuer, et tout va bien. C'est ce que tu penses, Mère Inquisitrice ?

— Oui, croassa Kahlan.

— As-tu jamais envisagé, Mère Inquisitrice, que je n'avais pas parlé sans de solides raisons ?

— Oui, mais tout ça…

— As-tu jamais envisagé, Mère Inquisitrice, que l'interdiction d'aimer vos compagnons n'est pas un caprice arbitraire ? Et que Richard ne devait pas te tuer *seulement* parce que tu risquais de lui voler son esprit ?

Kahlan ne répondit pas, des dizaines d'idées tourbillonnant dans son esprit.

— De quoi parles-tu, Shota ? demanda Richard.

La voyante l'ignora.

— Alors, Mère Inquisitrice ?

— Je… je ne comprends pas…

— As-tu couché avec l'homme que tu aimes, Mère Inquisitrice ? Est-ce déjà fait ?

— On ne pose pas ce genre de question ! s'indigna Kahlan.

— Réponds ! Ou je t'écorche vive pour me faire une tunique avec ta peau ! Si tu savais comme j'en ai envie… Alors, ne tente surtout pas de me mentir !

— Je… nous… Non, nous n'avons pas fait l'amour ! Mais en quoi cela te regarde-t-il ?

Shota approcha encore.

— Eh bien, tu devrais y réfléchir à deux fois avant de t'offrir à lui, Mère Inquisitrice !

— Pourquoi ?

Shota croisa les bras, plus menaçante que jamais.

— Une Inquisitrice ne doit pas aimer son partenaire. Sais-tu pourquoi ? Parce que si elle accouche d'un garçon, son mari doit le tuer. S'il a été touché par son pouvoir, l'homme obéira aveuglément.

— Mais…

— Si tu aimes Richard, explosa Shota, tu ne pourras jamais lui demander une chose pareille ! Tuer son propre fils ! Et crois-tu qu'il t'obéirait ? À sa place, Mère Inquisitrice, assassinerais-tu le fruit de votre amour ?

— Non, répondit Kahlan, les paroles de la voyante s'enfonçant dans son cœur comme autant de lames acérées.

Tous ses espoirs de bonheur venaient de s'envoler en fumée. Trop heureuse de découvrir qu'être avec Richard ne lui était plus interdit, elle n'avait pas réfléchi sérieusement à l'avenir. Aux conséquences de cette union. Leurs enfants…

— Que se passera-t-il alors, Mère Inquisitrice ! cria Shota. Tu élèveras votre fils, et tu lanceras sur le monde un Inquisiteur ! Un *Inquisiteur* ! (Elle décroisa les bras, ses poings, serrés jusqu'à s'en blanchir les phalanges, tombant le long de ses flancs.) Le monde connaîtra de nouveau les âges sombres. À cause de toi ! Parce que tu aimes cet homme ! As-tu jamais pensé à ça, stupide gamine ?

— Tous les Inquisiteurs ne sont pas des monstres ! croassa Kahlan.

— Presque tous, et tu le sais ! (Shota désigna Richard sans daigner le regarder.) Par amour pour cet homme, mettras-tu le monde en danger ? Afin de sauver son fils, favoriseras-tu le règne de l'horreur ?

— Shota, intervint Richard d'une voix étrangement calme. Le plus souvent, les Inquisitrices donnent le jour à des filles. Tu t'inquiètes pour quelque chose qui ne se produira probablement pas. Et si nous n'avions pas d'enfants ? Certains couples sont stériles. Pour que ce que tu redoutes se réalise, il faudrait que le chemin de notre vie emprunte bien des bifurcations…

Richard glissa soudain le long du mur et atterrit avec un grognement de douleur. Folle de rage, Shota le saisit par la chemise, le souleva, et le poussa violemment contre la cloison, lui coupant le souffle.

— Tu me crois aussi bête que vous ? Je suis une voyante et je sais tout sur le fleuve du temps ! As-tu écouté ce que je t'ai dit lors de notre première rencontre ? Certains événements à venir m'apparaissent aussi clairement que s'ils s'étaient déjà produits. Si tu couches avec cette femme, vous aurez un fils. C'est une Inquisitrice, et son pouvoir se transmet automatiquement. Si tu lui fais un enfant, ce sera un *Inquisiteur* !

Elle plaqua de nouveau Richard contre le mur. Kahlan frémit en entendant son crâne heurter la surface dure. Le comportement de Shota était terrifiant… et ne lui ressemblait pas. Aussi menaçante fût-elle, lors de leur première rencontre, elle lui avait paru intelligente et raisonnable. Au moins jusqu'à un certain point. À présent, elle paraissait à moitié folle…

Richard n'essaya pas de se dégager, mais Kahlan vit qu'il allait exploser.

— Shota…

Encore une fois, la voyante le poussa contre le mur.

— Tiens ta langue, ou je vais te la couper !

— Tu t'es déjà trompée une fois, Shota ! cria le Sourcier. Oui, *trompée* ! Le fleuve du temps charrie les événements dans plusieurs directions ! Si j'avais tué Kahlan comme tu l'exigeais, Darken Rahl régnerait sur le monde. Et tu en aurais été responsable ! C'est grâce à elle que j'ai vaincu Rahl ! En me fiant à tes idioties, j'aurais ruiné nos chances.

» Si tu as fait tout ce chemin pour nous parler de tes visions, tu as perdu ton temps ! Je ne t'ai pas obéi la première fois, et il en sera de même aujourd'hui. Ne compte pas que je la tue ou que je renonce à elle à cause de toi – ni de personne d'autre !

Shota le foudroya du regard, puis le lâcha.

— Je ne suis pas ici pour te parler de mes visions, murmura-t-elle. Ni pour discuter des enfants que tu feras à une Inquisitrice, Richard Rahl…

— Je ne m'appelle pas…

— Tais-toi ! Je suis là parce que je pourrais bien vouloir te tuer à cause de ce que tu as fait, Richard Rahl. Que vous ayez ou non un fils n'est rien, comparé au monstre que vous avez déjà engendré.

— Pourquoi m'appelles-tu Richard Rahl ? demanda le jeune homme.

— Parce que c'est ainsi que tu te nommes, répondit Shota.

— Non ! Je suis Richard Cypher, le fils de George Cypher.

— Cet homme t'a élevé, mais un autre t'a engendré. Darken Rahl a violé ta mère.

Richard blêmit encore et Kahlan eut mal pour lui, certaine que c'était la vérité. Cette impression de familiarité qu'elle avait eue… Sur le visage de Richard s'était superposé celui de son père. Darken Rahl ! L'Inquisitrice essaya de se libérer pour approcher de Richard, mais n'y parvint pas.

— Non ! s'écria le Sourcier. Tu mens ! C'est impossible !

— C'est la vérité ! cria Shota. Darken Rahl est ton père. Et Zeddicus Zu'l Zorander, ton grand-père !

— Zedd…, gémit Richard. Mon grand-père ? Et Darken Rahl… Non, c'est un mensonge…

Il regarda Kahlan et vit dans ses yeux qu'il se trompait. Elle *savait* qu'il en était ainsi.

— Zedd me l'aurait dit, affirma-t-il en tournant de nouveau la tête vers Kahlan. Je ne te crois pas !

— Je m'en fiche, lâcha froidement la voyante. Ce que tu penses m'indiffère. Moi, je connais la vérité. (De nouveau, la colère la submergea.) Tu es le fils bâtard du fils bâtard d'un fils bâtard ! Et tous les foutus bâtards de cette lignée sont nés avec le don. Pire encore, Zedd aussi ! Tu es l'héritier de deux familles de sorciers nés avec le don ! (Elle plongea son regard dans les yeux écarquillés de Richard.) Tu es un garçon très dangereux, Richard Rahl… (Le jeune homme chancela comme s'il allait s'écrouler.) Tu es né avec le don ! Mais j'appellerais plutôt ça une malédiction.

— Ça, je ne te le fais pas dire…, souffla Richard.

— Tu reconnais avoir le don ? Je n'entendrai plus de dénégations stupides ? (Richard hocha la tête.) Alors, qu'importe que tu croies ou non le reste. Tu es le fils de Darken Rahl, et le petit-fils de Zedd, qui était le père de ta mère. Si tu ne veux pas l'accepter, libre à toi ! Pense ce que tu veux et aveugle-toi comme ça te chante. Je ne suis pas venue discuter de ton arbre généalogique.

Richard recula jusqu'au mur et se passa une main dans les cheveux.

— Shota, va-t'en, je t'en supplie ! Je ne veux plus rien entendre… Fiche-moi la paix, c'est tout ce que je demande…

— Tu me déçois, Richard…

— Désolé, mais je m'en fous !

— J'ignorais que tu étais aussi stupide.

— Ça, je m'en contrefous !

— Je pensais que George Cypher comptait pour toi. Et que tu avais le sens de l'honneur.

— De quoi parles-tu ? demanda Richard en relevant la tête.

— George t'a élevé. Il t'a consacré du temps et donné de l'amour. Cet homme a pris soin de toi, il t'a nourri et enseigné tout ce qu'il savait. Tu es modelé à son image. Et tu rejetterais ça parce que quelqu'un a violé ta mère ? C'est cela qui compte à tes yeux ?

Les yeux de Richard brillèrent de colère. Il leva les mains, comme s'il voulait étrangler Shota. Mais il les laissa vite retomber le long de ses flancs.

— Mais… si Darken Rahl était mon père…

— Et alors ? lança Shota, excédée. Vas-tu pour autant agir comme lui ? Commettre tout d'un coup des horreurs ? As-tu peur de massacrer des innocents sous prétexte que ton vrai père se nommait Darken Rahl ? Vas-tu oublier ce que t'a appris George Cypher ? Et dire que tu prétends être le Sourcier ! Tu me déçois, Richard. Je croyais que tu étais une *personne*, pas le reflet de ce que les autres pensent de tes ancêtres.

Sous le regard furibond de la voyante, Richard baissa la tête.

— Désolé, Shota… Merci de m'empêcher d'être plus idiot que nature. (Les yeux embués de larmes, il regarda Kahlan.) S'il te plaît, libère-la.

L'Inquisitrice sentit la pression se relâcher, glissa lentement le long du mur et reprit contact avec le sol. Elle voulut approcher de Richard, mais le regard de Shota l'en dissuada et elle baissa les yeux.

La voyante glissa les doigts sous le menton du Sourcier et le força à relever la tête.

— Tu devrais te réjouir, car ton père était plutôt bel homme. Tu as quelques-unes de ses expressions, et c'est à peu près tout. À part son fichu caractère. Et le don.

Richard dégagea son menton.

— Le don ? Je n'en veux pas ! Je hais la magie ! Surtout si elle me vient de Darken Rahl !

— N'oublie pas qu'elle te vient aussi de Zedd, rappela Shota avec une surprenante compassion. C'est ainsi que tu as reçu le don. Il se transmet de génération en génération. Parfois, il en saute une. Et parfois non. Il te vient de deux lignées. En toi, il n'est pas unidimensionnel. Un mélange dangereux !

— Il se transmet, oui ! Comme une difformité.

— Souviens-toi de ça, fit Shota, avant de coucher avec cette femme. D'elle, votre fils recevra le pouvoir d'une Inquisitrice. Et toi, tu lui transmettras le don. Imagines-tu à quel point c'est dangereux ? Un Inquisiteur né avec le don ? Je suis sûre que ça te dépasse… Tu aurais dû la tuer quand je te l'ai dit, enfant stupide ! Avant de trouver un moyen de t'unir à elle.

— J'ai assez entendu ce discours ! grogna Richard. Dois-je te répéter que j'ai vaincu Darken Rahl grâce à elle ? Si je t'avais écoutée, j'aurais perdu. Tu n'es pas venue jusqu'ici pour me rebattre les oreilles avec ces fadaises ?

— Non… Rien de tout ça n'est très important. Je suis ici à cause de ce que tu as fait, pas de ce que tu feras un jour… Richard, le monstre que tu pourrais concevoir avec cette femme n'égalera jamais celui que tu as déjà engendré.

— J'ai empêché Darken Rahl de régner sur le monde. Pour ça, j'ai dû le tuer. Mais je n'ai créé aucun monstre.

— Non, c'est la magie d'Orden qui l'a tué. Je t'avais dit qu'il ne devait pas ouvrir de boîte. Mais tu ne l'as pas abattu avant, comme tu l'aurais dû, et c'est la magie d'Orden qui l'a tué !

— Je n'ai pas pu agir autrement ! C'était la seule solution, et je ne vois pas quelle différence ça fait. Il est mort !

— Il aurait mieux valu le laisser gagner que le forcer à ouvrir la mauvaise boîte.

— Tu es folle ! S'il s'était approprié la magie d'Orden, le monde aurait plié sous son joug. Il ne peut rien y avoir de pire.

— Si, le Gardien… Il aurait été préférable que nous soyons opprimés par Rahl, voire torturés à mort. Ce que tu as provoqué sera dix fois plus terrible.

— De quoi parles-tu donc ?

— Le Gardien du royaume des morts et ses sbires ne peuvent pas entrer dans notre monde parce que le voile les en empêche. Il protège les vivants, si tu préfères. Mais il est déchiré à cause de tes actes. Les tueurs du Gardien rôdent déjà parmi nous.

— Les grinceurs…, souffla Richard.

— Exactement ! En libérant la magie d'Orden, tu lui as permis de déchirer le voile. Si la brèche s'agrandit, le Gardien pourra traverser. Et ce qui se produira dépasse ta pauvre imagination. (Shota souleva du bout de l'index l'Agiel pendu au cou du Sourcier.) Ce qui t'a été infligé avec ça ressemblera à des caresses, comparé à ce qui nous attend tous. Le triomphe de Rahl aurait été cent fois préférable. Tu as condamné tous les êtres vivants à un calvaire sans fin. (Elle ferma le poing sur l'Agiel.) Je pourrais te tuer pour te punir. Te faire souffrir mille morts… Sais-tu à quel point le Gardien convoite ceux qui ont le don ? Et les voyantes comme moi ?

Kahlan vit des larmes rouler sur les joues de Shota. Avec un frisson glacé, elle comprit l'horrible vérité : la voyante n'était pas furieuse, mais morte de peur !

Elle était venue à cause de ça. Pas parce que l'Inquisitrice était toujours en vie, ni pour l'affaire de l'enfant à naître. L'idée qu'une femme pareille soit terrifiée dépassait les pires cauchemars de Kahlan.

— Mais…, souffla Richard. Il… il doit y avoir un moyen d'empêcher ça… Nous pouvons agir.

— Nous ? cria Shota en abattant son poing sur la poitrine du Sourcier. Non ! Toi, Richard Rahl ! Toi seul as une chance de sauver le monde.

— Moi ? Mais pourquoi ?

— Je n'en sais rien ! (Shota le frappa de nouveau.) Mais c'est ainsi ! Personne d'autre n'a le pouvoir requis. Toi seul peux refermer la déchirure du voile. Toi, un enfant stupide ! Le roi des crétins !

Kahlan en fut pétrifiée… Comment imaginer une chose pareille ? Le Gardien et ses hordes lâchés sur le monde… Mais l'angoisse de Shota lui donnait une idée de l'horreur que ça représentait.

— Shota, dit Richard, je ne connais rien à tout ça. Et je n'ai pas la moindre idée de…

— Tu dois agir ! cria la voyante sans cesser de le frapper. Trouve un moyen ! Sais-tu ce que le Gardien me fera s'il me capture ? Et si mon sort t'indiffère, pense au moins à toi ! Ton destin sera encore pire. Et si tu t'en fiches aussi, pense à Kahlan. Il la torturera jusqu'à la fin des temps, simplement parce qu'elle t'aime. Et parce que ça te fera souffrir davantage. Nous serons tous prisonniers entre la vie et la mort, nous tordant d'angoisse. (À présent, la voyante pleurait comme une enfant.) Il nous arrachera nos âmes et les gardera pour toujours !

Richard attira Shota contre lui et la serra dans ses bras.

— Pour toujours, Richard… Des spectres sans âme piégés par les morts. Une éternité de tourments. Mais tu es trop bête pour le comprendre… avant que ça n'arrive !

Kahlan approcha du Sourcier et lui posa une main sur l'épaule. Le voir réconforter Shota ne l'agaçait pas, car elle mesurait la détresse de la voyante. Elle ne pouvait pas partager sa peur, faute d'en savoir aussi long qu'elle, mais être témoin de sa terreur suffisait…

— Des grinceurs se sont infiltrés dans l'Allonge d'Agaden…, dit Shota entre deux sanglots.

— Chez toi ? s'écria Richard.

— Oui. Ces monstres sont venus avec un sorcier très dangereux. Samuel et moi nous en sommes tirés par miracle.

— Un sorcier ? (Richard repoussa doucement la voyante.) C'est impossible. Zedd est le dernier.

— Eh bien, il y en a un dans l'Allonge, avec des grinceurs. Dans mon domaine !

— Shota, vous en êtes sûre ? ne put s'empêcher de demander Kahlan. C'est peut-être un imposteur. À part Zedd, tous les sorciers sont morts.

— Crois-tu qu'on puisse me tromper au sujet de la magie ? Je sais reconnaître un sorcier quand j'en vois un. Et surtout quand il utilise son feu contre moi. Celui-là, aussi jeune soit-il, est bien un sorcier, et il a le don. J'ignore d'où il vient et pourquoi nul n'en a jamais entendu parler. Mais il était là avec les grinceurs !

» Je ne vois qu'une explication : il s'est vendu au Gardien et il exécute sa volonté. Ce sorcier travaille à déchirer le voile. Ça signifie que le Gardien a des agents dans notre monde. Darken Rahl était sans doute du nombre. Voilà pourquoi il pouvait utiliser la Magie Soustractive.

Shota se tourna vers Richard.

— Si le Gardien a engagé un sorcier, c'est qu'il en faut un pour déchirer le voile. Tu as le don, et tu es un sorcier. Abruti, certes, mais un sorcier quand même ! Ne me demande pas pourquoi, mais toi seul peux réparer le voile.

— Que vas-tu faire ? demanda Richard à la voyante en écrasant une larme, sur sa joue.

— Je retourne chez moi ! dit Shota, les dents serrées. Pour reconquérir mon domaine !

— Mais s'ils t'en ont chassée…

— Ils m'ont attaquée par surprise ! Ce sera différent… Je suis venue te dire que tu es un crétin, et t'inciter à agir. Si tu ne répares pas le voile, nous serons tous perdus… (Elle se détourna.) Je pars ! Le Gardien perdra son agent, parce que je lui volerai son don. Sais-tu comment on peut faire ça ?

— Non, dit Richard, soudain très attentif. J'ignorais que c'était possible.

— Oh si ! (Shota se retourna.) Si on écorche vif un sorcier, la magie s'écoule de lui avec son sang. C'est le seul moyen de voler le don. Je le pendrai par les pouces et je l'équarrirai lentement. Sa peau tapissera mon trône ! Assise dessus, je le regarderai hurler à la mort pendant que la magie l'abandonnera. (Elle leva le poing.) En tout cas, je mourrai en essayant !

— Shota, j'ai besoin d'aide. Je ne sais rien de la magie, et…

— Ce que je peux te dire ne te sera pas utile…

— Mais tu sais quelque chose, n'est-ce pas ? (La voyante hocha la tête.) Parle quand même, tant pis si ça ne m'aide pas…

— Tu seras piégé dans le temps, dit Shota, des larmes perlant de nouveau à ses paupières. Ne me pose pas de questions, parce que je n'en sais pas plus. Pour réparer le voile, tu devras d'abord échapper à ce traquenard. Sinon, le Gardien passera dans notre monde. Et si tu refuses d'apprendre ce que le don doit t'enseigner, tu échoueras.

Richard marcha jusqu'à l'autre bout de la pièce et tourna le dos aux deux femmes. Une main sur la hanche, il se passa l'autre dans les cheveux.

Kahlan ne leva pas les yeux vers Shota, jugeant inutile de croiser son regard quand elle n'y était pas obligée.

— Peux-tu me dire autre chose ? demanda le Sourcier.

— Non. Crois-moi, si j'en savais plus long, je m'empresserais de te le révéler. Je n'ai aucune envie de me retrouver face au Gardien.

Richard réfléchit quelques instants. Puis il fit demi-tour et vint se camper devant Shota.

— J'ai des migraines atroces…

— Le don, je sais…

— Trois « Sœurs de la Lumière » sont venues ici. À les en croire, je dois partir avec elles pour apprendre à contrôler le don. Sinon, les maux de têtes me tueront. Que peux-tu me dire sur ces femmes ?

— Je ne sais pas grand-chose au sujet des sorciers… Les Sœurs de la Lumière ont un rapport avec eux. Elles les forment, je crois. À part ça, j'ignore même d'où elles viennent. On les voit seulement quand elles ont repéré quelqu'un qui a le don…

— Si je ne les suis pas, vais-je mourir ?

— Sans leur formation, le don te tuera. Ça, c'est sûr…

— Sont-elles mon seul espoir ?

— Là, tu m'en demandes trop… Mais si tu ne contrôles pas le don, tu n'échapperas pas au piège, et le voile se déchirera totalement. Et toi, tu seras mort de tes migraines !

— Donc, tu penses que je dois les accompagner ?

— Non. Contrôler le don est indispensable. Mais il peut y avoir un autre chemin pour y arriver.

— Lequel ?

— Je n'en sais rien, Richard. D'ailleurs, il n'en existe peut-être pas. Désolée, je ne peux rien pour toi. Seuls les imbéciles donnent leur avis sur un sujet dont ils ignorent tout. N'attends pas que je me comporte ainsi.

— Shota, je suis perdu… Les Sœurs, le don, le Gardien… Tout ça me dépasse. Aide-moi, je t'en prie !

— Je t'ai révélé tout ce que je sais, et je suis aussi perdue que toi. De plus, contrairement à toi, je n'ai aucun moyen de modifier le cours des choses. Et j'ai peur de devoir regarder le Gardien en face pour l'éternité. Depuis que j'ai appris tout ça, dormir m'est impossible. Je donnerais cher pour pouvoir t'aider, mais le royaume des morts dépasse ma compréhension. Aucun être vivant ne l'a jamais affronté.

— Shota, insista Richard, je ne sais pas quoi faire et j'ai très peur !

— Moi aussi… (La voyante lui caressa furtivement la joue.) Au revoir, Richard…

Ne lutte pas contre ta nature, sers-t-en ! (Elle se tourna vers Kahlan.) S'il existe un moyen d'aider Richard, je sais que tu feras de ton mieux…

Elle s'éloigna de sa démarche légère – comme si elle glissait sur l'air – et ouvrit la porte. Samuel l'attendait dehors.

— Richard, dit-elle sans se retourner, si tu parviens à refermer le voile et à nous sauver du Gardien, je t'en serai éternellement reconnaissante.

— Merci, Shota…

— Mais n'oublie pas : si tu fais un enfant à la Mère Inquisitrice, ce sera un garçon. Et aucun de vous n'aura la force de le tuer. Ma mère a connu les âges sombres… Moi, je suis capable d'exécuter un bébé. Et je le ferai, tu peux me croire. Mais sache qu'il n'y aura rien de personnel là-dedans.

Quand la porte se fut refermée, la maison des esprits parut soudain très vide. Et très paisible…

Kahlan baissa les yeux sur ses mains et vit qu'elles tremblaient. Elle aurait voulu que Richard la prenne dans ses bras, mais il regardait la porte, blanc comme un linge.

— Je n'en crois pas mes oreilles…, souffla-t-il. C'est un cauchemar ?

— Richard, qu'allons-nous faire ?

— Oui, c'est ça : un cauchemar…

— Si tu as raison, nous le partageons… Qu'allons-nous faire ?

— Pourquoi me pose-t-on toujours cette question ? Bon sang, je n'ai pas réponse à tout !

— Peut-être pas, mais tu es le Sourcier.

— Je ne sais rien du royaume des morts et du Gardien.

— Comme tout le monde, selon Shota…

Richard sortit soudain de son hébétude.

— Dans ce cas, nous devons interroger les morts !

— Pardon ?

— Les esprits des ancêtres ! Nous pouvons leur parler. Il suffit de demander qu'on organise un conseil des devins… Nous obtiendrons peut-être la réponse à mes trois questions : comment refermer le voile, enrayer les migraines et apprendre à contrôler le don. Viens, allons voir si c'est faisable.

Kahlan eut envie de sourire malgré sa tristesse. Un Sourcier restait un Sourcier !

Ils slalomèrent entre les bâtiments, courant dès qu'ils y voyaient assez. Avec les nuages qui cachaient la lune, ce n'était pas si fréquent…

Sur la place centrale, des torches éclairaient les villageois massés derrière une ligne de chasseurs prêts au combat. Les Hommes d'Adobe ignoraient que Shota était partie… Voyant approcher les deux jeunes gens, quelques chasseurs s'écartèrent, révélant l'Homme Oiseau et les six Anciens, Chandalen à leurs côtés.

— *Il n'y a plus de danger*, annonça Kahlan. *La voyante est partie.*

Un soupir de soulagement monta de toutes les gorges.

— *Une fois encore*, grogna Chandalen, *vous avez attiré le malheur sur nous !*

Richard ignora l'intervention et demanda à Kahlan de traduire ce qu'il allait dire.

— Honorables Anciens, fit-il, les regardant tous avant de fixer son attention sur l'Homme Oiseau, la voyante n'est pas venue pour nous nuire, mais pour m'avertir d'un grand danger.

— *C'est ce que tu prétends !* lança Chandalen. *Qui nous prouve que c'est vrai ?*

Kahlan vit Richard lutter pour garder son calme.

— Si elle avait voulu t'envoyer rejoindre tes ancêtres, crois-tu que tu respirerais encore ?

Chandalen ne répondit pas, mais ses yeux brûlaient de rage.

L'Homme Oiseau le foudroya du regard puis se tourna vers Richard.

— *De quel danger s'agit-il ?*

— Les morts risquent d'envahir le royaume des vivants…

— *C'est impossible, car le voile les en empêche.*

— Le Peuple d'Adobe connaît l'existence du voile ?

— *Oui… Chaque niveau du royaume des morts est isolé par un voile. Quand nous tenons un conseil des devins, nous invitons les esprits de nos ancêtres à nous rendre visite. Ils peuvent alors traverser le voile un court moment…*

— Et que peux-tu me dire d'autre à ce sujet ?

— *Rien… Nous savons seulement ce que nos ancêtres nous ont révélé : ils peuvent traverser quand nous les appelons. Le reste du temps, le voile les en empêche. Selon eux, le royaume des morts compte plusieurs niveaux. Étant au plus élevé, ils peuvent venir. Les esprits que personne n'honore peuplent les niveaux inférieurs, et ils sont prisonniers à jamais.*

— Le voile est déchiré, dit Richard. Si on ne le répare pas, les morts déferleront sur nous. (Des cris d'angoisse montèrent de la foule.) Honorable Homme Oiseau, je demande un conseil des devins ! Les esprits de nos ancêtres m'aideront peut-être à réparer le voile avant que le Gardien ne traverse.

— *Des mensonges !* cria Chandalen en martelant le sol avec l'embout de sa lance. *La voyante t'a truffé l'esprit de fadaises, et tu voudrais que nous convoquions un conseil des devins ? Nous faisons cela pour les membres de notre peuple, pas pour des folles de cette espèce ! Les esprits nous tueront tous si nous blasphémons ainsi !*

— La voyante n'a rien demandé, répondit Richard. C'est moi qui présente cette requête. Je suis un Homme d'Adobe et j'agis ainsi pour protéger les miens.

— *À cause de toi, la mort nous a frappés. Des étrangères sont venues, puis cette messagère du mal. C'est toi que tu entends protéger ! Et d'abord, comment le voile a-t-il été déchiré ?*

Richard déboutonna sa manche et la retroussa. Puis il dégaina l'Épée de Vérité, et, sans quitter Chandalen des yeux, passa le tranchant sur son avant-bras. Après avoir essuyé le sang avec le plat de la lame – des deux côtés – il planta l'arme dans le sol et prit appui des deux mains sur la garde.

— Kahlan, traduis chaque mot que je vais dire… (La voix du Sourcier était calme, presque douce, mais une lueur de mauvais augure brillait dans son regard.) Chandalen, si tu prononces encore une parole ce soir, même pour m'approuver et m'offrir ton aide, je te tuerai. Les révélations de la voyante m'ont donné très envie d'embrocher quelqu'un. Fournis-moi encore une raison, et ce sera toi !

Tous les Anciens écarquillèrent les yeux. Chandalen ouvrit la bouche pour parler, mais il se ravisa et croisa les bras. Enfin, il baissa vers le sol son regard furieux – la colère d'un enfant, comparée à celle de Richard.

— Homme Oiseau, reprit Richard, tu me connais et tu sais que je ne ferais rien pour nuire à notre peuple. Si j'avais le choix, je ne te demanderais pas de convoquer le conseil… Accéderas-tu à ma requête ?

L'Homme Oiseau consulta les Anciens du regard. Tous hochèrent la tête. Kahlan n'en fut pas surprise. Savidlin était leur ami, et les autres avaient déjà tenté de s'opposer à Richard. Aucun n'avait envie de recommencer ! Mais le vrai chef, c'était l'Homme Oiseau…

— *Je n'aime pas ça…*, dit-il. *Appeler les ancêtres pour les interroger sur leur monde… D'habitude, nous leur posons des questions sur le nôtre. Ils pourraient détester ça et se mettre en colère. Ou simplement refuser. Mais comme tu l'as dit, Richard, je te connais. Tu as déjà sauvé notre peuple, et tu ne prendrais pas ce risque s'il était évitable.* (Il posa une main sur l'épaule du Sourcier.) *Ta demande est acceptée.*

Kahlan soupira de soulagement et Richard remercia l'Homme d'Adobe d'un signe de tête.

Après sa première expérience, dévastatrice, l'Inquisitrice savait que le Sourcier ne mourait pas d'envie de rencontrer de nouveau les esprits.

Soudain, une ombre passa à toute vitesse dans l'air. Kahlan leva les mains pour se protéger. Frappé à la tête, Richard recula de quelques pas sous les cris effrayés des villageois.

Une forme noire tomba sur le sol entre l'Homme Oiseau et le Sourcier, dont le front ruisselait de sang.

L'Homme d'Adobe se pencha et ramassa le cadavre d'un hibou, le cou brisé et les ailes déployées. Les Anciens se regardèrent, inquiets. Chandalen plissa le front mais ne dit rien.

— Pourquoi ce hibou m'a-t-il attaqué ? Et pourquoi est-il mort ?

— *Les oiseaux vivent dans le ciel, à un niveau différent du nôtre. En réalité, ils évoluent sur deux niveaux : la terre et le ciel. Ainsi, ils ont un lien très fort avec le monde des esprits. Surtout les hiboux, qui voient la nuit alors que nous y sommes aveugles – comme nous sommes aveugles au royaume des morts. Je suis un guide spirituel pour notre peuple. Seul un Homme Oiseau peut remplir cette fonction, parce qu'il comprend ce genre de choses.* (Il montra à tous le volatile mort.) *C'est un avertissement. La première fois que je vois un hibou délivrer un message des esprits… Il a sacrifié sa vie pour te prévenir, Richard. Je t'en prie, réfléchis encore à ta requête. Les esprits viennent de nous signifier qu'elle est très dangereuse…*

Le Sourcier regarda le hibou mort puis lui caressa les plumes.

— Dangereuse pour moi, ou pour les Anciens ?

— *Pour toi. Tu demandes la réunion d'un conseil, et c'est toi que l'oiseau a frappé… Le message t'est adressé.* (Il regarda le front du jeune homme.) *Du sang… Une des pires sortes d'avertissement… Quant à l'oiseau, seul un corbeau aurait pu être un pire présage : l'annonce d'une mort certaine.*

Richard retira sa main et l'essuya sur sa chemise.

— Je n'ai pas le choix, souffla-t-il. Si je ne fais rien, le voile finira de se déchirer et le Gardien viendra à nous. Alors, nous serons tous aspirés dans le royaume des morts. Homme Oiseau, je dois prendre le risque !

— *Qu'il en soit ainsi... Il faudra trois jours pour préparer le conseil.*

— La dernière fois, deux ont suffi. Nous n'avons pas de temps à perdre.

— *Deux jours...*, soupira l'Homme d'Adobe, résigné.

— Merci, honorable Ancien. (Richard se tourna vers Kahlan, les yeux plissés de douleur.) Peux-tu aller chercher Nissel ? Et lui demander un médicament plus fort ? Je serai dans la maison des esprits.

— J'y vais !

Richard retira son épée du sol et s'éloigna dans l'obscurité.

Chapitre 13

L a cause de la mort... La sœur leva les yeux et mordilla pensivement le bout de son porte-plume en bois. La minuscule pièce, très modeste, était chichement éclairée par des chandelles disposées à côté et au sommet des piles de documents éparpillées sur son bureau. Entre de gros livres, des rouleaux de parchemin s'entassaient en équilibre précaire. Sous la masse de rapports en attente, on apercevait à peine la surface patinée par le temps du vieux meuble.

Sur les étagères, derrière la femme, une impressionnante collection d'artéfacts magiques prenait la poussière depuis des lustres. Les domestiques, absolument irréprochables, n'avaient pas le droit de les épousseter. La sœur aurait dû s'en charger, mais le temps et l'envie lui en manquaient. De plus, dans cet état, les objets semblaient bien plus mystérieux et importants aux yeux de ses visiteurs.

Des tentures voilaient les fenêtres. La seule tache de couleur, en ce lieu de retraite, était le tapis bleu et jaune – une spécialité locale – placé de l'autre côté du bureau. En général, ses visiteurs passaient leur temps à le regarder...

Cause de la mort... Les rapports, quelle corvée ! Peut-être, mais ils étaient nécessaires. Pour le moment, en tout cas. Le Palais des Prophètes exigeait des tombereaux de rapports. Certaines sœurs ne sortaient quasiment jamais des bibliothèques, occupées à classer et à materner ces documents, enregistrant jusqu'au dernier bavardage qui pouvait, un jour, se révéler capital.

Eh bien, il ne lui restait plus qu'à trouver une cause acceptable de la mort. Dire la vérité était hors de question. Les autres sœurs voudraient une explication satisfaisante, car elles accordaient une grande valeur aux détenteurs du don. Les imbéciles !

Un accident au cours d'une formation ? Parfait ! Voilà des années qu'elle n'avait plus fait ce coup-là. Ravie, elle trempa sa plume dans l'encre et écrivit : « *Cause de la mort : un accident avec le Rada'Han lors d'une formation. Comme je l'ai souvent souligné, une brindille, aussi jeune et souple fût-elle, finit par casser si on la plie trop.* »

Qui contesterait cela ? Tout le monde se demanderait qui était responsable – en évitant de trop creuser, pour ne pas être accusé.

Alors que la sœur tamponnait son texte avec un buvard, quelqu'un gratta à sa porte.

— Un moment, je vous prie…

Elle prit la lettre du garçon, l'approcha de la flamme d'une bougie, la regarda se consumer puis la jeta dans la cheminée éteinte. Le sceau brisé avait fondu, formant une étrange pâte rouge. Le gamin n'écrirait plus jamais rien…

— Entrez.

La porte s'ouvrit assez pour laisser passer une tête.

— Ma sœur, c'est moi, dit une petite voix.

— Ne reste pas plantée là comme une novice. Entre et ferme la porte.

La femme obéit après avoir jeté un regard inquiet dans le couloir. Contrairement aux autres visiteurs, elle ne baissa pas les yeux sur le tapis.

— Sœur…

— Arrête ! Pas de nom quand nous sommes seules. Combien de fois te l'ai-je répété !

La femme sonda les murs comme si elle s'attendait à en voir sortir quelqu'un.

— Vous avez sûrement protégé votre bureau…

— Bien entendu, par un bouclier ! Mais la brise peut toujours charrier nos paroles jusqu'à de mauvaises oreilles. Si ça arrivait, tu ne voudrais pas que nos noms y figurent.

— Évidemment que non ! Vous avez raison… (La femme se tordit les mains.) Un jour, ces précautions ne seront plus nécessaires. Je déteste devoir me cacher. Mais nous pourrons bientôt…

— Qu'as-tu découvert ? coupa la sœur.

Elle regarda la femme lisser sa robe puis poser le bout des doigts sur le bureau et se pencher en avant. Ses yeux brillaient de férocité. Des yeux étranges, bleu pâle avec des taches de violet. La sœur avait toujours du mal à ne pas les sonder…

— Nous l'avons trouvé !

— Tu as vu le livre ?

— Oui, au moment du dîner. J'ai attendu que les autres soient à table. Le sujet a refusé la première offre !

— Quoi ? s'écria la sœur. Tu en es sûre ?

— C'était écrit dans le livre magique. Et il n'y a pas que ça… Le sujet est un adulte.

— Un adulte ? Laquelle de nos sœurs a dû mettre fin à ses jours ?

— Quelle importance ? Toutes les trois sont des nôtres.

— Non. Je n'ai pas pu en envoyer trois, mais seulement deux. L'une d'elles est une Sœur de la Lumière.

— Pourquoi avoir permis ça ? C'est tellement important…

— Silence ! dit la sœur en tapant sur son bureau. Réponds à ma question !

— Sœur Grace s'est donné la mort.

— C'était l'une des nôtres…

— Alors, il n'en reste qu'une… Est-ce sœur Elizabeth ou sœur Verna ?

— Tu n'as pas à le savoir.

— Pourquoi ? Je déteste être toujours dans l'ignorance. Ne pas pouvoir dire si je parle à une Sœur de la Lumière… ou à une Sœur de l'Obscurité.

— Ne prononce plus jamais ces deux mots à voix haute ! s'écria la sœur en tapant de nouveau du poing. Ou je t'enverrai en pièces détachées à Celui Qui N'A Pas De Nom !

Cette fois, la visiteuse blêmit et baissa les yeux sur le tapis.

— Pardonnez-moi…

— Les Sœurs de la Lumière pensent que nous sommes un mythe. Si ce nom atteignait leurs oreilles, elles se poseraient des questions. Ne le prononce plus jamais ! Si les sœurs te démasquaient, elles te passeraient un Rada'Han autour du cou avant que tu puisses dire « ouf ».

— Mais je…, fit la visiteuse en portant les mains à sa gorge.

— Tu t'arracherais les yeux pour ne pas les voir t'interroger jour après jour. C'est pour ça que tu ignores le nom de nos compagnes. Ainsi, même sous la torture, tu ne pourras pas les trahir. Et il en va de même pour elles. Aucune ne sait qui tu es. C'est une façon de nous protéger, afin que nous puissions lutter pour la cause. À part moi, tu ignores qui d'autre est dans notre camp.

— Ma sœur, je me couperais la langue avec les dents plutôt que vous dénoncer.

— Tu dis ça maintenant… Avec un Rada'Han autour du cou, tu les implorerais de te laisser dire mon nom, si elles consentaient à te l'enlever… Et que je te pardonne ou pas n'aurait pas d'importance. Si tu faillis, Celui Qui N'A Pas De Nom n'aura pas pitié de toi. Quand tu croiseras son regard, tout ce qu'on aura pu t'infliger avec le Rada'Han de ton vivant ressemblera à une agréable partie de campagne…

— Mais je sers le… j'ai prêté serment…

— Les scriteurs loyaux seront récompensés quand Celui Qui N'A Pas De Nom traversera le voile. Ceux qui l'auront trahi, ou combattu, auront l'éternité pour regretter leur erreur.

— Bien entendu, ma sœur… Je vis pour le servir. Et je ne décevrai jamais notre maître.

— Tu le jures sur ton âme ?

— J'ai prêté serment ! s'indigna la visiteuse en relevant ses yeux tachés de violet, brillants de défi.

— Comme nous toutes, ma sœur… Comme nous toutes… Le livre disait-il autre chose ?

— Je n'ai pas pu tout lire, mais j'ai quelques informations. Le sujet est avec la Mère Inquisitrice. Il doit même l'épouser…

— La Mère Inquisitrice… Ce n'est pas un problème ! Autre chose ?

— C'est le Sourcier.

La sœur frappa de nouveau sur son bureau.

— Maudite soit la Lumière ! Le Sourcier ! Mais bon, nous ferons avec… C'est tout ce que tu sais ?

— Il est adulte et très fort. Pourtant, les migraines lui ont fait perdre conscience deux jours seulement après l'activation du don.

La sœur se leva lentement, les yeux écarquillés.

— Deux jours ? Tu es sûre d'avoir bien lu ?

— Oui, c'est ce que disait le livre. Mais ça n'est pas nécessairement exact. D'ailleurs, je ne vois pas comment ça pourrait l'être…

— Deux jours, répéta la sœur en se rasseyant. Il faut d'urgence que cet homme ait un Rada'Han autour du cou !

— Même les Sœurs de la Lumière seraient d'accord avec vous, pour une fois... Au fait, elles ont envoyé un message en retour. Signé par la Dame Abbesse.

— Elle a donné directement des ordres ?

— Oui... J'aimerais tant savoir si elle est avec ou contre nous !

La sœur ignora la remarque.

— Que disait-elle ?

— S'il refuse la troisième offre, sœur Verna devra le tuer. Vous comprenez cet ordre ? S'il agit ainsi, avec la force de son don, il lui restera à peine quelques semaines à vivre. Alors, pourquoi l'exécuter ?

— As-tu entendu parler d'un sujet ayant décliné la première offre ?

— Non, je ne crois pas...

— C'est une des règles... Si un sujet refuse les trois offres, il doit être abattu, pour lui épargner la souffrance et la folie qui l'attendent. Tu n'as jamais vu un ordre pareil, parce qu'un cas de ce genre ne s'est jamais présenté à toi.

» Moi, j'ai passé du temps à étudier les prophéties, dans les catacombes, et j'ai découvert cette règle. La Dame Abbesse les connaît toutes, jusqu'à la plus ancienne et obscure. Et elle a peur, car elle a eu les mêmes lectures que moi.

— La Dame Abbesse a peur ? Je ne l'ai même jamais vue inquiète...

— Pourtant, elle est effrayée... Pour nous, les deux options sont favorables. S'il accepte le collier, nous nous occuperons de lui à notre façon, comme d'habitude. S'il est tué, ça nous évitera du travail. En y réfléchissant bien, il vaudrait peut-être mieux qu'il meure, avant que les Sœurs de la Lumière découvrent qui il est. Si ce n'est pas déjà fait...

— Si elles savent, certaines Sœurs de la Lumière voudront le tuer même s'il accepte une offre.

— Tu as raison... Quel dilemme mortel pour elles ! Et quelle formidable occasion pour nous ! (La sœur se rembrunit soudain.) Et nos autres affaires en cours ?

— Ranson et Weber attendent là où vous le leur avez ordonné. Ils se rengorgent un peu trop, parce qu'ils ont passé toutes les épreuves et seront bientôt libérés. (La visiteuse eut un sourire sadique.) Je leur ai rappelé qu'ils portaient toujours le collier. Vous n'avez pas entendu leurs genoux s'entrechoquer ?

— J'ai des leçons à donner... Tu me remplaceras. Dis aux autres que les rapports m'accaparent. J'irai voir nos deux amis. Ils ont peut-être réussi toutes les épreuves de la Dame Abbesse, mais pas les miennes. L'un d'eux doit encore prêter serment. Et l'autre...

La visiteuse se pencha davantage sur le bureau, l'air avide.

— Lequel allez-vous... J'aimerais tant regarder ce spectacle. Vous me raconterez tout ?

— C'est promis, du début à la fin. Jusqu'au dernier cri. À présent, va t'occuper de mes leçons...

La visiteuse sortit d'une démarche d'écolière joyeuse. Elle s'excitait trop, et c'était dangereux. Ce genre de passion perverse poussait à oublier la prudence. Sortant un couteau de son tiroir, la sœur nota mentalement d'avoir moins recours à elle à l'avenir… et de la surveiller de près.

Elle éprouva le tranchant de la lame du bout du pouce. Satisfaite du résultat, elle glissa le couteau dans la manche qui ne contenait pas le dacra. Puis elle prit une statuette poussiéreuse, sur une étagère, et la glissa dans sa poche. Avant de sortir, elle se souvint qu'il lui manquait un objet essentiel et retourna chercher le nerf de bœuf posé contre un flanc de son bureau.

À cette heure tardive, les couloirs étaient quasiment déserts. Malgré la chaleur, la sœur resserra les pans de son manteau. Penser à ce nouveau sujet né avec le don la faisait frissonner. Un adulte !

Troublée, la sœur avança en silence dans le long couloir au sol couvert d'un épais tapis. Elle passa devant des torches fixées aux murs lambrissés, des dessertes décorées de fleurs séchées et des fenêtres aux lourds rideaux qui donnaient sur la cour intérieure et le mur d'enceinte. Dans le lointain, les lumières de la ville dansaient comme des lucioles. Un air légèrement fétide s'infiltrait par les fenêtres. On ne devait pas être loin de la marée basse…

Les domestiques affairés à tout astiquer se jetèrent à genoux sur le passage de la sœur. Elle les remarqua à peine et ne daigna pas les saluer. Cette vermine ne méritait pas son attention.

Un sujet adulte !

La sœur s'empourpra de colère à cette idée. Comment était-ce possible ? Quelqu'un avait dû commettre une erreur. Une tragique omission. Oui, ce devait être ça…

Une servante agenouillée pour nettoyer une tache, sur le tapis, leva les yeux juste à temps pour s'écarter en s'écriant : « Pardonnez-moi, ma sœur ! »

Aplatie comme une carpette, elle s'excusait encore bien après que la sœur l'eut dépassée.

Un adulte ! Ce sujet-là aurait déjà été difficile à traiter dans sa prime enfance. Alors, maintenant… De frustration, la sœur se tapota la cuisse avec son nerf de bœuf. Deux autres servantes, debout sur son passage, se jetèrent à genoux en entendant ce son, les yeux fermés derrière leurs mains jointes.

Eh bien, adulte ou pas, le gaillard aurait un Rada'Han autour du cou et une myriade de sœurs pour le garder à l'œil. Cela dit, il s'agissait en plus du Sourcier. Un homme difficile à contrôler, à n'en pas douter. Et terriblement dangereux…

S'il le fallait, décida-t-elle, il pourrait toujours avoir un « accident lors de sa formation ». Sinon, d'autres dangers menaçaient les sujets, certains risquant de les laisser dans un état pire que la mort. Mais si elle pouvait le « retourner », ou au moins l'utiliser, le jeu en vaudrait la chandelle.

Elle s'engagea dans un couloir qu'elle avait d'abord cru désert, puis remarqua une jeune femme qui regardait par une fenêtre. Une des novices, lui sembla-t-il… Elle s'arrêta derrière la fille et croisa les bras. Sur la pointe des pieds, la novice s'appuyait des coudes au rebord de la fenêtre pour mieux regarder le portail du mur d'enceinte.

La sœur se racla la gorge. La jeune femme se retourna, poussa un petit cri et se fendit d'une révérence exagérée.

— Pardonnez-moi, ma sœur, je ne vous avais pas entendue. Permettez-moi de vous souhaiter le bonsoir…

Quand la fille releva un peu les yeux, la sœur lui glissa son nerf de bœuf sous le menton pour la forcer à la regarder en face.

— Tu t'appelles Pasha, je crois ?

— Oui, ma sœur. Pasha Maes. Novice du troisième niveau. Sur le point de prononcer mes vœux.

— Sur le point… La présomption, ma fille, ne sied pas à une sœur et moins encore à une novice. Même du troisième niveau.

Pasha baissa la tête autant qu'elle le put malgré le nerf de bœuf.

— Vous avez raison, ma sœur. Pardonnez-moi.

— Que fais-tu ici ?

— J'admirais les étoiles… C'est tout.

— Les étoiles ? Il me semble plutôt que tu regardais le portail. Aurais-je tort, novice ?

Pasha essaya de baisser encore la tête, mais le nerf de bœuf l'en empêcha, la forçant de nouveau à croiser le regard de la sœur.

— Non, ma sœur, vous ne vous trompez pas. Je regardais le portail. (Elle hésita, se mordillant les lèvres.) J'ai entendu les autres filles bavarder… Il paraît que trois sœurs, parties en mission il y a longtemps, vont bientôt revenir. Ça signifie qu'elles ramèneront un nouveau sujet né avec le don. Depuis des années que je suis ici, je n'ai jamais vu ça. Vous savez, je vais bientôt… enfin, j'espère bientôt prononcer mes vœux. Pour ça, je devrai m'occuper de ce nouveau. J'ai tellement envie de devenir une sœur ! J'ai travaillé si dur dans ce but ! Et attendu si longtemps ! Hélas, aucun nouveau n'est jamais venu. Pardonnez-moi, ma sœur, mais je suis tellement excitée par cette histoire… Alors, je surveillais le portail pour voir le nouveau arriver…

— Tu te crois assez forte pour te charger de lui ?

— Oui. J'étudie et je m'entraîne chaque jour.

— Vraiment ? Fais-moi voir ça…

Alors que les deux femmes se dévisageaient, la sœur sentit ses pieds se décoller du sol de quelques pouces. Une poussée solide et forte sur l'air. Pas mal du tout… La sœur se demanda si Pasha saurait résister à des interférences. Aussitôt, des flammes apparurent aux deux extrémités du couloir et fondirent sur elles. La novice ne broncha pas, mais les flammes heurtèrent deux murailles d'air avant de les atteindre. Opposer l'air au feu n'étant pas idéal, Pasha corrigea cette petite erreur. Avant que les flammes ne les embrasent, les murailles se liquéfièrent et les éteignirent.

Bien qu'elle n'eût pas essayé, la sœur savait qu'elle ne pourrait pas bouger. La prison d'air de Pasha était trop solide…

La sœur la transforma en glace et la brisa. Une fois libre, elle souleva à son tour Pasha du sol. Les toiles défensives de la novice se déployèrent sans parvenir à repousser l'attaque. Mais les pieds de la sœur quittèrent de nouveau le tapis. Impressionnant. Même emprisonnée, la fille réussissait à riposter.

Les sorts s'affrontèrent, s'entrelacèrent et se nouèrent, les attaques et les défenses se succédant à un rythme infernal.

Le duel silencieux continua, chaque femme en suspension dans les airs.

Lassée de ce jeu, la sœur se dégagea des toiles magiques et les suspendit à la novice. Se posant en douceur sur le sol, elle laissa Pasha supporter toute la charge. Une façon simple, mais sournoise, de rompre un combat : laisser l'autre se débattre avec ses propres sorts d'attaque et de défense, plus ceux de son adversaire. Pasha n'avait pas prévu le coup et fut incapable de s'en sortir. Ce genre de ruse ne s'enseignait pas aux novices.

Le visage ruisselant de sueur, la jeune femme eut un rictus de douleur. Les forces qui se déchaînaient dans le couloir firent se relever tous les coins des tapis. Dans leurs supports, les torches tremblaient. Pasha laissa exploser sa colère, le front plissé. Elle brisa les sorts et l'onde de choc fit exploser un miroir, tout au bout du couloir.

— Je n'avais jamais vu quelqu'un faire ça, ma sœur, dit-elle en retombant sur le sol. Ce n'est pas… réglementaire.

Le nerf de bœuf souleva de nouveau le menton de la novice.

— Les règlements sont conçus pour les jeux d'enfants, ma fille. Et tu n'es plus une gamine. Quand tu auras prononcé tes vœux, tu affronteras des situations où les règles n'ont pas cours. Il faut t'y préparer. Sinon, tu risques de te retrouver du mauvais côté d'une dague tenue par quelqu'un qui se fiche des « règles ».

— Je comprends… Merci de la leçon.

La sœur sourit intérieurement. Cette enfant avait des tripes. Une qualité rare chez les novices, même du troisième niveau.

Elle étudia de nouveau Pasha : des cheveux bruns jusqu'aux épaules, de grands yeux noirs, un visage agréable, une bouche à rendre les hommes fous, un port de tête altier et des courbes que même sa robe de novice – une version à peine améliorée d'un sac ! – ne parvenait pas à dissimuler.

La sœur laissa glisser son nerf de bœuf le long de la gorge de la fille, puis entre ses seins.

Un sujet adulte…

— Et depuis quand, Pasha, les novices sont-elles autorisées à ne pas boutonner le haut de leurs robes ?

— Excusez-moi, ma sœur, dit la novice en rougissant. Il fait si chaud, cette nuit… Je croyais être seule. Et comme je transpirais… Personne n'étant là, je… Enfin, veuillez me pardonner.

Les doigts de Pasha volèrent vers les boutons. La sœur les écarta doucement avec son nerf de bœuf.

— Le Créateur t'a faite comme tu es. Il ne faut pas en avoir honte. Dans Sa grande sagesse, Il t'a offert la beauté. Seuls les mécréants te blâmeraient de montrer ce qu'Il a sculpté de ses mains.

— Merci, ma sœur… Je n'avais jamais vu les choses de cette façon. Que voulez-vous dire par « mécréants » ?

— Les infidèles qui adorent Celui Qui N'A Pas De Nom ne se cachent pas dans les ombres, mon enfant. Ils peuvent être partout. Peut-être en es-tu une. Ou moi…

Pasha se jeta à genoux.

— Par pitié, ne dites pas cela de vous, même en plaisantant ! Vous êtes une

Sœur de la Lumière, dans le Palais des Prophètes, à l'abri des machinations de Celui Qui N'A Pas De Nom.

— À l'abri ? (Du bout de son nerf de bœuf, la sœur fit signe à Pasha de se relever.) Seul un imbécile se croit à l'abri, même ici. Les Sœurs de la Lumière ne sont pas des idiotes. Elles restent sur leurs gardes, attentives aux murmures du mal, y compris sous leur toit.

— Oui, ma sœur. Merci pour cette nouvelle leçon.

— Penses-y chaque fois qu'on voudra te faire honte à cause de la beauté que le Créateur t'a donnée. Demande-toi pourquoi tes appas font s'empourprer les gens. S'empourprer de luxure, à la manière de Celui Qui N'A Pas De Nom…

— Ma sœur, je ne saurais trop vous remercier. Je n'avais jamais pensé au Créateur de cette façon…

— Il n'agit pas sans bonnes raisons. Tu n'y avais jamais réfléchi ?

— Que voulez-vous dire ?

— Prenons un exemple. Quand Il donne de la force à un homme, a-t-Il une idée en tête ?

— Tout le monde sait ça…Cette force doit être utilisée pour nourrir la famille de l'homme. Afin qu'il fasse son chemin dans la vie et emplisse le Créateur de fierté. En étant paresseux, il gaspillerait le don qu'il a reçu.

— Selon toi, que prévoyait le Créateur quand Il t'a offert un corps si désirable ?

— Eh bien… je… je ne sais pas exactement. Sans doute dois-je m'en servir pour que le Créateur soit… hum… fier de Son œuvre. Mais comment ?

— Réfléchis à la question, mon enfant. Demande-toi pourquoi tu es ici, en ce moment précis. Aucune de nous n'y est par hasard. Nous avons une mission à accomplir.

— Oh, oui ! Aider ceux qui ont le don à le contrôler, afin qu'ils n'entendent pas la voix de Celui Qui N'A Pas De Nom, mais celle du Créateur.

— Et comment nous acquittons-nous de cette mission ?

— Grâce au pouvoir que nous a offert le Créateur, nous guidons ceux qui sont nés avec le don.

— Si le Créateur t'a confié ce pouvoir – une forme de magie – dans un but bien précis, crois-tu qu'Il t'a faite désirable par hasard ? Ou est-ce lié à ta vocation de Sœur de la Lumière ? Un atout que tu dois utiliser pour Le servir ?

— Voilà encore une chose nouvelle pour moi… Comment mes charmes pourraient-ils Le servir ?

— Les voies du Créateur sont impénétrables, mon enfant. Le moment venu, tu sauras…

— Oui, ma sœur, fit Pasha, dubitative.

— Ma fille, quand tu vois un homme doté par le Créateur d'un beau visage et d'un corps parfait, que ressens-tu ?

— Parfois, ça me fait battre le cœur plus fort. Je me sens bien, et il y a quelque chose, dans mon ventre, qui…

La novice vira carrément à l'écarlate.

— Ne rougis pas, petite. Il est naturel de vouloir toucher ce que les mains du Créateur ont façonné. Crois-tu qu'Il s'offusque que tu admires Son œuvre ? Eh bien, il en va de même avec toi : les hommes désirent toucher le corps qu'Il t'a donné. Et ce serait une insulte à Sa face de ne pas mettre ta beauté à Son service.

— Vous m'ouvrez tant d'horizons nouveaux, ma sœur... Plus je vous écoute, plus je m'aperçois que je ne savais rien. J'espère, un jour, devenir une Sœur de la Lumière à demi aussi avisée que vous.

— L'esprit souffle où il veut, Pasha. La vie nous donne des leçons aux moments les plus inattendus. Comme ce soir. (Du bout de son nerf de bœuf, elle désigna la fenêtre.) Tu étais là par curiosité, et voilà que tu as découvert des notions de la plus haute importance.

— Ma sœur, dit Pasha, merci d'avoir pris le temps de m'éclairer. Aucune sœur ne m'avait jamais parlé ainsi...

— Cette leçon, mon enfant, s'écarte un peu des normes du palais. Celui Qui N'A Pas De Nom serait furieux que tu l'aies reçue, alors, garde-la pour toi. En réfléchissant à ce que je t'ai dit, à mesure que les voies du Créateur se révéleront à toi, tu comprendras mieux comment Le servir. Si tu as besoin d'éclaircissements, sache que je serai toujours là pour t'aider. Mais ne parle pas de tout ça aux autres. N'oublie pas : on ne sait jamais qui prête l'oreille aux murmures de Celui Qui N'A Pas De Nom.

— Je serai discrète, ma sœur...

— Une novice doit passer de nombreuses épreuves. Et tout cela est régi par des règles très strictes. Pour devenir une Sœur de la Lumière, l'ultime test est de s'occuper d'un nouveau sujet. À ce moment-là, les règles ne sont plus aussi rigides. Il est difficile de prendre en charge un garçon né avec le don. Mais ne va pas penser que ces jeunes gens sont mauvais...

— Difficile en quoi, ma sœur ?

— Ces individus sont arrachés à leur vie pour vivre dans un endroit inconnu et satisfaire à des exigences qu'ils ne comprennent pas. Ils risquent de se révolter, parce qu'ils ont peur. Nous devons être patientes...

— Ils ont peur de nous et du palais ?

— N'étais-tu pas effrayée quand tu es arrivée ici ?

— Eh bien, si, mais à peine... C'était le rêve de ma vie, vous savez !

— Ce n'est pas toujours le cas pour les nouveaux sujets. Et leur pouvoir les perturbe. Le tien grandit avec toi. Chez eux, il se révèle d'un coup, contre leur volonté. Le Rada'Han éveille leur don et cela les désoriente. Souvent, ça les terrorise. Alors, ils nous combattent.

» La responsabilité d'une novice de ton niveau est de les contrôler, pour leur propre bien, jusqu'à ce que les sœurs puissent les prendre en main. Ta mission sera si difficile que tu devras parfois oublier les règles. Le sujet dont tu t'occuperas ne les connaîtra pas, donc, elles risquent de ne pas suffire. Le collier ne peut pas tout. Quand il échoue, il faut utiliser les armes dont le Créateur nous a dotées. Tu devras prendre toutes les mesures nécessaires pour briser la volonté d'un sorcier sans formation. C'est l'ultime épreuve, mon enfant. Les novices qui échouent sont expulsées du palais.

— J'ignorais tout cela, souffla Pasha.

— Alors, je t'aurai été utile... Je suis ravie que le Créateur m'ait choisie pour t'aider. D'autres que moi y auraient peut-être mis moins de conviction. À ta place, si un nouveau m'était affecté, je viendrais demander conseil à la femme qu'Il a mise sur mon chemin.

— Je le ferai, ma sœur ! Les « difficultés » dont vous parlez m'inquiètent un peu, je dois l'avouer. J'ai toujours cru que les nouveaux seraient avides d'apprendre. À vrai dire, je pensais que les former était une joie.

— Tous sont différents. Certains ressemblent à des nourrissons au berceau... Espérons que le tien sera ainsi. D'autres cherchent l'épreuve de force. Dans les archives, j'ai lu des rapports sur des sujets qui avaient activé leur don avant que nous les découvrions pour leur mettre un Rada'Han et les aider.

— Vraiment ? Cela doit être terrifiant... Sentir le pouvoir sans notre présence pour les guider.

— La peur les rend hostiles, comme je te l'ai dit. J'ai même découvert un sujet qui a refusé la première proposition.

— Mais..., souffla Pasha, bouleversée, dans ce cas, une des sœurs a dû...

— Oui. C'est un prix que nous devons être prêtes à payer. Notre fardeau n'est pas léger, mon enfant.

— Pourquoi ses parents ne l'ont-ils pas forcé à accepter ?

— Eh bien... (La sœur baissa la voix.) Le rapport précise que ce sujet-là était adulte.

— Un adulte ? s'écria Pasha. Si un jeune garçon peut poser des problèmes, avec un adulte, ce doit être affreux !

— Nous sommes ici pour accomplir les desseins du Créateur. On ne sait jamais pourquoi Il nous réserve un défi plus dur à relever que celui des autres. Une novice chargée d'un nouveau sujet ne doit reculer devant rien. Et oublier les règles, car elle peut être amenée à les violer.

» Veux-tu toujours prononcer tes vœux ? Iras-tu jusqu'au bout, même si le sujet qu'on te confiait était *terriblement* difficile ?

— Oui, ma sœur ! Si cela m'arrivait, je penserais que c'est une épreuve envoyée par le Créateur. Et je ne faillirais pas. Tout ce que je sais, et tout ce que je suis, sera mis au service de ma mission. Quand mon sujet arrivera, je serai très attentive, pour découvrir s'il vient d'un pays étranger, s'il a des coutumes bizarres, s'il a peur ou s'il s'agit d'un trublion. Puis j'établirai mes propres règles, afin de réussir. (Pasha se racla la gorge, hésitante.) Et si vous me soutenez vraiment, comme vous l'avez dit, je suis sûre que je n'échouerai pas.

— Je t'ai donné ma parole, déclara la sœur. Je la tiendrai, quelles que soient les difficultés. (Elle fit mine de réfléchir.) Qui sait, ta beauté permettra peut-être au nouveau de voir, à travers elle, la grandeur du Créateur.

— Ce sera un honneur pour moi de montrer la Lumière du Créateur à un futur sorcier. La manière importe peu...

— Tu as cent fois raison, mon enfant. (La sœur se redressa et frappa dans ses mains.) À présent, je veux que tu ailles voir la maîtresse des novices. Dis-lui que tu as trop de loisirs et que tu veux, dès demain, être plus occupée. Ajoute que tu as passé beaucoup de temps à regarder par la fenêtre...

— Je le ferai, ma sœur...

— Comme toi, j'ai entendu dire que trois sœurs sont sur la piste d'un sujet né avec le don. Elles ne reviendront pas aussi vite que tu l'espères – si elles reviennent ! – mais ce jour-là, j'irai voir la Dame Abbesse et je lui rappellerai que tu es la première sur la liste des futures sœurs. Et que tu es prête à remplir ta mission.

— Merci ! Oh, merci, ma sœur !

— Tu es une superbe jeune femme, Pasha. Et l'incarnation de la beauté de l'œuvre du Créateur.

— Merci, répéta Pasha – sans rougir, cette fois.

— Remercie plutôt le Créateur...

— Je n'y manquerai pas... Ma sœur, avant l'arrivée du nouveau, pourrez-vous m'en apprendre plus sur ce qu'Il a prévu pour moi ? M'aiderez-vous à comprendre ?

— Si tu le désires...

— C'est mon vœu le plus cher !

— Alors, il en sera ainsi, conclut la sœur en tapotant la joue de Pasha. Maintenant, file chez la maîtresse des novices. Je refuse qu'une future sœur passe son temps à regarder par la fenêtre.

— J'y cours, ma sœur, dit Pasha. (Elle fit une dernière révérence, s'en fut à grandes enjambées, mais s'arrêta et se retourna.) Ma sœur... je crois... hum... j'ai peur de ne pas connaître votre nom.

— File, te dis-je !

— À vos ordres !

La sœur évalua d'un œil approbateur le déhanchement de Pasha tandis qu'elle s'éloignait, s'arrêtant au passage pour remettre en place les coins des tapis. En plus de tout, cette enfant avait des chevilles ravissantes.

Un sujet adulte !

La sœur reprit son chemin. Elle longea des couloirs puis s'engagea dans une série d'escaliers. Quand elle eut atteint un certain niveau du palais, les marches de bois furent remplacées par des degrés de pierre. Il faisait moins chaud ici, mais l'air restait étouffant et on sentait encore l'odeur de la marée basse.

Dans cette partie du bâtiment, moins illuminée, les domestiques étaient rares. Bientôt, la sœur n'en croisa plus aucun. Elle descendit encore, jusque dans les entrailles du palais, où il lui fallut, en l'absence de torche, s'éclairer avec une flamme de paume. Arrivée devant la porte qu'elle visait, elle s'en servit pour allumer la torche fixée dans un support, près de l'entrée. La petite pièce aux murs de pierre devait être une cellule abandonnée, ou quelque chose dans ce genre. Elle était vide, à part de la paille sur le sol... et les deux sorciers assis dessus.

Ils se levèrent, vacillant un peu. Chacun portait la tunique unie adaptée à son rang élevé. Et tous les deux affichaient un sourire idiot. Ils ne se rengorgeaient pas, comprit la sœur. Ces deux crétins étaient ivres morts, sans doute pour fêter leur dernière nuit au palais. Leurs ultimes instants avec les Sœurs de la Lumière ! Et le moment tant attendu où on les débarrasserait de leurs Rada'Han...

Ces hommes étaient amis depuis leur arrivée au palais, presque en même temps, à un âge très tendre. Sam Weber était un garçon très simple de taille moyenne. Il avait des cheveux bruns et sa mâchoire rasée de près semblait trop grosse pour son visage délicat. Un peu plus grand, les cheveux noirs coupés court, Neville Ranson arborait une barbe soigneusement taillée qui commençait à peine à grisonner. Comparé à celui de son ami, son visage pouvait être qualifié d'anguleux.

La sœur avait toujours pensé qu'il deviendrait un bel homme. Elle le connaissait depuis qu'il séjournait au palais. Novice à l'époque, elle avait dû s'occuper de lui : l'épreuve ultime pour devenir une Sœur de la Lumière. Tout ça remontait à des années…

Le sorcier Ranson croisa les bras sur son ventre et se fendit d'une révérence théâtrale et… titubante. Il se releva puis sourit. Comme toujours, cela le fit ressembler à un gamin, malgré ses tempes argentées.

— Bonsoir, sœur…, commença-t-il.

La femme le frappa avec son nerf de bœuf, si fort qu'elle sentit sa pommette se briser. Criant de douleur, il tomba à la renverse.

— Je t'ai dit de ne jamais utiliser mon nom quand nous sommes seuls ! Être soûl ne te dispense pas d'obéir.

Le sorcier Weber, immobile comme une statue, blême et les yeux écarquillés, ne semblait plus du tout d'humeur à sourire.

Ranson roula sur le sol, une main sur sa joue, souillant la paille de sang.

— Comment osez-vous ? explosa soudain Weber. Nous avons passé toutes les épreuves. Nous sommes des sorciers !

La sœur envoya un filament de pouvoir dans le Rada'Han. Weber vola dans les airs et percuta un mur, le collier le plaquant contre les pierres comme un clou attiré par un aimant.

— Les épreuves ! cria la sœur. Vous n'avez pas réussi les miennes ! (Elle fit souffrir Weber jusqu'à ce qu'il ne puisse presque plus respirer.) C'est comme ça que tu montres ton respect à une sœur, vermine ?

— Pardonnez-moi, ma sœur, croassa Weber. Je vous supplie d'excuser notre arrogance. C'était l'alcool, rien de plus. Ayez pitié de nous !

Un poing sur la hanche, la sœur désigna Ranson du bout de son nerf de bœuf.

— Guéris-le ! Je n'ai pas de temps à perdre avec ces idioties. Je viens vous faire passer une épreuve, pas regarder ce crétin gémir pour trois fois rien…

Weber s'agenouilla près de son ami et le retourna doucement sur le dos.

— Neville, tout va bien. Reste tranquille, je vais t'aider.

Il écarta les mains tremblantes du blessé et posa les siennes à la place. La sœur attendit impatiemment pendant qu'il incantait. Weber était très doué pour les sorts de guérison. Quand ce fut fini, plutôt vite, il aida son ami à se relever et, avec une poignée de paille, essuya le sang sur sa joue régénérée.

— Veuillez me pardonner, ma sœur, dit Ranson, la voix calme malgré la colère qui brillait dans ses yeux. Que nous voulez-vous ?

— Ma sœur, fit Weber, campé près de son ami, nous avons fait tout ce qu'on nous a demandé. À présent, c'est terminé.

— Terminé ? Voilà qui m'étonnerait. Avez-vous oublié nos conversations ? Tout ce que je vous ai dit ? Pensiez-vous que j'aurais oublié ? Que je vous laisserais sortir d'ici, libres comme l'air ? Aucun homme ne quitte le palais sans me voir, ou rencontrer une des miennes. Vous avez un serment à prêter, messires…

Les deux sorciers se regardèrent et reculèrent d'un demi-pas.

— Laissez-nous partir, et vous aurez votre serment.

— *Mon* serment ? Ce n'est pas à moi que vous devez jurer allégeance, mais au Gardien. Et vous le savez. (Les deux hommes blêmirent.) Et cela, quand l'un de vous aura réussi l'épreuve. Un seul devra prêter serment.

— Un seul ? répéta Ranson. Pourquoi, ma sœur ?

— Parce que l'autre sera mort.

Les sorciers reculèrent encore et se rapprochèrent l'un de l'autre.

— En quoi consiste l'épreuve ? demanda Weber.

— Enlevez vos tuniques, et vous verrez.

— Nos tuniques ? demanda Ranson. Maintenant ?

— Pas de pudeur mal placée, les garçons ! lança presque joyeusement la sœur. Je vous ai vus nager nus dans le lac quand vous étiez hauts comme trois pommes.

— À l'époque, gémit Weber, nous étions des gosses. Pas des hommes.

— Dépêchez-vous d'obéir ! Sinon, je ferai brûler les tuniques sur vos corps !

Les deux hommes se déshabillèrent. La sœur se fit un plaisir de les détailler de la tête aux pieds, histoire de signifier que leurs atermoiements l'avaient irritée. Les sorciers rougirent comme de jeunes pucelles…

D'un geste sec du poignet, la sœur fit jaillir le couteau de sa manche.

— Contre le mur, tous les deux !

Comme ils n'obéissaient pas assez vite, elle utilisa les Rada'Han pour les plaquer contre la pierre froide. Tétanisés par le pouvoir, ils n'auraient pas pu bouger le petit doigt.

— Pitié, ma sœur, implora Ranson, ne nous tuez pas. Nous ferons tout ce que vous voudrez.

— Bien sûr… L'un de vous, en tout cas. Mais nous n'en sommes pas encore au serment. À présent, tenez votre langue, ou je me chargerai de vous réduire au silence.

La sœur vint se camper devant Weber. Posant la pointe du couteau en haut de sa poitrine, elle descendit lentement, se contentant d'inciser la peau. Le sorcier serra les dents, de la sueur ruisselant sur son front. L'incision terminée – elle faisait à peu près la longueur d'un avant-bras – la sœur revint à son point de départ et en fit une autre, à environ un doigt d'écart de la première.

Weber poussa de petits cris tout le temps que dura l'opération. Ignorant les filets de sang qui coulaient sur la poitrine du sorcier, la sœur fit une incision horizontale à la naissance des deux lignes parallèles et tira. Une bande de peau se détacha comme du papier…

Elle fit subir la même torture à Ranson, qui ne put retenir ses larmes mais ne dit pas un mot, conscient que ça aggraverait son sort. Quand ce fut fini, la femme inspecta son travail. Les deux bandes de peau étaient parfaitement identiques. Satisfaite, elle rangea son couteau.

— Demain, l'un de vous sera débarrassé du Rada'Han… et il sera libre. En ce qui concerne les Sœurs de la Lumière, en tout cas. Je ne parle pas de moi, et encore moins du Gardien. Car le survivant commencera alors à le servir ! S'il est loyal, il sera récompensé quand mon maître traversera le voile. S'il échoue… Je crois que vous préférerez ne pas savoir ce qui attend un serviteur qui le déçoit ou le trahit.

— Ma sœur, demanda Ranson d'une voix tremblante, pourquoi un seul de nous deux ? Nous pourrions prêter serment ensemble. Le Gardien aurait deux fidèles de plus.

Weber regarda son ami. Il détestait qu'on parle en son nom. Depuis toujours, c'était une vraie tête de mule.

— Il s'agit d'un serment du sang. Pour avoir le privilège de le prêter, l'un d'entre vous devra réussir mon épreuve. L'autre perdra ce soir son don et sa magie. Savez-vous comment on arrache son don à un sorcier ?

Tous les deux firent signe que non.

— Quand on l'écorche vif, sa magie s'écoule de lui comme son sang. (On eût dit qu'elle parlait de peler une pomme.) Et lorsqu'il est exsangue, le don l'a quitté…

Blanc comme un linge, Weber regarda la sœur. Ranson préféra fermer les yeux.

La sœur enroula les bandes de peau sur chacun de ses index.

— Je vais demander un volontaire… Ce qui suivra est simplement une démonstration de ce qui attend celui qui se proposera. N'allez surtout pas penser que mourir est un moyen facile de vous en tirer. (Elle eut un sourire chaleureux.) Je vous autorise à brailler, les garçons ! Je crains que ce soit un peu douloureux.

Elle arracha les bandes de peau de leurs poitrines. Puis elle attendit patiemment que ses victimes aient fini de crier, et leur accorda même un petit délai, histoire de les laisser sangloter en paix. Permettre à des élèves de bien assimiler une leçon ne faisait jamais de mal…

— Pitié, ma sœur ! cria Weber. Nous servons le Créateur, comme les Sœurs de la Lumière nous l'ont enseigné.

— Puisque tu es loyal au Créateur, Sam, tu seras le premier à choisir. Veux-tu être celui qui vivra, ou celui qui mourra ?

— Pourquoi lui ? demanda Neville. Pourquoi a-t-il le droit de choisir ?

— Tais-toi, Neville ! Tu parleras quand je t'interrogerai. (Elle se tourna vers Weber et lui souleva le menton du bout de l'index.) Alors, Sam, qui crèvera, toi, ou ton meilleur ami ?

Les yeux fous et le teint de cendre, Weber ne regarda pas son compagnon avant de répondre :

— Tuez-moi et laissez vivre Neville. Je ne jurerai pas fidélité au Gardien !

La sœur sonda le regard du volontaire un moment puis se tourna vers Ranson.

— Qu'as-tu à dire, Neville ? Qui doit vivre ? Et qui doit mourir ? Toi, ou ton meilleur ami ? Qui prêtera serment au Gardien ?

Neville regarda Sam, qui détourna les yeux.

— Vous l'avez entendu… Il a choisi la mort. Si c'est ce qu'il veut, laissez-le faire. Moi, je préfère vivre et servir le Gardien.

— Tu jureras sur ton âme ?

— Oui.

— Eh bien, il semble que les deux meilleurs amis du monde soient arrivés à un accord. Puisque chacun est content, qu'il en soit ainsi. Je suis ravie et fière, Neville, que tu rejoignes notre camp.

— Dois-je assister à la suite ? demanda Ranson.

— Y assister ? répéta la sœur, le front plissé. Il faudra t'en charger, mon garçon !

Si le sorcier déglutit péniblement, son regard resta dur comme de l'acier. La sœur avait toujours su que ce serait lui. Pas à cent pour cent, bien sûr, mais ça ne l'étonnait pas du tout. Elle avait passé tant d'heures à le plier à sa volonté.

— Puis-je demander une faveur ? souffla Weber. Me retirerez-vous le collier avant que je meure ?

— Pour que tu invoques un Feu de Vie de Sorcier, histoire de te suicider ? Tu me prends pour une idiote ? (Elle secoua la tête.) Faveur refusée !

Elle libéra les deux hommes du mur. Weber se laissa tomber sur les genoux, la tête inclinée. Il était seul dans la pièce avec deux ennemis, et il le savait…

Ranson bomba fièrement le torse. Puis il désigna la plaie sanglante, sur sa poitrine.

— Et que fait-on pour ça ?

La sœur se tourna vers Weber :

— Sam, debout ! (Le condamné obéit, les yeux toujours rivés au sol.) Ton cher ami est blessé. Guéris-le !

En silence, Weber posa les mains sur la poitrine de Neville et répara les dégâts. Sans se démonter, son ami le laissa faire. La sœur s'adossa à la porte et contempla le spectacle.

Quand il eut fini, Weber ne regarda aucun de ses tortionnaires. Il gagna le fond de la cellule et se laissa glisser sur le sol.

Guéri, mais toujours nu, Ranson se campa devant la sœur.

— Que dois-je faire ?

D'un mouvement du poignet, la femme fit sortir le couteau de sa manche et le lui tendit.

— L'écorcher. Vivant !

Elle lui posa la garde de l'arme dans la main.

Ranson baissa les yeux dessus.

— Vivant ? répéta-t-il.

La sœur sortit de sa poche la statuette en étain couverte de poussière. Elle représentait un homme appuyé sur un genou qui brandissait un cristal. Son minuscule visage barbu levé vers la pierre exprimait un émerveillement sans borne. Taillé en pointe, le cristal emprisonnait sous ses facettes une constellation de petites étoiles figées. La sœur épousseta l'artéfact avec un coin de sa cape et le tendit au sorcier.

— C'est un receptacle très spécial. Ce « quillion », on le nomme ainsi, absorbera la magie qui coulera du corps de ton ami. Quand il en sera vidé, le cristal émettra une lueur orange. Tu me l'apporteras pour prouver que tu as accompli ta mission.

— Bien, ma sœur…

— Mais avant, tu devras prêter serment. (Elle tendit le bras, forçant Ranson à saisir la statuette.) Après le serment, tu accompliras ta première mission. Si tu échoues, ou sabotes celles qui suivront, tu regretteras de ne pas pouvoir changer de place avec ton ami. Et tu auras l'éternité pour t'en désoler…

— Bien, ma sœur, répéta Ranson, le couteau dans une main et la statuette dans l'autre. (Il jeta un coup d'œil furtif à Weber, toujours prostré dans son coin.) Ma sœur, pouvez-vous… le… hum… réduire au silence ? Je ne sais pas si je supporterai de l'entendre parler pendant que…

— Tu as un couteau, Neville. Si ses bavardages t'ennuient, coupe-lui la langue.

Le sorcier ferma un instant les yeux, puis les rouvrit.

— Et s'il meurt avant que toute sa magie se soit écoulée ?

— C'est impossible, à cause du quillion. Quand le cristal sera gorgé de pouvoir, il commencera à briller. Alors, tu sauras que c'est fini. Si ça te chante, tu pourras achever Weber rapidement.

— Et s'il essaye de m'empêcher de l'écorcher ? Avec sa magie, je veux dire…

— C'est pour éviter ça que j'ai refusé de lui enlever son collier… Neville, quand ton cher ami mourra, le Rada'Han s'ouvrira de lui-même. Apporte-le-moi en même temps que le cristal.

— Et le cadavre ?

La sœur foudroya Ranson du regard.

— Tu sais utiliser la Magie Soustractive. Mes compagnes et moi avons passé assez de temps à te l'apprendre. Sers-t'en pour détruire sa dépouille.

— Compris…

— Quand tu en auras fini, avant de venir me voir à l'aube, tu devras accomplir une autre mission.

— Cette nuit ? gémit le sorcier.

La sœur sourit et lui tapota la joue.

— Celle-là te plaira beaucoup. C'est une sorte de récompense, après un moment pénible. Servir le Gardien a ses avantages, comme tu le découvriras. Échouer coûte cher, mais ça, j'espère que tu n'en feras jamais l'expérience…

— En quoi consiste cette deuxième mission ? demanda Ranson, soupçonneux.

— Tu connais une novice appelée Pasha ?

— Tous les hommes du palais savent qui est Pasha Maes.

— Et ils la fréquentent de *près* ?

— Elle ne répugne pas à se laisser embrasser et peloter dans les coins sombres.

— Et rien de plus ?

— Quelques types ont réussi à glisser une main sous sa robe. Ils disent qu'elle a des jambes magnifiques, et qu'ils sacrifieraient bien leur don pour les avoir enroulées autour des reins. Mais aucun n'y a eu droit. Certains hommes veillent sur elle comme si elle était un chaton sans défense. Warren, surtout… Il la protège jalousement.

— Lui aussi l'embrasse et la pelote dans les coins sombres ?

— Elle ne le reconnaîtrait pas si elle l'avait sous le nez ! (Ranson ricana.) À condition qu'il ose sortir le sien de ses fichues archives pour la regarder en face. Bon, de quelle mission s'agit-il ?

— Quand tu en auras fini ici, tu iras dans sa chambre. Dis-lui que tu seras libéré demain. Ajoute que le Créateur, pendant tes épreuves, t'a envoyé une vision. Et qu'Il t'a ordonné d'aller la voir pour lui apprendre à utiliser les superbes appas qu'Il lui a offerts. Dis-lui qu'elle a été conçue pour plaire aux hommes, afin de s'acquitter de la mission qu'Il a prévue pour elle. Présente-toi comme celui qui a été choisi pour la préparer.

» Explique-lui que c'est pour l'aider à s'occuper du nouveau sujet, le plus difficile qui ait jamais été affecté à une novice. Dis aussi que le Créateur a voulu que cette nuit soit étouffante, pour qu'elle transpire et soit obligée de déboutonner sa robe. Prétends qu'Il voulait ainsi l'éveiller à ce qu'Il souhaite la voir faire. (La sœur eut un sourire gourmand.) Après, apprends-lui à satisfaire un homme.

— Et vous pensez qu'elle va gober tout ça ? demanda Ranson, stupéfait. Et qu'elle me laissera faire ?

— Répète-lui ces mots, Neville, et tu ne te contenteras pas de glisser une main sous sa robe. Avant que tu aies fini ton discours, tu auras ses jambes autour des reins.

— Si vous le dites…

La sœur baissa les yeux sur le pubis du sorcier.

— Je vois avec plaisir que tu es déjà… en condition pour agir. (Elle releva les yeux, les plongeant dans ceux de Ranson.) Apprends-lui tout ce qu'elle doit savoir pour rendre un homme fou de plaisir. Tu auras jusqu'à l'aube pour ça. Applique-toi, mon garçon. Je veux qu'elle devienne une experte et que son futur amant en redemande… Tu vois ce que je veux dire ?

— Parfaitement…

Du bout de son nerf de bœuf, la sœur releva le menton du sorcier.

— Mais sois délicat avec elle. Pas question de lui faire mal, tu m'entends ? Je veux que cette expérience soit très agréable pour elle. Qu'elle y prenne goût. (Elle baissa de nouveau les yeux sur le pubis du sorcier.) Bref, fais du mieux possible avec ce que la nature t'a donné.

— Aucune femme ne s'est jamais plainte…

— Sombre abruti ! Elles ne râlent jamais devant les hommes, à ce sujet, mais dans leur dos. Ne va surtout pas la besogner en deux minutes avant de t'endormir comme une masse. Il n'est pas question que tu te reposes cette nuit ! Occupe-toi de Pasha jusqu'à l'aube, et fais en sorte qu'elle s'en souvienne avec plaisir. Enseigne-lui tout ce que tu sais. (Elle souleva davantage la tête de l'homme.) Aussi plaisante que soit la mission, tu seras au service du Gardien. Si tu échoues, il se passera de toi à l'avenir. Et tu souffriras jusqu'à la fin des âges. Alors, reste attentif tant que tu seras avec Pasha. Demain, j'entends que tu me fasses un rapport détaillé. Il faut que je sache tout, afin de pouvoir la guider.

— Très bien, ma sœur.

La femme jeta un coup d'œil à Weber.

— Plus vite tu en auras terminé avec lui, plus tôt tu seras à pied d'œuvre avec Pasha…

— À vos ordres, ma sœur, fit Ranson avec un sourire lubrique.

Quand la femme éloigna le nerf de bœuf de son menton, il lâcha un soupir de soulagement. D'un geste, elle fit flotter sa tunique jusqu'à lui.

— Rhabille-toi, tu es en train de te ridiculiser… (Elle le regarda se vêtir mal-adroitement.) Demain, ton véritable travail commencera.

— Quel travail ? demanda Ranson quand sa tête émergea du col de la tunique.

— Dès que tu seras libre, tu devras partir sans tarder pour ta terre natale. Tu te souviens d'elle, n'est-ce pas ? Tu iras en Aydindril comme conseiller du haut prince Fyren. Là-bas, tu auras des choses importantes à faire.

— Lesquelles ?

— Nous en reparlerons à l'aube. À présent, avant de t'occuper de Weber, puis de Pasha, tu as un serment à prêter. Le feras-tu de ta propre volonté, Neville ?

La sœur surprit le regard que le sorcier jeta à son ami. Puis il contempla le couteau et le quillion. Voyant ses yeux briller, elle devina qu'il pensait à la superbe novice.

— Oui, ma sœur, répondit-il dans un souffle.

— Très bien, Neville. Agenouille-toi ! L'heure du serment a sonné.

Alors qu'il obéissait, la sœur leva une main, soufflant la flamme de la torche.

— Le serment au Gardien, murmura-t-elle, doit être donné dans l'obscurité, qui est son royaume d'origine…

Chapitre 14

Kahlan ouvrit doucement la porte de la maison des esprits. Richard était réveillé et il contemplait les flammes de la cheminée. Quand le battant se referma, l'écho des tambours et des boldas qui jouaient au centre du village ne pénétra plus dans la pièce.

L'Inquisitrice vint se camper près du Sourcier et lui caressa les cheveux.

— Comment va ta tête ?

— Beaucoup mieux… Le repos et la dernière potion de Nissel m'ont bien aidé… (Il ne releva pas les yeux.) Ils m'attendent pour le festin, c'est ça ?

Kahlan s'assit près de son compagnon.

— Oui, c'est l'heure… Es-tu sûr de vouloir manger de cette viande, maintenant que tu sais d'où elle vient ?

— Je dois le faire.

— Mais tu ne supportes même plus la viande… normale.

— Pour obtenir la réunion du conseil des devins, je me forcerai. Le rituel est incontournable…

— Richard, ce conseil m'inquiète… Tu ne devrais pas y participer. Il y a peut-être un autre moyen… L'Homme Oiseau aussi a peur pour toi.

— Tant pis, je prendrai le risque.

— Pourquoi ?

— Parce que tout est ma faute… C'est à cause de moi que le voile est déchiré. Shota l'a bien dit : je suis le seul coupable.

— Non, c'est Darken Rahl qui…

— Et je suis son fils, coupa le Sourcier.

— Les fautes du père pèsent sur les épaules de son héritier ?

— Je ne crois pas à ce vieux proverbe, dit Richard avec un pauvre sourire. Tu te souviens des paroles de Shota ? Je suis le seul capable de réparer le voile. Sans doute parce que Darken Rahl l'a déchiré en utilisant la magie d'Orden – à cause de *mon* intervention.

— Donc, puisqu'un Rahl l'a endommagé, un autre Rahl devra le réparer ?

— Peut-être bien… Ça expliquerait pourquoi je dois m'en charger. En tout cas, c'est la seule raison que je vois. (Il sourit de nouveau.) Je suis content d'épouser une femme intelligente.

Kahlan lui sourit en retour, et cela parut le ravir.

— Eh bien, ta remarquable future épouse ne suit pas du tout ton raisonnement, dit-elle.

— Je me trompe peut-être, mais c'est une hypothèse qu'il ne faut pas écarter.

— Admettons… En quoi cela t'oblige-t-il à participer au conseil des devins ?

— Parce que je sais ce que nous devons faire, répondit Richard avec un grand sourire d'enfant émerveillé. Oui, j'ai trouvé la solution ! (Il se tourna vers Kahlan et croisa les bras.) Demain soir, le conseil aura lieu et nous apprendrons des informations précieuses. Au matin, quand ce sera fini… (Il referma le poing sur le croc de dragon et sourit de plus belle.)… j'appellerai Écarlate. C'est le seul moyen de rejoindre Zedd en Aydindril malgré les migraines, qui me handicaperaient trop au cours d'un long voyage. La magie d'Écarlate lui permet de couvrir très vite de grandes distances. Nous partirons avant que les Sœurs de la Lumière puissent nous en empêcher. Si elles nous suivent, il leur faudra longtemps pour nous rattraper. Du coup, je pourrai voir Zedd avant de les débouter définitivement. Mon vieil ami saura quoi faire au sujet des migraines. J'appellerai Écarlate dès la fin du conseil des devins. Il lui faudra sûrement une bonne partie de la journée pour arriver. (Il se pencha vers Kahlan et lui donna un petit baiser.) Nous profiterons de ce délai pour nous marier.

— Nous marier ? répéta l'Inquisitrice, le cœur battant la chamade.

— Oui. Tout ça le même jour ! Et nous serons partis avant le crépuscule.

— Richard, j'adorerais ça… Mais appelle Écarlate maintenant. Nous nous marierons dans la matinée, juste avant qu'elle arrive. Le Peuple d'Adobe accélérera les choses pour nous. Allons voir Zedd au plus vite, tant pis pour le conseil des devins !

— Impossible… Le conseil doit se tenir. Shota a dit que je pouvais refermer le voile. Elle n'a pas parlé de Zedd. Imagine qu'il ignore comment procéder. Il avoue ne pas savoir grand-chose du royaume des morts, comme tout un chacun… Nul ne connaît le monde des défunts… À part les esprits des ancêtres ! Je dois leur parler *avant* de voir Zedd. Si je suis le seul à pouvoir agir, du moins selon Shota, c'est peut-être parce que je suis le Sourcier. Donc, je dois trouver des réponses. Même si je ne les comprends pas, elles seront précieuses pour Zedd. Il saura ainsi ce que je dois faire…

— Et si nous arrivons avant lui en Aydindril ? Écarlate nous y conduira en un jour, et il ne sera peut-être pas encore là.

— Si c'est le cas, nous repartirons, et nous le rejoindrons en chemin. Il verra Écarlate de loin !

— Tu ne reviendras pas sur ta décision, n'est-ce pas ? demanda Kahlan.

— Si tu vois une faille dans mon raisonnement, n'hésite pas à m'en parler. Tu as une meilleure idée ?

— J'aimerais bien, mais ça n'est pas le cas. D'ailleurs, à part le conseil des devins, tout me convient dans ton plan.

— Je voudrais vraiment te voir dans ta robe de mariée, dit Richard avec un gentil sourire. Tu crois que Weselan peut la finir à temps ? Nous passerons notre nuit de noces chez toi, en Aydindril…

— Weselan y arrivera… Et la cérémonie n'aura pas besoin d'être somptueuse… De toute façon, avec le banquet en cours, nous n'aurions pas le temps de l'organiser. Mais l'Homme Oiseau sera ravi de nous unir en toute simplicité. (Kahlan eut un sourire enjôleur.) En Aydindril, nous aurons un vrai lit. Grand et confortable…

Richard l'enlaça et l'attira contre lui pour l'embrasser. Elle aurait voulu que ce baiser ne s'arrête jamais. Pourtant, elle le repoussa doucement et chercha son regard.

— As-tu oublié ce que Shota a dit au sujet… de notre enfant ?

— Elle s'est tellement trompée ! Même ses prédictions « exactes » n'ont pas tourné comme elle le prévoyait. Je ne renoncerai pas à toi à cause de ses délires ! Tu te souviens du proverbe de vieille femme que tu m'as cité un jour : « Ne laisse jamais une fille choisir ton chemin à ta place quand il y a un homme dans son champ de vision » ? Si tu veux, pour plus de sécurité, nous poserons la question à Zedd, avant de… Il en sait long sur les histoires d'Inquisitrices et de don…

— Tu as vraiment réponse à tout, dit Kahlan en laissant courir son index sur la poitrine de son compagnon. Comment fais-tu pour être aussi intelligent ?

Richard l'embrassa de nouveau.

— Je deviens terriblement futé dès qu'on essaye de m'éloigner de toi et de ton confortable lit. Pour te garder, j'irais combattre le Gardien au cœur du royaume des morts.

Kahlan se blottit contre lui. On eût dit qu'une éternité était passée depuis leur rencontre en Terre d'Ouest, quand un *quatuor* la poursuivait. Cela semblait si loin. Pourtant, ça ne remontait qu'à quelques mois. Mais tant de choses s'étaient produites. L'Inquisitrice en avait assez de trembler et de fuir ses ennemis. Ce n'était pas juste : alors que tout semblait fini, voilà que ça recommençait !

Kahlan s'en voulut de réfléchir ainsi. Ce n'était pas la bonne façon de voir les choses. Il fallait penser à la solution, pas au problème. Le passé ne leur apporterait aucune lumière sur ce qui les attendait…

— Ce ne sera peut-être pas aussi difficile, cette fois…, murmura l'Inquisitrice. Tu as sans doute raison : apprenons ce que nous devons savoir et finissons-en ! (Elle posa un baiser dans le cou de Richard.) Il faut y aller, nos amis doivent s'impatienter. Et si on reste encore un moment comme ça, j'ai peur de ne pas pouvoir attendre d'être dans mon confortable lit.

Ils sortirent de la maison des esprits et marchèrent main dans la main le long des allées obscures. Kahlan se sentait en sécurité quand il la tenait ainsi. Depuis leur premier jour, lorsqu'il l'avait aidée à se relever, elle adorait qu'il lui prenne la main. Personne n'avait jamais osé le faire, car les Inquisitrices effrayaient les gens.

Kahlan aurait donné cher pour que tout soit fini. Ainsi, ils pourraient être ensemble et vivre en paix. Oui, se prendre la main chaque fois qu'ils en avaient envie, et cesser de fuir…

Quand ils arrivèrent sur la place illuminée par les feux de cuisson, le brouhaha de voix d'adultes et de cris d'enfants les assourdit. Sous les abris surélevés au toit d'herbes tressées, les joueurs de tambour et de boldas s'en donnaient à cœur joie. Les danseurs en costumes rituels étaient partout, reconstituant pour le plus grand plaisir des enfants et des adultes des scènes mythiques de l'histoire du Peuple d'Adobe.

Des odeurs délicieuses montaient des feux entourés par des hommes et des femmes vêtus de leurs plus beaux atours. Tous avaient enduit leurs cheveux de boue, le nec plus ultra de l'élégance pour ce peuple si généreux et touchant.

Partout, des plateaux d'osier regorgeaient de tranches de tava, de coupes de poivrons, d'oignons frits ou de plats de haricots longuement mijotés avec de la viande. Les femmes qui s'occupaient du festin allaient et venaient sans cesse avec des assiettes de morceaux de poulet rôti, de tranches de sanglier ou de filets de poisson. Sourire aux lèvres, elles les distribuaient aux villageois venus accueillir dans l'allégresse les esprits de leurs ancêtres.

Savidlin se leva dès qu'il vit les deux jeunes gens et les invita à le rejoindre sous l'abri des Anciens. Avec sur les épaules sa peau de coyote officielle, leur ami avait des allures régaliennes. Les autres Anciens et l'Homme Oiseau saluèrent chaleureusement Richard et Kahlan. Dès qu'ils se furent assis en tailleur, les femmes leur apportèrent de la nourriture. Ils fourrèrent des morceaux de tava de poivrons et d'oignons, prenant garde à les porter à leur bouche de la main droite, car utiliser la gauche eût été une insulte. Un petit garçon posa près d'eux une cruche d'eau parfumée aux épices.

Quand il fut sûr que ses invités étaient confortablement installés, l'Homme Oiseau fit un signe aux femmes groupées sous un abri proche du leur. Kahlan savait ce que ça signifiait. Ces « cuisinières d'élite » étaient chargées de préparer la « spécialité » du festin. Richard leva les yeux quand l'une d'elles approcha avec un plateau de lanières de viande séchée soigneusement disposées en cercle.

Le Sourcier ne tressaillit pas.

S'il refusait cette viande, il n'y aurait pas de conseil des devins. Et il ne s'agissait pas de *n'importe quelle* viande ! Le sachant déterminé, Kahlan comprit que ça n'arrêterait pas Richard.

Tête inclinée, la femme présenta son plateau à l'Homme Oiseau, puis aux autres Anciens. Quand elle passa à leurs épouses, la plupart refusèrent. Enfin, la cuisinière se campa devant Richard. Il la regarda un court moment puis choisit un des plus gros morceaux de viande. Le tenant entre le pouce et l'index, il le contempla mornement pendant que Kahlan déclinait poliment l'offre de la Femme d'Adobe, qui s'éloigna en silence.

— *Je sais que c'est dur pour toi*, dit l'Homme Oiseau, *mais tu dois t'approprier les connaissances et la force de tes ennemis.*

Richard mordit le morceau de viande.

— Le rituel est incontournable, dit-il. (Il mâcha et avala sans trahir l'ombre d'une émotion.) Qui était-ce ?

— *L'intrus que tu as tué*, répondit l'Homme Oiseau.

— Je vois…

Le Sourcier continua à manger. Il avait choisi une portion impressionnante pour montrer sa détermination. Malgré l'avertissement des esprits – le hibou – il entendait participer au conseil des devins. Il mâcha en regardant les danseurs, faisant descendre chaque bouchée avec un peu d'eau. Dans la nuit bourdonnante d'activité, l'abri des Anciens évoquait une oasis de quiétude…

Soudain, Richard cessa de mâcher, les yeux écarquillés, et regarda tour à tour les Anciens.

— Où est Chandalen ? demanda-t-il.

Les Hommes d'Adobe se consultèrent du regard, l'air étonné.

— Où est Chandalen ? répéta le Sourcier en se levant d'un bond.

— *Quelque part dans le coin…*, dit l'Homme Oiseau.

— Trouvez-le et amenez-le-moi !

L'Homme Oiseau chargea un chasseur d'aller chercher Chandalen. Richard sortit de l'abri, se dirigea vers celui des « cuisinières d'élite », dénicha la femme au plateau et prit un autre morceau de viande.

— *As-tu idée de ce qui se passe ?* demanda Kahlan à l'Homme Oiseau.

— *Oui… Il a eu une vision, provoquée par la chair de notre ennemi. Cela arrive parfois. C'est pour connaître ce qu'il y a dans le cœur de nos adversaires que nous faisons… ce que nous faisons.*

Richard revint devant la plate-forme et marcha de long en large.

— Que se passe-t-il ? lui demanda Kahlan.

Il cessa de marcher, l'air très inquiet.

— Un problème…, grommela-t-il avant de recommencer son manège.

L'Inquisitrice voulut avoir des éclaircissements, mais il sembla ne pas avoir entendu sa question.

Le chasseur revint, suivi par Chandalen et ses hommes.

— *Pourquoi Richard Au Sang Chaud a-t-il demandé à me voir ?*

Le Sourcier recommença à manger son morceau de viande.

— Eh bien, que vois-tu ? demanda-t-il à Chandalen.

— *Un ennemi…*, répondit l'Homme d'Adobe sans préciser s'il parlait de la lanière de viande ou du jeune homme.

— Qui était cet homme ? cria Richard, exaspéré. À quel peuple appartenait-il ?

— *C'était un Bantak, venu de l'est…*

— *Un Bantak !* lança Kahlan en se levant d'un bond. (Elle sauta de l'abri et vint se camper au côté de Richard.) *Ces gens sont pacifiques. Ils n'attaquent jamais personne, car leurs coutumes le leur interdisent !*

— *C'était un Bantak*, répéta Chandalen. *Il avait des peintures noires autour des yeux et il voulait me tuer. Du moins, c'est ce que prétend Richard Au Sang Chaud.*

— Ils viennent…, marmonna le Sourcier. (Il prit Chandalen par les épaules.) Ils vont attaquer le Peuple d'Adobe !

— *Les Bantaks ne sont pas des guerriers*, dit le chef des chasseurs. *La Mère Inquisitrice a raison, ils sont pacifiques. Pour vivre, ils cultivent des champs et gardent des troupeaux. Nous faisons souvent du troc avec eux. Celui qui voulait me tuer devait être fou. Les Bantaks savent que le Peuple d'Adobe est plus fort qu'eux. Ils ne se risqueraient pas à nous agresser…*

— Rassemblez tous les hommes, dit Richard sans attendre la fin de la traduction. Il faut les arrêter !

— *Nous n'avons rien à craindre des Bantaks*, déclara Chandalen.

— Espèce d'idiot, tu es chargé de protéger ton peuple ! Je te dis qu'il est menacé ! Tu dois m'écouter…

Le Sourcier se passa une main dans les cheveux, se calmant un peu.

— Chandalen, n'as-tu pas trouvé étrange qu'un homme seul s'en prenne à toi alors que nous étions si nombreux à tes côtés ? Aurais-tu fait ça, aussi courageux sois-tu ? En étant armé d'une lance, face à des dizaines d'arcs ?

Chandalen se contenta de foudroyer Richard du regard. L'Homme Oiseau quitta à son tour l'abri.

— *Richard Au Sang Chaud, dis-nous ce que la chair de notre ennemi t'a révélé. Qu'as-tu vu ?*

— Cet homme, dit le Sourcier en brandissant le morceau de viande sous le nez de l'Ancien, était le fils de leur guide spirituel.

Les autres Anciens murmurèrent entre eux, soudain très agités.

— *Tu en es sûr ?* demanda l'Homme Oiseau. *Tuer le fils d'un guide spirituel est une grande offense. Comme si quelqu'un abattait le mien, en supposant que j'en aie un. Cela pourrait déclencher une guerre…*

— Exactement ! Et c'est ce que les Bantaks ont prévu. Pour une raison que j'ignore, ils ont estimé que le Peuple d'Adobe représentait une menace pour eux. Pour s'en assurer, ils ont envoyé le fils du guide spirituel. En le tuant, nous sommes censés avoir prouvé nos mauvaises intentions. Ils s'attendent à découvrir sa tête fichée sur un poteau, à la frontière de notre territoire. Dès que ce sera fait, ils attaqueront !

Il brandit de nouveau le morceau de viande.

— J'ignore pourquoi, mais cet homme avait le cœur plein d'amertume. Il voulait qu'une guerre éclate. Pour ça, il est venu seul, certain de se faire tuer, et d'obliger son peuple à se venger. Comprenez-vous enfin ? Quand ils entendront de loin les échos de notre fête, les Bantaks comprendront que nous ne sommes pas préparés à les recevoir. Ils arriveront bientôt, je le sais !

— *Chandalen*, dit l'Homme Oiseau, *Richard Au Sang Chaud a eu une vision en consommant la chair de notre ennemi. Que chacun de tes hommes aille en alerter dix autres. Les Bantaks ne doivent pas faire de mal aux nôtres. Arrête-les avant qu'ils atteignent le village.*

— *Nous verrons si la vision de Richard est exacte*, répondit Chandalen. *Je conduirai mes guerriers vers l'est. Si les Bantaks sont là, ils ne passeront pas !*

— Non ! cria Richard quand Kahlan eut traduit. Ils viendront du nord !

— *Du nord ?* répéta Chandalen, incrédule. *Les Bantaks vivent à l'est et c'est de là qu'ils attaqueront.*

— Ces hommes savent que nous défendrons l'est. Ils pensent que le Peuple d'Adobe veut les exterminer. Pour empêcher ça, ils feront un détour et attaqueront par le nord.

— *Les Bantaks sont des ignorants en matière de tactique*, insista Chandalen. *S'ils veulent vraiment nous agresser, ils avanceront tout droit. Tu as dit toi-même que le banquet s'entend de loin. Sachant que nous sommes vulnérables, ils n'ont aucune raison de perdre du temps en faisant un détour.*

— Ils viendront du nord, répéta Richard.

— *Tu l'as appris dans ta vision ?* demanda l'Homme Oiseau. *As-tu découvert ça en mangeant cette viande ?*

— Non, ça ne faisait pas partie de ma vision… (Richard se passa une main dans les cheveux.) Pourtant, je sais que c'est ainsi. Ne me demandez pas pourquoi j'en suis sûr, mais ils viendront du nord.

L'Homme Oiseau se tourna vers Chandalen.

— *Il faudrait peut-être diviser les hommes. Une moitié à l'est et l'autre au nord…*

— *Pas question ! Si la vision est exacte, nos forces doivent être regroupées. Une attaque massive, et avec un peu de chance, l'affaire sera réglée ! S'ils sont très nombreux, comme Richard le prétend, ils submergeront une troupe trop petite et fondront sur le village. Beaucoup de femmes et d'enfants périront. C'est trop risqué.*

— *Chandalen,* conclut l'Homme Oiseau, *Richard nous a prévenus d'un danger. Tu es chargé de la sécurité de notre peuple. La vision ne précisant pas d'où viendra l'ennemi, c'est à toi d'arrêter une stratégie. Tu es le meilleur guerrier d'entre nous, et je me fie à ton jugement.* (Il plissa le front et se pencha vers Chandalen.) *Mais j'espère, sache-le, que c'est l'avis honnête d'un combattant, et pas une affaire de personnes…*

— *J'affirme que les Bantaks viendront de l'est. S'ils arrivent jamais…*

Richard posa une main sur le bras du chef de guerre.

— Chandalen, écoute-moi, je t'en prie. Je sais que tu ne m'aimes pas, et tu as peut-être raison… C'est vrai que j'ai attiré le malheur sur notre peuple. Mais un nouveau danger nous menace, et il vient du nord. Crois-moi, s'il te plaît ! La vie des nôtres en dépend. Déteste-moi si ça te chante, mais que personne ne meure à cause de ta haine !

Richard dégaina l'Épée de Vérité et, garde en avant, la tendit au guerrier.

— Je te donne mon arme. Va vers le nord. Si je me suis trompé, l'ennemi arrivant de l'est, tu me tueras avec cette lame.

— *Ta ruse ne marchera pas,* répondit Chandalen. *Je ne laisserai pas mourir mon peuple pour avoir le plaisir de te transpercer le cœur. Je préfère t'épargner et sauver les miens. J'irai vers l'est.*

Il se détourna et cria des ordres à ses hommes.

Richard rengaina l'épée.

— Ce type est un abruti, souffla Kahlan.

— Non, dit Richard, il fait ce qu'il croit juste. Son désir de protéger les siens passe avant l'envie de me tuer. Si je devais choisir quelqu'un pour combattre à mes côtés, ce serait lui, tout autant qu'il me déteste. C'est moi, l'abruti, parce que je n'ai pas réussi à le convaincre. Kahlan, je dois aller au nord pour arrêter les Bantaks.

— Il reste des hommes… Nous allons les réunir, et…

— Non ! Ils ne sont pas assez nombreux. Et tout homme capable de manier un arc ou une lance sera plus utile ici, pour défendre le village si j'échoue. Les Anciens doivent continuer le banquet, car il faut que le conseil des devins ait lieu. C'est le plus important ! J'irai seul. Après tout, le Sourcier peut accomplir des miracles. Peut-être m'écouteront-ils, voyant que je ne suis pas une menace…

— Très bien. Attends-moi ici, je reviens dans quelques minutes.

— Que vas-tu faire ?

— Passer ma robe de Mère Inquisitrice.

— Pas question que tu viennes !

— Il le faut. Tu ne parles pas leur langue.

— Kahlan, je refuse que…

— Richard ! Je suis la Mère Inquisitrice ! Aucune guerre n'éclatera sous mon nez sans que j'aie mon mot à dire. Attends-moi ici !

Elle s'en fut sans attendre de réponse. La Mère Inquisitrice n'entendait pas qu'on discute ses ordres, seulement qu'on les exécute. Elle regretta aussitôt d'avoir bousculé Richard, car elle aurait volontiers botté les fesses à cet âne bâté de Chandalen, qui avait refusé d'écouter.

Elle bouillait aussi de rage contre les Bantaks. À chaque visite dans leur village, elle les avait trouvés charmants et paisibles. Quelles que soient leurs motivations, il n'y aurait pas de guerre tant qu'elle serait là. La Mère Inquisitrice avait pour mission de préserver la paix. C'était son travail, pas celui de Richard.

Chez Savidlin, elle revêtit en silence sa tenue blanche. Toutes les Inquisitrices portaient le même genre de robe : à ras du cou, longue, sans ornements et taillée dans un tissu satiné noir. Le blanc était le privilège de la Mère Inquisitrice. Un attribut de pouvoir. Dans cette robe, elle n'était plus Kahlan Amnell, mais la vivante incarnation de la puissance de la vérité. Toutes ses sœurs étant mortes, la responsabilité de défendre les peuples faibles des Contrées du Milieu pesait sur ses seules épaules.

Désormais, porter ce vêtement lui semblait moins naturel. Jadis, cela lui avait paru normal. Mais depuis sa rencontre avec Richard, le fardeau du pouvoir lui paraissait plus écrasant. Avant de connaître le Sourcier, sa mission lui inspirait un atroce sentiment de solitude. Maintenant, elle se sentait davantage liée aux peuples des Contrées. Ces hommes et ces femmes étaient pour elle des frères et des sœurs, et ses responsabilités en devenaient d'autant plus angoissantes. Car elle savait ce que ça voulait dire, aimer quelqu'un et s'inquiéter pour lui…

Aucune guerre n'éclaterait tant qu'elle porterait cette robe !

Elle prit son manteau et celui de Richard et retourna sur la place, où les Anciens attendaient toujours devant leur abri. Le Sourcier n'avait pas bougé non plus. Elle lui lança son manteau et s'adressa aux Hommes d'Adobe.

— *Le conseil des devins devra avoir lieu demain soir, comme prévu. Nous serons revenus bien avant…* (Elle se tourna vers les épouses des vénérables.) *Weselan, nous voulons nous marier le lendemain. Je suis navrée de te laisser si peu de temps, mais nous devrons partir aussitôt après la cérémonie. Nous irons en Aydindril, pour neutraliser la menace qui pèse sur le Peuple d'Adobe et sur les autres…*

— *Ta robe sera prête*, répondit Weselan. *J'aurais aimé t'offrir une grande fête pour ton mariage, mais je comprends…*

— *Si Chandalen se trompe*, dit l'Homme Oiseau, *soyez très prudents. Les Bantaks ont pu changer… Dites-leur que nous ne leur voulons pas de mal. Et que la guerre nous répugne.*

Kahlan hocha la tête et se détourna.

— En route ! lança-t-elle à Richard.

Chapitre 15

Ils sortirent du village en silence et se dirigèrent vers les plaines luxuriantes qui s'étendaient au nord. Bientôt, ils n'entendirent plus les cris des villageois ni le son lancinant des tambours et des boldas. La lune n'était pas pleine, mais leur fournissait assez de lumière pour s'orienter parmi les hautes herbes. Et pas suffisamment, espéraient-ils, pour faire d'eux des cibles trop évidentes.

— Kahlan, je suis désolé, dit soudain Richard.

— De quoi ?

— D'avoir oublié qui tu es. La Mère Inquisitrice a une mission, et tu ne peux pas t'y dérober. Mais je m'inquiétais pour toi…

— C'est moi qui m'excuse d'avoir crié, dit Kahlan, surprise par la déclaration du jeune homme. Je n'aurais pas dû, mais l'idée qu'il y ait une guerre ici me met hors de moi. Je m'échine à empêcher les peuples des Contrées de s'entretuer, et ils s'étripent joyeusement dès que j'ai le dos tourné. Richard, j'en ai assez des massacres. Je pensais que c'était terminé… Je ne peux plus supporter ça. Vraiment !

— Je sais, dit le Sourcier en enlaçant sa compagne, et j'éprouve le même sentiment que toi. La Mère Inquisitrice mettra un jour un terme aux carnages ! Avec mon aide !

— Oui, avec ton aide. (Elle se laissa aller contre lui un instant.) À partir de ce jour, tu lutteras en permanence à mes côtés.

Ils s'éloignèrent de plus en plus du village sans voir autre chose qu'un sol obscur et un ciel étoilé. De temps en temps, Richard s'arrêtait pour sonder l'obscurité et sortir de sa poche de chemise une des feuilles de Nissel. Peu après le milieu de la nuit, ils atteignirent une sorte de cuvette peu profonde. Le Sourcier regarda de nouveau alentour et décida qu'ils attendraient ici. Il vaudrait mieux, expliqua-t-il, que les Bantaks les trouvent, plutôt qu'ils aient l'impression d'être attaqués.

Richard aplatit un petit carré d'herbe, où ils s'assirent pour guetter l'arrivée des guerriers. Chacun fit un somme pendant que l'autre montait la garde, les yeux rivés sur le nord. Une main sur les siennes, Kahlan regarda le Sourcier se reposer, un œil restant braqué sur l'horizon. Combien de fois avaient-ils sommeillé ainsi à tour de rôle, rassurés par la vigilance de l'autre ? Un jour viendrait-il où ils pourraient dormir ensemble, sans une sentinelle pour les empêcher de mourir ? Oui, décida Kahlan, ce jour arriverait, et il n'allait plus tarder. Richard découvrirait un moyen de refermer le voile et ils auraient enfin la paix.

Malgré elle, la jeune femme se demanda si Richard avait raison, cette fois. Les Bantaks attaqueraient-ils vraiment par le nord ? S'ils arrivaient par l'est, beaucoup de guerriers périraient, car Chandalen serait impitoyable. Elle ne voulait pas qu'il arrive malheur aux Hommes d'Adobe, mais les Bantaks ne méritaient pas davantage la mort. Eux aussi faisaient partie de son peuple.

Quand Richard se réveilla, l'Inquisitrice se blottit contre lui et s'endormit comme une masse sur une dernière pensée pour leur bonheur à venir…

Il la secoua doucement en la serrant contre lui, une main posée sur sa bouche. À l'est, l'horizon commençait à peine à s'éclaircir. Des nuages violets dérivaient dans le ciel, comme s'ils essayaient de dissimuler le soleil. Richard regardait fixement le nord. Allongée contre lui, Kahlan ne voyait rien, mais elle sentit à la tension de ses muscles que quelque chose approchait.

Ils ne bougèrent pas tandis que la brise se levait, faisant bruisser les herbes autour d'eux. Sans gestes brusques, Kahlan se débarrassa de son manteau. Il ne devait pas y avoir de malentendu sur son identité. Bien sûr, les Bantaks la reconnaîtraient aussi à ses cheveux longs, mais elle tenait à ce qu'ils voient sa robe blanche, histoire qu'ils ne se méprennent pas sur la raison de sa présence. Richard aussi enleva son manteau. Autour d'eux, des ombres se faufilaient entre les hautes herbes.

Quand ils furent certains qu'il s'agissait d'êtres humains, les deux jeunes gens se relevèrent. Des guerriers armés de lances et d'arcs s'écartèrent vivement en criant de surprise. Une longue ligne latérale de Bantaks avançait vers le village du Peuple d'Adobe.

Une vingtaine de guerriers surmontèrent leur étonnement et vinrent encercler les deux intrus. Kahlan se redressa de toute sa hauteur, les bras le long du corps. Elle avait adopté son masque d'Inquisitrice, comme sa mère le lui avait jadis appris. Debout près d'elle, la main sur la garde de son épée, Richard ressemblait à un félin prêt à bondir.

Les guerriers, vêtus de tuniques de peau, des broussailles en guise de camouflage, pointaient presque tous leurs armes sur les deux jeunes gens. Mais ils ne semblaient pas ravis de le faire.

— *Vous osez menacer la Mère Inquisitrice ?* lança Kahlan. *Baissez vos armes sur-le-champ !*

Les guerriers regardèrent autour d'eux pour s'assurer que les jeunes gens étaient seuls. Pointer des lances sur la Mère Inquisitrice paraissait leur déplaire de plus en plus. C'était un outrage sans précédent, et ils le savaient. On eût dit qu'ils hésitaient entre continuer, à leurs risques et périls, ou jeter leurs armes et s'agenouiller humblement. Quelques-uns finirent d'ailleurs par se fendre d'une demi-révérence.

— *Lâchez vos armes !* répéta Kahlan en avançant d'un pas.

Les guerriers tressaillirent et reculèrent un peu. Puis, comme s'ils venaient de trouver un compromis acceptable, toutes leurs lances se détournèrent de Kahlan pour se braquer sur Richard.

Surprise par la tournure des événements, l'Inquisitrice vint se camper devant son compagnon.

— Que fais-tu ? murmura Richard dans son dos. Tu perds la tête ?

— Tais-toi, ou nous risquons de la perdre tous les deux, et pas au sens figuré. Je joue ma dernière carte. Si je ne peux pas les convaincre de parlementer, nous sommes fichus…

— Pourquoi ne t'obéissent-ils pas ? Je croyais que tous les peuples des Contrées avaient peur de la Mère Inquisitrice.

— Ils ont peur, mais d'habitude, il y a un sorcier à mes côtés. Ne pas en voir leur donne peut-être un peu de courage. Mais même dans ces conditions, ils ne devraient pas se comporter comme ça… (Kahlan avança encore d'un pas.) *Qui parle au nom des Bantaks ? Qui prend le risque d'autoriser des guerriers à menacer la Mère Inquisitrice ?*

Leur stratégie de rechange – viser Richard – n'étant plus praticable, les Bantaks perdirent encore confiance et baissèrent un peu leurs armes. Pas beaucoup, mais c'était déjà ça…

Un vieil homme se fraya un chemin parmi les guerriers et vint se camper face à Kahlan. Vêtu comme tous les autres, il portait autour du cou un médaillon en or gravé de symboles bantaks. Kahlan le reconnut : Ma Ban Grid, le guide spirituel de son peuple. Son expression hargneuse le faisait paraître encore plus ridé que lors de leur précédente rencontre. Elle ne lui avait jamais vu d'autre expression qu'un sourire accueillant.

— *Je parle au nom des Bantaks*, déclara Ma Ban Grid, dévoilant les deux dernières dents qui garnissaient encore sa mâchoire inférieure. (Il regarda Richard.) *Qui est cet homme ?*

Kahlan prit une expression sévère.

— *Ma Ban Grid ose interroger la Mère Inquisitrice avant qu'elle ait été saluée comme il convient ?*

Les guerriers se dandinèrent, mal à l'aise. Le vieil homme, lui, ne broncha pas.

— *Ce n'est pas le moment des salutations. Nous ne sommes pas chez nous, mais en terre étrangère, pour massacrer le Peuple d'Adobe.*

— *Pourquoi ?*

— *Les Hommes d'Adobe nous ont déclaré la guerre, comme l'avaient prévu nos esprits-frères. Ils ont abattu un de mes enfants. Nous devons les exterminer avant qu'ils nous tuent tous.*

— *Il n'y aura ni guerre ni tuerie ! La Mère Inquisitrice l'interdit. Les Bantaks seront châtiés de ma main s'ils désobéissent !*

Les guerriers reculèrent en murmurant. Mais leur guide spirituel ne céda pas un pouce de terrain.

— *Les esprits-frères m'ont également dit que la Mère Inquisitrice avait perdu le pouvoir sur les peuples des Contrées. La preuve, ont-ils ajouté, c'est qu'elle n'est plus accompagnée d'un sorcier. Et je n'en vois aucun à tes côtés… Comme toujours, les esprits ont dit la vérité à Ma Ban Grid.*

Kahlan se contenta de foudroyer le vieil homme du regard.

— Que dit-il ? souffla Richard à l'oreille de l'Inquisitrice. (Quand Kahlan l'eut mis au courant, il avança d'un pas, se plaçant à sa hauteur.) Je veux leur parler… Tu peux traduire pour moi ?

— Oui. Il veut savoir qui tu es, mais je ne lui ai pas répondu.

— Eh bien, moi, je vais le dire à tous ces types, déclara le Sourcier d'une voix glaciale. Et à mon avis, ils n'aimeront pas ça…

Il regarda les guerriers, ignorant délibérément Ma Ban Grid. La colère de l'Épée de Vérité dansait dans ses yeux. Il l'avait invoquée avant même d'avoir dégainé la lame.

— Guerriers, vous obéissez à un vieil idiot qui n'est plus capable de distinguer les faux esprits des vrais ! (Les hommes crièrent d'indignation.) N'est-ce pas la vérité, vieux fou ? ajouta Richard en regardant Ma Ban Grid.

Le guide spirituel eut du mal à ne pas s'étrangler de colère.

— *Qui es-tu pour oser m'insulter ainsi ?*

— Tes faux esprits t'ont dit que les Hommes d'Adobe ont tué un des tiens. Ils ont menti, et tu as été assez stupide pour les croire.

— *C'est toi qui mens ! Nous avons vu la tête de mon fils sur un poteau ! Les Hommes d'Adobe l'ont abattu, car ils veulent nous déclarer la guerre. Pour les punir, nous les massacrerons jusqu'au dernier.*

— Parler à un imbécile commence à me fatiguer, vieillard ! Si les Bantaks chargent un crétin comme toi de communiquer avec les esprits, c'est qu'ils n'ont pas plus de cervelle qu'un moineau.

— Richard, tu vas nous faire tuer, souffla Kahlan.

— Traduis !

Pendant qu'elle s'exécutait, Ma Ban Grid s'empourpra tant qu'il ressembla vite à un poivron bien mûr.

— Les Hommes d'Adobe, ajouta Richard, n'ont pas tué ton fils, vieillard. C'est moi qui l'ai abattu.

— Richard, je ne peux pas leur dire ça ! Ils nous tailleront en pièces…

Sans quitter Ma Ban Grid des yeux, le Sourcier murmura :

— Quelque chose effraie assez ces braves gens pour les forcer à se comporter comme des sauvages. Si je ne leur fais pas encore plus peur, ils nous tueront et iront massacrer les villageois sans défense. Traduis !

Kahlan répéta aux Bantaks les deux dernières phrases du Sourcier. Aussitôt, toutes les armes se relevèrent.

— *Tu as tué mon fils !* beugla Ma Ban Grid.

— Oui, fit Richard en haussant les épaules. (Il pointa un index entre ses yeux.) Une flèche, exactement là. Elle lui a traversé la tête au moment où il s'apprêtait à enfoncer sa lance dans le dos d'un homme qui ne lui avait rien fait. Je l'ai abattu, comme j'aurais tué un coyote sur le point d'attaquer un agneau. Celui qui frappe si lâchement mérite la mort ! Et l'homme qui lui a ordonné d'agir ainsi, croyant aux mensonges des faux esprits, n'a pas le droit de diriger son peuple !

— *Nous allons te tuer !*

— Tu crois ? Vous pouvez essayer, mais vous ne réussirez pas.

Richard tourna le dos au vieil homme et s'éloigna d'une vingtaine de pas, les guerriers s'écartant pour le laisser passer.

— J'ai tiré une seule flèche pour tuer un Bantak, dit-il en se retournant. Tirez-en une autre pour tenter de m'abattre, et nous verrons qui est protégé par les esprits du bien. Vieil homme, choisis ton champion. Qu'il me vise entre les deux yeux, comme j'ai visé l'assassin à la solde des faux esprits.

— Richard, tu es devenu fou ? s'écria Kahlan. Je ne vais pas leur dire de te prendre pour cible !

— Je réussirai, je le sens…

— Tu y es arrivé une fois, c'est vrai. Mais si ça ne marche pas ? Veux-tu que je te regarde mourir ?

— Kahlan, si nous n'arrêtons pas ces gens, ils nous tueront de toute façon, et le Gardien franchira le voile. Le conseil des devins se tiendra ce soir, et c'est tout ce qui compte. J'utilise la Première Leçon du Sorcier : le premier pas pour croire quelque chose, c'est vouloir que ce soit vrai, ou en avoir peur. Jusqu'à maintenant, les Bantaks sont persuadés que les esprits disent la vérité parce qu'ils ont envie de le croire. Je vais leur faire *redouter* que mes prochaines paroles soient la vérité…

— Et que comptes-tu leur dire ?

— Traduis avant qu'ils décident de ne plus m'écouter et de nous tuer !

Kahlan communiqua aux Bantaks la proposition du Sourcier. Tous les guerriers se portèrent volontaires pour tirer la fameuse flèche. Ma Ban Grid, les regarda, l'air ravi.

— *Vous pouvez tous tirer sur le suppôt du mal qui a abattu mon fils !* dit-il enfin. *Allez-y ! Tous ensemble !*

Tous les arcs se pointèrent sur Richard.

— Espèce de lâche ! lança-t-il au vieillard. Guerriers, voyez-vous à quel point votre chef est fou ? Il sait qu'il écoute de faux esprits et voudrait que vous leur obéissiez aussi. Ce chien a compris que les esprits du bien me protègent, et il craint de relever le défi que je lui lance. C'est la preuve qu'il se joue de vous !

Mâchoires serrées, Ma Ban Grid leva un bras pour interdire à ses hommes de tirer. Puis il se tourna vers un guerrier et lui arracha son arc.

— *Je vais te montrer que les esprits qui me parlent ne sont pas des imposteurs ! Tu mourras pour avoir tué mon fils et proféré d'ignobles mensonges.*

À la vitesse de l'éclair, il tira une flèche empoisonnée sur Richard. Les guerriers hurlèrent de joie et Kahlan manqua une inspiration, la peur lui nouant le ventre.

Le Sourcier attrapa la flèche en plein vol, juste devant son visage.

Les guerriers se turent tandis qu'il avançait vers Ma Ban Grid, le projectile dans la main et les yeux brûlants de rage. Il s'arrêta devant le vieillard et cassa la flèche en deux avec un sourire triomphal…

— Les esprits du bien m'ont protégé, vieil imbécile ! Toi, tu as écouté des imposteurs.

Richard dégaina lentement l'Épée de Vérité, la note cristalline clairement audible dans un silence de mort. La pointe de l'arme vint titiller la pomme d'Adam de Ma Ban Grid.

— Je suis Richard le Sourcier, le compagnon de la Mère Inquisitrice. Et le sorcier qui l'accompagne !

Tous les guerriers écarquillèrent les yeux. Très pâle, Ma Ban Grid baissa les yeux sur la lame.

— *Toi ? Un sorcier ?*

— Oui, un sorcier ! cria Richard. J'ai le don et la magie m'obéit. Tes faux esprits t'ont menti : il y a bien un sorcier avec la Mère Inquisitrice. Ces imposteurs ont envoyé ton fils déclencher une guerre dont le Peuple d'Adobe ne voulait pas. Vieil homme, ils t'ont manipulé ! Un guide spirituel plus avisé s'en serait peut-être aperçu. Mais un abruti comme toi… (Les guerriers grommelèrent, choqués qu'on traite leur chef ainsi.) Si tu continues à défier la Mère Inquisitrice, j'utiliserai ma magie pour te tuer. Puis je ravagerai les terres des Bantaks, qui resteront stériles jusqu'à la fin des temps. Et tous les vôtres mourront dans d'atroces souffrances, car la magie tue salement. Aucun Bantak, femme, enfant ou vieillard n'échappera à ma fureur. Mais je commencerai par toi, Ma Ban Grid !

— *Tu nous tuerais avec ta magie ?* souffla le vieil homme.

— Si tu n'obéis pas à la Mère Inquisitrice, votre sort à tous sera terrible.

En verve, Richard énuméra une impressionnante série d'horreurs. Amusée, Kahlan remarqua qu'il puisait son inspiration dans le discours que Zedd avait tenu, quelques mois plus tôt, à la foule qui prétendait le lyncher, l'accusant d'être un méchant sorcier. Le Sourcier reprenait à son compte l'astuce de son vieil ami… et les Bantaks se décomposaient à mesure qu'il parlait.

Ma Ban Grid leva les yeux de l'épée et les planta dans ceux de Richard. Il semblait moins sûr de lui, mais pas encore décidé à s'avouer vaincu.

— *Les esprits m'ont dit qu'il n'y aurait pas de sorcier avec la Mère Inquisitrice. Pourquoi devrais-je te croire ?*

La colère déserta le visage de Richard comme par enchantement. Kahlan ne l'avait jamais vu brandir l'épée sans une lueur de rage dans les yeux. Là, il semblait doux comme un agneau. Étrangement, c'était encore plus effrayant. La paix intérieure d'un homme décidé à aller jusqu'au bout de son chemin…

À la pâle lueur de l'aube, la lame de Richard vira lentement au blanc. Son éclat augmenta au point que tous durent bientôt détourner les yeux.

Le Sourcier invoquait la seule magie à sa disposition : celle de l'Épée de Vérité.

Ce fut suffisant. Certains Bantaks lâchèrent leurs armes et se jetèrent à genoux en implorant le pardon du Sourcier et la protection des esprits. D'autres restèrent comme pétrifiés, ne sachant plus que faire.

— Excuse-moi, vieil homme, dit Richard, mais je dois te tuer pour sauver des centaines de vies. Sache que je te pardonne et que je regrette de t'exécuter.

En traduisant, Kahlan posa une main sur le bras de Richard pour l'empêcher de frapper.

— Richard, attends ! Laisse-moi une chance de tout arranger.

— Une seule… Si tu échoues, il mourra.

L'Inquisitrice savait qu'il essayait d'effrayer les Bantaks pour les libérer d'un envoûtement. Mais il lui faisait peur aussi. Au-delà de la fureur de l'épée, il plongeait dans un état… pire encore.

— *Ma Ban Grid*, dit Kahlan, *Richard te tuera, ce n'est pas une menace en l'air. Je lui ai demandé d'attendre, afin de t'accorder mon pardon si tu reconnais avoir eu tort. Je peux le prier de t'épargner, et il m'écoutera. Mais il ne m'a laissé qu'une chance.*

Après, je n'aurai plus aucune influence sur lui. Si tu tentes de le tromper, le remède sera pire que le mal. Richard est un homme de parole. Il t'a fait une promesse et si tu recours à la ruse, il la tiendra...

» Saisis ta seule occasion d'entendre la vérité. Il n'est pas trop tard. La Mère Inquisitrice ne veut pas voir mourir un seul de ses enfants. Tous les hommes et toutes les femmes des Contrées sont chers à mon cœur. Parfois, je dois en sacrifier quelques-uns pour que des milliers d'autres survivent. Ma Ban Grid, j'attends ta réponse...

Autour d'eux, les guerriers avaient baissé la tête et ne disaient plus un mot. Ils semblaient avoir pris conscience de s'être laissé entraîner dans une folie. Pacifiques par nature, les Bantaks regrettaient déjà leur égarement, dont ils paraissaient ne plus comprendre les raisons. Richard avait réussi à leur flanquer une frousse dix fois plus terrible que celle qui les avait poussés à se comporter comme des sauvages.

En attendant la réponse de Ma Ban Grid, Kahlan écarta de son front une mèche de cheveux que le vent faisait danser devant ses yeux. Son regard redevenu clair et calme, comme si le charme était rompu, le vieil homme leva la tête vers elle.

— *J'ai écouté les esprits,* dit-il d'une voix vibrante de sincérité, *et j'ai cru qu'ils disaient la vérité. Le Sourcier a raison, je suis un vieux fou.* (Il se tourna vers ses hommes.) *Les Bantaks n'ont jamais semé la mort et le malheur. Et ils ne commenceront pas aujourd'hui.*

Baissant la tête, il enleva son médaillon et le tendit à Kahlan.

— *Mère Inquisitrice, remets-le aux Hommes d'Adobe, je t'en prie. Dis-leur que c'est un gage de paix. Il n'y aura pas de guerre entre nous...* (Ma Ban Grid regarda Richard rengainer l'Épée de vérité.) *Merci de nous avoir empêchés – de m'avoir empêché – de commettre une terrible erreur.*

— *Ma récompense est d'avoir sauvé des vies,* dit Kahlan, en saluant le vieil homme de la tête.

— Demande-lui comment les esprits l'ont convaincu d'agir contre sa nature profonde et celle de son peuple, fit Richard.

— *Ma Ban Grid, de quelle façon les esprits t'ont-ils inspiré le désir de faire la guerre et de tuer ?*

— *J'ai entendu leurs murmures, la nuit,* confessa le vieil homme, un peu hésitant. *Alors, la soif de violence est montée en moi. Je l'avais déjà éprouvée, mais sans jamais y céder. Cette fois, elle m'a submergé. Je n'avais jamais connu cela...*

— Le voile qui nous sépare du royaume des morts a été déchiré, annonça Richard. (Des murmures coururent dans les rangs des guerriers quand Kahlan eut traduit.) Des faux esprits risquent de te parler de nouveau. Reste sur tes gardes. Je comprends que tu aies été abusé, et je ne t'en garderai pas rancune. Mais j'espère que tu seras plus prudent, à présent que tu connais la vérité.

— *Merci de ta clémence, sorcier,* dit Ma Ban Grid. *Je ne referai plus la même erreur...*

— Les esprits t'ont-ils dit autre chose ?

— *Je ne me souviens pas de paroles précises,* répondit le vieil homme, pensif. *Elles me communiquaient plutôt un sentiment qui m'emplissait d'un désir de violence... Mon fils, celui qui est mort, les a entendues aussi, car il était avec moi. J'ai eu l'impression que les voix s'adressaient à lui différemment. Ses yeux brûlaient de haine – plus encore que les miens. Il est parti aussitôt après la visite des esprits-frères.*

Richard regarda le guide spirituel un long moment. Puis il parla enfin :

— Ma Ban Grid, je suis navré d'avoir dû tuer ton fils, et mon cœur saigne chaque fois que j'y pense. S'il y avait eu une autre solution, sache que je l'aurais adoptée.

Le vieil homme hocha la tête, mais ne parvint pas à répondre. Se tournant vers ses hommes, il parut soudain mort de honte.

— *Je ne comprends pas ce que nous fichons ici*, murmura-t-il. *Les Bantaks ne sont pas des tueurs.*

— Les faux esprits sont coupables, le rassura Richard. Je suis content que nous vous ayons aidés à voir la vérité.

Ma Ban Grid hocha une dernière fois la tête puis fit signe à ses guerriers qu'il était temps de rentrer chez eux. Les regardant s'éloigner, Kahlan soupira de soulagement, mais Richard serra les poings, l'air tendu.

— Que penses-tu de tout ça ? demanda l'Inquisitrice.

— Le Gardien a de l'avance sur nous, dit Richard. Il s'est donné le mal de te discréditer, toi, la Mère Inquisitrice. Il sème des pièges sur notre chemin pour réaliser un plan dont je n'ai pas la moindre idée.

— Et que proposes-tu ?

— De nous en tenir à nos projets : le conseil des devins ce soir, le mariage demain, puis le départ pour Aydindril.

— Richard, murmura Kahlan, tu es vraiment un sorcier. Tu t'es servi de la magie pour libérer les Bantaks d'un envoûtement.

— Non. C'était simplement un truc que m'a appris Zedd. Il m'a dit un jour que les gens redoutent plus que tout d'être tués par la magie, comme s'ils risquaient d'être « plus morts » qu'après un coup d'épée ou un accident… J'ai joué de cette peur et de la Première Leçon pour secouer les Bantaks. La terreur que je leur ai inspirée était plus forte que celle dispensée par les esprits.

— Et quand la lame a tourné au blanc ? insista Kahlan.

— Tu te souviens de la démonstration de Zedd, le jour où il nous a montré comment fonctionne l'épée ? Il affirmait qu'il est impossible de tuer quelqu'un qu'on juge innocent. (Kahlan hocha la tête : non, elle n'avait pas oublié.) Eh bien, il se trompait ! Quand la lame est blanche, on peut tuer n'importe qui, même une personne qu'on aime. Tu comprends pourquoi je hais la magie ?

— Richard, le don vient de t'aider à sauver des centaines de vies…

— À quel prix pour moi ? gémit le Sourcier. Quand je pense à faire virer la lame au blanc, je revois le moment où je l'ai fait devant toi, et où j'ai manqué te tuer.

— Mais tu ne m'as pas abattue… Avec des « si » on mettrait Aydindril en bouteille !

— Ça ne change rien à la douleur. J'ai déjà tué avec la lame blanche, et je sais de quoi je suis capable. Le digne fils de Darken Rahl ! (Il changea abruptement de sujet.) Je crois que nous devrons être très prudents, ce soir, pendant le conseil des devins.

— Voilà deux fois que nous sommes avertis que frayer avec les esprits est dangereux. Ne veux-tu pas renoncer au conseil ?

— Pour me tourner vers quelle option ? Le Gardien mène le jeu, Kahlan. Les événements s'accélèrent, et à chaque pas, nous découvrons que nous ne savons presque rien. Alors, dédaigner une occasion d'en apprendre davantage...

— Et si les esprits ne peuvent rien pour nous ?

— Au moins, nous en serons sûrs... Les enjeux sont trop élevés pour se dérober. (Richard prit la main de sa compagne.) Kahlan, je refuse d'être responsable d'un désastre. Ou de le laisser se produire en sachant que c'est ma faute.

— Pourquoi ? Parce que Darken Rahl est ton père ? Tu serais coupable de tout à cause de cette filiation ?

— Peut-être... Mais Rahl ou non, je ne peux pas laisser le monde entier tomber entre les mains du Gardien. Ni *te* livrer à lui. Il faut que j'arrête ça. Darken Rahl me hante du fond de sa sépulture. Je sais que tout est ma faute ! Ne me demande pas pourquoi, mais c'est une certitude. Si je n'agis pas, le monde succombera et le Gardien te torturera pour l'éternité. Cette idée m'effraie atrocement. La nuit, mes cauchemars me réveillent. Pour éviter ça, je suis prêt à tout. Les risques ne m'arrêteront pas. J'assisterai au conseil des devins, même si j'ai peur qu'il s'agisse d'un piège.

— Un piège ? Tu crois que...

— C'est possible... Nous avons reçu un avertissement. Une raison d'être vigilants... Pendant le conseil, je n'aurai pas mon épée. Pourras-tu faire appel à la Rage du Sang ?

— Je l'ignore, car je ne sais pas comment ça marche. Et je n'ai aucun contrôle sur le phénomène...

— Eh bien, espérons que tu n'en auras pas besoin... Après tout, les esprits seront peut-être coopératifs... Ils l'ont bien été, la première fois...

Richard saisit l'Agiel qui pendait à son cou. Ses yeux gris étaient voilés par la douleur. Une nouvelle crise de migraine ! Il se laissa glisser sur le sol et se prit la tête à deux mains pendant que Kahlan s'agenouillait près de lui.

— Avant de repartir, il faut que je me repose un peu. Ces maux de tête me tuent.

Kahlan savait que ce n'était pas une image... Et seul Zedd, en Aydindril, pouvait empêcher ça.

La jeune femme espéra que le jour du départ arriverait vite.

L'après-midi touchait à sa fin quand ils regagnèrent le village, où les célébrations continuaient. Richard allait un peu mieux, mais la souffrance voilait toujours son regard. Les Anciens se levèrent dès qu'ils virent approcher les deux jeunes gens et l'Homme Oiseau vint à leur rencontre.

— *Et les Bantaks ? Les avez-vous vus ? Nous n'avons aucune nouvelle de Chandalen...*

Kahlan sortit le médaillon d'or et le tendit à l'Homme d'Adobe.

— *Ils étaient au nord, comme l'avait prévu Richard. Ma Ban Grid vous envoie ce cadeau en gage de paix. Les Bantaks n'attaqueront pas le Peuple d'Adobe. Ils ont commis une erreur et ils le regrettent. Nous leur avons fait comprendre que nous ne leur voulions pas de mal. Après tout, Chandalen aussi a commis une erreur...*

L'Homme Oiseau hocha solennellement la tête et ordonna à un chasseur de partir vers l'est et de ramener Chandalen et ses hommes. Kahlan trouva que l'Ancien avait l'air moins satisfait qu'il ne l'aurait dû.

— *Mon ami, quelque chose ne va pas ?*

— *Deux Sœurs de la Lumière sont revenues. Elles attendent dans la maison des esprits.*

Kahlan blêmit. Elle avait espéré que ces femmes ne se remontreraient pas aussi vite.

— Les Sœurs de la Lumière sont dans la maison des esprits, dit-elle à Richard.

— Rien n'est jamais facile…, marmonna le Sourcier. Homme Oiseau, serez-vous prêts pour ce soir ?

— *Oui. Les esprits seront exacts au rendez-vous.*

— Sois prudent, mon ami. Et ne tiens rien pour acquis. Nos vies en dépendent. (Richard prit le bras de Kahlan.) Allons voir si nous pouvons nous débarrasser au moins d'un problème…

Ils traversèrent la place où les villageois dansaient, mangeaient ou écoutaient les joueurs de boldas et de tambour. Quelques enfants n'étaient pas encore au lit et s'amusaient comme des petits fous…

— Trois jours…, marmonna le Sourcier.

— Pardon ?

— Leur première visite remonte à trois jours environ. Ce soir, je vais refuser leur deuxième proposition, et demain, nous partirons. Quand elles reviendront, dans trois jours, nous serons en Aydindril depuis quarante-huit heures.

— À condition qu'elles suivent le même rythme. Imagine qu'elles soient de retour demain ? Ou une heure après ton deuxième refus ?

Kahlan sentit le regard de Richard peser sur elle, mais elle ne tourna pas la tête vers lui quand il parla :

— Tu essaies de me remonter le moral ?

— Tu n'auras que trois occasions, Richard. J'ai peur pour toi et ces migraines risquent de…

— Je ne porterai plus jamais de collier ! Sous aucun prétexte, et pour personne !

— Je sais…, souffla l'Inquisitrice.

Le Sourcier ouvrit la porte et entra dans la maison des esprits. Les mâchoires serrées, il foudroya du regard les deux femmes campées au milieu de la pièce, puis avança vers elles. Capuche baissée, elles semblaient très calmes malgré leurs fronts légèrement plissés.

— J'ai des questions à poser, rugit Richard en s'immobilisant, et j'entends obtenir des réponses !

— Nous sommes ravies de voir que tu es en bonne forme, dit sœur Verna. Et toujours vivant…

— Pourquoi sœur Grâce s'est-elle donné la mort ? Et pourquoi ne l'en avez-vous pas empêchée ?

Sœur Elizabeth avança d'un pas, le Rada'Han dans les mains.

— Nous t'avons déjà dit que le temps des questions était révolu… À présent, seules les règles comptent.

Les poings sur les hanches, Richard dévisagea froidement ses interlocutrices.

— Je joue aussi selon des règles… Les miennes ! Voulez-vous connaître la première ? Aucune de vous ne se tuera aujourd'hui !

Autant parler à un mur !

— Moi, la Sœur de la Lumière Elizabeth Myric, je te donne une chance d'être aidé. La première raison d'accepter le Rada'Han était de garder les migraines sous contrôle et d'ouvrir ton esprit à l'enseignement qui te permettra d'utiliser le don. Tu as refusé cette proposition. Alors, je vais te révéler la suivante.

» La deuxième raison d'accepter le Rada'Han est de nous permettre de te contrôler.

— Me contrôler ? explosa Richard. Qu'est-ce que ça signifie ?

— Rien de plus ni de moins que ce que ça dit…

— Je ne mettrai pas un collier pour le plaisir d'être « contrôlé » par vous. Ni pour une autre raison, d'ailleurs…

Sœur Elizabeth leva le Rada'Han à hauteur de ses yeux.

— Comme tu le sais, la deuxième raison est plus dure à accepter que la première. Richard, tu es en grand danger. Et il ne te reste plus beaucoup de temps. Je t'en prie, accepte ! La troisième raison sera encore moins agréable…

Kahlan vit dans les yeux de son compagnon une lueur qu'elle n'avait remarquée qu'une seule fois depuis qu'elle le connaissait. Quand Grace lui avait proposé le collier, le regard du jeune homme avait paru soudain étranger… et terriblement effrayant. Et comme la première fois, Kahlan en eut la chair de poule.

— J'ai déjà dit, fit Richard, sa colère soudain envolée, que je ne porterai plus jamais de collier. Si vous voulez m'apprendre à dominer mon don, je veux bien en discuter avec vous. En ce moment, des événements importants sont en cours. Un grave danger nous guette, et vous ne savez rien de tout ça. Le Sourcier a des responsabilités. Je ne suis pas un enfant, comme vos autres sujets. Avec un adulte, il est toujours possible de parler.

Sœur Elizabeth le foudroyant du regard, le Sourcier recula d'un pas. Les yeux fermés, il tremblait un peu.

Il se ressaisit, prit une grande inspiration, releva les paupières et soutint le regard de la femme. Quelque chose venait de se produire, mais Kahlan aurait été bien en peine de dire quoi.

Comme si elle était vidée de ses forces, Elizabeth baissa le Rada'Han et murmura :

— Acceptes-tu le Rada'Han ?

Richard ne détourna pas le regard.

Je refuse, dit-il, d'une voix redevenue puissante.

Elizabeth blêmit et attendit quelques secondes avant de se tourner vers sa compagne.

— Pardonne-moi, ma sœur, car j'ai échoué. (Elle tendit le Rada'Han à Verna.) Tout dépend de toi, à présent.

— La Lumière te pardonne, souffla Verna avant d'embrasser sa compagne sur les deux joues.

Elizabeth se tourna de nouveau vers Richard.

— Puisse la Lumière te tenir pour l'éternité entre ses mains bienveillantes, dit-elle. Et fasse que tu trouves un jour le bon chemin…

Les poings toujours sur les hanches, le Sourcier ne broncha pas. Elizabeth releva le menton. Comme Grace avant elle, elle leva un bras, et, d'un mouvement du poignet, fit jaillir de sa manche la dague à garde d'argent. Elle la tourna vers son cœur sous le regard d'acier du jeune homme. Kahlan retint son souffle, prise d'une fascination morbide devant la femme qui allait mettre fin à ses jours.

Au moment où la dague bougea, le Sourcier réagit enfin. À une vitesse hallucinante, il saisit le poignet d'Elizabeth et, de sa main libre, lui arracha l'arme. Elle se défendit mais n'était pas de force contre lui.

— J'ai exposé ma règle… Il n'y aura pas de suicide aujourd'hui !

— Par pitié, lâche-moi ! cria Elizabeth.

Sa tête se renversa et un éclair aveuglant qui semblait venir du plus profond d'elle-même jaillit de ses yeux. Elle s'écroula et Verna lui enfonça sa propre arme dans le dos avant qu'elle ait touché le sol.

— Tu dois l'enterrer toi-même, dit Verna. Si tu laisses quelqu'un d'autre le faire, tu auras jusqu'à la fin de tes jours des cauchemars provoqués par la magie. Rien ne pourra t'en débarrasser.

— Vous l'avez assassinée ! Espèce de cinglée ! Pourquoi ?

Verna nettoya son étrange lame sur sa manche, tendit la main, récupéra celle de la morte et la glissa dans la poche de son manteau.

— C'est toi qui l'as tuée, dit-elle.

— Son sang est sur vos mains !

— Comme sur le tranchant de la hache d'un bourreau… Mais ce n'est pas l'arme qui a tué…

Richard voulut lui sauter à la gorge. Elle ne tressaillit pas, se contentant de continuer à le regarder fixement. Les mains du jeune homme s'immobilisèrent avant d'atteindre leur but, comme si elles se heurtaient à une barrière invisible.

À cet instant, Kahlan comprit qui étaient les Sœurs de la Lumière.

Richard cessa de forcer sur la « barrière » et recula ses mains. Aussitôt, il parut moins furieux – presque apaisé. Puis il tendit un bras et saisit Verna à la gorge.

— Richard, croassa la sœur, les yeux écarquillés de surprise, lâche-moi !

— Comme vous l'avez dit la dernière fois, tout ça n'est pas un jeu. Pourquoi l'avez-vous tuée ?

Les pieds du Sourcier quittèrent le sol et il se retrouva en suspension dans les airs. Quand il resserra sa prise sur le cou de la femme, des flammes rugissantes apparurent autour d'eux et enveloppèrent le jeune homme.

— Je t'ai dit de me lâcher !

Encore quelques secondes et le feu magique consumerait Richard… Sans même en avoir conscience, Kahlan tendit le poing vers la Sœur de la Lumière. Des étincelles bleues crépitèrent autour de son poignet et de sa main alors qu'elle tentait de s'empêcher de frapper. Des éclairs échappèrent à son contrôle, partant à l'assaut des murs, du sol et du plafond – partout, sauf là où se tenaient Richard et son ennemie. Contenir son pouvoir était un tel effort que l'Inquisitrice en tremblait.

— Arrêtez ! cria-t-elle, alors que les filaments bleus absorbaient les flammes. Une mort suffit pour aujourd'hui !

Les éclairs disparurent.

Dans un silence total, sœur Verna regarda Kahlan, de la fureur dans les yeux. Richard se posa sur le sol et lâcha le cou de son ennemie.

— Je ne lui aurais pas fait de mal…, dit la sœur. Mon but était de l'effrayer pour qu'il retire sa main… (Elle se tourna vers le Sourcier.) Qui t'a appris à briser une Toile ?

— Personne. J'ai découvert ça tout seul. Pourquoi avez-vous tué sœur Elizabeth ?

— Tu as découvert ça tout seul ! railla Verna. Je t'ai dit que ce n'était pas un jeu, Richard ! Les règles sont les règles… (Sa voix se brisa.) Je connaissais Elizabeth depuis des années. Si tu as déjà fait tourner au blanc la lame de ton épée, tu comprendras ce que cet acte m'a coûté…

Richard ne lui révéla pas qu'il comprenait ce qu'elle voulait dire.

— Et après ça, vous pensez que je vais me livrer à vous ?

— Le temps te manque, Richard. Avec ce que je viens de voir aujourd'hui, j'ai bien peur que les migraines te tuent plus vite que prévu. Normalement, la douleur aurait déjà dû te terrasser. Mais ce qui te protège ne résistera plus longtemps. Je sais que tu détestes voir mourir les gens. Crois-tu que ça nous amuse ? Mais tout ça, nous le faisons pour te sauver ! Je te supplie de le croire.

Verna se tourna vers Kahlan.

— Méfie-toi de ton pouvoir, Mère Inquisitrice, car je doute que tu mesures à quel point il est dangereux. (Elle releva sa capuche et regarda de nouveau Richard.) Tu as refusé la première et la deuxième proposition. Je reviendrai… Il ne te reste qu'une chance. Si tu ne la saisis pas, tu mourras. Réfléchis bien, Richard…

Dès que la porte se fut refermée sur Verna, Richard s'agenouilla près du cadavre d'Elizabeth.

— Elle a utilisé sa magie sur moi, dit-il. Je l'ai senti…

— Comment était-ce ?

— La première fois, j'ai eu le sentiment qu'une force extérieure me poussait à accepter le Rada'Han. Mais j'avais trop peur du collier pour y accorder beaucoup d'attention. Aujourd'hui, c'était plus fort. La magie d'Elizabeth tentait de me forcer à dire oui. J'ai pensé à mon angoisse du collier jusqu'à ce que cette puissance se retire et me laisse refuser. (Il leva les yeux vers Kahlan.) Tu y comprends quelque chose ? Ce qu'a fait Elizabeth, puis le feu de Verna, et le reste ?

— Oui. Les Sœurs de la Lumière ont des pouvoirs magiques.

Richard se releva lentement.

— Des pouvoirs magiques… Alors, pourquoi se suicident-elles quand je refuse leur proposition ?

— À mon avis, pour transmettre leur pouvoir à celle qui prendra le relais. Ainsi, elle sera plus forte lors de la prochaine tentative.

— Suis-je important au point qu'elles sacrifient leur vie pour moi ? Et dans quel but ?

— Peut-être simplement pour t'aider, comme elles le disent…

— Elles refusent qu'un parfait inconnu meure, quitte à ce que deux d'entre elles y laissent la vie ? N'est-ce pas un dévouement suspect ? Quelque chose ne colle pas dans cette équation…

— Je ne peux pas te répondre, mais j'ai si peur que ça en devient douloureux. Je crains qu'elles ne disent la vérité, Richard : les migraines te tueront très bientôt ! Malgré les soins de Nissel, tu ne résisteras plus longtemps. (La voix de l'Inquisitrice se brisa.) Et je ne veux pas te perdre !

Richard enlaça tendrement la jeune femme.

— Non, tout ira bien… Je vais enterrer cette malheureuse. Ensuite, nous participerons au conseil des devins. Puis nous partirons pour Aydindril, et Zedd me tirera de ce mauvais pas. Je ne veux pas que tu t'inquiètes…

Kahlan hocha la tête contre l'épaule du Sourcier. La boule qu'elle avait dans la gorge ne lui autorisait pas d'autre réaction…

Chapitre 16

Nue comme un ver, Kahlan était assise au milieu d'un cercle composé de huit hommes dans le même appareil. Richard avait pris place à sa gauche. Comme les Anciens et l'Inquisitrice, il était couvert de boue blanche et noire, sauf sur la poitrine, où subsistait un petit rond de peau immaculée. À la chiche lumière du feu qui crépitait dans la cheminée, Kahlan voyait les lignes et les courbes qui se croisaient sur son visage. Tous portaient les mêmes peintures, afin que les esprits puissent les voir. La jeune femme se demanda si elle avait l'air aussi sauvage que son compagnon. L'odeur âcre de la fumée – très inhabituelle – lui irritait le nez. Mais elle n'osa pas se gratter, impressionnée par l'attitude solennelle des Anciens. Le regard vide, ils murmuraient des paroles sacrées aux esprits.

La porte se ferma toute seule, faisant sursauter l'Inquisitrice.

— *À partir de maintenant,* déclara l'Homme Oiseau, *et jusqu'à la fin, à l'aube, nul ne pourra entrer ou sortir d'ici. Les esprits défendent cette porte…*

Kahlan détestait l'idée, lancée par Richard, qu'il puisse s'agir d'un piège. Elle serra plus fort la main du jeune homme, qui lui répondit d'une pression rassurante. Au moins, se consola l'Inquisitrice, elle était avec lui. Et elle espérait être capable de le protéger – en invoquant son nouveau pouvoir, si nécessaire.

L'Homme Oiseau prit une grenouille dans un panier qu'il fit passer à l'Ancien assis à côté de lui. Pendant que tous se frottaient un batracien sur la poitrine, Kahlan contempla les crânes disposés en cercle devant eux. L'un après l'autre, les Anciens renversèrent la tête et commencèrent à incanter des litanies différentes.

Sans la regarder, Savidlin tendit le panier à l'Inquisitrice. Fermant les yeux, elle prit une petite grenouille-esprit et la passa sur sa poitrine, écœurée par le contact gluant du dos de l'animal contre un carré de sa peau non enduit de boue. Affermissant son contrôle sur ses pouvoirs d'Inquisitrice, afin de ne pas les libérer involontairement, la jeune femme tendit le panier à Richard.

Quand sa peau la picota, elle libéra la grenouille et reprit la main du Sourcier. Le contour des murs de la pièce se brouilla, comme si elle les voyait à travers une brume de chaleur. Puis elle eut le sentiment d'être une roue qui tournait follement autour des crânes, devenus une sorte de moyeu.

Alors que le picotement, sur sa peau, se transformait en caresse, une lumière très blanche monta des crânes et emplit le champ de vision de Kahlan. L'écho lointain des chants, des tambours et des boldas augmenta d'intensité puis bourdonna à ses oreilles aussi fort que si elle avait encore été sur la place.

Comme la première fois, la lumière des crânes devint aveuglante, entraînant les neuf participants du conseil dans un vide tourbillonnant.

Des silhouettes apparurent autour d'eux. *Les esprits des ancêtres…*, se souvint l'Inquisitrice. Bientôt, une main sans substance lui tapota l'épaule.

L'Homme Oiseau parla d'une voix qui n'était plus la sienne, mais celle des esprits, froide comme la mort.

— *Qui a demandé cette réunion du conseil des devins ?*

Kahlan se pencha vers Richard et traduisit.

— C'est moi, répondit le Sourcier.

La main lâcha l'épaule de l'Inquisitrice et tous les esprits se regroupèrent au centre du cercle.

— *Dis-nous ton nom !* lancèrent-ils d'une seule voix. *Ton vrai nom, sans rien omettre. Si tu es sûr de vouloir cette réunion, malgré le danger, confirme-le après avoir décliné ton identité. Nous ne te donnerons qu'un avertissement…*

— Richard, je t'en prie…, souffla Kahlan après avoir traduit.

— Je n'ai pas le choix…, dit le Sourcier. (Il regarda les esprits et prit une grande inspiration.) Je suis Richard… (Il hésita une fraction de seconde.)… Richard Rahl… et je demande que cette réunion ait lieu.

— *Alors, il en sera ainsi…*, répondit la voix collective.

La porte de la maison des esprits s'ouvrit, le battant s'écrasant contre le mur.

Kahlan sursauta et sentit la main de Richard tressaillir. La porte resta béante, gueule noire dans la pénombre environnante. Les Anciens relevèrent la tête, leurs regards redevenus clairs. Pourtant, ils semblaient désorientés…

La voix des esprits retentit de nouveau. Cette fois, elle ne sortait pas de la bouche des Anciens, mais venait des spectres eux-mêmes. Et ses accents étaient encore plus douloureux que précédemment.

— *Tous doivent sortir, à part celui qui a convoqué le conseil des devins. Partez tant que vous le pouvez encore. Ne négligez pas cet avertissement : ceux qui resteront avec lui risquent d'y perdre leur âme.* (Toutes les silhouettes se tournèrent vers Richard.) *Toi, tu n'as pas le droit de sortir !*

Les Anciens, affolés, se regardèrent tandis que Kahlan traduisait. Elle comprit que cet événement ne s'était jamais produit…

— Qu'ils partent, dit Richard. Je ne veux pas qu'il leur arrive du mal.

— *Homme Oiseau, retirez-vous tous. Richard Au Sang Chaud veut vous protéger.*

— *Je ne peux pas te donner de conseils, mon enfant*, dit l'Homme d'Adobe. *Cela n'est jamais arrivé et je ne comprends pas ce que ça signifie…*

— *Ne t'inquiète pas, mon ami…*, répondit l'Inquisitrice. *À présent, partez avant qu'il ne soit trop tard…*

Savidlin posant au passage une main sur l'épaule de la jeune femme, les sept Anciens sortirent, comme avalés par la gueule béante de la porte.

Kahlan se rassit près de Richard.

— Je veux que tu sortes aussi…, souffla le Sourcier d'une voix très calme – presque glaciale.

Dans ses yeux, l'Inquisitrice vit briller de la peur. Et danser la flamme de la magie.

— Non, je ne te quitterai pas… Même si notre union n'est pas encore officielle, nos cœurs sont liés. Nous ne faisons plus qu'un, Richard. Ce qui t'arrive m'arrive aussi…

Le Sourcier ne tourna pas la tête vers sa compagne, le regard toujours rivé sur les esprits. Kahlan pensa qu'il allait lui ordonner de sortir. Mais elle se trompait.

— Merci…, dit-il tendrement. Je t'aime, Kahlan Amnell. Nous resterons ensemble, une fois de plus !

Derrière eux, la porte se referma.

Kahlan poussa un nouveau cri, le cœur battant la chamade.

Les silhouettes des esprits commencèrent à se dissiper.

— *Nous sommes désolés, Richard Rahl, mais nous ne pouvons pas être témoins de ce qui va suivre. Ce que tu as invoqué nous dépasse.*

Quand les spectres eurent disparu, la lumière mourut et les deux jeunes gens se retrouvèrent dans une obscurité totale. Il n'y avait plus un bruit, à part les crépitements du feu agonisant et le sifflement de leurs respirations. Les mains dans les mains, nus comme le jour de leur naissance, ils attendirent en silence.

Alors que Kahlan commençait à croire – et à espérer – qu'il ne se passerait rien, une lumière brilla au-dessus des crânes.

Une lueur verte.

Celle qu'elle n'avait vue qu'en une seule occasion : à la lisière du royaume des morts.

À mesure qu'elle devenait plus brillante, des gémissements montaient à leurs oreilles. Puis un roulement de tonnerre fit trembler le sol.

Du cœur de la lueur verte jaillit une lumière blanche qui prit lentement la forme d'une silhouette. Le souffle coupé, Kahlan sentit sa nuque se hérisser.

La silhouette blanche avança d'un pas. Kahlan s'aperçut à peine que Richard lui broyait presque la main. Terrorisée, elle reconnut la longue robe immaculée, la crinière de cheveux blonds, le visage douloureusement parfait…

Et ce sourire cruel…

— Que les esprits nous protègent…, souffla l'Inquisitrice.

C'était Darken Rahl !

Richard et Kahlan se levèrent lentement. Les yeux bleus du maître mort suivirent leurs mouvements. Avec une nonchalance régalienne, Darken Rahl leva une main et s'humecta le bout des doigts.

— Richard, merci de m'avoir invoqué… C'est très délicat de ta part.

— Je ne… t'ai pas… invoqué…, balbutia le Sourcier.

— Une erreur de plus, mon pauvre garçon ! Tu as demandé un conseil des devins. Les esprits des ancêtres… Ne suis-je pas ton père ? Toi seul pouvais me faire franchir le voile. Toi seul !

— Je te bannis !

— Si ça peut te faire plaisir ! (Rahl tendit les bras hors de l'aura qui l'enveloppait.) Tu vois, je suis toujours là…

— Mais je t'ai tué !

Le spectre éclata de rire.

— Ça, pour me tuer, tu m'as tué ! Puis tu as utilisé la magie pour m'envoyer dans un monde où je suis… très connu. Et où j'ai des amis. Et voilà que tu m'en as ramené ! De nouveau avec la magie. Ce faisant, Richard, tu as déchiré le voile un peu plus. (Rahl secoua tristement la tête.) Y a-t-il des limites à ta stupidité ?

Darken Rahl sembla flotter vers le Sourcier, qui lâcha la main de Kahlan et recula d'un pas. Paralysée, la jeune femme resta sur place.

— Je t'ai tué, souffla Richard. Tu as perdu et j'ai gagné !

— Tu as remporté une escarmouche dans une guerre sans fin, en recourant à ton don et à la Première Leçon du Sorcier. Mais dans ton ignorance, tu as violé la Deuxième Leçon, et tout reperdu aussitôt. (Rahl eut un rictus pervers.) Quel dommage… Personne ne t'a prévenu que la magie est dangereuse ? J'aurais pu te l'apprendre, partager avec toi toutes mes connaissances… (Rahl haussa les épaules.) Qu'importe ! Tu m'as aidé à gagner, même sans être formé. Je ne pourrais pas être plus fier de toi.

— Qu'ai-je fait ? Que dit la Deuxième Leçon du Sorcier ?

— Tu ne sais vraiment pas ? Tu devrais… Aujourd'hui, tu l'as violée une deuxième fois. Ainsi, tu as de nouveau déchiré le voile, assez pour que je puisse passer et ouvrir un chemin au Gardien. Et tu as réussi ça tout seul ! Mon digne fils ! Tu n'aurais jamais dû te mêler de choses qui te dépassent…

— Que veux-tu ?

— Toi, mon enfant, dit Rahl en approchant encore. (Il leva les mains vers le jeune homme.) Tu m'as envoyé dans un autre monde. En retour, je vais t'y expédier aussi. Tu appartiens au Gardien !

Le poing de Kahlan se leva d'instinct quand le Kun Dar explosa au plus profond d'elle-même. La fureur la submergea et des éclairs bleus jaillirent de ses doigts. L'obscurité, autour d'eux, fut déchirée par une tempête de lumière et de bruit qui fit trembler le sol. Les murs de la maison des esprits se rematérialisèrent, éclairés par le rayon bleu qui volait vers Darken Rahl.

Il leva négligemment une main et détourna l'éclair, qui se sépara en deux. Une fourche traversa le toit, provoquant une pluie de fragments de tuile, et se perdit dans le firmament obscur. L'autre s'enfonça dans la terre et souleva des gerbes de poussière.

Darken Rahl plongea son regard dans celui de Kahlan et lui fit le sourire le plus pervers qu'elle ait jamais vu. Tous les muscles à la torture, elle tenta en vain d'invoquer de nouveau son pouvoir. Rahl venait de la tétaniser et Richard semblait aussi impuissant qu'elle.

Richard, pensa-t-elle, *mon Richard ! Esprits du bien, ne laissez pas une telle horreur arriver !*

De la fureur dans le regard, le Sourcier tenta de faire un pas en avant. Darken Rahl lui posa une main sur le côté gauche de la poitrine, juste au-dessus du cœur, le pétrifiant comme une statue.

— Je t'ai imprimé la marque du Gardien, fiston. Désormais, tu es à lui.

Richard rejeta la tête en arrière et cria avec tant de désespoir que Kahlan en eut le cœur brisé. Comme si, à cet instant, elle venait de mourir mille fois en une seconde.

De la fumée monta de la poitrine du jeune homme et une odeur de chair brûlée agressa les narines de l'Inquisitrice.

Darken Rahl retira enfin sa main.

— C'est le prix de l'ignorance, Richard. Tu es la créature du Gardien, à présent. Et pour l'éternité ! Le voyage commence !

Le Sourcier s'écroula comme une marionnette dont on aurait coupé les fils. Kahlan n'aurait su dire s'il était évanoui ou mort. Et si quelque chose la tenait encore debout, ce n'était pas ses jambes, mais les fils que manipulait Darken Rahl.

Il glissa jusqu'à elle, se pencha et l'inonda de sa lumière aveuglante. L'Inquisitrice voulut fermer les yeux et se recroqueviller sur elle-même, mais elle n'y parvint pas.

— Tuez-moi aussi…, murmura la jeune femme. Envoyez-moi le rejoindre, par pitié !

Il tendit les mains vers elle. Quand il la toucha, du feu et de la glace se déversèrent dans son corps.

Puis les mains du maître la lâchèrent.

— Non… Ce serait trop facile. Je préfère qu'il voie ce qui t'arrivera. Comme un témoin impuissant… (Cette fois, le sourire de Rahl dévoila ses dents.) Qu'il souffre tout son soûl !

Les yeux de Rahl étaient comme des poignards qui déchiraient les entrailles de Kahlan. Le regard terrifiant dont Richard avait hérité…

— Tu vivras, pour le moment… Bientôt, vivante puis morte, tu connaîtras une abominable souffrance, et il devra la contempler. Pour l'éternité ! Et nous serons là aussi, le Gardien et moi… À ses côtés !

— Pitié ! cria Kahlan. Ne nous séparez pas !

Rahl tendit un doigt et recueillit une larme sur la joue de Kahlan. Ce simple contact la fit trembler de souffrance.

— Puisque tu l'aimes tant, je vais te faire un cadeau. (Le maître se tourna et tendit un bras vers Richard.) Le laisser vivre un peu plus longtemps… Assez pour que tu voies la marque du Gardien drainer ses forces vitales et lui arracher l'âme. Le temps ne compte pas, puisque le Gardien finira par avoir son dû. Je t'offre ce minuscule fragment d'éternité pour que tu voies mourir l'homme que tu aimes.

Rahl se pencha vers Kahlan, qui tenta vainement de reculer. Quand il lui posa un baiser dans le cou, la douleur la fit hurler et elle eut le sentiment qu'il venait de la violer. Ses mains diaphanes écartant les cheveux de la jeune femme, le maître approcha la bouche de son oreille.

— Profite de ma générosité, murmura-t-il. Le moment venu, tu m'appartiendras aussi. Une éternité de douleur, suspendue entre la vie et la mort… J'aimerais te décrire ce qui t'attend, mais j'ai peur que tu ne comprennes pas. N'aie crainte, je te montrerai bientôt… (Il lâcha un horrible gloussement.) Quand j'aurai fini de déchirer le voile et libéré le Gardien.

Rahl posa un nouveau baiser dans le cou de Kahlan. L'horreur des visions qui se déversèrent dans son esprit dépassa tout ce qu'elle avait jamais pu imaginer.

— Un avant-goût… À très bientôt, Mère Inquisitrice.

Dès qu'il se détourna, Kahlan put de nouveau bouger. Elle tenta d'invoquer son pouvoir, mais ne réussit pas. Tremblante, elle cria quand Darken Rahl franchit la porte de la maison des esprits et disparut dans la nuit.

Puis elle s'écroula, des sanglots lui déchirant la poitrine. Folle d'une rage impuissante, elle rampa péniblement jusqu'à Richard.

Il gisait sur le flanc, lui tournant le dos. Quand elle le fit pivoter, ses bras inertes retombèrent le long de ses flancs. Le teint de cendres, il ressemblait à un cadavre. Une empreinte de main calcinée s'étalait sur sa poitrine. La marque du Gardien ! Du sang suintait de la chair noircie. Sa vie et son âme s'écoulaient lentement…

En larmes, Kahlan se coucha sur lui et le prit dans ses bras.

Elle s'accrocha à ses cheveux et pressa son visage contre sa joue glacée.

— Je t'en prie, Richard, gémit-elle, ne me quitte pas ! Je ferais n'importe quoi pour toi, même mourir à ta place. Reviens, je t'en supplie ! Ne m'abandonne pas !

Elle se serra plus fort contre lui, certaine que l'univers venait de s'écrouler autour d'elle. Richard agonisait. Elle ne pouvait penser à rien d'autre, sinon à crier qu'elle l'aimait. Il allait mourir et elle ne pouvait pas l'en empêcher. Sa respiration ralentissait déjà…

Elle implora la mort de l'emporter avec lui, mais son cœur continua obstinément à battre.

Était-elle ici depuis quelques minutes ou une éternité ? Désorientée, Kahlan ne distinguait plus la réalité de l'illusion. Comme dans un cauchemar…

Alors qu'elle caressait les joues glacées du moribond, une voix la fit sursauter :

— Tu dois être Kahlan…

L'Inquisitrice se retourna. La porte de nouveau refermée, elle vit se découper dans l'obscurité la silhouette spectrale d'une femme aux mains jointes. Un sourire sur les lèvres, son abondante chevelure nattée, elle ne semblait pas hostile.

— Qui es-tu ?

L'inconnue s'assit en face de Kahlan. Elle ne portait pas de vêtements, vit enfin l'Inquisitrice, mais ne paraissait pas nue pour autant. Les yeux pleins de désir et d'angoisse, elle regarda Richard puis se tourna vers sa compagne.

— Je m'appelle Denna.

En entendant ce prénom, Kahlan leva un poing, prête à foudroyer le monstre qui osait encore approcher de Richard.

— Il agonise, dit Denna, l'empêchant de frapper. Et il a besoin de nous deux.

— Tu peux l'aider ?

— Ensemble, nous en serons peut-être capables. Si tu l'aimes assez fort.

— Je ferais n'importe quoi pour lui…

— Je l'espère bien…

Denna tourna la tête vers Richard et lui caressa la poitrine. Indignée, Kahlan faillit déchaîner son pouvoir. Mais elle ignorait si le fantôme tentait de lui faire mal ou de l'aider. Contre toute logique, elle opta pour la deuxième possibilité. La seule chance de le sauver !

Quand la poitrine du jeune homme se souleva, le cœur de l'Inquisitrice battit la chamade.

— Il est encore avec toi, dit Denna en retirant sa main.

Kahlan baissa un peu son poing et essuya ses larmes de l'autre main. Elle détestait le désir qui brillait dans les yeux de Denna dès qu'elle les posait sur le jeune homme.

— Comment es-tu venue ? Richard n'a pas pu t'invoquer, car tu n'es pas une de ses ancêtres…

— C'est impossible à expliquer clairement, mais je peux t'aider à comprendre… Alors que j'étais dans un lieu où règnent la paix et l'obscurité, ce calme fut perturbé par le passage de Darken Rahl. Normalement, il n'aurait pas dû pouvoir faire ça. Mais j'ai senti que Richard l'avait appelé, lui permettant de traverser le voile.

» Je connais Rahl et je savais ce qu'il allait faire à Richard. Alors, je l'ai suivi. Et dans son sillage, j'ai traversé le voile qui me retenait prisonnière. Ma peur pour Richard est la raison de ma venue. Je ne peux pas t'en dire plus…

Kahlan hocha la tête. Pour elle, ce n'était pas un esprit qui parlait, mais une femme qui avait pris Richard dans son lit. Le pouvoir brûlait de frapper. Elle le contrôla, se convainquant que c'était le seul moyen de secourir Richard. Puisqu'elle ignorait que faire, elle devait se fier à Denna. Elle avait déclaré être prête à tout pour sauver son compagnon, et c'était vrai, même si ça consistait à épargner une femme… déjà morte – un monstre qu'elle aurait voulu étriper de ses propres mains…

— Peux-tu le tirer de là ? demanda-t-elle.

— La marque du Gardien est sur lui… Toute personne qui la porte est attirée dans le royaume des morts pour devenir le jouet du Gardien. Si une autre main s'imprime sur la marque, celle-ci passera sur son propriétaire, et c'est lui qui fera le voyage dont on ne revient pas. Alors, Richard continuera à vivre.

Sans hésiter, Kahlan se pencha vers le Sourcier, la main tendue.

— Alors, que je sois marquée, et que mon bien-aimé vive !

La paume de l'Inquisitrice approcha de l'empreinte de main noircie.

— Kahlan, non !

— Pourquoi ? Je veux le sauver, et pour ça, j'accepte de faire le voyage à sa place.

— Je sais, mais ce n'est pas si simple. D'abord, nous devons parler. L'aider ne sera facile pour aucune de nous. Et nous souffrirons beaucoup…

Kahlan recula et se rassit. L'enjeu valait tous les sacrifices, y compris parler à cette… créature. Une main sur le front de Richard, elle regarda le spectre.

— Comment sais-tu qui je suis ?

— Quand on connaît Richard, comment ignorer qui est Kahlan ?

— Il t'a parlé de moi…

— En un sens… J'ai entendu ton nom des milliers de fois. Quand je le torturais jusqu'à ce qu'il délire, il le criait sans cesse. Jamais un autre… Ni celui de sa mère, ni celui de son père. Seulement le tien. Il souffrait jusqu'à en oublier son propre prénom, mais pas le tien… J'étais sûre qu'il trouverait un moyen de s'unir à toi malgré ton pouvoir d'Inquisitrice. S'il le fallait, il pourrait forcer le soleil à se lever en pleine nuit !

— Pourquoi me dis-tu tout ça ?

— Parce que je vais te demander de l'aider… Avant que tu acceptes, il faut que tu saches combien tu devras le faire souffrir pour réussir. Tu dois agir en toute connaissance de cause. C'est ta seule chance de succès. Si tu ne comprends pas, tu échoueras…

» Il n'est pas seulement en danger à cause de la marque. La folie le ronge et c'est moi qui en suis responsable. Ce mal le tuera aussi sûrement que les stigmates du Gardien.

— Richard est parfaitement sain d'esprit. Fou, lui ? C'est absurde ! Nous devons retirer la marque, c'est tout.

— Tu te trompes ! Il est *marqué* d'une autre façon, car il a le don. Je l'ai su au moment où il est venu m'exécuter. Et je vois l'aura de la magie autour de lui, en ce moment même. Cela le tue, et il n'a plus beaucoup de temps devant lui. Pas question de le sauver du Gardien pour le laisser mourir à cause du don !

Kahlan se frotta le nez du dos de la main et hocha la tête.

— Les Sœurs de la Lumière prétendent pouvoir le tirer de là… Mais il faudrait qu'il porte un collier, et il ne veut pas en entendre parler. Il m'a raconté ce que tu lui as fait, et c'est pour ça qu'il refuse le Rada'Han. Mais il n'est pas fou. Comme toujours, il verra que c'est inévitable, et il acceptera la vérité.

— Ce qu'il t'a confié, dit Denna, effleure à peine la réalité. Et ce qu'il t'a caché dépasse ton imagination. Kahlan, je connais sa folie. Il ne te révélera pas tout, mais moi, je le dois…

— Je ne te le conseille pas, lâcha l'Inquisitrice. Car je n'ai pas à connaître ce qu'il désirait garder secret.

— Il le faut ! Sinon, tu ne pourras rien pour lui. Sur certains points, j'en sais plus long sur Richard qu'il n'en sait lui-même. Je l'ai poussé jusqu'à la frontière de la folie, puis au-delà. Quand il a perdu la raison, j'étais là, et je l'ai empêché de quitter les territoires de la maladie mentale.

Kahlan identifia enfin le sentiment qui faisait briller les yeux de Denna quand elle regardait Richard. Et ça n'améliora pas sa confiance en cette femme.

— Tu l'aimes !

— Lui, c'est toi qu'il aime. Je me suis servie de cet amour pour le torturer. Après l'avoir amené sur le fil qui sépare la vie de la mort, je l'y ai maintenu en équilibre. D'autres l'auraient conduit là plus vite, mais sans pouvoir l'empêcher de basculer. Mes collègues ont tendance à brûler les étapes. Leurs sujets meurent avant qu'elles aient tiré le meilleur de la souffrance et de la folie. Darken Rahl m'avait choisie à cause de mon art de progresser à petits pas, sans provoquer la mort des cobayes. C'est lui-même qui m'a enseigné ça.

» Parfois, je restais passive des heures, sachant qu'un nouveau coup d'Agiel aurait été fatal. Et alors que j'attendais de pouvoir recommencer, il murmurait ton nom sans s'en apercevoir. Tu étais le fil qui le raccrochait à la vie. Et c'est grâce à ça que j'ai pu aller si loin. Son amour pour toi m'a permis de lui infliger des punitions qu'il n'aurait pas supportées sinon… Et alors que j'étais là, l'écoutant murmurer ton prénom, je priais pour qu'il dise le mien – une fois, oui, au moins une fois ! Cela n'arriva jamais. Et je l'ai fait souffrir à cause de ça plus que pour toute autre raison.

— Par pitié, Denna, dit Kahlan, des larmes roulant sur ses joues, je ne veux plus rien entendre. Savoir que je t'ai aidée à lui faire du mal…

— Tu dois écouter ! coupa Denna. Je n'ai pas encore dit le premier mot de tout ce que tu dois connaître si tu veux l'aider. Par exemple, j'ai retourné sa magie contre lui, et c'est pour ça qu'il la hait, aujourd'hui. Je le sais, parce que Darken Rahl m'a fait subir tout ce que je lui ai infligé.

Lorsque Kahlan se fut assise, tremblante, le regard fixe, presque en transe, Denna lui raconta en détail comment elle s'était servie de l'Agiel sur Richard. Pour avoir touché cet objet maudit, l'Inquisitrice imagina le calvaire de son compagnon.

Elle éclata en sanglots quand Denna lui décrivit son supplice favori : Richard suspendu au plafond, elle lui tirait la tête en arrière et lui conseillait de ne pas se débattre tandis qu'elle lui enfonçait l'Agiel dans l'oreille. Sinon, les dommages cérébraux seraient irréversibles. Par amour pour Kahlan, le jeune homme avait réussi à préserver son intégrité intellectuelle.

L'Inquisitrice garda les yeux baissés, incapable de regarder en face la femme qui lui parlait. Et le pire restait à venir !

Une main sur le ventre et l'autre obturant sa bouche, Kahlan réussit à ne pas vomir pendant ces descriptions. En revanche, elle ne put pas arrêter ses sanglots, même quand ils manquèrent l'étouffer.

Dans sa détresse, elle espéra que Denna éluderait le sujet qui risquait d'avoir raison d'elle malgré sa détermination à sauver Richard. Implacable, le spectre lui révéla dans le détail tout ce qu'une Mord-Sith faisait à ses amants. Cela expliquait, ajouta-t-elle, qu'ils ne vivent jamais longtemps. Et Richard avait eu droit à un traitement qu'aucun de ses autres partenaires n'avait dû subir.

Kahlan se détourna, rampa à l'écart et vomit. Denna s'approcha pour la soutenir tandis qu'elle vidait son estomac sur le sol en terre battue.

Ensuite, l'Inquisitrice voulut invoquer la Rage du Sang pour châtier Denna. Bien trop faible, elle n'y parvint pas. Elle resta où elle était, écartelée entre le désir d'aller serrer Richard dans ses bras et l'envie de réduire cette femme en cendres avec son pouvoir.

— Lâche-moi…, parvint-elle à souffler. (Le spectre obéit.) Combien de fois lui as-tu fait subir ça ?

— Le nombre qu'il fallait… Ça n'a pas d'importance.

— Combien de fois ! répéta l'Inquisitrice, les poings serrés.

— Désolée, Kahlan, je n'ai pas tenu le compte… Mais il est resté plus longtemps avec moi que mes précédents partenaires. Je l'ai pris dans mon lit presque toutes les nuits. Et je suis allée plus loin avec lui parce que les autres n'avaient pas la force qu'il tirait de son amour pour toi. Eux, ils seraient morts dès la première fois. Il m'a beaucoup combattue, au début. Je l'ai fait autant de fois qu'il fallait, c'est tout.

— Autant de fois qu'il fallait pour quoi ?

— Le rendre fou. En partie…

— Il n'est pas fou ! Pas fou ! Pas fou !

Denna attendit que Kahlan se calme un peu pour continuer.

— Écoute-moi, je t'en prie ! N'importe qui d'autre aurait été brisé par ce que je lui ai infligé. Richard s'en est tiré en compartimentant son esprit. Il a enfermé l'essence de sa personne dans un lieu où ni moi ni la magie n'avions accès. En recourant à son don, il a préservé le noyau de sa personnalité. Mais dans certaines zones de son esprit, la folie est bien là. J'ai retourné sa propre magie contre lui pour qu'il perde la raison. Il ne pouvait pas se protéger *entièrement*. Je t'ai raconté tout ça afin que tu prennes conscience qu'il est partiellement fou. Il a sacrifié une part de lui-même pour épargner le reste. Et tout ça pour toi ! Je regrette de n'avoir pas pu agir ainsi quand on m'a dressée.

Kahlan prit la main de Richard et la serra contre son cœur.

— Comment as-tu pu lui faire ça ? Mon pauvre Richard… Comment peut-on torturer quelqu'un ainsi ?

— Nous avons tous nos zones sombres… Certains sont plus touchés que d'autres. Dans ma vie, tout ne fut qu'obscurité…

— Si tu as souffert toi-même, je comprends encore moins que…

— Toi aussi, coupa Denna, tu as commis des actes terribles. Avec ton pouvoir, tu as fait du mal à des gens.

— Mais c'étaient des criminels…

— Des criminels ? Tous, jusqu'au dernier ?

Kahlan se souvint du malheureux Brophy, un innocent qui avait dû vivre dans la peau d'un loup pour recouvrer en partie son autonomie.

— Non, souffla-t-elle. Mais j'étais obligée d'agir ainsi. C'est ma mission. Ce que je suis. Et qui je suis !

— Peut-être, mais les actes restent. Et si nous parlions de Demmin Nass ?

Ce nom fut comme une gifle pour Kahlan. Des souvenirs – hélas, délectables – remontèrent à sa mémoire. Émasculer ce monstre avait été un moment de pure joie.

— Par les esprits, gémit-elle, suis-je donc aussi mauvaise que toi ?

— Nous faisons tous ce que nous devons faire, quelles que soient nos motivations. (Une main diaphane releva le menton de l'Inquisitrice.) Je ne t'ai pas parlé pour te blesser, Kahlan. Ces évocations m'ont torturée aussi. Mon but est de sauver Richard, pour qu'il ne meure pas avant que son heure ait sonné. Et pour que le Gardien ne réussisse pas à s'évader…

Kahlan serra plus fort la main de Richard contre sa poitrine.

— Denna, je suis navrée, mais je n'ai pas la force de te pardonner. Je sais que Richard y est arrivé… Moi, c'est impossible. Je te hais !

— Je n'espérais pas que tu me pardonnerais. Mon seul souhait, c'est que tu acceptes la vérité, au sujet de la folie de Richard.

— Pourquoi ? En quoi est-ce indispensable ?

— Ainsi, tu sauras que faire, et tu comprendras pourquoi tu agis. Porter un collier est le symbole même de sa folie. Un rappel de tout ce que je lui ai infligé. Pour lui, la magie est synonyme de torture et de maladie mentale. Il ne ment pas quand il dit préférer mourir que d'en remettre un. Et s'il s'en tient là, il mourra ! Une seule raison pourrait le convaincre d'accepter le Rada'Han.

Kahlan releva la tête, les yeux écarquillés.

— Tu veux que je lui demande de le faire pour moi ? Tu crois que je me pourrais me plier à cette infamie, après ce que je viens d'apprendre ?

— Si ça vient de toi, il obéira. Sinon, rien ne le convaincra.

Le bras inerte de Richard glissa des mains tremblantes de Kahlan. Denna avait raison ! Aussi difficile que ce fût à admettre, ce monstre disait la vérité !

Ce que l'Inquisitrice avait vu dans les yeux de Richard, chaque fois qu'une

Sœur de la Lumière lui avait présenté le collier, était bien de la folie. Le jeune homme ne remettrait jamais un collier, même pour se sauver…

— Si je le force à accepter le Rada'Han, il croira que je l'ai trahi. Sa folie lui dira que je voulais lui nuire. Il me détestera !

— Tout ça me brise le cœur, Kahlan… Tu as peut-être raison. Ce n'est pas certain, mais il risque de voir les choses ainsi. J'ignore à quel point sa folie reprendra le dessus quand il se sentira obligé de mettre le collier parce que tu le lui auras ordonné. Mais il t'aime plus que sa propre vie, et c'est le seul levier que tu puisses utiliser.

— Denna, je ne sais pas si je serai capable de lui faire ça. Surtout avec ce que tu m'as raconté.

— Ce sera ça… ou sa mort ! Si tu l'aimes assez, tu le forceras à accepter en sachant à quel point il souffrira. Tu devras te comporter comme j'agirais à ta place, en l'effrayant assez pour qu'il t'obéisse. Utilise sa folie afin qu'il réfléchisse comme à l'époque où il était avec moi, du temps où il aurait exécuté n'importe quel ordre. Il risque de te haïr jusqu'à ton dernier souffle. Mais si tu l'aimes vraiment, tu sauras regarder la vérité en face : toi seule peux le sauver !

Kahlan chercha désespérément une échappatoire.

— Demain, nous devons partir retrouver Zedd, un sorcier qui saura lui apprendre à contrôler son don. Richard est certain que son vieil ami aura toutes les réponses à ses questions.

— C'est possible… Mais je n'en suis pas sûre. En revanche, je sais que les Sœurs de la Lumière détiennent la solution. S'il refuse la troisième proposition, il perdra cette chance de salut. Imagine que le sorcier ne puisse rien ? Richard mourra très vite. À mon avis, il ne lui reste plus que quelques jours…

» Comprends-tu ce que ça signifie ? Sans lui, le Gardien vaincra, et le monde entier périra. Seul Richard peut refermer le voile.

— Sais-tu comment il devra s'y prendre ?

— Non… Mais je sais qu'on ne peut finir de le déchirer qu'en étant de ce côté, dans ton univers. Voilà pourquoi le Gardien a des agents ici. C'est aussi la raison de la venue de Darken Rahl. Richard peut arrêter ces « agents » puis réparer ce qui a été endommagé… S'il déboute les Sœurs, et si le sorcier est impuissant, le Gardien s'emparera de lui même si nous lui retirons la marque. J'espère que vous rejoindrez son ami avant le retour de la dernière sœur. Ainsi, vous saurez s'il peut se passer du collier. Dans le cas contraire, jure que tu feras ce qu'il faut pour le sauver.

— Nous aurons le temps… Verna ne reviendra pas avant quelques jours. Oui, c'est faisable !

— J'espère que tu as raison. Tu ne me croiras pas, je le sais, mais je prie pour que Richard n'ait pas à remettre un collier et affronter de nouveau sa folie. Mais si vous n'arrivez pas à rejoindre Zedd, tu devras le convaincre d'accepter la troisième proposition.

Kahlan sentit des larmes perler de nouveau à ses paupières. Si elle faisait ça, Richard la détesterait, elle en était sûre.

— Et la marque ? souffla-t-elle.

Denna ne répondit pas tout de suite. Et sa voix, quand elle parla enfin, était presque inaudible.

— Je la prendrai et je me livrerai au Gardien à sa place. (Un fantôme de larme coula sur la joue de Denna.) Mais pour sacrifier mon âme, je dois être sûre que Richard aura une véritable chance de survivre.

— Tu te sacrifierais pour lui ? s'exclama Kahlan, incrédule. Pourquoi ?

— Parce qu'il a eu de la peine pour moi quand Rahl m'a torturée. C'est le seul être au monde qui ait jamais tenté de me soulager de ma douleur. Ce soir-là, il m'a soignée avec un onguent, alors que je n'avais pas cessé de le maltraiter, sourde à ses cris de douleur. Pas une fois, je n'ai eu pitié de lui…

» Au bout du chemin, il m'a pardonnée et a compris par quoi je suis passée. Enfin, il a accepté de porter mon Agiel autour du cou et juré de se souvenir que je n'étais pas seulement une Mord-Sith, mais aussi une femme nommée Denna.

» Et parce que je l'aimais… Même morte, je continue… Ce sentiment ne me sera jamais rendu, mais il ne me quitte pas un instant.

Kahlan regarda Richard et la marque noire qui saignait toujours sur sa poitrine. Malgré la boue qui lui donnait l'air d'un sauvage, c'était l'être le plus doux qu'elle eût jamais rencontré. Pour le sauver, comprit-elle, elle était prête à tout. Y compris à perdre son amour.

— Je le ferai…, souffla-t-elle. C'est juré. S'il n'y a pas d'autre solution, je le contraindrai à porter le Rada'Han. Même s'il doit me haïr. Ou me tuer.

— Alors, dit Denna en tendant une main, scellons entre une morte et une vivante le pacte qui le sauvera.

— Je ne te pardonne pas pour autant, lâcha Kahlan.

Denna ne baissa pas sa main.

— Le seul pardon qui importe m'a déjà été accordé.

— Alors, fit Kahlan en prenant la main du spectre, scellons un pacte pour sauver celui que nous aimons.

— Le temps presse, dit Denna quand elles eurent partagé un court moment de silence. Quand j'en aurai terminé, va chercher du secours. La marque aura disparu, mais pas la blessure, et elle est très grave.

— La guérisseuse du village le soignera.

— Kahlan, merci de l'aimer assez pour le sauver à un tel prix. Que les esprits du bien soient avec vous ! (Elle eut un pauvre sourire.) Là où je vais, je ne risque pas d'en rencontrer… Sinon, je leur aurais demandé de vous aider.

Kahlan posa une main sur le bras du spectre – une façon de lui donner un peu de sa force. Denna lui caressa la joue puis s'agenouilla près de Richard. Sa main se posa sur la marque, la recouvrit et y disparut.

La poitrine du jeune homme se souleva au moment où le spectre poussait un hurlement à glacer le sang.

Puis Denna se volatilisa.

— Kahlan ? gémit Richard. Que m'est-il arrivé ? J'ai si mal…

— Ne t'agite pas, mon amour. Tout va bien. Tu es avec moi, en sécurité. Je vais chercher de l'aide.

Devant la maison des esprits, les Anciens s'étaient assis en cercle. Voyant sortir Kahlan, tous relevèrent la tête.

— *Aidez-moi ! Portez-le chez Nissel, nous n'avons pas le temps d'aller la prévenir !*

Chapitre 17

Kahlan leva les yeux dès que Richard remua.

Il regarda autour de lui jusqu'à ce qu'il voie le visage de sa compagne.

— Où sommes-nous ?

— Chez Nissel, répondit l'Inquisitrice. Elle s'est occupée de ta brûlure.

De la main droite, Richard toucha le bandage qui recouvrait un cataplasme.

— Combien de temps… Quelle heure est-il ?

Kahlan se leva, frotta ses yeux lourds de sommeil et jeta un coup d'œil par la porte entrouverte.

— L'aube s'est levée il y a environ deux heures. Nissel dort dans l'autre pièce. Elle a passé la nuit à ton chevet… Les Anciens montent la garde devant la maison. Ils n'ont pas bougé depuis que nous t'avons amené ici.

— Quand m'avez-vous porté chez Nissel ?

— Vers minuit…

— Qu'est-il arrivé ? Je me souviens que Darken Rahl est apparu, puis qu'il m'a touché – marqué, je crois… Où est-il allé ? Et que s'est-il passé ensuite ?

— Rahl est parti. Je n'en sais pas plus

Richard prit le bras de Kahlan et le serra douloureusement.

— Comment ça, *parti* ? Tu veux dire qu'il est retourné dans le royaume des morts ?

— Richard, tu me fais mal !

— Désolé, dit-il en la lâchant. Je ne voulais pas… Décidément, je suis un sacré crétin !

— Ça ne faisait pas *atrocement* mal, le consola Kahlan en lui posant un baiser dans le cou.

— Je ne parlais pas de ça… Comment ai-je pu être aussi idiot ? Le ramener du royaume des morts ! Quel imbécile je suis ! Bon sang, j'avais reçu un avertissement ! J'aurais dû y réfléchir et comprendre. Mais je me suis focalisé sur un point, sans voir ce qu'il y avait autour. Un comportement de fou !

— Ne dis pas ça…, murmura Kahlan. Tu n'es pas fou. (Elle s'écarta de Richard, se redressa et baissa les yeux sur lui.) Ne dis jamais ça de toi !

Le Sourcier s'assit en face d'elle et grimaça quand il toucha de nouveau son bandage. Puis il tendit une main pour lui caresser la joue, et lui sourit de la façon très spéciale qui la faisait fondre.

— T'ai-je déjà dit que tu es la plus belle femme du monde ?

— Un petit million de fois…

— Tant mieux, parce que c'est la vérité ! J'aime tes yeux verts et tes cheveux… Je n'en ai jamais vu de plus superbes. Kahlan, je t'aime plus que tout au monde…

— Moi aussi, souffla la jeune femme en retenant ses larmes. Richard, jure de ne jamais douter de mon amour, quoi qu'il arrive.

— Juré ! Contre vents et marées ! Tu me crois ? Mais pourquoi cette demande ?

Kahlan s'étendit près de lui, posa la tête sur son épaule et l'enlaça en prenant garde de ne pas toucher sa blessure.

— Darken Rahl m'a terrorisée, c'est tout… Quand il t'a touché, j'ai cru que tu étais mort.

— Que s'est-il passé après ? Je me souviens qu'il a dit m'avoir marqué au nom du Gardien, puis c'est le trou noir…

Kahlan réfléchit très vite et prit sa décision.

— La marque devait t'expédier chez le Gardien… Rahl a ajouté qu'il était là pour finir de déchirer le voile. Heureusement, j'ai pu invoquer la Rage du Sang…

— L'as-tu tué, détruit, ou que sais-je ce qu'on peut faire à un esprit ?

— Non… Il a dévié mon attaque. En partie… Mais je crois qu'il a eu peur quand même. Alors, il a fui. Pas vers la lumière verte, mais en direction de la porte. Il est sorti avant de t'avoir tué, en somme…

Richard sourit et la serra plus fort contre lui.

— Mon héroïne m'a sauvé ! (Il se tut un moment.) Rahl est là pour finir de déchirer le voile… (Il plissa le front.) Et ensuite ?

Kahlan avait résolu de mentir par omission. Ne pouvant soutenir le regard du Sourcier, elle ferma les yeux et chercha un moyen de changer de sujet.

— Les Anciens et moi t'avons porté jusqu'ici, pour que Nissel puisse s'occuper de toi. D'après elle, c'est assez grave, mais le cataplasme agira. Tu devras le garder quelques jours, le temps que ça cicatrise. (Elle brandit un index accusateur.) Je te connais, tu voudras faire le malin et le retirer plus tôt que prévu ! Mais il n'en sera pas question ! Tu m'obéiras au doigt et à l'œil, Richard Cypher !

— Richard Rahl, rectifia le jeune homme, son sourire s'effaçant.

— Désolée… Cypher ou Rahl, tu es toujours mon Richard. Et si tu veux changer de nom, tu pourras devenir Richard Amnell après notre mariage. Les époux des Inquisitrices adoptent parfois le patronyme de leurs femmes…

— Richard Amnell, répéta le jeune homme en souriant. J'aime ça. Le mari de la Mère Inquisitrice… L'homme qui l'aime et la vénère… (Soudain, son regard se voila.) Parfois, j'ai peur d'ignorer qui je suis. Ou *quoi*… Et je me dis que…

— Tu es une part de moi, et moi une part de toi. C'est tout ce qui compte.

Il hocha distraitement la tête, des larmes perlant à ses paupières.

— En convoquant ce conseil, je voulais trouver un moyen d'arrêter tout ça… Mais comme l'a dit Darken Rahl, j'ai aggravé les choses. Il avait raison : je suis stupide.

Tout ce qui arrivera sera ma faute…

— Arrête ça ! Tu es blessé et épuisé. Une fois remis, tu découvriras la solution. Comme toujours…

Richard se força à chasser sa mélancolie. Écartant la couverture, il s'examina.

— Qui a nettoyé la boue avant de m'habiller ?

— Les Anciens t'ont lavé… Nissel et moi voulions nous charger du reste, mais tu n'as pas besoin de rougir, parce que tu es trop lourd pour nous. Les Anciens l'ont fait aussi, et ça leur a pris du temps. À sept !

Richard hocha la tête, mais il ne l'écoutait plus. Il porta une main à son cou, où pendaient d'habitude l'Agiel, le sifflet et le croc d'Écarlate, et ne les trouva pas.

— Nous devons partir au plus vite et retrouver Zedd. J'ai besoin de son aide. Où est le croc d'Écarlate ?

— Toutes nos affaires sont restées dans la maison des esprits.

Richard se massa les joues pendant qu'il réfléchissait, puis se passa une main dans les cheveux.

— Bien… Je vais aller chercher le croc pour appeler notre amie. Ensuite, je ferai nos bagages. (Il serra gentiment le bras de sa compagne.) Toi, tu iras chez Weselan mettre ta robe. En attendant Écarlate, nous aurons le temps de nous marier. Mais nous partirons dès l'arrivée de la femelle dragon. Les deux jeunes époux seront en Aydindril avec Zedd avant la tombée de la nuit. Alors, tout ira bien. Je découvrirai ce que j'ai fait de travers, et j'y remédierai. C'est juré.

— *Nous* y remédierons, rectifia Kahlan. Ensemble, comme toujours !

— Ensemble, oui, répéta Richard. J'ai besoin de toi. Tu illumines mon chemin.

Kahlan s'écarta et riva sur son compagnon un regard sévère.

— Eh bien, la lumière de ta vie a des instructions te concernant, et tu t'y plieras. D'abord, tu ne bougeras pas d'ici avant que Nissel t'y autorise. Elle a prévu de changer ton cataplasme et de te donner un médicament dès ton réveil. Pas question de filer avant, compris ? Je détesterais que tu tombes malade et que tu meures après tout le mal que je me suis donné pour te sauver la vie. Les esprits savent que ce ne fut pas un jeu d'enfant !

» J'irai chez Weselan pour le dernier essayage de la robe. Quand Nissel se sera occupée de toi – et pas avant ! – tu fileras chercher ton croc et appeler Écarlate. Une fois les bagages prêts, viens me chercher, et je consentirai à t'épouser. (Elle lui embrassa le bout du nez.) Si tu jures de m'aimer toujours.

— Promis !

Kahlan se releva à demi en prenant appui sur les épaules musclées du Sourcier.

— Je vais réveiller Nissel et lui dire de faire vite. Dès qu'elle aura fini, cours appeler Écarlate sans perdre une seconde. Je veux partir avant qu'il prenne à Verna l'idée de revenir. Pas question de courir le risque, même si elle n'est pas censée se montrer avant quelques jours. Plus loin nous serons des Sœurs de la Lumière, mieux je me sentirai. Et il faut que Zedd s'attaque le plus tôt possible à tes migraines.

— Et ton grand lit, en Aydindril ? demanda Richard avec un sourire de gamin. Tu n'es pas pressée de le retrouver ?

— Sache que j'y ai toujours dormi seule. J'espère que je ne te décevrai pas.

Richard serra la taille de sa compagne, l'attirant si fort vers lui qu'elle poussa un petit cri. Écartant ses cheveux de son cou, il l'embrassa à l'endroit exact où Darken Rahl avait posé ses lèvres.

— Me décevoir ? Ma chérie, c'est bien la seule chose au monde que tu sois incapable de faire ! (Il l'embrassa de nouveau.) Maintenant, file réveiller Nissel. Nous perdons du temps…

Kahlan tira désespérément sur le tissu – sans obtenir de résultat notable.

— *Je n'ai jamais rien porté de si décolleté… Tu ne crois pas que c'est un peu trop… révélateur ?*

Weselan leva les yeux de l'ourlet de la robe qu'elle s'efforçait d'égaliser. Retirant l'aiguille en os serrée entre ses dents, elle se leva et recula pour admirer son œuvre… et les appas de son amie, superbement mis en valeur.

— *Tu as peur qu'il n'aime pas ça ?*

— *Eh bien*, fit l'Inquisitrice, rouge comme une pivoine, *j'espère qu'il appréciera. Mais…*

Weselan se pencha un peu en avant.

— *Si tu n'as pas envie qu'il en voie autant, tu devrais peut-être réviser ta position au sujet du mariage…*

Kahlan leva un sourcil.

— *Il ne sera pas le seul à se rincer l'œil… Je n'ai jamais mis une robe pareille et j'ai peur… hum… de ne pas lui rendre justice.*

— *Cette robe te va comme un gant*, dit la Femme d'Adobe en tapotant le bras de l'Inquisitrice. *C'est parfait !*

— *Tu es sûre ?* insista Kahlan, en s'inspectant de nouveau. *Je ne suis pas ridicule ?*

— *Avec les seins que tu as ? Tout le monde en dit grand bien, tu sais ?*

Kahlan s'empourpra mais ne douta pas un instant de la véracité de ses dires. Chez le Peuple d'Adobe, vanter en public la poitrine d'une femme n'était pas plus choquant que de la complimenter, dans d'autres cultures, pour son sourire. Une attitude sans inhibition qui l'avait plus d'une fois prise au dépourvu.

Elle tira néanmoins de nouveau sur le tissu.

— *C'est la plus belle robe que j'aie jamais mise, Weselan. Merci d'avoir si bien travaillé. Je la garderai précieusement…*

— *Et si tu as une fille, elle la portera peut-être pour son propre mariage.*

Vénérables esprits, pensa l'Inquisitrice, *si nous avons un enfant, faites que ce soit une fille…*

Elle leva une main et toucha le collier qui ne la quittait jamais. Un petit os rond entouré de quelques perles rouges et jaunes… C'était un cadeau d'Adie, la dame des ossements, conçu pour la protéger des monstres qui rôdaient à la frontière qui séparait jadis les Contrées du Milieu de Terre d'Ouest. La vieille femme avait ajouté qu'il veillerait aussi un jour sur l'enfant de l'Inquisitrice.

Kahlan chérissait le bijou, car c'était une réplique parfaite de celui que sa mère – qui le tenait également d'Adie – lui avait offert jadis. Depuis qu'elle l'avait passé au cou de Dennee, sa sœur adoptive, avant de l'enterrer, ce souvenir lui manquait.

Son remplaçant était très spécial. La veille de leur traversée du Passage du Roi,

Richard avait juré, sur le bijou, de défendre l'enfant qu'elle aurait un jour. Et à l'époque, ni lui ni elle n'auraient pu imaginer que ce serait *leur* enfant...

— *Je serai très fière que ma fille porte cette robe pour ses noces,* dit Kahlan, s'arrachant à ses souvenirs. *Weselan, voudras-tu être mon témoin ?*

— *Ton témoin ?*

— *Chez moi, la coutume veut qu'une amie se tienne près de la jeune mariée pour représenter les esprits du bien qui président la cérémonie. Il en va de même pour l'époux, et je parie qu'il choisira Savidlin. Moi, j'aimerais que tu sois à mes côtés...*

— *Voilà une étrange coutume... Les esprits du bien n'ont pas besoin de représentant, et ils ne cessent jamais de veiller sur nous. Mais si tu le désires, je serais honorée d'être ton... témoin...*

Weselan se pencha pour s'attaquer de nouveau à l'ourlet. Kahlan s'efforça de garder le dos bien droit. Elle avait des courbatures, après avoir passé la nuit assise près de Richard, et elle aurait donné cher pour s'asseoir ou s'allonger. Elle tombait de sommeil, et avait atrocement mal aux reins.

Soudain, elle se demanda ce que Denna devait endurer en cet instant...

Elle chassa aussitôt cette idée. Quoi qu'elle subisse, ce ne serait jamais assez pour la punir d'avoir torturé Richard. En y pensant, l'Inquisitrice avait toujours autant envie de vomir...

La peau de son cou, là où Rahl l'avait embrassée, continuait à brûler. Au souvenir de ce baiser, elle frissonna de la tête aux pieds.

Le cri qu'avait poussé Denna avant de disparaître lui revint en mémoire. Tant pis pour elle ! Elle l'avait bien cherché... Et si elle ne s'était pas livrée au Gardien, Richard aurait été emporté à sa place.

— *Ne crains rien, Kahlan,* dit soudain Weselan.

— *Pardon ?* (La femme d'Adobe s'était relevée et la regardait en souriant.) *Excuse-moi, mais j'avais l'esprit ailleurs... Que disais-tu ?*

La Femme d'Adobe tendit une main et essuya une larme sur la joue de son amie.

— *Tu ne dois pas t'inquiéter... Richard est un homme formidable et tu seras heureuse avec lui. Il est naturel d'avoir peur au moment de se marier, mais tout ira bien, tu verras. Moi aussi, j'ai pleuré avant d'épouser Savidlin. Pourtant, c'était mon plus cher désir. Mais j'ai versé des larmes, à ma grande surprise.* (Elle fit un clin d'œil à son amie.) *Il ne m'a jamais donné de raison de sangloter... Parfois, je me plains un peu, mais ça ne va jamais jusqu'aux pleurs.*

Kahlan s'essuya l'autre joue. Bon sang, que lui arrivait-il ? Elle se fichait du sort de Denna. Complètement !

Elle se força à sourire à Weselan.

— *C'est mon plus grand espoir : ne plus jamais pleurer de ma vie !*

La Femme d'Adobe la serra dans ses bras.

— *Tu as faim ?*

— *Non...*

Couvert de sueur et haletant, Savidlin entra en trombe dans la maison. Kahlan eut un frisson glacé en voyant son air sinistre. Ses mains commencèrent à trembler avant même qu'il prenne la parole.

— *Nissel a soigné Richard, puis je suis allé avec lui dans la maison des esprits, pour qu'il puisse appeler la femelle dragon. La Sœur de la Lumière l'y attendait. Je n'ai pas compris ce que Richard disait, mais j'ai reconnu ton nom. Il voulait que je vienne te chercher. Dépêchons-nous !*

— Non ! cria Kahlan avant de se précipiter vers la porte.

En courant, elle souleva à deux mains l'ourlet de sa robe pour ne pas marcher dessus. Atteignant une vitesse jusque-là inédite, elle réussit à distancer Savidlin.

Une seule idée occupait ses pensées : rejoindre Richard !

Pourquoi Verna était-elle revenue si vite ? Encore quelques heures et ils n'auraient plus été ici. Quelle injustice !

Richard...

De gros flocons de neige tourbillonnaient dans l'air. Pas assez denses pour couvrir le sol d'un tapis blanc, mais c'étaient néanmoins les premiers véritables hérauts de l'hiver. En touchant sa peau, la neige fondait instantanément. Des filaments de glace s'accrochaient parfois à ses cils, l'obligeant à battre des paupières. Gênée, Kahlan s'engagea dans une allée puis s'immobilisa, hésitante. Ce n'était pas le bon chemin ! Revenant sur ses pas, elle prit le passage adéquat. Sur ses joues, des larmes se mêlaient à la neige fondue. Ce nouveau coup du sort était plus qu'elle n'en pouvait supporter. Pourquoi le destin s'acharnait-il ainsi sur un homme ?

Quand elle arriva devant la maison des esprits, elle vit que les chevaux des Sœurs de la Lumière étaient attachés devant.

Sans prêter attention à la foule qui se pressait autour du bâtiment, Kahlan courut vers la porte. Il lui fallut une éternité pour l'atteindre, comme si elle se déplaçait dans un cauchemar où ses jambes refusaient de la porter. Enfin, le cœur battant la chamade, elle tendit une main vers le verrou.

— Esprits du bien, par pitié, faites que je n'arrive pas trop tard !

Elle entra et s'arrêta, le souffle court. Richard et Verna se faisaient face sous le trou percé dans le toit par le pouvoir du Kun Dar. Entourés d'un ballet de flocons scintillant sous la lumière grise du soleil, ils se défiaient du regard. Le Sourcier portait son épée au côté, mais il n'avait rien autour du cou. Pas d'Agiel, de sifflet ou de croc. Donc, il n'avait pas pu appeler Écarlate.

Sœur Verna brandissait le Rada'Han. Elle jeta un regard agressif à Kahlan, puis plongea de nouveau les yeux dans ceux de Richard.

— Tu viens d'entendre la troisième raison d'accepter le collier. C'est ta dernière chance de salut, Richard. Quelle est ta réponse ?

Le jeune homme tourna la tête vers Kahlan et l'étudia des pieds à la tête, son regard glissant lentement sur ses courbes délicieuses.

— Kahlan... cette robe... est magnifique... Vraiment magnifique...

L'Inquisitrice ne parvint pas à parler.

Verna cria son prénom sur un ton menaçant.

Kahlan remarqua qu'elle tenait un autre objet dans sa main gauche. La dague à garde d'argent ! Mais elle la pointait sur le cœur de Richard, pas sur le sien. S'il refusait, elle l'exécuterait. Pourtant, le Sourcier ne semblait pas conscient de la menace. Verna avait-elle lancé un sort pour qu'il ne voie pas l'arme ?

Il répondit enfin.

— Vous avez fait de votre mieux, sœur Verna. Et ça ne suffira pas. Je ne…

— Richard ! cria Kahlan en avançant d'un pas. Accepte la proposition ! Je t'en supplie, mets le collier autour de ton cou !

Verna ne broncha pas, observant calmement la scène.

— Kahlan… Que… ? Je t'ai dit et redit que…

— Richard ! tonna la Mère Inquisitrice.

Surpris par cet éclat, le jeune homme se tut.

Verna n'avait toujours pas bougé, sa dague au poing. Quand elle croisa son regard, Kahlan comprit qu'elle attendrait de voir comment allaient tourner les choses. Mais l'issue, si Richard s'entêtait, ne faisait aucun doute.

— Écoute-moi bien, dit Kahlan. Je veux que tu mettes ce collier.

— Quoi ?

— Accepte le Rada'Han !

— Jamais !

— Et tu prétends m'aimer ?

— Bien sûr que je t'aime ! Quelle folie est-ce là…

— Si tu m'aimes, coupa l'Inquisitrice, accepte la proposition. Pour me prouver ton amour, prends le Rada'Han !

— Pour te prouver mon amour ? Kahlan, c'est impo…

— Fais-le !

Elle se montrait trop gentille et en avait conscience. Richard était surpris, mais pas effrayé. Pour le sauver, elle devait être plus forte et se comporter comme Denna l'aurait fait à sa place.

Esprits du bien, pensa-t-elle, *donnez-moi la force de le torturer.*

— Kahlan, j'ignore ce que tu as, mais nous en parlerons plus tard. Tu sais à quel point je t'aime, mais je refuse de…

L'Inquisitrice leva un poing rageur.

— Si tu m'aimes, obéis-moi, au lieu de débiter de la guimauve en faisant le contraire de ce que je te dis ! Tu me dégoûtes !

— Kahlan…, souffla Richard d'une voix brisée.

— Tu es indigne de mon amour ! Comment oses-tu prétendre que tu m'aimes et refuser de me le prouver ?

Les yeux du jeune homme se remplirent de larmes.

Au souvenir de ce que Denna lui avait infligé, la folie se réveilla dans ses yeux.

— Kahlan…, gémit-il en tombant à genoux. Par pitié !

— Ne t'avise jamais plus de me contredire ! cria l'Inquisitrice en se penchant vers lui, un poing tendu.

Croyant qu'elle allait le frapper, il leva les bras pour se protéger. Par tous les esprits, il la pensait capable de le battre ! Il fallait qu'elle en tire parti.

— Je t'ai ordonné de prendre le collier ! Comment oses-tu tergiverser ? Si tu m'aimes, accepte la proposition !

— Kahlan, par pitié ! Ne me demande pas ça ! Tu ne comprends pas…

— Je comprends très bien ! Tu affirmes m'aimer, et c'est un mensonge ! Si tu refuses le collier, toutes tes déclarations auront été des mensonges ! De sales mensonges !

Le jeune homme ne put relever les yeux vers la femme qui le tyrannisait, vêtue de sa splendide robe de mariée. Le regard rivé sur le sol, il réussit quand même à parler.

— Je ne t'ai jamais menti… Kahlan, je t'aime, tu dois me croire. Tu comptes plus pour moi que quiconque. Je ferais n'importe quoi pour toi, mais s'il te plaît…

Les entrailles nouées par le chagrin, Kahlan le prit par les cheveux et le força à relever la tête. La folie troublait son regard. Elle l'avait perdu… Provisoirement, espéra-t-elle.

Esprits du bien, faites qu'il ne sombre pas à jamais dans les ténèbres !

— Des mots ! Voilà tout ce que tu me donnes. Pas d'amour. Pas de preuve ! Simplement des bavardages sans valeur !

Sans lui lâcher les cheveux, elle leva l'autre main pour le gifler. Il ferma les yeux, prêt à encaisser, mais elle ne réussit pas à le frapper. Il était déjà bien beau qu'elle reste debout ainsi, plutôt que de se jeter à genoux pour le serrer contre elle et lui dire combien elle l'aimait.

Et que tout allait bien ! Mais c'était faux… S'il s'entêtait, il mourrait. Et elle seule pouvait le sauver. Même s'il finissait par la tuer pour se venger.

— Ne me bats plus…, gémit-il. Denna, par pitié !

Kahlan ravala la boule qui s'était formée dans sa gorge et réussit à parler.

— Regarde-moi ! (Il obéit.) Je ne te le répéterai pas cent fois, Richard. Si tu m'aimes, tu dois accepter la proposition et mettre le collier. Sinon, je te ferai regretter de m'avoir désobéi. Ce sera pire que tout ce que tu as connu ! Obéis tout de suite, ou ce sera fini entre nous. (Elle grinça sinistrement des dents.) C'est le dernier avertissement, mon petit chien ! Mets le collier, immédiatement !

Denna lui ayant révélé qu'elle l'appelait ainsi, Kahlan savait pertinemment ce que les mots « petit chien » signifiaient pour Richard. Jusqu'à cet instant, elle avait espéré ne pas avoir à les utiliser. Comme elle s'y attendait, tout ce qui restait de santé mentale au jeune homme l'abandonna. Dans ses yeux, elle vit ce qu'elle redoutait le plus au monde. Il se sentait trahi !

Elle lui lâcha les cheveux tandis qu'il se tournait vers la Sœur de la Lumière, qui lui tendit le collier.

Le visage décomposé, Richard contempla le symbole de son calvaire passé. Impassible, Verna attendit la suite.

— Très bien…, gémit-il, j'accepte la proposition… (Ses mains tremblantes saisirent le collier.) Je porterai le Rada'Han.

— Dans ce cas, dit Verna, mets-le à ton cou et ferme-le.

— Je ferais n'importe quoi pour toi…, souffla Richard en se tournant vers Kahlan.

L'Inquisitrice regretta qu'un éclair magique ne la foudroie pas sur-le-champ. Elle aurait tant voulu mourir !

Les mains de Richard cessèrent soudain de trembler. Il mit le collier autour de son cou. L'artéfact se ferma avec un bruit sec, et la jointure disparut, laissant un anneau de métal lisse comme la surface d'un lac.

La lumière baissa comme si le crépuscule approchait. Pourtant, la journée commençait à peine. Des roulements de tonnerre retentirent, différents de tous ceux que Kahlan avait entendus dans sa vie. Sentant le sol vibrer sous ses pieds, elle en conclut que cela avait un rapport avec la magie du Rada'Han et des Sœurs de la Lumière.

Quand ses yeux se posèrent sur Verna, qui regardait autour d'elle, inquiète, elle comprit qu'elle se trompait.

Richard se releva et se campa devant la sœur.

— Vous risquez de découvrir, sœur Verna, que tenir la laisse de ce collier est pire que de le porter. Bien pire !

— Nous voulons simplement t'aider, Richard…

— Mais vous devrez le prouver, car je ne prends jamais rien pour acquis.

Soudain, une idée angoissante traversa l'esprit de Kahlan.

— La troisième raison ? s'écria-t-elle. Quelle est la troisième raison de porter le collier ?

Richard se tourna vers elle, la foudroyant d'un regard que même son père n'aurait pas pu imiter.

— La première était de dominer les migraines et m'enseigner à contrôler mon don. La deuxième, de me contrôler. (Il tendit une main et saisit l'Inquisitrice à la gorge.) La troisième est de m'infliger de la douleur.

— Non ! Par tous les esprits du bien, non !

— J'espère que tu crois en mon amour, à présent, dit Richard en la lâchant. Tu ne doutes plus, maintenant que je t'ai tout donné ? Prions pour que ça suffise, car il ne me reste plus rien à t'offrir. Rien !

— Je te crois, souffla Kahlan. Et je t'aime plus que tout au monde, Richard.

Elle voulut lui caresser la joue, mais il écarta sa main. De toute évidence, il était persuadé qu'elle l'avait trahi.

— Vraiment ? lâcha-t-il. J'aimerais te croire, mais…

— Tu m'as promis de ne jamais douter de mon amour, lui rappela Kahlan.

— C'est vrai… Tout le monde peut se tromper.

Si elle avait pu invoquer la Rage du Sang contre elle-même, la jeune femme n'aurait pas hésité.

— Je sais que tu ne peux pas le comprendre en ce moment, mais j'ai fait ce qu'il fallait pour te sauver. Sinon, les migraines t'auraient tué. Un jour, tu y verras clair. Moi, je t'attendrai jusqu'à mon dernier souffle, parce que je t'aime de tout mon cœur.

— Si c'est vrai, va voir Zedd et raconte-lui ce que tu as fait.

— Richard, dit soudain Verna, prends tes affaires et va m'attendre près des chevaux.

Le jeune homme alla ramasser son arc, son manteau et son sac, dont il sortit ses trois pendentifs : le sifflet de l'Homme Oiseau, l'Agiel de Denna et le croc d'Écarlate. Le regardant les passer à son cou, Kahlan regretta de ne rien avoir à lui donner en souvenir. Ne pouvait-elle pas improviser ?

Alors qu'il la dépassait, elle le retint par un bras.

— Attends…

Elle tira le couteau passé à sa ceinture, saisit une mèche de sa crinière noire et la coupa. Dans sa ferveur, elle ne pensa pas à ce qui arrivait quand une Inquisitrice s'attaquait ainsi à ses cheveux. Criant de douleur, elle s'écroula sur le sol, tous les nerfs torturés par la magie. Elle aspira de l'air et lutta pour ne pas perdre conscience. Il le fallait, sinon Richard partirait avant qu'elle lui ait donné son présent. S'accrochant à cette idée, elle réussit à se relever et la souffrance se calma un peu.

Kahlan coupa un petit ruban bleu, sur sa robe, et le noua autour de la mèche de cheveux. Puis elle rengaina son couteau et glissa son cadeau dans la poche de chemise du jeune homme.

— Pour que tu n'oublies jamais que je t'aime…

Richard la dévisagea longuement, sans exprimer la moindre émotion.

— Va voir Zedd, dit-il avant de se diriger vers la porte.

Vidée de sa force et de son espoir, Kahlan le regarda sortir.

Verna s'approcha d'elle.

— C'est l'acte le plus courageux auquel j'aie jamais assisté, dit-elle gentiment. Les peuples des Contrées ont de la chance d'avoir une Mère Inquisitrice de cette envergure.

— Il croit que je l'ai trahi. Vous m'entendez, il pense que je l'ai trahi !

— Mais c'est faux… Je te promets, quand l'heure sera venue, de l'aider à comprendre pourquoi tu as agi ainsi.

— S'il vous plaît, ne le torturez pas…

Verna croisa les mains et prit une grande inspiration.

— Tu viens de le malmener pour lui sauver la vie. Voudrais-tu que j'hésite à en faire autant ?

— Non… D'ailleurs, je doute que vous puissiez imaginer pire que ce que je lui ai infligé…

— Hélas, je crois que tu as raison. Mais je te promets de toujours garder un œil sur lui, et de m'assurer qu'il ne souffre pas plus que le nécessaire. Crois-moi, je ne permettrai pas qu'on aille au-delà. Je t'en donne ma parole de Sœur de la Lumière.

— Merci, dit Kahlan. (Elle baissa les yeux sur la dague que tenait Verna.) S'il avait refusé, vous l'auriez tué…

— Oui, la douleur et la folie, à la fin, auraient été intolérables. (La sœur remit l'arme dans sa manche.) En lui transperçant le cœur, je lui aurais évité un calvaire. Mais ça n'a plus d'importance, à présent. Tu lui as sauvé la vie. Merci, Mère Inquisitrice… Kahlan…

Verna s'apprêta à sortir.

— Combien de temps le garderez-vous ? lança Kahlan. Jusqu'à quand me faudra-t-il attendre ?

— Désolée, mais je ne peux pas te répondre. Tout dépendra de lui. S'il apprend vite, tu le reverras bientôt.

— Vous serez surprise de constater à quel point il assimile rapidement, dit Kahlan avec un petit sourire.

— C'est bien ce qui m'inquiète. La connaissance avant la sagesse… Rien ne me fait plus peur.

— La sagesse de Richard vous surprendra aussi…

— J'espère que tu as raison. Adieu, Kahlan. N'essaie pas de nous suivre, ou il mourra.

— Ma sœur, encore une chose, dit l'Inquisitrice avec dans la voix une colère qui l'étonna elle-même. Si vous m'avez menti, ou si vous le tuez, je traquerai les Sœurs de la Lumière jusqu'à ce que la dernière gise dans une mare de son propre sang. Et croyez-moi, avant que j'aie fini de m'occuper d'elles, toutes supplieront que je les achève.

Verna s'immobilisa un instant, hocha pensivement la tête et sortit.

Kahlan lui emboîta le pas. Au milieu de la foule, elle la regarda monter en selle. Richard avait déjà enfourché une grande jument. Il tournait le dos aux villageois…

Kahlan aurait donné cher pour voir son visage une dernière fois, mais il ne jeta pas un regard derrière lui.

— Richard, cria-t-elle en tombant à genoux, je t'aime !

Comme s'il n'avait pas entendu, le Sourcier talonna sa monture et suivit Verna.

Kahlan s'écroula sur le sol et éclata en sanglots.

Weselan s'agenouilla près d'elle et la prit dans ses bras.

Se souvenant des derniers mots de Richard – « Va voir Zedd » –, l'Inquisitrice parvint à se relever.

— *Je dois partir immédiatement*, dit-elle aux Anciens qui faisaient cercle autour d'elle. *Il faut que je sois le plus vite possible en Aydindril, et j'ai besoin d'une escorte, pour être sûre d'arriver à destination.*

— *Je t'accompagnerai*, déclara Savidlin. *Et nous emmènerons avec nous autant de chasseurs que tu voudras. Tous, si ça te chante. Une centaine !*

— *Non, je ne veux pas que tu viennes, mon ami. Ni tes chasseurs. Trois hommes suffiront.* (Des murmures étonnés coururent dans la foule.) *Davantage attireraient l'attention. Quatre voyageurs peuvent avancer plus discrètement et plus vite.* (Kahlan désigna de l'index un Homme d'Adobe qui la regardait fixement.) *Je te choisis, Chandalen. Et vous deux aussi, Prindin et Tossidin.*

— *Pourquoi moi ?* cria Chandalen. *Je suis le dernier que tu devrais sélectionner !*

— *Parce que je ne dois pas échouer. Si Savidlin vient, il fera de son mieux, et s'il ne réussit pas, le Peuple d'Adobe saura que ce ne sera pas faute d'avoir essayé. Toi, tu es un meilleur chasseur d'hommes que lui. Richard m'a dit un jour qu'il te choisirait pour combattre à ses côtés, même si tu le hais.*

» Là où je vais, le danger, ce sont les hommes, justement. Si nous échouons, tout le monde au village pensera que tu n'as pas fait de ton mieux. Que tu m'auras laissée mourir – moi, une Femme d'Adobe – parce que tu me détestais, comme Richard. Si tu me trahis, les tiens te rejetteront…

— *Je viendrai avec toi*, dit Prindin. (Son frère hocha la tête.) *Et Tossidin aussi. Nous t'aiderons.*

— *Je n'irai pas !* cria Chandalen. *Je refuse !*

Kahlan chercha le regard de l'Homme Oiseau. Ils communiquèrent en silence, puis l'Ancien se tourna vers le chef des archers.

— *Kahlan est une Femme d'Adobe. Toi, tu es notre guerrier le plus courageux et le plus intelligent. Ta première responsabilité reste de protéger les tiens. Tous les tiens ! Donc, tu iras. Tu obéiras à ses ordres et tu la conduiras là où elle désire aller. Ou alors, quitte le village sur-le-champ et ne reviens jamais ! Encore une chose, Chandalen… Si Kahlan meurt, ne t'aventure jamais plus sur nos terres, car nous t'abattrons comme n'importe quel intrus aux yeux entourés de peinture noire.*

Tremblant de rage, Chandalen planta sa lance dans le sol et plaqua les poings sur ses hanches.

— *Si je dois quitter notre territoire, il faut invoquer les esprits pour qu'ils veillent sur nous quand nous serons au loin. Nous partirons demain matin, après une nuit de célébration…*

— *Je m'en vais dans une heure*, dit Kahlan. *Tu viendras avec moi, Chandalen. Cours te préparer.*

L'Inquisitrice rentra dans la maison des esprits pour retirer sa robe de mariée, enfiler ses vêtements de voyage et récupérer ses affaires. Weselan proposant de l'aider, elle accepta avec gratitude.

Chapitre 18

Des flocons à demi fondus tombaient depuis leur départ. Parfois, cela tournait à la tempête de neige, et un rideau blanc se dressait sur leur chemin. Comme anesthésié, Richard chevauchait derrière Verna, la bride de la troisième monture attachée au pommeau de sa selle. Quand il neigeait beaucoup, le Sourcier n'apercevait plus qu'une silhouette indistincte devant lui.

Il ne s'était pas demandé une seule fois où ils allaient et n'avait même pas pensé à resserrer les pans de son manteau autour de lui. Le froid ne comptait pas. Plus rien ne comptait…

Ses pensées dérivaient, aussi légères que les flocons. Il n'avait jamais aimé quelqu'un comme il aimait Kahlan. Elle était devenue sa vie…

La douleur était trop forte pour qu'il réfléchisse à autre chose. Pourquoi avait-elle douté de son amour ? Pourquoi l'avait-elle forcé à la quitter ?

Perdu dans son désespoir, il ne comprenait toujours pas pour quelle raison elle lui avait demandé d'accepter le collier. Une preuve d'amour ? Ne lui avait-il pas dit ce que cela signifiait pour lui ? S'il ne lui avait pas caché certaines choses, elle aurait peut-être compris…

Sa poitrine brûlait à l'endroit où Darken Rahl l'avait touchée. Levant une main pour palper le pansement, Richard remarqua enfin qu'il ne neigeait plus. Le plafond de nuages bas, irrégulier, laissait filtrer un peu de lumière. Entre le sol grisâtre et le ciel brun s'étendait un paysage vide et tout aussi incolore…

D'après la position du soleil, on approchait de la fin de l'après-midi. Ils chevauchaient depuis des heures et sœur Verna n'avait pas desserré les lèvres.

Pour la première fois, il osa poser les doigts sur le collier. Le métal lisse était glacé. Quelques jours plus tôt, il s'était promis de ne plus jamais en porter un. Et voilà qu'il se parjurait déjà ! Pire encore, il avait mis le Rada'Han lui-même, parce que Kahlan le lui avait demandé. Comme une preuve d'amour, avait-elle dit.

Pour la première fois depuis qu'il avait accepté la proposition de Verna, il tenta de penser à autre chose. Kahlan devait passer au second plan, sinon il en deviendrait fou de chagrin. De plus, il était le Sourcier, un homme confronté à des problèmes dramatiques. Serrant les cuisses, il fit accélérer son cheval et rattrapa la Sœur de la Lumière.

Un bras levé pour abaisser la capuche de son manteau, il s'avisa qu'elle n'était même pas sur sa tête et passa les doigts dans ses cheveux humides. Puis il se tourna vers la sœur.

— Nous devons parler… Vous ignorez des choses très importantes.

— Et de quoi s'agit-il ? demanda Verna, impassible.

— Je suis le Sourcier de Vérité.

— Comme si je ne le savais pas…

Le calme de Verna et son désintérêt commençaient à taper sur les nerfs de Richard.

— En tant que tel, j'ai des responsabilités. Comme je vous l'ai dit la première fois, il se passe des choses dont vous ne savez rien. Des choses dangereuses… (Verna ne réagit pas.) Le Gardien essaye de sortir du royaume des morts ! Bon sang, vous savez ce que ça signifie ?

— Nous ne prononçons jamais son nom. Ne le fais pas non plus, car ça attire son attention. Quand nous devons parler de lui, nous disons : Celui Qui N'A Pas De Nom.

Elle lui parlait comme à un enfant. Kahlan était en danger de mort, et cette femme le traitait comme un gosse !

— Je me fiche de vos problèmes de patronyme ! Il tente de s'échapper, et j'ai déjà attiré son attention, vous pouvez me croire.

— Celui Qui N'A Pas De Nom tente sans cesse de s'évader…

Richard prit une grande inspiration et opta pour une nouvelle approche.

— Le voile est déchiré. Cette fois, il a des chances de réussir.

Verna tourna la tête vers Richard et tira sur le haut de sa capuche pour mieux le dévisager. Des cheveux bruns bouclés s'échappèrent de leur prison de tissu. La sœur plissa le front – d'amusement, aurait parié le Sourcier.

— Le Créateur Lui-même a exilé Celui Qui N'A Pas De Nom dans le royaume des morts. Et c'est Lui qui a mis le voile en place pour l'y emprisonner. (Verna s'autorisa un petit sourire.) Celui Qui N'A Pas De Nom n'arrivera jamais à s'évader. N'aie aucune inquiétude, mon enfant.

Furieux, Richard fit faire un écart à son cheval pour qu'il percute celui de Verna. Au passage, il s'empara des rênes de la monture de la sœur pour l'empêcher de se cabrer ou de ruer.

— Ne m'appelez pas « mon enfant » parce que je porte un collier ! Ne me donnez jamais un surnom, m'entendez-vous ? Je suis Richard Rahl !

Verna ne se laissa pas démonter.

— Désolée, Richard… C'est simplement une habitude. Parce que les autres étaient tous si jeunes… Je ne voulais pas t'humilier.

Devant tant de calme, le Sourcier se sentit soudain honteux de son éclat. Comme un enfant, justement…

— Excusez-moi d'avoir crié, dit-il en lâchant les rênes du cheval de Verna. Je ne suis pas de très bonne humeur, vous savez…

— Au fait, je croyais que tu t'appelais Cypher…

Richard tapota son manteau, à l'endroit où le pansement recouvrait sa blessure.

— C'est une très longue histoire... George Cypher m'a élevé comme si j'étais son fils. Mais j'ai découvert récemment que Darken Rahl était mon père.

— Darken Rahl, l'homme que tu as tué ? Celui qui avait le don ? Tu as assassiné ton *père* ?

— Inutile de me regarder comme ça ! Vous ne savez pas quel monstre c'était. Il a emprisonné et torturé des milliers de gens. L'idée qu'il ait touché ma mère me répugne. Mais je suis son fils, et je n'y peux rien. Si vous espérez que je regrette mon acte, vous risquez d'attendre jusqu'à la fin des temps...

Verna hocha la tête avec une compassion qui semblait sincère.

— J'ai de la peine pour toi, Richard. Parfois, le Créateur nous réserve un destin très embrouillé, et nous passons notre temps à nous demander pourquoi. Mais j'ai une certitude : Il sait ce qu'Il fait.

Du bavardage ! Cette femme lui vendait ses boniments. Tant pis, il devait insister.

— Le voile est déchiré, répéta-t-il, et le Gardien le franchira bientôt.

— Celui Qui N'A Pas De Nom..., souffla la sœur, menaçante.

— Appelez-le comme ça vous chante, mais il va venir dans notre monde. Nous sommes tous en danger...

Kahlan était en danger...

Richard se fichait que Verna le réduise en cendres, si l'envie lui en prenait. Sa vie ne comptait plus, mais il voulait savoir Kahlan en sécurité.

— Qui t'a raconté ça ? demanda la sœur, l'air de nouveau amusé.

— Une voyante nommée Shota. (Il omit de mentionner qu'elle l'avait également accusé d'avoir déchiré le voile.) Si on ne fait rien, le Gar... Celui Qui N'A Pas De Nom s'évadera.

— Une voyante ? Et tu l'as crue ? Tu penses qu'elles disent la vérité aussi directement ?

— Elle avait l'air rudement sûre de son fait... À mon avis, elle n'aurait pas menti sur un sujet pareil.

Verna semblait s'amuser de plus en plus franchement.

— Si tu avais rencontré d'autres voyantes, Richard, tu saurais qu'elles ont une très étrange conception de la vérité. Elles sont parfois animées de bonnes intentions, mais leurs propos n'en restent pas moins embrouillés et confus...

Cette analyse judicieuse calma un peu Richard. Verna savait de quoi elle parlait, et son opinion sur les voyantes recoupait en gros la sienne.

— Pourtant, elle paraissait parler sérieusement. Et elle mourait de peur.

— Rien d'étonnant... Toute personne saine d'esprit redoute Celui Qui N'A Pas De Nom. Mais ça ne la rend pas plus crédible.

— Il n'y a pas que ses paroles... Certains événements se sont produits...

— Lesquels ?

— Un grinceur est venu...

— Un grinceur ? Tu as vu un de ces monstres ?

— Vu ? Il m'a attaqué, oui ! Les grinceurs sortent du royaume des morts. Celui Qui N'A Pas De Nom en a envoyé un pour qu'il me tue !

— Quelle imagination, Richard ! Tu as écouté trop de comptines pour enfants...

— Que voulez-vous dire ? demanda le Sourcier, étouffant la colère qu'il sentait remonter en lui.

— Les grinceurs viennent bien du royaume des morts, comme les autres monstres. Les chiens à cœur, par exemple. Mais personne ne les envoie. Ils s'échappent, voilà tout. Ces créatures vivent dans un monde qui s'étend entre le bien et le mal. Ou entre l'obscurité et la lumière, si tu préfères. Le Créateur n'a pas voulu que l'univers soit parfait et paisible. Nous ne comprenons pas Ses raisons, mais Il en a toujours, et Il ne se trompe jamais. Les grinceurs existent peut-être pour nous faire voir la face sombre de la création. Pour être franche je n'en sais rien. Mais ce sont simplement des monstres qui nous envahissent de temps en temps. Ceux qui sont nés avec le don les rencontrent assez souvent. Il est possible que la magie les attire. Ou que ce soit une sorte d'épreuve. Voire une façon d'avertir de ce qui les attend ceux qui s'éloignent des voies de la Lumière.

— Certaines prophéties affirment que Celui Qui N'A Pas De Nom enverra ses monstres quand le voile sera déchiré.

— Comment serait-ce possible, Richard ? Le voile a-t-il déjà été déchiré ?

— Comment le saurais-je ? (Le Sourcier réfléchit quelques instants.) Mais ça ne paraît pas possible. Sinon, comment aurait-il été réparé ? Et s'il était resté ouvert, ça ne serait pas passé inaperçu. Où voulez-vous en venir ?

— Si le voile n'a jamais été déchiré, comment les grinceurs seraient-ils arrivés ici jadis ? Comment connaîtrions-nous leur existence ? Par quel miracle leur aurions-nous donné un nom ?

— Nous connaissons peut-être leur nom pour l'avoir vu dans une prophétie…

— As-tu lu celle dont tu parles ?

— Non. C'est Kahlan qui me l'a racontée…

— Et l'a-t-elle lue de ses propres yeux ?

— Non… C'est une chanson que des sorciers lui ont apprise.

— Une chanson… (Verna sourit.) Richard, je ne veux pas me moquer de tes angoisses, mais les histoires qu'on répète de bouche en bouche, surtout dans une chanson, sont aussi changeantes que le temps au printemps. Quant aux prophéties… Eh bien, elles sont encore plus difficiles à comprendre que les prédictions des voyantes. Pendant ta formation, tu seras peut-être autorisé à les consulter. J'ai lu toutes celles que nous détenons, et elles dépassent la compréhension de la plupart des gens. Si on n'est pas suffisamment prudent, on y trouve tout ce qu'on a envie d'entendre. Enfin, on peut s'en persuader. Certains sorciers passent leur vie à les étudier, et à la fin, ils ne savent pas grand-chose de plus.

— Vous prenez à la légère un terrible danger…

— Crois-tu que déchirer le voile soit si simple ? Aie la foi, Richard. Le Créateur a mis le voile en place. Fais-Lui confiance.

Le Sourcier chevaucha en silence un long moment. Les propos de Verna tenaient la route. Sa vision du monde en était ébranlée…

Il ne put pas pousser plus loin sa réflexion, l'esprit trop plein de Kahlan pour être vraiment clair. Il en revenait toujours là : elle l'avait forcé à mettre un collier pour lui prouver son amour. Cette trahison lui déchirait les entrailles.

— Sœur Verna, lança-t-il soudain, je ne vous ai pas encore dit le pire.

— Vraiment ? Confie-toi à moi, Richard. Je pourrai sans doute apaiser tes angoisses.

— Darken Rahl, l'homme que j'ai tué... mon père, quoi ! Après sa mort, il a été envoyé dans l'autre monde, pour être livré au Gar... à Celui Qui N'A Pas De Nom. La nuit dernière, il a franchi le voile. Il rôde dans notre monde avec pour mission de finir de le déchirer...

— Et tu es sûr qu'il fut livré à Celui Qui N'A Pas De Nom ? Tu étais dans le royaume des morts, et tu l'as vu être accueilli par le maître des lieux ?

Cette femme avait l'art de le mettre en rogne. Mais Richard s'efforça d'ignorer la pique.

— J'ai parlé à Rahl au moment de son retour. Il m'a dit ce qu'il venait faire, et il a ajouté que Celui Qui N'A Pas De Nom nous aurait tous. Un mort rôde dans notre monde. Vous comprenez ? S'il est ici, c'est que le voile a bien une déchirure.

— Donc, tu étais tranquillement assis, et ce mort est venu te faire la causette ? C'est bien ça ?

— C'était pendant le conseil des devins, chez les Hommes d'Adobe. Je voulais parler aux esprits de leurs ancêtres, pour trouver un moyen de réparer le voile. Mais c'est Rahl qui est venu.

— Eh bien, tout est clair, à présent ! jubila Verna.

— Que voulez-vous dire ?

Verna prit sa voix d'institutrice résolue à dissiper les brumes qui polluent l'esprit des enfants.

— As-tu bu ou mangé quelque décoction sacrée avant de voir ce fantôme ?

— Non !

— Si je comprends bien, vous vous êtes assis en cercle et le spectre est arrivé.

— Pas exactement... Avant, les Hommes d'Adobe organisent un banquet. Pendant deux jours, les Anciens boivent et mangent ce que vous appelez des « décoctions sacrées ». Mais je n'ai rien avalé de tout ça. Ensuite, Kahlan et moi avons été enduits de boue, puis nous sommes entrés dans la maison des esprits avec les sept Anciens. Nous nous sommes assis en cercle, ils ont incanté un moment, et nous avons tous pris une grenouille-esprit dans un panier, pour la frotter contre un petit cercle de peau propre, sur nos poitrines...

— Des grenouilles ? coupa Verna. Des grenouilles rouges ?

— Oui...

— J'en ai entendu parler... Ta peau a picoté, n'est-ce pas ? Ensuite, tu as vu le fantôme.

— C'est une version très écourtée, mais on peut dire les choses comme ça. Où voulez-vous en venir ?

— As-tu souvent arpenté les Contrées du Milieu ? Leurs peuples te sont ils familiers ?

— Non. Je viens de Terre d'Ouest et je découvre à peine les Contrées.

— Sur ces terres, il y a beaucoup de gens, des incroyants, qui ignorent tout de la Lumière du Créateur. Ils vénèrent des idoles ou des esprits, car ce sont des sauvages qui s'adonnent à de fausses religions. Presque tous ont un point commun : ingérer des aliments ou des boissons afin de « voir » leurs « esprits protecteurs ». (Verna tourna la tête vers Richard pour s'assurer qu'il écoutait bien.) Pour avoir des « visions », les Hommes d'Adobe utilisent la substance que sécrètent les grenouilles rouges.

— Des visions ?

— Le Créateur a mis beaucoup de plantes et d'animaux à notre disposition. Parfois, le pouvoir de Ses dons est invisible. Par exemple, une tisane à base d'écorce de saule peut faire tomber la fièvre. Nous ne la voyons pas agir, mais nous savons qu'elle est efficace. Il y a aussi des choses qui, si nous les mangeons, risquent de nous rendre malades, voire de nous tuer. Le Créateur nous a donné l'intelligence pour savoir les reconnaître. Certaines substances, si on les ingère, ou si on les met en contact avec la peau, nous donnent des visions. Comme quand on rêve, si tu veux…

» Les sauvages croient que ces images sont réelles. Voilà ce qui t'est arrivé. La substance sécrétée par la grenouille t'a donné des visions ! Ta peur, ô combien justifiée, de Celui Qui N'A Pas de Nom t'a poussé à les croire réelles. Mais si ces « esprits » existaient, pourquoi faudrait-il absorber des produits spéciaux pour les voir ?

» Richard, ne pense pas que je me moque de toi. Les visions peuvent paraître très réelles. Mais elles ne le sont pas.

Richard n'était pas convaincu par les explications de Verna. Pourtant, il savait à quoi elle se référait. Dès son plus jeune âge, Zedd l'avait emmené dans la forêt pour cueillir des plantes médicinales. La feuille d'aum, par exemple, soulageait la douleur et accélérait la guérison des petites blessures. Pour les plaies plus graves, la racine de mimosa faisait des merveilles. D'autres herbes facilitaient la digestion, aidaient les femmes à accoucher ou protégeaient des jeteurs de sorts.

Zedd lui avait aussi montré les plantes dangereuses, qui pouvaient empoisonner, et celles qui donnaient des hallucinations…

Mais il n'avait sûrement pas imaginé Darken Rahl.

— Il m'a touché, et son contact m'a brûlé la peau, dit-il en tapotant l'endroit où Rahl l'avait marqué. Ce n'était pas une illusion. Darken Rahl était là, il m'a touché, et ma peau a brûlé. Je n'ai pas rêvé ça.

— Il peut y avoir deux explications, dit Verna, toujours aussi sûre d'elle. Après avoir frotté la grenouille contre ta peau, tu n'as plus vu la pièce où tu étais, je parie ?

— Exact… Elle a été comme avalée par un vide obscur.

— Eh bien, même si tu ne la voyais plus, elle était toujours là ! Et je suis sûre que ces sauvages avaient allumé un feu pendant ce conseil. Quand tu as été brûlé, tu n'étais plus assis à ta place d'origine, n'est-ce pas ? Tu t'étais déplacé ?

— Oui, admit Richard à contrecœur.

— Étant drogué, tu es sans doute tombé dans la cheminée, et tu t'es brûlé tout seul. Mais tu as imaginé qu'un esprit t'avait touché.

Richard commençait à se sentir franchement idiot. Verna disait-elle vrai ? Ses explications avaient en tout cas le mérite de la simplicité. Était-il aussi crédule que ça ?

— Vous avez mentionné deux explications. Quelle est la seconde ?

La sœur ne répondit pas tout de suite. Et quand elle parla, sa voix était plus basse et sinistre que précédemment.

— Celui Qui N'A Pas De Nom essaye toujours de nous attirer dans son camp. Bien qu'il soit prisonnier derrière le voile, ses tentacules parviennent à s'introduire dans notre monde. Il peut nous nuire et il est très dangereux. L'obscurité est redoutable, Richard. Quand des personnes ignorantes frayent avec le mal, elles risquent d'attirer l'attention de Celui Qui N'A Pas De Nom ou de ses sbires. Donc, il est possible que tu aies été brûlé par un démon. (Elle jeta un regard sinistre au Sourcier.) Certaines choses sont redoutables, et les gens se montrent trop stupides pour les éviter. Parfois, ils y perdent la vie. (Elle parut soudain moins accablée.) C'est une de nos missions : enseigner aux ignorants le chemin qui mène à la Lumière du Créateur... et leur apprendre à se tenir éloignés de l'obscurité.

Richard ne trouva rien à objecter à l'analyse de la sœur. Ses explications se tenaient. Et si elle avait raison, Kahlan n'était pas vraiment en danger. Il désirait tellement le croire. Plus que toute autre chose au monde. Et pourtant...

— J'admets que tout ça est possible, mais je doute encore. Il y a des choses que je ne peux pas exprimer par des mots...

— Je comprends, Richard. Reconnaître qu'on s'est trompé n'est pas facile. Qui aime avouer qu'on l'a abusé et fait passer pour un idiot ? Se voir sous ce jour est blessant. Mais grandir – et apprendre – implique de chérir par-dessus tout la vérité, même quand il faut, pour cela, regarder en face ses propres aberrations.

» Crois-moi, je ne te méprise pas d'avoir cru à tout ça. Tes peurs étaient compréhensibles. La voie de la sagesse, c'est d'avancer sur le chemin de la vérité, et de se remettre en question quand ça s'impose.

— Mais tous ces événements sont liés...

— En es-tu sûr ? Une personne sage évite de voir des connexions... là où il n'y en a pas. Elle regarde la vérité telle qu'elle est, même quand elle se présente sous un jour inattendu. La vérité, Richard ! Il n'y a rien de plus beau et de plus pur.

— La vérité..., marmonna le jeune homme.

Pour le Sourcier, c'était le centre de tout. Ce mot n'était-il pas écrit en fils d'or sur la garde de son arme : l'Épée de Vérité ? Les derniers événements lui inspiraient des sentiments qu'il ne pouvait traduire en mots devant cette femme. Avait-elle raison ? S'aveuglait-il lui-même ?

Il se souvint de la Première Leçon du Sorcier : les gens croient n'importe quoi parce qu'ils désirent que ce soit vrai, ou au contraire parce qu'ils le redoutent. D'expérience, il se savait aussi vulnérable à ce phénomène que n'importe qui. Gober un mensonge pouvait aussi lui arriver...

N'avait-il pas pensé que Kahlan l'aimait ? Qu'elle ne lui ferait jamais de mal ? Et elle l'avait trahi. Rejeté...

— Richard, dit Verna, je ne te mens pas. Mon but est de t'aider. (Il ne répondit pas, prouvant ainsi qu'il ne la croyait toujours pas.) Au fait, où en es-tu avec tes migraines ?

La question lui fit l'effet d'un tremblement de terre. Enfin, pas la question, mais plutôt la réponse qu'il fut contraint de donner.

— C'est... fini. Je n'ai plus mal à la tête.

Verna sourit de satisfaction.

— Comme je te l'avais promis, le Rada'Han t'en a débarrassé. Nous sommes là pour t'aider, Richard, je ne te le répéterai jamais assez.

— Peut-être, mais vous avez également dit que le collier est là pour me contrôler.

— Pour que nous puissions te former. Un professeur doit avoir l'attention de son élève. Il n'y a rien de plus…

— À part me faire souffrir ! C'est ce que disait la troisième proposition.

Verna haussa les épaules, lâcha les rênes un instant et leva les bras au ciel.

— Je viens de te malmener… En démontrant que tu croyais à des absurdités, ne t'ai-je pas torturé ? N'as-tu pas souffert en découvrant que tu accordais du crédit à des fadaises ? Pourtant, connaître la vérité est un bienfait, même si le processus est douloureux.

Richard pensa à une sinistre vérité : Kahlan l'avait obligé à porter un collier, puis elle l'avait rejeté. Cela lui mettait le nez sur une atroce réalité : il n'était pas assez bien pour elle !

— Vous avez raison, dit-il, mais je déteste toujours autant porter un collier.

Richard était las de parler. Sa blessure lui faisait mal, ses muscles étaient au bord de la crampe et Kahlan lui manquait. Mais elle l'avait trahi…

Des larmes dans les yeux, la peau soudain glacée, il laissa son cheval ralentir et trottiner derrière celui de la sœur.

La jument arrachait des touffes d'herbes au passage et les mâchait en avançant. En temps normal, Richard ne lui aurait pas permis de manger en ayant un mors à cuiller dans la bouche. Ne pouvant pas broyer correctement l'herbe, l'animal risquait d'avoir des coliques. Et parfois, chez les chevaux, elles étaient mortelles. Pourtant, au lieu d'intervenir, le Sourcier se contenta de flatter l'encolure de la jument.

Il aimait avoir un compagnon qui ne le jugeait pas, ne le déclarait pas stupide et ne lui demandait rien. Alors, pas question d'enquiquiner la brave bête ! Valait-il mieux, au fond, être un cheval plutôt qu'un homme ? Avancer, tourner, s'arrêter… Rien de plus !

En fait, il valait mieux être *n'importe quoi* d'autre que Richard Rahl !

Malgré les propos rassurants de Verna, il n'était rien de plus qu'un prisonnier. Aucune parole mielleuse n'y changerait quelque chose…

Pour recouvrer sa liberté, il devrait apprendre à contrôler le don. Quand les Sœurs de la Lumière le jugeraient formé, elles le relâcheraient sans doute. Et même si Kahlan ne voulait plus de lui, il ne porterait plus de collier…

C'était la bonne voie à suivre, décida-t-il. Apprendre le plus vite possible et laisser tout ça derrière lui. Zedd s'était toujours émerveillé de sa vitesse d'assimilation. Et de son ouverture d'esprit. De fait, acquérir de nouvelles connaissances lui plaisait. Il n'en avait jamais assez, avide d'explorer des territoires inconnus. La perspective de suivre une formation le réconforta un peu. Ce ne serait peut-être pas si mal, après tout… De toute façon, aucun autre chemin ne s'ouvrait plus à lui…

Il repensa soudain à la façon dont Denna l'avait éduqué – dressé, en réalité – et sa belle humeur s'envola. Une fois encore, il se berçait d'illusions ! Les Sœurs de la Lumière ne le libéreraient jamais. Et il n'apprendrait pas des choses qui l'intéressaient, mais exclusivement ce qu'elles désiraient lui enseigner, même s'il n'y croyait pas vraiment. La souffrance, voilà ce qu'elles voulaient lui faire découvrir. C'était sans espoir…

Il continua à chevaucher, de plus en plus morose. Il était le Sourcier. Le messager de la mort. Chaque fois qu'il tuait avec l'Épée de Vérité, cela s'imposait à lui : le Sourcier était le héraut de la mort et sa mission consistait à détruire.

Alors que l'horizon se colorait de rose et d'or, Richard distingua des taches blanches dans le lointain. Ce n'était pas de la neige, car elle n'avait pas tenu. De plus, ces « taches » se déplaçaient. Verna ne fit pas de commentaires à ce sujet, se contentant de chevaucher en silence. Devant eux, le soleil couchant projetait de longues ombres. Pour la première fois, Richard s'avisa qu'ils chevauchaient vers l'est.

Quand ils furent assez près, ils virent que les formes blanches étaient des moutons. En slalomant entre les animaux, Richard reconnut leurs bergers : des Bantaks, à voir leur tenue.

Trois hommes approchèrent du Sourcier, ignorant superbement la Sœur de la Lumière. Ils marmonnèrent des propos qu'il ne comprit pas, mais leur ton et leur expression témoignaient d'une grande révérence. Ils se jetèrent à genoux, inclinèrent la tête puis s'aplatirent sur le sol. Richard fit ralentir son cheval alors qu'il passait devant eux. Ils relevèrent les yeux et lui débitèrent un discours dont il ne saisit pas le premier mot.

À tout hasard, il leva une main pour les saluer. Apparemment satisfaits, ils sourirent de toutes leurs dents et s'inclinèrent de nouveau. Puis ils se remirent debout, marchèrent à côté de son cheval et tentèrent de lui glisser des cadeaux dans les mains : du pain, des fruits, de la viande séchée, une vieille écharpe crasseuse, des colliers de crocs, d'os et de perles, et même leurs houlettes de berger.

Richard afficha un sourire amical. Avec des signes qu'il espérait clairs, il tenta de refuser leurs cadeaux sans les offusquer. Un des Bantaks insistait tout particulièrement pour qu'il accepte un melon. Soucieux de ne pas créer de problème, Richard le prit et inclina plusieurs fois la tête. Les Bantaks se rengorgèrent et se fendirent d'une demi-douzaine de révérences enthousiastes. En s'éloignant, Richard les salua une dernière fois et rangea le melon dans sa sacoche.

Verna avait attendu qu'il la rattrape. Bien qu'elle semblât agacée, le Sourcier ne talonna pas sa monture. Qu'avait-il encore fait pour lui déplaire ?

— Pourquoi ont-ils raconté ça ? demanda la sœur quand il l'eut rejointe.

— Raconté quoi ? Je ne parle pas leur langue.

— Ces sauvages pensent que tu es un sorcier. Pourquoi ?

— Sans doute parce que je le leur ai dit…, fit Richard en haussant les épaules.

— Quoi ? s'écria Verna. Tu n'es pas un sorcier ! Tu leur as menti !

— C'est vrai, admit Richard, je ne suis pas un sorcier. Donc, c'était bien un mensonge…

— Un crime à la face du Créateur !

— Ce n'était pas pour en tirer bénéfice, grogna Richard, mais afin d'éviter une guerre ! Le seul moyen de sauver des centaines d'innocents. Ça a marché et pas une goutte de sang n'a coulé. Pour empêcher un massacre, je referais la même chose…

— Le mensonge est un péché ! Le Créateur abomine ceux qui travestissent la vérité !

— Votre Créateur préfère les carnages ?

— Ce n'est pas *mon* Créateur, cria Verna, furieuse, mais celui de tout l'univers ! Et le mensonge Le révulse !

Richard décida de retourner contre elle la tactique de la sœur.

— Il vous l'a dit Lui-même, je suppose ? Il est venu s'asseoir à côté de vous et Il a déclaré : « Sœur Verna, sachez que j'abomine le mensonge. »

— Bien entendu que non ! explosa Verna. Mais c'est écrit dans des livres…

— Alors là, ça me la coupe ! lâcha Richard. Si on trouve ça dans des livres, c'est sûrement vrai. Tout le monde sait que les écrits ne mentent jamais. Et qu'il n'y a pas le moindre doute sur l'identité de leurs auteurs…

— Tu oses faire fi des paroles du Créateur ?

— Et vous, sœur Verna, vous faites fi des croyances et des vies de ceux que vous tenez pour des païens…

La sœur ne répondit pas tout de suite, histoire de se calmer un peu.

— Richard, tu dois apprendre qu'il est mal de mentir. C'est un affreux péché contre le Créateur. Et contre nos enseignements. Tu n'es pas plus un sorcier qu'un enfant n'est un vieillard ! Te targuer d'en être un est un mensonge. Pire, un blasphème ! M'entends-tu ? Tu n'es pas un sorcier !

— Je sais qu'il ne faut pas mentir, sœur Verna. D'ailleurs, c'est loin d'être une habitude chez moi. Mais quand il s'agit de sauver des vies, ça ne se discute plus. Je n'avais pas d'autre solution.

— Dans ce cas précis, lui concéda Verna, tu as peut-être eu raison… Mais n'en fais pas une tactique systématique. Tu n'es pas un sorcier.

Richard dévisagea la sœur, les jointures de ses doigts blanchissant sur les rênes de sa monture, tant ils les serraient.

— Je sais que je ne suis pas un sorcier…, grogna-t-il. (D'une pression des cuisses, il fit avancer son cheval.) Le messager de la mort, voilà ce que je suis !

Verna tendit un bras, l'attrapa par sa chemise et le força à se retourner sur sa selle.

— Que viens-tu de dire ? Comment t'es-tu appelé ?

— Le messager de la mort…

— Qui t'a donné ce nom ? demanda Verna, le teint cendreux.

— Je sais ce que porter cette épée implique. Et ce que ça fait de la dégainer. Aucun des Sourciers qui m'ont précédé n'en avait une telle conscience. L'arme est une part de moi, et je suis une part d'elle. J'ai utilisé sa magie pour tuer la première personne qui m'a forcé à porter un collier. Et ça m'a dévasté… J'ai menti aux Bantaks pour éviter une tuerie, mais ce n'était pas la seule raison. Ce sont des gens pacifiques et je ne voulais pas qu'ils découvrent l'horreur qu'on éprouve en commettant un meurtre. Moi, je me serais bien passé de cette expérience. Mais vous savez sans doute de quoi je parle, puisque vous avez assassiné sœur Elizabeth.

— Qui t'a surnommé « messager de la mort » ? insista Verna.

— Personne. Je me suis baptisé ainsi, parce que c'est ce que je suis et ce que je fais…

— Je vois…, souffla Verna en le lâchant.

Alors qu'elle allait talonner son cheval, il cria son nom d'une voix pleine d'autorité qui la pétrifia.

— Pourquoi voulez-vous savoir qui m'a donné ce nom ? Est-ce tellement important ?

La colère de la sœur semblait être retombée, laissant dans son sillage une écume ourlée de peur.

— Au palais, j'ai lu toutes les prophéties, comme je te l'ai dit. L'une d'elles contient ce surnom : *« C'est le messager de la mort et ainsi se sera-t-il lui-même nommé. »*

— Que raconte la suite ? lança Richard. Précise-t-elle que je vais vous tuer, avec d'autres, si nécessaire, pour me débarrasser de ce collier ?

— Les prophéties ne sont pas pour les yeux ni les oreilles des profanes, conclut Verna en talonnant enfin son cheval.

Richard la suivit et décida d'abandonner ce sujet. Il se fichait comme d'une guigne des prophéties ! Pour lui, ce n'était rien d'autre que des devinettes, et il détestait ces jeux idiots. Si une chose semblait assez grave pour qu'on la dise, pourquoi l'exprimer d'une façon emberlificotée ?

En chevauchant, Richard se demanda combien de gens il devrait tuer pour se débarrasser du Rada'Han. Un mort ou cent, quelle importance ? Sa rage était telle que ces comptes-là ne le perturbaient plus. Il serra les mâchoires et ses poings se fermèrent convulsivement sur les rênes.

Le messager de la mort. Il ferait un massacre, s'il le fallait. Et s'il ne réussissait pas à échapper au collier, il mourrait en essayant ! L'envie de tuer coulait dans ses veines, comme un flot dévastateur.

Surpris, il s'avisa qu'il était en train d'invoquer la magie de l'épée. Désormais, il n'avait plus besoin de la dégainer pour ça. Au prix d'un gros effort, il contint sa fureur.

En plus de la colère et de la haine de l'arme, il savait aussi invoquer sa magie blanche – soit l'exact opposé. Les Sœurs de la Lumière ignoraient qu'il avait cet atout dans sa manche. Pour tout dire, il espérait ne pas devoir l'utiliser contre elles. Mais si ça s'imposait, il n'hésiterait pas. Pour ne plus porter le collier, il aurait recours à l'une ou à l'autre magie de l'épée, voire aux deux. Le moment venu, il saurait frapper…

Dans la lumière violette du crépuscule, sœur Verna leva une main pour ordonner une halte. L'heure de camper avait sonné. Depuis un long moment, elle ne lui avait plus adressé la parole. Était-elle toujours furieuse ? Il l'ignorait, mais ça ne le tracassait pas beaucoup.

Richard conduisit les chevaux vers un petit bosquet de saules, près de la berge d'un ruisseau. Il leur retira leurs harnais et les attacha avec des longes. Sa jument s'ébroua, ravie d'être débarrassée du mors. Richard vit que c'était un des modèles les plus cruels, chaque impulsion sur les rênes valant une vive douleur au cheval.

Les gens qui utilisaient ce type de mors, selon lui, tenaient les chevaux pour de vulgaires animaux que l'homme devait conquérir et mater. Avec un mors comme ça dans la bouche, ils auraient vu combien c'était agréable ! Une punition méritée… Bien entraîné, un cheval avait simplement besoin d'un mors articulé, beaucoup plus agréable. Et avec un peu de compréhension pour sa monture, on pouvait même s'en passer carrément. Mais certaines personnes préféraient la coercition à la patience.

Il tendit une main et tenta de caresser les oreilles aux pointes noires de la jument – qui releva aussitôt la tête pour la mettre hors de portée de l'humain.

— Je vois…, souffla Richard. Tes maîtres ont aussi l'habitude de te flanquer des coups de cravache sur les oreilles… (Il flatta l'encolure de l'animal, qui ne se rebiffa pas.) Avec moi, tu n'as rien à craindre, mon amie…

Richard alla puiser de l'eau dans un seau en toile et fit boire leurs trois montures. À peine quelques gorgées, aussi peu de temps après un effort. Dans une des sacoches, il dénicha des brosses et étrilla soigneusement les bêtes, sans oublier de leur nettoyer les sabots. Il y passa plus de temps que nécessaire, car il préférait leur compagnie à celle de la sœur.

Quand il eut fini, il pela en partie le melon et distribua cette gâterie aux chevaux. Comme les humains, ils appréciaient les bonnes choses, et le lui montrèrent. La première fois qu'il les voyait heureux… Avec le genre de mors qu'ils portaient, ça n'avait rien d'étonnant.

Quand sa blessure lui fit trop mal pour qu'il continue à rester debout, le Sourcier alla rejoindre Verna, assise sur une petite couverture, et déroula la sienne aussi loin que possible. Une fois installé, il tira de son sac un morceau de pain de tava, plus pour s'occuper les mains que parce qu'il avait faim. Il coupa le melon, réservant le reste de la peau pour les chevaux, et en offrit une tranche à Verna.

Elle ne broncha pas.

— Ce fruit t'a été offert pour une mauvaise raison.

— Non, pour me remercier d'avoir évité une guerre.

La sœur accepta l'offrande sans grand enthousiasme.

— Je prendrai le premier tour de garde, proposa Richard.

— Inutile. Nous n'avons pas besoin de sentinelle.

— Des chiens à cœur rôdent dans les Contrées du Milieu. Et d'autres monstres… Sans parler des grinceurs, qui pourraient de nouveau s'en prendre à moi. Monter la garde serait judicieux.

— Tu es en sécurité avec moi. Oublie ça.

Verna ne s'était pas vraiment calmée, comprit Richard à son ton. Après avoir mangé un moment en silence, il décida d'alléger l'atmosphère. Bien qu'il ne fût pas le moins du monde joyeux, il essaya de parler d'une voix guillerette.

— Puisque nous sommes ensemble, et que je porte le Rada'Han, pourquoi ne commencerions-nous pas les leçons ?

— Nous aurons tout le temps au Palais des Prophètes, lâcha Verna.

La colère de l'épée implora Richard de la laisser se déchaîner. À grand-peine, il la refoula.

— Comme vous voudrez…

Verna s'allongea et s'emmitoufla dans son manteau.

— J'ai froid. Allume un feu…

Richard mâcha et avala sa dernière bouchée de tava avant de répondre.

— Je m'étonne que vous soyez si ignorante en magie, sœur Verna. Une formule très simple fait des miracles, et vous devez sûrement l'avoir entendue un jour. « S'il te plaît » ! (Le Sourcier se leva.) Moi, je n'ai pas froid. Si vous avez besoin d'un feu, allumez-le vous-même ! À présent, je vais monter la garde. Comme je vous l'ai dit, je ne prends jamais rien pour acquis. Si nous devons être tués cette nuit, ce ne sera pas pendant *mon* tour de garde.

Il s'éloigna sans attendre de réponse. Ce que Verna avait à dire ne l'intéressait pas. Assez loin de leur camp, il trouva un monticule de terre, près de la tanière d'une marmotte, et s'assit dessus pour surveiller les environs. Et réfléchir.

La lumière de la pleine lune suffisait pour qu'il voie un danger arriver de loin. Il sonda le paysage, plus morose que jamais. Malgré tous ses efforts, il ne parvenait pas à oublier son obsession : Kahlan.

Il essuya les larmes qui perlaient à ses paupières, puis plia les genoux et les entoura de ses bras. Que faisait Kahlan en ce moment ? Se souciait-elle encore assez de lui pour être allée rejoindre Zedd ?

Sous ses yeux, la lune se déplaçait lentement dans le ciel. Qu'allait-il faire ? Jamais il ne s'était senti aussi perdu…

Il imagina le doux visage de Kahlan. Pour un sourire d'elle, il aurait conquis le monde ! Et décroché la lune afin qu'elle continue à l'aimer !

En imagination, il admira ses splendides yeux verts, ses longs cheveux noirs…

Ses cheveux ! Soudain, il se souvint de la mèche qu'elle avait glissée dans sa poche. La sortant, il la contempla à la lueur de la lune. À la façon dont elle les avait attachés avec le ruban, les cheveux, qui formaient une double boucle, évoquaient irrésistiblement un huit. Si on les tournait un peu, ils devenaient le symbole de l'infini…

Richard fit rouler la mèche entre son pouce et son index. Kahlan la lui avait donnée pour qu'il ne l'oublie pas. Tout simplement, comprit-il, parce qu'il ne la reverrait jamais ! Un cadeau d'adieu !

Désespéré, Richard saisit l'Agiel et le serra jusqu'à ce que son bras tremble. Mêlée à son chagrin, la douleur devint vite intolérable. Il la laissa pourtant brouiller son esprit jusqu'à ce que son corps implore grâce. Là encore, il insista, subissant les assauts de la souffrance au point de s'écrouler au pied du monticule, à peine conscient.

Un instant, même si le prix était terrible, la douleur avait vidé son esprit de toute pensée. Il resta étendu sur le sol un long moment, la tête vide pendant qu'il récupérait…

Quand il put se rasseoir, il découvrit qu'il tenait toujours la mèche de cheveux. Il la regarda fixement, se souvenant de l'accusation de Verna : il avait menti aux Bantaks. Kahlan aussi lui avait reproché d'être un menteur. Son amour pour elle, avait-elle dit, n'était qu'une illusion.

Ces mots faisaient encore plus mal que l'Agiel…

— Je ne t'ai jamais menti, Kahlan, gémit-il. Et je ferais n'importe quoi pour toi…

Mais ça ne suffisait pas. Même accepter le collier n'était pas assez. Elle ne le jugeait pas digne d'elle. Le fils d'un monstre ! Soudain, il comprit ce qu'elle voulait.

Être débarrassée de lui ! Elle l'avait forcé à mettre le Rada'Han pour qu'il parte et lui fiche enfin la paix !

— Je ferais n'importe quoi pour toi, Kahlan…, répéta-t-il.

Il se leva et sonda les plaines désertes et obscures.

— N'importe quoi ! Même ça ! Je te libère de moi, mon amour !

Richard jeta la mèche de cheveux aussi loin qu'il le put. Puis il tomba à genoux, face contre terre, et pleura jusqu'à ce qu'il ne lui reste plus de larmes. Gisant sur le sol glacé, il gémit de douleur sans s'apercevoir qu'il avait de nouveau saisi l'Agiel.

Une éternité plus tard, il s'en avisa, le lâcha et se rassit, le dos contre le monticule de terre. Tout était fini. Il se sentait vide. Vide et mort…

Dès qu'il estima que ses jambes le porteraient, il se leva et dégaina l'Épée de Vérité. La note métallique retentit et la colère de l'arme déferla en lui. Il ne lutta pas pour la repousser, accueillant la rage de tuer comme une délivrance.

Alors, il tourna la tête vers le camp où dormait la sœur.

Il approcha en silence, indétectable comme tout bon guide forestier. Et lui, il était un champion à ce jeu !

Les yeux rivés sur Verna, il ne se pressa pas, certain d'avoir tout le temps du monde à sa disposition. Mais il ne fallait pas respirer aussi fort ! Ça risquait de réveiller sa proie.

L'idée de porter de nouveau un collier acheva de le rendre fou de rage. La magie de l'épée coulait en lui comme du métal en fusion, et il savait où cela le conduirait. Il s'abandonna à la fureur, conscient que plus rien ne l'arrêterait. Pour étancher la soif du messager de la mort, seul le sang convenait.

Ses phalanges blanchirent sur la garde de l'arme, tous ses muscles tendus à craquer et avides de frapper. Bientôt, ils seraient satisfaits. Dans un instant, le sang de Verna coulerait…

Arrivé près de la sœur, il se pencha vers elle et passa le tranchant de l'épée au creux de son bras, l'abreuvant déjà d'un peu de sang. Un avant-goût… Le fluide vital coula le long de la lame et sur la peau de son bras. Haletant, il prit la garde à deux mains.

Conscient de la pression du collier sur son cou, il leva l'épée, qui scintilla au clair de lune.

Verna était roulée en boule. Transie de froid, elle frissonnait dans son sommeil.

La rage explosa en Richard. Kahlan l'avait rejeté ! Elle ne voulait pas du fils d'un monstre !

Non ! Elle refusait de vivre avec un monstre, simplement. Debout devant une femme endormie, prêt à lui transpercer le cœur avec sa lame, qu'était-il d'autre qu'un monstre ?

Kahlan l'avait vu sous son vrai jour. Alors, elle l'avait envoyé au loin, un collier autour du cou, pour qu'on le torture. Et elle avait raison, car il n'était rien d'autre que cela : une bête qu'il fallait tenir en laisse !

Des larmes roulèrent sur ses joues. Il baissa lentement son épée jusqu'à ce que la pointe touche le sol. Un long moment, il regarda Verna dormir en tremblant de froid. Une femme sans défense…

Il rengaina son épée, alla chercher sa couverture et l'étendit sur la sœur sans la réveiller. Attendant qu'elle cesse de frissonner, il s'autorisa à s'allonger, emmitouflé dans son manteau.

Bien qu'épuisé, et perclus de douleurs, il ne parvint pas à s'endormir. Verna et les siennes, il le savait, le tortureraient. À quoi aurait servi le collier, sinon ? Dès qu'ils arriveraient au palais, son calvaire commencerait. Et alors ? Quelle importance, puisqu'il souffrait déjà mille morts ?

Il revit Denna et se souvint de ce qu'elle lui avait fait. Un océan de douleur et des torrents de sang… Son sang !

Les images défilèrent dans sa tête. Jusqu'à son dernier souffle, il serait incapable de les oublier. À présent, ça allait recommencer. Et ça ne finirait jamais.

Une seule idée le réconfortait. Grâce à Verna, il savait que le Gardien ne menaçait pas de s'évader. Donc, Kahlan était en sécurité. La seule chose qui comptait vraiment. L'unique pensée qui devait occuper son esprit…

… et qui l'autorisa, un peu rassuré, à sombrer enfin dans le sommeil.

Chapitre 19

Quand Richard se réveilla, le soleil pointait à peine à l'horizon. Dès qu'il s'assit, la douleur de la brûlure lui coupa le souffle. Une main sur sa chemise, au niveau du pansement, il attendit que les élancements s'apaisent un peu. À cause de l'Agiel, tout son corps lui faisait mal, comme si on l'avait tabassé avec une matraque. À l'époque où Denna le dressait, c'était toujours comme ça. Des matins atroces préludant à de nouvelles séances de torture…

Assise en tailleur sur sa couverture, sœur Verna le regardait en mâchouillant quelque chose. Emmitouflée dans son manteau, elle avait baissé sa capuche, et ses cheveux bruns bouclés semblaient peignés de frais.

Elle avait soigneusement plié la couverture de Richard, la posant près de l'endroit où il avait dormi. Quand il se leva pour s'étirer, les jambes mal assurées, elle ne dit pas un mot et ne le salua pas, même de la tête.

Le ciel était d'un bleu métallique et l'herbe gorgée de rosée embaumait l'air. Un nuage de vapeur se formait devant la bouche du Sourcier chaque fois qu'il expirait.

— Je vais aller seller nos chevaux pour qu'on puisse partir…

— Tu ne veux rien manger ? demanda Verna.

— Non, je n'ai pas faim…

— Qu'est-il arrivé à ton bras ?

Richard baissa les yeux sur les traînées de sang séché.

— Un accident en polissant mon épée. Ce n'est rien…

— Je vois… (Elle le regarda gratter sa barbe de trois jours.) J'espère que tu es plus prudent quand tu te rases…

Sur une impulsion, Richard décida qu'il laisserait pousser sa barbe jusqu'à ce qu'on le débarrasse du collier. Sa façon de protester contre le sort qu'on lui réservait ! Une manière de signifier qu'il se considérait comme un prisonnier, en dépit de toutes les dénégations mielleuses. Rien ne justifiait qu'on impose un collier à un homme, et il ne ferait jamais l'ombre d'une concession sur ce point.

— Les prisonniers ne se rasent pas, dit-il en se détournant.

— Richard ! (Il jeta un coup d'œil par-dessus son épaule.) Assieds-toi. J'ai réfléchi à ce que tu m'as dit hier. Nous pouvons en effet commencer ta formation…

— Maintenant ? s'écria le jeune homme, surpris.

— Oui. Viens t'asseoir.

Richard n'avait aucune envie de contrôler son don, puisqu'il détestait la magie. La veille, il avait fait cette proposition pour alléger un peu l'atmosphère. Pourtant, il s'assit en face de la sœur.

— Il y a beaucoup à apprendre, dit Verna. D'abord, il faut comprendre la nécessité de l'équilibre – en toute chose, et particulièrement en matière de magie. Tu devras tenir compte de nos avertissements, et nous obéir au doigt et à l'œil. La magie est un art dangereux, mais utiliser l'Épée de Vérité te l'a sans doute déjà appris. (Richard ne broncha pas.) Le don est encore plus délicat à manier. Et les résultats peuvent être désastreux…

— J'y ai déjà recouru par trois fois, selon vous…

— Et tu vois ce qui est arrivé ? Te voilà avec un collier autour du cou !

— Ça n'a aucun rapport… Vous me cherchiez déjà. Même si je n'avais rien fait, le résultat aurait été identique.

Verna secoua lentement la tête.

— Depuis des années, quelque chose nous empêchait de te localiser. Si tu n'avais pas utilisé le don, nous ne t'aurions jamais trouvé, je crois…

Des années. Elles étaient à sa poursuite depuis si longtemps, et il ne s'en était pas aperçu lorsqu'il vivait paisiblement en Terre d'Ouest. Cette idée le fit frissonner. Il les avait attirées en recourant à la magie – la chose qu'il détestait le plus au monde !

— Je pense que le Rada'Han est un désastre pour moi… Mais vous ? Pourquoi présenter les choses comme ça ? C'est ce que vous vouliez faire depuis le début…

— Ce que nous *devions* faire ! Mais tu as juré de me tuer, et d'abattre tous ceux qui t'ont imposé le port de ce collier. En clair, tu risques d'exterminer les Sœurs de la Lumière. Sache que je ne prends jamais à la légère les menaces des sorciers, même quand ils ne sont pas formés. Tu as recouru au don et cela risque d'être une catastrophe pour nous tous.

Richard n'éprouva aucune satisfaction en découvrant que ses menaces n'étaient pas tombées dans l'oreille d'une sourde. Il se sentait totalement vide…

— Pourquoi m'imposez-vous le Rada'Han ? gémit-il.

— Pour t'aider. Sinon, tu mourras.

— Je vais beaucoup mieux. Les migraines me fichent la paix. C'est déjà formidable. Ne pouvez-vous pas me laisser partir ?

— Si on te retire le collier trop tôt, le mal reviendra et tu succomberas.

— Alors, formez-moi vite !

— On ne peut pas accélérer les choses… Ces études exigent une grande patience. Nous en savons plus long que toi sur la magie, et nous ne voulons pas que ton ignorance te vaille des désagréments. Ce n'est pas un problème urgent, cela dit, car il faudra du temps pour que tu saches utiliser le don, t'exposant ainsi à ces risques. La patience figure parmi tes qualités, n'est-ce pas ?

— Je n'ai aucune envie de devenir un sorcier. Du coup, je ne risque pas de ruer dans les brancards…

— C'est un bon début… Alors, commençons. (Verna se tortilla un peu pour s'asseoir plus confortablement.) Il y a en chacun de nous une force qui est en fait celle de la vie. Nous l'appelons « Han ». (Richard plissa le front.) Lève le bras. (Il obéit.) C'est cela, la force de vie que t'a donnée le Créateur. Elle est tapie en toi. Par ce simple geste, tu viens d'utiliser ton Han. Ceux qui ont le don peuvent *extérioriser* cette puissance. On appelle cela une Toile. Grâce aux Toiles, tu agiras sur le monde extérieur exactement comme le Han agit dans ton corps.

— Comment est-ce possible ?

Sœur Verna ramassa une petite pierre.

— Mon esprit se sert du Han pour que ma main soulève le caillou… Mes doigts n'ont pas agi de leur propre initiative, mais parce que mon cerveau, par l'intermédiaire du Han, leur a ordonné de réaliser ce qu'il désirait. (Elle reposa le caillou et croisa les mains sur son giron. Soudain, la petite pierre lévita dans les airs…) Je viens de faire la même chose, mais sans passer par ma chair. Mon esprit a directement appliqué le Han au caillou. C'est cela qu'on appelle le don.

— Vous avez les mêmes pouvoirs qu'un sorcier ?

— Non. Une infime partie seulement… C'est pour ça que nous pouvons les former. Les Sœurs de la Lumière ont un certain contrôle sur la force de vie – et sur le don – mais rien de comparable avec un sorcier qui sait maîtriser son Han.

— Comment arrivez-vous à projeter cette force hors de votre corps ?

— Impossible de t'expliquer ça avant que tu aies appris à identifier et à *toucher* le Han…

— Pourquoi ?

— Parce que tous les êtres sont différents et ont un lien spécifique avec le Han. L'amour, par exemple, est un cas où la force de vie se projette vers l'extérieur. Mais c'est une manifestation très mineure, tu dois le savoir. Cela dit, bien que ce sentiment soit universel, chacun l'éprouve et le projette d'une manière spécifique. Certains d'entre nous s'en servent pour éveiller le meilleur du Han chez l'être aimé. D'autres visent à dominer leur partenaire. L'amour, Richard, peut guérir… ou blesser. Quand nous saurons comment le don se manifeste en toi, et de quelle manière tu l'utilises, nous te guiderons à travers une série d'exercices appelés les Constructs. Cette méthode t'aidera à canaliser le flot de Han, qui coulera alors librement en toi. Pour le moment, ce n'est pas pertinent. Avant de projeter la force, il faut savoir la reconnaître ! Quand ce sera fait, nous devrons déterminer ce que tu peux réaliser avec elle. Chaque sorcier a un rapport différent avec le Han. Quelques-uns, comme ceux qui étudient les prophéties, sont limités à un usage intellectuel. Le don leur permet de déchiffrer ces textes, et c'est leur unique pouvoir. D'autres peuvent seulement créer de magnifiques objets. D'autres encore savent fabriquer des artéfacts magiques, et c'est leur unique façon de recourir au Han. En soulevant ce caillou, je t'ai montré une facette différente du don : influencer le monde extérieur avec son esprit. Il y a bien sûr une infinité de manifestations… Quelques rares sorciers maîtrisent – plus au moins – tous ces pouvoirs…

Verna fronça les sourcils, le regard brillant.

— La vérité est la clé de tout ça, Richard. Tu devras être franc avec nous quand tu sentiras comment le Han se manifeste en toi. Mentir serait désastreux… (Elle se détendit un peu.) Mais avant de savoir quelle sorte de sorcier tu es, nous devons t'apprendre à invoquer le Han.

— Combien de fois devrai-je répéter que je ne veux pas devenir un sorcier ? Mon but, c'est d'échapper aux migraines et de me débarrasser du Rada'Han. Vous avez dit que je ne suis pas obligé d'en faire plus.

— Tu connais la définition d'un sorcier ? Quelqu'un qui contrôle le Han grâce au don ! Pour ne pas mourir, tu dois en devenir un. Mais *sorcier* n'est jamais qu'un mot, et il n'y a aucune raison d'avoir peur d'un nom. Si tu décides de ne pas recourir au don, ça te regardera, et nous ne ferons rien pour t'y obliger. Mais tu seras quand même un sorcier !

— Enseignez-moi ce que je dois savoir – sans me transformer en sorcier !

— Richard, ça n'a rien de maléfique. Ça consiste simplement à te connaître toi-même et à avoir conscience de ton potentiel.

— D'accord…, soupira le jeune homme. Alors, comment dois-je m'y prendre pour contrôler le don, le Han, et je ne sais quoi encore ?

— Il faut procéder lentement… Si nous allons trop vite, ça ne marchera pas. La première étape est de reconnaître le Han, puis de s'unir à lui. Tu dois savoir le faire à volonté. Comprends-tu ce que je dis ?

— En gros, oui… Alors, comment identifier le Han et le… hum… *toucher ?*

— Quand tu en seras là, tu le sauras… C'est comme voir la Lumière du Créateur. Presque comme s'unir à lui…

Richard dévisagea la sœur, qui semblait illuminée de l'intérieur.

— Que dois-je faire ? demanda-t-il.

— Il faut chercher le Han en toi-même…

— Comment ?

— En méditant, tout simplement… Chasse de ton esprit toutes les pensées parasites et cherche à atteindre la paix intérieure. Au début, fermer les yeux, respirer lentement et aspirer au vide absolu peut être utile. Cela aide à se concentrer sur une seule chose.

— Laquelle ?

— Celle que tu veux… C'est un moyen d'atteindre ton but, pas le but lui-même. Chaque sujet est différent. Certains répètent à l'infini un mot qui les aide à se concentrer. D'autres se focalisent sur l'image mentale d'un objet. Plus tard, quand tu sauras reconnaître le Han, le toucher et t'unir à lui, tu n'auras plus besoin de passer par cette phase. Accéder au Han deviendra une seconde nature. Même si ça te paraît difficile à croire, un jour, ce sera aussi facile que d'invoquer la magie de ton épée.

Richard eut le sentiment, étrange et dérangeant, de savoir de quoi elle parlait. Bien que les mots lui semblent étranges, il les comprenait, parce qu'ils décrivaient un phénomène qui lui était familier – et pourtant étranger…

— Donc, vous voulez que je reste assis, les yeux fermés, en quête de la paix intérieure ?

— Oui. (Verna ressera autour d'elle les pans de son manteau.) Tu peux commencer.

— Très bien…

Dès qu'il baissa les paupières, Richard eut l'impression que ses pensées s'éparpillaient dans toutes les directions. Il tenta de se concentrer sur un mot, ou sur une image, et un nom lui vint aussitôt à l'esprit. Kahlan ! Le laissant d'abord déferler en lui comme une douce tempête, il se ravisa très vite. Haïssant la magie, il refusait de l'associer à la femme qui était – *avait été* – la meilleure part de sa vie. De plus, penser à elle ravivait le chagrin de l'avoir aimée assez pour lui donner ce qu'elle demandait : être débarrassée de lui !

Il essaya des mots et des objets très simples, mais aucun ne retint son attention. Vidant son esprit, il respira plus lentement, à la recherche de la paix intérieure. Ou plus exactement du lieu paisible, en lui, où il se réfugiait toujours quand il voulait réfléchir. Dans cette quiétude-là, il tenta d'invoquer l'image qui lui servirait de focus. Elle s'imposa aussitôt à son esprit.

L'Épée de Vérité.

L'arme étant déjà liée à la magie, il ne risquait pas de la souiller. Par sa simplicité même, l'image d'une épée ne pourrait pas le distraire. L'affaire était entendue ! Il avait trouvé son focus.

Il imagina l'épée flottant dans le vide sur un fond noir et vérifia les détails qu'il connaissait si bien : la lame polie, la garde aux quillons orientés vers le bas, la poignée où des fils d'argent et d'or dessinaient les six lettres du mot *Vérité*...

Alors qu'il gravait cette image dans son esprit, quelque chose s'opposa à lui. Pas l'épée elle-même, mais le fond noir. Autour de ce cadre, une bordure blanche se dessinait, transformant ce qu'il voyait d'une manière qui lui rappela un souvenir récent.

Il sut vite de quoi il s'agissait.

« ... *Enfin, vider son esprit et se concentrer sur l'image d'un fond blanc avec un carré noir au centre.* » Une des instructions du *Grimoire des Ombres Recensées*, le livre qu'il avait mémorisé dans sa jeunesse... Ce passage expliquait comment retirer le camouflage des boîtes d'Orden. Il avait fait une démonstration à Darken Rahl pour lui prouver qu'il connaissait vraiment par cœur le texte. Mais pourquoi cela lui revenait-il en mémoire maintenant ? Sans doute un souvenir parasitaire exhumé par hasard, décida-t-il...

Après tout, c'était un fond convenable pour l'image de l'épée. Et puisqu'il tentait d'utiliser la magie, que cette référence se soit imposée à lui semblait logique. Et si son esprit voulait qu'il en soit ainsi, pourquoi l'aurait-il contrarié ? Dès qu'il eut pris sa décision, l'image de l'épée sur fond de carré noir entouré de blanc se précisa et se stabilisa.

Richard se concentra. Après quelques minutes, quelque chose se passa. L'épée, le carré noir et le cadre blanc se brouillèrent comme s'il les voyait à travers une colonne de vapeur. L'arme devint peu à peu transparente puis disparut. Le fond suivit vite le même chemin, cédant la place à l'image d'un lieu qu'il connaissait.

Le Jardin de la Vie, au Palais du Peuple.

Richard trouva étrange, et un peu agaçant, de ne pas pouvoir tenir sa concentration plus longtemps. Mais le souvenir de l'endroit où il avait tué Darken Rahl – encore très fort – était tout naturellement revenu à la surface de son esprit.

Il allait invoquer de nouveau la représentation de l'épée quand il *sentit* une odeur de chair brûlée qui lui agressa les narines et lui retourna l'estomac.

Il étudia l'image du Jardin de la Vie, comme s'il le voyait à travers une vitre sale. Des cadavres gisaient partout : au pied des murs, à demi cachés dans les fourrés ou étendus sur l'herbe, tous horriblement brûlés. Certains serraient encore des épées ou des haches de guerre dans leurs poings carbonisés. D'autres avaient lâché leurs armes, qui reposaient près d'eux.

L'angoisse serra le cœur de Richard.

Il aperçut, de dos, la silhouette blanche campée devant l'autel de pierre où trônaient les trois boîtes d'Orden. Une était ouverte, comme dans le souvenir du jeune homme.

L'homme en robe blanche se retourna. Darken Rahl chercha le regard de son fils et un sourire apparut sur ses lèvres. Richard eut l'impression d'être aspiré vers ce visage radieux.

Darken Rahl porta une main à sa bouche et s'humecta le bout des doigts.

— Richard, susurra-t-il, je t'attends. Viens, et regarde-moi déchirer le voile.

Le souffle coupé, le Sourcier rappela à lui l'image de l'épée, qui s'abattit sur celle du Jardin de la Vie comme un volet claque sur une fenêtre. Il s'accrocha à cette vision, où manquait le fond, et s'efforça de recommencer à respirer.

Cette scène était le produit de son imagination, se dit-il. Un cauchemar né de l'épuisement et du chagrin que lui avait fait Kahlan. Il ne pouvait pas s'agir d'autre chose. Impossible ! Pour croire à cette vision, il aurait fallu qu'il soit fou…

Ouvrant les yeux, il vit que Verna le regardait fixement. Elle lâcha un gros soupir – d'insatisfaction, crut-il deviner.

— Désolé, mais il ne s'est rien passé…

— Ne te décourage pas, Richard. Je m'y attendais. Il faut longtemps pour apprendre à toucher le Han. Le moment venu, tu y arriveras. N'essaye surtout pas d'accélérer les choses. Ça ne sert à rien, car c'est la paix intérieure qui conduit vers le Han, pas la volonté consciente. Et tu as travaillé assez longtemps pour aujourd'hui…

— Quelques minutes ? Et cela suffit, selon vous ?

— Tu es resté immobile, les yeux fermés, pendant plus d'une heure…

Richard regarda le ciel, où le soleil semblait avoir bondi vers l'ouest. Plus d'une heure… Incroyable ! Et effrayant…

— Tu as eu l'impression que c'était très court ? demanda Verna.

Richard se leva. Il n'aimait pas du tout l'expression de la sœur.

— Je n'en sais rien… Enfin… hum… je n'ai pas fait très attention. Mais tout bien pesé, ce devait être une heure…

Sur ce mensonge, Richard commença à rassembler ses affaires. Plus il réfléchissait à sa vision, plus elle lui semblait irréelle. Comme un rêve, quand on vient de se réveiller, les images déjà à demi dissipées. Quel idiot il était d'avoir eu aussi peur d'un simple cauchemar !

Mais il n'avait pas dormi… Pouvait-on rêver alors qu'on était réveillé ?

Était-il sûr de ne pas avoir somnolé ? Dans son état de fatigue, il avait pu sombrer dans l'inconscience. Souvent, pour s'endormir, il se concentrait sur une idée ou une image jusqu'à ce que son esprit parte à la dérive. Cela expliquait aussi pourquoi le temps lui avait paru passer si vite…

Richard soupira de soulagement. Il se sentait stupide, mais franchement rassuré. Un banal cauchemar…

Quand il se tourna vers elle, il s'aperçut que Verna ne l'avait pas quitté des yeux.

— Veux-tu te raser, à présent que je t'ai prouvé mon désir de t'aider ?

— Je vous l'ai dit : les prisonniers laissent pousser leur barbe.

— Tu n'es pas prisonnier…

Richard fourra sa couverture dans son sac.

— Vous allez m'enlever le collier ?

— Non. Seulement quand le moment sera venu…

— Puis-je aller où je veux sans vous ?

— Non ! Tu dois venir avec moi.

— Et si j'essaye de vous fausser compagnie ?

— Je t'en empêcherai, et tu n'aimeras pas du tout ça.

— Ça correspond en tout point à ma définition d'un prisonnier. Donc, je ne me raserai pas.

Les chevaux hennirent gentiment quand il approcha d'eux, les oreilles tendues vers lui. Verna observa la scène avec méfiance, et plissa les yeux quand il leur rendit leur salut en leur flattant l'encolure. Ressortant ses brosses, il les étrilla de nouveau et s'attarda surtout sur leurs dos.

— Pourquoi fais-tu ça ? demanda Verna. Tu t'es occupé d'eux hier soir.

— Les chevaux aiment se rouler dans la poussière, ma sœur. Imaginez qu'il reste quelque chose sur leurs dos, à l'endroit où on pose la selle. Vous avez déjà tenté de marcher avec un caillou dans votre botte ? Eh bien, c'est la même chose, en dix fois pire ! S'ils se blessent, nous serons obligés de marcher à pied. Alors, mieux vaut prévenir que guérir. À propos, comment s'appellent ces chevaux ?

— Ils n'ont pas de nom, lâcha Verna, étonnée. Pourquoi baptiser des animaux sans cervelle ?

Richard désigna la monture de la sœur.

— Le vôtre non plus n'a pas de nom ?

— Il ne m'appartient pas. Ces bêtes sont la propriété des Sœurs de la Lumière. Je monte celle qui est disponible. Jusqu'à hier, je voyageais sur celle que tu chevauches à présent. Mais ça ne fait aucune différence pour moi.

— Eh bien, à partir de maintenant, ces chevaux auront des noms, pour que les choses soient plus simples. Le vôtre s'appellera Jessup, le mien Bonnie, et l'autre jument sera Geraldine.

— Jessup, Bonnie et Geraldine… Voilà qui semble tout droit sorti des *Aventures de Bonnie Day*…

— Ravi d'apprendre que vous ne lisez pas que des prophéties, sœur Verna !

— Comme je te l'ai déjà dit, nos sujets sont en principe très jeunes. Un des gamins avait le roman dont nous parlons. Je l'ai lu pour savoir si ça convenait à un enfant. Et si le message moral était bon. À mon avis, c'est l'histoire grotesque de trois individus qui n'auraient jamais eu d'ennuis si l'un d'eux avait possédé un minimum de matière grise.

— Des noms parfaits pour des « animaux sans cervelle », donc…, fit Richard avec un petit sourire.

— Un livre sans aucune valeur intellectuelle… Je l'ai brûlé !

Le sourire du jeune homme manqua s'effacer, mais il se força à continuer de l'afficher.

— Mon père… Enfin, George Cypher, l'homme qui m'a élevé, voyageait beaucoup. Un jour, il m'a rapporté les *Aventures de Bonnie Day* pour que j'apprenne à lire. C'était mon premier livre. Je l'ai lu et relu. À chaque fois, j'éprouvais du plaisir *et* cela me forçait à réfléchir. Je pense aussi que les trois personnages font beaucoup de bêtises, et j'ai toujours pris garde de ne pas commettre les mêmes. Ce roman vous a paru idiot, pourtant il m'a appris beaucoup de choses. En particulier, à réfléchir. Mais ce n'est peut-être pas une qualité que vous prisez chez vos élèves…

Il se détourna et commença à préparer les selles et les harnais.

— Mon vrai père, Darken Rahl, est venu chez moi, l'automne dernier. Il voulait m'ouvrir le ventre et lire dans mes entrailles les réponses à ses questions. Comme il l'a fait à George Cypher. (Il jeta un coup d'œil par-dessus son épaule.) Je n'étais pas là, un coup de chance. En m'attendant, il a déchiré tous mes livres, dont celui-là. Sans doute parce qu'il ne voulait pas non plus que j'apprenne des choses et que je réfléchisse.

Verna ne dit rien, mais le regarda fixement détacher les brides des mors.

— Je ne donnerai pas de nom à un cheval…, souffla-t-elle enfin.

Richard jeta les mors sur le sol, à un endroit piétiné par les chevaux.

— Vous changerez d'avis un jour, ma sœur, dit-il.

Verna approcha de lui et désigna les mors.

— Que fais-tu ? Pourquoi as-tu détaché les rênes ? Et les mors, pourquoi…

Elle s'interrompit quand Richard dégaina l'Épée de Vérité, dont la note cristalline retentit dans l'air.

Aussitôt, la colère de l'arme déferla en lui.

— Je vais les détruire, ma sœur !

Avant que Verna n'ait pu esquisser un geste, il abattit la lame, fendant net les trois mors qui volèrent en éclats.

— Tu es fou ! cria la sœur. Nous en avions besoin pour diriger les chevaux !

— Ces mors à cuiller sont des instruments de torture. Je refuse qu'on les utilise.

— Des instruments de torture ? Pour des bêtes stupides ? Il faut les mater !

— Des bêtes…, murmura Richard en rengainant son arme. (Il mit son licou à Bonnie et attacha les rênes aux anneaux latéraux.) Il n'y a pas besoin d'un mors pour diriger un cheval. Je vous montrerai. Comme ça, Bonnie et ses amis pourront manger en voyageant et ils seront plus heureux.

— C'est dangereux ! Les mors à cuiller permettent de dominer une bête rétive.

— Avec les chevaux, ma sœur, il en va souvent comme avec les gens : on reçoit en fonction de ce qu'on a donné…

— Sans mors, il est impossible de diriger un cheval !

— Absurde ! Un bon cavalier se sert de ses jambes et de son corps. Il faut simplement apprendre au cheval à reconnaître ces signaux.

— C'est idiot, et dangereux ! Nous traversons des territoires hostiles. En cas d'attaque, s'il est effrayé, l'animal peut s'emballer. Sans mors à cuiller, comment l'arrêter ?

— Parfois, ma sœur, dit Richard en se tournant vers la femme, on obtient l'inverse de ce qu'on voulait. Si nous sommes attaqués, ou dans une situation délicate, et que vous tirez trop fort sur les rênes – par anxiété – vous risquez de déchirer la bouche du cheval. Alors, sa peur, sa douleur et sa colère seront si fortes qu'il ne comprendra plus rien, à part que vous lui faites mal chaque fois que vous tirez sur les rênes. Sa seule solution sera de vous désarçonner !

» Effrayé, il se cabrera ou s'emballera. Mais s'il est furieux, un cheval peut faire bien pire que ça. Ainsi, au lieu de vous protéger, utiliser un mors à cuiller vous aura mise en danger. Si nous traversons une ville ou un village, je vous permettrai d'acheter un mors articulé. Mais plus d'instruments de torture tant que je serai avec vous !

Verna prit une grande inspiration et croisa les bras.

— Richard, sans mors, nous ne pourrons pas diriger ces chevaux. C'est aussi simple que ça.

— Faux ! Je vous montrerai… La pire mésaventure possible, c'est que le cheval s'emballe, et qu'il vous faille pas mal de temps pour l'arrêter. Mais on y arrive toujours. Avec votre méthode, le cavalier et la monture risquent d'être tués.

Il se tourna et flatta l'encolure de Bonnie.

— La première étape, c'est de devenir l'ami de son cheval. Il doit savoir que vous ne lui ferez pas de mal et que vous le protégerez le cas échéant. Dans ce cas, il vous obéira aveuglément… Obtenir ce résultat est incroyablement facile : il suffit d'un peu de respect et de gentillesse, alliés à une main ferme. Le nom est important, car il permet à l'animal de savoir quand vous vous adressez à lui…

À la grande satisfaction de Bonnie, il la caressa un peu plus fort.

— Tu aimes ça, ma fille ? Tu es une très bonne jument, c'est sûr ! (Il jeta un regard en coin à Verna.) Jessup adore qu'on le gratte sous le menton. Allez-y, pour lui montrer que vous voulez être son amie. (Il sourit froidement.) Que vous aimiez ça ou non, ma sœur, nous n'avons plus de mors. Il faut vous y faire…

Verna le foudroya du regard, puis décroisa le bras et s'approcha du hongre. Tendant une main, elle le gratta sans conviction sous le menton.

— Bon garçon…, lâcha-t-elle sans conviction.

— Vous jugez les chevaux stupides parce qu'ils ne comprennent pas vos paroles, dit Richard. Mais ils sont sensibles au ton d'une voix. Si vous voulez qu'il vous croie, forcez-vous un peu !

— Stupide animal borné et idiot…, dit Verna d'une voix sirupeuse. (Puis elle se tourna vers Richard.) Ça te va ?

— Tant que vous êtes gentille avec lui… Mais les chevaux ne sont pas aussi bêtes que vous le pensez. Regardez sa posture : il ne vous fait pas confiance. À partir de cet instant, je vous confie Jessup. Il doit dépendre de vous et se fier à vous. Je m'occuperai de Bonnie et de Geraldine. Tous les soirs et tous les matins, vous étrillerez Jessup.

— Moi ? C'est hors de question ! Je commande, et c'est toi qui le feras !

— Le commandement n'a rien à voir dans l'affaire. Les soins tissent un lien entre un cheval et son cavalier. Ne m'obligez pas à me répéter : les mors détruits, vous n'avez pas le choix. Pour votre sécurité, vous devez m'obéir. (Il lui tendit un jeu de rênes.) Mettez son licou à Jessup et attachez les brides aux anneaux latéraux…

Pendant que Verna s'exécutait, Richard coupa en petits morceaux le reste de peau de melon.

— Parlez-lui, ma sœur ! Appelez-le par son nom et montrez-lui que vous l'aimez. Ce que vous dites n'a pas d'importance, mais concentrez-vous sur le ton. Si vous n'y arrivez pas, faites un effort d'imagination. Dites-vous que c'est un de vos petits garçons…

Verna le foudroya du regard et se remit à l'ouvrage. Elle parla doucement, pour que Richard ne comprenne pas ce qu'elle disait, mais le ton convenait. Quand elle en eut fini avec le licou et les rênes, il lui tendit quelques morceaux de peau de melon.

— Les chevaux adorent ça. Nourrissez-le en le complimentant. L'idée est qu'il trouve agréable de porter un licou et des rênes. Faites-lui comprendre qu'il n'a plus à craindre le mors qui le torturait.

— Torturait…, marmonna Verna.

— Ma sœur, il n'y a pas besoin de le maltraiter pour le convaincre de vous obéir. Bien au contraire ! Soyez ferme mais gentille. Il faut le séduire à grand renfort de compréhension et de tendresse, même si elles ne sont pas sincères. Pas le contraindre par la force !

Le sourire de Richard disparut quand il se pencha sur la sœur et ajouta :

— Vous y arriverez, parce que vous êtes douée pour ça. Traitez-le… comme vous me traitez.

— Richard, j'ai juré sur ma vie de te ramener au Palais des Prophètes. Quand elles te verront, j'ai peur que les autres me pendent haut et court pour me récompenser d'avoir accompli ma mission. (Elle se détourna et nourrit Jessup en lui flattant l'encolure.) Gentil garçon… Ça te plaît, mon petit Jessup ? Quel bon garçon, vraiment…

Une voix à faire fondre une banquise ! Le cheval était conquis, mais pas Richard. Il se méfiait de la sœur, une experte en matière d'hypocrisie, et il entendait qu'elle le sache. Les gens qui pensaient l'abuser facilement lui tapaient sur les nerfs. Il se demanda si elle changerait d'attitude, à présent qu'il lui avait fait comprendre qu'il n'était pas dupe de son petit jeu.

Selon Kahlan, Verna avait de puissants pouvoirs. Il ignorait jusqu'où ils allaient, mais il avait senti la Toile qu'elle avait jetée sur lui dans la maison des esprits. Et les flammes qu'elle avait invoquées… La veille, elle aurait pu allumer un feu par la pensée, si elle avait voulu. Bref, si l'envie lui en prenait, le briser en deux avec son Han serait un jeu d'enfant pour elle.

Elle tentait de l'apprivoiser, pour qu'il s'habitue à lui obéir sans réfléchir. Comme on dresse un cheval… ou plutôt une « bête », ainsi qu'elle le disait. Et il doutait qu'elle ait plus de respect pour lui que pour Jessup.

En guise de mors, elle avait le Rada'Han. Et c'était bien pire. Mais il s'en débarrasserait tôt ou tard. Même si Kahlan ne voulait plus de lui, il recouvrerait sa liberté.

Tandis que Verna faisait ami-ami avec Jessup, il entreprit de seller les autres chevaux.

— Combien de temps durera notre voyage ? demanda-t-il.

— Le Palais des Prophètes est très loin d'ici, au sud-est. Un chemin long et périlleux.

— Parfait… J'aurai tout le temps de vous apprendre à diriger Jessup sans l'aide d'un mors. Ce sera moins dur que vous le pensez. Il imitera Bonnie, car c'est la dominante.

— Le mâle domine chez ces animaux.

— Les juments sont au sommet de la hiérarchie. Les mères forment et protègent les poulains, et leur influence dure toute la vie des mâles. Aucun étalon n'oserait tenir tête à une jument. Si elle le juge indésirable, elle le chasse de la horde. Un cheval peut éloigner un prédateur, mais une jument le traquera et le tuera. Bonnie est la femelle dominante. Geraldine et Jessup calqueront leur comportement sur le sien. Je chevaucherai en tête. Suivez-moi, et vous n'aurez rien à craindre.

Verna vérifia que les harnais étaient bien serrés, puis elle monta en selle.

— La poutre, dans le hall central. C'est la plus haute. Tout le monde pourra voir…

— De quoi parlez-vous ?

— La poutre, dans le hall central… C'est probablement là qu'on me pendra.

Richard sauta aussi en selle.

— À vous de choisir, ma sœur. Rien ne vous oblige à m'amener là-bas.

— Hélas, si… (Elle regarda le Sourcier avec une gentillesse très convaincante, bien qu'un peu forcée.) Richard, mon seul désir est de t'aider. Et d'être ton amie. Je crois que tu en as bien besoin, en ce moment.

— C'est très gentil à vous, ma sœur, mais je dois refuser votre proposition. Vous êtes trop prompte à planter un couteau dans le dos de vos amis. Avez-vous souffert de devoir exécuter Elizabeth ? J'ai peur que non. Je ne vous offrirai pas mon amitié, ma sœur. Et j'éviterai de vous tourner le dos.

» Si vous êtes sincère, je vous conseille de m'en convaincre avant que je n'exige une preuve. Quand l'heure sonnera, vous n'aurez qu'une chance, et les demi-mesures ne seront pas de mise. On est avec quelqu'un ou contre quelqu'un, c'est tout. On ne met pas un collier à un ami et on ne le garde pas prisonnier. Je veux me débarrasser du Rada'Han. Quand je déciderai que le moment est venu, mes véritables amis m'aideront. Tous les autres seront mes ennemis et ils le paieront de leur vie.

— La poutre du hall central…, souffla Verna en faisant avancer Jessup. C'est une certitude !

Chapitre 20

Les battements de son propre cœur l'assourdissant, la femme essaya de contrôler sa respiration et sa panique. Accroupie derrière le tronc d'un pin, elle se pressa contre son écorce rugueuse. Si les sœurs avaient découvert qu'elle les suivait…

Elle récita muettement une prière au Créateur pour lui demander sa protection. Puis, les yeux écarquillés, elle sonda les ténèbres.

La silhouette noire avançait en silence. Dominant son envie de crier et de fuir à toutes jambes, la femme se prépara au combat. Elle tendit ses « mains intérieures » vers la douce lumière de son Han.

La silhouette avança encore, hésitante. Un pas de plus, et la femme lui sauterait dessus. Elle devrait agir vite pour ne pas déclencher une alerte. Cela nécessiterait plusieurs Toiles, toutes lancées en même temps, mais si elle était rapide et précise, il n'y aurait pas de cri, et elle saurait à qui elle avait affaire.

La silhouette fit enfin le pas qu'elle attendait. Sortant de derrière l'arbre, la femme lança ses Toiles. Des tentacules d'air, solides comme des cordes d'amarrage, s'enroulèrent autour de son ennemi. Quand il ouvrit la bouche pour crier, elle l'obstrua avec un nœud d'air plus efficace qu'un bâillon.

Rassurée qu'aucun son ne sorte de la gorge de l'homme – car c'en était un – la femme réussit à se calmer un peu, sans pour autant relâcher sa prise sur son Han. On n'était jamais trop prudent, et il pouvait y avoir d'autres indésirables dans le coin.

La femme avança lentement vers son prisonnier. Levant une main, paume ouverte, elle invoqua une minuscule flamme – juste assez de lumière pour reconnaître son adversaire.

— Jedidiah ! souffla-t-elle.

Elle posa la main sur le cou de l'homme et sentit le contact réconfortant de son Rada'Han.

— Jedidiah, tu as failli me faire mourir de peur ! (À la lueur de la petite flamme, elle vit que l'homme était aussi terrifié qu'elle.) Je vais te libérer, mais il faudra te tenir tranquille. C'est promis ?

Il hocha la tête autant que la Toile le lui permettait.

Quand les sorts furent dissipés, il soupira de soulagement.

— Sœur Margaret, j'ai failli me faire dessus…

— Désolée, Jedidiah, mais je n'en suis pas passée loin non plus…

Elle coupa le filament de Han qui alimentait la flamme et ils se laissèrent glisser sur le sol, serrés l'un contre l'autre, pour récupérer de leur frayeur. Jedidiah, plus jeune que Margaret de quelques années, était plus grand qu'elle et remarquablement beau. *Douloureusement* beau, aux yeux de la sœur.

Elle s'occupait de lui depuis son arrivée au palais, à l'époque où elle était une novice. Avide d'apprendre, il avait étudié sans se plaindre. Un plaisir dès le premier jour. D'autres… sujets… s'étaient révélés difficiles, mais pas Jedidiah. Il faisait tout ce qu'elle lui demandait, sans jamais poser de questions.

Certains mauvais esprits insinuaient que sa principale motivation était de plaire à Margaret. Mais personne ne pouvait nier qu'il était un étudiant d'élite et qu'il deviendrait un grand sorcier. C'était tout ce qui comptait. Ici, seul le résultat importait, pas la méthode. En récompense de son travail, Margaret avait vite été promue au rang de Sœur de la Lumière.

Ce jour-là, Jedidiah avait été encore plus fier qu'elle… Une fierté qu'elle lui rendait bien, car il était sans doute le sorcier le plus puissant présent au palais depuis des millénaires…

— Margaret, souffla-t-il, que faisais-tu dehors à cette heure ?

— *Sœur* Margaret ! Et tu dois me vouvoyer.

— Il n'y a personne dans le coin, dit Jedidiah en lui embrassant l'oreille.

— Arrête ça !

L'agréable picotement du baiser se propagea dans tout son corps, car il avait utilisé un rien de magie pour corser les choses. Parfois, Margaret regrettait de lui avoir appris ça. Le plus souvent, elle s'en félicitait…

— Et toi, que fiches-tu là ? demanda-t-elle. Tu n'as pas le droit de suivre une sœur hors du palais.

— Tu es sur quelque chose, je le sais, et n'essaie pas de me raconter le contraire. Une affaire dangereuse… Au début, je ne m'inquiétais pas trop, mais quand je t'ai vue te diriger vers le bois de Hagen, j'ai eu très peur. Pas question de te laisser errer dans un endroit aussi périlleux. Seule, en tout cas… Bien entendu, si je suis là pour te protéger, c'est différent.

— Me protéger ? railla Margaret. Puis-je te rappeler que je t'ai neutralisé en un clin d'œil ? Tu n'as pas pu repousser mes Toiles, et encore moins les briser. Tu as touché ton Han, je te le concède, mais de là à t'en servir… Il te reste beaucoup à apprendre pour être le genre de sorcier qui protège les autres. Mais d'abord, tu devrais réfléchir à ta propre sauvegarde !

La réprimande réduisit Jedidiah au silence. Elle détestait le rabaisser ainsi, mais si ce qu'elle soupçonnait s'avérait, c'était trop dangereux pour qu'il s'en mêle. Tout plutôt que de le voir souffrir…

Cela dit, elle venait de lui mentir. Il était déjà plus puissant que n'importe quelle sœur – quand il arrivait à s'y prendre de la bonne façon, ce qui restait relativement rare. Mais certaines de ses collègues hésitaient déjà à le pousser trop loin...

— Désolé, Margaret, souffla-t-il. J'avais peur pour toi...

Elle eut le cœur brisé en entendant le chagrin qui faisait vibrer sa voix.

— Je sais, Jedidiah, et ça me touche beaucoup. Mais cette affaire ne concerne que moi.

— Le bois de Hagen est un lieu dangereux. Il y a dans ses profondeurs des créatures qui pourraient te tuer. Je ne veux pas que tu t'y aventures !

Le bois de Hagen était effectivement peu sûr. Il en allait ainsi depuis des millénaires, et un décret du Palais ordonnait qu'on le laisse ainsi. Comme s'il avait été possible d'y changer quelque chose !

On murmurait que le bois servait de terrain d'entraînement à des sorciers d'un genre très particulier. Ceux-là n'y étaient pas envoyés, ils y allaient de leur plein gré. Parce qu'ils le désiraient... et qu'ils en avaient besoin.

Il s'agissait seulement de rumeurs. À la connaissance de Margaret, depuis quelques milliers d'années, aucun sorcier n'était allé se promener dans le bois de Hagen.

Fallait-il croire les légendes sur les anciens temps, où des sorciers hors du commun, avec des pouvoirs incroyables, se seraient baladés dans le bois ? Si oui, il convenait de ne pas perdre de vue que peu d'entre eux, selon les mêmes sources, en étaient revenus. Mais il y avait des règles, y compris dans ce lieu maudit.

— Le soleil ne s'est pas couché pendant que j'y étais, dit Margaret. Et j'y suis entrée après la tombée de la nuit. Si on ne laisse pas se coucher le soleil au-dessus de soi quand on erre dans le bois, on est sûr de pouvoir en sortir. Je n'ai pas l'intention d'y rester aussi l'aube. Donc, il n'y a pas de danger. Pour moi, en tout cas. Je veux que tu rentres au palais. Sur-le-champ !

— Qu'y a-t-il de si important dans ce bois ? Pourquoi prends-tu ce risque ? J'attends une réponse, Margaret. Sincère, bien sûr. Tu es en danger et je ne céderai pas. Pour une fois...

Margaret joua avec la superbe fleur en or qu'elle gardait en permanence autour du cou, accrochée à une chaîne. Jedidiah l'avait faite lui-même – de ses mains, pas en utilisant la magie. C'était une belle-de-jour, symbole de l'éveil du don chez lui, un pouvoir qu'elle avait grandement contribué à épanouir. Et ce bijou comptait plus à ses yeux que tout ce qu'elle avait jamais possédé...

— D'accord, Jedidiah, je te répondrai... Mais je ne peux pas tout te dire. En savoir trop long serait dangereux pour toi.

— De quoi parles-tu ? Et d'ailleurs...

— Écoute-moi en silence, sinon, je te forcerai à partir. Et tu sais que j'en suis capable.

Jedidiah porta une main à son Rada'Han.

— Margaret, tu ne ferais pas ça ! Pas depuis que nous...

— Silence ! (Il se tut. Margaret attendit un moment pour être sûre qu'il avait bien compris la règle du jeu.) Depuis quelque temps, je soupçonne que les sujets qui ont disparu, ou qui sont morts, n'ont pas été victimes d'accidents. Bref, je crois qu'on les a assassinés !

— Quoi !

— Ne parle pas si fort ! souffla Margaret, agacée. Tu veux nous faire tuer aussi ? (Il ne répondit pas, penaud.) Je crois que d'affreuses choses se passent dans le Palais des Prophètes. Certaines sœurs ont commis des meurtres.

— Des meurtres ? Les sœurs ? Margaret, tu dois avoir perdu la tête. C'est impossible !

— Je ne suis pas folle, crois-moi… Mais tout le monde le penserait si je disais ça à haute voix. Il faut que je trouve des preuves.

Jedidiah réfléchit quelques instants.

— Je te connais mieux que personne, et si tu penses que c'est vrai, je suis prêt à te croire. Je t'aiderai. Nous pourrons peut-être exhumer les cadavres, prouver que leur mort n'est pas accidentelle, ou dénicher des témoins. Par exemple en interrogeant les domestiques. J'en connais certains qui…

— Jedidiah, je ne t'ai pas encore dit le pire.

— Que peut-il y avoir de plus grave ?

Margaret caressa la fleur d'or du bout de l'index et baissa encore la voix.

— Il y a des Sœurs de l'Obscurité au palais.

Même sans le voir, elle devina que son compagnon en avait la chair de poule.

— Margaret… Des Sœurs de… C'est impossible ! Elles n'existent pas. C'est une légende…

— Non ! Et il y en a au palais !

— Je t'en prie, cesse de dire ça. En lançant des accusations pareilles, tu risques d'être condamnée à mort si tu ne parviens pas à les prouver. Et tu n'y arriveras pas, parce qu'il n'existe pas de Sœurs de…

Il ne pouvait pas prononcer ce nom à voix haute. L'idée seule le terrorisait. Margaret avait éprouvé la même angoisse jusqu'à ce qu'elle ait découvert des éléments lui interdisant de fermer les yeux. Mais elle regrettait d'être allée voir le Prophète cette nuit-là – ou en tout cas de l'avoir écouté.

La Dame Abbesse avait été furieuse qu'elle refuse de transmettre le message du Prophète à une de ses assistantes. Quand elle lui avait enfin accordé une audience, elle s'était contentée de la foudroyer du regard avant de demander ce qu'était le « caillou dans la mare ». Évidemment, Margaret n'en savait rien. Sa supérieure l'avait sévèrement réprimandée.

Avait-on idée de la déranger à cause des délires de Nathan ?

Quand le Prophète avait prétendu ne pas se souvenir du fameux message, Margaret l'aurait bien étranglé de ses propres mains.

— Jedidiah, j'aimerais que tu aies raison, et que les Sœurs de l'Obscurité n'existent pas. Hélas, elles sont bien réelles, et il y en a au palais. C'est pour rassembler des preuves que je suis sortie.

— Qui sont les traîtresses ? En as-tu démasqué ?

— Quelques-unes, oui…

— Dis-moi leurs noms !

— Pas question ! Si tu es au courant, et que tu commets la moindre erreur, tu ne pourras pas te défendre. Si j'ai raison, elles te tueront pour te réduire au silence. Je ne veux pas qu'il t'arrive du mal. Tu ne sauras rien de plus tant que je ne pourrai pas aller voir la Dame Abbesse avec des preuves.

— Comment sais-tu que ce sont des Sœurs de… Et quelles preuves espères-tu trouver ?

— Une des sœurs détient un artéfact. Un objet lié à la magie noire. Une statuette, pour être précise. Je l'ai remarqué un jour dans le fatras d'objets antiques qu'elle garde dans son bureau. Comme le reste, elle était couverte de poussière. Un jour, après la mort d'un des garçons, je suis allée la voir pour discuter du rapport à rédiger. La statuette était à demi dissimulée par un livre, et il n'y avait plus un grain de poussière dessus !

— C'est ça, ton enquête ? Une sœur époussette un objet, et tu…

— Non ! Personne ne sait ce qu'est cette statuette. Moi, j'ai fait des recherches et j'ai découvert la réponse.

— Comment ?

Elle se souvint de sa visite à Nathan et de sa promesse : ne jamais dire qui lui avait appris la vérité.

— Ça ne te regarde pas.

— Margaret, comment peux-tu…

— N'insiste pas ! De toute façon, ce n'est pas important. Ce qui compte, c'est la nature de cet objet. Il représente un homme qui tient un cristal. Un quillion, pour être précise.

— Un quoi ?

— Une pierre magique très rare qui peut vider un sorcier de son pouvoir.

De surprise, Jedidiah en resta muet quelques instants.

— Comment sais-tu qu'il s'agit d'un quillion ? Si c'est une pierre rare, tu n'as aucun moyen de la reconnaître. Ce cristal peut être une imitation, rien de plus…

— Je sais que non, parce qu'il a été utilisé ! Quand le cristal a servi à voler sa magie à un sorcier, il devient orange à cause du Han qu'il contient. Une fraction de seconde, en sortant du bureau de cette sœur, j'ai aperçu la statue, toute propre, et le cristal avait changé de couleur. Hélas, c'était avant que j'apprenne ce que ça voulait dire. Après, j'ai voulu subtiliser la statue, pour la montrer à la Dame Abbesse, mais elle ne brillait plus.

— Ce qui signifie… ?

— Que le pouvoir du sorcier a été transféré à une autre personne ! Le quillion est un réceptacle provisoire. Jedidiah, je pense que certaines sœurs tuent nos élèves pour leur voler leur don. Elles absorbent leur pouvoir, si tu préfères.

— En plus de leur puissance, elles s'approprient le don de sorciers ?

— Oui. Ça les rend plus dangereuses que nous pouvons l'imaginer… Être condamnée à mort pour de fausses accusations m'inquiète moins que de tomber entre les mains de ces sœurs. Si ce que je soupçonne est vrai, comment les arrêter ? Personne ne sera assez fort… Comprends-tu pourquoi j'ai besoin de preuves ? La Dame Abbesse saura peut-être quoi faire. Moi, je n'en ai pas la moindre idée. (Elle marqua une pause.) J'ignore même comment elles peuvent absorber le Han d'un homme. Ça ne doit pas être si simple, sinon elles le feraient au moment où elles tuent le sorcier. Mais voler un Han masculin… Non, vraiment, je ne vois pas comment elles réussissent ça.

— Je me demande toujours ce que tu fiches dehors…

Bien qu'il ne fît pas froid, Margaret frissonna.

— Tu te souviens du jour où Sam Weber et Neville Ranson, après avoir réussi toutes leurs épreuves, devaient être libérés de leurs colliers ? Le jour où ils auraient dû quitter le palais ?

— Oui. J'étais déçu, parce que Sam avait promis de passer me dire au revoir. Et me montrer son cou, sans Rada'Han ! Je voulais lui souhaiter bonne chance, à présent qu'il était un vrai sorcier, mais il n'est pas venu. On m'a dit qu'il avait filé dans la nuit, pour éviter les adieux larmoyants. Mais c'était mon ami… Un guérisseur et un homme adorable ! Partir comme ça ne lui ressemble pas…

— Elles l'ont tué…, souffla Margaret.

— Quoi ? Par le Créateur, ce n'est pas possible ! Tu es sûre ?

Margaret posa une main sur l'épaule de son compagnon.

— Le lendemain de son « départ précipité », j'ai eu des soupçons. J'ai voulu aller voir si le quillion brillait de nouveau, mais la porte du bureau était scellée magiquement.

— Ça ne prouve rien. Les sœurs font assez souvent ça. Toi-même, tu n'hésites pas quand tu ne veux pas être dérangée. Par exemple, lorsque nous sommes ensemble…

— Je sais… Comme je tenais à voir le quillion, j'ai attendu, tapie dans le couloir, que la sœur retourne dans son bureau. J'ai quitté ma cachette de façon à passer devant le bureau au moment où elle entrait. Juste avant qu'elle referme la porte, j'ai aperçu la statue, sur l'étagère. Le cristal émettait une lueur orange. Je suis navrée pour ton ami, Jedidiah.

— De quelle sœur s'agit-il ? grogna l'homme, furieux.

— Je ne te le dirai pas, c'est trop dangereux ! Mais la Dame Abbesse aura bientôt assez de preuves pour frapper.

— Si c'est vraiment un quillion, susceptible de la démasquer, pourquoi ne le cache-t-elle pas mieux ?

— Parce qu'elle pense que personne ne sait de quoi il s'agit. Trop sûre d'elle, elle ne prend pas assez de précautions…

— Alors, rentrons au palais, forçons sa porte et apportons cet artéfact à la Dame Abbesse. Je peux briser les protections magiques de cette sœur…

— J'avais l'intention de le faire… Je suis retournée devant le bureau ce soir, et la porte n'était plus protégée. Je suis entrée pour voler la statuette, mais elle avait disparu. Après, j'ai vu cette femme quitter le palais avec d'autres sœurs. Bien entendu, je les ai suivies…

» Si je peux voler le quillion alors qu'il brille encore, j'aurai la preuve qu'il me faut, et elles ne déroberont plus le pouvoir de personne. Jedidiah, elles tuent des gens. C'est déjà terrible, mais leur raison d'agir ainsi me terrorise encore plus.

— Je comprends ta réaction. Mais je viens avec toi.

— Pas question !

— Margaret, je t'aime. Si tu m'envoies me morfondre seul au palais, je ne te le pardonnerai jamais. Alors, j'irai voir la Dame Abbesse et je lancerai les accusations à ta place. Tant pis si ça me vaut une condamnation à mort ! Malgré tout, ça éveillera des soupçons, et ce sera ma seule façon de t'aider. Donc le marché est simple : je t'accompagne, ou je file chez la Dame Abbesse. Et ce n'est pas du bluff !

Margaret n'en doutait pas. Comme tous les puissants sorciers, Jedidiah ne parlait jamais à la légère. S'agenouillant, elle passa un bras autour du cou de l'homme.

— Je t'aime aussi…

Ils s'embrassèrent passionnément. Jedidiah glissa une main sous la robe de Margaret et l'attira vers lui. Le contact de sa peau contre la sienne lui arracha un gémissement de plaisir. Il lui baisa le cou et les oreilles, la magie augmentant la délicieuse sensation. Puis il glissa un genou entre les jambes de la sœur, s'ouvrant le chemin de son intimité.

Elle poussa un petit cri.

— Viens avec moi au palais…, murmura-t-il. Tu scelleras ta chambre et je te ferai hurler de bonheur. Ce n'est pas gênant, puisque personne ne t'entendra, grâce aux Toiles.

Margaret le repoussa et tira sa main de sous sa robe. Il minait sa résistance, et l'arrêter lui coûta un gros effort. Pour l'éloigner du danger, Jedidiah la séduisait sans hésiter à recourir à sa magie. Dans quelques secondes, elle ne serait plus capable de se défendre.

— Jedidiah, souffla-t-elle, haletante, ne m'oblige pas à utiliser le Rada'Han pour te contraindre. L'enjeu est trop élevé. Des vies sont menacées.

Il tenta encore de la toucher, mais elle lui immobilisa les poignets avec une corde de pouvoir.

— Je sais, Margaret. Et la tienne est du nombre… Je ne veux pas qu'il t'arrive de mal. Tu es ce que j'ai de plus précieux au monde.

— Jedidiah, c'est plus important que ma vie ! L'univers entier est concerné. Je crois que la menace vient de Celui Qui N'A Pas De Nom.

— Tu ne parles pas sérieusement ?

— Pourquoi les sœurs voudraient-elles s'approprier ce pouvoir ? À quoi leur servirait-il ? Et pourquoi iraient-elles jusqu'à tuer ? Tu sais bien qui servent les Sœurs de l'Obscurité…

— Cher Créateur, murmura Jedidiah, faites qu'elle se trompe. (Il prit Margaret par les épaules.) Qui d'autre sait tout cela ? À qui en as-tu parlé ?

— Tu es le seul… J'ai identifié quatre, peut-être cinq, Sœurs de l'Obscurité. Il y en a sûrement d'autres, et je ne les connais pas. À qui me fier ? J'en ai suivi au moins onze ce soir, mais elles sont sûrement plus nombreuses.

— Et la Dame Abbesse ? As-tu pensé qu'elle pourrait être dans leur camp ? Es-tu sûre d'elle ?

— Non, mais c'est ma seule chance. Je ne vois pas qui d'autre pourrait m'aider. (Elle caressa la joue de son compagnon.) Jedidiah, je t'en prie, retourne au palais. Si quelque chose m'arrivait, tu pourrais agir à ma place. Prendre le relais…

— Je ne te laisserai pas ! Force-moi à rentrer… et j'irai voir la Dame Abbesse. Je t'aime et je préfère mourir que vivre sans toi.

— D'autres existences sont en jeu…

— Je m'en fiche ! Ne me demande pas de te laisser seule face au danger.

— Parfois, tu es exaspérant, mon amour. Jedidiah, si nous sommes pris…

— J'accepte de courir le risque, puisque nous serons ensemble !

— Alors, veux-tu m'épouser ? Nous en avons si souvent parlé… Si je dois mourir ce soir, je voudrais être ta femme d'abord.

Jedidiah attira Margaret vers lui et lui souffla à l'oreille :

— Je serais l'homme le plus heureux du monde, tu le sais bien… Mais comment nous unir ce soir ?

— Nous dirons les mots nous-mêmes. Notre amour, voilà ce qui compte, pas les règles des hommes. Les paroles qui sortiront de nos cœurs nous uniront plus profondément qu'une cérémonie…

— C'est le plus beau jour de ma vie, dit Jedidiah en prenant les mains de sa bien-aimée. Moi, Jedidiah, je jure d'être ton compagnon dans la vie comme dans la mort. Je t'offre mon amour et mon éternelle dévotion. Puissions-nous être unis à la Face du Créateur, et dans Son cœur, comme dans les nôtres.

Des larmes roulant sur ses joues, Margaret répéta les phrases rituelles. Elle n'avait jamais été si effrayée *et* heureuse de sa vie. Elle avait tant besoin de cet homme que cela la faisait trembler.

Quand ils eurent échangé leurs vœux, ils s'embrassèrent. Le baiser le plus tendre que Jedidiah lui eût jamais donné.

Lorsqu'ils se séparèrent, Margaret eut le sentiment que son âme se déchirait en deux…

— Je t'aime, mon époux, souffla-t-elle.

— Je t'aime aussi, mon épouse, maintenant et à jamais…

Margaret sourit. Bien qu'elle ne le voie pas dans le noir, elle devina que Jedidiah rayonnait aussi.

— Partons à la recherche de preuves, dit-elle. Mettons fin aux agissements des Sœurs de l'Obscurité. Le Créateur sera fier de Sa servante… et d'un futur grand sorcier.

— Jure-moi de ne rien tenter d'imprudent, implora Jedidiah. Et surtout, promets de ne pas te faire tuer ! J'ai envie de passer un moment au lit avec toi, pas dans le bois de Hagen…

— Je veux découvrir ce qu'elles préparent, pour transmettre un rapport crédible à la Dame Abbesse. Mais je sais qu'elles sont plus puissantes que moi, sans parler de l'avantage du nombre. Et si ce sont vraiment des Sœurs de l'Obscurité, elles contrôlent la Magie Soustractive. Contre elle, nous sommes sans défense… J'ignore comment nous réussirons à leur prendre le quillion. Mais nous improviserons. Si nous sommes attentifs, et si nous nous laissons guider par le Créateur, Il nous aidera. Mais je n'ai pas l'intention de prendre plus de risques que nécessaire. Il ne faut pas qu'elles nous surprennent.

— Très bien… C'est comme ça que je vois les choses…

— Jedidiah, n'oublie quand même pas que je suis une Sœur de la Lumière. Devant le Créateur – et tous Ses enfants – j'ai des responsabilités. Bien que nous soyons désormais mari et femme, te former fait toujours partie de mes devoirs. Sur ce point, nous ne sommes pas égaux. C'est moi qui commande, et je t'interdirai de venir si tu ne le reconnais pas. À ce jour, tu n'es pas encore un sorcier à part entière. Si j'ordonne, tu devras obéir. Et je domine mieux mon Han que toi…

— Je sais, Margaret. Si j'ai désiré t'épouser, entre autres raisons, c'est parce que je te respecte. Je ne voudrais pas d'une femme faible ! Tu m'as toujours guidé, et ce n'est pas près de changer. Tout ce que j'ai, je te le dois. Alors, je te suivrai toujours aveuglément.

La sœur sourit et secoua la tête.

— Tu es un spécimen rare, mon époux. Et précieux. Tu deviendras un sorcier extraordinaire. Je ne te l'ai jamais dit, pour que ça ne te monte pas à la tête, mais certaines sœurs pensent que tu seras le sorcier le plus puissant qu'on ait vu depuis des millénaires.

Jedidiah ne dit rien. Pourtant, même sans le voir, Margaret aurait juré qu'il rougissait.

— Mon amour, être le meilleur à tes yeux suffit à me remplir de fierté.

La sœur l'embrassa sur la joue et lui prit la main.

— À présent, allons nous occuper de nos ennemies.

— Comment les retrouver ? Il fait si noir dans le bois…

— J'ai utilisé un truc que m'a appris ma mère. Tu es le premier à qui j'en parle… Quand je les ai vues sortir du palais, j'ai invoqué une petite « flaque » de mon Han, et je l'ai placée sur leur chemin. Elles ont marché dedans. Du coup, elles laissent une piste que je suis la seule à voir. Leurs « empreintes » me crèvent les yeux, même en pleine nuit, et personne d'autre ne les remarque.

— Il faudra que tu m'apprennes cette ruse…

— Un jour, c'est promis… Viens, maintenant.

Margaret prit Jedidiah par la main et suivit la trace brillante – pour elle ! – qui s'enfonçait dans le bois. Autour d'eux, des oiseaux nocturnes poussaient leurs cris de chasse, des hiboux ululaient et une kyrielle d'autres créatures se préparaient à attaquer leurs proies, ou à fuir le danger. Le terrain était accidenté, mais les empreintes lumineuses l'aidaient à s'y frayer un chemin.

L'humidité de l'air faisait transpirer Margaret, collant sa robe humide à sa peau. De retour dans ses appartements, elle scellerait sa porte et prendrait un bain. Un très long bain, avec Jedidiah… Il utiliserait sa magie sur elle… et elle lui rendrait volontiers la pareille.

Ils avancèrent dans le bois de Hagen, bien plus loin qu'elle ne l'avait jamais osé. La piste les conduisit jusqu'à une série d'arêtes rocheuses où la végétation se raréfiait soudain.

Margaret s'immobilisa et sonda les environs. Dans le lointain, elle voyait danser les lumières de Tanimura. Baignés de rayons de lune, les contours imposants du Palais des Prophètes dominaient la cité.

La sœur aurait donné cher pour rentrer chez elle, mais sa mission n'était pas de celles qu'on peut abandonner en cours de route. Personne d'autre ne pouvait s'en charger, et la survie du monde dépendait de son issue. Le Créateur comptait sur Margaret ! Pourtant, elle aurait adoré être ailleurs…

Chez elle… Mais le Palais, s'il s'agissait vraiment de Sœurs de l'Obscurité, n'était pas un endroit plus sûr que le bois de Hagen. Même avec tout ce qu'elle avait découvert, cette idée restait difficile à accepter. La Dame Abbesse aurait aussi du mal à y croire, mais il le faudrait bien, car elle était son seul recours. Toutes les autres sœurs étaient suspectes, et Nathan lui avait recommandé de ne se fier à personne.

Même si elle aurait préféré que Jedidiah soit en sécurité, l'avoir à ses côtés la rassurait. Il ne pourrait rien pour l'aider, mais pouvoir se confier à lui était déjà beaucoup. Son *mari*… Margaret sourit à cette pensée. S'il lui arrivait quelque chose, elle ne se le pardonnerait jamais.

Le sol s'inclina. Par une trouée, dans les arbres, elle vit qu'ils descendaient dans un ravin assez profond. Ses parois étant très pentues, ils durent avancer prudemment pour ne pas faire rouler des cailloux jusqu'en bas. Quand une pierre menaça quand même de dégringoler, elle la retint avec une petite masse d'air et soupira de soulagement.

Jedidiah suivait son épouse, ombre silencieuse et réconfortante. Arrivés au pied de la pente, ils s'enfoncèrent de nouveau dans des bois aussi sombres et denses que les précédents.

Charriés par un vent aux relents fétides, des échos d'incantations montèrent à leurs oreilles. Même si elle ne comprit pas les paroles de cette litanie, Margaret fut révulsée par leurs accents gutturaux et leur rythme obsessionnel.

— Margaret, je t'en prie, dit Jedidiah en la prenant par le bras. Rebroussons chemin avant qu'il ne soit trop tard. J'ai peur…

— Jedidiah ! s'écria la sœur en le prenant par son collier. Ce que nous faisons est important ! Je suis une Sœur de la Lumière et toi un futur sorcier. Crois-tu que je t'ai formé pour que tu amuses la populace, sur les marchés, avec des tours à trois ronds ? Histoire qu'on te jette quelques pièces, peut-être… Nous sommes au service du Créateur. Il nous a conféré des pouvoirs pour que nous aidions les autres. L'humanité est en danger. Comporte-toi comme un sorcier digne de ce nom.

— Je suis navré, dit Jedidiah en relâchant sa prise. Tu as raison. Pardonne-moi… Je ferai ce qui doit être fait, c'est promis.

— J'ai peur aussi, avoua Margaret, sa colère envolée. Touche ton Han, serre-le bien, mais pas trop fort quand même. Pour pouvoir le libérer en un clin d'œil, comme je te l'ai appris. S'il se passe quelque chose, ne te retiens pas. Ne crains pas de blesser trop gravement nos ennemis. Si tu dois utiliser ton don, fais-le à pleine puissance. Garde la tête froide, et tu sauras te défendre. Tu en es capable, je le sais. Aie foi en ce que nous t'avons appris, et en ce que le Créateur t'a donné. Il ne t'a pas choisi par hasard. Ce soir, c'est peut-être ta destinée qui s'accomplira…

Jedidiah hocha gravement la tête. Margaret se retourna et continua à suivre sa piste lumineuse. Ils approchaient du lieu où se déroulait une sinistre cérémonie. Margaret reconnut bientôt les voix de certaines sœurs…

Cher Créateur, implora-t-elle, *donnez-moi la force d'agir courageusement en Votre nom. Donnez-la aussi à Jedidiah, pour que nous puissions Vous servir ensemble et aider nos frères humains.*

Une lumière vacillante apparut entre les feuillages. Avançant sur la pointe des pieds, parfaitement silencieux grâce à un tapis d'aiguilles de pin, Margaret et son compagnon furent bientôt à la lisière d'une grande clairière. Cachés derrière un énorme tronc, ils découvrirent un spectacle stupéfiant.

Une centaine de bougies, disposées en rond sur le sol, formaient une sorte de clôture – ou de frontière – qui isolait ce lieu du reste de la forêt. Au milieu de l'espace ainsi délimité trônait un grand cercle de sable blanc brillant. Bien qu'elle n'en eût jamais vu, Margaret reconnut du sable de sorcier. Elle avait lu assez de descriptions pour être sûre de ne pas se tromper.

Des symboles étaient dessinés dans le sable. Là encore, le souvenir d'une ancienne lecture aida la sœur à reconnaître des runes liées au royaume des morts.

Onze sœurs étaient assises devant le cercle, face à Margaret et Jedidiah. Elles portaient des cagoules, avec deux fentes pour les yeux, et psalmodiaient à l'unisson. Leurs ombres se projetaient jusqu'au centre du cercle de sable, où gisait une femme nue, à l'exception de sa cagoule. Étendue sur le dos, les bras croisés sur les seins, elle gardait les jambes serrées.

Douze… Avec celle-là, ça faisait douze sœurs renégates.

Au bout du cercle, Margaret aperçut une grande silhouette sombre. Le dos voûté et la tête inclinée, elle ne portait pas de cagoule et semblait volontairement assise au point de convergence d'un entrelacs de lignes tracées dans le sable.

Ce n'était pas une sœur… Captant un reflet orange, Margaret vit que la statuette au quillion reposait sur ses genoux.

Après de longues minutes d'incantation, la sœur assise près de l'inconnu se leva. Toutes les autres se taisant, elle débita un discours haché dans une langue inconnue de Margaret. Puis elle tendit les mains et des particules étincelantes en jaillirent pour aller survoler la femme nue. Quand elles s'embrasèrent, illuminant la scène, les autres sœurs entonnèrent une nouvelle litanie. Margaret et Jedidiah s'entre regardèrent. Chacun lut de l'incrédulité et de l'angoisse dans les yeux de l'autre.

La sœur qui s'était mise debout leva les bras et éructa de nouveau une suite de mots étranges. Puis elle approcha de la femme nue, tendit les mains, et embrasa une nouvelle fois les particules de poussière. Cette fois, le quillion réagit en brillant plus intensément.

L'inconnu leva lentement la tête. Margaret dut s'empêcher de crier quand elle aperçut le faciès de cette… bête… à la gueule garnie de crocs.

La sœur qui officiait sortit de son manteau un goupillon d'argent délicatement forgé et le secoua frénétiquement, aspergeant de gouttes d'eau la femme qui gisait à ses pieds.

Le quillion brilla de plus en plus fort, puis reprit lentement sa couleur d'origine. Les yeux sombres de la bête se posèrent alors sur la femme nue. Soudain, ils émirent la lueur orange qu'avait cessé de diffuser le quillion. Comme si une sorte de transfert venait d'avoir lieu.

Deux autres sœurs se levèrent et vinrent flanquer la première.

Celle-ci s'agenouilla et baissa les yeux sur la femme nue.

— Le moment est venu, si tu es sûre de toi… Tu sais ce qui t'attend, et que nous avons toutes connu. Tu es la dernière à qui le don sera offert. L'acceptes-tu ?

— Oui ! J'y ai droit. Il m'appartient et je le veux !

Margaret crut reconnaître les voix de ces deux femmes, mais c'était difficile à dire, à cause des cagoules.

— Alors, il sera à toi, ma sœur. (Les deux autres femmes s'agenouillèrent près de l'officiante, qui sortit un morceau de tissu de son manteau et l'enroula comme un torchon.) Pour obtenir le don, tu devras subir l'épreuve de la douleur. Notre magie ne pourra pas t'atteindre pendant son déroulement, mais nous t'aiderons de notre mieux.

— Je suis prête à tout. Ce qui m'appartient doit me revenir sans plus attendre !

La femme nue tendit les bras. Les deux assistantes se penchèrent en avant, pesant de tout leur poids sur ses poignets.

L'officiante glissa le morceau de tissu sous la cagoule de la femme.

— Ouvre la bouche et mords aussi fort que tu peux. Maintenant, écarte les jambes. Surtout, garde-les ouvertes ! Si tu tentes de les refermer, cela sera tenu pour un refus et tu n'auras jamais de seconde chance !

La respiration de la femme s'accéléra tandis qu'elle écartait lentement les cuisses.

La bête grogna d'anticipation.

Margaret enfonça ses ongles dans l'avant-bras de Jedidiah.

La bête se déplia, révélant qu'elle était beaucoup plus grosse que Margaret l'avait cru. De forme humaine, la poitrine et les bras puissamment musclés, elle était couverte de poils de la hanche aux chevilles.

La tête de l'être, elle, n'avait rien d'humain. Un faciès de cauchemar tordu par la haine…

Une langue longue et fine se darda entre ses crocs, goûtant l'air. Ses yeux toujours brillants de la lueur volée au quillion, le monstre rampa vers le centre du cercle.

Alors, Margaret le reconnut ! Dans le livre où elle avait vu les runes dessinées dans le sable, on trouvait aussi une image de cette créature.

C'était un naimble ! Un des sbires de Celui Qui N'A Pas De Nom.

Créateur vénéré, protège-nous !

Grognant de plus en plus fort, le naimble rampa vers le sable comme un chat certain que sa proie ne lui échappera pas. Il s'insinua entre les cuisses de la femme, dont le regard fixe trahissait une terreur indicible.

Le monstre renifla l'entrejambe offert à sa luxure et sa langue se tendit pour avoir un avant-goût des délices qui lui étaient promis. La femme gémit à travers le tissu qu'elle mordait, mais parvint à garder les jambes écartées. Ses yeux refusaient toujours de se poser sur le monstre…

Les sœurs encore assises entonnèrent un chant rythmé.

Le naimble lécha de nouveau sa proie en grognant. Des cris lui échappant malgré son bâillon, la femme transpirait désormais à grosses gouttes.

Mais elle ne referma pas les cuisses.

Le naimble se dressa sur les genoux et lança un cri rauque en direction du ciel obscur. Son énorme phallus pointu et fourchu se découpa clairement à la lueur des bougies. On eût dit une arme plutôt qu'un sexe…

Les muscles bougeant sous sa peau tendue, le monstre saisit les hanches de la femme et se laissa tomber sur elle alors que son ignoble langue explorait sa poitrine et sa gorge.

Quand les hanches du naimble se soulevèrent, la femme ferma les yeux et gémit sous la main de l'officiante, qui tenait toujours le morceau de tissu. D'une brusque poussée, le monstre la pénétra, lui arrachant un cri qui couvrit la litanie des Sœurs de l'Obscurité. Le premier d'une atroce série, chacun ponctuant un coup de boutoir de la bête.

Margaret dut se forcer à respirer, le souffle coupé par ce qu'elle voyait. Elle détestait ces femmes qui s'étaient livrées corps et âme au mal ultime. Mais elles restaient ses sœurs et en voir une souffrir ainsi la révulsait. En larmes, elle saisit sa belle-de-jour dans une main et serra le bras de Jedidiah de l'autre.

Le monstre besognait toujours sa proie, immobilisée par les trois officiantes.

— Si tu veux le don, dit celle qui tenait le bâillon, tu dois l'encourager à te le donner. Il ne le lâchera pas si tu ne le lui arraches pas ! Comprends-tu ? Tu dois le lui prendre !

Les yeux toujours fermés, la femme hocha la tête.

L'officiante écarta le morceau de tissu.

— Il est à toi, à présent. Prends le don, si tu le désires.

Les deux autres sœurs lâchèrent les bras de la candidate et retournèrent s'asseoir près des autres pour chanter avec elles. Cette fois, la victime consentante du naimble poussa un hurlement qui glaça le sang de Margaret.

Enlaçant le monstre, la femme ondula à l'unisson avec lui, ses cris mourant tant l'effort lui coupait le souffle.

Margaret ne put en supporter davantage. Elle ferma les yeux et ravala les cris qui menaçaient de monter de sa propre gorge. Mais même ainsi, les paupières baissées, elle ne se sentit pas mieux. Car elle entendait toujours !

Créateur bien-aimé, je T'en prie, fais que cela s'arrête !

Son vœu fut exaucé. Sur un dernier grognement, le naimble s'immobilisa et tous ses muscles se détendirent. Quand Margaret rouvrit les yeux, elle vit que sa « partenaire » luttait pour respirer sous sa masse inerte.

Avec une force que nul ne lui aurait soupçonnée, elle parvint à l'écarter d'elle. Encore haletant, il rampa jusqu'au cercle de Sœurs de l'Obscurité et reprit sa place, recroquevillé comme au début de la cérémonie.

Les sœurs ne chantaient plus. Toujours étendue sur le sable, le corps luisant de sueur, leur nouvelle compagne reprenait des forces.

Quand elle se leva enfin, une traînée de sang noir coula lentement le long de ses jambes. Avec un calme et une froide lucidité qui firent frissonner Margaret, elle se tourna vers l'arbre où Jedidiah et elle se cachaient et retira sa cagoule.

La lueur orange qui brillait dans ses yeux s'effaça, leur restituant leur couleur originale : bleu pâle avec des taches de violet. Un regard que Margaret connaissait si bien…

— Sœur Margaret, lança-t-elle, moqueuse, avez-vous apprécié le spectacle ? Je savais que ça vous plairait…

Les yeux écarquillés, Margaret sortit lentement de sa cachette. Comme pour l'accueillir, la sœur qui s'était chargée du morceau de tissu se leva et retira sa cagoule.

— Très chère Margaret, c'est si gentil de vous intéresser à nos activités… Mais je ne vous aurais pas crue aussi stupide ! Comme si je vous avais laissé apercevoir le quillion, dans mon bureau, par imprudence ! Avez-vous pensé que je ne me doutais de rien ? Je devais savoir qui fouinait dans nos affaires. Le quillion était un premier test, mais j'ai vraiment compris quand vous nous avez suivies. Ma pauvre amie, nous jugez-vous idiotes au point de ne pas avoir vu votre flaque de Han ? Nous avons marché dedans pour vous piéger. Pas de chance !

Margaret serrait toujours sa fleur d'or et s'enfonçait en même temps les ongles dans la paume. Comment avaient-elles pu repérer sa flaque de Han ? Elle avait sous-estimé ces femmes, et ça allait lui coûter la vie.

Mais seulement la mienne, Créateur bien-aimé. Seulement la mienne…

— Jedidiah, souffla-t-elle, enfuis-toi ! J'essayerai de les retenir assez longtemps pour que tu sois en sécurité. Adieu, mon amour ! Cours, maintenant !

— Ce ne sera pas nécessaire, *mon amour*, dit Jedidiah en refermant des doigts d'acier sur le bras de Margaret. J'ai tenté de te sauver, mais tu n'as rien voulu entendre. (Il tourna la tête vers l'officiante, qui attendait, impassible.) Si je parviens à lui arracher sa parole d'honneur qu'elle ne dira rien, pourrons-nous simplement… (Le regard de la sœur le dissuada d'aller plus loin dans cette voie.) Non, c'est impossible, bien entendu…

Il poussa Margaret dans la clairière. Elle tituba jusqu'au bord du cercle de bougies, l'esprit vide, incapable d'articuler un mot.

— A-t-elle parlé à quelqu'un d'autre que toi ? demanda l'officiante à Jedidiah.

— Non. Elle voulait avoir des preuves avant de donner l'alarme. (Il regarda Margaret.) N'est-ce pas, mon amour ?

Jedidiah secoua de nouveau la tête, un petit sourire sur les lèvres. Pensant qu'elle les avait embrassées, Margaret eut la nausée. Une pire imbécile s'était-elle jamais dressée devant les yeux du Créateur ?

— Quel gâchis…, souffla Jedidiah.

— Tu as très bien travaillé, le félicita l'officiante. Bien entendu, tu seras récompensé. Quant à vous, ma pauvre Margaret… Dès demain, Jedidiah racontera une bien triste histoire. Après avoir supporté les assiduités d'une femme plus âgée que lui, las de tenter de lui échapper, il lui a finalement signifié son refus définitif. Folle d'humiliation, la malheureuse s'est enfuie du palais… Si on vous recherche, chère Margaret, et qu'on trouve vos restes, tout le monde pensera que vous avez mis fin à vos jours, vous jugeant indigne d'être une Sœur de la Lumière après de pareils errements…

— Laissez-moi m'occuper d'elle, dit la femme aux yeux bleus tachés de violet. Je veux essayer mon nouveau pouvoir…

Margaret se pétrifia sous ce regard meurtrier. La main toujours fermée sur sa belle-de-jour, elle sentait son cœur et ses entrailles se déchirer à l'idée que Jedidiah l'avait trahie.

Dire qu'elle avait imploré le Créateur de donner à ce monstre la force d'aider les autres ! Il avait exaucé sa prière, aussi stupide qu'elle ait été…

L'officiante fit signe qu'elle accédait à la demande de la femme aux yeux bleus.

À cet instant, l'esprit de Margaret consentit à sortir de sa torpeur. Elle devait fuir ! se dit-elle enfin. Et il n'y avait qu'un moyen d'y parvenir. Avec un abandon favorisé par la panique, elle laissa son Han jaillir de tous les pores de sa peau et ériger autour d'elle un bouclier d'air, le plus puissant dont elle disposât. Le nourrissant de sa souffrance et de sa haine, elle le rendit plus dur que l'acier. Impénétrable !

La femme aux yeux bleus sourit.

— De l'air, n'est-ce pas ? Grâce au don, je le vois, à présent. Margaret, voulez-vous savoir ce que je peux faire avec l'air ? Ce que le don peut faire, plutôt ?

— Le pouvoir du Créateur me protégera…

— Vous croyez ? Laissez-moi vous montrer à quel point votre maudit Créateur est faible !

La femme leva les mains. Margaret s'attendit à ce qu'elle lance une boule de Feu de Sorcier. Mais elle se trompait. L'attaque vint sous la forme d'une balle d'air, si dense qu'elle put la voir voler vers elle. En rugissant, elle traversa son bouclier comme s'il avait été en papier.

Cela aurait dû être impossible. Un projectile d'air, en principe, ne pouvait pas briser un bouclier aussi solide. Mais son adversaire n'était plus une simple sœur. Elle détenait le don volé à un sorcier !

Soudain, Margaret s'aperçut qu'elle gisait sur le dos, les yeux tournés vers les magnifiques étoiles que le Créateur avait semées dans le ciel.

Et elle ne pouvait plus respirer !

Étrangement, elle ne se souvenait pas d'avoir été touchée par le projectile. Mais elle se rappelait le choc qui avait vidé ses poumons de leur air. Transie de froid, elle sentait quelque chose de chaud et d'humide sur son visage. Un contact réconfortant…

Ses jambes refusaient de bouger, aussi violemment qu'elle essayât. Au prix d'un effort surhumain, elle réussit à relever la tête. Les Sœurs de l'Obscurité n'avaient pas bougé. Pourtant, elles semblaient plus loin qu'avant. Toutes la regardaient…

Margaret baissa les yeux sur son corps.

Quelque chose n'allait pas du tout…

Au-dessous de ses côtes, il n'y avait presque plus rien. À part les restes sanguinolents de ses entrailles. Où étaient passées ses jambes ? Enfin, elles devaient bien être quelque part !

Ah oui, elle les voyait, à présent. Un peu devant elle, à l'endroit où elle était naguère debout.

Pas étonnant qu'elle ne puisse plus respirer… Mais un simple projectile d'air n'aurait pas dû pouvoir faire ça. Impossible… En tout cas, quand une sœur l'utilisait ainsi. C'était une sorte de miracle…

Créateur bien-aimé, pourquoi ne m'as-Tu pas aidée ? J'accomplissais Ton œuvre et Tu T'es détourné de moi…

Normalement, Margaret aurait dû avoir mal. Être coupée en deux devait être douloureux, non ? Mais elle ne souffrait pas le moins du monde.

Elle avait froid. Oui, très froid. Mais le morceau d'intestin qui était retombé sur son visage la réchauffait un peu. Elle trouvait ça bien agréable, comme sensation…

Ne souffrait-elle pas parce que le Créateur l'aidait ? Sûrement ! Dans Son infinie bonté, Il l'avait soulagée de sa douleur.

Merci, Créateur bien-aimé… J'ai fait de mon mieux, mais j'ai échoué. Quelqu'un d'autre devra combattre à ma place.

Elle vit approcher une paire de bottes. Celles de Jedidiah.

Son mari… Jedidiah le monstre !

— J'ai essayé de t'avertir, Margaret, et de te tenir loin de tout ça. Tu ne pourras pas dire que je n'ai rien tenté.

Margaret gisait les bras en croix. Dans sa main droite, elle sentit les contours de la petite fleur d'or. Même coupée en deux, elle ne l'avait pas lâchée. Elle l'aurait voulu à présent, mais ouvrir la main lui était impossible. Pourtant, elle aurait tout donné – même s'il ne lui restait rien – pour pouvoir bouger les doigts et ne pas mourir avec ce bijou dans la main.

Mais c'était perdu d'avance. Ses muscles ne réagissaient plus.

Créateur bien-aimé, j'aurai donc échoué en tout...

Puisque lâcher la fleur était impossible, Margaret fit la seule autre chose qui lui traversa l'esprit. Mobilisant ses dernières forces, elle projeta dans le bijou les ultimes lambeaux de son pouvoir. Si quelqu'un le trouvait et s'en apercevait, il se poserait peut-être les bonnes questions...

À présent, elle était fatiguée. Si fatiguée...

Elle tenta de baisser les paupières, mais elles aussi refusèrent de lui obéir. Comment un être pouvait-il mourir, s'il était impossible de lui fermer les yeux ?

Dans le ciel, beaucoup d'étoiles brillaient. De très jolies étoiles. Mais moins, quand même, que dans ses souvenirs. En fait, il n'y en avait presque pas. Jadis, sa mère lui avait dit combien d'astres brillaient au firmament. Mais elle ne se rappelait plus le nombre...

Pourquoi ne pas les compter ?

Une... deux...

Chapitre 21

–**D**epuis combien de temps ? demanda Chase.

Les sept hommes à l'air féroce qui se tenaient en demi-cercle devant Rachel et lui le regardèrent en cillant. Ils n'avaient pas d'armes, à part un couteau à la ceinture, et l'un d'eux ne s'embarrassait même pas de ça. Mais les types campés derrière eux brandissaient tous des lances ou des arcs.

Rachel resserra les pans de son manteau autour d'elle et sautilla sur les orteils, histoire de réchauffer ses pieds gelés. Elle en avait des picotements, tellement il faisait froid !

Elle caressa du bout des doigts la pierre ambrée en forme de larme qui pendait à son cou, accrochée à une chaîne. Ce contact délicat la réconforta…

Chase marmonna quelques paroles incompréhensibles et, du bout de son bâton, désigna les deux silhouettes qu'il avait dessinées dans la poussière. Les bandoulières de cuir de ses armes émirent un concert de grincements quand il se pencha pour tapoter le sol, puis montrer les plaines du bras.

— Depuis combien de temps sont-ils partis ? répéta-t-il.

Les sept sages – ou un truc dans le genre – débitèrent ensemble un petit discours auquel Chase et Rachel ne comprirent rien. Puis l'homme aux longs cheveux gris, celui qui ne portait pas de peau de coyote sur l'épaule, mais une simple tunique en peau de daim, dessina autre chose dans la poussière. Rachel reconnut le soleil. Sous le regard attentif de Chase, le sage traça trois rangées de marques au pied de son dessin.

— Trois semaines ? lança le garde-frontière. C'est ce que vous voulez dire ? Ils ont quitté le village depuis trois semaines ?

L'homme hocha la tête.

Siddin tendit à Rachel un autre morceau de pain plat fourré au miel. C'était délicieux. La fillette tenta de le savourer lentement, mais elle l'engloutit en un clin d'œil. Au château, quand elle était le jouet humain de la princesse Violette, elle avait goûté du miel – une seule fois, car sa maîtresse le lui interdisait. Mais une cuisinière lui en avait donné en douce…

L'estomac de Rachel se révulsa au souvenir de ce que la princesse lui avait infligé.

Pas question qu'elle retourne un jour vivre au château ! Et maintenant qu'elle était la fille de Chase, ça ne risquait plus d'arriver. Chaque nuit, avant de s'endormir, elle se demandait comment était le reste de la famille. Son nouveau papa l'avait prévenue qu'elle aurait des frères et sœurs. Et une vraie maman, qu'elle devrait respecter et aimer. Aucun problème ! Il était facile d'aimer et de respecter les gens quand ils vous rendaient la pareille.

Chase l'aimait. Il ne le lui avait jamais dit, mais c'était facile à deviner. Dès qu'elle avait peur d'un bruit, dans le noir, il la serrait contre lui et lui caressait la tête…

Siddin sourit à Rachel tout en léchant ses doigts poisseux de miel. Elle était vraiment contente de le revoir. Mais à leur arrivée dans le village, elle avait eu une frousse terrible. Des hommes couverts de boue, avec des broussailles sur tout le corps, les avaient interceptés dans les plaines, comme s'ils sortaient de nulle part.

Rachel avait failli mourir de peur en entendant les cris de ces guerriers, qui pointaient tous leurs armes sur eux. Impassible comme toujours, Chase s'était contenté de descendre de cheval. Après l'avoir prise dans ses bras, il avait fait face aux hommes, sans même daigner dégainer son épée. Décidément, il n'avait peur de rien ! Et personne au monde, sans doute, n'était aussi courageux. Sous le regard des guerriers, il lui avait murmuré de ne pas avoir peur. Et il avait eu raison, puisque les hommes, leurs armes baissées, s'étaient décidés à les conduire au village.

Là, Rachel avait retrouvé Siddin, le petit garçon qu'elle connaissait depuis que Kahlan l'avait arraché aux geôles de la reine Milena. Zedd, Kahlan, Chase, Siddin et elle avaient voyagé ensemble quand ils tentaient de fuir avec la boîte magique. Rachel ne comprenait pas la langue de son ami, mais il avait expliqué à son père qui ils étaient. Après, tout le monde s'était montré gentil avec eux…

Chase désigna les deux silhouettes, rapprocha ses deux doigts et les pointa en direction des collines.

— Richard et Kahlan sont partis vers le nord ? En direction d'Aydindril ?

Les sept hommes hochèrent la tête et répétèrent :

— Kahlan… Aydindril…

— Et Richard ? (Il désigna l'autre silhouette.) Avec Kahlan ?

La sage aux cheveux gris secoua la tête. Montrant la personne représentée avec une épée, il indiqua une autre direction.

Chase plissa le front, interloqué. Le sage prit un bâton et dessina trois nouvelles silhouettes. Des femmes en jupe d'équitation. Puis il en barra deux d'un grand X.

— Elles sont mortes, c'est ça ? demanda le garde-frontière. (Ses interlocuteurs ne bronchant pas, il se passa un doigt sur la gorge, figurant une lame.) Mortes ?

— Morte…, répéta l'homme aux cheveux gris avec un accent si traînant que ce mot terrible en parut comique.

Avec son bâton, il désigna de nouveau le soleil, puis l'image de Richard et celle de la femme survivante, et indiqua une autre direction.

Chase se leva lentement.

— Vers l'est… Droit dans le Pays Sauvage… Et sans Kahlan… (Le garde-frontière se gratta le menton, et Rachel lui trouva l'air soucieux. Pas effrayé : ça, ce n'était pas possible !) Par les esprits du bien, pourquoi Richard est-il parti par là ? Et comment Kahlan a-t-elle pu le laisser faire ? Et avec qui chevauche-t-il ?

Les hommes à la peau de coyote se regardèrent, étonnés que leur visiteur parle ainsi tout seul.

Chase s'agenouilla de nouveau, pointa le bâton sur la troisième femme, et plissa le front en regardant les sages.

L'homme aux cheveux gris soupira tristement. Après avoir tendu un index sur la même femme, il prit une corde à un des chasseurs et l'enroula autour de son cou. Puis il désigna l'image de Richard.

Sous le regard noir de Chase, il tira sèchement sur la corde, en direction de l'est. Enfin, il tapota l'image de Kahlan avec son bâton, se toucha une joue du bout des doigts, les faisant onduler pour figurer des larmes, et se tourna vers le nord.

Chase se releva d'un bond.

— Cette femme a capturé Richard, grogna-t-il, et elle l'a forcé à partir vers l'est !

— Chase, dit Rachel en approchant, qu'est-ce que ça veut dire ? Pourquoi Kahlan n'est-elle pas avec lui ?

Le garde-frontière baissa les yeux sur la fillette. Son expression bizarre lui noua l'estomac.

— Elle est allée chercher de l'aide… Auprès de Zedd, en Aydindril. Esprits du bien, si Richard s'enfonce vraiment dans le Pays Sauvage, faites qu'il ne prenne pas vers le sud ! Sinon, même Zedd ne pourra plus rien pour lui.

— C'est quoi, le Pays Sauvage ? demanda Rachel en serrant très fort sa poupée.

— Un endroit dangereux, ma chérie…, murmura Chase. Oui, très dangereux…

La manière dont il prononça ces mots, avec un calme glacial, donna la chair de poule à la fillette.

Zedd sentit les muscles de sa monture jouer sous ses fesses au moment où il se pencha pour éviter une branche et tira sur les rênes afin de faire ralentir l'animal. Le vieux sorcier adorait chevaucher à cru. Tant qu'à se percher sur un cheval, il entendait l'encombrer le moins possible. Après tout, ça n'était que justice. La plupart des équidés appréciaient l'attention, et sa jument actuelle ne faisait pas exception à la règle. Il obtenait davantage d'elle que s'il l'avait affublée d'une selle, et il n'hésitait pas à lui demander de gros efforts.

Zedd avait offert sa selle et ses harnais à un type appelé Haff. Le pauvre garçon avait les plus grandes oreilles qu'il ait jamais vues sur un être humain. Avec des esgourdes comme ça, qu'il se soit déniché une femme tenait du miracle. Pourtant, il en avait une, avec quatre gamins à la clé, et semblait avoir sacrément besoin de cette selle. Pas pour chevaucher, bien sûr, mais histoire de la vendre. Un bon moyen de remplacer les réserves que les soldats de D'Hara avaient « réquisitionnées ».

Une juste récompense… Rachel était trempée jusqu'aux os et ce brave Haff leur avait offert un endroit où dormir. Bien que peu confortable, la petite grange, vidée de son contenu, était parfaitement sèche. Sans rien demander en retour, l'épouse du fermier leur avait proposé une assiette de soupe au chou, aussi claire fût-elle. Quand le sorcier avait prétendu n'avoir pas faim, voir la tête de Chase avait bien valu le sacrifice d'une selle.

Le colosse avait mangé pour trois, un manque de délicatesse regrettable. Cet hiver, la famine sévirait, et l'argent de la selle ne suffirait pas jusqu'au retour du printemps. Mais il permettrait peut-être à cette gentille famille de passer le plus dur de la saison froide.

Zedd avait vu le garde-frontière glisser une pièce dans la poche de chacun des enfants, à un moment où il croyait que personne ne le regardait. Son ton bourru, quand il leur avait dit de ne pas fouiller dans leurs poches avant son départ, aurait fait blêmir un adulte. Pour une raison mystérieuse, les enfants avaient souri. Tous les gosses adoraient ce fichu Chase !

Zedd espérait qu'il ne leur avait pas donné des pièces d'or. Si le garde-frontière pouvait entendre un voleur ouvrir une fenêtre à une ville d'écart – et sans doute préciser son prénom – il manquait un peu de bon sens dès qu'il s'agissait d'enfants…

Haff avait demandé, vaguement soupçonneux, à quoi il devait s'engager en échange de la selle. Simplement, avait répondu Zedd, à jurer fidélité à la Mère Inquisitrice et au nouveau Seigneur Rahl, qui avaient mis fin aux exactions dont le pauvre fermier avait tant souffert. L'homme avait vigoureusement hoché la tête sous le ridicule bonnet à pompon qui attirait dramatiquement l'attention sur ses oreilles démesurées.

— Marché conclu ! avait-il lancé.

Un bon début : un loyal sujet contre une selle inutile… Si tout continuait aussi bien, il n'y aurait pas à se plaindre.

Mais cela remontait à quelques semaines. À présent, le sorcier voyageait seul.

Une odeur de bois de bouleau brûlé lui apprit qu'il approchait de sa destination. Bien avant d'apercevoir la maison blottie dans l'épaisse végétation, Zedd entendit le vacarme : des meubles qui se renversent, des ustensiles de cuisine qui se brisent… et un chapelet de jurons. Sa jument tendant nerveusement les oreilles, le sorcier lui tapota l'encolure.

À la pâle lumière du crépuscule, il aperçut enfin la maison, si bien nichée entre les arbres qu'on aurait pu ne pas la remarquer.

Zedd descendit de cheval.

— Reste tranquille et trouve-toi quelque chose à brouter, dit-il à la jument, de plus en plus nerveuse. Mais ne t'éloigne pas trop, compris ? (La bête hennit doucement.) Brave fille, va…

De la maison monta un rugissement rauque ponctué d'une série de cliquetis. Quelque chose atterrit lourdement sur le parquet et une voix rauque lança :

— Sors de là-dessous, sale monstre !

Zedd sourit en reconnaissant le timbre chevrotant de la dame des ossements, Adie pour les intimes. Il jeta un coup d'œil à la jument, qui s'était attaquée à une touffe d'herbe bien grasse, puis avança vers la maison.

Il remonta lentement l'allée qui serpentait jusqu'à la porte, s'arrêta au milieu et pivota sur lui-même pour admirer la splendide forêt. Quel calme et quelle paix, en un lieu qui donnait naguère accès à un des endroits les plus dangereux au monde. La frontière… Mais elle avait disparu, à présent. La forêt était désormais un paisible refuge, pleine d'une tranquillité qui… n'avait rien de naturel. Tout cela venait des mains talentueuses de la sacrée bonne femme qui éructait, en ce moment même, des jurons assez crus pour faire rougir un lancier sandarien vétéran d'une demi-douzaine de batailles.

La comparaison n'avait rien d'arbitraire. Jadis, il avait vu un de ces soldats insulter sa propre reine au point qu'elle s'en évanouisse. Bien entendu, cela lui avait valu le gibet. Le gaillard ayant dit sa façon de penser au bourreau, celui-ci s'était arrangé pour qu'il n'ait pas le cou brisé net, lui donnant l'occasion de lancer une dernière tirade aussi éloquente que vulgaire. Les autres lanciers avaient semblé apprécier le spectacle...

La pauvre reine, qui avait eu quelque mal à recouvrer sa régalienne dignité, s'empourprait comme une pivoine dès qu'elle croisait un de ses lanciers, forçant ses servantes à jouer furieusement de l'éventail pour l'empêcher de tourner de l'œil. Si ces fiers guerriers n'avaient pas plusieurs fois sauvé son trône, et évité le tranchant de la hache à son cou délicat, nul doute qu'elle les aurait tous fait pendre haut et court.

Mais tout ça remontait à des lustres, à l'époque d'une autre guerre...

Les mains croisées dans le dos, Zedd s'emplit les poumons d'un air vivifiant. Se penchant un peu, il cueillit une rose sauvage fanée et, avec un rien de magie, lui rendit toute sa splendeur. Après avoir humé le parfum de la fleur, il la glissa lentement sous sa tunique. Rien ne le pressait...

Il fallait être mal avisé pour interrompre une dame des ossements pendant une bagarre.

L'objet de la colère d'Adie vola à travers la porte ouverte, propulsé par le tranchant d'une hache que le sorcier vit briller sur le seuil. Le monstre à la carapace indestructible atterrit aux pieds de Zedd – sur le dos, heureusement. Pas plus gêné que ça par le coup de hache, le vol plané et l'atterrissage, il essaya de se remettre dans le bon sens en zébrant frénétiquement l'air avec ses griffes.

Une saloperie de piège-à-loup ! Un de ces monstres s'en était pris jadis à la cheville d'Adie. Une fois ses griffes refermées sur la chair, la créature ne lâchait plus sa proie, lui brisant les os et la vidant lentement de son sang avec ses crocs. Elle n'abandonnait jamais une victime avant de l'avoir tuée, sa carapace bloquant toute contre-attaque.

Adie avait utilisé sa hache pour s'amputer de la cheville que le piège-à-loup refusait de lâcher. Cette idée retournait l'estomac du sorcier. Après avoir contemplé le monstre un moment, il lui flanqua un solide coup de pied, l'envoyant rouler au loin. Remise sur ses pattes, la créature s'enfonça dans la forêt, à la recherche d'une proie plus coopérative.

Zedd tourna la tête vers la femme debout sur le seuil. Les yeux complètement blancs, elle continuait d'éructer des insultes, le souffle un peu court. Vêtue d'une tunique toute simple, comme le vieil homme, elle portait au col les broderies jaune et rouge symbolisant sa profession. Sa fureur, considérable, ne parvenait pourtant pas à cacher la beauté de ses traits délicatement ridés.

Elle tenait toujours sa hache, un signe qui incita Zedd à la plus grande prudence. Mieux valait ne pas la perturber tout de suite avec la véritable raison de sa visite.

— Adie, tu ne devrais pas t'amuser avec les pièges-à-loup. La dernière fois, ça t'a coûté un pied, si tu t'en souviens... (Il tira la rose de sous sa tunique et sourit.) Tu as quelque chose à grignoter ? Je meurs de faim.

Adie le « regarda » un moment en silence. Puis elle posa sa hache près d'elle, le manche appuyé contre la cloison.

— Que fiches-tu ici, sorcier ?

Zedd avança, se fendit d'une révérence théâtrale, puis offrit la rose à la dame des ossements comme s'il s'agissait d'un bijou à la valeur inestimable.

— Rester loin de tes bras si tendres est au-dessus de mes forces, belle dame de mes pensées...

— Du blabla, Zeddicus..., lâcha Adie.

— N'est-ce pas le fumet d'un ragoût qui monte à mes narines ? demanda Zedd en tendant un peu plus la fleur.

Adie la saisit et la piqua dans ses courts cheveux noirs striés de gris. Elle était vraiment superbe, pensa Zedd, aux anges.

— C'est bien un ragoût, oui... (Elle prit la main du sorcier et sourit.) Je suis contente de te revoir, Zedd. Un moment, j'ai cru que tu ne reviendrais jamais. J'ai passé des nuits entières à me retourner dans mon lit, couverte de sueur. Je savais ce qui se passerait si tu échouais... Quand l'hiver est arrivé sans que la magie d'Orden ravage le monde, j'ai compris que tu avais réussi.

— Darken Rahl a été vaincu, oui..., répondit Zedd sans trop se mouiller.

— Richard et Kahlan s'en sont sortis ?

— Oui. En fait, c'est Richard qui est venu à bout de Rahl.

— À mon avis, c'est un résumé un peu rapide...

— Oh, concéda Zedd, c'est vrai qu'il y aurait deux ou trois petites choses à ajouter...

Adie ne fut pas dupe.

— Tu n'es pas venu là pour moi. Et quelque chose me dit que je ne vais pas apprécier la raison de ta visite.

— Fichtre et foutre, femme, vas-tu enfin me servir de ce ragoût ? grogna le sorcier en libérant sa main de celle d'Adie.

— Je pense qu'il y en aura assez, même pour toi, marmonna la dame des ossements. Suis-moi et ferme la porte. J'ai vu assez de pièges-à-loup pour aujourd'hui.

Zedd était invité... Bien, tout se déroulait comme prévu. Il se demanda ce qu'il allait être obligé de lui dire. Pas tout, espérait-il.

Utiliser les gens : la méthode classique des sorciers. C'était toujours désagréable, surtout quand on les aimait. Alors, quand on les aimait *beaucoup*...

Pendant qu'il aidait la dame des ossements à redresser les meubles et à ramasser les ustensiles encore intacts, il commença à lui raconter ce qui s'était passé depuis leur séparation. Il insista sur son héroïque traversée du Passage du Roi, sous la protection du pendentif – un os, évidemment – qu'elle lui avait confié. Un talisman, précisa-t-il, qu'il portait toujours sur lui, bien que la frontière n'existât plus.

Adie l'écouta en silence. Quand il en fut à la capture de Richard par la Mord-Sith, elle ne se tourna pas vers lui, mais il la vit se raidir une fraction de seconde. Sans lésiner sur l'emphase, il révéla que Darken Rahl avait volé à Richard la pierre de nuit qu'elle lui avait donnée pour qu'il puisse s'éclairer dans la Passe du Roi.

— Cette pierre a failli me coûter la vie, dit-il en regardant sa compagne, qui ne tressaillit pas. Darken Rahl voulait me piéger dans le royaume des morts. Bref, en offrant cet artéfact à Richard, tu as manqué signer mon arrêt de mort.

— Ne joue pas les imbéciles, sorcier ! grogna Adie. Tu es assez futé pour prendre garde à ta vieille carcasse. Si je n'avais pas remis la pierre à Richard, il serait mort dans la frontière, et Darken Rahl aurait gagné. En ce moment, il serait occupé à t'ouvrir les entrailles. Donc, indirectement, je t'ai sauvé la peau.

— Cette pierre était dangereuse ! s'indigna Zedd en secouant vigoureusement le tibia qu'il venait de ramasser. On ne distribue pas les artéfacts comme s'il s'agissait de bonbons, et sans même prévenir les gens.

Il avait bien le droit de râler. Après tout, qui était passé à un souffle de séjourner pour toujours dans le royaume des morts ? Adie aurait au moins pu faire semblant d'être désolée…

Il sauta à l'épisode où Richard était venu à leur rencontre, son identité hélas dissimulée par une Toile d'Ennemi. Puis il mentionna l'attaque des deux *quatuors* contre Kahlan, Chase et lui-même. Il dut empêcher sa voix de trembler quand il décrivit ce qui avait failli arriver à l'Inquisitrice, qui avait finalement invoqué le Kun Dar et tué leurs adversaires. En guise de conclusion, il raconta comment Richard avait forcé, par la ruse, Darken Rahl à ouvrir la mauvaise boîte. La magie d'Orden, ajouta-t-il, s'était chargée du « maître ».

Histoire de finir sur une note romantique, il informa Adie que Richard avait réussi à échapper au pouvoir de Kahlan. Les deux jeunes gens étaient désormais libres de s'aimer… Bien entendu, il ne précisa pas comment le Sourcier avait accompli cet exploit, car nul ne devait le savoir.

Il se réjouit d'avoir pu raconter toute l'aventure sans s'appesantir sur ses épisodes les plus tragiques. Réveiller certaines blessures, en lui, ne lui disait rien qui vaille…

Adie ne posa pas de questions. Approchant du vieil homme, elle lui posa une main sur l'épaule et se déclara ravie que tout se soit aussi bien terminé.

Zedd se tut et entreprit de ranger les cubitus, les tibias et autres radius là où elle lui indiquait. À la façon dont ils étaient éparpillés, le piège-à-loup avait dû tenter de se réfugier dans une ou plusieurs piles. Une erreur tragique…

Le surnom « dame des ossements » allait comme un gant à Adie, qui semblait bel et bien consacrer sa vie aux os. Pour une femme dotée d'un pouvoir, c'était plutôt étrange. Chez elle, il n'y avait pas trace des poudres, des potions et des gris-gris qu'on se serait attendu à trouver.

Les femmes comme elle – on les appelait souvent des magiciennes – se limitaient en général aux créatures vivantes. Adie explorait un univers sombre et dangereux. La mort ! Hélas, c'était exactement ce que Zedd entendait étudier aussi. Pour en savoir plus long au sujet du feu, il fallait s'en approcher. Bien évidemment, c'était un moyen radical de se faire brûler. Au moment où cette analogie s'imposa à son esprit, le vieux sorcier sut qu'il la trouvait détestable.

Il posa un dernier os sur une pile et tourna la tête vers Adie.

— Si tu ne veux pas que des pièges-à-loup se baladent chez toi, tu devrais fermer ta porte.

Son plissement de front réprobateur, une merveille du genre, échappa à la dame des ossements, occupée à remettre le bois de chauffage en place à côté de la cheminée.

— La porte était fermée, lâcha-t-elle, et verrouillée. Pourtant, c'était mon troisième visiteur…

Elle ramassa un os tombé derrière une petite bûche et l'apporta à Zedd.

— Avant, les pièges-à-loup ne s'aventuraient jamais près de ma maison. Je m'en assurais… (Elle tendit l'os au sorcier, qui entreprit de le mettre en place.) Depuis le début de l'hiver, ils s'enhardissent. Mes os ne les tiennent plus à l'écart, et je ne sais pas pourquoi.

Adie vivait à l'entrée du Passage du Roi depuis des lustres. Personne au monde ne connaissait mieux les dangers de ces lieux. Ni ce qu'il fallait faire pour être en sécurité à la lisière du royaume des morts. Mais la frontière n'existait plus, et il n'y aurait plus dû avoir de périls.

Zedd se demanda ce qu'elle lui cachait d'autre. Les femmes comme elle ne disaient jamais *tout* ce qu'elles savaient. Pourquoi vivait-elle toujours ici alors que des événements étranges se produisaient ? Parce qu'elle était têtue comme une mule ? Une bonne explication, dès qu'il s'agissait d'une magicienne…

— Tu nous fais de la lumière ? demanda-t-elle au sorcier.

Boitant un peu, elle traversa lentement la pièce.

Zedd tendit une main vers la table. La lampe s'alluma toute seule, éclairant mieux que le feu de cheminée les murs noirs décorés d'os blanchâtres. La plus étrange collection que le sorcier ait vue de sa vie…

— Pourquoi boites-tu ? lança-t-il.

Adie lui jeta un regard en coin et décrocha une louche pendue au mur.

— Le nouveau pied que tu m'as fait pousser est trop court.

Un poing sur sa hanche osseuse, un index squelettique sous le menton, Zedd étudia le problème. Obligé de partir très vite après son intervention en faveur d'Adie, il n'avait pas remarqué ce petit défaut de taille.

— Je pourrais allonger un peu la cheville…, marmonna-t-il, presque pour lui-même. Ça égaliserait les choses…

Adie approcha du chaudron qu'elle venait de remettre sur le feu – un miracle qu'il n'ait pas été renversé – et grogna :

— Non, merci, ça ira comme ça…

— Tu ne voudrais pas que tes deux pieds arrivent au même endroit ?

— Je suis ravie que tu m'aies redonné un pied. Avec la paire, la vie est beaucoup plus facile, et au fond, je détestais devoir me servir d'une béquille. Mais ce pied me va très bien comme ça…

Elle prit une louche de ragoût et souffla dessus.

— Tu marcherais encore mieux avec des pieds de la même longueur.

— J'ai dit non, fit Adie avant de goûter sa préparation.

— Fichtre et foutre, femme, pourquoi donc ?

Adie tapota la louche sur le bord du chaudron et la remit à sa place. Puis elle saisit une boîte en fer-blanc sur le manteau de la cheminée et dévissa le couvercle.

— Je ne veux plus jamais connaître une douleur pareille. Si j'avais su, je me serais résignée à finir mes jours avec un seul pied.

Elle prit une pincée du mélange d'épices dans la boîte et en saupoudra le ragoût.

Zedd se tritura l'oreille, pensif. Elle avait peut-être raison… Faire repousser ce pied n'était pas passé loin de la tuer. Bien sûr, il ne s'était pas attendu à ce qu'elle réagisse ainsi à une utilisation aussi intensive de la magie. Pourtant, il avait réussi, y compris quand il avait fallu éliminer la douleur liée aux souvenirs d'Adie. À ce jour, il ignorait toujours la nature de ces réminiscences. Mais il aurait dû envisager qu'elle ait, enfouie dans sa mémoire, une telle souffrance…

Il avait négligé la Deuxième Leçon du Sorcier, trop pressé de faire du bien à la dame des ossements. C'était le problème, avec la Deuxième Leçon : le plus souvent, on ne s'apercevait pas qu'on y contrevenait.

— Tu connais le prix de la magie, Adie. Presque aussi bien qu'un sorcier… En plus, j'ai tout arrangé. Je parle de la souffrance, bien sûr… (Rallonger un peu sa cheville ne nécessiterait pas autant de magie. Après ce qu'elle avait traversé, il comprenait pourtant les réticences de son amie.) Mais j'en ai peut-être fait assez, au fond… Tu as raison.

— Pourquoi es-tu venu, sorcier ?

— Pour te voir, ma chère. Tu es une femme difficile à oublier. Et je voulais t'informer de la victoire de Richard sur Darken Rahl. À propos, pourquoi les pièges-à-loup rôdent-ils près de chez toi ?

— Tu parles comme marche un ivrogne, soupira Adie. En zigzag, mais dans une direction bien précise. (Elle désigna la table, indiquant qu'il devait y disposer les assiettes.) Je savais déjà que nous avions gagné. Le premier jour de l'hiver ne se serait pas bien passé si Rahl avait triomphé. Cela dit, je suis contente de revoir ta vieille carcasse osseuse. (Elle baissa le ton, presque menaçante.) Pourquoi es-tu venu, sorcier ?

Il s'intéressa à la table, content de fuir un moment le regard vide d'Adie.

— Tu n'as pas répondu à ma question, très chère. Pourquoi ce flot de pièges-à-loup ?

— À mon avis, ils sont là pour la même raison que toi : empoisonner la vie d'une pauvre vieille femme.

Zedd revint avec les assiettes, un grand sourire sur les lèvres.

— Je ne vois pas de vieille femme ici. En revanche, il y a devant moi une superbe beauté…

— Ta langue est plus dangereuse que les griffes d'un piège-à-loup, sorcier…

Zedd tendit une assiette à la dame des ossements.

— Tu avais déjà eu des visites de pièges-à-loup ?

— Non. (Adie commença à servir le ragoût.) Quand la frontière était encore là, ils restaient dans le Passage du Roi, avec les autres monstres. Après la disparition de la frontière, je ne les ai pas vus pointer le bout de leur nez. Mais ils sont arrivés avec l'hiver. Et ce n'est pas normal.

— Quand la frontière s'est dissoute, ils ont peut-être simplement traversé le passage, puisque plus rien ne les retenait.

— Peut-être… Mais à ce moment-là, la plupart des créatures ont été ramenées dans le royaume des morts. Certaines, libérées de leurs liens, se sont éparpillées dans les environs. Mais je n'ai pas vu l'ombre d'un piège-à-loup avant le début de l'hiver, il y a environ un mois. Quelque chose a dû se passer.

Zedd savait très bien quoi, mais il préféra ne pas le dire.

— Adie, pourquoi ne pars-tu pas d'ici ? Viens avec moi en Aydindril, et…

— Non ! cria Adie, qui parut surprise par sa propre véhémence. Je suis ici chez moi.

Zedd la regarda finir de servir le ragoût. Quand ce fut fait, elle vint poser son assiette sur la table, alla chercher une miche de pain sur une étagère cachée derrière un rideau rayé bleu et blanc, et désigna une chaise à Zedd. Il s'assit et attendit que la dame des ossements ait coupé une tranche de pain, qu'elle poussa vers lui du bout de son couteau sans le regarder en face.

— Zedd, souffla-t-elle, ne me demande pas de partir de chez moi…

— Je m'inquiète seulement pour toi, Adie…

— Menteur !

— Non, je ne te mens pas…

— C'était *seulement*, le mensonge.

Zedd commença à manger avec enthousiasme.

— Ch'est délichieux, dit-il la bouche pleine.

Adie le remercia d'un petit signe de tête. Il engloutit sa portion puis alla se resservir et, en revenant s'asseoir, désigna de la main – donc, du bout de sa cuiller – l'intérieur de son amie.

— Tu as une très jolie maison, vraiment… (Il s'assit, prit la miche qu'Adie lui tendait et la cassa en deux.) Mais tu ne devrais pas y vivre seule, avec tous ces pièges-à-loup dans les environs, sans parler des autres créatures. Pourquoi ne viendrais-tu pas avec moi en Aydindril ? C'est très joli aussi… Tu t'y sentirais bien et Kahlan s'assurerait que tu puisses choisir un endroit qui te plaît. Et si tu vivais à la Forteresse ? C'est agréable aussi…

— Non.

— Pourquoi ? Nous serions bien ensemble. Et pour une femme comme toi, la Forteresse serait un paradis. Il y a tant de livres et…

— J'ai dit non.

Adie continua de manger et Zedd se remit aussi à l'ouvrage. Mais il n'avait plus vraiment d'appétit.

— Adie, déclara-t-il en posant sa cuiller, je ne t'ai pas tout raconté…

— Tu voudrais que j'aie l'air surprise ? Désolée, mais je ne sais pas jouer la comédie…

Adie reprit une cuiller de ragoût.

— Le voile est déchiré, lâcha Zedd.

Adie se pétrifia, la cuiller à mi-chemin de sa bouche.

— Foutaises ! dit-elle sans relever les yeux. Tu ne sais rien au sujet du voile. Il ne faut pas parler de ce qu'on ignore, sorcier !

La cuiller reprit son chemin vers les lèvres de la femme.

— Il est déchiré, je le sais.

Adie mâcha et avala avant de répondre.

— C'est impossible, sorcier ! Le voile ne peut pas être déchiré. (Elle se leva et saisit son assiette vide.) Tranquillise-toi, vieil idiot. Si le voile était déchiré, les pièges-à-loup seraient le cadet de nos soucis. Mais ça n'est pas le cas…

Zedd tourna la tête pour regarder la dame des ossements boitiller jusqu'au chaudron.

— La Pierre des Larmes est dans notre monde, lâcha-t-il.

Adie s'arrêta et lâcha son assiette, qui tomba à ses pieds.

— Ne dis pas des choses pareilles à voix haute, murmura-t-elle, sauf si tu en es absolument certain. Et je veux dire : certain sur ton honneur de Premier Sorcier ! Car si tu mens, cela revient à offrir ton âme au Gardien.

— Que mon âme finisse entre les mains du Gardien si je te mens ! Et qu'il s'en empare sur-le-champ ! La Pierre des Larmes est dans notre monde, et je l'ai vue.

— Que les esprits du bien nous protègent ! Sorcier, dis-moi quelle bêtise tu as faite…

— Adie, viens t'asseoir. D'abord, tu dois me raconter pourquoi tu vis ici, dans ce qui était jadis le Passage du Roi. Et pour quelle raison tu ne veux pas en partir.

La dame des ossements se retourna lentement.

— Ça ne te regarde pas…

S'aidant d'une main posée sur le dossier de sa chaise, Zedd se releva.

— Adie, je dois savoir. C'est important, car ainsi, je découvrirai si tu peux m'aider grâce à ton expérience. Je sais que tu vis avec un terrible chagrin enfoui en toi. J'ignore ce qui l'a provoqué, mais je mesure sa profondeur. Confie-toi à moi, je t'en prie ! C'est un ami qui te le demande ! Ne m'oblige pas à l'exiger en ma qualité de Premier Sorcier.

Adie leva enfin la tête.

— Très bien… J'ai peut-être gardé cela en moi trop longtemps. Me confier sera sans doute un soulagement… Mais après m'avoir entendue, tu ne voudras peut-être plus de mon aide. En contrepartie, j'exige que tu me racontes tout ce qui est arrivé. Absolument tout !

— Marché conclu !

Adie boitilla jusqu'à sa chaise. Au moment où elle s'asseyait, le gros crâne posé sur une étagère tomba sur le parquet. Tous les deux le regardèrent, puis Zedd alla le ramasser, et le tint à deux mains, ses doigts éprouvant prudemment des crocs aussi longs que ses mains. Parfaitement plat à la base, le crâne n'aurait pas dû pouvoir rouler de l'étagère. Pensif, Zedd le remit en place sous le regard d'Adie.

— Les os ont envie d'être sur le sol, dit-elle. Ces derniers temps, ils n'arrêtent pas de tomber.

Zedd fronça les sourcils à l'intention du crâne baladeur et revint s'asseoir.

— Parle-moi des os. Je veux savoir pourquoi tu les collectionnes et ce que tu en fais. N'omets rien… et commence par le commencement.

— Ne rien omettre… (Adie regarda la porte comme si elle voulait s'enfuir.) C'est une histoire difficile à raconter. Et douloureuse…

— Je n'en répéterai jamais un mot, Adie. C'est juré.

Chapitre 22

A die prit une grande inspiration et se lança.

— Je suis née à Choora, une petite ville d'un pays appelé Nicobarese. Ma mère ne détenait aucun pouvoir magique. C'est ce qu'on nomme un « saut de génération ». Lindel, ma grand-mère, avait reçu cette « bénédiction ». Ma mère remerciait les esprits du bien d'avoir été épargnée. Mais elle leur en voulait que ce ne soit pas mon cas.

» En Nicobarese, on se méfie de ceux qui ont des pouvoirs, car on pense qu'ils ne leur viennent pas seulement du Créateur, mais aussi du Gardien. Même ceux qui les utilisent pour faire le bien passent pour des messagers du fléau. Tu sais de quoi il s'agit, je suppose ?

Zedd se coupa à mains nues un nouveau morceau de pain.

— Oui. Des êtres qui se sont dévoués au Gardien. Ils se cachent sous la lumière aussi bien que dans l'obscurité, et travaillent à l'accomplissement de ses desseins. Ils portent tous les masques… Certains font le bien des années durant en attendant d'être « appelés ». Ce jour-là, ils commencent à exécuter la volonté du Gardien. On leur donne parfois des noms différents, mais ce sont tous ses agents. D'ailleurs, ils se baptisent parfois ainsi. L'élite, des gens importants comme Darken Rahl, est réservée aux missions cruciales. Le menu fretin se charge des tâches subalternes et toujours dégoûtantes. Ceux qui ont le don, comme Rahl, ne sont pas simples à convertir pour le Gardien. Mais ils lui sont très précieux.

— Darken Rahl était un messager du fléau ?

— Il l'a reconnu devant moi, confirma Zedd. Il appelait ça être un agent, mais le terme ne fait pas de différence… Tous ces gens servent le Gardien.

— C'est une terrible nouvelle…

Zedd entreprit de saucer son reste de ragoût avec du pain.

— J'en apporte rarement d'autres… Mais tu me parlais de Lindel, ta grand-mère.

— Dans sa jeunesse, les magiciennes étaient mises à mort dès qu'il y avait un malheur : une épidémie, des accidents, des fausses-couches… Exécutées, à tort, parce qu'on les prenait pour des messagères du fléau. Certaines refusèrent d'être ainsi persécutées et se battirent. Très bien, faut-il préciser. Cela leur valut plus de haine encore de la part du peuple de Nicobarese, qui y vit la confirmation de ses craintes.

» Puis une trêve fut signée. Les maîtres de Nicobarese acceptèrent de laisser les magiciennes en paix, si elles prêtaient un serment sur leur âme. Pour prouver qu'elles n'étaient pas des messagères du fléau, elles durent jurer de ne pas utiliser leur pouvoir, sauf si une organisation gouvernementale, par exemple le cercle royal de leur ville, les y autorisait. Elles donnaient leur parole, devant le peuple, de ne pas attirer l'attention du Gardien en recourant à leur pouvoir.

— Pourquoi ces gens prenaient-ils les magiciennes pour des messagères du fléau ?

— Parce qu'il est plus facile, quand ça va mal, de blâmer quelques malheureuses. Et plus rassurant d'avoir un coupable que de s'en prendre au destin. Les pouvoirs servent à aider les gens, mais ils sont aussi capables de leur faire du mal. À cause de ça, on estime, chez moi, qu'ils viennent en partie du Gardien.

— Imbécillités superstitieuses de crétins…, marmonna Zedd.

— Comme tu le sais, les superstitions n'ont pas besoin du terreau de la vérité pour pousser. Et une fois enracinées, elles deviennent des arbres tordus mais très solides.

— Hélas, oui… Alors, toutes les magiciennes renoncèrent à leur pouvoir ?

— Oui. Sauf dans l'intérêt général, quand le cercle royal local les y autorisait. Toutes ces femmes ont juré devant le conseil de se plier à la volonté du peuple.

Dégoûté, Zedd s'arrêta de manger.

— Mais elles avaient une forme de don. Comment pouvaient-elles s'interdire de l'utiliser ?

— Elles s'en servaient seulement en privé. Nulle part où on pouvait les voir, et jamais sur quelqu'un d'autre…

Zedd se radossa à sa chaise et pensa à la Première Leçon du Sorcier. Que d'âneries pouvaient croire les gens !

— Lindel était une femme austère qui ne se mêlait pas beaucoup aux gens. Elle n'a jamais voulu m'enseigner à maîtriser mon pouvoir. Ma mère, évidemment, en était incapable. Alors, j'ai appris toute seule, à mesure que je grandissais, et que mon don se développait. Mais je savais que je ne devais pas recourir à mes pouvoirs. Tous les jours, on me faisait un sermon sur le sujet ! Violer cette règle semblait aussi grave que de se vautrer dans la souillure du Gardien en personne, et j'y croyais dur comme fer. À l'idée de m'écarter du droit chemin, je mourais de peur. Tu vois, je suis un fruit de l'arbre tordu de la superstition…

» Un jour, je devais avoir huit ou neuf ans, j'étais sur la place de la ville avec mes parents, un matin de marché. Soudain, un bâtiment a pris feu. Au deuxième étage, une fillette d'à peu près mon âge était piégée par les flammes. Elle appelait au secours, mais on ne pouvait rien tenter, car tout le premier niveau était dévoré par l'incendie. Ses cris de terreur me déchiraient le cœur. Désespérée, je voulais l'aider… (Adie croisa les mains sur ses genoux et baissa les yeux.) J'ai éteint le feu et l'enfant a survécu.

— Et je suppose, fit Zedd, que personne n'a été ravi, à part la gamine et sa famille.

— Tout le monde savait qui j'étais. Les gens ont compris ce que j'avais fait. Ma mère s'est pétrifiée et a éclaté en sanglots. Mon père, lui, a détourné le regard. Il refusait de poser les yeux sur un agent du Gardien ! Quelqu'un est allé voir ma grand-mère. La population la respectait beaucoup, parce qu'elle n'avait jamais failli à son serment. Lindel nous a conduites, l'enfant et moi, devant le cercle royal. Là, Lindel a fouetté la fillette. Une longue et terrible correction…

— Pourquoi a-t-elle fait ça ? s'exclama Zedd, stupéfait.

— Pour la punir d'avoir aidé le Gardien à me pousser à mal agir. Cette petite et moi nous connaissions et nous étions presque des amies. Après, elle ne m'a plus jamais adressé la parole. (Adie croisa les bras sur son ventre.) Quand ce fut fini, Lindel m'a déshabillée devant tous ces hommes, et elle m'a aussi donné le fouet, jusqu'à ce que je sois couverte de zébrures et de sang. J'ai crié plus fort que l'autre fillette, quand elle croyait mourir brûlée. Ensuite, Lindel m'a fait traverser la ville, nue et sanguinolente, jusqu'à sa maison. L'humiliation fut pire que les coups…

» Chez elle, je lui ai demandé comment elle pouvait être aussi cruelle. Elle a baissé sur moi son visage haineux et m'a répondu : « Cruelle ? Que veux-tu dire, mon enfant ? Tu n'as pas reçu un coup de plus que ce que tu méritais. Et pas un de moins qu'il ne le fallait pour empêcher ces hommes de te mettre à mort. »

» Ensuite, elle m'a forcée à prêter un serment. *« Je jure sur mes chances de salut de ne plus jamais utiliser mon pouvoir sur quelqu'un, quelle que soit la raison, sans la permission du roi ou d'un de ses cercles. Et que mon âme soit livrée au Gardien si je me sers un jour de mon don pour faire du mal à quelqu'un. »* Après, elle m'a rasé les cheveux. Et on a continué à me tondre jusqu'à ce que j'atteigne l'âge adulte.

— Tondue ? Pourquoi ?

— Parce que dans les Contrées du Milieu, comme tu le sais, la longueur des cheveux d'une femme témoigne de son statut social. Il s'agissait de me montrer, et de prouver à tout un chacun, que j'étais au plus bas de l'échelle. J'avais utilisé mon pouvoir en public et sans permission. Mon crâne tondu rappelait à tout instant cette infamie…

» À partir de ce jour, j'ai vécu chez ma grand-mère. Au début, mon père et ma mère, qui me rendaient rarement visite, m'ont beaucoup manqué. Lindel a commencé à m'apprendre à contrôler mon pouvoir, pour que je sache ce que je ne devais pas faire.

» Je ne l'aimais pas, car elle était très froide, mais je la respectais. À sa façon, elle se montrait équitable. Quand elle me punissait, il y avait toujours une raison. J'avais souvent droit au fouet, dès que je m'écartais du droit chemin en toute connaissance de cause. Lindel me formait et me guidait, mais sans jamais me donner de tendresse. Une vie difficile qui m'a appris la discipline… et la maîtrise du pouvoir ! De cela, je lui serai toujours reconnaissante, car c'est le centre de ma vie. Quelque chose de plus précieux et de plus noble que ma petite personne…

— Je suis navré, Adie…, souffla Zedd.

Pour se donner une contenance, il finit son ragoût froid, bien qu'il eût l'appétit coupé.

Adie se leva, boitilla vers la cheminée et contempla les flammes en silence.

— Une fois adulte, dit-elle enfin, j'ai eu le droit de laisser repousser mes cheveux. (Un sourire flotta sur les lèvres de la dame des ossements.) À cette époque, mes courbes pleinement épanouies, on me trouvait très séduisante…

Zedd se leva, approcha d'Adie et lui posa une main sur l'épaule.

271

— Tu l'es toujours, très chère dame…

Sans tourner la tête, la magicienne posa sa main sur celle du sorcier.

— Je suis tombée amoureuse d'un jeune homme nommé Pell. Il était un peu empoté, mais noble et doux, et il me comblait d'attentions. Il aurait vidé l'océan avec une cuiller, si je le lui avais demandé. Pell pensait que le soleil brillait pour qu'il puisse m'admirer, et que la lune le remplaçait afin de me permettre, dans l'obscurité, de goûter ses lèvres. Mon cœur ne battait plus que pour lui… Nous voulions nous marier, mais le cercle royal de Choora, dirigé par Mathrin Galliene, avait d'autres projets.

Elle lâcha la main de Zedd.

— Ces gens avaient décidé que j'épouserais un homme d'une autre ville – le fils du maire. En somme, je devenais une monnaie d'échange. Avoir chez eux une magicienne liée par un serment était une garantie de vertu pour ses habitants. Me donner en mariage à un notable d'une plus grande cité profiterait à la nôtre de bien des façons, notamment au niveau des affaires.

» J'étais paniquée… Alors, j'ai supplié ma grand-mère d'intercéder en ma faveur. Lui parlant de Pell, j'ai affirmé ne pas vouloir être utilisée pour faciliter la signature d'un traité commercial. Mon pouvoir m'appartenait, ai-je ajouté, et on ne devait pas le retourner contre moi pour me réduire en esclavage. Comme je te l'ai dit, Lindel était très respectée parce qu'elle respectait son serment à la lettre. Elle était également redoutée, et à juste titre. Elle seule pouvait m'aider.

— Ce n'était pas le genre de personne à s'engager pour les autres, à mon avis, marmonna Zedd.

— Peut-être, mais je n'avais pas le choix. Elle m'a demandé de lui laisser un jour de réflexion. Les vingt-quatre heures les plus longues de ma vie ! Quand je suis revenue la voir, elle m'a ordonné de m'agenouiller et de réciter le serment. Avec plus de sincérité que d'habitude, a-t-elle précisé. J'ai obéi, y compris sur ce dernier point.

» Quand ce fut fini, toujours à genoux, j'ai attendu le verdict. « Bien que tu sois d'un naturel indomptable, mon enfant », a-t-elle déclaré, « tu as fait des efforts pour te discipliner. Ton peuple t'a demandé de prêter un serment, et tu as obéi. Fassent les esprits du bien que je ne sois plus là le jour où tu manqueras à ta parole ! À part ça, tu ne dois rien aux gens de Choora. J'irai parler à Mathrin Galliene. Et tu épouseras Pell. »

» J'ai pleuré dans l'ourlet de sa robe, sorcier !

Adie se tut, perdue dans ses souvenirs.

— Alors, as-tu épousé ton jeune empoté ?

— Oui… (Adie décrocha la louche et touilla machinalement le ragoût.) Pendant trois mois, j'ai été la femme la plus heureuse du monde.

Le regard vide, la dame des ossements remit la louche en place et ne bougea plus. Zedd la prit par les épaules et la guida gentiment jusqu'à la table.

— Assieds-toi, Adie. Je vais te faire du thé…

Elle n'avait pas bougé, les mains croisées sur la table, quand il revint avec deux tasses fumantes. Il en donna une à Adie et s'assit en face d'elle, attendant qu'elle soit prête à continuer.

— Un jour, dit-elle enfin, celui de mon dix-neuvième anniversaire, Pell et moi sommes allés nous promener dans la campagne. J'attendais déjà un bébé… (Elle leva la tasse et but une gorgée.) Nous avons passé la journée à traverser des fermes et des champs, nous demandant quel prénom donner à l'enfant. Bien entendu, nous nous tenions par la main et nous riions aux éclats... Tu as été jeune aussi, et tu sais quel genre de bêtises on aime faire quand on est amoureux...

» Sur le chemin du retour, nous devions passer près du moulin de Choora, à la lisière de la ville. J'ai trouvé étrange qu'il n'y ait personne dans les environs. D'habitude, le coin fourmillait de gens. (Adie ferma les yeux et prit une nouvelle gorgée de thé.) Mais j'ai vite découvert que nous n'étions pas seuls. Des hommes du Sang de la Déchirure nous attendaient.

Zedd avait entendu parler de cette organisation. Dans les cités importantes de Nicobarese, ces miliciens se consacraient à la chasse aux messagers du fléau. Pour arracher le mal à la racine, comme ils disaient. Dans d'autres pays, ces fanatiques portaient des noms différents, mais ils agissaient de la même manière. Aucun de ces groupes n'était très regardant sur les preuves. Un cadavre suffisait pour démontrer qu'ils avaient bien fait leur travail. S'ils affirmaient que c'était celui d'un messager du fléau, personne ne se risquait à les contredire. Dans les plus petites agglomérations, c'était simplement des bandes de voleurs et de tueurs qui s'autoproclamaient justiciers. Ces hommes étaient universellement redoutés. À juste titre.

— Ils nous ont capturés, et enfermés dans des pièces séparées du moulin. Il n'y avait pas de lumière et l'air sentait la pierre humide et la poussière de grain. J'ignorais ce qu'ils avaient fait à Pell, et, de terreur, je ne parvenais presque plus à respirer.

» Mathrin Galliene a dit que Pell et moi étions des messagers du fléau. Notre mariage, selon lui, avait attiré l'attention du Gardien sur la région. Cet été-là, une mauvaise fièvre avait tué beaucoup de gens dans les environs. Je me suis défendue de cette accusation et j'ai récité le serment pour prouver ma bonne foi.

Adie baissa les yeux sur sa tasse... comme si elle ne la voyait pas.

— Bois, mon amie, ça te fera du bien..., dit Zedd.

Pour l'aider à se détendre, il avait ajouté une pincée de poudre de baies rouges dans la boisson.

Elle but une longue gorgée.

— Mathrin Galliene n'en a pas démordu. Pell et moi étions des messagers du fléau et les tombes de nos victimes suffisaient à le prouver. Son seul désir, prétendit-il, était que nous avouions nos crimes. Mais ses hommes tournaient autour de moi comme des chiens prêts à déchiqueter un lièvre, et je mourais de peur pour Pell.

» Pendant qu'il me battait, je compris qu'ils lui feraient pire encore, pour le forcer à me dénoncer. Ils adorent voir quelqu'un trahir un être aimé. Et bien entendu, mes dénégations les laissaient de marbre...

— Tu ne pouvais rien y changer, Adie, la consola Zedd. Quand on est coincé dans les mâchoires d'un piège, raisonner avec l'acier n'apporte rien.

— J'ai payé pour le savoir... Avec mon pouvoir, j'aurais pu arrêter ça, mais ça allait contre tout ce qu'on m'avait enseigné, et que je croyais. En agissant ainsi, j'aurais démontré, à mes propres yeux, que ces hommes avaient raison. Et il m'aurait semblé avoir blasphémé contre le Créateur... Alors, pendant qu'ils me frappaient, j'étais aussi impuissante qu'une personne dépourvue de don.

» Dans la pièce d'à côté, les cris de Pell faisaient écho aux miens.

Voyant qu'elle avait vidé sa tasse, Zedd se leva et alla la resservir.

— Tu n'y étais pour rien, Adie. Ne te sens pas coupable…

— Ils voulaient que j'accuse Pell d'être un messager du fléau. J'ai dit que je préférais mourir plutôt que leur donner satisfaction. Mathrin s'est penché sur moi, son visage touchant presque le mien. Quand je ferme les yeux, je vois encore son sourire. « Je te crois, petite », a-t-il soufflé, « mais ça n'a aucune importance. C'est ton cher mari que nous voulons faire parler. Pour qu'il t'accuse. Car c'est toi, la messagère du fléau. »

» Pendant que ses hommes me tenaient, il m'a fait boire quelque chose qui m'a brûlé la gorge et que j'ai dû avaler. Les entrailles en feu, je ne pouvais plus parler ni crier. Zedd, je n'ai jamais eu aussi mal…

Elle but un peu de thé, comme pour apaiser cette ancienne douleur.

— Après, ces types m'ont conduite dans la salle où était Pell, et ils m'ont ligotée à une chaise, en face de lui. Mathrin me tenait par les cheveux pour que je ne puisse pas bouger… Voir Pell m'a brisé le cœur. Ils lui avaient coupé presque tous les doigts, phalange après phalange… Le pauvre était blanc comme un linge…

» Mathrin lui a dit que je venais de l'accuser d'être un messager du fléau. Il m'a regardé, décomposé… Je voulais crier que c'était un mensonge, mais aucun son n'est sorti de ma gorge. Et je ne pouvais même pas secouer la tête…

» Quand Pell a crié qu'il ne les croyait pas, ils lui ont coupé un autre doigt, en prétendant agir ainsi uniquement parce que je l'avais dénoncé. Les yeux rivés sur moi, il a répété qu'il ne les croyait pas. Alors, ils ont prétendu que je leur avais demandé de le tuer parce qu'il était un messager du fléau. Il n'a pas craqué, disant sans cesse qu'il m'aimait…

» Mathrin lui a proposé un marché : si cette accusation était fausse, je n'avais qu'à le dire, et il nous laisserait partir. Hélas, a-t-il ajouté, je ne reviendrais pas sur ma dénonciation, parce que je voulais voir mourir le messager du fléau qui m'avait abusée. Pell m'a hurlé de dire quelque chose et de nous sauver.

» Mais je ne pouvais pas. La gorge en feu, j'étais incapable de parler. Et Mathrin me tenait toujours par les cheveux…

» Pell m'a demandé pourquoi je voulais sa mort. Puis il a éclaté en sanglots.

» Mathrin lui a conseillé de m'accuser d'être une messagère du fléau. S'il le faisait, ils le croiraient, et plus moi, parce que j'étais une magicienne. Alors, il serait libre de partir. « Je ne dirai jamais ça ! Même si elle m'a trahi », a crié Pell. Ces deux phrases m'ont brisé le cœur.

Alors qu'il détournait le regard, un peu gêné, Zedd remarqua qu'une bougie, sur le plan de travail, avait fondu à une vitesse anormale. Des vagues de pouvoir déferlaient du corps d'Adie. S'avisant qu'il retenait son souffle, le vieux sorcier s'autorisa à reprendre une inspiration.

— Mathrin a égorgé Pell, dit la dame des ossements. Puis il lui a coupé la tête et l'a brandie devant moi. Voilà, a-t-il clamé, ce que ma dévotion pour le Gardien avait valu à mon mari ! Et ce serait la dernière chose que mes yeux maudits auraient vue. Ses hommes m'ont renversé la tête en arrière et forcée à ouvrir les yeux. Mathrin a versé dedans son liquide brûlant…

» J'ai perdu la vue…

» À cet instant, quelque chose s'est produit en moi. Pell, mon cher amour, était mort en pensant que je l'avais trahi et je n'avais plus que quelques minutes à vivre. Tout ça, ai-je compris, par fidélité à un absurde serment ! Mon grand amour, sacrifié à une fichue superstition ! Plus rien ne comptait pour moi. J'avais tout perdu…

» J'ai libéré le pouvoir, exacerbé par ma colère. Oui, Zedd, j'ai violé ma promesse de ne jamais nuire à autrui. Je n'y voyais plus, mais j'ai entendu leur sang éclabousser les murs. Ne pouvant pas viser, j'ai tué tout ce qui vivait dans la salle, les êtres humains comme les souris. Et je me félicitais d'être aveugle : devant un tel spectacle, j'aurais pu être tentée de m'arrêter…

» Quand le calme fut revenu, je me suis détachée et j'ai fait le tour de la pièce pour compter les cadavres. Il en manquait un…

» Ne me demande pas comment, mais j'ai réussi à aller chez Lindel. Peut-être le don m'a-t-il guidée… Quand elle m'a vue, elle m'a forcée à m'agenouiller et a demandé si j'avais violé mon serment.

— Tu ne pouvais pas parler…, souffla Zedd. Comment lui as-tu répondu ?

Adie eut un sourire glacial.

— Je l'ai saisie à la gorge avec mon pouvoir et propulsée contre un mur. Puis j'ai avancé, décidée à l'étrangler. Elle a résisté en mobilisant son pouvoir. Mais j'étais tellement plus forte qu'elle. Jusqu'à ce jour, j'ignorais que le don se manifestait de façon différente chez les gens. Lindel était aussi impuissante qu'une marionnette.

» Mais je n'ai pas pu lui faire aussi mal que je le voulais. Pourtant, je la détestais d'avoir d'abord pensé à son maudit serment, alors que j'étais à demi morte… Je l'ai lâchée et je me suis laissée glisser sur le sol. Lindel s'est approchée pour me soigner. Violer mon serment était mal, a-t-elle dit, mais les actes de ces hommes étaient pires encore.

» Je n'ai plus jamais eu peur de ma grand-mère. Pas parce qu'elle m'avait aidée, mais parce que j'avais violé le serment. Libérée de ce carcan, je n'avais plus peur de rien, et je me savais beaucoup plus puissante qu'elle. À partir de ce moment-là, c'est elle qui a tremblé devant moi. Je crois qu'elle m'a soignée pour que je puisse quitter au plus vite sa maison…

» Quelques jours plus tard, elle m'a annoncé, en rentrant, qu'elle avait subi un interrogatoire devant le cercle royal. Tous les hommes du moulin étaient morts, à part Mathrin. Elle avait prétendu ne pas m'avoir revue. Les notables la crurent, ou firent semblant, pour ne pas devoir l'affronter, en plus de la magicienne qui venait de faire un massacre…

Ses épaules se détendant, Adie regarda un instant son thé et en prit une nouvelle gorgée. Puis elle tendit sa tasse à Zedd pour qu'il ajoute un peu de liquide. Le vieil homme s'exécuta en regrettant de ne pas avoir mis de poudre dans sa propre tasse. Car l'histoire ne s'arrêtait sûrement pas là…

— J'ai perdu mon bébé, lâcha Adie de sa voix râpeuse.

— Je suis navré…

— Je sais… (Dès qu'il eut posé la théière, Adie prit la main du sorcier entre les siennes.) Ma gorge a guéri… (Elle lâcha Zedd et noua ses doigts autour de son cou.) Ça m'a laissé une voix qui évoque du fer raclant contre un rocher…

— J'aime bien ça… Le fer est un métal qui te convient bien…

L'ombre d'un sourire passa sur les lèvres d'Adie.

— Mes yeux, en revanche, ne se sont jamais améliorés. Je suis restée aveugle. Lindel n'était pas aussi forte que moi, mais à son âge, elle en connaissait long sur les possibilités du don. Elle m'a appris à voir avec le pouvoir. Ce n'est pas tout à fait comme une vision normale, mais sur certains plans, c'est bien mieux. En un sens, je vois plus de choses que le commun des mortels.

» Dès que je fus guérie, Lindel me demanda de partir. Elle détestait garder sous son toit quelqu'un qui avait violé le serment, fût-ce sa petite-fille. Elle craignait que ça lui vaille des ennuis. Parce que j'avais attiré l'attention du Gardien. Et celle des fanatiques… Bref, je risquais de lui empoisonner la vie.

— Et elle avait vu juste ?

— Pour ça, oui ! Les ennuis n'ont pas tardé. Mathrin Galliene s'en est chargé. Il est venu avec vingt fanatiques payés par la Couronne. Des professionnels endurcis et sans pitié, armés jusqu'aux dents, qui paradaient sur des destriers blancs. Bon sang, qu'ils avaient fière allure avec leurs armures scintillantes, leurs cottes de mailles et leurs heaumes ornés de plumes rouges !

» Debout sur le porche, avec mes nouveaux « yeux », je les ai vus prendre position devant moi comme s'ils manœuvraient sous le regard du roi. Tous les chevaux marchaient au même pas et aucun poitrail ne dépassait des rangées. Une superbe démonstration !

» Quand ils eurent fini, Mathrin prudemment posté derrière eux, le capitaine a déclaré : « Vous êtes en état d'arrestation. Accusée d'être une messagère du fléau, vous serez exécutée comme l'exige la loi. »

Adie s'arracha aux fantômes du passé et ses yeux croisèrent ceux de Zedd.

— J'ai pensé à mon pauvre Pell…

L'expression de la dame des ossements se durcit.

— Ils sont tous morts avant d'avoir dégainé leurs épées ou levé leurs lances. J'ai frappé de gauche à droite, un homme après l'autre, à la vitesse de l'éclair. Tous sont tombés de selle, sauf le capitaine, impassible au milieu de ce jeu de massacre.

» Quand tous ses hommes eurent péri, j'ai croisé son regard. « Les armures », ai-je dit, « ne servent à rien face à une messagère du fléau. Ou à une magicienne. Elles sont seulement efficaces contre les innocents… » Ensuite, je l'ai chargé de délivrer au roi un message de la part d'une magicienne nommée Adie. Sans tressaillir, il m'a demandé lequel. « S'il envoie d'autres hommes du Sang de la Déchirure contre moi, ce sera le dernier ordre qu'il aura donné de sa vie. » Le capitaine m'a regardée un long moment, sans trahir une once d'émotion, puis il a fait volter son cheval et s'est éloigné.

» Ma grand-mère m'a reniée. Elle m'a ordonné de partir de chez elle et de ne jamais revenir.

Zedd ne put s'empêcher d'esquisser une grimace à l'idée qu'une magicienne ait pu tuer des hommes de cette façon. Il était très rare que ces femmes-là aient autant de pouvoir.

— Et Mathrin ? Tu ne l'as pas tué ?

— Non. Je l'ai pris avec moi.

— Pris avec toi ?

— J'ai lié sa vie à la mienne. Je me suis arrangée pour qu'il sache toujours où j'étais, et qu'il vienne me retrouver à chaque nouvelle lune, qu'il le veuille ou non. Il devait me suivre d'assez près pour pouvoir le faire...

Pensif, Zedd sonda le fond de sa tasse de thé.

— Jadis, j'ai rencontré un homme à Winstead, la capitale du royaume de Kelton. Un mendiant nommé Mathrin. Il lui manquait les doigts d'une main et il était aveugle. Logique, puisqu'on lui avait arraché les yeux...

— C'était lui... À chaque nouvelle lune, il venait me voir et je l'amputais de quelque chose, laissant ses cris tenter de remplir le vide qui était en moi.

Zedd se radossa à son siège. Une femme de fer, vraiment...

— Ainsi, tu t'étais établie en Kelton...

— Non, je ne m'étais fixée nulle part. Je voyageais sans cesse, à la recherche de femmes dotées des mêmes pouvoirs que moi, pour apprendre à leur contact. Chacune savait peu de chose, mais toutes m'enseignaient au moins un nouveau détail... Mathrin me suivait fidèlement. Tous les mois, je coupais une nouvelle partie de son corps. Je voulais qu'il vive et souffre jusqu'à la fin des temps. C'est lui qui m'a frappée sur le ventre, tuant l'enfant que m'avait donné Pell. Lui qui a exécuté mon aimé et m'a privée de la vue. Et surtout, c'est à cause de lui que Pell est mort en se sentant trahi. J'aurais voulu que Mathrin Galliene ne cesse jamais de souffrir.

— Et combien de temps a-t-il tenu ?

— Pas beaucoup... et beaucoup trop. Un jour, une idée m'a frappée : je n'avais pas utilisé mon pouvoir pour l'empêcher de se suicider. Pourquoi continuait-il à venir ? Et à souffrir ainsi ? Il aurait été si simple de mettre un terme à son calvaire. Le mois suivant, après l'avoir amputé, j'ai annulé le lien. Sa compulsion de revenir, si tu préfères. En lui permettant de m'oublier complètement, s'il le désirait.

— Et tu ne l'as plus jamais revu...

— C'est ce que j'attendais, mais il fut ponctuel au rendez-vous suivant. Alors que plus rien ne l'y obligeait. Hors de moi, j'ai décidé qu'il était temps de le tuer. Mais avant, j'entendais savoir pourquoi il était revenu.

» Pendant mes voyages, j'avais appris des choses dont je pensais n'avoir jamais à me servir. Cette nuit-là, elles me furent utiles pour découvrir quelle torture était le pire cauchemar de Mathrin Galliene. À l'origine, ces méthodes servent à découvrir les angoisses d'un individu, mais d'autres secrets sortent avec. Contre sa volonté, il a parlé sans aucune retenue.

» Je l'ai laissé suer d'angoisse toute la nuit, plus la journée du lendemain, pendant que j'allais chercher les créatures qui le rendaient fou de peur. Quand je suis revenue, il avait presque perdu l'esprit à l'idée de ce qui l'attendait. Alors, je lui ai demandé de me confier son plus grand secret. Mais il a refusé...

» J'ai vidé mon sac, posant devant lui les cages, les paniers et les jarres, tandis qu'il tremblait de terreur, nu sur le parquet. Je lui ai montré chaque petite prison et décrit ce qu'il y avait dedans. Au bord de la folie, il a encore refusé de répondre à ma question. Il pensait sans doute que je bluffais. Mais il se trompait. M'endurcissant encore, j'ai concrétisé ses pires angoisses.

Zedd frémit, mais la curiosité l'emporta sur l'horreur.

— Comment ?

— Cela, je ne te le dirai pas. De toute façon, ça n'a aucune importance. Mathrin refusait de parler. Il souffrait tellement que je faillis renoncer plusieurs fois. Mais alors, je repensais à la dernière image que mes yeux avaient vue : la tête de Pell, au bout du bras de Mathrin. Et je me souvenais des derniers mots de mon mari : « Je ne dirai jamais ça ! Même si elle m'a trahi. »

Adie ferma les yeux un instant. Puis elle les rouvrit et continua :

— Mathrin était aux portes de la mort et je pensais qu'il ne m'avouerait pas pourquoi il était revenu me voir librement. Mais juste avant d'expirer, il est redevenu serein malgré le calvaire qu'il subissait. Alors, il a soufflé qu'il allait tout me dire, puisque sa vie touchait à sa fin.

» J'ai de nouveau posé ma question.

» Il a approché sa bouche de mon oreille. « N'as-tu pas compris, Adie ? Ne sais-tu pas qui je suis ? Un messager du fléau ! Caché… sous ton nez… depuis tout ce temps. Grâce au lien, entre nous, le Gardien a toujours su où tu étais. Et il convoite particuliè-rement les gens qui ont des pouvoirs. » J'avais pensé à cette possibilité… Être un messager du fléau, lui ai-je dit, ne lui avait rien valu de bon, puisqu'il allait mourir pour expier ses crimes.

» Il m'a souri ! Oui, tu as bien entendu, sorcier, il m'a souri. Et il a lâché : « Tu te trompes, Adie. Je n'ai pas échoué, bien au contraire. Ma mission est un succès et la volonté du Gardien a été accomplie. Le plan a commencé il y a si longtemps… Et tout s'est déroulé selon mes prévisions. Cela me vaudra une récompense… Adie, c'est moi qui ai allumé l'incendie, quand tu étais enfant. Plus tard, j'ai torturé et tué Pell. Pas parce que je le prenais pour un messager du fléau. Évidemment, puisque c'était moi ! J'ai fait tout ça pour que tu violes ton serment et que tu accueilles la haine du Gardien dans ton cœur. Vois à quel point j'ai réussi ! Tu as d'abord oublié ton serment pour sauver une vie. Puis pour te venger. Et à présent… Chaque jour, tu te rapproches un peu plus du Gardien. Aujourd'hui, tu es entre ses mains. Même si tu ne lui as jamais juré allégeance, tu travailles à sa gloire. Tu es devenue ce que tu hais le plus au monde. Quelqu'un comme moi ! Le Gardien te sourit, Adie, et il te remercie de lui avoir fait une place dans ton cœur. » Sur ces mots, Mathrin a rendu son âme à son ignoble maître.

Adie éclata en sanglots. Zedd se leva, approcha d'elle et lui passa un bras autour des épaules.

— Cet homme t'a menti, très chère dame. Il n'en va pas ainsi… Pas du tout…

Adie s'essuya les yeux et secoua la tête.

— Tu te crois plus intelligent que tout le monde, sorcier ? Pourtant, sur ce sujet, tu te trompes.

Zedd s'agenouilla près de la chaise de son amie.

— Je suis assez intelligent pour savoir que le Gardien, ou un de ses sbires, ne t'aurait pas donné la satisfaction de savoir que tu avais remporté une bataille contre lui.

— Mais…

— Tu t'es défendue, Adie ! Puis tu as frappé à cause de ta douleur, pas par perversité. Ni pour aider le Gardien.

— Tu en es sûr ? Assez pour me faire confiance ?

— Absolument sûr ! Je ne suis pas omniscient, mais je sais que tu n'es pas une messagère du fléau. Tu es une victime, Adie, pas une criminelle…

— J'aimerais en être aussi convaincue que toi.

— Après la mort de Mathrin, as-tu continué à massacrer ? T'es-tu vengée sur des innocents ?

— Bien sûr que non…

— Si tu avais été un agent, pourquoi t'arrêter là ? Tu aurais servi ton maître, et frappé ceux qui s'opposaient à lui. Tu n'es pas une messagère du fléau, très chère dame. Mon cœur saigne en pensant à ce que le Gardien t'a pris, mais il n'aura pas eu ton âme. Cesse de t'angoisser à ce sujet.

— Tu me ressers du thé ? demanda Adie d'une toute petite voix. Mais sans ajouter de poudre, sinon, je m'endormirai avant d'avoir fini mon histoire.

Zedd fronça les sourcils. Ainsi, elle n'avait pas été dupe de son manège ! Il se leva, remplit une tasse, la donna à Adie et se rassit en face d'elle.

Après avoir bu, la dame des ossements sembla un peu requinquée.

— La guerre contre D'Hara faisait encore rage à l'époque, mais elle approchait de sa fin. J'ai senti la frontière naître dans notre monde.

— Tu es venue ici juste après son apparition ?

— Non. J'ai d'abord étudié avec quelques femmes très talentueuses. Certaines m'ont appris pas mal de choses sur les os…

Elle tira un pendentif de sous son col et caressa le petit os rond aux rayures jaunes et rouges. Le double parfait de celui qu'elle avait remis à Zedd avant qu'il traverse la frontière.

— Cet os vient de la base d'un crâne identique à celui que tu vois sur cette étagère. Oui, celui qui est tombé… Il vient d'un monstre appelé skrin. Ces créatures gardent le royaume des morts. Un peu comme les chiens à cœur, si ce n'est qu'elles sévissent dans les deux directions. L'explication la plus simple, même si elle reste imprécise, est qu'elles sont une part du voile. Dans ce monde, elles ont une forme et une substance. Dans l'autre, elles sont seulement une force.

— Une force ? répéta Zedd, perplexe.

Adie prit sa cuiller et la laissa tomber sur la table.

— Comme celle-là… Nous ne la voyons pas, mais elle existe. C'est elle qui fait tomber la cuiller et l'empêche de léviter dans les airs. Invisible mais présente… C'est un peu la même chose avec les skrins…

» Très rarement, ils sont attirés dans notre monde pour remplir leur mission : éliminer tous les êtres qui rôdent dans la zone où le royaume des morts et le territoire des vivants se touchent. Peu de gens les connaissent, car ça n'arrive vraiment pas souvent. (Zedd parut perdu.) C'est très compliqué, et j'entrerai dans les détails une autre fois. L'essentiel est de savoir que cet os de skrin est une protection contre ceux de sa race.

Adie but une nouvelle gorgée de thé. Zedd tira son propre pendentif de sous sa tunique et l'étudia d'un tout nouvel œil.

— Il doit agir contre d'autres monstres, puisqu'il permettait de traverser le Passage du Roi. (Adie acquiesça.) Au fait, comment connaissais-tu l'existence de ce chemin ? J'ai érigé la frontière, et je l'ignorais…

— Après avoir quitté ma grand-mère, j'ai cherché à contacter d'autres magiciennes qui pourraient m'en apprendre plus long sur le royaume des morts. Après la fin de Mathrin, j'ai étudié plus intensément que jamais. Chaque femme m'apprenait un petit quelque chose et me disait où trouver une collègue qui en saurait davantage. Ainsi, j'ai traversé les Contrées du Milieu, accumulant de plus en plus de connaissances. Quand je les ai réunies, ça m'a permis de comprendre un peu mieux les interactions entre les mondes.

» Ériger une frontière dans notre univers revient un peu à mettre une théière hermétiquement bouchée sur un feu. Sans soupape, elle finit par exploser ! S'il existait une magie assez puissante pour attirer chez nous une partie du royaume des morts, je devais trouver un moyen d'empêcher l'explosion. Une sorte de soupape, si la comparaison te plaît. Le Passage du Roi !

— Bien sûr, marmonna Zedd, ça tient la route. L'équilibre. Toute force, ou toute magie, doit avoir un équilibre… Adie, quand j'ai invoqué la frontière, j'ai utilisé un pouvoir que je ne comprenais pas entièrement. Il me venait d'un antique grimoire qui appartenait aux sorciers de jadis, dont la puissance me dépasse de beaucoup. Créer la frontière était un acte de désespoir…

— Toi, désespéré ? C'est difficile à imaginer…

— Parfois, la vie se résume à cela : une série d'actes de désespoir…

— Tu as peut-être raison… Voulant me dissimuler aux yeux du Gardien, j'ai repensé à ce que Mathrin avait dit. « Un messager du fléau ! Caché… sous ton nez… depuis tout ce temps. » Selon cet exemple, l'endroit le plus sûr pour échapper au Gardien était… sous son propre nez, à la frontière de son royaume. Alors, je suis venue ici. Le Passage du Roi n'appartient pas à ce monde et pas davantage à l'autre. En fait, c'est un endroit où ils se chevauchent… Grâce aux ossements, le Gardien et ses monstres ne peuvent pas me voir.

— Tu serais ici simplement pour te cacher ? demanda Zedd, certain qu'il y avait autre chose là-dessous.

Adie était une femme de fer. Pas le genre à se tapir dans un trou de souris.

— Il y a une autre raison, admit-elle en remettant le pendentif sous sa tunique. Je me suis fait un serment. À moi seule. Entrer en contact avec Pell, pour lui dire que je ne l'ai pas trahi ! Depuis des décennies, c'est mon seul but, et mon unique raison de vivre.

— La frontière et le passage n'existent plus, mon amie. Et j'ai besoin de ton aide dans *ce* monde.

— Zedd, quand tu m'as redonné un pied, tous mes souvenirs sont remontés à la surface, aussi vifs que si je les revivais. Des choses oubliées me sont revenues à l'esprit. Et cela a rouvert des blessures qui semblaient cicatrisées…

— Désolé, Adie… J'aurais dû penser à ça, mais je n'ai pas imaginé que tu avais tant souffert. Pardonne-moi.

— Il n'y a rien à pardonner. Ce nouveau pied est une bénédiction. Et tu ne pouvais pas savoir que j'étais une messagère du fléau.

Zedd foudroya son amie du regard.

— Donc, tu penses qu'avoir combattu le mal fait de toi un de ses suppôts ?

— Mes actes sont trop affreux pour qu'un homme comme toi puisse les comprendre.

— Tu crois ça ? (Le vieux sorcier hocha tristement la tête.) Alors, laisse-moi te raconter une petite histoire... Moi aussi, j'ai connu l'amour, comme toi avec Pell. Ma bien-aimée se nommait Erilyn, et j'ai partagé avec elle les mêmes joies que toi avec ton prince charmant. (À ce souvenir, un petit sourire flotta sur les lèvres du sorcier. Mais il disparut vite.) Jusqu'à ce que Panis Rahl envoie un *quatuor* à ses trousses.

— Zedd, tu n'es pas obligé de...

— Laisse-moi finir ! Tu ne peux pas imaginer ce que ces brutes lui ont infligé. (Pour la première fois, Adie vit le vieil homme s'empourprer de colère.) Je les ai traqués, et ce qu'ils ont subi ferait passer le supplice de Mathrin pour une promenade de santé. Puis j'ai voulu frapper Panis Rahl, mais il était hors de ma portée. Alors, je m'en suis pris à ses armées. Pour chaque homme que tu as tué, Adie, j'en ai éliminé un millier. Même mes alliés me redoutaient. J'étais le vent qui charrie la mort. J'ai fait tout ce qu'il fallait pour vaincre Panis Rahl... et sans doute un peu plus.

Il se radossa à sa chaise.

— S'il existe en ce monde un parangon de vertu, ce n'est pas l'homme assis en face de toi.

— Tu as agi comme il le fallait. Cela n'entame pas ta vertu.

— Des propos très intelligents, tenus par une femme de qualité... (Zedd plissa le front. Il prit sa tasse et joua avec, la faisant rouler entre ses mains.) Tu devrais peut-être les appliquer à ton propre cas... (Adie ne broncha pas.) En un sens, j'ai eu plus de chance que toi. Erilyn et moi avons vécu assez longtemps ensemble... et je n'ai pas perdu ma fille.

— Panis Rahl n'a pas tenté de la tuer ?

— Si... Et il a même cru avoir réussi. Mais j'ai jeté un sort de mort, pour que ses sbires et lui croient l'avoir vue sans vie. C'était la seule façon de la protéger, sinon, il aurait essayé sans relâche, et fini par réussir...

— Un sort de mort... (Adie récita une bénédiction dans sa langue natale.) Une Toile très dangereuse. Je ne te reprocherai pas d'y avoir recouru, dans ces circonstances, mais ce genre de sortilège n'échappe pas à l'attention des esprits. Tu as eu de la chance que ça fonctionne. Et que les esprits du bien aient été de ton côté ce jour-là.

— Parfois, la chance a un revers, et on ne sait jamais quelle face on regarde. Je l'ai élevée seul, et c'était une superbe jeune femme quand la roue de la fortune a tourné...

» Darken Rahl était près de son père quand j'ai envoyé mon Feu de Sorcier à travers la frontière. Lui aussi fut brûlé... Il a passé des années à étudier, pour pouvoir achever l'œuvre de son géniteur. Et il a trouvé un moyen de traverser la frontière...

» Lors d'un de ses raids, il a violé ma fille. Bien sûr, il ne savait pas que c'était elle – tout le monde la croyait morte – sinon il l'aurait tuée. Mais il lui a fait tellement de mal...

Le vieil homme serra les mains, brisant la tasse qu'il avait oubliée. Il examina ses paumes et ses doigts, en quête de coupures, et fut un peu surpris de ne pas en voir. Adie ne fit pas de commentaire...

— Après, je l'ai emmenée en Terre d'Ouest, pour la protéger. Je n'ai jamais su si c'était de la malchance, ou si le mal l'avait retrouvée, mais elle est morte dans l'incendie de sa maison. Bien que cette coïncidence – les flammes ! – m'ait toujours paru suspecte, je n'ai jamais découvert de preuves. Mais les esprits du bien, après tout, n'étaient peut-être pas de mon côté le jour où j'ai lancé le sort de mort...

— Je suis navrée, Zedd...

— Merci, mais là encore, j'ai eu plus de chance que toi, car il me restait son fils. (Du bout de l'index, il poussa les débris de la tasse au centre de la table.) L'enfant de Darken Rahl. Le rejeton d'un agent du Gardien. Mais aussi mon petit-fils... Innocent des crimes de ses ancêtres. Un jeune homme formidable.

Il chercha le regard blanc d'Adie.

— Je crois que tu le connais... Il se nomme Richard.

Adie bondit de sa chaise.

— Richard ! Richard est ton... (Elle se rassit et soupira.) Les sorciers et leurs foutus secrets ! Cela dit, tu avais peut-être de bonnes raisons de jouer les cachottiers...

— J'avais peur qu'il ait le don, mais je n'en étais pas sûr, et je voulais le protéger... Comme tu l'as dit, le Gardien convoite plus que tout au monde ceux qui ont des pouvoirs. Si j'avais commencé à le former, donc à utiliser beaucoup de magie, il aurait été en danger...

» J'avais prévu de le laisser grandir et s'endurcir avant de le tester et de l'entraîner si ça s'imposait. Au fond, j'espérais qu'il n'ait pas le don... Mais il s'en est servi pour vaincre Rahl. À présent, il n'y a plus de doute. Et je pense qu'il a hérité le don de deux lignées de sorciers. La mienne, et celle des Rahl.

— Je vois..., fit simplement Adie.

— Mais nous avons des problèmes plus urgents sur les bras... Darken Rahl a ouvert une des boîtes d'Orden. La mauvaise, malheureusement pour lui. Et peut-être aussi pour nous... Il y a dans ma Forteresse des livres qui parlent de tout ça. Quand les boîtes d'Orden sont remises dans le jeu, même si le responsable se trompe et y perd la vie, le voile risque d'être déchiré. Adie, je n'en sais pas aussi long que toi sur le royaume des morts. Tu l'as étudié presque toute ta vie, et j'ai besoin de ton aide. Viens consulter les livres avec moi, en Aydindril, pour que nous trouvions une solution. J'ai été dépassé par la plupart de ces textes. Même si tu comprends une seule chose de plus que moi, ça fera peut-être la différence.

— Sorcier, je suis une vieille femme qui a accueilli le Gardien dans son cœur...

Zedd essaya de croiser le regard d'Adie, mais elle garda la tête baissée. Exaspéré, il se leva d'un bond.

— Une vieille femme, certainement pas... Une folle, c'est bien possible...

Adie ne réagit pas.

Le sorcier traversa la pièce et inspecta les os qui décoraient les murs, les mains croisées dans le dos.

— Et si j'étais moi aussi un vieil homme ? Voire un vieux crétin ? Quelqu'un qui devrait laisser un type plus jeune faire le travail à sa place... (Il jeta un coup d'œil par-dessus son épaule et constata que la dame des ossements le regardait.) Mais si un jeune homme fait l'affaire, quelqu'un d'encore plus frais serait sans doute préférable. Pourquoi ne pas choisir un enfant ? Idéal, non ? Il doit bien y avoir quelque part un gamin de dix ans prêt à empêcher les morts de dominer les vivants ?

Il leva les bras au ciel.

— À t'en croire, la jeunesse prime, et l'expérience compte pour du beurre !

— Ne te fais pas plus bête que tu ne l'es, vieil homme. Tu sais ce que je veux dire.

Zedd revint vers la table et haussa les épaules.

— Si tu restes ici au lieu de mettre ton savoir au service d'une juste cause, il se peut que tu sois ce que tu redoutes le plus : un agent du Gardien. Quand on ne le combat pas, on le soutient ! C'était la finalité de son plan. Pas te convertir, mais t'empêcher, par la peur, de l'arrêter.

— Que veux-tu dire ?

— Il a réussi son coup, Adie. Tu as peur de toi-même. Le Gardien a des réserves infinies de patience. Il n'a pas besoin de te recruter. Convertir ceux qui ont des pouvoirs est difficile. Tu n'en vaux pas la peine. Il lui suffit de savoir que tu ne t'opposeras pas à lui. Et ça, il l'a obtenu… En un sens, il est aveugle à ce monde, comme nous sommes aveugles au sien. Il a peu d'influence ici, donc il choisit ses objectifs avec soin et ne perd pas de temps en frivolités…

— Tu n'es peut-être pas aussi abruti que ça…, fit Adie.

Une manière détournée de concéder le point.

— C'est ce que je pense depuis toujours…, dit Zedd en s'asseyant.

Adie réfléchit un long moment en silence.

— Toutes ces années, dit-elle enfin, la vérité était sous mon nez, et je ne la voyais pas. Comment fais-tu pour être aussi malin ?

— Un des avantages d'une longue vie… Tu crois être une vieille femme… Moi, je vois une superbe dame qui a beaucoup appris durant son passage sur cette terre, et acquis une grande sagesse… (Il retira la fleur des cheveux d'Adie et la brandit devant elle.) Ta beauté n'est pas une couche de vernis passée sur un bois usé. Elle s'épanouit à l'intérieur de toi.

Adie prit la fleur et la posa sur la table.

— Tes belles paroles ne changent rien aux faits : j'ai gâché ma vie et…

— Non, coupa Zedd, tu n'as rien gâché du tout ! Pour l'instant, tu n'as pas encore vu l'autre côté des choses. C'est tout. Il y a un équilibre en tout, si on fait l'effort de le chercher. Le Gardien t'a envoyé un agent pour que tu ne te mêles pas de ses affaires, et pour semer dans ton esprit la graine du doute qui te pousserait peut-être à passer un jour dans son camp. Mais là aussi, on retrouve notre fameux équilibre. Afin de contacter Pell, tu es venue ici étudier le royaume des morts. Ne comprends-tu pas, Adie ? On t'a manipulée pour que tu ne gênes pas le Gardien, et cela t'a conduite à apprendre des choses qui nous seront utiles pour le combattre. Tu ne dois pas baisser les bras, mais te battre avec les armes qu'il t'a involontairement données.

Adie regarda autour d'elle, s'attardant sur les piles d'os, les talismans accrochés aux murs, le crâne et les talismans rangés sur les étagères…

— Mais mon serment à Pell… Je dois lui parler ! Il est mort en croyant que je l'avais trahi. Si je ne peux pas me racheter à ses yeux, je serai perdue, le cœur brisé. Alors, le Gardien me trouvera.

— Pell est mort, Adie. Parti à tout jamais, comme la frontière et le passé. Et toutes tes années ici ne t'ont pas permis d'atteindre ton but. Ces lieux ne te sont plus d'aucune utilité, mon amie. Si tu veux tenir ta promesse, viens avec moi. En Aydindril, ce sera peut-être possible…

» M'aider à vaincre le Gardien ne t'oblige pas à renoncer à ce qui te tient à cœur. Si mes connaissances peuvent te servir, je les mettrai volontiers à ta disposition. Tu sais, j'ai quelques atouts dans ma manche. Après tout, je suis le Premier Sorcier, pas n'importe quel vieux crétin. Mon remarquable cerveau pourra peut-être te servir. Et je suis sûr que Pell ne voudrait pas, pour lui délivrer ton message, que tu trahisses le reste de l'univers…

Adie ramassa la rose jaune et la contempla un long moment avant de la reposer. Agrippant les coins de la table, elle se releva lentement et resta là un moment, son regard faisant de nouveau le tour de la pièce.

Après avoir lissé sa tunique, comme pour se rendre présentable, elle contourna la table en boitillant, vint se camper derrière la chaise de Zedd et lui posa les mains sur les épaules. Sans crier gare, elle se pencha et lui embrassa le sommet du crâne. Puis elle lui ébouriffa gentiment les cheveux.

Le vieux sorcier se réjouit qu'elle ne lui ait pas plutôt noué les doigts autour du cou. Ç'aurait été légitime, après certaines de ses déclarations.

Il se tortilla sur sa chaise et se tourna vers Adie.

— Je ferai mon possible pour que tu puisses parler à Pell, je te le jure.

— Merci… À présent, dis-m'en plus sur la Pierre des Larmes. Nous devons décider de son sort…

Chapitre 23

—La Pierre des Larmes ? répéta Zedd. Eh bien, je l'ai cachée…

— Parfait. Ce n'est pas le genre d'artéfact qui doit traîner dans ce monde… (Elle plissa le front.) Tu l'as bien cachée ?

Zedd fit la moue. Il aurait aimé ne pas s'étendre sur le sujet, car il devinait la réaction d'Adie, mais il avait promis d'être franc.

— Je l'ai accrochée à une chaîne et passée autour du cou d'une petite fille. Et… hum… je ne sais pas exactement où est l'enfant en ce moment.

— Tu as touché la Pierre des Larmes ? s'écria Adie. Et tu l'as confiée à une gosse ?

Elle prit le menton du sorcier entre ses doigts soudain d'acier et approcha son visage du sien.

— La Pierre qui fut, dit-on, accrochée par le Créateur au cou du Gardien pour l'enfermer dans le royaume des morts ! Et toi, tu la donnes à une enfant qui va baguenauder dans la nature ?

— Il fallait bien en faire quelque chose ! Tu n'aurais pas voulu que je la laisse là où elle était !

Adie se flanqua une claque sur le front.

— Au moment où je le prenais pour un génie, voilà qu'il me démontre son crétinisme ! Esprits bien-aimés, protégez-moi du fou furieux entre les mains duquel vous m'avez placée !

Zedd se leva d'un bond.

— Et toi, qu'aurais-tu fait avec la Pierre ? explosa-t-il.

— D'abord, j'aurais accordé un peu plus de réflexion au problème. Ensuite, j'aurais évité de la toucher. Elle vient d'un autre monde, sacré bon sang !

Adie se détourna et débita un chapelet de lamentations dans sa langue maternelle.

Zedd tira sur sa tunique pour l'ajuster.

— Je n'avais pas le temps de méditer, très chère… Un grinceur nous attaquait et si je n'avais pas agi vite…

— Un grinceur ! brailla Adie. Tu as encore d'autres bonnes nouvelles de ce genre, vieil homme ? (Elle lui enfonça un index dans la poitrine.) Ce n'est pas une excuse suffisante. Tu n'aurais pas dû…

— Quoi ? Prendre la Pierre ? Il aurait mieux valu la laisser au grinceur, d'après toi ?

— Les grinceurs sont des tueurs. Il n'était pas là pour s'emparer de la Pierre.

L'index de Zedd s'enfonça à son tour dans la poitrine de la magicienne.

— Tu en es sûre ? Aurais-tu tout parié là-dessus, au risque que le Gardien récupère la Pierre pour s'en servir à son gré ? Tu n'aurais pas eu le moindre doute, Adie ?

— Si, répondit la dame des ossements, ses bras retombant le long de ses flancs. Je suppose que si… Le grinceur risquait de la prendre… Tu as peut-être bien agi, en fin de compte. (Elle menaça Zedd d'un index vengeur.) Mais quand même, la mettre au cou d'une petite fille !

— Tu aurais eu une meilleure idée ? Ma poche, par exemple ? Celle d'un sorcier, l'endroit où le Gardien irait chercher en premier ? Ou aurais-je dû la cacher dans un endroit connu de moi seul ? Histoire, si un messager du fléau me capturait et me faisait parler, que je puisse lui dire où elle est ?

Adie croisa les bras, l'air morose. Puis elle se détendit un peu.

— Eh bien… peut-être que…

— Peut-être que rien du tout ! Je n'avais pas le choix. C'était un acte désespéré. J'ai fait ce qu'il fallait, étant donné les circonstances.

— Tu as raison, sorcier, c'était la seule solution. (Adie tapota l'épaule de Zedd.) Même si c'était foutrement idiot… Assieds-toi, à présent, que je te montre quelque chose.

Zedd obéit et la regarda boitiller jusqu'aux étagères.

— Adie, j'aurais préféré avoir une autre option, tu peux me croire.

— Je sais… (Elle s'arrêta et se retourna.) Un grinceur, as-tu dit ? (Zedd hocha la tête.) Tu es sûr ? (Le sorcier plissa le front.) Bien sûr que tu es sûr… Les grinceurs sont les tueurs du Gardien. Des monstres obstinés et dangereux, mais pas très malins. On doit leur dire où est la cible qu'ils cherchent, car ce ne sont pas de bons limiers dans ce monde. Comment le Gardien savait-il où te trouver ? Et le grinceur, de quelle façon t'a-t-il identifié ?

— Je n'en sais rien… J'étais à l'endroit où Rahl a ouvert une des boîtes d'Orden. Mais ça datait d'un moment. Impossible de savoir que je n'étais pas parti…

— As-tu détruit le grinceur ?

— Oui.

— Excellent… Le Gardien ne prendra pas la peine d'en envoyer un autre, sachant que tu as vaincu celui-là.

— Formidable ! railla Zedd. Ce grinceur était chargé de me retirer du jeu, comme le messager du fléau qui s'est occupé de toi. Tu as raison : le Gardien n'en enverra pas un autre. Maintenant qu'il sait que ça ne suffit pas, il choisira un monstre dix fois plus dangereux.

— Si tu étais vraiment la cible… Où était la Pierre quand tu l'as découverte ?

— À côté de la boîte ouverte.

— Et le grinceur ?

— Dans la même salle…

— Il venait peut-être chercher la Pierre, après tout. Mais ça me paraît quand même étrange... Je me demande comment il t'a retrouvé. (Elle approcha des étagères.) Quelque chose a dû le guider...

Sur la pointe des pieds, elle écarta divers objets et récupéra ce qu'elle cherchait, tout au fond de l'étagère. Boitillant jusqu'à la table, elle posa l'objet dessus. Un peu plus grand qu'un œuf de poule, et tout aussi rond, l'artéfact noir était patiné par le temps. Il représentait une bête féroce aux yeux protubérants qui donnaient l'impression de regarder Zedd de tous les angles possibles. En os, ce talisman semblait très vieux.

Zedd le prit et le trouva beaucoup plus lourd qu'il n'en avait l'air.

— De quoi s'agit-il ?

— Un cadeau d'une magicienne que j'étais allée voir en quête de connaissances. Elle gisait sur son lit de mort... Quand elle m'a demandé ce que je savais sur les skrins, je lui ai dit tout ce que j'avais appris. Elle a soupiré de soulagement, puis a ajouté quelque chose qui m'a donné la chair de poule. À l'en croire, elle m'attendait, car les prophéties l'avaient prévenue de ma visite. Elle m'a glissé cet objet dans la main, précisant qu'il était sculpté dans un os de skrin.

Adie désigna les murs, puis sa pile d'ossements.

— J'ai beaucoup de vestiges de skrin, parce que j'en ai affronté un jadis. Tout son squelette est ici. Et son crâne est celui qui a basculé de l'étagère.

Elle posa un index sur le talisman rond que tenait Zedd et croassa :

— Cet objet, m'a dit la magicienne, devait être entre les mains d'une personne initiée. Puis elle a parlé d'une antique magie, celle des sorciers de jadis, peut-être inspirés par le Créateur lui-même. Une magie rendue nécessaire à cause des prophéties.

» Selon elle, c'était sans doute l'artéfact le plus important que je toucherais jamais. Un talisman investi d'un pouvoir supérieur à ce qu'elle ou moi pouvions comprendre. Fait en os de skrin, et investi de la force d'un skrin, il serait d'une importance capitale si le voile était un jour en danger. J'ai posé trois questions : comment devait-on l'utiliser, quelle était sa magie, et de quelle façon était-il arrivé entre ses mains ? Trop fatiguée par ma visite, elle a voulu prendre un peu de repos. Le lendemain matin, quand je suis revenue, elle était morte. (Adie plissa le front.) Un décès qui m'a paru trop « opportun », si tu vois ce que je veux dire.

Zedd avait eu la même idée.

— Du coup, tu ignores ce qu'est cet objet, et tu ne sais pas t'en servir ?

— Exactement.

Zedd lança un petit sort pour faire léviter l'artéfact. Alors qu'il tournait sur lui-même, les yeux du monstre, finement sculptés, ne s'écartèrent jamais du sorcier.

— Tu as tenté d'utiliser ton pouvoir sur cet objet ?

— Non. J'avais trop peur pour ça.

Zedd plaça ses mains squelettiques des deux côtés de la sphère. Il éprouva ses réactions à diverses formes de magie, histoire de repérer une fissure, un bouclier ou un quelconque mécanisme.

Le résultat fut des plus étranges. La magie revenait à son expéditeur comme si elle n'avait rien touché. On aurait dit que l'objet n'était pas là ! Était-ce un type de bouclier qu'il n'avait jamais rencontré ? Il augmenta la puissance de sa sonde, qui glissa sur la surface lisse comme des semelles neuves sur de la glace.

— Tu ne devrais peut-être pas…, commença Adie.

La flamme de la lampe s'éteignit toute seule. Une colonne de fumée en monta, laissant la pièce dans une pénombre que déchirait à peine le feu de cheminée agonisant.

Zedd regarda la lampe, perplexe. Puis un bruit sourd le força à tourner la tête, tout comme Adie. Le crâne était de nouveau tombé et roulait vers eux. À mi-chemin, il s'arrêta, en équilibre sur sa base. Des orbites vides se rivèrent sur le sorcier et la magicienne.

La sphère sculptée tomba sur la table et rebondit deux fois.

Zedd et Adie se levèrent.

— Quelle bêtise as-tu encore commise, vieil homme ?

— Je n'ai rien fait du tout ! grogna Zedd en regardant le crâne d'un œil mauvais.

D'autres os basculèrent des étagères. Ceux qui pendaient aux murs se détachèrent et s'écrasèrent sur le sol.

Derrière Zedd et Adie, une pile d'ossements s'écroula lamentablement. Quelques radius et cubitus, comme s'ils étaient vivants, glissèrent jusqu'au crâne. Une côte s'accrocha au pied d'une chaise, mais se dégagea et continua son chemin.

Zedd se tourna vers Adie, qui trottinait en direction de l'étagère couverte d'un rideau à rayures bleues et blanches.

— Que fais-tu ? Et que se passe-t-il ?

Autour du crâne, les os affluaient comme des soldats attirés par une sonnerie de trompette.

Adie arracha le rideau de ses crochets.

— Sors d'ici ! Vite, avant qu'il ne soit trop tard !

— Bon sang, mais que se passe-t-il ?

La magicienne renversa une rangée de jarres et de boîtes en fer-blanc. Elle se dressa sur la pointe des pieds et chercha à l'aveuglette, tout au fond de l'étagère. Une jarre se renversa et se fracassa sur un angle du comptoir, semant des éclats de verre un peu partout. La substance visqueuse qu'elle contenait coula le long du meuble. Hérissée de fragments de verre, elle ressemblait à un porc-épic en train de fondre.

— Obéis, sorcier ! File !

Zedd se précipita vers son amie, puis s'arrêta et jeta un coup d'œil derrière lui.

Le crâne était à présent à hauteur de ses yeux. Dessous, des os se réassemblaient. Une cage thoracique se dessinait, des vertèbres se mettaient en place toutes seules et des jambes prenaient forme sur les deux flancs du monstre. Au moment où le crâne atteignit presque le plafond, ses mâchoires claquèrent sinistrement.

Zedd prit Adie par un bras et la tira vers lui. Il remarqua qu'elle tenait une petite boîte dans sa main libre.

— Adie, que se passe-t-il ?

— Que vois-tu, espèce de crétin ?

— Ce que je vois ? Fichtre et foutre, femme, un maudit tas d'os en train de se rassembler !

Grandissant sans cesse, la créature fut obligée de baisser les épaules pour ne pas heurter le plafond. Et d'autres os affluaient toujours !

— Moi, je ne vois pas des os, mais de la chair ! cria Adie.

— De la chair ? Foutaises ! Je croyais que tu avais tué ce monstre…

— J'ai dit que j'en avais *affronté* un ! À ma connaissance, un skrin ne peut pas mourir. Logique, puisqu'il n'est pas vivant ! En tout cas, tu avais raison sur un point, sorcier : le Gardien t'a envoyé un adversaire plus coriace.

— Comment a-t-il su où nous étions ? Et le skrin, comment a-t-il pu venir ? Ces os étaient censés nous protéger !

— Je n'en sais rien. Et je ne comprends pas comment...

Un bras squelettique se tendit vers eux. Zedd tira Adie en arrière. Pendant que d'autres os s'assemblaient, elle s'efforça de dévisser le couvercle de sa boîte.

Le couvercle sauta enfin et tomba sur le sol. À cet instant, le skrin abattit un bras sur la table, qui vola en éclats.

Le talisman rond tomba et rebondit sur le sol. Zedd tenta de le récupérer avec sa magie. Autant vouloir saisir une graine de citrouille avec des doigts couverts de graisse ! Il essaya de compresser l'air autour de l'os, pour qu'il roule vers eux, mais il lui échappa et termina sa course à l'autre bout de la pièce.

Quand le skrin sauta sur eux, ils reculèrent et tombèrent à la renverse. Zedd se releva et aida Adie à se remettre debout. Ce faisant, il remarqua qu'elle avait glissé une main dans la boîte.

Devenu trop gros pour l'espace disponible, le skrin se déplaçait lentement. De frustration, il poussa un cri muet dont le sorcier sentit le souffle, qui fit voleter sa tunique comme un coup de vent.

Adie sortit la main de la boîte et jeta une poignée de sable blanc sur le monstre. Du sable de sorcier ! Cette folle avait du sable de sorcier !

Le skrin recula d'un pas, s'ébroua et repartit à l'assaut. Zedd envoya une boule de feu qui passa à travers les os et s'écrasa contre un mur. Puisque le feu ne marchait pas, le sorcier essaya l'air. Sans plus de résultat.

Alors qu'Adie et lui s'écartaient latéralement de la trajectoire du monstre, le vieil homme puisa en vain d'autres armes dans son répertoire. Ignorant le danger, la magicienne versa dans sa paume le reste du sable de sorcier et le lança en incantant dans son étrange langue natale. Le rugissement qu'allait pousser le skrin resta coincé dans sa gorge et ses mâchoires se fermèrent.

— C'est tout ce que j'avais, annonça Adie. J'espère que ça suffira.

Le monstre secoua la tête et cracha le sable qu'il avait inhalé. Puis il attaqua de nouveau.

Zedd tira sur la manche d'Adie, mais elle se dégagea. Histoire de le ralentir, le sorcier le bombarda de bûches et de chaises volantes qui rebondirent contre les os sans perturber le skrin.

Zedd fourra une main dans sa poche, en sortit une poignée d'une poudre de son cru et l'expédia au centre de l'assemblage d'ossements qui les menaçait.

Ce fut aussi inefficace que le sable de la magicienne.

Sentant qu'il ne pouvait rien faire, le sorcier se tourna vers sa compagne, occupée à décrocher un os du mur. Des plumes en décoraient une extrémité, et des rangées de perles jaunes et rouges pendaient à l'autre.

Zedd intercepta au vol un bras squelettique, mais le monstre se dégagea sans difficulté.

Alors qu'il avançait vers Adie, elle secoua son curieux gri-gri et jeta un sort dans sa langue natale. Le skrin lança un bras vers elle. Elle retira sa main à temps, mais ne parvint pas à sauver le talisman, qui se brisa en deux.

Une situation désespérée ! Zedd ignorait comment combattre la créature et toutes les initiatives d'Adie échouaient.

— Adie, nous devons filer d'ici !

— Je ne peux pas partir. Il y a trop de choses de valeur dans cette maison.

— Prends ce que tu peux, et fichons le camp !

— Récupère l'os rond sculpté !

Zedd essaya d'obéir, mais le skrin lui barra le chemin.

Le vieil homme déchaîna en vain toute sa magie. Voyant qu'il serait bientôt submergé, il hurla :

— Adie, il faut partir !

— On ne peut pas laisser cet artéfact ! Il est vital pour le voile.

Adie courut vers le fond de la pièce. Zedd tenta de l'intercepter, mais il la rata d'un souffle. Le skrin, lui aussi, faillit réussir, une de ses griffes ouvrant le bras de la magicienne au passage.

Déséquilibrée, elle percuta le mur, rebondit et s'écroula face contre terre. De nouveaux os tombèrent sur elle.

Zedd saisit l'ourlet de la tunique d'Adie et la tira en arrière tandis que les griffes du monstre déchiraient l'air, le manquant d'un cheveu. Rampant sur le sol, la dame des ossements essayait toujours de s'approcher du talisman.

Le skrin poussa un rugissement muet et se releva entièrement, éventrant le plafond. Des éclats de bois tombèrent en pluie tandis que le monstre, fou de rage, s'attaquait aux cloisons avec ses griffes.

Zedd tira Adie près de la porte.

— Je dois emporter mes objets ! cria la magicienne en se débattant. Il m'a fallu toute une vie pour les rassembler !

— Nous n'avons plus le temps, Adie !

Elle échappa à la poigne de Zedd et se précipita vers les os encore accrochés à un mur. Utilisant sa magie pour la tirer en arrière, le vieil homme la ceintura et se jeta dehors au moment où une griffe faisait éclater le chambranle de la porte.

Ils s'étalèrent sur le sol et se relevèrent en un clin d'œil. Zedd partit au pas de course, entraînant Adie sans se soucier de sa résistance. Elle essayait d'utiliser sa magie contre lui, mais il avait levé un bouclier.

L'air était glacial et des nuages de vapeur tourbillonnaient devant leurs bouches tandis qu'ils couraient en luttant l'un contre l'autre.

Adie hurlait comme une mère dont on massacre les enfants. Au désespoir, elle tendit les bras – l'un couvert de sang – vers la maison.

— Pitié ! Mes trésors ! Je ne peux pas les laisser. Tu ne comprends pas. C'est une magie précieuse !

Le skrin continuait de frapper les murs pour se libérer.

— Adie, si tu es morte, ils ne te serviront plus à rien ! Nous reviendrons les chercher plus tard !

— Zedd, par pitié ! Mes ossements… Ils peuvent nous aider à refermer le voile ! Et s'ils tombent entre de mauvaises mains…

Le sorcier siffla pour appeler sa jument.

— Zedd, je t'en supplie ! Ne me fais pas ça !

— Adie, si nous mourons, nous ne pourrons plus aider personne !

La jument arriva au moment où le skrin jaillissait de la maison éventrée. Elle hennit de terreur, mais resta immobile pendant que Zedd montait en selle et hissait Adie derrière lui.

— File comme l'éclair, ma fille ! cria-t-il à l'animal.

La jument partit à fond de train, stimulée par le bras monstrueux qui venait de s'abattre à quelques pouces de sa croupe.

Zedd se coucha sur l'encolure de sa monture, les bras d'Adie autour de la taille. Le skrin les talonnait et il semblait aussi rapide que la jument. Par bonheur, il ne l'était pas *plus* !

Derrière eux, les mâchoires de la créature claquaient, incitant leur brave monture à donner tout ce qu'elle avait dans le ventre. Qui, du cheval ou du monstre, aurait le plus d'endurance ? se demanda Zedd.

Il redoutait de connaître la réponse.

Chapitre 24

−Quelqu'un approche, dit Richard en ouvrant les yeux.

Assise de l'autre côté du feu de camp, sœur Verna cessa d'écrire dans le petit livre d'habitude passé à sa ceinture.

— Tu as réussi à toucher ton Han ? demanda-t-elle en regardant le jeune homme.

— Non…, avoua-t-il. (Ses jambes lui faisaient un mal de chien, après être restées sans bouger une bonne heure.) Mais je crois malgré tout que quelqu'un approche…

Chaque soir, c'était le même rituel. Assis les yeux fermés, Richard imaginait l'épée sur son fond blanc et tentait d'atteindre cet endroit, à l'intérieur de lui-même, où se cachait prétendument son Han. Jusque-là, il ne l'avait pas trouvé, s'échinant en vain pendant que la sœur l'observait, prenait des notes dans son ouvrage magique ou se concentrait sur son propre pouvoir. Depuis la première nuit, il n'avait plus visualisé le carré noir entouré de blanc, histoire de ne pas retomber dans son cauchemar.

— J'ai peur de ne pas pouvoir toucher mon Han… Je fais de mon mieux, mais ça ne marche pas.

— Combien de fois devrai-je te répéter, Richard, que ça prend du temps ? (Verna recommença à écrire.) Tu manques d'entraînement, mais ne te décourage pas, ça finira par venir.

— Sœur Verna, je vous dis que quelqu'un approche.

— Comment peux-tu le savoir, si tu n'as pas touché ton Han ?

— Je l'ignore, admit Richard. Mais j'ai passé beaucoup de temps seul dans les bois. Parfois, je *capte* les présences étrangères. Pas vous ? N'avez-vous jamais senti peser sur vous le regard de quelqu'un ?

— Si, mais seulement avec l'aide de mon Han, répondit Verna sans cesser d'écrire.

— Sœur Verna, selon vous, nous sommes dans un territoire hostile. Et je maintiens que quelqu'un approche.

Verna feuilleta le livre en arrière et plissa les yeux pour lire.

— Depuis combien de temps sais-tu ça, Richard ?

— Quelques instants… Je vous l'ai dit dès que j'en ai eu le sentiment…

— Et tu n'as pas touché ton Han ? Il ne s'est rien passé en toi ? Aucune sensation de pouvoir ? Tu n'as pas vu de lumière, ni senti le Créateur ? (Elle fronça les sourcils.) Ne me mens pas, Richard ! Au sujet de ton Han, ne t'avise jamais de me mentir !

— Sœur Verna, vous ne m'écoutez pas ! Quelqu'un approche !

— Richard, dit la femme en refermant son livre, je le sais depuis que tu as commencé ton exercice.

— Alors, pourquoi restons-nous assis à ne rien faire ?

— Qui prétend que nous ne faisons rien ? Tu t'entraînes et je travaille…

— Mais vous ne m'avez rien dit… Pourtant, ce pays est dangereux…

Verna soupira et remit le livre à sa ceinture.

— Parce que ceux qui approchent sont encore loin, soupira-t-elle. Il n'y a aucune raison de déroger à notre routine. Tu as besoin de t'entraîner, Richard. (Elle secoua la tête.) Mais te voilà bien trop énervé, à présent… Nos visiteurs sont à un bon quart d'heure d'ici. Nous devrions commencer à lever le camp.

— Pourquoi si tard ? Nous aurions pu partir dès que vous les avez sentis.

— Nous avons été repérés, Richard… Une fois que c'est fait, impossible d'échapper à ces gens. C'est leur pays et nous ne les sèmerons pas. Une sentinelle nous aura probablement localisés…

— Si fuir est impossible, pourquoi lever le camp ?

Verna regarda le jeune homme comme s'il était un abruti congénital.

— Parce que nous ne pourrons pas dormir après avoir tué quelqu'un.

— Tué ? s'écria Richard en se levant d'un bond. Vous ne savez pas qui vient et vous préméditez un massacre ?

Verna se redressa et plongea son regard dans celui du Sourcier.

— Richard, j'ai fait de mon mieux pour éviter ça. Avons-nous croisé quiconque jusque-là ? Non ! Pourtant, ces gens grouillent sur ce territoire comme une colonie de fourmis rouges. Grâce à mon Han, nous les avons évités. J'ai fait de mon mieux et ça n'a pas suffi. Il en va parfois ainsi dans la vie. Je ne veux tuer personne, mais si on en a après nous…

Cela expliquait l'étrange itinéraire qu'ils avaient suivi. Depuis le début, ils avaient zigzagué sans cesse, revenant même parfois en arrière… Richard n'avait pas posé de questions, car Verna ne lui aurait sans doute pas répondu. Et de toute façon, où qu'ils aillent, il restait un prisonnier.

Le jeune homme recouvrit leur feu de terre. La nuit était agréablement chaude, comme les précédentes. Qu'était-il donc advenu de l'hiver ?

— Vous n'allez pas massacrer des gens que nous ne connaissons pas ?

— Richard, toutes les Sœurs de la Lumière ne parviennent pas à retourner chez elles. Beaucoup meurent en essayant de traverser cette contrée. Jusque-là, elles voyageaient toujours à trois. Moi, je suis seule. Des statistiques très défavorables, non ?

Les chevaux s'agitèrent, raclant le sol de leurs sabots. Richard mit son baudrier et vérifia que l'Épée de Vérité coulissait bien dans son fourreau.

— Vous avez eu tort de ne pas filer quand c'était possible. On se bat quand il ne reste aucune autre solution. Mais vous n'avez même pas essayé…

— Ces gens ont l'intention de nous abattre tous les deux, dit Verna. Si nous avions tenté de fuir, celui qui nous a repérés aurait alerté les autres, et nous aurions eu des centaines, voire des milliers de poursuivants aux trousses. J'ai préféré tendre un piège à un petit groupe…

— Je ne verserai pas le sang pour vous, sœur Verna, avertit le Sourcier.

Alors qu'ils se défiaient du regard, un cri de femme retentit. Richard sonda la nuit mais ne distingua rien. Pourtant, les cris approchaient. Il étouffa les dernières flammes de leur feu de camp et alla voir les chevaux pour les calmer avec des caresses et des mots apaisants. Verna pouvait dire ce qu'elle voulait, il ne tuerait personne pour ses beaux yeux. Elle était folle de ne pas avoir fui !

À moins qu'elle ne veuille un combat, histoire de voir comment il se comporterait… Elle l'observait sans cesse, comme un entomologiste étudie une fourmi, l'accablant de questions chaque fois qu'il s'entraînait à toucher son Han. Quelle que fût cette force, il ne parvenait pas à y accéder. Pour être franc, ça ne l'empêchait pas de dormir…

Richard finissait de remplir leurs sacoches de selle quand une femme déboula dans leur camp en hurlant de terreur.

— Par pitié ! cria-t-elle en se précipitant vers le Sourcier, ne les laissez pas m'attraper !

Elle tituba en arrivant près du jeune homme, qui la prit dans ses bras, bouleversé par son visage sillonné de larmes et de sueur. Son angoisse lui serra le cœur…

— Par pitié, messire, gémit-elle en levant vers lui ses yeux noirs. Protégez-moi ! Vous n'imaginez pas ce que ces hommes risquent de me faire.

Richard repensa à sa rencontre avec Kahlan, quand un *quatuor* la poursuivait. La terreur de cette femme était l'écho fidèle de celle de la Mère Inquisitrice, ce jour-là…

— Personne ne vous maltraitera. Vous êtes en sécurité, à présent…

La femme sortit ses bras de sous son manteau et les passa autour du torse de Richard, ses yeux noirs toujours rivés dans les siens.

Elle ouvrit la bouche pour parler, mais poussa un petit gémissement. De la lumière jaillit de ses yeux et elle s'affaissa dans l'étreinte du Sourcier.

Richard croisa le regard de Verna tandis qu'elle retirait sa dague du dos de la fugitive. Il laissa glisser le cadavre sur le sol et dégaina son épée.

— Espèce de folle ! cria-t-il. Vous venez d'assassiner une femme !

— Je croyais, Richard, que tu n'avais plus aucune inhibition stupide vis-à-vis de la gent féminine.

— Vous êtes… cinglée ! lâcha Richard.

Il leva son épée.

— Avant de me passer ta lame dans le corps, dit Verna, très calme, je te conseille de regarder la main de cette femme.

Le Sourcier baissa les yeux, écarta les pans du manteau et découvrit un couteau serré dans le poing droit de la morte. La lame était constellée de traînées noires.

— Elle t'a blessé ? demanda Verna.

— Non. Pourquoi cette question ? demanda Richard, toujours furieux.

— La lame est enduite de poison. Une égratignure suffit…

— Rien ne prouve que c'était pour moi. Elle voulait sûrement l'utiliser contre ses poursuivants.

— Personne ne la traquait. C'est la sentinelle dont je parlais. Tu me demandes sans cesse de ne pas te traiter comme un enfant, Richard. Arrête de te comporter comme si tu en étais un ! Je connais ces gens et leurs ruses. Elle voulait nous tuer.

— Nous aurions pu fuir quand elle nous a repérés…

— Et nous serions morts à coup sûr ! Crois-moi, ces gens n'ont pas de secrets pour moi. Le Pays Sauvage fourmille de peuples qui n'ont qu'un point commun : le désir de tuer tous les étrangers. Si nous l'avions laissée prévenir les siens, c'en était fini de nous. Ne te laisse pas aveugler par la fureur de ton épée. Cette femme avait un couteau empoisonné et elle s'est précipitée dans tes bras pour pouvoir te l'enfoncer entre les omoplates. Tu t'es comporté comme un crétin, mon garçon. Regarde derrière toi. Où sont ses poursuivants ? Nulle part ! Sinon, je les sentirais avec mon Han. Cette femme était seule et je t'ai sauvé la vie.

— Pour ce qu'elle vaut, ce n'était pas une grande faveur, sœur Verna, dit Richard en rengainant son épée.

Il ne savait plus que croire. Mais il en avait assez de la magie… et des tueries.

— Quand elle est morte, de la lumière a jailli de ses yeux. Votre dague est une arme étrange…

— C'est un dacra… En un sens, on peut le comparer au couteau empoisonné de cette femme. Ce n'est pas la blessure qui tue. Le dacra souffle l'étincelle vitale de l'être qu'il frappe. (Verna baissa les yeux.) Voler une vie est un acte douloureux. Mais parfois, il n'y a pas d'autre solution. Ce soir, que tu le croies ou non, je nous ai sauvés.

— Tout ce que je sais, sœur Verna, c'est que vous n'avez pas tenté d'éviter ça… (Il se détourna.) Je vais enterrer votre victime.

— Richard, j'espère que tu comprendras et que tu ne te méprendras pas sur nos intentions. Mais quand nous arriverons au palais, nous serons peut-être obligées de te confisquer l'Épée de Vérité. Pour ton propre bien…

— Pourquoi ? En quoi cela pourrait-il me bénéficier ?

— La prophétie que tu as mentionnée sans le savoir dit ceci : *« C'est le messager de la mort et ainsi se sera-t-il lui-même nommé. »* C'est une des plus dangereuses. La suite dit que le porteur de l'épée peut invoquer les morts et ramener le passé dans le présent.

— Ce qui signifie ?

— Nous n'en avons pas la moindre idée…

— Les prophéties…, marmonna Richard. Ce sont d'absurdes devinettes, sœur Verna ! Vous leur accordez bien trop d'importance. Sans les comprendre, de votre propre aveu, vous prétendez les suivre fidèlement. Seul un idiot agit ainsi. Si ces choses étaient vraies, j'invoquerais les morts et je rendrais la vie à cette femme.

— Nous sommes moins ignorantes que tu le penses… Il sera plus prudent de te prendre l'épée jusqu'à ce que nous comprenions mieux la prophétie.

— Si on vous retirait votre dacra, seriez-vous toujours une Sœur de la Lumière ?

— Bien sûr… Cette arme est un outil, rien de plus. Elle ne nous confère pas notre statut.

— C'est la même chose avec l'épée, lâcha Richard. Avec ou sans elle, je reste le Sourcier. Désarmé, je ne serai pas moins dangereux pour vous.

— C'est différent…, fit Verna en serrant les poings.

— Vous ne me prendrez pas l'épée, affirma Richard. Sœur Verna, vous n'imaginez pas à quel point je hais cette arme et sa magie, et combien j'aimerais en être débarrassé. Mais on me l'a remise quand j'ai été nommé Sourcier, avec le droit de la porter tant que je le désirerais. C'est moi, et personne d'autre, qui déciderai quand sonnera l'heure de m'en séparer.

— *Nommé Sourcier ?* répéta Verna, les yeux écarquillés. Tu n'as pas trouvé l'épée ? Tu n'es pas parti à sa recherche ? Un sorcier te l'a remise et t'a nommé ? Tu serais un *authentique* Sourcier ?

— C'est ça…

— Qui t'a nommé ?

— L'homme dont je vous ai déjà parlé : Zeddicus Zu'l Zorander.

— Tu l'as rencontré le jour où il t'a donné cette arme ?

— Non. J'ai passé ma vie près de lui et il m'a quasiment élevé. C'est mon grand-père.

Il y eut un long moment de silence.

— Il t'a nommé Sourcier parce qu'il refusait de t'enseigner le contrôle du don ? Il ne voulait pas que tu deviennes un sorcier ?

— Au contraire ! Quand il s'est aperçu que j'avais ce foutu don, il m'a presque supplié de le laisser me former !

— Il voulait t'entraîner…, souffla Verna.

— Oui, mais j'ai décliné sa proposition. (Verna semblait si perturbée par ces révélations que cela inquiéta Richard.) Il a dit que l'offre tenait toujours, si je changeais d'avis. Pourquoi êtes-vous aussi troublée ?

— Eh bien… C'est inhabituel, voilà tout… Comme beaucoup de choses à ton sujet.

Richard ne crut pas un mot de cette dérobade. Peut-être n'avait-il pas besoin du collier. Si Zedd pouvait l'aider sans recourir à cette humiliation…

Mais Kahlan l'avait forcé à accepter le Rada'Han. Elle voulait qu'on l'éloigne d'elle. Ce souvenir lui déchirait les entrailles…

L'épée était tout ce qui lui restait de Zedd. Il la lui avait donnée alors qu'ils étaient encore en Terre d'Ouest – chez eux. Richard avait le mal du pays. Il se languissait de ses chères forêts…

— Sœur Verna, j'ai été nommé Sourcier, et cette épée m'appartiendra jusqu'à ce que je renonce à mon titre. C'est ma décision, et mon privilège. Si vous envisagez de me prendre l'arme, autant essayer maintenant… Dans ce cas, l'un de nous mourra. À vrai dire, je me fiche que ce soit vous ou moi ! Mais je me battrai jusqu'à mon dernier souffle. Cette arme est à moi, et nul ne m'en privera.

Dans le lointain, un animal poussa un cri d'agonie suivi d'un lourd silence.

— Puisqu'on t'a donné l'épée, et que tu ne l'as ni trouvée ni cherchée, je consens à te la laisser. Je ne peux pas parler au nom des autres, mais je ferai tout pour les convaincre. Notre mission est de t'apprendre à contrôler ton don. Et à maîtriser la magie.

Elle se redressa de toute sa taille et regarda Richard avec une telle colère, glaciale mais terrible, qu'il dut lutter pour ne pas reculer.

— Mais si tu la tires encore contre moi, je te ferai regretter le jour où le Créateur t'a donné la vie. Nous nous comprenons bien ?

— Qu'ai-je de si important pour que vous soyez prête à tuer pour me capturer ?

— Notre travail, dit Verna, toujours terrifiante de froideur, est d'aider ceux qui ont le don, parce qu'il leur a été conféré par le Créateur. C'est Lui que nous servons et c'est pour Lui que nous mourons. À cause de toi, j'ai perdu deux de mes plus chères amies. Depuis, je pleure chaque soir en m'endormant. J'ai dû tuer cette femme ce soir et il me faudra peut-être abattre d'autres personnes avant que nous arrivions au palais.

Richard eut le sentiment qu'il valait mieux ne rien dire, mais il ne put se retenir. Cette femme avait le génie de le mettre hors de lui.

— N'essayez pas de vous décharger sur moi de votre culpabilité, sœur Verna.

Elle s'empourpra tellement que Richard s'en aperçut malgré l'obscurité.

— J'ai essayé d'être patiente avec toi, Richard. J'ai laissé du mou à ton licol parce que tu as été brutalement arraché à ta petite vie paisible et propulsé dans une situation qui te dépasse et t'angoisse. Mais mon indulgence a des limites.

» J'ai tenté de ne pas voir, quand je te regardais, les cadavres de mes amies. Et de ne pas penser à elles lorsque tu me dis que je n'ai pas de cœur… Sais-tu ce que je ressens à l'idée que c'est toi qui les as enterrées et pas moi ? As-tu idée des paroles que j'aurais pu prononcer sur leurs tombes ? Ce qui se passe depuis quelques jours échappe à ma compréhension et remet en question mes convictions les plus profondes. Si ça ne tenait qu'à moi, je te retirerais ton Rada'Han pour te laisser devenir fou et mourir de douleur. Mais ça n'est pas de mon ressort, car j'exécute la volonté du Créateur.

— Sœur Verna, je suis désolé, dit Richard, un peu plus calme.

À la froide colère de la sœur, il aurait de beaucoup préféré des cris et de la fureur.

— Tu t'es énervé parce que je te traite comme un enfant, mais sans me donner une seule raison de changer d'attitude. Richard, je connais le chemin qu'il te reste à faire avant de maîtriser ton pouvoir. Aujourd'hui, tu es un bébé qui pleurniche pour qu'on le lâche seul dans le monde, alors qu'il ne sait même pas marcher. Le Rada'Han peut te contrôler… et aussi t'infliger de la douleur. Une atroce douleur ! Jusqu'à présent, j'ai évité d'y recourir, préférant te convaincre plutôt que te contraindre. Mais s'il n'y a pas d'autre moyen, je n'hésiterai pas. Le Créateur m'est témoin que j'aurai tout essayé.

» Bientôt, nous aborderons un pays plus dangereux encore que celui-ci. Pour le traverser, nous devrons nous arranger avec sa population. Les Sœurs de la Lumière ont conclu des accords avec ces gens. Pour bénéficier de ce droit de passage, tu devras m'obéir et leur obéir. Sinon, les choses tourneront très mal.

— Que devrais-je faire ? demanda le Sourcier, méfiant.

— Ne me provoque plus ce soir, Richard !

— D'accord… Si vous gardez à l'esprit que vous n'aurez pas mon épée sans devoir combattre.

— Nous voulons simplement t'aider, Richard. Mais si tu me menaces encore avec cette arme, je te le ferai regretter. (Elle baissa les yeux sur l'Agiel pendu au cou du jeune homme.) Les Mord-Sith n'ont pas le monopole de la douleur…

La confirmation des soupçons de Richard ! Les Sœurs de la Lumière entendaient le dresser, exactement comme Denna. Le Rada'Han servirait à le faire souffrir. Pour la première fois, Verna s'était trahie…

— J'ai un travail à terminer avant de partir, dit-elle en tirant le livre de sa ceinture. Va enterrer cette femme et cache bien son cadavre. Si les autres la trouvent, ils comprendront ce qui s'est passé et nous chercheront. J'aurai pris une vie pour rien…

Elle s'assit devant le feu éteint et le ralluma d'un geste distrait de la main.

— Quand tu l'auras inhumée, offre-toi un petit tour pour te calmer. Ne reviens pas avant d'avoir repris tes esprits. Si tu essayes de fuir, ou si tu ne mets pas un peu de plomb dans ta cervelle de moineau, je te ramènerai à moi avec le collier. Et je te jure que tu n'aimeras pas ça.

La morte n'étant pas très lourde, Richard s'enfonça dans les collines sans souffrir de ce fardeau. Avec la pleine lune, se repérer ne posait aucun problème. Des conditions idéales pour broyer du noir en marchant.

Le Sourcier, à sa propre surprise, avait du chagrin pour Verna. Jusque-là, elle n'avait jamais fait allusion à la mort de Grace et d'Elizabeth, et il en avait conclu qu'elle n'éprouvait rien. Quelle erreur ! À présent, il était désolé pour elle, et regrettait qu'elle se soit confiée à lui. S'insurger contre son sort était plus facile quand il la pensait sans cœur…

Il s'éloigna beaucoup du camp, errant dans un labyrinthe de petites murailles rocheuses et de pierres dressées. S'arrachant à sa sinistre méditation, il repensa au cadavre dont il avait la charge. Même si la blessure infligée par le dacra n'était pas la cause de la mort, du sang avait empoissé la robe de la femme et ce contact, sur son épaule, le révulsait.

Il posa doucement le cadavre sur un rocher et chercha un endroit où l'inhumer. Une petite pelle pendait à sa ceinture, mais creuser ne serait pas facile dans ce sol rocailleux. Ne valait-il pas mieux trouver une crevasse et recouvrir le corps de pierres ?

Alors qu'il sondait les environs, Richard passa distraitement une main sur la brûlure de sa poitrine. Nissel lui avait donné de quoi faire des cataplasmes. Chaque jour, il s'en appliquait un et changeait le pansement. Mais il détestait poser les yeux sur l'empreinte de main imprimée dans sa chair.

Selon Verna, il pouvait s'être brûlé en tombant dans la cheminée de la maison des esprits. À moins que les sbires de Celui Qui N'A Pas De Nom l'aient attaqué… Mais il connaissait la vérité : c'était la marque du royaume des morts. Le signe de Darken Rahl.

Honteux d'être ainsi stigmatisé, il n'avait pas montré la blessure à la sœur. Symbole de la véritable identité de son père, elle était un affront à George Cypher, l'homme qui l'avait élevé et aimé. La marque lui rappelait aussi qu'il était un monstre – au point que Kahlan avait voulu se débarrasser de lui.

Richard chassa un insecte qui bourdonnait autour de sa tête. Baissant les yeux, il vit que d'autres tournaient autour du cadavre. Avant même de sentir la morsure, dans son cou, il se pétrifia, le sang comme glacé dans les veines.

Des mouches à sang !

Le Sourcier dégaina son épée dès qu'il aperçut la silhouette noire tapie derrière un rocher. La note métallique de l'arme fut couverte par un rugissement. Les ailes déployées, le garn fondit sur sa proie. Du coin de l'œil, le Sourcier crut apercevoir un deuxième monstre, accroupi près du même rocher, mais il n'eut pas le temps de s'appesantir sur ce point.

La bête était trop grosse pour être un garn à longue queue. Et trop intelligente, à voir la façon dont elle évita le premier coup de Richard. Un garn à queue courte ! La pire rencontre possible. Le monstre était plus maigre que ceux qu'il avait vus près de la grotte du Shadrin. Sans doute parce que le gibier n'abondait pas dans cette région. Mais, émaciée ou non, la créature faisait quand même une fois et demie la taille d'un homme.

Reculant pour esquiver un coup de griffes, Richard trébucha sur le cadavre et s'étala de tout son long. Il se releva d'un bond et abattit sa lame, livré tout entier à sa fureur. La pointe ouvrit une longue entaille sur l'abdomen rosâtre du garn, qui repassa à l'assaut et renversa le Sourcier d'un coup d'aile aussi vicieux que surprenant.

Richard se releva de nouveau, frappa et coupa net l'extrémité de l'aile du monstre. Furieux, celui-ci chargea la gueule ouverte, ses crocs luisant au clair de lune.

La magie de l'épée avait soif de sang : au lieu d'esquiver, Richard avança et plongea sa lame dans la poitrine du garn, qui hurla à la mort.

Le Sourcier dégagea son arme, prêt à décapiter son adversaire. Mais le monstre ne repassa plus à l'attaque. Les pattes pressées sur sa plaie, il tituba un instant puis tomba à la renverse, tous les os de ses ailes craquant lorsqu'il s'écroula dessus.

Un gémissement monta de l'obscurité.

Alors que Richard reculait de quelques pas, une silhouette se rua sur le monstre vaincu et lui couvrit la poitrine de ses petites ailes.

Richard n'en crut pas ses yeux.

Un bébé garn !

L'adulte blessée leva une patte tremblante pour caresser une dernière fois son petit. Puis il poussa un soupir résigné et laissa retomber sa main griffue. Ses yeux verts que la lumière désertait peu à peu se posèrent sur le bébé, puis se levèrent vers Richard, l'implorant en silence. Crachant des bulles de sang, le garn lâcha un dernier gémissement et mourut tandis que son petit s'accrochait à lui de toute la force de ses pattes à peine formées.

Bébé ou pas, c'était un garn, pensa Richard en approchant. Il devait tuer ce monstre-là aussi ! Submergé par la colère de l'épée, il arma son bras.

Le bébé recula un peu et leva une aile pour se protéger. Même mort de peur, comprit le Sourcier, il n'abandonnerait pas le cadavre de sa mère.

Sous l'aile tremblante, une petite gueule terrifiée regarda Richard. Des yeux verts où perlaient de grosses larmes se rivèrent sur lui.

— Esprits bien-aimés, souffla le Sourcier, je ne peux pas…

Le bébé garn frissonna et gémit quand il vit la pointe de l'épée s'abaisser lentement vers le sol. Richard se détourna et ferma les yeux, torturé par la magie de l'arme – qui lui infligeait la douleur éprouvée par son ennemi vaincu – et dégoûté par ce qu'il avait failli faire.

Il rengaina l'épée, prit une grande inspiration pour se calmer, puis ramassa le cadavre de la femme et regarda autour de lui. Le bébé garn gémissait toujours sur le corps de sa mère. Monstre ou pas, Richard savait qu'il ne pourrait pas le tuer. De plus, pensa-t-il, l'épée ne le laisserait pas aller jusqu'au bout, car sa magie était active uniquement en cas de menace. Non, même s'il le désirait, l'arme ne lui permettrait pas de tuer le petit garn.

Sauf s'il faisait virer la lame au blanc. Mais il n'était pas prêt à s'infliger cette torture pour exécuter un nourrisson sans défense.

Il s'éloigna assez pour ne presque plus entendre les sanglots du bébé et reposa le cadavre de la femme. Parvenu au sommet d'une petite colline, il voyait à peine la dépouille du garn et la silhouette recroquevillée sur sa poitrine.

— Esprits bien-aimés, qu'ai-je donc fait ? murmura-t-il.

Comme toujours, les esprits ne daignèrent pas lui répondre.

Du coin de l'œil, le Sourcier capta un mouvement. Deux silhouettes planaient en rond dans le ciel. Des garns…

Richard se leva. S'ils voyaient le bébé, ils l'aideraient sans doute. Il se réjouit à cette idée, puis mesura soudain combien il était absurde de désirer qu'un garn survive et grandisse. Mais à son corps défendant, il commençait à éprouver une étrange sympathie pour les monstres…

Les deux garns se posèrent non loin du cadavre. Aussitôt, le bébé cessa de gémir. Pas longtemps, car il poussa un cri d'effroi quand les deux adultes bondirent sur lui.

Beaucoup d'animaux dévoraient les petits de leur race. Surtout les mâles, et particulièrement quand la nourriture était rare. Les garns n'allaient pas secourir le bébé, mais le manger.

Sans vraiment comprendre ce qu'il faisait, Richard dévala le versant de la colline. Stimulé par les cris de terreur du bébé, qu'un monstre serrait déjà entre ses pattes, il accéléra encore tout en dégainant son arme. La férocité des deux adultes, prêts à déchiqueter un être sans défense, exacerba la fureur que lui communiquait l'arme.

Il bondit sur les garns – plus gros que celui qu'il venait de tuer : c'étaient bien des mâles – et abattit sa lame. S'il toucha seulement le vide, le plus grand des monstres lâcha le bébé, qui alla se réfugier près du cadavre de sa mère.

Les deux adultes firent face au Sourcier, mais il les maintint à distance avec sa lame. Quand un des monstres reprit le bébé entre ses griffes, il chargea, le força à lâcher sa proie, récupéra son protégé et recula d'une dizaine de pas.

Les garns se jetèrent sur la dépouille de la femelle. Le bébé tendit les pattes vers sa mère et tenta de se libérer en battant frénétiquement des ailes.

Tandis que les monstres déchiquetaient le cadavre, Richard prit une décision dictée par la logique. Tant que le cadavre serait là, le bébé ne s'en éloignerait pas. Et il aurait une meilleure chance de survivre si rien ne l'empêchait de se déplacer.

Le petit monstre se débattait toujours. Bien que mesurant la moitié de la taille du Sourcier, il n'était pas si lourd que ça.

Richard feignit de charger les deux adultes, trop affamés pour se laisser chasser sans emporter leur proie. Se battant pour la déchiqueter, ils la coupèrent en deux en quelques secondes. Quand Richard attaqua de nouveau, le bébé se libéra et détala en hurlant. Chacun tenant une moitié de cadavre dans la gueule, les adultes s'envolèrent, en quête d'un endroit où finir leur repas en paix.

Revenu là où sa mère gisait un peu plus tôt, le bébé les regarda disparaître dans le ciel.

Haletant, Richard rengaina son épée et s'appuya contre un rocher pour reprendre son souffle. Tête inclinée sur la poitrine, il éclata en sanglots. Bon sang, il devenait cinglé ! Pourquoi avait-il risqué sa vie pour rien ?

Non, pas pour rien…

Il releva la tête. Le bébé garn s'était couché sur le sol que rougissait encore le sang de sa mère. Ses gros yeux verts plongèrent dans ceux du Sourcier.

— Je suis navré pour toi, mon petit, murmura Richard.

Le monstre fit un pas vers son sauveur, des larmes roulant sur son hideux visage. Voyant que l'humain pleurait aussi, il osa s'approcher encore.

Richard tendit les bras. Le garn hésita. Puis, avec un gémissement pitoyable, il se précipita vers ce refuge miséricordieux.

Le bébé passa ses longs bras autour du torse de l'humain et l'enveloppa de ses ailes.

Et Richard lui rendit son étreinte.

Lui caressant tendrement le dos, il émit des grognements réconfortants, comme l'aurait sans doute fait sa mère. De sa vie, il n'avait jamais vu une créature assez désespérée pour accepter la tendresse de l'être responsable de son malheur. Était-ce parce que le bébé voyait en lui celui qui l'avait arraché aux griffes de deux prédateurs, pas le meurtrier de sa mère ? Ou *choisissait*-il de considérer les choses ainsi ? À moins que le dernier événement, si traumatisant, ait pris le pas sur le souvenir du précédent…

Le bébé garn n'était guère plus qu'un sac d'os. Il crevait de faim, l'estomac gargouillant malgré son chagrin. Son odeur musquée, sans être agréable, n'avait rien de répugnant. Et les grognements de Richard devaient être efficaces, car il se calmait peu à peu.

Quand il cessa de pleurer, le Sourcier se dégagea doucement. Levant les yeux vers lui, le petit garn le retint du bout des griffes par la jambe de son pantalon.

Le jeune homme regretta de ne pas pouvoir lui laisser quelque chose à manger. Hélas, il n'avait pas emporté son sac…

— Je dois y aller, dit-il en écartant les bras du bébé de ses jambes. Les deux adultes ne reviendront pas tout de suite. Essaye de te trouver un lapin ou un autre petit animal. Tu devras te débrouiller tout seul, à présent. Allez, file !

Le petit garn ne broncha pas. Quand Richard se fut détourné et éloigné de quelques pas, il jeta un coup d'œil par-dessus son épaule. Son protégé le suivait.

— Tu ne peux pas venir avec moi ! dit le jeune homme en faisant volte-face. Va-t'en ! Je ne veux plus te voir ! (Il partit à reculons.) Dégage de là ! Que veux-tu que je fiche d'un garn apprivoisé ?

Cette fois, le bébé parut comprendre. Il recula, l'air misérable comme si on venait de le trahir.

Richard devait encore enterrer la femme et il avait intérêt à retourner au camp avant que Verna décide de l'y ramener de force. Inutile de lui donner un prétexte pour le faire souffrir ! À coup sûr, elle en trouverait un bien assez vite…

Le jeune homme pressa le pas et regarda une dernière fois derrière lui. Le bébé garn avait disparu.

Il retrouva le cadavre là où il l'avait laissé, et constata, soulagé, qu'aucune mouche à sang ne bourdonnait plus autour. À présent, il devait dénicher un carré de terre assez meuble, ou improviser un cairn pour dissimuler le corps. Verna avait été très précise sur ce point…

Alors qu'il étudiait le terrain, un battement d'ailes déchira le silence et le bébé garn se posa en douceur près de lui. Richard lâcha un soupir accablé quand le petit monstre replia ses ailes, se serra contre sa jambe et leva vers lui un regard suppliant.

Un coup de pied – pas vraiment méchant – ne faisant aucun effet, Richard plaqua les poings sur ses hanches.

— Tu ne peux pas venir avec moi ! Fiche le camp !

Le garn s'accrocha à lui tel un naufragé à un morceau de bois flotté. Bon sang, comment se sortir de là ? Il imaginait déjà la tête de Verna s'il lui ramenait son petit garn apprivoisé !

— Où sont tes mouches à sang ? Tu es encore trop jeune pour en avoir ? Comment pourras-tu chasser si elles ne pistent pas tes proies ? (Richard se secoua mentalement. Par tous les esprits du mal, quelles âneries était-il en train de débiter ?) De toute façon, ça n'est pas mon problème…

Le bébé garn grogna et ouvrit la gueule, dévoilant une rangée de petits crocs pointus. Richard regarda autour de lui pour voir quelle proie il avait bien pu repérer.

Le cadavre de la femme ! Accablé, le Sourcier ferma les yeux et soupira de lassitude. S'il enterrait le corps, le garn affamé l'exhumerait…

Le petit monstre lui lâcha la jambe, trottina vers la morte et la palpa du bout des griffes. Richard frissonna, la bouche atrocement sèche. Non, il ne fallait pas penser à une chose pareille !

Pourtant, Verna avait insisté : les compagnons de cette femme ne devaient pas la retrouver. Peut-être, mais il ne supportait pas l'idée qu'un monstre dévore sa dépouille. Cela dit, même s'il l'enterrait assez profondément, les vers s'en chargeraient. Valaient-ils mieux qu'un bébé garn ? Une autre idée très déplaisante lui vint : au nom de quoi pouvait-il en juger, lui qui avait consommé de la chair humaine ? Où était la différence ? De quelle supériorité pouvait-il se prévaloir sur les garns ?

De plus, si le bébé était occupé à manger, il lui fausserait discrètement compagnie, et Verna et lui seraient loin avant qu'il pense à les suivre. Une manière comme une autre de se débarrasser d'un compagnon gênant !

Le petit garn inspectait toujours son futur repas. Histoire de voir, il lui mordilla doucement un bras. Puis il le lâcha, pas assez expérimenté pour savoir quoi faire d'une proie.

Richard crut qu'il allait vomir. Mais le bébé le regarda, éperdu, comme s'il lui demandait de l'aide. Ses ailes tremblaient d'excitation. Le pauvre crevait de faim.

Deux problèmes résolus d'un coup…

Et ça changerait quoi ? La femme était morte. Son esprit avait quitté son corps et n'en aurait plus jamais besoin. Deux problèmes résolus d'un coup !

Les dents serrées, Richard dégaina son épée et écarta le petit garn du bout de sa botte. Puis il abattit sa lame et éventra le cadavre.

Le bébé bondit sur ce festin.

Sans un regard en arrière, le Sourcier s'éloigna. Les bruits de mastication lui retournaient l'estomac, mais quel droit avait-il de blâmer le petit animal ? La tête lui tournant un peu, de la sueur trempant sa chemise, il retourna au camp au pas de course. L'Épée de Vérité ne lui avait jamais semblé peser aussi lourd à sa hanche. Pour oublier ce qu'il venait de vivre, il pensa aux bois de Hartland et souhaita ne les avoir jamais quittés. Et être resté le jeune homme qu'il était avant le début de cette atroce aventure…

Verna avait fini de s'occuper de Jessup et elle s'apprêtait à le seller. Elle jeta un regard noir à Richard avant de s'approcher de la tête de l'animal pour lui flatter les naseaux et lui murmurer quelques gentillesses. Richard prit la brosse et étrilla rapidement Geraldine en lui ordonnant de rester tranquille. Il était rudement pressé de partir.

— Tu t'es assuré que nos ennemis ne trouveront pas le cadavre ? demanda Verna.

Richard se pétrifia.

— S'ils découvrent des restes, ils ne comprendront pas ce qui s'est passé. Des garns m'ont attaqué et ils ont volé la dépouille.

— J'avais bien cru entendre des cris de garns… Eh bien, c'est une solution comme une autre… (Richard recommença à étriller Geraldine, mais une autre question fusa.) Tu les as tués ?

— J'en ai abattu un, oui… (Il envisagea de mentir par omission, puis décida que ça n'en valait pas la peine.) Il y avait aussi un bébé. Je l'ai épargné.

— Les garns sont des bêtes dangereuses. Tu aurais dû l'éliminer. Si tu retournais là-bas finir le travail ?

— Impossible… Il… ne me laisserait pas approcher assez.

— Tu as un arc, lâcha Verna en tirant sur le harnais de Jessup.

— Pourquoi perdre du temps ? Livré à lui-même, il ne fera pas de vieux os.

Verna se pencha pour vérifier que la sangle ne blessait pas le cheval.

— Tu as peut-être raison… Plus vite nous serons loin d'ici, mieux ça vaudra.

— Sœur Verna, pourquoi les garns ne nous ont-ils pas attaqués plus tôt ?

— Parce que j'ai érigé un bouclier contre eux, avec mon Han. Mais tu étais trop loin de moi et ils ont pu t'atteindre.

— Votre bouclier continuera à les éloigner de nous ?

— Oui.

La première fois que Richard voyait une utilité à ce foutu pouvoir !

— Ça ne vous coûte pas trop d'énergie ? Les garns sont d'énormes bêtes. Ce n'était pas trop dur ?

Cette question fit sourire la sœur.

— Oui, les garns sont gros, et je dois nous défendre contre d'autres bêtes. Cela consomme beaucoup de pouvoir, mais nous sommes entraînées à utiliser la méthode la plus économique. (Elle caressa le cou de Jessup avant de continuer.) Je tiens les garns à distance en nous isolant de leurs mouches à sang. Si elles ne peuvent pas traverser le bouclier, les monstres ne se doutent pas qu'il y a des proies dans le coin. Je dépense peu de force et j'atteins quand même mon objectif !

— Pourquoi n'avez-vous pas employé la même méthode avec la femme qui a tenté de me tuer ?

— Certains habitants du Pays Sauvage détiennent des charmes qui les rendent insensibles à notre pouvoir. C'est pour ça que tant de Sœurs de la Lumière ne survivent pas au voyage. Si nous savions comment agissent ces gris-gris, nous pourrions les neutraliser. Hélas, ça reste un mystère pour nous.

Richard sella Geraldine et Bonnie sans desserrer les lèvres. Verna attendit en silence. Il s'attendait à de nouveaux commentaires sur leur dispute, avant qu'il parte enterrer la femme, mais il se trompait. Il décida de prendre les devants.

— Sœur Verna, je suis désolé au sujet de Grace et Elizabeth. (Il baissa les yeux et caressa l'épaule de Bonnie.) J'ai dit une prière sur leur tombe pour demander aux esprits du bien de veiller sur elles et de les traiter amicalement. Je n'aurais pas voulu qu'elles meurent. Vous croyez peut-être le contraire, mais je ne souhaite jamais la mort de personne. Je suis fatigué des tueries. Et je ne mange plus de viande parce que l'idée qu'un être doive mourir pour moi me dégoûte.

— Merci pour tes prières, Richard, mais tu devras apprendre à les adresser uniquement au Créateur. C'est Sa lumière qui nous guide. Parler aux esprits est un blasphème. (Elle s'aperçut que son ton était trop dur et changea de registre.) Mais tu ne pouvais pas le savoir, faute d'éducation... Comment te blâmer alors que tu fais de ton mieux ? Je suis sûre que le Créateur t'a entendu, et qu'Il t'a jugé sur tes intentions, pas sur tes actes.

Richard détestait l'étroitesse d'esprit de Verna. Au sujet des esprits, il en savait fichtrement plus long qu'elle. S'il ignorait tout de son Créateur, il avait vu des esprits, bons comme mauvais. Et on les négligeait à ses risques et périls !

Le dogmatisme de Verna lui semblait aussi idiot que les superstitions des paysans qu'il fréquentait quand il était guide. L'origine de l'humanité était un des sujets les plus en vogue. Chaque coin perdu où il était passé professait sa version des faits, attribuant l'apparition de l'homme à un animal, voire à une plante. Il adorait écouter ces histoires pleines de poésie et de fantaisie. Mais c'étaient des légendes, nées du besoin de connaître la place de l'homme dans l'univers. Pas question, sachant cela, qu'il accepte aveuglément les théories fumeuses des Sœurs de la Lumière.

Il refusait de croire que le Créateur, comme un roi, siégeait sur Son trône pour écouter la moindre prière qu'on lui adressait. Les esprits, eux, avaient jadis été vivants. Ainsi, ils comprenaient les besoins des mortels et les exigences de leurs enveloppes charnelles.

Selon Zedd, le mot « Créateur » était une autre façon de nommer la force qui assurait l'équilibre universel. Aucun patriarche, dans les cieux ou ailleurs, n'attendait pompeusement de porter sur l'humanité son ultime jugement.

Mais pourquoi s'inquiétait-il ? Il connaissait tant de gens confinés dans leurs croyances. Sœur Verna avait sa vision des choses et il ne la ferait pas changer d'avis. N'ayant jamais jugé et encore moins condamné les autres à cause de leurs convictions, il n'allait pas commencer maintenant. La foi, bien ou mal placée, pouvait être d'un grand réconfort...

Il enleva son baudrier et tendit l'Épée de Vérité à Verna.

— J'ai réfléchi à ce que vous m'avez dit, et décidé que je ne voulais plus de cette arme.

Elle leva les mains et il y posa son épée.

— Tu es sûr de toi, Richard ?

— Absolument. J'en ai fini avec ça. Cette lame vous appartient, désormais.

Richard se détourna pour vérifier les sangles de sa selle. Même sans l'épée, il sentait toujours l'onde de sa magie. Il pouvait se débarrasser d'un morceau de métal, mais pas de la force qui allait avec. Il était le vrai Sourcier et le resterait à jamais. Mais privé de l'arme, il ne pourrait plus faire certaines choses…

— Tu es un homme très dangereux, Richard, murmura Verna.

— C'est bien pour ça que je vous donne l'épée. Je n'en veux plus, et vous la convoitez. Alors, prenez-la ! Nous verrons si vous aimez tuer avec elle…

— Jusqu'à cet instant, j'ignorais à quel point tu étais dangereux…

— Eh bien, c'est terminé, puisque vous avez l'arme.

— Je ne peux pas l'accepter… Mon devoir m'imposait de te la prendre après ton retour au camp – pour te mettre à l'épreuve. Une seule chose pouvait t'empêcher de la perdre. Et tu l'as faite ! (Elle tendit l'arme à Richard.) Nul n'est plus dangereux qu'un homme imprévisible. Il est impossible de deviner comment tu réagiras sous la pression. Cela causera beaucoup de problèmes. Pour toi… et pour nous.

— Je ne vois rien d'imprévisible là-dedans, dit Richard, quelque peu troublé par le manque de logique de la sœur. Vous vouliez l'épée, et je suis las de ce qu'elle me force à faire. Donc, je vous l'ai donnée…

— C'est ta façon de penser, mais tu es bien le seul à l'avoir. Richard, tu es une énigme. Pire encore, tu te comportes d'une manière inexplicable au moment où cela va te sauver la mise ! C'est le don qui te guide. Tu recours à ton Han sans savoir ce que tu fais. C'est dangereux.

— Le collier est censé, entre autres, ouvrir mon esprit au don. C'est vous qui l'avez dit ! Si j'accède à mon Han, en quoi est-ce dangereux, puisque vous êtes là pour me l'apprendre ? Et que je suis censé en avoir besoin pour survivre ?

— Ce dont tu as besoin n'est pas nécessairement bon. Vouloir une chose ne suffit pas à la rendre positive. (Verna baissa les yeux sur l'épée.) Reprends-la. Je ne peux pas l'accepter. Tu dois la garder.

— Je n'en veux plus.

— Alors, jette-la au feu ! Il m'est impossible de la porter, car elle est souillée.

Richard arracha l'arme des mains de Verna.

— Pas question de la jeter au feu ! (Il remit le baudrier.) Vous êtes trop superstitieuse, ma sœur. Ce n'est qu'une épée. Comment pourrait-elle être souillée ?

Verna se trompait. Ce n'était pas l'arme, mais la magie, qui était souillée, et il ne lui avait pas offert son pouvoir. Même s'il voulait s'en débarrasser, c'était impossible. Désormais, la magie faisait partie de lui. Kahlan l'avait compris et elle l'avait rejeté à cause de cela.

— Il est temps de partir, dit Verna d'un ton glacial, en montant en selle.

Richard enfourcha Bonnie et la suivit.

Il espérait que le bébé garn aurait une chance de s'en sortir, après s'être nourri convenablement. En tout cas, il lui adressa un adieu silencieux avant de s'enfoncer dans la nuit, derrière la sœur. Bien qu'il eût pensé tout ce qu'il avait dit en lui donnant l'épée, il se réjouissait de l'avoir récupérée. Elle était une part de lui, une entité qui le rendait *complet*. Zedd la lui avait remise. S'il avait irrémédiablement changé à cause de cette arme, elle était aussi son dernier lien avec le vieil homme… et sa terre natale.

Chapitre 25

Bien qu'épuisée, la jument courait encore ventre à terre. Les bras d'Adie autour de la taille, Zedd s'agrippait à la crinière de l'animal et sentait ses muscles jouer entre ses cuisses. Autour d'eux, les arbres défilaient à une vitesse folle. Sans jamais marquer de pause, leur monture sautait hardiment par-dessus les rochers et les troncs d'arbres abattus.

Le skrin les talonnait toujours. Plus grand que la jument, il fracassait des branches sur son passage. Pour le ralentir, le vieux sorcier avait essayé tous les trucs et les sorts dont il disposait. Rien n'avait marché, mais il refusait de s'avouer vaincu. Dès qu'on acceptait la défaite, on se plongeait dans un état mental qui la rendait inéluctable.

— J'ai peur que le Gardien nous ait eus, cette fois ! cria Adie dans le dos de Zedd.

— Ce n'est pas encore fait ! Mais comment nous a-t-il repérés ? Les os du skrin te protégeaient depuis des années. Alors, comment le Gardien a-t-il réussi ça ?

La dame des ossements ignorait la réponse.

Ils suivaient l'ancien Passage du Roi, en direction des Contrées du Milieu. Zedd se félicita que les parois de la frontière aient disparu, sinon, ils se seraient sans doute égarés dans le royaume des morts. Cela dit, ils ne pourraient pas continuer à fuir très longtemps, et le résultat serait le même…

Réfléchis ! s'ordonna le vieil homme.

Il utilisait sa magie pour donner de la force et de l'endurance au cheval. Mais son cœur, ses poumons et ses muscles avaient des limites qu'il ne pourrait pas repousser indéfiniment. D'ailleurs, cela commençait à épuiser aussi le sorcier. La fin était proche…

Zedd devait renoncer à ralentir le skrin et chercher une solution radicale au problème. Ce changement de tactique, il le savait, n'était pas sans danger. Car ses tentatives, si elles n'arrêtaient pas le monstre, l'empêchaient peut-être de les rattraper.

Zedd crut apercevoir un éclair de lumière verte sur leur gauche. Une lueur reconnaissable entre toutes, car c'était celle de la frontière. Comment était-ce possible, puisqu'elle avait disparu ?

— Adie, tu as sur toi quelque chose qui pourrait servir de repère au skrin ?

— Quel genre de chose ?

— Je n'en sais rien… Mais un objet lié au royaume des morts doit lui permettre de nous localiser.

— Je ne vois pas de quoi tu veux parler… Il a dû nous trouver à cause des os entreposés chez moi.

— Mais ils étaient censés te dissimuler !

Il y eut un nouvel éclair de lumière. Sur la droite, cette fois. Puis un troisième, de nouveau à gauche.

— Zedd, je crois que le skrin invoque le royaume des morts pour nous pousser dedans !

Les os…

— Il peut faire ça ?

— Oui…

— Fichtre et foutre !

Des éclairs verts apparaissaient entre les arbres. Si Zedd ne trouvait pas une idée de génie, ils étaient fichus.

Réfléchis !

Soudain, la lumière verte se matérialisa des deux côtés de la route, formant des murs au milieu desquels la jument avait à peine la place de galoper.

Des os…

Des os de skrin…

— Adie, donne-moi ton collier !

Les parois de la frontière se rapprochaient. Les deux fugitifs n'en avaient plus pour très longtemps.

Adie enleva son collier d'ossements et le fit passer à Zedd, qui retira également le pendentif qu'il portait autour du cou.

— Si ça ne marche pas, j'espère que tu me pardonneras, Adie… En tout cas, sache que j'ai apprécié le temps passé près de toi…

— Que vas-tu faire ?

— Accroche-toi bien !

Les murs de la frontière, devant eux, se rapprochaient jusqu'à se toucher. Zedd ordonna à la jument de s'arrêter. Elle obéit, s'immobilisant à quelques pas de l'endroit où le chemin devenait impraticable.

Zedd lança les deux colliers faits d'os de skrin dans la lumière verte.

Le monstre passa à côté d'eux et suivit les bijoux. Il y eut un éclair et une sorte de roulement de tonnerre quand il traversa le mur de lumière.

Le skrin et la lueur verte se volatilisèrent.

— Tu avais raison, sorcier, haleta Adie, ta vie est une suite sans fin d'actions désespérées.

Zedd tapota le genou de sa compagne et sauta à terre. Lustrée de sueur, la pauvre jument était à deux doigts de rendre l'âme. Le sorcier lui serra le museau entre ses mains et lui redonna un peu de force. Dans le même temps, il la remercia sincèrement de ses efforts. Ensuite, il alla s'occuper d'Adie.

Sa blessure saignait toujours, mais elle ne gémit pas tandis qu'il l'inspectait.

— Quelle crétine je fais ! dit la dame des ossements. Je croyais me cacher au nez et à la barbe du Gardien, mais c'était lui qui menait le jeu. Toutes ces années, il savait parfaitement où j'étais.

— Consolons-nous en pensant que ça ne lui a rien rapporté. Il a gaspillé son investissement. À présent, tiens-toi tranquille. Je vais te soigner…

— Nous n'avons pas de temps à perdre avec ça ! Il faut retourner chez moi, pour récupérer mes os.

— Je t'ai dit de te tenir tranquille !

— Il faut nous dépêcher !

— Femme, nous partirons quand j'aurai fini. Mais la jument est épuisée et nous ne pourrons pas la monter à deux. Si tu arrêtes de me casser les pieds, c'est moi qui marcherai. Bon, vas-tu te taire, ou allons-nous passer la nuit à bavasser ?

Quand ils atteignirent la maison, l'aube pointait déjà. Ce qu'ils découvrirent leur serra le cœur. Le skrin avait fait un carnage. Sans perdre une minute, Adie entra dans les ruines de son foyer et entreprit de ramasser des os en se dirigeant vers l'endroit où l'os rond avait glissé lors de leur bataille contre le monstre.

— Sorcier, viens m'aider à retrouver l'os sphérique !

Zedd enjamba une poutre brisée.

— Je serais surpris que tu le déniches, dit-il.

— Il doit bien être quelque part ! (Adie se pétrifia.) Pourquoi penses-tu qu'on ne le récupérera pas ?

— Parce que quelqu'un est venu…

— Tu en es sûr ?

— Dehors, j'ai vu une empreinte de pas qui n'était pas à nous.

Adie en laissa tomber les os qu'elle venait de récupérer.

— Qui était-ce ?

— Je n'en sais rien… On dirait une botte de femme… Mais pas la tienne. En tout cas, la visiteuse a dû subtiliser l'os.

Adie remua des débris, s'entêtant contre toute logique, puis renonça.

— Tu as raison, sorcier. L'os a disparu. Les messagers du fléau… En revanche, tu te trompais en disant que ça n'avait rien rapporté au Gardien.

— Là, tu marques un point, concéda Zedd. On devrait foutre le camp d'ici, et vite !

— Zedd, nous devons retrouver cet os. C'est très important pour le voile.

— La femme a lancé un sort pour brouiller sa piste. J'ignore où elle est allée. Et je n'ai vu qu'une empreinte. Il faut filer, Adie. Le Gardien a sans doute prévu que nous reviendrions. Je brouillerai aussi notre piste, histoire qu'on ne nous suive pas.

— Tu crois que ça suffira ? Le Gardien semble n'avoir aucun mal à nous localiser et à nous envoyer ses sbires.

— Les colliers lui servaient de balises… Pour un temps, il ne nous verra plus. Mais il faut déguerpir en vitesse, parce que sa voleuse d'os est peut-être en train de nous épier.

Adie baissa les yeux, honteuse.

— Zedd, pardonne-moi de t'avoir mis en danger et d'avoir été aussi stupide.

— Absurde ! On ne peut pas tout savoir ! Ni arpenter les chemins de la vie sans marcher de temps en temps sur une bouse. L'essentiel, quand ça arrive, est de ne pas glisser et s'étaler tête la première dans le caca.

— Mais cet os est vital !

— On nous l'a volé et nous n'y pouvons rien. Au moins, nous avons échappé au Gardien. Si on ne traîne pas trop par ici…

Adie se pencha pour ramasser les os qu'elle avait laissés tomber.

— Je vais me dépêcher.

— On ne pourra pas tout emporter, Adie…

— Je dois prendre mes os. Certains sont de très puissants artéfacts.

— Adie, le Gardien a pu nous localiser grâce à un de ces os. Il te surveillait. Qui sait s'il ne fait pas la même chose avec d'autres ossements ? Nous devons les abandonner, mais il ne faut pas qu'ils échouent entre de mauvaises mains. Donc, nous allons les détruire !

— Pas question ! J'ai eu du mal à les obtenir, et ça m'a parfois pris des années. Le Gardien ne peut pas les avoir marqués. Comment aurait-il prévu que je me donnerais tant de peine ?

Zedd tapota gentiment la main de sa compagne.

— Adie, il n'est pas stupide. Pour te marquer, il n'aurait pas placé un os sur ton chemin, histoire que tu n'aies qu'à te baisser pour le ramasser. Plus te procurer un talisman était difficile, plus tu lui accorderais de valeur, refusant de t'en séparer. Il a parié sur ça.

Adie dégagea brusquement sa main.

— Si tu vas par là, il a pu marquer n'importe quoi ! Qui te dit que ce cheval ne t'a pas été donné par un messager du fléau ?

— Oh, ça, j'en suis sûr… Ce n'est pas celui qu'on m'a proposé. J'en ai choisi un autre.

— S'il te plaît, Zedd, gémit Adie, ces os sont à moi ! Sans eux, je ne pourrai jamais contacter Pell.

— Je t'aiderai à lui transmettre ton message, tu as ma parole. Mais tu n'as pas procédé de la bonne façon. Ensemble, nous en trouverons une autre.

— Laquelle ?

— Je connais un moyen de faire traverser le voile aux esprits un court moment, afin de leur parler. Même si je ne réussis pas à invoquer Pell, nous lui ferons parvenir ton message. Mais nous ne devons rien tenter tout de suite. Il faut attendre que le voile soit refermé.

— Comment peux-tu réussir un exploit pareil ?

— J'en suis capable. C'est tout ce que tu as besoin de savoir.

— Explique-moi, je t'en prie ! Ainsi, je saurai que tu dis la vérité.

Zedd réfléchit un long moment. Il avait utilisé son rocher-nuage pour invoquer les esprits de ses parents. Mais ils lui avaient demandé de ne pas recommencer avant que tout soit fini, sinon, le voile risquait d'être déchiré. Se servir ainsi du rocher-nuage étant dangereux, même dans des circonstances favorables, il réservait cet atout pour les situations d'urgence.

Ouvrir un chemin aux esprits n'était jamais sans risque. Comment savoir quel intrus en profiterait pour s'introduire dans le monde des vivants ? Il y avait déjà assez de « fuites » pour ne pas en rajouter.

Même si Adie était une magicienne, certains secrets ne devaient pas lui être révélés.

— Tu devras me croire sur parole, mon amie. J'ai juré de t'aider. Dès que ce sera possible, je tiendrai ma promesse.

— Comment feras-tu ? Qui es-tu pour connaître la clé de tels mystères ?

— Un sorcier du Premier Ordre, très chère…

— Mais tu es certain que ça marchera ?

— Adie, fais-moi confiance. Je ne m'engage jamais à la légère. Je ne suis pas certain à cent pour cent que ça fonctionnera, mais je suis très confiant. À présent, nous devons utiliser nos connaissances afin que le Gardien ne continue pas à déchirer le voile. Il serait égoïste de mettre tout le monde en danger pour résoudre nos problèmes personnels… Le voile est une structure très délicate. Prendre des risques en ce moment est exclu.

— Pardonne-moi, Zedd, souffla Adie. Encore une fois, tu as raison. J'ai étudié la zone qui sépare les deux mondes toute ma vie. Je devrais être plus raisonnable. Désolée…

Zedd passa un bras autour des épaules de la magicienne.

— Je suis au contraire ravi que tu attaches tant d'importance au serment que tu t'es fait. C'est la preuve que tu es une femme d'honneur. Et les gens comme toi font les meilleurs alliés.

Adie jeta un regard circulaire sur sa maison dévastée.

— J'ai passé ma vie à réunir ces ossements… Et je veille sur eux depuis si long-temps. Les gens qui me les ont donnés me faisaient confiance…

Zedd la tira doucement dehors.

— D'autres personnes désiraient que tu te serves de ton pouvoir pour protéger les faibles. Ces gens-là ont rédigé les prophéties, et tu n'es pas arrivée par hasard dans la situation où tu te trouves aujourd'hui. Accroche-toi à cette idée.

— Zedd, souffla Adie tandis qu'ils s'éloignaient des ruines, on m'a pris d'autres os…

— Je sais.

— Entre des mains malveillantes, ils sont dangereux.

— Je le sais aussi.

— Et que comptes-tu faire ?

— Ce que les prophéties présentent comme notre seule chance de refermer le voile.

— Et ça consiste en quoi, sorcier ?

— Aider Richard. Lui seul peut réussir.

Les deux amis ne se retournèrent pas quand des flammes jaillirent soudain parmi les ruines pour dévorer les trésors de la dame des ossements.

Chapitre 26

L a reine Cyrilla gardait la tête haute, refusant de montrer à quel point les brutes qui lui serraient les bras lui faisaient mal. Elle n'alla cependant pas jusqu'à résister, tandis qu'ils l'entraînaient dans le corridor crasseux. Se débattre n'aurait rien changé, de toute façon. La souveraine de Galea devait affronter avec dignité ce qui l'attendait. Et surtout, ne pas montrer sa terreur.

D'ailleurs, ce n'était pas son sort qui l'inquiétait le plus, mais celui de son peuple. Qui avait déjà été durement frappé...

Une centaine de gardes galeiens avaient été assassinés devant ses yeux. Qui aurait pu prévoir que cela arriverait ici, sur un terrain neutre ? Quelques hommes avaient réussi à s'échapper, mais ça ne consolait pas Cyrilla, car ils seraient impitoyablement traqués et abattus.

Elle espérait que son frère, le prince Harold, avait pu s'enfuir. S'il avait survécu, il organiserait sans doute une défense contre les pires massacres, qui restaient à venir.

Les mains brutales de ses geôliers la forcèrent à s'arrêter devant une torche murale au support rongé par la rouille. Des doigts s'enfoncèrent si violemment dans son bras qu'elle lâcha un petit cri, malgré toute sa détermination.

— Mes hommes vous font mal, ma dame ? demanda une voix moqueuse.

Elle ne daigna pas s'abaisser à répondre au prince Fyren.

Un garde ouvrit une porte bardée de fer qui grinça sinistrement. Les mains brutales poussèrent Cyrilla dans un nouveau couloir.

Elle marcha dans des flaques d'eau stagnante qui empestaient la moisissure et frissonna quand un courant d'air glacial souffla sur ses épaules, très rarement découvertes...

Son pouls s'accéléra quand elle pensa à l'endroit où on la conduisait. Que les esprits du bien fassent au moins qu'il n'y ait pas de rats ! Elle était terrifiée par ces rongeurs. Toute petite, déjà, elle faisait à leur sujet des cauchemars qui la réveillaient chaque nuit.

Pour se calmer, la reine tenta de penser à autre chose. Par exemple, à l'étrange femme qui lui avait demandé une audience privée. Ignorant toujours pourquoi elle la lui avait accordée, elle regrettait de ne pas avoir pris plus au sérieux ses propos...

Comme s'appelait-elle, déjà ? Dame quelque-chose… Ce qu'on voyait dépasser de ses cheveux, sous son voile, semblait trop court pour quelqu'un de ce statut. Dame… Bevinvier. Oui, c'était ça : dame Bevinvier de… quelque part en quelque part… Impossible de s'en souvenir. Aucune importance ! L'endroit d'où elle venait ne comptait pas. Ses propos, en revanche…

Quittez Aydindril sur-le-champ, avait-elle dit.

Mais Cyrilla n'avait pas fait tout ce chemin, en plein hiver, pour s'en aller avant que le Conseil des Contrées du Milieu n'ait entendu ses doléances et pris les mesures qui s'imposaient. Elle entendait demander que le Conseil, comme c'était son devoir, mette un terme aux exactions commises contre son royaume et son peuple.

Des villes mises à sac, des fermes incendiées, des innocents égorgés… Les armées de Kelton se préparaient à attaquer. L'invasion était imminente, sinon commencée. Et tout ça pour quoi ? Une annexion territoriale pure et simple ! Contre un allié ! Une violation sans précédent des règles en vigueur.

Le Conseil avait pour mission de défendre les victimes de telles agressions, quel qu'en soit l'auteur. La raison d'être de cette institution était d'empêcher ces félonies. Tous les royaumes des Contrées devraient s'unir et voler au secours de Galea.

Bien que puissant et prospère, le royaume de Cyrilla avait perdu beaucoup de sa force lors de la guerre contre D'Hara – menée pour défendre l'ensemble des Contrées ! Un autre conflit était hors de question. Quasiment épargné par les troupes de D'Hara, Kelton avait encore des réserves. Et Galea allait être submergé pour s'être battu à la place de ces lâches !

La veille, l'étrange dame Bevinvier avait imploré la reine de partir sans tarder. À l'en croire, le Conseil ne lèverait pas le petit doigt pour Galea. Et si Cyrilla restait, sa vie serait en danger.

Malgré l'insistance de la souveraine, dame Bevinvier avait d'abord refusé de s'expliquer.

Cyrilla l'avait remercié de sa visite et de sa sollicitude. Mais il n'était pas question, avait-elle ajouté, qu'elle manque à son devoir envers son peuple. Elle se présenterait donc comme prévu devant le Conseil.

Éclatant en sanglots, dame Bevinvier l'avait suppliée de l'écouter, finissant par avouer qu'elle avait eu une vision.

Cyrilla avait essayé en vain d'en savoir plus. La vision, selon la femme, était trop confuse pour qu'on la détaille. Mais son sens restait clair : la reine devait partir ! Très respectueuse de la magie, Cyrilla ne se fiait pas aux diseuses de bonne aventure. La plupart visaient simplement à alléger la bourse de leurs victimes trop crédules.

Touchée par l'apparente sincérité de la femme, Cyrilla avait pourtant conclu qu'il s'agissait d'une ruse pour lui soutirer de l'argent. Une escroquerie de ce type semblait incongrue, pour une personne apparemment si prospère, mais les temps étaient durs, et personne, même les riches, n'était à l'abri des revers de fortune. D'ailleurs, n'était-il pas logique que ce soit eux qu'on songe à dépouiller les premiers ? Beaucoup de personnes méritantes avaient perdu le fruit du travail de toute une vie durant la guerre contre D'Hara. Si dame Bevinvier était ruinée, ça expliquait ses cheveux coupés trop court…

Cyrilla la remercia, mais répéta que sa mission était trop importante pour qu'elle y renonce. Quand elle glissa une pièce d'or dans la main de sa visiteuse, celle-ci la jeta à l'autre bout de la pièce avant de sortir, les épaules secouées de sanglots.

Cette réaction avait troublé la reine. Un escroc, refuser de l'or ? Impossible, sauf s'il cherchait davantage que cela. Dame Bevinvier avait-elle dit la vérité ? Ou, travaillant à la solde de Kelton, voulait-elle éviter que le Conseil soit informé de l'invasion ?

Aucune importance ! Cyrilla avait pris sa décision. Et elle n'était pas sans influence au Conseil, où on savait gré à Galea d'avoir défendu les Contrées du Milieu. Après la chute d'Aydindril, les conseillers qui avaient refusé de jurer allégeance à D'Hara au nom de leur pays avaient été exécutés et remplacés par des marionnettes. Les collaborateurs avaient gardé leur poste. L'ambassadeur de Galea, un loyaliste, était courageusement monté sur l'échafaud.

Pour la reine, le dénouement de la guerre restait une énigme. On avait annoncé aux soldats de D'Hara que Darken Rahl était mort, ce décès marquant la fin des hostilités. Un nouveau seigneur Rahl régnait sur le pays, et les troupes avaient ordre de rentrer chez elles ou d'aider les peuples qu'elles avaient conquis. Cyrilla doutait que la mort de Darken Rahl ait été naturelle.

Quoi qu'il soit arrivé, la reine s'en réjouissait, puisque le Conseil était de nouveau entre les mains des peuples des Contrées. Les collaborateurs et les marionnettes croupissant en prison, tout était redevenu comme avant le règne du dictateur. En toute logique, le Conseil viendrait en aide à Galea...

Cyrilla avait de plus une alliée de poids dans l'institution. La plus puissante possible, en fait : la Mère Inquisitrice. Bien que Kahlan fût sa demi-sœur, il n'y avait aucun lien spécial entre elles. Galea et sa reine étaient de farouches partisans de l'indépendance des différents pays, le Conseil se chargeant d'assurer la paix dans les Contrées. Galea n'avait jamais dévié de cette position. La Mère Inquisitrice partageait cette vision des choses. C'était pour ça qu'elle soutenait le royaume.

Kahlan n'avait jamais fait montre de favoritisme envers Cyrilla. Il devait en être ainsi, car tout soupçon d'iniquité aurait affaibli la Mère Inquisitrice, miné l'unité du Conseil et mis en danger la paix. La reine admirait Kahlan, qui plaçait l'unité des Contrées au-dessus des jeux de la politique. De toute manière, les machinations ne menaient jamais bien loin. Au bout du compte, l'honnêteté était beaucoup plus productive.

En secret, Cyrilla avait toujours été fière de sa demi-sœur. Forte et intelligente, Kahlan, malgré son jeune âge – douze ans de moins qu'elle – se révélait une dirigeante avisée. Bien que liées par le sang, elles n'en parlaient jamais. Kahlan était une Inquisitrice – une femme de pouvoir dans tous les sens du terme. Pas une sœur avec laquelle elle partageait un père, mais l'âme des Contrées du Milieu. Sa seule véritable famille, c'étaient les autres Inquisitrices.

Pourtant, n'ayant plus aucun parent, à part son frère adoré, le prince Harold, Cyrilla avait souvent regretté de ne pas pouvoir serrer sa petite sœur dans ses bras. Mais c'était impossible. Cyrilla était la reine de Galea et Kahlan la Mère Inquisitrice. Deux femmes sans autres liens qu'une ascendance commune et un profond respect mutuel. Le devoir passait avant le cœur. Cyrilla était fidèle à son royaume et Kahlan aux Inquisitrices...

Si certaines personnes critiquaient la mère de Kahlan d'avoir pris Wyborn pour compagnon, Cyrilla n'était pas du nombre. Sa propre mère, la reine Bernadine, lui avait expliqué, comme à Harold, que les Inquisitrices devaient choisir des mâles puissants pour perpétuer leurs lignées. Cela servait les intérêts supérieurs des Contrées – en préservant un bien précieux entre tous : la paix. Bernadine ne s'était jamais plainte que les Inquisitrices lui aient pris son mari. Au contraire, elle se rengorgeait que ses enfants soient apparentés à l'une d'entre elles.

Oui, Cyrilla était très fière de Kahlan.

Fière, mais un peu méfiante… Pour elle, les Inquisitrices restaient un mystère. Dès leur naissance, elles étaient entraînées par les leurs et par des sorciers. Elles naissaient avec leur pouvoir, et d'une certaine façon, elles en étaient les esclaves. En un sens, il en allait de même pour Cyrilla. Née pour régner, elle n'avait jamais eu le choix. Bien que n'ayant aucun pouvoir magique, elle savait ce que pouvait être le poids de la naissance.

Jusqu'à ce que leur formation soit finie, les Inquisitrices restaient cloîtrées dans un monde qui ne ressemblait à aucun autre. On disait qu'elles étaient soumises à une discipline très rigoureuse. Même si elles avaient des émotions, comme tout un chacun, on leur apprenait à les étouffer. Le devoir régissait leur vie. Elles n'avaient aucune latitude, à part choisir un partenaire. Pas par passion, mais pour mieux servir leur pouvoir.

Cyrilla avait toujours voulu offrir un peu de l'amour d'une sœur à Kahlan. Et en recevoir d'elle, peut-être… Mais cela ne serait jamais possible. À moins que Kahlan, elle aussi, l'ait en quelque sorte aimée à distance. Et qu'elle ait été tout autant fière d'elle…

Ce qui lui serrait le plus le cœur ? Si toutes les deux servaient les Contrées du Milieu, Cyrilla était adorée par ses sujets alors que tous les peuples, sans exception, haïssaient et redoutaient la Mère Inquisitrice. L'amour des gens consolait de bien des sacrifices. Mais Kahlan ne connaîtrait jamais ce bonheur. Était-ce pour cela qu'on lui avait appris à inhiber ses émotions et ses désirs ?

Kahlan aussi l'avait prévenue au sujet de Kelton…

C'était au festival de la mi-été, des années plus tôt, juste après la mort de Bernadine. Le premier été de Cyrilla en tant que reine. Et celui où Kahlan était devenue la Mère Inquisitrice.

Cette promotion, à un âge aussi tendre, en disait long sur la puissance de son pouvoir et la solidité de son caractère. Et peut-être aussi sur l'urgence de la situation. Tout cela étant secret, Cyrilla ne savait presque rien du mode de succession en vigueur chez les Inquisitrices. Sinon que l'agressivité et la rivalité en étaient exclues. On cherchait la meilleure équation possible entre le pouvoir de la candidate, l'avancement de sa formation et son âge.

Pour les peuples des Contrées, l'âge n'avait aucune importance. Les gens redoutaient ces femmes, jeunes ou vieilles, et en particulier celle qui les dirigeait. Pourtant, à l'inverse de la plupart de ses contemporains, Cyrilla savait que le pouvoir, en lui-même, n'était pas nécessairement mauvais. Toujours équitable, Kahlan n'avait jamais recherché autre chose que la paix.

Ce fameux jour, les rues d'Ebinissia, la capitale de Galea, bruissaient joyeusement. Tout le monde, jusqu'au dernier garçon d'écurie, s'amusait avec une insouciance enfantine.

Cyrilla avait présidé tous les concours et distribué des rubans aux vainqueurs. Jamais elle n'avait vu autant de gens heureux et de visages souriants. Contente pour son peuple, elle avait pour la première fois senti à quel point il l'aimait.

Le soir, on avait donné un grand bal au palais, près de quatre cents invités se pressant dans le hall d'honneur. Tant de beaux seigneurs et de belles dames dans leurs plus riches atours ! Et le festin ! Une merveille digne du jour le plus important de l'année !

À l'époque, il y avait tellement de choses à fêter ! Une ère de paix, de prospérité, d'espoir, de promesses de progrès perpétuel…

Quand la Mère Inquisitrice était entrée dans la grande salle, son sorcier sur les talons, les musiciens avaient cessé de jouer et l'assistance s'était tue. Régalienne dans sa robe blanche, Kahlan s'était dirigée vers la table où Cyrilla et ses conseillers avaient pris place et savouraient un délicieux vin aux épices.

Après avoir salué la reine, la tête un instant inclinée, la Mère Inquisitrice n'avait même pas attendu qu'on lui rende les honneurs dus à son titre.

— Reine Cyrilla, avez-vous un conseiller nommé Drefan Tross ?

— C'est cet homme, avait répondu Cyrilla en désignant un des convives.

— Je veux vous parler en privé, messire, avait dit Kahlan, le regard rivé sur l'homme.

— J'ai une entière confiance en Drefan ! avait lancé Cyrilla. (Un euphémisme… En réalité, elle était tout simplement en train de tomber amoureuse de lui.) Mère Inquisitrice, rien ne vous empêche de lui parler en ma présence. Ce n'est ni l'heure ni l'endroit de traiter ce genre d'affaires, mais si ça ne peut pas attendre, finissons-en sur-le-champ. Ici et maintenant !

Une exigence qui aurait dû inciter Kahlan à remettre les choses à plus tard. Mais elle avait réfléchi un court moment, tandis que son sorcier, rien moins qu'imperturbable, sautait nerveusement d'un pied sur l'autre.

— Qu'il en soit ainsi, avait finalement dit la Mère Inquisitrice. Je suis désolée, reine Cyrilla, mais cela ne peut pas attendre. Je viens de recevoir la confession d'un assassin. En plus de ses crimes, il m'a révélé préparer un meurtre avec un complice. Drefan Tross, cet homme affirme que vous voulez attenter à la vie de la reine Cyrilla !

Des murmures avaient couru dans l'assistance, rapidement étouffés.

Cyrilla avait à peine compris ce qui s'était passé ensuite. Se levant d'un bond, Drefan avait sauté sur la Mère Inquisitrice, une lame brillant dans sa main droite. Presque sans broncher, Kahlan lui avait saisi le poignet au vol. Au même moment, un coup de tonnerre silencieux avait fait vibrer l'air. Sur la table, tous les verres avaient explosé, tachant de vin rouge sang la nappe jusque-là immaculée.

Alors qu'une étrange douleur se diffusait dans tout le corps de la reine, la forçant à serrer les dents, Drefan avait lâché son couteau.

— Maîtresse, je t'appartiens, avait-il soufflé, les yeux vides.

Cyrilla venait de voir une Inquisitrice utiliser son pouvoir, et elle avait du mal à s'en remettre. Elle ne savait pas grand-chose de cette force, sinon que Drefan Tross était désormais perdu pour elle.

La foule s'approchant, un regard furieux du sorcier l'avait vite fait reculer.

— Tu voulais assassiner la reine, Drefan Tross ?

— Oui, maîtresse.

— Quand ?

— Ce soir, au moment du départ des invités. (Des larmes dans les yeux, Drefan semblait à la torture.) Je t'en prie, maîtresse, dis-moi ce que je peux faire pour te plaire.

Ainsi, avait compris Cyrilla, c'était cela qu'on avait infligé à son père, jadis. Le pouvoir lui prendrait-il tous ceux qu'elle chérissait ? D'abord Wyborn, puis un homme dont elle était éprise…

— Pour le moment, attends en silence, avait ordonné Kahlan. Reine Cyrilla, navrée d'avoir gâché les festivités, mais comme vous le voyez, tout retard aurait eu des conséquences dramatiques.

Furieuse, la reine s'était tournée vers Drefan, qui regardait toujours béatement Kahlan.

— Qui t'a ordonné de me tuer, Drefan ?

L'homme n'avait pas bronché.

— Il ne vous répondra pas, Majesté, avait dit Kahlan.

— Alors, demandez-lui vous-même !

— Voilà une démarche que je déconseille, avait soufflé le sorcier.

Cyrilla ne s'était jamais sentie aussi stupide. Tout le monde était au courant de son tendre penchant pour Drefan. On se moquerait d'elle jusqu'à la fin de son règne !

— Je n'ai rien à faire de vos conseils, sorcier !

Kahlan s'était approchée, baissant le ton.

— Cyrilla, nous pensons qu'un sort protège ce secret. Quand j'ai posé cette question à son complice, il est tombé raide mort avant de pouvoir ouvrir la bouche. Mais j'ai une solution… Il y a des façons détournées d'obtenir cette information, et ça neutralisera peut-être le sortilège. Si je peux l'interroger seule, dans un endroit tranquille, nous aurons sans doute la réponse.

— J'avais confiance en cet homme ! Il était proche de moi, et il m'a trahie ! Moi, pas *vous*, Mère Inquisitrice ! Je veux savoir qui a armé son bras. L'entendre de ses propres lèvres. Vous êtes dans mon palais, alors, obéissez-moi !

— Comme vous voudrez… (Kahlan avait reculé d'un pas, son visage redevenu parfaitement inexpressif.) Drefan, ce que tu voulais faire à la reine, c'était de ta propre volonté ?

— Non, maîtresse, s'était empressé de répondre le traître, ravi de plaire à sa maîtresse. On me l'avait ordonné.

— Et qui te l'avait ordonné ?

Drefan ouvrit la bouche puis porta une main à sa gorge et s'écroula, mort sur le coup.

— La même chose que l'autre, avait lâché le sorcier. Comme je le pensais.

Kahlan s'était penchée pour ramasser le couteau et le tendre à Cyrilla, garde en avant.

— Nous pensons être face à une conspiration à grande échelle. J'ignore ce qu'en savait cet homme, mais j'ai une certitude : il travaillait pour Kelton.

— Kelton ? Je refuse de croire une chose pareille !

— Regardez le couteau… Il vient de ce royaume.

— Beaucoup de gens portent des lames fabriquées à Kelton, célèbre pour la qualité de ses armuriers. Ce n'est pas une preuve suffisante.

Kahlan n'avait pas bronché. Trop bouleversée, Cyrilla ne s'était pas demandé quelles émotions faisaient rage derrière son masque d'Inquisitrice.

— Mon père, avait-elle enfin dit, m'a appris que les Keltiens se battent uniquement pour deux raisons. D'abord quand ils sont jaloux, ensuite lorsqu'ils sont attirés par la faiblesse de leurs ennemis. Dans les deux cas, ils lancent une sonde en essayant de tuer un des hauts dirigeants du camp adverse. Grâce à vous, le royaume de Galea est plus fort que jamais, et ces somptueuses festivités en témoignent. Vous avez éveillé la jalousie des Keltiens, Majesté…

» Mon père disait aussi qu'il fallait toujours garder un œil sur ces gens et ne jamais leur tourner le dos. Et quand on repousse leur première attaque, ils attendent aussi longtemps que nécessaire le moment de faiblesse qui leur permettra de frapper une deuxième fois…

Furieuse d'avoir été dupée par Drefan, Cyrilla avait explosé sans peser ses mots.

— Je ne sais rien de ce que disait notre père ! Une Inquisitrice me l'a enlevé, me privant de son précieux enseignement.

Le masque de Kahlan s'était effacé, cédant la place à une bienveillante sagesse, presque déplacée sur un visage aussi jeune.

— Les esprits du bien, Majesté, ont peut-être voulu vous épargner d'apprendre ces choses. Remerciez-les de tout votre cœur. Ce savoir, je vous l'assure, ne vous aurait pas réjoui l'âme. Il a desséché la mienne, même si c'est grâce à lui, ce soir, que je vous ai sauvé la vie. Ne sombrez pas dans l'amertume, gente souveraine. Soyez en paix avec vous-même et appréciez à sa juste valeur ce don merveilleux : l'amour de votre peuple. C'est lui, votre authentique famille…

Kahlan s'était détournée, prête à partir, mais Cyrilla l'avait retenue par un bras et entraînée à l'écart tandis que des gardes emportaient le cadavre de Drefan Tross.

— Kahlan, pardonne-moi… J'ai dirigé ma colère contre toi, faute de pouvoir me défouler sur Drefan.

— Je comprends, Cyrilla… À ta place, j'aurais eu la même réaction. Les sentiments que t'inspirait cet homme se lisent dans tes yeux. Je ne m'attends pas à ce que tu me félicites… Pardonne-moi d'avoir troublé un jour de liesse, mais si j'avais trop attendu…

Avec sa compassion, Kahlan avait réussi un étrange miracle : c'était Cyrilla qui se sentait dans la peau de la petite sœur ! Regardant la splendide jeune femme debout devant elle, la reine s'était avisée qu'elle avait atteint l'âge de choisir un compagnon. C'était d'ailleurs peut-être déjà fait, pour ce qu'elle en savait. Sa mère devait avoir environ son âge quand elle avait « élu » Wyborn. Si jeune…

Cyrilla avait éprouvé une haine brûlante pour ce monstre de Drefan. Cette jeune femme, sa sœur, venait de lui sauver la vie, consciente qu'elle n'en retirerait aucune gratitude. Et qu'elle risquait, au contraire, d'être détestée à jamais par sa demi-sœur. Si jeune, et un tel fardeau sur les épaules…

— J'espère que tout ce que t'a enseigné Wyborn n'était pas aussi déprimant, avait-elle dit en souriant à Kahlan pour la première fois.

— Il m'a appris à tuer… qui abattre, quand le faire, et comment m'y prendre. Réjouis-toi de n'avoir jamais suivi ses cours, et de ne pas avoir besoin de ses connaissances. Moi, elles me sont précieuses, et je crains de n'avoir pas fini de les mettre en application.

Cyrilla avait plissé le front. Kahlan était une Inquisitrice, pas une tueuse…

— Pourquoi dis-tu cela ?

— Nous pensons avoir découvert une conspiration, l'as-tu oublié ? Je n'en dirai pas plus avant d'avoir des preuves, mais la tempête qui se prépare risque d'être terrible.

Cyrilla avait effleuré la joue de sa sœur : la première fois de sa vie qu'elle se permettait un tel geste.

— Kahlan, pourquoi ne restes-tu pas un moment ? Profite à mes côtés de la fin du festival, aussi étrange soit-elle. J'adorerais ça.

— Impossible… Ma présence gâterait l'humeur de ton peuple. Merci de cette proposition, mais je ne voudrais pas saboter cette belle journée.

— C'est idiot ! Tu ne saboterais rien du tout !

— J'aimerais que tu aies raison, mais ça n'est pas le cas. N'oublie pas le conseil de notre père : toujours garder un œil sur les Keltiens. À présent, je dois partir. Des troubles se préparent, et la mission des Inquisitrices est de découvrir leur cause. Avant de retourner en Aydindril, je ferai un détour par Kelton, pour exposer mes soupçons et exiger que de tels événements ne se répètent pas. Ensuite, j'informerai le Conseil de ce qui s'est passé aujourd'hui. Ainsi, tout le monde gardera un œil sur Kelton.

Qu'enseignait-on, en Aydindril, pour transformer ainsi la porcelaine en acier ? s'était demandé Cyrilla.

— Merci, Mère Inquisitrice, avait-elle dit, ne trouvant pas d'autre moyen d'exprimer sa gratitude… et son admiration.

La seule conversation « intime » qu'elle ait jamais eue avec sa demi-sœur. Et l'unique occasion où elles s'étaient tutoyées…

Après le départ de Kahlan, le festival n'avait plus eu beaucoup d'attrait pour la reine.

Si jeune, et pourtant si vieille…

Quelques heures plus tôt, des années après ces événements, Cyrilla s'était étonnée que Kahlan ne préside pas le Conseil. Personne ne savait où elle était. Son absence, lors de la chute d'Aydindril, n'avait rien de surprenant : sa charge la contraignait à voyager beaucoup, et elle avait dû être occupée à parer de son mieux les menaces de D'Hara. Comme les autres Inquisitrices, qui l'avaient payé de leur vie, Kahlan avait certainement fait de son mieux pour repousser les hordes de Darken Rahl.

Mais qu'elle ne soit toujours pas revenue en Aydindril après la fin de la guerre, et le retrait des troupes d'occupation, devenait inquiétant. Peut-être était-elle en chemin… Ou avait-elle succombé sous les coups d'un *quatuor* ? Rahl avait condamné à mort toutes les Inquisitrices. Galea leur avait offert l'asile, mais ça n'avait servi à rien…

Pire encore, aucun sorcier n'avait assisté au Conseil. Sans la Mère Inquisitrice, et sans sorcier, les choses se présentaient moins bien que prévu…

Voyant qui présidait le Conseil, Cyrilla avait failli paniquer. Le haut prince Fyren de Kelton, soit l'homme qu'elle était venue dénoncer ! Le voir sur le siège jusque-là réservé à la Mère Inquisitrice avait noué l'estomac de la reine.

Le Conseil, tout bien pesé, n'était pas redevenu comme avant…

Ignorant le prince, Cyrilla s'était adressée aux autres membres de l'illustre institution. Mais Fyren s'était défendu, l'accusant de haute trahison envers les Contrées du Milieu. Ce chien avait eu l'audace de l'accabler des charges dont *il* était coupable !

Sans vergogne, Fyren avait affirmé que son royaume n'agressait personne, mais se défendait face à un voisin avide de conquête. Il avait ajouté à ces infamies une virulente tirade contre les pays dirigés par des femmes. Et le Conseil avait bu ses paroles, ne permettant même pas à Cyrilla de présenter ses preuves.

Assommée, elle avait entendu ces hommes la déclarer coupable et la condamner à être décapitée.

Où était Kahlan ? Et les sorciers ?

La vision de dame Bevinvier s'était réalisée. Cyrilla aurait dû l'écouter, ou au moins prendre quelques précautions. La prédiction de Kahlan aussi s'était avérée. Kelton avait d'abord frappé par jalousie, puis attendu, pour recommencer, que viennent les premiers signes de faiblesse…

Dans la cour d'honneur, l'escorte de la reine attendait de repartir avec elle pour Galea. Avant l'arrivée des renforts envoyés par le Conseil, Cyrilla avait eu l'intention de s'occuper en personne d'organiser les défenses de son royaume.

Rien ne s'était passé comme prévu…

La sentence à peine prononcée, elle avait entendu les échos d'une bataille, dehors. Une bataille ? Une boucherie, plutôt… En signe de respect envers le Conseil, ses soldats étaient entrés désarmés dans la cour d'honneur…

Campée devant une fenêtre, deux gardes la tenant, la reine avait dû assister au massacre. Quelques Galeiens avaient réussi à s'emparer des armes de leurs agresseurs. Mais à un contre cinq, ils n'avaient pas une chance… Certains s'étaient-ils échappés ? Elle voulait le croire, et espérait qu'Harold serait du nombre.

Après la boucherie, Fyren l'avait forcée à s'agenouiller devant le Conseil. Lui saisissant les cheveux, il les lui avait coupés à ras, comme à une vulgaire fille de cuisine. Pendant ce supplice, Cyrilla n'avait pas bronché, gardant sa dignité en l'honneur de son peuple et des hommes qui venaient de se faire étriper.

Mais le calvaire de Galea, avait-elle compris, commençait à peine…

Des mains brutales la forcèrent de nouveau à s'arrêter devant une petite porte en fer. Une échelle rudimentaire, deux fois haute comme la souveraine, reposait contre le mur, de l'autre côté du couloir.

Le soldat chargé des clés vint ouvrir en tempêtant contre la serrure, trop rarement utilisée et mal entretenue. Tous les hommes étaient des Keltiens. Cyrilla n'avait pas vu un seul membre de la Garde Nationale. Mais la plupart, elle le savait, avaient péri lors de l'attaque de D'Hara contre Aydindril.

Le soldat réussit enfin à ouvrir la porte, qui donnait sur des oubliettes obscures. Cyrilla sentit ses genoux se dérober, mais elle ne tomba pas, car ses geôliers la retinrent. On allait la jeter dans un trou puant infesté de rats !

Elle se ressaisit et cessa de tituber, comme il convenait pour une souveraine. Mais les battements de son cœur ne ralentirent pas.

— Comment osez-vous jeter une femme dans une fosse qui grouille de rats !

Le prince Fyren approcha du trou et décrocha une torche de son support.

— Des rats ? C'est cela qui vous inquiète, ma dame ? De vulgaires rongeurs. (Ce chien était bien trop jeune pour afficher une telle insolence. Si on ne lui avait pas tenu les bras, Cyrilla l'aurait giflé.) Laissez-moi apaiser vos angoisses, douce reine.

Il jeta la torche dans l'oubliette… qui éclaira des visages de cauchemar. Un bras se tendit et attrapa ce présent inestimable : un peu de lumière.

Il y avait des hommes au fond de ce trou. Au moins six, et peut-être une dizaine.

Le prince se pencha dans le vide.

— La reine a peur qu'il y ait des rats avec vous…

— Des rats ? croassa une voix. Il n'y en a plus. Nous les avons tous mangés.

— Vous voyez, très chère ? minauda Fyren. Ce brave homme affirme qu'il n'y a plus de vilaines bestioles. Vous êtes rassurée ?

— Qui sont ces malheureux ? demanda Cyrilla.

— Des meurtriers et des violeurs qui attendent d'être décapités, comme vous. Des bêtes sauvages, à vrai dire… Avec toutes mes occupations, je n'ai pas encore pu les faire exécuter. Avoir croupi aussi longtemps dans ce trou infect a dû les énerver, j'en ai peur. Mais la compagnie d'une reine leur mettra sûrement du baume au cœur.

— J'exige d'avoir une cellule individuelle…

— Vous exigez ? (Sans crier gare, le prince la gifla.) Vous n'avez rien à exiger ! Vous êtes une criminelle qui a été jugée et condamnée. Un monstre qui a massacré mon peuple !

— Vous ne pouvez pas me livrer à ces brutes…, souffla Cyrilla, sachant que ça ne servirait à rien.

— Messires, dit Fyren, reprenant son rôle de salaud nonchalant, vous ne manqueriez pas de respect à une dame, n'est-ce pas ?

Des rires montèrent de l'oubliette.

— Pour sûr que non ! On ne voudrait pas être décapités deux fois ! Ne vous inquiétez pas, ma belle, on vous traitera aux petits oignons.

— Fyren, dit Cyrilla en sentant du sang couler au coin de sa bouche – la gifle du prince avait dû lui faire éclater une lèvre – je demande à être exécutée sur-le-champ.

— Encore des exigences ? Vous êtes lassante, très chère…

— Pourquoi me refuser ça ? Tuez-moi maintenant !

Fyren leva une main pour la gifler encore, mais il se ravisa et continua son petit jeu.

— Vous voyez ? Au début, vous prétendiez être innocente et refusiez de poser la tête sur le billot. Mais vous vous ravisez déjà. Après quelques jours avec ces gentilshommes, vous supplierez qu'on vous décapite. Et vous confesserez de bon cœur vos crimes devant la foule qui assistera à l'exécution. N'est-ce pas excellent ? De plus, j'ai du pain sur la planche et pas de temps à perdre. Alors, on vous coupera la tête quand ça m'arrangera, pas pour vous faire plaisir…

Lentement, Cyrilla prenait conscience de ce qui l'attendait au fond de ce cul-de-basse-fosse. Et la terreur la submergeait.

— Par pitié… ne me faites pas ça. Je vous en supplie.

Le prince Fyren lissa son jabot et prit une voix compatissante.

— J'ai essayé de vous rendre les choses plus faciles, Cyrilla, par respect pour votre féminité. Le couteau de Drefan aurait été plus miséricordieux. Et moins douloureux, je vous le concède. Je n'aurais jamais eu autant de pitié pour un homme, vous savez. Mais vous n'en avez pas profité. La Mère Inquisitrice est arrivée et vous avez laissé une autre femme se mêler d'affaires de mâles ! Quel gâchis… Les femmes n'ont pas assez de tripes pour gouverner, très chère. On ne devrait jamais les autoriser à commander une armée ou à se piquer de politique. Drefan est mort en essayant de vous réserver un sort agréable. À présent, nous allons changer de méthode.

Le prince fit signe à un garde, qui alla chercher l'échelle et l'introduisit dans l'oubliette. Les hommes qui la tenaient poussèrent Cyrilla vers le trou tandis que ses compagnons dégainaient leurs épées, au cas où un des prisonniers aurait l'idée d'essayer de monter.

Cyrilla chercha en vain un moyen d'arrêter ce cauchemar. À court d'inspiration, elle se rabattit sur la première chose qui lui vint à l'esprit.

— Je suis une dame et une reine… Pas question que j'utilise une vieille échelle rouillée.

Fyren parut déconcerté par cette objection ridicule. Puis il fit signe au soldat de retirer l'échelle du trou.

— Comme il vous plaira, ma dame, dit-il avec une révérence moqueuse.

Il fit un signe aux hommes qui tenaient la reine. Dès qu'ils l'eurent lâchée, avant qu'elle ait pu esquisser un mouvement, le prince la frappa à la poitrine, juste entre les seins.

Le souffle coupé, elle perdit l'équilibre et bascula en arrière.

Dans l'oubliette.

Pendant sa chute, elle espéra se fracasser le crâne sur le sol de pierre. Une mort indigne d'une souveraine au passé si glorieux ? Une vie entière de responsabilité pour en arriver là, sa tête éclatée comme un œuf tombé d'une table ? C'était affreux, mais elle s'y résigna sans peine. Tout valait mieux que…

Hélas, des mains la rattrapèrent et se mirent aussitôt à grouiller sur son corps comme… des rats.

Là-haut, quelqu'un referma la porte, soufflant la lumière du couloir.

À la lueur de la torche, des visages se penchèrent sur Cyrilla. D'affreuses gueules d'hommes rompus à tous les vices. Des faciès de tueurs aux yeux noirs et aux bouches garnies de chicots jaunâtres. Des têtes de condamnés qui tiendraient encore assez longtemps sur leurs épaules pour qu'ils commettent une ultime atrocité.

Incapable de respirer, des images confuses et inutiles tourbillonnant dans son esprit, Cyrilla sentit qu'on la plaquait sur le sol. Le contact de la pierre froide contre son dos la fit frissonner.

Grognant comme des fauves, les hommes troussèrent sa robe et lui écartèrent les jambes.

Des mains aux ongles recourbés comme des serres arrachèrent le haut du vêtement, dévoilant ses seins.

Alors, Cyrilla fit une chose qu'elle s'interdisait depuis qu'elle était adulte.

Elle hurla.

Chapitre 27

À part son pouce et son index, qui jouaient distraitement avec l'os rond de son collier, Kahlan était parfaitement immobile en étudiant la ville qui s'étendait à ses pieds. Le versant de la colline descendait en pente douce vers les murs d'enceinte, les tours du palais se dressant à l'extrémité nord de la cité. Des volutes de fumée montaient des centaines de cheminées de pierre des habitations. De là où était l'Inquisitrice, on ne distinguait pas de mouvement. La route qui conduisait aux portes principales était déserte, comme les plus petits chemins qui desservaient les accès secondaires.

Un manteau de neige couvrait le paysage et un vent froid faisait trembler les poils de l'épais manteau de fourrure blanc que portait Kahlan.

Prindin et Tossidin lui avaient fabriqué le vêtement pour la protéger des vents glaciaux qui balayaient les plaines désolées qu'ils avaient dû traverser pour arriver là. Les loups étant d'un naturel méfiant, surtout vis-à-vis des humains, on les voyait rarement, et Kahlan ne savait pas grand-chose d'eux. Les flèches des deux frères avaient trouvé leurs cibles alors que l'Inquisitrice n'avait même pas remarqué leur présence. Si elle n'avait pas vu Richard tirer, elle aurait cru cet exploit impossible. Mais ils étaient presque aussi bons que lui.

Bien qu'elle eût toujours éprouvé une vague inimitié pour ces animaux, Kahlan n'avait jamais vraiment eu de problèmes avec eux. Et depuis que Richard lui avait parlé de la cohésion de la meute – presque une famille – elle les trouvait beaucoup plus sympathiques. Elle avait d'abord refusé que les Hommes d'Adobe abattent les deux loups pour lui faire un manteau. Mais ils avaient insisté, arguant que c'était nécessaire, et elle avait dû capituler.

Le dépeçage lui avait retourné l'estomac. Voir apparaître les muscles rouges, sous la peau, puis les tendons et les os… La substance même de l'être, si élégante quand la vie l'animait, et tellement morbide lorsqu'elle n'était plus là…

Pendant que les deux frères équarrissaient les loups, Kahlan avait pensé à Brophy, l'homme qui avait exigé d'être touché par son pouvoir pour démontrer son innocence. Transformé en loup par Giller – le seul moyen de le libérer en partie de l'emprise de l'Inquisitrice – il avait pu commencer une nouvelle vie. Les compagnons de meute des deux loups sacrifiés pour lui faire un manteau seraient-ils aussi tristes que ceux de Brophy, quand il avait été abattu par Demmin Nass ?

Kahlan avait vu trop de tueries. Et cela semblait ne jamais vouloir finir… Au moins, les Hommes d'Adobe ne s'étaient pas réjouis d'avoir ôté la vie à ces splendides animaux. Et ils avaient adressé une prière aux esprits à la gloire de leurs « frères-loups », comme ils les avaient appelés.

— *Nous ne devrions pas faire ça*, grommela Chandalen.

Appuyé sur sa lance, il la regardait fixement, Kahlan le sentait, mais elle ne détourna pas les yeux de la ville trop silencieuse et tranquille. Le chasseur avait un ton moins agressif qu'à l'accoutumée. Sans doute parce que c'était la première fois qu'il voyait une cité de la taille d'Ebinissia…

Chandalen ne s'était jamais aventuré aussi loin du territoire de son peuple. En découvrant la capitale de Galea, il avait écarquillé les yeux, sa langue acérée lui faisant pour une fois défaut. Aux yeux d'un homme qui avait vécu dans un village, au milieu des plaines, un tel miracle d'architecture devait passer pour de la magie.

Kahlan eut un pincement au cœur. La vision du monde de ses trois compagnons allait voler en éclats au cours de ce voyage, et elle n'était pas sûre que ce soit un service à leur rendre.

— Chandalen, dit-elle, j'ai fait de gros efforts, pratiquement à chaque seconde de veille, pour vous apprendre à tous les trois à parler ma langue. Là où nous allons, personne ne pratique la vôtre. Jugez-moi malveillante, si ça vous chante, ou reconnaissez que j'ai agi pour votre bien. Ce que vous pensez m'est égal ! Mais utilisez, pour vous adresser à moi, la langue que je vous ai enseignée.

— Je dois te conduire en Aydindril, répondit le chasseur. Nous ne devrions pas perdre de temps ici.

Son ton était redevenu plus acerbe, mais il ne parvenait toujours pas à dissimuler l'humilité qui le saisissait à la vue d'Ebinissia. Pourtant, il n'était qu'au début de ses surprises ! Et Kahlan s'inquiétait, car elle avait cru distinguer, en arrière-plan, un sentiment qu'elle n'aurait jamais cru possible chez cet homme : de la peur. Comme s'il jugeait maléfique le spectacle qui s'offrait à lui.

Les yeux plissés pour les protéger du reflet du soleil sur la neige, Kahlan regarda les deux silhouettes, à ses pieds, s'attaquer à la pente.

— Je suis la Mère Inquisitrice, dit-elle. Mon devoir est de protéger tous les peuples des Contrées du Milieu. Comme je protège les Hommes d'Adobe…

— Tu n'as pas aidé les miens… Des ennuis, voilà tout ce que tu leur as apporté.

Des imprécations davantage dictées par l'habitude, comprit Kahlan, que par un réel ressentiment.

— Ne recommence pas, Chandalen…, soupira-t-elle.

Grâces en soient rendues aux esprits, le chasseur n'insista pas. Mais il trouva vite une autre raison de râler.

— Prindin et Tossidin ne devraient pas gravir cette colline à découvert ! Je croyais leur avoir appris à être moins idiots ! Si c'étaient des enfants, ils auraient droit à une fessée. Tout le monde peut voir où ils vont… Vas-tu enfin m'écouter, et cesser aussi de t'exposer à tous les regards ?

Kahlan se laissa entraîner à l'abri d'un bosquet. Non qu'elle jugeât cela nécessaire. Mais elle voulait montrer au chasseur qu'elle appréciait ses efforts pour la garder en sécurité. Très mécontent de se voir imposé ce voyage, Chandalen avait néanmoins accompli son devoir. Mais en ronchonnant, alors que les deux frères étaient tout sourires et couvraient l'Inquisitrice d'attentions. Au point, parfois, de l'embarrasser… Si leur sollicitude était sincère, leur chef voyait cette mission comme une corvée dont il devait – honneur oblige – s'acquitter de son mieux.

— Nous devrions partir, grogna-t-il.

— Je dois savoir ce qui se passe ici. C'est mon devoir.

— J'avais cru comprendre, en t'écoutant, que ta mission était de gagner Aydindril, comme l'a demandé Richard Au Sang Chaud.

Kahlan ne répondit pas. Le jeune homme lui manquait atrocement. Chaque fois qu'elle fermait les yeux, elle revoyait son expression, au moment où il s'était cru trahi par elle. Ah, comme elle aurait voulu pouvoir se jeter à genoux et expulser de sa gorge le cri qu'elle n'avait pas pu pousser à cet instant-là ! Un hurlement d'horreur, face à ce qu'elle venait de faire…

Mais aurait-elle pu agir autrement ? Si toutes les données dont elle disposait étaient exactes, pour réparer le voile, il fallait d'abord que Richard subisse le supplice du Rada'Han. C'était aussi tragiquement simple que ça. Et cet impératif lui avait dicté sa décision. Tôt ou tard, le jeune homme comprendrait. Il le fallait !

Si elle avait réfléchi sur la base d'informations erronées, ce qui restait possible, elle aurait condamné – pour rien – l'homme qu'elle aimait à revivre son pire cauchemar.

Richard regardait-il souvent la mèche de cheveux qu'elle lui avait donnée ? Pensait-il à elle ? Trouverait-il, au fond de lui-même, la force de comprendre et de pardonner ? Elle aurait tant voulu pouvoir lui dire combien elle l'aimait… Le serrer dans ses bras… À défaut, son seul désir était de rejoindre Zedd, pour obtenir son aide.

D'abord, elle devait savoir ce qui s'était passé ici.

Elle se redressa de toute sa taille et adopta son masque d'Inquisitrice.

À l'origine, elle avait l'intention d'éviter Ebinissia. Mais ces deux derniers jours, ils avaient voyagé à travers des plaines jonchées de cadavres de femmes gelés. Pas un seul homme… Rien que des femmes, de l'enfance à la plus grande vieillesse. Et toutes à demi-nues… Si la plupart des dépouilles étaient isolées, ils avaient découvert quelques petits groupes de malheureuses, blotties les unes contre les autres dans la mort. Trop épuisées, effrayées ou désorientées pour avoir l'idée de chercher un abri, elles avaient sombré dans un sommeil dont elles ne se réveilleraient jamais. Ces malheureuses avaient fui la ville, paniquées au point de ne plus redouter le froid.

Presque toutes avaient été violées avant de fuir. Kahlan savait que cela expliquait leur fuite suicidaire. Ses trois compagnons en avaient conscience aussi, mais aucun ne l'aurait admis à voix haute.

Kahlan resserra autour d'elle les pans de son manteau. Ces atrocités ne pouvaient pas avoir été commises par les soldats de D'Hara, car elles étaient trop récentes. Les troupes d'occupation avaient été rappelées chez elles. Et des militaires, même ceux qui avaient servi Darken Rahl, n'auraient pas perpétré pareilles horreurs en sachant la guerre finie.

Décidant qu'elle avait assez tergiversé, Kahlan sortit du bosquet et commença à descendre la pente. À force d'entraînement, elle s'était habituée aux longues enjambées qu'imposaient les raquettes que les Hommes d'Adobe lui avaient fabriquées avec des morceaux de saule et des tendons de petits animaux.

Bien entendu, Chandalen se lança à sa poursuite.

— Tu ne dois pas y aller ! Il peut y avoir du dangereux…

— Du danger, corrigea Kahlan. Si c'était le cas, Prindin et Tossidin n'avanceraient pas à découvert. Accompagne-moi, ou reste ici, mais j'y vais !

Comprenant que polémiquer serait inutile, le chasseur la suivit, plongé dans un silence très inhabituel pour lui – mais fort bienvenu. Le soleil de l'après-midi, pourtant magnifique, ne parvenait pas à réchauffer l'air glacial. En général, le vent se déchaînait aux abords des monts Rang'Shada. Mais par bonheur, il s'était calmé aujourd'hui. Il n'avait pas neigé depuis des jours, des conditions climatiques favorables à une progression plus rapide. Cela dit, chaque inspiration continuait de glacer les voies respiratoires de la jeune femme.

Elle rejoignit les deux frères au milieu de la pente. Ils s'arrêtèrent et s'appuyèrent sur leurs lances, haletant comme des chevaux épuisés. La première fois qu'elle les voyait ainsi, car ils semblaient infatigables. Mais les pauvres n'étaient pas accoutumés à l'altitude.

— Mère Inquisitrice, haleta Prindin, tu ne dois pas y aller. Ces gens ont été abandonnés par les esprits de leurs ancêtres.

Kahlan décrocha son outre de sa ceinture et la tira de sous son manteau, où sa chaleur corporelle empêchait l'eau de geler. Elle tendit un bras et fit signe à Prindin de boire pendant qu'elle l'interrogeait.

— Qu'avez-vous vu ? Vous n'êtes pas entrés dans la ville, j'espère ? Je vous avais interdit de franchir le mur d'enceinte.

— Nous sommes restés à l'extérieur, répondit Prindin en passant l'outre à son frère. Mais ça suffisait… Nous en avons vu assez.

Quand Tossidin eut bu, Kahlan reprit l'outre et la reboucha.

— Avez-vous vu des gens ?

— Oui… beaucoup…, répondit Tossidin.

— Des morts…, précisa Prindin.

— Combien ? Et morts comment ?

— Au combat… Des hommes armés… Plus que je n'ai pu en compter. De ma vie, je n'avais jamais vu autant de soldats. Il y a eu une guerre ici. Et les vaincus ont été massacrés.

Kahlan en resta muette d'horreur. Elle avait espéré que la population de la ville se serait échappée…

Une guerre… Les soldats de D'Hara avaient-il commis ces horreurs après l'armistice ? Ou y avait-il une autre explication ?

— Je dois aller voir ce qui s'est passé, dit enfin Kahlan.

— Mère Inquisitrice, ne faites pas ça…, murmura Prindin. C'est horrible…

Les trois hommes suivirent l'Inquisitrice quand elle se remit en chemin.

— J'ai déjà vu des cadavres…

Ils aperçurent les premières dépouilles à une bonne distance des murs d'enceinte – apparemment, le lieu d'une embuscade. Couverts de neige, certains morts tendaient encore une main, comme s'ils étaient en train de se noyer et appelaient à l'aide. Tous n'avaient pas été attaqués par des charognards, dépassés par l'abondance de nourriture. Il n'y avait là que des soldats de Galea, pétrifiés par le froid à l'endroit où ils étaient tombés, leurs vêtements gorgés de sang durcis comme une carapace.

Sur le mur sud, à la place des solides portes en chêne renforcées de barres de fer, on ne distinguait plus qu'une brèche aux contours carbonisés. Kahlan regarda le métal et la pierre fondus, consciente qu'une seule force avait pu faire cela : du Feu de Sorcier. Comment était-ce possible ? Elle ne se trompait pas, aurait-elle juré, mais… il ne restait plus de sorciers. À part Zedd et, en un sens, Richard… Le vieil homme n'aurait jamais participé à de pareilles horreurs…

À l'extérieur des murs, de chaque côté de la brèche, des corps sans têtes avaient été entassés méthodiquement. Les crânes formaient çà et là des piles bien moins ordonnées. Des monticules d'épées, de lances et de boucliers évoquaient quelque monstrueux porc-épic géant hérissé d'acier. Des exécutions en masse, organisées par « postes » successifs pour mieux gérer le nombre hallucinant de victimes. Toutes des soldats de Galea, bien entendu…

— Pour dénombrer ces morts, dit Kahlan aux trois hommes, il faut utiliser la notion de *millier*, que vous ne connaissez pas. Il y a près de cinq mille cadavres autour de ce mur.

— J'ignorais qu'on pouvait compter jusque-là, souffla Prindin. Au printemps, cet endroit sera un enfer…

— *C'est déjà un enfer…*, murmura son frère dans leur langue.

Et le pire restait à découvrir, pensa Kahlan. Connaissant la stratégie défensive d'Ebinissia, elle ne se faisait guère d'illusion. Le mur d'enceinte n'était plus une fortification imprenable, comme jadis. La cité ayant grandi et prospéré dans des Contrées du Milieu apaisées, l'ancien mur avait été détruit, ses pierres utilisées pour bâtir le nouveau – davantage un symbole de la fierté et de la valeur de la cité qu'un véritable périmètre de défense.

En cas d'attaque, on fermait les portes, et l'élite de l'armée se campait devant le mur, pour empêcher les envahisseurs de l'atteindre. Aujourd'hui, les véritables défenses d'Ebinissia étaient les montagnes environnantes, dont les cols étroits interdisaient en principe un assaut en masse.

Les forces de D'Hara, sur ordre de Darken Rahl, avaient assiégé la capitale deux mois durant. Mais les défenseurs postés devant les murs avaient réussi à les repousser, puis à contre-attaquer, les convainquant d'aller se frotter à une proie moins coriace. Mais cette victoire avait coûté cher aux Ebinissiniens.

Moins occupé à trouver les boîtes d'Orden, Darken Rahl aurait sûrement envoyé des renforts afin de submerger les défenseurs par le nombre. Mais cette fois, quelqu'un y avait pensé…

Les corps sans tête appartenaient au cercle de défenseurs extérieurs. Vaincus au pied du mur, ils avaient été exécutés sur place, sans doute pour démoraliser les hommes restés à l'intérieur. Ce qui attendait Kahlan et ses compagnons dans les rues de la ville serait encore pire. La fuite des femmes ne laissait aucun doute à ce sujet...

Sans s'en apercevoir, Kahlan arbora son masque d'Inquisitrice avant de se tourner vers les Hommes d'Adobe.

— Prindin et Tossidin, je veux que vous fassiez le tour de cette muraille d'enceinte. Notez tout ce que vous voyez, et fournissez-moi un rapport détaillé. Il faut que je sache ce qui s'est passé, qui a attaqué, et où sont allés ces monstres après le massacre. Chandalen et moi, nous inspecterons la ville. Rejoignez-nous quand vous en aurez terminé.

Les deux frères partirent aussitôt. Chandalen suivit l'Inquisitrice, une flèche encochée dans son arc.

Aucun des hommes n'avait discuté les ordres de Kahlan. Dépassés par l'énormité du drame, ils restaient conscients que l'Inquisitrice avait des obligations vis-à-vis de ces morts.

Évitant de regarder les cadavres qui gisaient un peu partout, Chandalen sonda les allées étroites qui serpentaient entre les cabanes en torchis des paysans et des bergers qui habitaient à la périphérie de la ville. Aucune empreinte fraîche ne se découpait dans la neige. Rien de vivant ne s'était aventuré ici récemment.

Kahlan avança sans marquer de pause pour étudier les cadavres. Tous ces hommes, à l'évidence, étaient tombés les armes à la main.

— Ces braves ont été submergés par le nombre, déclara Chandalen. Par des *milliers* d'adversaires, comme tu dis. Ils n'avaient aucune chance de gagner. Ils se sont massés entre les bâtiments. C'est un mauvais endroit où combattre, mais ils n'avaient pas le choix. J'aurais recouru à la même tactique pour empêcher des forces supérieures de me balayer. Le nombre n'est pas un aussi grand avantage dans ces petites allées. À leur place, j'aurais également interdit à l'ennemi de se déployer, puis je l'aurais harcelé de tous côtés. Empêcher l'adversaire de se battre selon *ses* règles est toujours une bonne stratégie.

» Parmi les morts, il y a des hommes âgés et des jeunes garçons. Tous ceux-là prennent les armes quand une situation est désespérée, pas avant. Par exemple, lorsque des soldats courageux vont être vaincus par le nombre... face à un ennemi sans pitié.

Chandalen avait raison, dut admettre Kahlan. Tous avaient vu ou entendu les exécutions. Ces pauvres gens savaient qu'il n'y avait pas d'autre issue que la mort.

Les défenseurs avaient plié comme des roseaux face à une tempête. À l'endroit où se dressaient jadis les vieux murs de la ville, un peu en hauteur, les morts étaient encore plus nombreux. Sans doute parce que les soldats avaient battu en retraite, tentant de défendre une position surélevée. Cela n'avait servi à rien. Eux aussi étaient tombés comme des mouches.

Il ne restait pas un seul cadavre d'attaquant. Certains peuples, se souvint Kahlan, pensaient qu'abandonner les morts sur un champ de bataille, après une victoire, portait malchance. De plus, cela livrait les esprits des vainqueurs à la vindicte de ceux des vaincus. À l'inverse, ne pas récupérer les morts suite à une défaite leur permettait de continuer à harceler l'ennemi. Les responsables de ce massacre, tenants de ces croyances, avaient emporté leurs camarades défunts loin des dépouilles des vaincus. Kahlan connaissait plusieurs royaumes des Contrées où ces superstitions étaient scrupuleusement respectées. Un certain pays figurait en tête de sa liste…

Alors qu'ils contournaient un chariot renversé, sa cargaison de petit bois répandue sur le sol, Chandalen s'arrêta devant une enseigne qui représentait une petite plante feuillue, près d'un mortier et d'un pilon. S'abritant les yeux d'une main, il étudia la façade de la minuscule boutique.

— Quel est cet endroit ? demanda-t-il.

Kahlan passa la première et franchit la porte défoncée.

— Une herboristerie, répondit-elle.

Le comptoir était jonché de débris de fioles qui avaient contenu des herbes séchées. Seuls deux bouchons, parfaitement inutiles désormais, avaient survécu à la mise à sac du magasin.

— Les gens venaient y acheter des plantes et des médicaments…

Derrière le comptoir, la grande armoire murale avait été démolie à coups de hache. Sur les centaines de petits tiroirs, seuls quelques-uns, au pied du meuble, étaient encore intacts. Les autres gisaient sur le sol, écrasés par des semelles de bottes. Chandalen s'accroupit, ouvrit quelques-uns des rares survivants, étudia rapidement leur contenu, et les referma respectueusement.

— Nissel serait surprise de voir autant d'herbes médicinales. Détruire des substances qui aident les gens est un crime !

— Un crime, oui, acquiesça Kahlan.

L'Homme d'Adobe ouvrit un autre tiroir et cria de surprise avant d'en sortir, avec révérence, un petit bouquet de minuscules plantes liées, à la tige, par un morceau de fil. Les feuilles séchées couleur marron tirant sur le vert arboraient de délicates veinures cramoisies.

— Du *quassin doe*…, murmura Chandalen.

— Et c'est quoi, du *quassin doe* ? demanda Kahlan.

L'Homme d'Adobe, sans le quitter des yeux, fit tourner le petit bouquet entre ses doigts.

— Le *quassin doe* peut sauver la vie d'un homme s'il absorbe accidentellement le poison d'une flèche « dix-pas ». Et aussi, s'il est assez rapide, le tirer de là quand il a été blessé par un de ces projectiles.

— Comment peut-on absorber ce poison accidentellement ?

— Les feuilles de *bandu* doivent être longuement mâchées et humidifiées avant d'être cuites jusqu'à devenir une pâte épaisse. C'est ainsi qu'on fabrique le poison. Il suffit d'avaler sa salive au mauvais moment, ou de mastiquer trop longtemps, pour s'intoxiquer.

Chandalen ouvrit la bourse en peau de daim qu'il portait au ceinturon et en sortit une petite boîte en os remplie d'une pâte brunâtre.

— Voilà le poison dont nous enduisons nos flèches. Si on en avale une infime quantité, on est malade. Et quand on en ingère davantage, on meurt très lentement. En grande quantité, cette substance tue très vite. Mais sous cette forme, personne n'aurait l'idée d'en consommer. (Il referma la boîte et la remit dans sa bourse.)

331

— Donc, en cas d'accident au moment de la fabrication, le *quassin doe* peut empêcher un homme de mourir ? (Chandalen acquiesça.) Mais si on est blessé par une flèche « dix-pas », ne meurt-on pas avant de pouvoir prendre l'antidote ?

— Ça dépend… Il arrive qu'un chasseur s'égratigne avec une pointe de flèche. Dans ce cas, il a le temps d'agir. Quand on est blessé… Eh bien, le poison est foudroyant uniquement si on est touché au cou. Là, on n'a pas le temps de prendre du *quassin doe*. Si on reçoit la flèche ailleurs, par exemple dans une jambe, le poison met plus longtemps à agir, et on peut s'en sortir.

— Mais si le chasseur est loin de Nissel ? Imaginons qu'il chasse dans les plaines, et qu'il se blesse avec une de ses flèches. Que lui arrive-t-il si la guérisseuse n'est pas là ?

— Tous les chasseurs ont du *quassin doe* sur eux. En prévision des accidents… Quand on traque du petit gibier, il y a très peu de poison sur les pointes de flèches. Ça laisse plus de temps… Jadis, quand il y avait des guerres, nos braves avalaient du *quassin doe* juste avant la bataille, pour être insensibles aux flèches « dix-pas » de leurs ennemis. (Chandalen secoua tristement la tête.) Mais il n'est pas facile de s'en procurer. La dernière fois que nous avons fait du troc, pour un bouquet comme celui-là, chaque homme a dû céder trois arcs et deux poignées de flèches, et toutes les femmes ont fabriqué des coupes… Hélas, nous n'en avons plus depuis longtemps. Les gens qui nous le procuraient n'en trouvent plus. Deux hommes sont morts depuis que nous manquons d'antidote… Mon peuple donnerait cher pour avoir ce bouquet…

Émue, Kahlan regarda l'Homme d'Adobe remettre religieusement le *quassin doe* dans le tiroir.

— Prends-le, Chandalen, et offre-le à ton peuple, qui en a tant besoin.

— C'est impossible, dit le chasseur en refermant le tiroir. Le voler, même à des morts, serait très mal. Ce *quassin doe* n'appartient pas aux miens, mais aux habitants de cette ville.

Kahlan s'agenouilla, rouvrit le tiroir et en sortit le précieux petit bouquet. Prenant un carré de tissu abandonné sur le comptoir – l'herboriste devait s'en servir pour envelopper les achats de ses clients – elle l'enroula autour du *quassin doe*.

— Prends-le, répéta-t-elle en posant l'inestimable trésor dans la paume de Chandalen. Je connais les habitants de cette ville, et je les dédommagerai un jour. Du coup, ce *quassin doe* m'appartient. Accepte-le. C'est un cadeau, pour compenser les ennuis que j'ai attirés à ton peuple.

— Un cadeau d'une trop grande valeur…, grogna Chandalen. Cela ferait de nous tes débiteurs jusqu'à la fin de ta vie.

— Alors, disons que ce n'est pas un cadeau, mais un paiement, pour le mal que Prindin, Tossidin et toi vous donnez. N'oublie pas que vous risquez vos vies pour moi. Ce salaire reste encore inférieur à ma dette. Vous n'aurez aucune obligation envers moi.

Chandalen réfléchit un long moment. Puis il glissa le petit paquet dans sa bourse et la referma soigneusement.

— Donc, c'est notre rétribution. Nous ne te devrons rien quand ce voyage sera terminé.

— Rien du tout…, confirma Kahlan.

Ils sortirent de la boutique et remontèrent les rues silencieuses, le long des échoppes et des auberges de la vieille ville. Il ne restait plus une porte ou une fenêtre intacte. Des éclats de verre brillaient partout au soleil, telles des larmes versées sur la mort par les maisons. Les envahisseurs avaient fouillé tous les bâtiments et traqué jusqu'au dernier survivant.

— Comment ces… *milliers*… de gens, en vivant tous au même endroit, faisaient-ils pour nourrir leurs familles ? demanda Chandalen. Il ne pouvait pas y avoir assez de gibier à chasser et de champs à cultiver pour tout le monde.

Kahlan essaya de voir la cité avec les yeux de l'Homme d'Adobe. Pour lui, ce devait être un grand mystère.

— Tous n'étaient pas des chasseurs ou des fermiers… Les habitants de cette ville pratiquaient la division du travail.

— Et ça veut dire quoi ?

— Tous avaient un métier différent. Une seule occupation, si tu préfères. Ils utilisaient de l'or ou de l'argent pour acheter ce qu'ils ne fabriquaient pas ou ne faisaient pas pousser eux-mêmes.

— Et d'où tiraient-ils cet argent et cet or ?

— Les gens payaient ainsi leurs services, ou ce qu'ils fabriquaient.

— Et ceux-là, d'où tenaient-ils leur or ?

— De gens qui les payaient pour leurs services.

— Pourquoi ne pas faire du troc ? C'est beaucoup plus simple.

— En un sens, c'est du troc… Imagine qu'une personne veuille quelque chose que tu possèdes mais ne détienne rien qui t'intéresse. Dans ce cas, elle te donne une pièce ronde faite avec de l'argent ou de l'or, et tu peux acheter ce dont tu as besoin.

— Acheter…, répéta Chandalen, comme s'il essayait de goûter cet étrange mot avec sa langue. Pourquoi travailler, dans ce cas ? Il suffit de se procurer des pièces d'or et d'argent, et on peut vivre facilement.

— Certaines personnes le font… Elles chassent l'or et l'argent, en quelque sorte. Mais c'est un dur labeur, car il faut creuser la terre pendant longtemps pour trouver un peu d'or. C'est pour ça qu'on fabrique des pièces avec, à cause de sa rareté. S'il était aussi facile à trouver que du sable sur une plage, personne n'en voudrait comme monnaie d'échange. Si les pièces s'obtenaient ou se fabriquaient sans peine, elles perdraient leur valeur. Alors, ce système, qu'on appelle le « commerce », s'écroulerait, et tout le monde crèverait de faim.

— Avec quoi fait-on les pièces ? demanda Chandalen en s'arrêtant de marcher. Cet or et cet argent dont tu me parles, que sont-ils ?

Kahlan continua de marcher et il dut se fendre de quelques grandes enjambées pour la rattraper.

— L'or est… Le bijou que les Bantaks ont offert à ton peuple en gage de paix est en or. (Chandalen hocha la tête, l'air entendu. Cette fois, Kahlan s'arrêta de marcher.) Tu sais où les Bantaks se procurent tant d'or ?

— Bien entendu… C'est nous qui le leur donnons !

Kahlan agrippa la manche du manteau de Chandalen et le força à se tourner vers elle.

— Comment ça, vous le leur donnez ?

Le chasseur se raidit. Il détestait qu'une Inquisitrice pose la main sur lui. Si elle décidait de libérer son pouvoir, la fourrure du manteau ne serait pas une protection. Ces femmes pouvaient atteindre un homme à travers une armure !

Kahlan le lâcha et il se détendit aussitôt.

— Chandalen, où le Peuple d'Adobe trouve-t-il de telles quantités d'or ?

Le chasseur regarda la jeune femme comme si elle venait de lui demander où on pouvait se procurer de la poussière.

— Dans des trous, au nord de notre territoire… C'est une zone rocheuse où rien ne pousse, et il y a des trous partout. Dedans, on y trouve ce métal jaune. C'est un endroit dangereux. L'air est très chaud et mauvais pour les poumons. Il paraît qu'on risque de mourir si on reste trop longtemps dans ces crevasses. L'or, comme tu l'appelles, est trop mou pour faire de bonnes armes. Donc, il ne nous sert à rien.

Il eut un geste nonchalant.

— Les Bantaks disent que les esprits de leurs ancêtres aiment voir briller ce métal inutile. Alors, nous les laissons entrer sur notre territoire et descendre dans ces fameux trous. Ils prennent l'or, et fabriquent avec des objets que les esprits de leurs ancêtres ont plaisir à regarder quand ils viennent dans notre monde.

— Chandalen, à part les Bantaks, quelqu'un d'autre connaît-il l'existence de ces trous ?

— Tu sais que nous ne laissons pas les étrangers entrer chez nous… Mais quelle importance ? Ce métal est trop mou, donc, nous n'en avons rien à fiche. Il plaît aux Bantaks, et comme nous faisons beaucoup de troc avec eux, nous les laissons prendre ce qu'ils veulent. Mais ils ne vont pas souvent là-bas, parce que c'est dangereux. Personne ne s'y aventure, sauf eux, pour plaire aux esprits de leurs ancêtres…

Comment Kahlan pouvait-elle expliquer cela à Chandalen, qui ne savait rien du fonctionnement du monde extérieur ?

— Mon ami, vous ne devez jamais utiliser cet or. (Le chasseur fit la moue. Ne venait-il pas de lui expliquer que ce métal ne servait à rien, et que personne n'en voulait ?) Vous le jugez sans valeur, mais certains hommes tueraient pour s'en procurer. Si ces gens-là apprennent qu'il y en a chez vous, ils vous massacreront pour l'avoir. La soif d'or rend fous certains individus. Ce serait la fin du Peuple d'Adobe…

Chandalen bomba le torse, lâcha la corde de son arc et se tapota la poitrine.

— Mes chasseurs et moi sommes là pour protéger les nôtres. Nous refoulerons les étrangers.

D'un geste circulaire, Kahlan désigna les centaines de morts qui les entouraient.

— Contre tant d'ennemis ? Des milliers et des milliers ? Des hordes qui ne renonceront pas avant de vous avoir exterminés ?

— Les esprits de nos ancêtres nous ont conseillé de ne jamais parler de ces trous et de l'or. Seuls les Bantaks ont le droit d'aller là-bas. Personne d'autre…

— Veille à ce qu'il en soit toujours ainsi. Sinon, des hommes viendront et vous voleront.

— Prendre ce qui appartient à un peuple est très mal, déclara Chandalen en armant de nouveau son arc. (Kahlan ne put retenir un soupir d'exaspération.) Si je fabrique un arc pour l'échanger, tout le monde sait que c'est l'œuvre de Chandalen, parce que l'arme est magnifique. Alors, si un voleur s'en empare, chacun le verra, et il sera tôt ou tard attrapé et obligé de le rendre. Ensuite, il risquera d'être banni par les siens. Comment savoir à qui appartiennent les pièces, si un voleur les prend ?

Expliquer ces choses à l'Homme d'Adobe risquait de flanquer une migraine carabinée à Kahlan. Au moins, ça l'empêchait de penser aux cadavres qui les entouraient.

Elle recommença à marcher et enjamba un mort. Impossible de faire autrement : les défenseurs étaient tombés trop près les uns des autres…

— Tu as raison, c'est très difficile à savoir. À cause de ça, les gens font très attention à leurs pièces. Quand un voleur est pris, sa punition est sévère, pour décourager les autres.

— Comment le punit-on ?

— S'il n'a pas volé grand-chose, et qu'il a de la chance, on le met sous les verrous jusqu'à ce que sa famille ait remboursé ses victimes.

— Sous les verrous ? Qu'est-ce que ça veut dire ?

— Un verrou empêche d'ouvrir une porte. Les petites pièces où on enferme les voleurs ont des portes qu'on ne peut pas ouvrir de l'intérieur. Pour sortir, il faut avoir la clé…

Chandalen sonda une rue, au coin d'une orfèvrerie, et fit signe qu'ils pouvaient continuer à remonter la rue principale.

— Je préférerais être exécuté plutôt qu'enfermé ainsi…

— Si le voleur n'a pas de chance, ou s'attaque à la mauvaise personne, c'est ce qui lui arrive.

Chandalen émit un grognement désapprobateur. Kahlan se demanda si elle était très douée pour expliquer le monde à un Homme d'Adobe. Celui-là, en tout cas, semblait trouver absurde tout ce qu'elle lui révélait.

— Notre façon de vivre est préférable. Nous faisons ce que nous voulons, et chacun produit ce dont il a besoin. Ta *division du travail* ne vaut rien. Nous pratiquons très peu le troc, et c'est mieux comme ça.

— Vous faites la même chose que les habitants de cette ville, Chandalen. Tu ne t'en aperçois pas, mais c'est pourtant ainsi.

— Non ! Chaque personne maîtrise beaucoup de choses. Nous enseignons à nos enfants tout ce que nous savons, pour qu'ils subviennent seuls à leurs besoins.

— Vous pratiquez aussi la division du travail ! Par exemple, tu es un chasseur, et surtout, le protecteur de ton peuple. Presque tous ces défunts étaient des soldats. Chargés de protéger les leurs, comme toi. Et ils sont morts en essayant de le faire. Toi aussi, tu es un soldat. Tu es fort, tu sais te servir d'un arc et d'une lance, et ton esprit est formé à découvrir et à déjouer les plans que tes ennemis ourdissent pour nuire à ton peuple.

— C'est peut-être vrai pour moi, parce que je suis fort et intelligent. Mais les autres ne se partagent pas le travail.

— Tu te trompes ! Nissel, par exemple… Sa mission est de s'occuper des malades et des blessés. Elle passe son temps à soigner les autres. Comment se nourrit-elle ? Ceux qu'elle a guéris lui donnent de quoi manger. Et s'il n'y a personne à soigner, les villageois qui ont des vivres en plus les lui offrent pour qu'elle survive et soit prête à les aider le cas échéant. Tu comprends ? On la paye avec du tava et des légumes, mais ce serait presque pareil si on la rétribuait avec des pièces. Comme son travail est de secourir le village, chacun participe à son entretien afin qu'elle soit en forme quand on a besoin d'elle. Dans d'autres coins du monde, ici par exemple, on appelle cela un impôt. Des pièces qu'on donne pour le bien de la communauté. Afin d'aider à vivre ceux qui se dévouent pour les autres.

— C'est comme ça que tu obtiens ta nourriture ? Chacun te donne un peu, comme nous quand tu viens nous attirer des ennuis ?

Pour la première fois, il avait dit cela sans aucune hostilité. Kahlan en fut sincèrement soulagée.

— Exactement…

En marchant, Chandalen surveillait les fenêtres – vides – d'un deuxième étage ravagé. À mesure qu'ils avançaient, les bâtiments devenaient plus grands et plus sophistiqués. En passant devant une auberge à la porte arrachée, Kahlan aperçut, devant le comptoir, le cadavre d'un garçon de cuisine qui devait avoir à peine douze ans.

— Ton raisonnement marche pour les chasseurs et Nissel, concéda Chandalen. Pas pour tous les autres…

— Chacun se partage le travail, mais à des niveaux différents. Les femmes cuisent le pain de tava et les hommes fabriquent les armes. La nature aussi fonctionne comme ça. Certaines plantes poussent sur des sols humides, et d'autres en terrain sec. Parmi les animaux, il y en a qui mangent de l'herbe, d'autres qui se nourrissent d'insectes, et d'autres encore qui dévorent les membres des deux premières catégories. Chaque chose a un rôle à jouer. Les femmes font les enfants, et les hommes…

Kahlan s'arrêta et regarda les cadavres, tout autour d'elle.

— Et les hommes, semble-t-il, se chargent de tuer tout ce qui bouge… Tu vois, Chandalen ? Le travail des femmes est de donner la vie. Celui des hommes de la reprendre…

Kahlan se plaqua un poing sur l'estomac. Prise de nausée et de vertiges, elle était dangereusement près de perdre son contrôle.

— L'Homme Oiseau, fit Chandalen en la regardant du coin de l'œil, dirait qu'il ne faut pas juger tous les êtres à partir des exactions d'un petit nombre… En plus, les femmes ne font pas les enfants toutes seules. Les hommes y participent aussi.

Kahlan lutta pour respirer l'air glacial. Au prix d'un violent effort, elle se ressaisit et recommença à marcher.

Visiblement désireux de changer de sujet, Chandalen désigna quelque chose en braquant son arc dessus.

— Pourquoi fabriquent-ils des gens en bois, dans cette ville ? demanda-t-il.

Un mannequin sans tête vêtu d'une robe bleue brodée dépassait de la vitrine fracassée d'une boutique de mode. Heureuse de cette diversion, Kahlan s'en approcha.

— C'est le magasin d'un tailleur. Quelqu'un dont le métier est de fabriquer des vêtements. Cette femme en bois lui permettait d'exposer son travail, pour que tout le monde sache qu'il faisait de belles choses. Cet artisan devait être très fier de ses réalisations…

La couleur de l'ensemble, effectivement magnifique, rappela à Kahlan la robe de mariée que Weselan lui avait confectionnée. Alors que Chandalen, après avoir regardé autour de lui, tendait une main pour toucher le somptueux tissu, l'Inquisitrice étouffa difficilement un cri d'horreur.

Dans la boutique, derrière le comptoir, un petit homme chauve était piqué à une cloison, comme un papillon, par la lance qui lui dépassait de la poitrine. Une femme gisait sur le comptoir, sa robe et ses sous-vêtements enroulés autour de sa taille. Entre ses fesses bleuies par le froid dépassaient les deux anneaux d'une paire de ciseaux.

Kahlan se détourna de la boutique et croisa le regard de Chandalen. Il était rouge de fureur.

— Tous les hommes ne sont pas pareils…, dit-il, les dents serrées. Si un de mes chasseurs faisait ça, je l'exécuterais sur-le-champ !

Kahlan n'avait aucune réponse à ça. D'ailleurs, parler ne lui disait plus rien. En repartant, elle desserra un peu les pans de son manteau, espérant que l'air glacial lui ferait du bien.

En silence, ils passèrent devant des écuries où tous les chevaux avaient été égorgés, puis longèrent une auberge et des maisons aussi dévastées – pour le simple plaisir de les souiller – que les précédentes.

Il faisait plus froid à l'ombre des balcons de ces demeures, mais Kahlan ne s'en soucia pas. Sur leur chemin, ils durent enjamber des cadavres couchés sur le ventre, des plaies béantes dans le dos. Au milieu des chariots et des carrosses renversés, des chevaux et des chiens morts gisaient à côté de leurs maîtres, comme s'ils voulaient témoigner, par leur fidèle présence, de la folie des responsables de cette boucherie.

Soudain glacée, Kahlan resserra les pans de son manteau. Le froid la vidait de ses forces. Avec une détermination opiniâtre, elle se força à poser un pied devant l'autre, en route pour une destination qu'elle espérait, dans le secret de son âme, ne jamais atteindre.

Dans le charnier glacé d'Ebinissia, une idée s'imposa à elle, poignante comme une prière.

Par pitié, esprits bien-aimés, faites que Richard n'ait pas froid.

Chapitre 28

Martelée par un soleil de plomb, une terre morte desséchée s'étendait à l'infini devant eux. Dans le lointain – un effet de la fournaise – des images indistinctes dansaient, semblables à des otages fantomatiques prêts à se rendre devant un ennemi trop puissant. Derrière eux, les collines déchiquetées se terminaient sur un champ de rochers et de cailloux. Le silence, pensa Richard, était aussi oppressant que la chaleur.

Du revers de la manche, il essuya la sueur qui dégoulinait sur son front. Le cuir de sa selle craqua quand il bougea un peu pour se désengourdir. Les trois chevaux attendaient, les oreilles pointées. De temps en temps, ils raclaient la terre du bout des sabots en poussant des hennissements inquiets.

Immobile sur Jessup, Verna sondait l'horizon désespérément vide comme si elle contemplait un spectacle fascinant. N'étaient ses boucles brunes poisseuses de sueur, elle ne semblait pas affectée par la chaleur.

— Je ne comprends pas ce temps, dit Richard. C'est l'hiver, et on meurt de chaud…

— Le climat n'est pas le même partout, souffla la sœur.

— C'est faux ! En hiver, il fait froid. Ce genre de canicule est réservé au plein été. Tu n'as jamais vu de pics enneigés, au milieu de l'été ?

— Si, mais c'est normal. L'air est plus frais en altitude. Nous ne sommes pas en montagne…

— Il ne s'agit pas du seul endroit où le climat est différent. Au sud, il n'est pas aussi rigoureux qu'au nord. Mais ce lieu est très particulier. Comme un puits de chaleur inépuisable.

— Et comment s'appelle ce coin charmant ?

— La vallée des Âmes Perdues.

— Et quelles âmes s'y sont égarées ?

— Celles des gens qui l'ont créée, et de tous les voyageurs qui s'y aventurent. (Verna tourna enfin la tête vers son compagnon.) C'est le bout du monde. De ton monde, en tout cas.

— Dans ce cas, que fichons-nous ici ?

— Loin derrière nous se trouve Terre d'Ouest, où tu es né. Ton pays était isolé des Contrées du Milieu, elles-mêmes nettement séparées de D'Hara. Le désert qui s'étend devant nous est une sorte de frontière.

— Et qu'y a-t-il au-delà ?

— Tu as vécu dans le Nouveau Monde. Après la vallée des Âmes Perdues, c'est l'Ancien Monde qui commence.

— L'Ancien Monde ? Je n'en ai jamais entendu parler…

— C'est tout à fait normal… Il a été *scellé* et oublié… Cette vallée joue le même rôle que la frontière, entre les trois pays du Nouveau Monde. Depuis des jours, nous chevauchons sur un territoire hostile et ravagé. Tous ceux qui tentent de le traverser, ou qui s'engagent dans la vallée, n'en reviennent jamais. Les gens pensent qu'il n'y a rien à l'extrémité sud des Contrées et de D'Hara, à part un désert où on meurt de faim et de soif si le soleil ne vous a pas carbonisé avant.

Richard fit trotter Bonnie pour se placer à côté de la sœur.

— Qu'y a-t-il au-delà ? Et pourquoi, si personne ne peut traverser, aurions-nous une chance de réussir ?

— Deux questions simples, mais y répondre n'est pas facile… La terre qui sépare le Nouveau Monde de l'Ancien s'étrécit à un endroit et la mer la borde des deux côtés.

— La mer ?

— Tu n'as jamais vu l'océan ?

— En Terre d'Ouest, il est très loin au sud, dans une région où personne ne vit. Enfin, c'est ce qu'on m'a dit… Des gens m'ont parlé de l'océan, mais je ne l'ai jamais vu. Ils m'ont raconté que c'est une étendue d'eau plus grande que n'importe quel lac.

— Ils t'ont dit la vérité, fit Verna avec un petit sourire. (Elle se plaça face à la vallée et tendit un bras vers la droite.) L'océan est par là, à une bonne distance. (Elle désigna ensuite sa gauche.) Plus loin encore, par ici, il y a aussi la mer. Si la bande de terre est très large, elle reste quand même la plus étroite frontière entre l'Ancien et le Nouveau Monde. C'est pour ça qu'une guerre s'y est déroulée. Un conflit entre sorciers.

— Ils se sont battus ?

— Oui. Cela remonte à des lustres, une époque où il y avait beaucoup de sorciers. La désolation que tu vois autour de toi est le résultat de cette guerre. Un cuisant souvenir de ce que peuvent provoquer des sorciers dotés de plus de pouvoir que de sagesse…

Richard n'aima pas du tout le regard accusateur que lui jeta la Sœur de la Lumière.

— Et qui a gagné ?

— Personne… (Verna parut enfin se détendre un peu.) Les deux camps étaient séparés par la bande de terre, entre les deux mers. Bien que les combats aient sans doute fini par cesser, il n'y a pas eu de vainqueur.

Richard décrocha une outre du pommeau de sa selle.

— Vous avez soif ?

Avec un nouveau sourire, Verna accepta l'offre et but longuement.

— Cette vallée est un bon exemple de ce qui arrive quand on laisse le cœur, pas le cerveau, prendre le contrôle de la magie. (La sœur se rembrunit.) À cause de leurs méfaits, les habitants des deux mondes seront séparés à jamais. C'est pour ça, entre autres raisons, que les Sœurs de la Lumière forment ceux qui ont le don. Ainsi, ils n'agiront pas sur le coup de leurs stupides émotions.

— Et pourquoi se sont-ils battus ?

— Devine ! L'enjeu habituel… Savoir quels sorciers dirigeraient le monde.

— J'ai entendu parler d'une guerre, également entre sorciers, qui visait à déterminer s'ils devaient le diriger ou non.

Verna rendit l'outre à Richard et s'essuya les lèvres avec un doigt.

— C'était un autre conflit, même s'il avait un lien avec celui-là. Après la séparation des mondes, des sorciers des deux camps furent piégés dans le Nouveau. Chaque groupe était venu aider ses alliés à vaincre les représentants du camp ennemi…

» Une fois coincée, une des factions est entrée dans la clandestinité pendant des siècles, se renforçant afin de prendre un jour le pouvoir dans le Nouveau Monde. Une autre guerre éclata – qu'elle perdit. Les rares survivants allèrent se réfugier dans leur forteresse, en D'Hara. (Elle leva un sourcil interrogateur.) Des ancêtres à toi, je présume ?

Richard la foudroya un long moment du regard avant de boire une gorgée d'eau trop chaude. Il en fit couler un peu sur un foulard – un truc que Kahlan lui avait appris – et le noua autour de son front pour se rafraîchir et tenir en place ses cheveux. Puis il raccrocha l'outre à sa selle.

— Alors, qu'est-il arrivé ici ?

— À l'endroit où la bande de terre était la plus étroite, des armées – et des sorciers – ont livré bataille pour empêcher le camp adverse d'avancer. Les sorciers ont jeté des sorts, en puisant dans toutes les variantes de magie, pour tenter d'écraser leurs ennemis. Un déchaînement d'horreur, chaque faction se montrant aussi cruelle et perverse que l'autre. C'est cela qui s'étend devant nous…

— Vous voulez dire que leurs sorts sont toujours actifs ?

— Aussi puissants qu'au premier jour.

— C'est impossible ! Ils auraient dû s'affaiblir, voire se dissiper…

— Logiquement, oui… Mais les sorciers, pour conserver la force de leurs sortilèges, ont construit des structures spéciales.

— Quelles structures ?

— Les Tours de la Perdition, répondit Verna en continuant à sonder l'horizon désert.

À moins qu'elle ne vît des choses que le Sourcier ne pouvait pas distinguer…

Richard flatta l'encolure de Bonnie et attendit que la sœur sorte de sa méditation.

— D'une mer à l'autre, les deux camps ont construit une ligne de ces édifices, l'une en face de l'autre. Les tours étaient investies de leur pouvoir, et elles couvraient toute la zone, de la mer à la vallée. Mais à cause de leur puissance, aucune faction ne put s'approcher assez pour ériger la dernière de sa propre ligne. L'affrontement s'acheva donc sur un *statu quo*. Une partie nulle, si tu préfères. Du coup, il y eut une brèche dans les défenses magiques.

— S'il y a une brèche, pourquoi les gens ne peuvent-ils pas traverser ?

— C'est en fait une zone de faiblesse dans une ligne de pouvoir… De chaque côté, le long des collines et des montagnes, jusqu'à la fin des terres et au-delà, dans la mer, où elle est un peu moins active, la ligne de Perdition est infranchissable. S'y aventurer revient à se jeter dans une tempête de magie. On y perd la vie, ou, pire encore, on peut errer à jamais au cœur de cet enfer.

» Dans la vallée, le *statu quo* dont je te parlais empêcha d'ériger la dernière tour, qui aurait scellé la ligne. Mais les sorts ont dérivé à travers la brèche, comme des nuages d'orage poussés par le vent, et se sont percutés avant de s'éparpiller au hasard. À cause de la faiblesse de la ligne, ici, il existe une sorte de labyrinthe qui peut être traversé par ceux qui ont le don. Les passages sans danger changent sans cesse de place, et il n'est pas toujours possible de repérer les sorts. Il faut pouvoir les sentir avec la magie. Et même comme cela, la traversée n'est pas un jeu d'enfant.

— Si je comprends bien, les Sœurs de la Lumière peuvent passer parce qu'elles ont le don…

— Exact. Mais pas plus de deux fois… La magie apprend à reconnaître les gens. Jadis, les sœurs qui avaient fait un aller-retour étaient renvoyées en mission dans le Nouveau Monde. Mais on ne les revoyait jamais. (Elle sonda de nouveau l'horizon.) Elles errent quelque part dans ce cauchemar, sans qu'on puisse les secourir. Les Tours de la Perdition et leur tempête de magie se sont à jamais emparées d'elles.

Richard attendit que Verna tourne de nouveau la tête vers lui.

— Ma sœur, peut-être se sont-elles tout simplement rebellées, choisissant de ne pas revenir. Comment pouvez-vous le savoir ?

— Hélas, nous en sommes sûres. Les sœurs qui ont traversé les ont vues. Moi-même, en venant, j'en ai aperçu plusieurs…

— Je suis désolé, sœur Verna. (Richard pensa à Zedd. Si Kahlan parvenait à le joindre, et à lui dire ce qui s'était passé. Kahlan… Se souvenir d'elle lui déchirait les entrailles.) Donc, un sorcier peut traverser, reprit-il pour se forcer à chasser l'Inquisitrice de son esprit.

— Pas si ses pouvoirs sont pleinement développés… Quand nous lui avons appris à contrôler son don, il peut être autorisé à traverser, mais *avant* d'avoir réalisé tout son potentiel. Le propos de la ligne est d'empêcher les sorciers de traverser. Un sorcier au zénith de son art attirerait les sorts comme un aimant attire la limaille de fer. Les tours furent conçues pour cela. Un sorcier accompli se perdrait, tout comme un homme ordinaire qui ne pourrait pas s'aider du don pour repérer les brèches. Pas assez de pouvoir, ou trop, et on s'égare à coup sûr. C'est pour ça que les créateurs de la ligne n'ont pas pu l'achever. Les sorts adverses les ont empêchés de passer. Un plan grandiose qui a fini sur une impasse.

Richard comprit qu'il n'avait plus d'espoir… Si Kahlan allait chercher Zedd, le vieil homme ne pourrait rien faire pour l'aider. Digérant sa déception, il saisit le croc de dragon qui pendait à son cou.

— Ne peut-on pas survoler cette ligne ?

— Les sorts sont actifs dans le ciel comme dans l'océan. Aucune créature ne pourrait voler assez haut.

— Et la voie maritime ? N'est-il pas possible de naviguer assez loin pour contourner l'obstacle ?

— On prétend que cela a été tenté jadis. Moi, j'ai vu des navires partir relever ce défi. Mais aucun n'est jamais revenu.

Richard jeta un coup d'œil par-dessus son épaule et ne vit rien.

— Quelqu'un pourrait-il vous suivre ?

— Une ou deux personnes, en restant près de moi, comme tu devras le faire. Au-delà de ce nombre, ce serait impossible. Les poches, entre les sorts, ne sont pas assez larges pour une grande expédition.

— Pour que les sorts se dissipent, ne suffirait-il pas de détruire les tours ?

— Nous avons essayé. C'est infaisable.

— Vous avez échoué, ma sœur. Ça ne signifie pas que c'est impossible.

— Les tours, Richard, et les sorts, sont le fruit des magies Additive et Soustractive !

La Magie Soustractive ? Comment les sorciers de jadis avaient-ils pu y recourir ? Bien sûr, Darken Rahl y était parvenu, alors…

— Les tours…, souffla Richard. Comment interdisent-elles la dissipation des sorts ?

— Chacune est investie de la force vitale d'un sorcier.

Malgré la chaleur, Richard frissonna.

— Vous voulez dire, je suppose, qu'un sorcier a sacrifié sa force vitale pour toute la ligne ?

— Non. Chaque tour, au contraire, contient la force vitale de *plusieurs* sorciers.

Tant d'hommes s'étaient sacrifiés ainsi ? Inimaginable…

— À quel intervalle sont disposées les tours ?

— À ce qu'on dit, certaines sont séparées par des lieues, et d'autres par quelques centaines de mètres. Leur position dépend de la configuration des lignes de pouvoir qui courent dans le sol. Nous ignorons la raison de ce type d'alignement. Et nous ne savons pas non plus combien il y a de tours, car entrer dans le champ d'action de la ligne nous tuerait. Du coup, nous avons seulement pu en compter quelques-unes, dans la vallée.

— En traversant, nous en verrons ?

— C'est impossible à dire. Les passages se déplacent sans cesse. Parfois, une brèche frôle une tour. J'en ai vu une lors du voyage aller. D'autres sœurs n'en ont jamais aperçu. Moi, j'espère ne jamais refaire cette expérience…

Richard s'avisa soudain que sa main gauche serrait la garde de son épée. Les lettres en relief du mot « Vérité » lui mordaient la paume. Il ouvrit les doigts puis lâcha l'arme.

— Qu'est-ce qui nous attend là-bas ? demanda-t-il. Que verrons-nous ?

— Il y a des sortilèges de tous genres… Certains communiquent un terrible désespoir. Quand elle y est piégée, une âme souffre jusqu'à la fin des temps. D'autres rendent leur victime joyeuse et extatique… puis la taillent en pièces. D'autres encore te feront voir les choses dont tu as le plus peur, pour t'inciter à fuir et à te jeter dans les griffes des monstres qui se cachent derrière. Enfin, les pires te tentent avec tes plus grands espoirs. Si tu cèdes à tes désirs… (Verna se pencha vers le jeune homme.) Tu devras rester près de moi et continuer à avancer. Si tu as peur ou envie de quelque chose, fais exactement le contraire. Tu comprends ce que je veux dire ?

Richard hésita, puis finit par acquiescer. Sœur Verna tourna la tête vers l'horizon, où dansaient toujours les spectres vaporeux. Très loin devant, au-delà de ces illusions, le Sourcier crut voir dériver d'énormes nuages noirs. Il sentit le tonnerre gronder plus qu'il ne l'entendit. Ce n'était pas un orage, comprit-il, mais une manifestation de la magie. Quand Bonnie renâcla, il lui tapota gentiment le cou pour la rassurer.

Verna n'avait toujours pas bougé, tendue comme un arc.

— Qu'attendez-vous donc, ma sœur ? De trouver le courage d'avancer ?

— C'est tout à fait ça, mon enfant…

Cette fois, il ne fut pas furieux qu'elle l'appelle ainsi. Au fond, cela le définissait à la perfection, au moins sur le plan des compétences.

— Tu étais encore dans tes langes quand j'ai traversé, mais je me souviens de chaque détail comme si c'était hier. Oui, tu as tout à fait raison : j'attends de trouver le courage.

— Le plus tôt nous partirons, dit Richard en faisant avancer Bonnie d'une pression des cuisses, plus vite nous serons de l'autre côté.

— Ou perdus… (Verna talonna son cheval.) Tu es si pressé de te perdre, Richard ?

— Je suis déjà perdu, ma sœur.

Chapitre 29

Ils arrivèrent devant des marches larges d'une bonne vingtaine de pas. Kahlan s'immobilisa un instant, comprenant qu'elle avait atteint sa destination. Puis elle commença l'ascension, ses raquettes s'enfonçant dans le monticule de neige qui recouvrait la pierre. Devant elle se dressait le portique majestueux, flanqué d'une rangée de statues si finement sculptées que leurs toges semblaient onduler au gré du vent. Sur l'esplanade, également couverte de neige, des cadavres gisaient un peu partout. Des hommes tombés les armes à la main pour défendre le dernier bastion de leur ville. D'autres étaient assis dos contre le mur du hall d'entrée, comme s'ils se reposaient avant de reprendre le combat. Mais ils ne se relèveraient plus jamais.

Les portes ornées du blason royal de la famille Amnell avaient été abattues à coups de hache et jetées sur le sol du vestibule. Au fond trônaient deux grandes statues de la reine Bernadine et du roi Wyborn. Chacune tenait une lance et un bouclier dans une main. Dans l'autre, la souveraine serrait un épi de blé. Son mari, lui, portait un agnelet sous le bras. On avait brisé les seins de Bernadine à coups de masse et les deux statues ne possédaient plus de tête.

Les doigts gourds – pas seulement à cause du froid – Kahlan défit les fixations de ses raquettes et les posa contre le socle de la statue de Bernadine. Chandalen fit de même avant de la suivre dans le couloir d'honneur aux miroirs brisés et aux tapisseries en lambeaux. Le courant d'air qui jouait dans le bâtiment désert étant encore plus glacial que le vent, l'Inquisitrice resserra autour d'elle les pans de son manteau.

— À quoi servait cet endroit ? demanda Chandalen à voix basse, comme s'il avait peur de réveiller les esprits des morts.

Kahlan dut faire un effort pour ne pas lui répondre sur le même ton.

— C'était la maison de la reine de ce pays. Son nom est Cyrilla.

— Une seule personne dans une maison aussi grande ?

— Beaucoup de gens y vivaient ! D'abord les conseillers, qui sont l'équivalent des Anciens de ton peuple. Puis les fonctionnaires chargés de l'organisation du pays, et tous les domestiques indispensables pour s'occuper d'eux et leur permettre de travailler dans les meilleures conditions possibles… Bien des gens tiennent ce palais pour leur maison, mais la reine, qui en est la maîtresse et dirige le royaume, est au-dessus d'eux.

Kahlan entreprit de fouiller le palais. Son compagnon la suivit, son regard volant d'objet d'émerveillement en objet d'émerveillement. Même si tout était à demi cassé, la grandeur de l'ameublement et des décorations subsistait…

Kahlan descendit la volée de marches qui conduisait aux offices. Chandalen insista pour entrer le premier dans chaque salle, dont il ouvrit la porte d'un coup de pied, son arc prêt à tirer. Sans ces précautions, il n'était pas question, déclara-t-il, de laisser l'Inquisitrice entrer quelque part.

Ils ne trouvèrent que des morts. Dans quelques salles, les serviteurs avaient été alignés contre un mur et cloués aux lambris par des flèches. Aux cuisines, après avoir exécuté tout le personnel, les envahisseurs avaient organisé des libations dont témoignaient des cruchons vides de bière et de vin. Quant à la nourriture, ils semblaient s'être surtout amusés à la projeter contre les murs.

Kahlan emprunta l'escalier de service pour gagner les étages supérieurs. Surpris, Chandalen monta les marches quatre à quatre afin de ne pas se laisser distancer. Sûrement mécontent qu'elle lui ait ainsi faussé compagnie, il ne lui fit pourtant aucun reproche.

— Il y avait des salaisons…, dit-il. Nous devrions en prendre. Ces pauvres gens ne nous en voudront pas de leur avoir emprunté un peu de nourriture.

— Mange cette viande, et tu mourras, car elle est sûrement empoisonnée. Un moyen classique d'éliminer d'éventuels survivants, après ce genre de massacre…

L'étage principal ne contenait pas de cadavres. Selon toute apparence, l'armée ennemie en avait fait son quartier général. Des tonneaux de vin et de rhum – vides – étaient entassés dans la salle de bal, et des détritus de toutes sortes jonchaient les riches tapis. On eût dit une porcherie, avec des empreintes de bottes sales partout, y compris sur les tables, où les soudards paraissaient avoir dansé.

— Ils étaient encore ici il y a deux jours, dit Chandalen en inspectant ce qui était devenu une décharge d'ordures. Peut-être trois…

— Je suis d'accord avec cette estimation…

— Pourquoi sont-ils restés si longtemps ? Seulement pour se soûler et faire la fête ?

— Aucune idée… Ils voulaient peut-être se reposer et soigner leurs blessés. Ou célébrer leur victoire, tout simplement.

— Tuer n'est pas une raison de se réjouir.

— Pour ces gens, il semble bien que si…

À contrecœur, Kahlan s'engagea dans l'escalier qui conduisait à l'avant-dernier étage. Là où se trouvaient les chambres à coucher…

Ils inspectèrent d'abord l'aile ouest : celle des hommes. Apparemment, les officiers en avaient fait leurs quartiers, laissant leurs soldats annexer les auberges et les maisons environnantes.

Les dents serrées, Kahlan traversa le couloir qui menait à l'aile est. Une fois encore, Chandalen voulut ouvrir les portes et être le premier à jeter un coup d'œil. Mais ici, elle ne l'y autorisa pas.

La main posée sur la poignée, Kahlan hésita longtemps avant d'ouvrir la première porte. Puis elle entra, s'immobilisa et garda son masque d'Inquisitrice devant le spectacle qui s'offrit à elle.

Elle sortit et ouvrit la porte suivante.

Puis la suivante…

Dans chaque chambre, elle découvrit des femmes nues, étendues sur les lits. À voir l'état des tapis, elles avaient dû recevoir beaucoup de visiteurs. Sur le seuil d'une de ces pièces, une petite pile de copeaux signalait qu'un homme, en attendant son tour, s'était amusé à sculpter un objet en bois.

— À présent, nous savons pourquoi ils sont restés si longtemps, dit Kahlan en refusant de croiser le regard de Chandalen.

Ces quelques jours avaient dû être les plus longs de la vie des pauvres femmes. L'Inquisitrice espéra que leurs esprits étaient maintenant en paix.

Elle se dirigea vers la porte du fond, celle du dortoir que partageaient les plus jeunes femmes. Elle l'ouvrit et regarda à l'intérieur, Chandalen regardant par-dessus son épaule.

Étouffant un cri, elle se retourna et plaqua une main sur la poitrine de l'Homme d'Adobe.

— Je t'en prie, attends ici…

Le chasseur acquiesça, le regard baissé sur ses bottes.

Kahlan referma la porte derrière elle et y resta adossée un long moment. Une main sur l'estomac et l'autre sur la bouche, elle contourna une garde-robe dévastée et remonta le long couloir glacial, entre les rangées de lits. Sur le sol, des miroirs à main, des brosses, des épingles à cheveux et des peignes gisaient, à demi brisés.

Ces jeunes filles étaient en formation pour devenir les suivantes de la reine. La plupart avaient entre quatorze et seize ans… Ici, il ne s'agissait plus pour Kahlan de découvrir des cadavres anonymes. Elle connaissait une grande partie de ces malheureuses.

Quelque temps plus tôt, Cyrilla les avait amenées avec elle en Aydindril, où elle entendait s'adresser au Conseil. Kahlan avait été frappée par leur joie de vivre et leur constant émerveillement. Voir la grandeur d'Aydindril à travers leurs yeux avait changé sa vision des choses – en bien ! Elle aurait aimé leur offrir une visite guidée, mais être avec la Mère Inquisitrice les aurait trop angoissées. Encore un petit plaisir dont elle avait dû se priver. Mais elle les avait admirées de loin, enviant leur avenir ouvert à tous les possibles.

Kahlan s'arrêta devant plusieurs lits, reconnaissant des visages jadis plein de vie. Juliana, une des plus jeunes du lot, avait toujours été sûre d'elle et même un brin péremptoire. Sachant ce qu'elle voulait, elle ne reculait devant rien pour l'obtenir. Les soldats lui tournaient autour comme des papillons fascinés par une flamme. Un jour, son chaperon, maîtresse Nelda, lui en avait fait la remontrance. Kahlan était secrètement intervenue en faveur de la petite. Malgré le goût certain de Juliana pour le badinage amoureux, avait-elle dit, aucun homme de la Garde Nationale n'aurait manqué de respect à la suivante d'une reine.

Les poignets attachés à la tête de lit, Juliana avait dû rester offerte à ses bourreaux de longs jours durant, car la corde s'était profondément enfoncée dans ses chairs.

La petite Elswyth gisait dans le lit suivant, sur des draps gorgés de sang. On lui avait lacéré la poitrine et ouvert la gorge, comme à presque toutes les autres.

Comme des truies à l'abattoir !

Au bout de la pièce, Kahlan s'immobilisa devant l'ultime lit. Ashley, une des plus âgées, les chevilles attachées aux montants de son lit, avait été étranglée avec la cordelette d'un rideau. Son père était un des assistants de l'ambassadeur de Galea en Aydindril. Et sa mère avait pleuré de fierté quand Cyrilla s'était montrée assez bonne pour la prendre parmi ses futures suivantes. Comment l'Inquisitrice leur raconterait-elle ce qui était arrivé à leur petit trésor ?

En retournant vers la sortie, non sans se recueillir un instant devant chaque petite victime, Kahlan se demanda pourquoi elle ne pleurait pas. N'aurait-elle pas dû éclater en sanglots, tomber à genoux, marteler le sol de ses poings et hurler jusqu'à s'en casser la voix ? Pourtant, elle restait de marbre, les yeux secs.

Il y avait peut-être trop de jeunes mortes dans ce dortoir. Avait-elle vu tant de cadavres, aujourd'hui, qu'elle s'y était habituée ? Comme lorsqu'on trouve l'eau trop chaude, en entrant dans une baignoire, et qu'on finit par s'y faire – sans avoir été ébouillanté...

Elle sortit et referma doucement la porte. Chandalen n'avait pas bougé, les phalanges blanches à force de serrer son arc. Kahlan avança, pensant qu'il la suivrait, mais il ne broncha pas.

— À ta place, dit-il, presque toutes les femmes seraient en larmes.

— Je ne suis pas comme les autres, répondit Kahlan en s'empourprant de colère.

— Ça, c'est le moins qu'on puisse dire...

L'Homme d'Adobe leva enfin les yeux.

— Je veux te raconter une histoire...

Kahlan fit quelques pas de plus.

— Pas maintenant, Chandalen. Je n'ai rien envie d'entendre. Plus tard, peut-être...

— Je veux te raconter une histoire !

— Si c'est si important, je t'écoute..., capitula l'Inquisitrice.

Croisant le regard de la jeune femme, le chasseur avança vers elle. Pourtant plus petit qu'elle de quelques pouces, il lui sembla soudain très grand.

— Quand mon grand-père était aussi jeune et fort que moi, il avait déjà une femme et deux fils. En ce temps-là, beaucoup de gens venaient faire du troc au village. Nous ne repoussions personne. Les Jocopos étaient un des peuples qui nous rendaient souvent visite.

— Les Jocopos ? Je connais tous les royaumes des Contrées et je n'ai jamais entendu parler d'eux.

— Ils vivaient à l'ouest, près de là où se dressait la frontière.

— Personne n'habite à l'ouest de votre territoire. C'est une région déserte.

— Les Jocopos étaient très grands. (Il leva une main dix bons pouces au-dessus de sa tête et la laissa retomber.) Mais ils avaient toujours été pacifiques. Comme les Bantaks, et comme nous. Soudain, ils nous ont déclaré la guerre. Les nôtres ne savaient pas pourquoi et ils mouraient de peur. La nuit, ils tremblaient à l'idée que les Jocopos reviendraient peut-être le lendemain. Ils déboulaient dans le village, égorgeaient les hommes et enlevaient les femmes pour leur faire…

Il désigna la porte.

— Pour les violer, dit calmement Kahlan. Cela s'appelle un viol.

— Les Jocopos enlevaient beaucoup de femmes, et ils les violaient. (Il désigna de nouveau la porte.) Comme celles-là… Tu comprends ce que je veux dire ?

— Plusieurs hommes les violaient, puis les assassinaient.

Le chasseur hocha la tête, soulagé de ne pas devoir entrer dans les détails.

— En ce temps-là, le Peuple d'Adobe n'avait pas d'hommes comme moi pour le protéger. (Il bomba un peu le torse, mais le cœur n'y était pas.) Il ne s'était jamais battu, et il n'y avait même pas pensé. Mais les Jocopos ont changé ça…

» Ils ont enlevé ma grand-mère. Alors, mon grand-père a juré de les envoyer tous dans le monde des esprits. Il a rassemblé les hommes qui avaient perdu une épouse, une mère ou une sœur, et…

Le chasseur s'essuya le front comme s'il transpirait. Mais avec ce froid, ce n'était pas le cas.

— Je comprends, dit Kahlan en lui posant une main sur le bras.

Cette fois, il ne sursauta pas.

— Mon grand-père a demandé qu'on organise un conseil des devins. Il pleura la mort de sa femme devant les esprits, et leur demanda s'ils voulaient lui apprendre à combattre et à arrêter les Jocopos. Ils lui ont répondu qu'il devait d'abord cesser de pleurer, et ne plus verser une larme jusqu'à la fin des combats.

Kahlan retira sa main et caressa distraitement son col de fourrure.

— Mon père me disait à peu près la même chose : « Ne pleure pas ceux qui sont sous terre avant d'avoir châtié leurs assassins. Après, tu auras tout le temps de sangloter. »

— Ton père était un homme sage…

Kahlan ne dit rien, attendant que son compagnon reprenne le fil de son histoire.

— Les esprits sont venus voir mon grand-père chaque soir. Ils lui ont appris à tuer, et il a transmis son savoir à ses hommes. Ils ont commencé à se couvrir de boue et à attacher des broussailles à leurs membres, pour qu'on ne les voie pas.

» Les esprits avaient été clairs : il ne fallait pas combattre les Jocopos selon leurs règles, mais les frapper la nuit. Le jour, ils n'avaient peur de rien, car ils étaient plus nombreux que nous. Alors, ils devaient finir par frémir au moindre bruissement d'herbe et à chaque cri d'oiseau ou de grenouille…

» Le Peuple d'Adobe luttait à un contre cinq. D'abord, les Jocopos ne s'inquiétèrent pas. Mais les guerriers de mon grand-père commencèrent à les tuer quand ils chassaient, ou s'occupaient de leurs récoltes, ou soignaient leurs animaux, ou s'isolaient dans les buissons pour faire leurs besoins. Et surtout quand ils dormaient ! Tous les Jocopos devinrent des cibles. Ce ne fut pas une guerre, mais une chasse à l'homme. Jusqu'à ce qu'il n'y ait plus de Jocopos dans ce monde…

Kahlan se demanda un instant s'ils avaient aussi abattu les enfants. Mais elle connaissait la réponse, puisque ce peuple avait disparu. Une autre déclaration de son père lui revint en mémoire : *Quand on t'impose la guerre, il est de ton devoir de te montrer impitoyable. Si tu te laisses arrêter par la clémence, tu trahiras ton peuple et ne vaudras pas mieux que ses ennemis. Car les tiens payeront tes erreurs de leur vie.*

— Je comprends, Chandalen. Ton peuple ne pouvait pas faire autrement. Et ton grand-père a su protéger ceux qu'il aimait. Mon père disait aussi : « Quand on t'impose la guerre, que ta riposte soit pire que tout ce que l'ennemi imagine dans ses pires cauchemars. Sinon, tu lui abandonneras la victoire. »

— Ton père devait avoir reçu la visite des esprits de ses ancêtres. Et il t'a bien transmis leurs leçons… Mais je sais qu'il est difficile de vivre selon ces règles. Et de supporter le regard des autres, qui te jugent impitoyable.

— J'ai payé pour l'apprendre, mon ami… Ton grand-père a fait honneur au Peuple d'Adobe. Quand ce fut fini, je suis sûre qu'il versa beaucoup de larmes sur les femmes martyrisées…

Chandalen défit son manteau et le laissa tomber sur le sol. Dessous, il portait une tunique et un pantalon en peau de daim. Autour de ses deux bras, un couteau en os était fixé par une bande de tissu. La pointe semblait aussi acérée qu'une aiguille, et la garde était entourée de tissu pour une meilleure prise. Des plumes noires y pendaient…

Le chasseur tapota une des armes.

— Cet os appartenait à mon grand-père. (Il désigna l'autre couteau.) Celui-là à mon père. Un jour, quand j'aurai un fils grand et fort, il portera l'os de mon père… et un des miens. Alors, celui de mon grand-père pourra trouver le repos dans la terre.

Au moment de leur départ, quand Kahlan avait aperçu les couteaux, elle les avait pris pour des lames de cérémonie. À présent, elle savait qu'il n'en était rien. C'étaient d'authentiques armes : celles des esprits.

— Et que signifient les plumes ? demanda l'Inquisitrice.

Chandalen caressa celles qui dépassaient de son épaule droite.

— L'Homme Oiseau qui vivait au temps de mon grand-père lui a donné celles-ci. Celui que tu connais m'a remis les autres. Ce sont des plumes de corbeau.

Ces oiseaux symbolisaient la mort pour le Peuple d'Adobe. Même si elle jugeait peu ragoûtante l'idée de porter en guise d'armes un os de son grand-père et de son père, Kahlan savait que c'était un honneur pour Chandalen. Elle se garda donc de le froisser.

— Je suis honorée, Chandalen, que tu aies emporté, pour me protéger, les esprits de tes ancêtres.

Le chasseur se rembrunit.

— L'Homme Oiseau a dit que tu es une Femme d'Adobe. Prendre ces armes était mon devoir… Mon grand-père a appris à mon père, et à mon oncle, l'homme que tu as tué, à être les protecteurs de leur peuple. Mon père m'a transmis ce savoir, et je le communiquerai à mon fils, quand il viendra. Un jour, lui aussi portera mon esprit à son bras…

» Depuis la disparition des Jocopos, nous laissons peu d'étrangers entrer sur notre territoire. Ouvrir les bras aux autres, nous ont enseigné les esprits, revient à inviter la mort. Ils ont raison ! Tu nous as amené Richard Au Sang Chaud. À cause de lui, Darken Rahl a massacré beaucoup des nôtres.

Ainsi, c'était ça que Chandalen ne digérait pas. Il devait protéger son peuple et n'y était pas parvenu…

— Les esprits des ancêtres nous ont aidés à sauver le Peuple d'Adobe, Chandalen, et beaucoup d'autres innocents. Ils ont vu que le cœur de Richard était pur. Comme toi, il a risqué sa vie pour défendre des gens qui ne voulaient pas la guerre…

— Ton Richard est resté dans la maison des esprits pendant que Darken Rahl massacrait les nôtres. Il n'a pas tenté de l'arrêter. Non, il ne s'est pas battu…

— Sais-tu pourquoi ? (Kahlan marqua une pause. N'obtenant pas de réponse, elle continua.) Entends ce que les esprits lui ont dit : s'il sortait, il combattrait Rahl selon ses propres règles, et il mourrait. Alors, il ne pourrait plus jamais aider personne. Pour vaincre et sauver les survivants du Peuple d'Adobe, il devait attendre son heure, et imposer ses règles. Exactement ce que les esprits ont conseillé à ton grand-père.

— C'est ce que raconte Richard…

— J'étais là et je les ai entendus ! Richard voulait se battre. Il a pleuré de rage quand ils le lui ont interdit. À ce moment-là, rien n'aurait pu arrêter Darken Rahl. Ce n'était pas la faute de Richard, ni la tienne. S'il avait essayé, il serait mort, et Rahl aurait dominé le monde.

— Peut-être… Mais si tu n'avais pas amené Richard, rien ne serait arrivé. Parce que Darken Rahl ne serait jamais venu le chercher chez nous…

— Chandalen, sais-tu ce que je fais ? Quel est mon métier, si tu préfères ?

— Oui. Comme toutes les Inquisitrices, tu fais peur aux gens, pour qu'ils t'obéissent. Et comme ils sont effrayés, ils filent doux.

— C'est une façon de présenter les choses… Mais je dirige surtout le Conseil des Contrées du Milieu. Grâce à moi, parce que je représente et protège tous les peuples, le tien peut vivre comme ça lui chante.

— Nous n'avons besoin de personne pour nous protéger.

— Tu crois ça ? Pour chaque Homme d'Adobe, il y avait cinq Jocopos. Ton grand-père a vaincu un ennemi supérieur en nombre et c'est admirable. Mais pour chacun des tiens, il y a des centaines de soldats morts ici, et ce n'est qu'une des villes du royaume. Ces braves ont été balayés comme des fétus de paille. Pourtant, selon tes propres dires, ils se sont battus courageusement. Quelle chance aurais-tu contre l'armée qui les a écrasés ?

Chandalen ne répondit pas.

— Il y a des peuples, mon ami, comme le tien ou les Bantaks, qui ne sont pas représentés au Conseil. Les pays plus grands, tel que celui-là, ou l'ennemi qui l'a vaincu, sont très puissants. Pourtant, Darken Rahl les a conquis. Moi, je parle au nom de ceux qui n'ont pas le droit de vote au Conseil. Je défends votre désir de vivre en paix, et j'interdis aux autres peuples de vous envahir. Sans moi, ils le feraient. As-tu vu les pays que nous avons traversés ? Beaucoup ont des terres stériles. Ils viendraient voler les vôtres pour les cultiver et élever du bétail. Alors, vos plaines sacrées seraient brûlées et remplacées par des champs. Aussi fort et courageux que tu sois, tu ne repousserais pas ces envahisseurs. La bravoure ne suffit pas, face à des multitudes. Pense à ce qui est arrivé aux défenseurs de cette ville…

» Être un héros n'exclut pas de se servir de son intelligence, Chandalen. Combien de temps résisterais-tu à l'armée qui a rasé cette cité ? Même si chacun de tes hommes tuait cinquante ennemis, ça ne changerait rien. Vous disparaîtriez, comme les Jocopos.

Kahlan se tapa la poitrine de l'index.

— Moi, j'empêche les envahisseurs d'attaquer. S'ils n'ont pas peur de toi, ils me redoutent, ainsi que l'alliance que je représente. Dans les Contrées, des gens sont prêts à se battre pour défendre les faibles. Les morts que tu as vus aujourd'hui étaient de ceux-là. Ce royaume a toujours soutenu mes efforts pour la paix. C'est moi, en dirigeant le Conseil, qui fédère les ennemis de la guerre. Pour moi, ils combattraient tous ceux qui tenteraient d'envahir un peuple sans défense. Tu as raison, je fais peur aux gens, et ils m'obéissent. Mais le pouvoir ne me grise pas. Je m'en sers pour épargner l'oppression à tous les petits pays des Contrées. Ces soldats morts se sont battus au nom de la liberté de tous. Ils ont lutté pour toi, pour tes droits, même si tu n'as jamais su qu'ils ont versé leur sang à ta place.

Kahlan resserra de nouveau les pans de son manteau.

— Jusqu'à ce que Darken Rahl menace tout le monde, tu n'as jamais eu à prendre les armes pour tes protecteurs. Je suis venue avec Richard chercher l'aide de ton peuple. Les esprits de vos ancêtres ont décidé de nous soutenir. Pour la première fois, les Hommes d'Adobe se sont sacrifiés dans l'intérêt des Contrées. Avec l'aval des esprits !

» Les peuples des Contrées ont une dette envers vous. Mais l'inverse est vrai aussi. Richard Au Sang Chaud a risqué sa vie pour les tiens. Au cours de ce combat, il a perdu des êtres chers, tout comme toi. Et souffert d'une manière que tu ne pourras jamais comprendre. Si tu savais ce que Rahl lui a fait, avant qu'il ne le tue…

Enfin, Kahlan explosa.

— J'effraie les gens pour que tu puisses continuer à être aveugle et têtu comme une mule ! Richard et moi avons combattu pour la survie de tous les peuples, dont le tien. Et tant pis si tu n'as pas voulu nous aider ! Ou si tu nous refuses ta gratitude !

Chandalen prit le temps de préparer sa réponse.

— Tu penses que je suis têtu, dit-il calmement, et j'en ai autant à ton service… Ton père aurait dû également t'apprendre que les gens, parfois, semblent aveugles – et même bornés – parce qu'ils ont peur pour ceux qu'ils doivent protéger. Au fond, nous nous ressemblons, Mère Inquisitrice. Chacun de nous fait de son mieux pour défendre ceux qu'il aime…

Contre toute attente, un petit sourire flotta sur les lèvres de Kahlan.

— Chandalen serait-il moins borné que je le pensais ? Très bien, à partir de maintenant, j'essayerai de le voir tel qu'il est : un homme d'honneur.

— Richard Au Sang Chaud n'est pas idiot non plus, fit le chasseur. S'il devait choisir quelqu'un pour se battre à ses côtés, a-t-il dit, ce serait moi.

— Tu as raison, il n'est pas idiot du tout…

— Il s'est aussi sacrifié pour devenir ton partenaire. Ainsi, il a épargné ce sort à un Homme d'Adobe. Car tu aurais sans doute choisi l'un d'entre nous… (Sa voix trembla de fierté.) Sûrement moi, car je suis le plus fort de tous. Donc, Richard m'a sauvé !

Kahlan ne put s'empêcher de sourire.

— Je suis vexée que tu juges terrible d'être mon époux.

Chandalen approcha de l'Inquisitrice. Il la regarda un moment dans les yeux, puis entreprit de défaire la bande de tissu de son bras droit. Une fois le couteau dégagé, il le tendit à la jeune femme.

— Mon grand-père serait fier de protéger une Femme d'Adobe comme toi !

Il écarta le pan gauche du manteau de Kahlan.

— Chandalen, je ne peux pas accepter. C'est le réceptacle de l'esprit de ton grand-père.

Le chasseur ignora l'objection et fixa l'arme au bras de Kahlan.

— Je garde l'esprit de mon père et je suis fort. Tu te bats pour protéger notre peuple. Grand-père serait honoré de lutter à tes côtés.

L'Inquisitrice releva le menton pendant qu'il mettait le couteau en place.

— Moi, je serai honorée de l'avoir pour allié.

— C'est parfait. À présent, ton devoir est de lutter comme il l'aurait fait. (Il prit la main droite de Kahlan et la posa sur l'os.) Pour le Peuple d'Adobe, et pour les autres, jure de remplir ta mission.

— J'ai déjà prêté ce serment. Et je continuerai à le tenir.

— Prête-le de nouveau devant moi !

— Eh bien… Tu as ma parole d'honneur. Je le jure devant toi !

Le chasseur sourit et remit le manteau sur l'épaule de l'Inquisitrice.

— Quand je le reverrai, je remercierai Richard Au Sang Chaud d'être devenu ton compagnon à ma place. Tu sais, je ne lui veux pas de mal. Lui aussi protège le Peuple d'Adobe, comme nous l'a dit l'Homme Oiseau.

Kahlan se baissa et ramassa le manteau de Chandalen.

— Remets-le, je ne voudrais pas que tu attrapes la mort. Tu dois encore me conduire en Aydindril.

Le chasseur obéit sans cesser de sourire. Puis il tourna la tête vers la porte du dortoir et se rembrunit.

— Quelqu'un est venu ici avant nous…

— Qu'est-ce qui te fait croire ça ?

— En sortant des chambres, pourquoi as-tu toujours refermé la porte ?

— Par respect pour les mortes…

— Quand nous sommes arrivés, toutes les portes étaient fermées. Les gens qui ont commis ces… viols… ignorent le sens du mot « respect ». Ils ont sûrement laissé ouvert, pour que tout le monde admire leurs exploits… Donc, quelqu'un d'autre est venu et a fermé ces portes.

— Tu as raison…, fit Kahlan. Les violeurs n'auraient pas fait ça.

— Pourquoi sommes-nous ici ? demanda soudain Chandalen.

— Parce que je voulais savoir ce qui est arrivé à ces gens.

— Tu l'as vu dehors… Il était inutile d'entrer.

— Eh bien… Pour découvrir si la reine aussi a été tuée…

— Elle compte pour toi ?

— Oui… Tu te souviens des statues, dans l'entrée.

— Un homme et une femme…

— La femme était la mère de la reine. L'homme nous a donné le jour à toutes les deux. Ma mère a pris le roi Wyborn pour compagnon.

— Tu es la sœur de cette reine ?

— Sa demi-sœur… Montons dans les appartements royaux, pour voir si elle y est. Ensuite, nous reprendrons le chemin d'Aydindril.

Kahlan gravit les marches et s'arrêta devant la chambre de Cyrilla, le cœur battant la chamade. Elle leva une main pour saisir la poignée, mais s'immobilisa. Une odeur atroce planait dans le couloir…

— Tu veux que je regarde à ta place ?

— Non… Je dois le faire.

Elle tourna la poignée, mais la porte était verrouillée, la clé en place.

— C'est une serrure, dit-elle en désignant la plaque de métal froid. Tu te souviens, je t'en ai parlé ? Et ce qui dépasse, c'est la clé… Avec on peut ouvrir…

Elle joignit le geste à la parole. À l'évidence, quelqu'un avait verrouillé cette porte par respect pour la reine.

Les fenêtres et les meubles étaient intacts. Il faisait aussi froid dans la chambre qu'ailleurs, mais l'odeur manqua faire suffoquer l'Inquisitrice et le chasseur.

Des excréments humains jonchaient le sol de l'antichambre. Il y en avait aussi sur le bureau et sur le guéridon. Les chaises et le sofa en velours bleu étaient souillés d'une urine jaunâtre congelée. Quelqu'un s'était même soulagé dans la cheminée.

Le col de leurs manteaux relevé, Kahlan et Chandalen avancèrent jusqu'à la porte suivante et l'ouvrirent. Dans la chambre royale, c'était encore pire. Il ne restait plus un pouce carré où mettre le pied sans marcher dans de la merde. Le lit disparaissait sous une couche de fiente, et les murs en étaient tapissés. Si ces amas d'immondices n'avaient pas été gelés, il leur aurait fallu battre en retraite. Même ainsi, c'était à peine supportable.

Mais il n'y avait pas de cadavre.

Sur la liste des royaumes capables de commettre des ignominies pareilles, une multitude de noms s'effacèrent. Il n'en resta plus qu'un : celui qui figurait en tête.

— Kelton…, souffla Kahlan.

— Pourquoi des hommes feraient-ils une chose pareille ? demanda Chandalen. Sont-ils plus bêtes que des enfants ?

Kahlan sortit, suivie par le chasseur. Quand elle eut verrouillé la porte, elle osa enfin prendre une véritable inspiration.

— C'est un message… Une façon de montrer leur irrespect pour les gens qui vivaient ici. De dire qu'ils n'ont que des excréments à leur offrir… Ces gens ont souillé l'honneur des vaincus de toutes les façons possibles.

— Au moins, ta demi-sœur n'était pas là.

— C'est vrai… Il me reste cette consolation.

Ils redescendirent et l'Inquisitrice marqua une dernière pause devant les portes du deuxième étage. Chandalen aussi se recueillit brièvement.

— Il faut aller retrouver Prindin et Tossidin, dit enfin Kahlan.

— Tout ça ne te met pas en rage ? demanda le chasseur, les mâchoires serrées.

Kahlan s'aperçut soudain qu'elle affichait son masque d'Inquisitrice.

— Montrer ma fureur maintenant ne servirait à rien. Quand l'heure sera venue, tu la verras se déchaîner…

Chapitre 30

Dans une maison en torchis au toit de chaume, près des portes carbonisées de la ville, Kahlan regardait Chandalen préparer un petit feu pour elle. Jusque-là, ils n'avaient pas vu l'ombre des deux frères.

— Réchauffe-toi, dit le chasseur. Je vais chercher Prindin et Tossidin, et les ramener.

Quand il fut parti, l'Inquisitrice enleva son manteau, même si elle savait que s'habituer à la chaleur n'était pas une bonne idée. Ensuite, le froid lui paraîtrait encore plus mordant…

Attirée par le feu, elle s'agenouilla à côté et passa les mains au-dessus des flammes.

La petite pièce, et celle qui la jouxtait, avaient été l'univers d'une famille. La table était fracassée, mais un banc, près du mur, avait échappé au carnage. Des vêtements déchirés gisaient sur le sol, près d'assiettes en fer-blanc cabossées et d'un rouet brisé.

Dans ce fouillis, Kahlan dénicha une casserole et décida de l'utiliser plutôt que de déballer ses propres ustensiles. Elle sortit sur le seuil, remplit le récipient de neige et revint le poser sur trois pierres, au-dessus du feu. Dans une boîte écrabouillée, elle trouva du thé, mais préféra sortir la réserve qu'elle gardait dans son sac.

Regardant l'eau chauffer, elle attendit le retour des trois hommes. Dès qu'elle fermait les yeux, les visages des jeunes femmes suppliciées s'imposaient à son esprit…

Au moment où l'eau commençait à bouillir, Prindin entra dans la maison. Il posa son arc contre le mur et, en soupirant, se laissa tomber sur le petit banc.

— Où est ton frère ? demanda Kahlan.

— Il sera bientôt là… Nous sommes revenus par des chemins différents, histoire de repérer plus d'empreintes. (Il tendit le cou pour regarder dans la pièce attenante.) Chandalen n'est pas là ?

— Il est parti vous chercher.

— Alors, il devrait revenir bientôt… Tossidin n'est pas loin.

— Qu'avez-vous trouvé ?

— D'autres cadavres…

Prindin ne semblant pas d'humeur diserte, l'Inquisitrice décida d'attendre le retour des deux autres hommes pour poser ses questions.

— Je nous préparais du thé…, dit-elle.

— Bonne idée ! se réjouit le chasseur. Boire quelque chose de chaud me fera du bien.

Kahlan se pencha et versa des feuilles de thé dans la casserole.

— Tu as de très jolies fesses ! lança Prindin derrière elle.

Elle se redressa et fit volte-face.

— Pardon ?

— Je disais que tu as de jolies fesses. La forme idéale…

Au fil de ses voyages, Kahlan avait appris à ne plus être choquée par les étranges coutumes des peuples des Contrées. Par exemple, un Homme d'Adobe, quand il complimentait une femme sur sa poitrine, voulait souligner qu'elle serait une mère parfaite pour ses futurs enfants. Venu d'un soupirant, ce genre de remarques était un moyen sûr de s'attirer les grâces du père de la jeune femme. En revanche, demander à voir la belle sans boue sur les cheveux revenait à exiger d'elle des faveurs déplacées, et l'impudent risquait de se retrouver avec une flèche paternelle plantée dans l'arrière-train.

Le Peuple d'Adobe n'avait pas de tabou au sujet du sexe. Plusieurs fois, Kahlan s'était empourprée en entendant Weselan, aux moments les plus incongrus, lui décrire cavalièrement ses ébats conjugaux. Pire encore, en général, elle s'épanchait en présence de son époux.

Mais alors qu'elle regardait Prindin, l'image des pauvres jeunes filles flottait toujours devant les yeux de Kahlan.

Bien qu'il n'eût pas vanté sa poitrine, on pouvait considérer, selon l'Inquisitrice, que les… hanches… d'une femme avaient aussi un rapport avec ses aptitudes à la maternité. Prindin n'avait pas voulu lui manquer de respect, elle le savait. Pourtant, son sourire éclatant la faisait frissonner. Une affaire de moment mal choisi, sans doute, après ce qu'elle venait de voir. Mais l'homme d'Adobe, lui, n'était pas entré dans les chambres des suppliciées.

— Tu as l'air surprise, dit Prindin, déconcerté. Richard Au Sang Chaud ne t'a jamais fait de compliments sur tes fesses ?

Kahlan chercha ses mots, en quête de la meilleure manière de fuir ce sujet scabreux.

— Eh bien, pas d'une façon aussi directe…

— D'autres hommes ont dû le faire. Elles sont trop jolies pour qu'ils ne l'aient pas remarqué. D'ailleurs, tout ton corps est agréable à regarder. Ça me donne envie de… (Il plissa le front.) Comment dit-on, dans ta langue…

Rouge comme une pivoine, Kahlan fit un pas vers l'Homme d'Adobe.

— Prindin ! cria-t-elle. (Elle desserra les poings et ajouta, un ton plus bas.) Je suis la Mère Inquisitrice !

— Peut-être, mais tu es aussi une femme, et tes courbes…

— Prindin ! Chez toi, parler ainsi à une femme est normal, mais dans d'autres régions des Contrées, c'est très insultant. En plus, je suis la Mère Inquisitrice, et on ne doit pas s'adresser à moi ainsi.

— Tu es aussi une Femme d'Adobe…

— Sans doute, mais je reste la Mère Inquisitrice !

Le pauvre Prindin blêmit.

— Je t'ai offensée ! (Il se leva du banc et se jeta à genoux devant Kahlan.) Pardonne-moi, je t'en prie ! Je ne voulais pas t'insulter, simplement montrer que tu me plais…

L'Inquisitrice se sentit soudain mal à l'aise. Elle avait humilié cet homme, et ce n'était pas son intention.

— Je comprends, Prindin. Je sais que tu ne pensais pas à mal, mais il ne faut pas parler ainsi ailleurs que chez toi. Les femmes des autres pays ignorent vos coutumes…

— Je ne savais pas, souffla l'Homme d'Adobe, au bord des larmes. Par pitié, pardonne-moi !

Il s'accrocha à ses jambes, ses doigts puissants enfoncés dans sa chair à travers le tissu du pantalon.

— Bien sûr que je te pardonne… Je sais que tu n'avais pas de mauvaises intentions. (Elle lui prit les poignets et écarta doucement ses mains.) Je te pardonne, te dis-je !

Chandalen entra à cet instant. L'air inquiet, il regarda Prindin puis Kahlan.

— Que se passe-t-il ?

— Rien du tout… (L'Inquisitrice aida Prindin à se relever tandis que son frère arrivait.) Mais nous devrons avoir une petite conversation sur les usages galants en cours dans les Contrées. Vous devez apprendre certaines choses pour éviter les ennuis. (Elle lissa ses jambes de pantalon et se redressa de toute sa taille.) Qu'avez-vous trouvé ?

Chandalen ignora la question et foudroya Prindin du regard.

— Qu'as-tu fait ?

— Je ne savais pas que c'était mal… J'ai… hum… dit qu'elle avait de belles…

— L'incident est clos ! coupa Kahlan. Un malentendu, rien de plus… Oublions ça. (Elle se tourna vers le feu.) J'ai préparé du thé. Dénichez des tasses dans ce fouillis, sur le sol. Puis, pendant que nous boirons, vous me direz ce que vous avez vu.

Tossidin se chargea de trouver les tasses. Au passage, il flanqua sur la nuque de son frère une tape réprobatrice, et lui murmura quelques mots peu amènes.

Chandalen enleva son manteau et s'agenouilla devant le feu pour se réchauffer les mains. Les deux frères apportèrent les tasses – Prindin en se massant la nuque – et les distribuèrent.

Histoire de prouver qu'il ne s'était pas déshonoré à ses yeux, Kahlan posa la première question à Prindin.

— Qu'as-tu découvert ?

— Le massacre remonte à dix jours, peut-être douze… Les envahisseurs venaient surtout de l'est, mais ils étaient très nombreux, et certains arrivaient de plus loin, au nord et au sud. Ils se sont d'abord battus dans les cols contre les défenseurs. Les citadins survivants se sont regroupés devant les murs de la ville pour résister. Mais beaucoup sont tombés en chemin, harcelés par leurs poursuivants.

» Des hordes d'envahisseurs ont déferlé des cols, puis ont foncé vers le sud, où a eu lieu la plus terrible bataille. Après avoir vaincu les défenseurs, et exécuté les rescapés, ils sont entrés dans la ville. Ils l'ont mise à sac et sont repartis vers l'est.

Tossidin marqua une courte pause.

— Ils ont emporté tous leurs morts, dans des chariots. J'ai vu beaucoup d'empreintes de roues. Il a dû leur falloir deux jours pour récupérer tous les cadavres. Sans doute des… milliers. Les défenseurs se sont battus comme des démons ! Les attaquants ont perdu encore plus d'hommes qu'ils n'en ont tué.

— Où sont les cadavres ? demanda Kahlan.

— À l'est, au fond d'une crevasse, dans un col. Il y a une telle montagne de corps que nous n'avons pas aperçu le sol…

— Comment ces soldats étaient-ils vêtus ?

Prindin sortit de sous sa chemise un drapeau grossièrement plié.

— Il y avait beaucoup de morceaux de tissu comme celui-là, attachés à de grands bâtons. Les habits des hommes portaient les mêmes symboles, mais nous n'avons pas voulu dépouiller les morts.

Kahlan déroula la bannière et sursauta en découvrant, au centre, un bouclier noir orné d'une lettre d'argent. Un « R » ! Le blason de la Maison Rahl.

— Des soldats de D'Hara… Comment est-ce possible ? Y avait-il aussi des Keltiens ?

Les trois hommes se regardèrent sans comprendre. Ils ignoraient tout du royaume de Kelton.

— Certains hommes portaient d'autres vêtements, répondit Prindin. Mais la plupart avaient ce symbole sur la poitrine, ou sur leurs boucliers.

— Et ils sont partis vers l'est ?

— Je ne sais pas comment les compter à ta façon, dit Tossidin. Mais si tu t'étais mise sur la route pour les regarder passer, tu y serais restée toute une journée.

— En plus, ajouta Prindin, d'autres hommes les ont rejoints. Ils les attendaient au nord, et sont partis avec eux.

— Avaient-ils beaucoup de chariots ? Des gros chariots ?

— Des centaines ! lâcha Prindin. Ces hommes ne portent rien sur leurs dos. Tout va dans les chariots ! Ils gagnent parce qu'ils sont très nombreux, mais ils sont paresseux. Je crois qu'ils voyagent eux-mêmes dans des chariots !

— Pour entretenir une armée de cette taille, dit Kahlan, il faut beaucoup de vivres. Et ne pas marcher à pied les garde frais et dispos pour la bataille.

— Peut-être, mais ça les ramollit, dit Chandalen. Quand on porte ses fournitures, comme nous, on devient plus fort. Les paresseux s'affaiblissent sans s'en apercevoir. Ces hommes sont moins puissants que nous.

— Mais assez pour raser cette ville, rappela Kahlan. Ils ont vaincu et massacré leurs adversaires.

— L'avantage du nombre, insista Chandalen. Comme les Jocopos. Ça n'a rien à voir avec leur valeur de guerriers.

— Le nombre, répliqua l'Inquisitrice, est une forme de valeur, même si nous ne l'admirons pas.

Aucun des trois hommes ne la contredit sur ce point.

Prindin vida sa tasse de thé avant de reprendre la parole.

— Nombreux ou pas, ils sont tous partis vers l'est…

— Vers l'est…, répéta Kahlan, pensive. Sont-ils passés par un col surmonté par une passerelle de corde si étroite qu'une seule personne peut traverser à la fois ?

Les deux frères hochèrent la tête.

— Le col de Jara…, souffla Kahlan en se levant. C'est un des rares qui soient assez larges pour leurs chariots.

— Ce n'est pas tout, dit Tossidin en se levant aussi. Environ cinq jours après leur départ, d'autres hommes sont venus ici. (Il leva tous les doigts de ses deux mains.) Ceux qui ont rasé la ville étaient nombreux comme ça… Et ceux qui sont venus après, dix fois moins.

— Ce sont eux qui ont fermé les portes, dit Kahlan en regardant Chandalen.

Il acquiesça sans se soucier de la perplexité des deux frères.

— Ils ont fouillé la ville, continua Tossidin. Comme il ne restait personne à tuer, ils sont allés rejoindre les soldats en route vers l'est.

— Non, lâcha l'Inquisitrice. Ce n'étaient pas les alliés de ces monstres. Ils ne les ont pas suivis, mais *poursuivis*.

— Dans ce cas, dit Tossidin, s'ils les rattrapent, ils se feront tuer aussi, car ils sont dix fois moins nombreux. Comme si des puces essayaient de manger un chien…

Kahlan prit son manteau et l'enfila.

— En route ! Le col de Jara est un chemin sans difficulté pour des chariots, mais il est long et très sinueux. Je connais des petits cols – comme celui qui passe par le pont de corde, au-dessus de Jara, et continue dans la Faille des Harpies – qu'une armée ne pourrait pas traverser. Mais ce n'est pas un obstacle pour nous et le chemin est beaucoup plus court. Nous mettrons une journée à avaler la distance qu'ils couvriront en quatre.

— Mère Inquisitrice, dit Chandalen, suivre ces bouchers ne nous conduira pas en Aydindril.

— Pour y aller, il faut traverser un col. La Faille des Harpies est un chemin comme un autre.

L'Homme d'Adobe ne fit pas mine de ramasser son manteau.

— Mais des milliers de soldats nous attendront sur la route. Tu voulais gagner Aydindril rapidement, en évitant les problèmes. Ce n'est pas très logique…

Kahlan entreprit de serrer les fixations d'une première raquette.

— Je suis la Mère Inquisitrice. Ma mission est d'empêcher que des horreurs pareilles se produisent dans les Contrées du Milieu. C'est ma responsabilité.

Les trois hommes se regardèrent, mal à l'aise. Prindin et Tossidin allèrent récupérer leurs raquettes, mais Chandalen ne broncha pas.

— Tu as dit que ton devoir était d'aller en Aydindril, comme Richard Au Sang Chaud te l'a demandé. Ta responsabilité, c'est ça !

— Je n'y renonce pas, dit la jeune femme en s'attaquant à sa deuxième raquette. Mais nous sommes membres du Peuple d'Adobe, et nous avons d'autres responsabilités.

— Je ne comprends pas…

Kahlan finit de serrer les fixations et tapota le couteau en os, sous son manteau.

— Des responsabilités vis-à-vis des esprits ! Les Jocopos, les Bantaks et les bourreaux d'Ebinissia ont écouté des esprits maléfiques qui les ont poussés à faire des choses terribles. Ces démons venaient de l'autre côté du voile. Nous avons un combat à mener en l'honneur des mânes de nos ancêtres, et de leurs descendants, qui peuplent ce monde.

Pour refermer le voile, Kahlan le savait, elle devait joindre Zedd, qui pourrait sûrement aider Richard – le seul susceptible de réussir à réparer la déchirure. Chandalen avait parfaitement raison : ils devaient aller en Aydindril sans s'occuper du reste.

Mais les visages des jeunes suivantes ne cessaient de la hanter. Des spectres qui semblaient l'appeler au secours...

Les deux frères étaient déjà en train de mettre leurs raquettes. Chandalen approcha de l'Inquisitrice et baissa le ton.

— À quoi nous servira de rattraper cette armée ? Ce n'est pas une bonne décision...

Kahlan chercha le regard du chasseur et n'y lut pas de la méfiance, comme naguère, mais une sincère inquiétude.

— Chandalen, ces bouchers étaient sans doute plus de cinquante mille. Les hommes qui les poursuivent – ceux qui ont fermé les portes par respect ! – sont tout au plus cinq mille. La colère guide leurs pas, mais ils n'ont aucune chance de vaincre. Si je peux leur éviter la mort, je n'ai pas le droit de me dérober.

— Et si tu péris en le faisant, quelle pire catastrophe ça entraînera ?

— Tu es là pour empêcher que je me fasse tuer, non ?

L'Inquisitrice voulut se diriger vers la porte. Chandalen la retint doucement par le bras.

— Il fera bientôt nuit. Préparons-nous un bon repas. Nous partirons au matin, après avoir pris un peu de repos.

— La lune éclairera notre chemin et nous n'avons pas de temps à perdre. Je pars ! Si tu es aussi fort que tu le prétends, accompagne-moi. Sinon, reste ici, bien au chaud.

— Têtue comme une mule..., soupira l'Homme d'Adobe. Tu vas voir comment je marche quand il le faut. Et j'espère que tu pourras me suivre. En route !

L'Inquisitrice eut un petit sourire et sortit. Les deux frères ramassèrent leurs arcs avant de la suivre.

Résigné, Chandalen alla mettre ses raquettes.

Chapitre 31

Richard se grattait la barbe en regardant les chevaux brouter une herbe qui existait seulement dans leur imagination. Rien ne poussait dans la vallée, mais les bêtes semblaient satisfaites, comme si elles s'offraient un festin. Les illusions parvenaient même à abuser les animaux. Le Sourcier se demanda quelles sortes de choses il allait bientôt voir.

Verna passa enfin en tête, l'arrachant à sa sombre méditation.

— Par là, dit-elle, un bras tendu.

Des nuages de poussière noirs flottaient au-dessus du sol devant eux, bouillonnant comme s'ils étaient des prédateurs dans l'attente d'un gibier. Richard tira sur les brides des deux autres montures et suivit la sœur. Elle avait ordonné qu'ils marchent, car les chevaux pouvaient être effrayés par des monstres invisibles – sauf pour eux –, s'emballer et les précipiter dans un sortilège.

Verna modifia abruptement sa course, obliquant légèrement vers la droite. Une colonne de poussière noire s'éleva et dériva, poussée par un vent que les deux voyageurs ne sentaient pas.

— Ne prête pas attention à ce que tu vois, dit la sœur en tournant la tête. Ici, tout est irréel. Compris ?

— Que vais-je voir ? demanda Richard.

Verna regarda de nouveau devant elle.

— Je n'en sais rien. Les sorts puiseront dans ton esprit les choses que tu crains ou que tu désires. C'est différent pour chaque individu. Bien entendu, certaines visions sont identiques, puisque nous avons tous des angoisses ou des aspirations communes. Une partie de la magie est bel et bien réelle. Comme les nuages de poussière, par exemple…

— Et qu'avez-vous vu, la première fois, pour être aussi effrayée ?

— Une personne aimée…

— Pourquoi avez-vous eu peur d'elle, dans ce cas ?

— Parce qu'il a essayé de me tuer.

— Il ? s'écria Richard. Ma sœur, il y a un homme dans votre cœur ?

— Plus maintenant, répondit tristement Verna. Mais quand j'étais jeune, j'avais un amoureux. Il s'appelait Jedidiah.

— Et c'est terminé ? lança Richard, pour encourager la femme à en dire davantage. Pourquoi ?

— Quand j'ai quitté le Palais des Prophètes, pour partir à ta recherche, il était très jeune. Davantage que toi, je crois. Nous ne savions même pas si tu étais né. Mais nous étions sûres que tu viendrais au monde. Trois Sœurs de la Lumière furent donc envoyées à ta recherche. C'était il y a des années, et j'ai passé plus de la moitié de ma vie loin du palais. Et de Jedidiah. (Verna s'arrêta pour étudier le terrain, à ses pieds. Elle hésita un peu, puis repartit.) Il a dû m'oublier et se trouver une autre compagne.

— S'il vous aimait vraiment, ma sœur, il n'aura pas fait ça. Vous vous souvenez bien de lui…

Verna tira sur la bride de son cheval pour l'éloigner d'une chose invisible qui semblait le fasciner.

— Trop d'années ont passé, et nous avons évolué séparément. À présent, je suis une vieille femme. Nous avons changé. Jedidiah a le don, et une vie où je n'ai plus de place.

— Vous n'êtes pas vieille, sœur Verna. Et quand on s'aime, le temps ne devrait pas compter.

Richard se demanda s'il parlait de sa compagne… ou de lui-même.

— La jeunesse ! gloussa Verna. C'est l'âge de l'espoir, mais sûrement pas celui de la sagesse. Je sais comment sont les hommes. Après avoir été si longtemps dans mes jupes, il aura eu vite fait de s'attaquer à une nouvelle conquête.

— L'amour est une affaire beaucoup plus sérieuse que ça…, dit Richard, les dents serrées.

Un très mauvais signe chez lui.

— Tu sais tout de ce sentiment, crois-tu ? Bientôt, toi aussi tu tomberas sous le charme d'une nouvelle jolie petite paire de jambes.

Richard allait laisser libre cours à sa colère quand Verna s'arrêta net et leva les yeux. La colonne de poussière approchait d'eux en tourbillonnant.

De très loin, le Sourcier entendit une voix crier son nom.

— Quelque chose ne va pas…, souffla Verna.

— Que se passe-t-il ?

La sœur ne répondit pas, mais tira Jessup vers la gauche.

— Par là…

Soudain, des éclairs zébrèrent le ciel. La foudre s'abattit devant eux, éventrant le sol, qui trembla sous l'impact.

Un instant, dans la lumière aveuglante des éclairs, Richard aperçut Kahlan. Elle le regardait, immobile, les poings sur les hanches.

Puis elle disparut.

— Kahlan !

— Suis-moi ! cria Verna en rebroussant chemin. Richard, je te l'ai dit, rien n'est réel. Ignore tout ce que tu vois !

Conscient que c'était une illusion, le jeune homme n'en eut pas moins le cœur brisé. Pourquoi la magie le torturait-elle avec l'image de sa bien-aimée ? Selon Verna, les sorts puisaient dans sa tête les angoisses et les désirs qui nourrissaient les visions. Dans ce cas précis, avait-il peur ou envie de voir Kahlan ?

— Les éclairs sont réels ? demanda-t-il.

— Assez pour nous tuer. Mais ça n'est pas un orage classique, bien sûr. En fait, il s'agit d'une tempête de sorts qui se battent les uns contre les autres. Les éclairs sont produits par leur énergie résiduelle. Ils ont pour mission d'éliminer les intrus. Nous allons tenter de nous faufiler dans les brèches, là où la bataille ne fait pas rage.

Richard entendit de nouveau une voix crier son nom. Mais cette fois, c'était celle d'un homme.

Un autre éclair s'abattit devant eux. Verna et Richard levèrent les bras pour se protéger les yeux, mais les chevaux ne bronchèrent pas. La sœur avait dit la vérité : un orage classique les aurait effrayés.

Verna se retourna et saisit le bras du Sourcier.

— Richard, écoute-moi bien. Quelque chose ne va pas. La piste fluctue trop vite. Je ne parviens pas à la repérer comme je le devrais.

— Pourquoi ? Vous avez déjà traversé. Et ça a marché.

— Nous ne savons pas grand-chose de cet endroit… Il est souillé par une magie que nous ne comprenons pas bien. Peut-être a-t-elle appris à me reconnaître lors de mon premier passage… Faire plus d'un aller-retour est impossible. Et on dit que le retour est plus difficile que l'aller. Il s'agit peut-être simplement de ça… Ou d'autre chose.

— Quoi donc ? C'est à moi que vous pensez ?

Les yeux de Verna semblèrent traverser le corps du jeune homme pour fixer des images… qui n'existaient pas.

Elle se reprit très vite.

— Non, tu n'y es pour rien. Si tu étais en cause, ça ne m'empêcherait pas de sentir le chemin, comme la première fois. Mes perceptions ne sont pas constantes. Je crois que c'est à cause de ce qui est arrivé à Grace et à Elizabeth.

— Quel rapport ont-elles avec tout ça ?

La colonne de poussière les enveloppait, à présent, et le vent faisait claquer leurs vêtements. Richard dut plisser les yeux pour les protéger.

— En mourant, elles m'ont transmis leur don. C'est pour ça qu'elles se sont sacrifiées, après ton refus. Afin de rendre la suivante plus forte en vue de la prochaine tentative…

Voilà pourquoi la compulsion d'accepter le collier avait été plus puissante à chaque fois ! Kahlan avait émis l'hypothèse que ces femmes se suicidaient pour donner plus de pouvoir à leurs collègues survivantes…

— Donc, vous détenez le Han des deux autres sœurs ?

— Oui. Et c'est peut-être trop pour pouvoir traverser. Si je ne réussis pas, tu devras continuer seul, et tenter de t'en tirer vivant.

— Comment ? Je ne détecte pas la magie qui nous entoure. Alors, pour repérer vos fichues brèches…

— Ne discute pas ! Tu as senti les éclairs. Une personne privée du don n'aurait rien perçu avant qu'il ne soit trop tard. Si tu es seul, tu devras essayer !

— Ma sœur, tout ira bien. Il ne vous arrivera rien, et vous me guiderez.

— Mais si j'échoue, ne baisse pas les bras ! Ignore tout ce que tu vois, et avance. Si je meurs, tu dois tenter de rejoindre le Palais des Prophètes.

— S'il vous arrive malheur, j'essayerai plutôt de rejoindre les Contrées du Milieu. C'est plus près.

— Non ! Pourquoi dois-tu toujours contester ce que je te dis ! (Elle le foudroya du regard un moment, puis se radoucit un peu.) Sans une Sœur de la Lumière pour te former, tu mourras. Le collier ne suffira pas à te sauver. Si tu n'as pas de professeur, ce sera comme posséder des poumons sans avoir d'air à respirer. Nous sommes ton oxygène ! Deux d'entre nous sont mortes pour t'aider. Fais en sorte que leur sacrifice n'ait pas été vain !

Richard dégagea son bras, qu'elle serrait toujours, et lui serra gentiment la main.

— Vous allez réussir, je vous le jure ! N'ayez pas peur, et ignorez ce que vous voyez. N'est-ce pas la méthode requise ? Et si ça tourne mal, je promets de vous sauver.

— Tu ne sais rien de ce que je vois, soupira Verna, exaspérée. Ne me pousse pas à bout, Richard ! Ce n'est pas le moment, et je ne suis pas d'humeur. Tu obéiras, un point c'est tout !

Richard entendit un lointain roulement de sabots alors que Verna repartait d'un pas décidé.

Sur la gauche du jeune homme, la colonne de poussière se dissipa soudain, révélant un paysage sublime et inondé de lumière. Le Sourcier reconnut les bois de Hartland, où il désirait tant retourner. Ils s'offraient à lui. Quelques pas, et il y serait… Oui, une distance ridicule le séparait du salut !

Mais c'était un piège, il le savait. Un sort qui le condamnerait à une errance éternelle. Et alors ? Était-ce si mal que ça ? Il aimait ces bois et il y serait heureux, même s'ils n'étaient pas réels !

L'homme cria de nouveau son nom et le bruit de sabots se rapprocha. Reconnaissant la voix de Chase, Richard regarda autour de lui.

— Avance ! lança Verna. Rien n'est réel !

Mais le jeune homme se languissait autant de son vieil ami que des bois de Hartland.

Il ne bougea pas.

Chase galopait ventre à terre. Son manteau noir volait derrière lui et sa collection d'armes brillait sous le soleil de plomb. Voyant qu'il n'était pas seul sur sa monture, Richard plissa les yeux et finit par reconnaître Rachel. Rien d'étonnant, puisqu'elle ne le lâchait pas d'un pouce. Et elle aussi criait son nom.

Quelque chose, sur Rachel, attira l'attention du Sourcier. Quelque chose qui lui donnait l'impression… que Zedd était là.

Une pierre couleur d'ambre accrochée au cou de l'enfant ! Ce bijou fascinait Richard, comme si Zedd en personne lui parlait…

— Richard ! cria Chase. Ne va pas là-bas ! Zedd a besoin de toi ! Le voile est déchiré !

Le garde-frontière força soudain sa monture à s'arrêter. Richard fit quelques pas en arrière sans quitter l'illusion des yeux. Ayant cessé de crier, Chase descendit de cheval, Rachel dans les bras, et regarda autour de lui, l'air étonné.

La colonne de poussière réapparut. À travers ce rideau sombre, le Sourcier vit son ami prendre la fillette par la main. Puis tous deux lui tournèrent le dos.

Un drôle de comportement, pour des êtres imaginaires… Mais c'était sans doute un piège, pour l'inciter à aller y voir de plus près.

— Richard ! cria Verna. Avance, ou je te ferai regretter, quand nous serons sortis de là, de ne pas y avoir erré pour toujours ! Il ne faut pas t'arrêter ! (La sœur, constata le Sourcier en tournant la tête, regardait frénétiquement à droite et à gauche tout en parlant.) La brèche se referme sur nous. Dépêche-toi !

Derrière la colonne de poussière noire, à peine visibles désormais, Chase et Rachel marchaient vers une destination qu'il ne voyait pas. Puis ils disparurent tout à fait derrière le rideau obscur.

Richard pressa le pas pour rattraper Verna. Quelle curieuse vision ! Pourquoi la magie avait-elle choisi ces deux personnes pour le tenter ? Et cela avait paru si réel. Comme s'il lui avait suffi d'avancer et de tendre un peu le bras pour toucher ses amis. Une ruse de la magie ? Pour l'inciter à suivre quelqu'un à qui il se fiait aveuglément ? Mais Chase semblait si… authentique… et si désespéré.

Richard se secoua mentalement. Bien sûr que ça lui avait paru réel ! C'était le but de la magie : abuser les gens pour les piéger. Des illusions mal foutues n'auraient pas été très efficaces…

Richard posa une main sur la croupe de Jessup quand il le rattrapa, pour lui signaler sa présence et l'empêcher de ruer contre une menace imaginaire. En accélérant le pas, Bonnie et Geraldine toujours tenues par la bride, il laissa ses doigts courir le long du corps musclé du cheval. Arrivé à son encolure, il voulut lui gratter le menton, et s'aperçut qu'il avait recommencé à brouter une herbe imaginaire, sa bride pendant dans le vide.

Verna avait disparu !

Produisant un bruit assourdissant, des éclairs jaillirent autour du Sourcier. L'un d'eux frappa le sol à ses pieds et il dut sauter sur le côté pour éviter le suivant.

Ses cheveux se hérissèrent. Il eut le sentiment qu'il allait cuire sur place, tant la chaleur augmenta.

Richard appela Verna à pleins poumons et courut en avant, tirant les trois chevaux. Les éclairs semblaient l'avoir pris pour cible, frappant le sol là où il était une seconde plus tôt.

Des boules de feu se matérialisèrent dans l'air et explosèrent en sifflant comme des serpents. Sous ce déluge de flammes, Richard slaloma au hasard – ou se fiait-il à son instinct ? – une main sur la tête pour se protéger d'une force qui, si elle le touchait, ne se laisserait pas arrêter par si peu. Le bruit semblait suffisant pour rendre fou n'importe qui. Quant à y voir – à supposer qu'il y ait quelque chose à voir – c'était parfaitement impossible à cause des colonnes de poussière.

Richard continua à courir et à esquiver les éclairs.

Soudain, des murs de marbre blanc apparurent devant lui. Il s'arrêta et leva les yeux, incapable de voir le haut de ces murailles, qui disparaissait dans les nuages noirs. Un éclair le frôlant de nouveau, le Sourcier s'engagea sous l'arche qui s'ouvrait au milieu du premier mur. Dès qu'il eut tourné l'angle, il s'aperçut que le mur suivant était aussi pourvu d'une ouverture.

En courant, il réussit à compter. Les cinq côtés de la structure mesuraient environ cent pieds et chacun comportait une arche d'une vingtaine de pieds de large sur autant de haut.

Il s'arrêta et reprit son souffle sur le seuil d'une des arches. Le passage était désert. De sa position, il voyait toutes les autres ouvertures, en enfilade…

Un éclair percuta le sol. Cette fois, il était piégé ! Lâchant les chevaux, il plongea sous l'arche et fit un roulé-boulé sur le sol sablonneux.

Le silence le frappa quand il s'assit en prenant appui sur les mains. Son abri était parfaitement vide. Il y faisait relativement frais, en comparaison de la fournaise qu'il venait de traverser, et une bonne odeur d'herbe flottait dans l'air.

Dehors, au bout de l'enfilade d'arches, les nuages noirs flottaient à ras du sol. Les éclairs frappaient toujours, mais il ne les entendait presque plus. Les chevaux, très calmes, trottaient paisiblement en broutant leur herbe imaginaire.

Richard comprit qu'il était dans une Tour de la Perdition ! En inspectant les hauts murs, il en eut la confirmation : ils étaient couverts de la suie noire qu'il avait déjà vue dans la tour de Milena, après que Giller eut utilisé son Feu de Vie de Sorcier pour se suicider.

Richard passa un index sur cette pellicule noire, puis la goûta et fit la grimace à cause de son amertume. Le sorcier qui avait péri ici ne s'était pas sacrifié volontairement. Sinon, la suie aurait eu une saveur sucrée. L'homme avait mis fin à ses jours pour éviter d'être torturé. Ou pour raccourcir son supplice.

Le sol était couvert d'un sable blanc aux reflets cristallins. Au Palais du Peuple, le fief de Darken Rahl, Richard avait vu un cercle rituel composé du même sable. C'était dans le Jardin de la Vie, où le maître défunt avait tenté de s'approprier la magie d'Orden.

Richard se leva et marcha de long en large, essayant de savoir quoi faire. Il semblait en sécurité dans la tour, mais pour combien de temps ? Tôt ou tard, la magie le repérerait. À moins qu'elle ne l'ait déjà attiré dans un abri qui n'en était pas un, mais constituait plutôt une des mâchoires du piège. Se sentant hors de danger, ne risquait-il pas de rester là jusqu'à la fin des temps ?

Il devait sortir ! Puis trouver Verna. Ne lui avait-il pas juré qu'elle s'en tirerait ?

Mais au nom de quoi l'aurait-il aidée ? Elle était sa geôlière. En l'abandonnant ici, il récupérerait sa liberté. Oui, sa liberté !

Pour mourir parce qu'on ne lui apprendrait pas à contrôler son don… En supposant que Verna ne lui ait pas menti.

Richard entendit un bruit derrière lui. Se retournant, il vit Kahlan sortir de sous une arche obscure. Mais ses magnifiques cheveux ne cascadaient pas sur ses épaules. Ils étaient tressés. Et au lieu de sa robe blanche habituelle, elle portait la tenue de cuir rouge d'une Mord-Sith.

— Kahlan, je refuse de penser à toi de cette façon, même si tu n'es qu'une illusion volée à mon esprit.

— Pourtant, n'est-ce pas ta pire angoisse ?

— Redeviens toi-même ou disparais !

La tenue de cuir se brouilla, remplacée par la robe blanche si familière. La tresse aussi se transforma.

— Tu aimes mieux ça, mon chéri ? Désolée, mais j'ai peur que ça ne suffise pas à te sauver. Je suis venue te tuer. Meurs dignement, une arme à la main !

Richard dégaina son épée et la note cristalline résonna longuement dans la tour. Aussitôt, la colère déferla en lui comme un torrent de lave. La soif de tuer le submergea alors qu'il contemplait le visage de l'unique personne qui donnait un sens à sa vie. Un paradoxe qu'il encaissa avec un désespoir mêlé d'un étrange détachement.

Il serra la garde de son épée, sentant s'incruster dans sa chair les lettres du mot « Vérité ». Les dents serrées, il comprit enfin pourquoi les sorciers, ici, avaient déchaîné leur Feu de Vie pour échapper aux tourments qu'on leur infligeait.

Certaines choses, vraiment, étaient pires que la mort.

Il baissa son arme.

— Même dans une illusion, je ne te tuerai pas. Je préfère mourir.

— Tu aurais mieux fait de succomber, mon amour, avant de voir ce que je suis venue te montrer. La souffrance qui t'attend sera bien plus dure que la mort…

Les yeux fermés, l'Inquisitrice se jeta à genoux, la tête inclinée. Avant qu'elle ait touché le sol, ses cheveux raccourcirent, s'arrêtant à ras du cou.

— Il doit en être ainsi, sinon, le Gardien s'évadera. Le combattre l'aidera, et il nous aura tous. Si tu le dois, répète mes paroles, mais n'évoque jamais cette vision.

Sans relever les yeux, elle récita d'une voix monocorde.

— *« Parmi tous ceux qui sont nés de la magie pour délivrer la vérité, un seul survivra quand la menace des ténèbres sera dissipée. Alors viendra une pire obscurité : celle des morts. Afin que la vie ait une chance, celle qui est en blanc devra être offerte à son peuple, pour lui apporter la joie et la prospérité. »*

Devant les yeux de Richard, une corolle écarlate apparut autour du cou de l'Inquisitrice. Puis sa tête se détacha de ses épaules, et son corps bascula sur le côté dans la mare de sang qui teintait déjà de rouge le sable blanc et la robe naguère immaculée.

— Non ! cria le Sourcier.

Il sentit ses ongles s'enfoncer dans les paumes de ses mains.

C'est une illusion, se dit-il sans cesser de trembler.

Une illusion. Rien de plus. Pour le terroriser…

Les yeux morts de Kahlan étaient rivés sur lui. Illusion ou pas, le résultat était là : il crevait de peur, les membres tétanisés.

L'image de Kahlan vacilla puis disparut au moment où sœur Verna déboulait sous l'arche.

— Richard ! hurla-t-elle, furieuse. Que fiches-tu ici ? Je t'avais dit de rester près de moi ! Es-tu trop crétin pour obéir aux ordres les plus simples ? Dois-tu toujours te comporter comme un enfant ?

Elle avança vers lui, blême de colère.

Dévasté par ce qu'il venait de voir, Richard ne se sentait pas d'humeur à encaisser des réprimandes.

— Vous étiez partie… Je vous ai cherchée, mais…

— N'ose pas me répondre, misérable ! J'ai déjà la tête farcie de tes bavardages, et ça suffit ! Ma patience est à bout, Richard.

Le jeune homme voulut répliquer, mais le collier le fit basculer en arrière. Ses pieds décollèrent du sol et il recula comme si on avait tiré sur une corde attachée à son cou. Quand il percuta le mur, l'impact lui coupa le souffle. Ses bottes en suspension au-dessus du sable, il resta ainsi, épinglé à la cloison comme un papillon. Le Rada'Han l'étranglait et sa vision commençait à se brouiller.

— Il est temps de te donner une leçon que tu aurais dû recevoir bien plus tôt ! rugit Verna en avançant vers sa proie. J'ai supporté ta désobéissance plus que de raison !

Richard luttait pour respirer, chaque bouffée d'air lui brûlant les poumons. Mais sa vision s'éclaircit, lui révélant le visage, tordu par la colère, de Verna.

— Ma sœur, je vous en prie…

La douleur l'empêcha de continuer. Elle lui déchira la poitrine, si brûlante qu'il ne réussit même pas à crier.

— Tu vois ce que je voulais dire, à présent ? cria Verna.

Elle augmenta la dose de souffrance, faisant jaillir des larmes dans les yeux de sa victime.

— Je t'ai posé une question ! Tu vois ce que je voulais dire ?

— Sœur Verna… je vous préviens… arrêtez ça, ou…

— Tu me préviens ? Tu te permets de me prévenir ?

Les entrailles déchirées de l'intérieur, Richard parvint cette fois à hurler comme une bête mise à mort. Ses pires cauchemars se réalisaient. Voilà ce qu'il avait gagné en portant de nouveau un collier. Les Sœurs de la Lumière avaient l'intention de le dresser comme un chiot. Ce serait son destin, s'il ne se rebellait pas.

Il invoqua la magie de l'épée.

Le pouvoir coula en lui, brûlant de rage, de promesse de vengeance et de désir de verser le sang. Richard s'y abandonna, et la fureur consuma la souffrance, devenue une simple source où puiser de la puissance.

— Ne t'avise pas de me combattre, rugit Verna, ou je te ferai regretter le jour de ta naissance !

Un nouveau torrent de douleur subit le même sort que le précédent, proprement absorbé par la colère du Sourcier. Il ne touchait pas l'épée, mais il n'en avait plus besoin, car il ne faisait plus qu'un avec la magie, prêt à l'utiliser à sa pleine puissance.

— Arrêtez ça ! lâcha-t-il entre ses dents serrées. Ou je m'en chargerai.

Les poings sur les hanches, Verna approcha encore.

— Tu me menaces ? Tu viens de commettre ta dernière erreur, Richard…

Bien qu'à demi aveuglé par un déferlement de douleur inouï, le Sourcier aperçut l'Épée de Vérité, qui gisait dans le sable, aux pieds de la sœur.

Il concentra toute la magie de son arme sur la force qui le tenait plaqué au mur. Avec un craquement assourdissant, le lien se brisa, et le Sourcier, retombé sur le sol, rampa dans le sable blanc.

Sa main trouva la garde de l'Épée de Vérité.

Verna bondit sur lui. Il se releva et fit décrire un arc de cercle à sa lame. La soif de sang – celui de la sœur ! – était désormais la seule chose qui importait pour lui.

Le messager de la mort.

Il ne chercha pas à viser, se contentant de mettre dans son coup la haine qui le poussait à tuer.

La pointe de l'arme siffla dans l'air.

Le messager de la mort !

L'épée coupa la sœur en deux au niveau des épaules. Dans un geyser de sang, la partie supérieure de son corps tomba sur le côté tandis que ses jambes continuaient d'avancer. Du sang et des fragments d'os et de chair s'écrasèrent contre les murs.

Arrivée en bout de course, dans tous les sens de l'expression, la partie inférieure du corps de Verna s'écroula dans le sable, de nouveau plus rouge que blanc. Sa tête et ses épaules y gisaient déjà, à dix bons pas de là.

Richard tomba à genoux, haletant mais libéré de la douleur. Il s'était juré de ne plus laisser personne le torturer, et il venait de tenir son serment.

Comme de très loin, il sentit la magie de l'arme lui fouailler les entrailles. Tout ça était arrivé si vite, sans qu'il ait le temps de réfléchir. Ayant utilisé l'Épée de Vérité pour prendre une vie, il devait en payer le prix.

Il ne s'en soucia pas. Ce n'était rien comparé au calvaire que lui avait infligé Verna. Alors qu'il se concentrait sur sa colère, la douleur s'évanouit.

Mais que faire ? Il avait besoin des Sœurs de la Lumière pour empêcher le don de le tuer. Sans l'aide de Verna, il était fichu. Devait-il tenter de gagner le Palais des Prophètes pour demander du secours aux autres sœurs ? Ou venait-il de se condamner à mort ?

Dans tous les cas, il ne permettrait pas à ces femmes de le torturer. Ça, c'était hors de question !

Assis sur les talons, il essaya de réfléchir tout en récupérant. Devant lui, près du corps de Verna, gisait le petit livre qu'elle portait toujours à la ceinture. Celui où elle écrivait sans cesse…

Richard le ramassa et le feuilleta. Toutes les pages étaient vierges… Non, pas entièrement ! Vers la fin, deux feuilles portaient des messages :

« Je suis la sœur responsable de ce garçon. Ces directives sont incohérentes, voire absurdes. Je demande des explications détaillées. Et je veux savoir de quelle autorité elles émanent.

– Sœur Verna Sauventreen, sincèrement vôtre au service de la Lumière. »

Décidément, Verna était une femme à poigne, même quand elle écrivait. La réponse, d'une autre main, figurait sur la page d'à côté.

« Vous obéirez ou en subirez les conséquences. Ne vous avisez plus jamais de contester les ordres du palais.

– Écrit de ma propre main, la Dame Abbesse. »

Eh bien, Verna avait réussi à s'attirer les foudres de quelqu'un d'autre que lui ! Richard jeta le livre près du cadavre, soudain accablé par ce qu'il venait de faire. Tuer n'était jamais très ragoûtant…

Un soupir lui fit tourner la tête. Kahlan était de nouveau debout sous l'arche, vêtue de sa robe immaculée.

— Et tu te demandes pourquoi je t'ai rejeté…, fit-elle en secouant tristement la tête.

— Kahlan, tu ne comprends pas… Elle voulait me…

Un petit rire attira l'attention de Richard vers l'autre côté de son abri. Darken Rahl le regardait, rayonnant dans sa tunique blanche.

Sur sa poitrine, le jeune homme sentit la marque de son père brûler comme si elle se réchauffait.

— Le Gardien te souhaite la bienvenue, Richard ! Je suis très fier de toi, mon fils…

Sa fureur réveillée, le Sourcier se leva d'un bond et chargea Darken Rahl, épée brandie.

Sous les derniers échos de son rire moqueur, la silhouette du maître se dématérialisa.

Hors de la tour, les éclairs se déchaînaient. Trois lances de feu déchirèrent la pénombre, volant vers Richard. Il leva son épée et les intercepta. Sous ses pieds, le sol trembla…

Les yeux plissés pour ne pas être aveuglé, il baissa lentement sa lame, autour de laquelle les projectiles magiques s'étaient enroulés comme des serpents. Aspirés par la terre, ils disparurent en hurlant à la mort.

— Assez de visions pour aujourd'hui !

Richard rengaina son arme et alla chercher les chevaux, qui « broutaient » toujours. Même s'il ignorait où aller, il devait sortir de cette tour et s'éloigner du cadavre de la sœur.

Oui, fuir ce qu'il avait fait…

Chapitre 32

Les éclairs le laissèrent en paix. Les colonnes de poussière tourbillonnaient toujours autour de lui, mais elles ne vomissaient plus de rayons mortels.

Richard marchait sans se soucier d'où il allait. Quand il sentait un danger – comment, il l'ignorait – il faisait simplement un détour. Sur ses flancs, des visions le tentaient sans cesse, mais il les ignorait stoïquement.

La voyant au dernier moment, à cause de la brume noire, il déboula devant une nouvelle tour. Elle semblait identique à la précédente, n'étaient ses murs d'un noir brillant. Bien qu'il voulût l'éviter, ses pieds le conduisirent comme de leur propre volonté devant une des arches. Il jeta un coup d'œil à l'intérieur. Du sable couvrait le sol, comme dans la tour précédente, mais celui-là était noir. Pourtant, il brillait, comme le blanc…

La curiosité prenant le pas sur la prudence, il entra et passa un doigt sur la suie qui couvrait les murs. Celle-là avait un goût sucré.

Le sorcier qui s'était sacrifié ici l'avait fait pour sauver une vie, pas pour échapper à la torture. Cet homme-là était un altruiste. L'autre, un type méprisable…

Si avoir le don impliquait qu'il soit un sorcier, à quelle catégorie appartenait-il ? Il aurait aimé se ranger dans celle des esprits purs et nobles, mais ne venait-il pas de tuer quelqu'un pour échapper à la douleur ? Cela dit, n'avait-il pas le droit de prendre une vie pour défendre la sienne ? Pour être honorable, devait-il mourir sans raison ? Qui était-il pour décider lequel des deux sorciers avait bien agi ?

Le sable noir le fascinait, avec sa façon de refléter une lumière qui semblait venir de nulle part. Sortant de son sac une boîte à épices vide, il se baissa et la remplit de cette étrange matière. Il remit la boîte dans son sac, pendu à la selle de Geraldine, puis siffla Bonnie, de nouveau occupée à brouter.

La jument pointa les oreilles vers lui et releva la tête. Dubitative, elle rejoignit les deux autres chevaux et Richard, poussant le museau contre son épaule, en quête de caresses. Alors qu'ils s'éloignaient de la tour, il la cajola d'abondance.

Sa chemise trempée de sueur, Richard accéléra le pas, pressé de quitter cette maudite vallée, infestée de magie et d'illusions. Ignorer les voix familières qui l'appelaient par son nom n'était pas facile, mais il réussit à ne pas tourner la tête. D'autres voix criaient des menaces qu'il méprisa tout aussi stoïquement. De temps en temps, le contact des sorts, qui lui brûlait ou lui glaçait la peau, l'incitait à faire un brusque détour.

Soudain, les yeux baissés sur le sol nu, il vit une série d'empreintes. Les siennes ! À force de louvoyer, il avait fini par tourner en rond. À supposer que ces traces soient réelles…

La magie le piégeait, comprit-il. Depuis qu'il marchait, avait-il fait un pas qui le rapprochait de la sortie de la vallée des Âmes Perdues ? Ou s'était-il irrémédiablement égaré ?

Au bord de la panique, il continua d'avancer, tirant sur les brides des chevaux.

Il s'arrêta brusquement, pétrifié par la silhouette qu'il venait d'apercevoir à travers la brume noire. Sœur Verna ! Les mains jointes, les yeux levés au ciel, elle errait comme un fantôme, un sourire extatique sur les lèvres.

Richard courut vers elle.

— Disparais ! cria-t-il. J'en ai assez des spectres ! Fiche-moi la paix !

Verna ne sembla pas l'entendre. Considérant la courte distance qui les séparait, ça paraissait impossible. Il approcha, l'air devenant plus dense et plus brillant à mesure qu'il progressait – jusqu'à ce qu'il ait apparemment traversé cet obstacle immatériel.

— Tu es sourde ? Hors de ma vue, fantôme !

Ses yeux vides rivés sur lui, Verna leva un bras pour lui interdire de faire un pas de plus.

— Va-t'en ! J'ai trouvé ce que je cherchais depuis toujours. Laisse-moi goûter à la béatitude.

Elle se détourna. Richard frissonna de la tête aux pieds. Contrairement aux autres, cette vision n'essayait pas de l'attirer à elle.

— Sœur Verna ? C'est vraiment vous ?

Était-ce possible ? Ne l'avait-il donc pas tuée, pourfendant simplement une illusion ?

— Sœur Verna, si vous n'êtes pas un sortilège, parlez-moi !

— Richard ? souffla la femme en se retournant.

— Qui d'autre cela pourrait-il être ?

— Va-t'en. Je suis avec Lui.

— Qui ça, lui ?

— Je t'en prie, éloigne-toi, car tu es impur !

— Si vous êtes une vision, c'est à vous de débarrasser le plancher !

— Je t'en supplie, Richard, tu Le déranges. Ne gâche pas mon bonheur.

— Vous avez retrouvé Jedidiah ?

— Non, le Créateur !

— Je ne vois personne, fit Richard en levant les yeux au ciel.

— Laisse-moi avec Lui !

Verna lui tourna le dos et s'éloigna.

Avait-il affaire à la vraie sœur ? À une illusion ? Ou au fantôme de sa victime ? Comment le savoir ?

Il avait promis à la femme de chair et de sang qu'elle s'en sortirait. Et qu'il l'aiderait. Donc, il n'avait pas le choix.

Résigné, il la suivit avant de la perdre de vue.

— À quoi ressemble le Créateur, sœur Verna ? Est-Il jeune ? Vieux ? A-t-Il les cheveux longs, ou très courts ? Et Ses dents ? Il les a encore toutes ?

— Va-t'en ! hurla Verna en se retournant.

Son expression haineuse le tétanisa.

— Non ! Sœur Verna, vous allez venir avec moi. Pas question de vous laisser piégée dans ce sortilège ! Car ce que vous voyez n'est qu'une illusion générée par la magie.

Si c'était un fantôme, se dit-il, il disparaîtrait dès qu'ils seraient sortis de la zone d'influence des sorts. Et si elle était réelle, il l'aurait sauvée. Étrangement, bien qu'il eût donné cher pour se débarrasser d'elle, il espérait que la sœur n'était ni une illusion ni un spectre. Dans ce cas, ce qu'elle lui avait fait dans la tour ne compterait plus. Sans s'expliquer pourquoi, il désirait que ça n'ait pas été les actes de la véritable Verna…

Il approcha de nouveau d'elle.

La sœur leva une main pour le repousser, même s'il était encore à une bonne dizaine de pas. La violence de l'impact le fit tomber à la renverse. Il hurla, les deux mains sur la poitrine – déchirée par une douleur identique à celle qu'il avait connue dans la tour. Mais elle cessa plus vite…

Il réussit à s'asseoir et jeta un coup d'œil à Verna pour savoir si elle s'apprêtait à le frapper encore.

Ce qu'il vit lui coupa le souffle.

Alors que la sœur contemplait de nouveau le ciel, la brume noire qui les entourait tourbillonna et se dissocia pour former des silhouettes spectrales écumantes de rage. Sur leurs visages noirs comme de l'encre, des yeux rouges brillaient de haine, évoquant les flammes dansantes de l'enfer sur fond de nuit éternelle.

Richard frissonna d'une étrange façon. La même chose lui était arrivée quand il avait senti le grinceur, de l'autre côté de la porte de la maison des esprits, puis deviné que le Bantak allait tenter d'assassiner Chandalen… ou vu les Sœurs de la Lumière pour la première fois. Une sensation de danger, inexplicable mais qui ne trompait pas…

Une certitude s'imposa à lui : ces fantômes appartenaient à la magie de la vallée, et ils avaient enfin repéré un intrus. Lui !

— Verna ! cria-t-il.

— *Sœur* Verna, Richard ! Combien de fois devrai-je te le répéter ?

— C'est ça le sort de ceux que vous formez ? Vous les torturez avec votre pouvoir ?

— Mais, je…, commença la sœur.

— C'est cela votre divin Paradis ? Insulter les gens ? Leur faire mal ? (Richard joignit les mains, comme en prière, mais sans quitter des yeux les spectres qui dérivaient autour et au-dessus d'eux.) Ma sœur, je vous en supplie, nous devons filer d'ici !

— Je veux rester avec le Créateur. Vivre à jamais dans la béatitude…

— C'est votre conception du Paradis ? Faire souffrir les autres ? Répondez-moi, sœur Verna ! C'est ce que demande votre Créateur ? Il veut que vous maltraitiez les gens dont vous êtes responsable ?

Verna courut vers lui, comme si ces mots l'avaient arrachée à son extase.

— T'ai-je maltraité ? (Elle prit Richard par les épaules.) Mon enfant, je suis désolée. Je n'avais pas l'intention de te faire souffrir.

— Ma sœur, nous devons sortir de cette vallée. Aidez-moi à trouver le chemin avant qu'il ne soit trop tard.

— Mais je veux rester !

— Regardez autour de vous, sœur Verna. Et dites-moi ce que vous voyez.

Elle obéit, ses yeux passant d'un spectre noir à l'autre.

— Richard…, commença-t-elle.

— Regardez ! répéta le Sourcier en désignant le ciel. Ce n'est pas le Créateur, mais le Gardien !

Verna leva les yeux, poussa un petit cri et se plaqua une main sur la bouche.

La lueur rouge, dans les yeux d'un des fantômes, vira à l'écarlate. La sensation de danger le submergeant, Richard dégaina l'Épée de Vérité. La silhouette sans substance se transforma en un monstre de chair et d'os doté de griffes et de crocs. Une créature de cauchemar à la peau parcheminée constellée de plaies purulentes piqua sur eux à la vitesse de l'éclair.

L'épée tenue à deux mains, Richard cria de rage et transperça la poitrine du monstre. La chair se déchira et un atroce grincement retentit au moment où l'acier entrait en contact avec l'os. La créature glissa de la lame et tomba sur le sol comme une outre éventrée. Une goutte de sang s'écrasa sur le bras de Richard et brûla le tissu de sa chemise, puis sa peau. Les organes du monstre n'étaient qu'une infâme bouillie dont s'échappèrent d'énormes vers blancs.

Verna regardait le cadavre, fascinée par cette masse bouillonnante et fumante. Richard la prit par les cheveux et la força à tourner la tête vers les spectres qui se rapprochaient d'eux.

— C'est ça, le Paradis, selon vous ? Regardez ! Regardez !

Il tira Verna en arrière quand le sang noir du monstre mort s'enflamma et dégagea une fumée âcre. Puis il s'arrêta, conscient que dans cette vallée, fuir un danger pouvait revenir à se précipiter dans un pire piège. Les narines agressées par une odeur de chair brûlée, il s'aperçut que c'était la sienne, à l'endroit où la goutte de sang l'avait touché.

Il balaya les environs du regard. Il y avait de plus en plus de spectres derrière eux. Un autre se transforma en monstre, cette fois avec une énorme gueule et des sabots fourchus. Des défenses poussèrent de chaque côté de ses mâchoires pour devenir de longues armes incurvées et acérées.

La charge ne se fit pas attendre. Richard abattit son épée sur le crâne du monstre, le fendant en deux. Foudroyée, la bête maudite s'écroula comme une masse. Mais son corps, avant même de toucher le sol, se transforma en une masse grouillante de serpents. À l'impact, ils se séparèrent et se dispersèrent dans toutes les directions pour encercler Richard et sa compagne. Des centaines d'yeux minuscules se rivèrent sur eux et des langues bifides rouges se dardèrent tandis que les reptiles ondulaient vers leurs proies.

Richard doutait qu'il s'agisse d'illusions. La brûlure due au sang, sur son bras, était bien trop réelle pour ça.

En sifflant, les serpents se dressèrent sur leurs queues et dévoilèrent des crocs dégoulinants de venin.

— Richard, nous devons partir d'ici ! Suis-moi, mon enfant…

Ils firent volte-face et coururent, talonnés par les spectres aux yeux rouges.

Richard sentit l'air s'épaissir devant lui. Des étincelles jaillirent quand il le traversa.

Verna cria d'angoisse. Richard tourna la tête et vit qu'elle était tombée au milieu des serpents. Elle se releva et tenta de passer, mais l'air, pour elle, était aussi solide qu'un mur.

— Richard, dit-elle, soudain très calme, je suis piégée dans ce sort. La magie m'a reconnue et capturée. Pour moi, tout est fini. Fuis ! Seul, tu auras peut-être une chance...

À présent, le sol grouillait de serpents, comme un tapis vivant. Encerclé, Richard décapita sans coup férir les trois premiers reptiles qui l'attaquèrent.

Ils se décomposèrent en une myriade d'énormes insectes brillants aux corps rayés de blanc et de jaune. Ces scarabées s'éparpillèrent dans toutes les directions, certains entreprenant d'escalader les jambes de pantalon du jeune homme. Il se secoua frénétiquement, la peau brûlée par chaque piqûre. À l'endroit où il avait tué les serpents, d'autres insectes jaillirent du sol, masse grouillante de corps aux carapaces dures comme de l'acier.

Slalomant entre les reptiles et les scarabées géants, Richard retraversa la muraille d'air.

— Sans vous, je n'ai pas une chance ! Vous venez avec moi !

Il ceintura Verna. Épée en avant, il bondit vers la barrière invisible. Elle résista, mais finit par céder. De courtes langues de flammes, tels des éclats de verre, volèrent en tout sens.

Ils arrivèrent de l'autre côté – une notion rassurante, même si elle ne correspondait à aucune réalité – libérés du sort. Mais les spectres, les serpents et les insectes les avaient suivis.

— Filons d'ici ! cria Richard.

Verna fit deux pas et se pétrifia.

— Pourquoi vous arrêtez-vous ?

— Je ne sens plus le chemin ! Richard, je ne repère plus les brèches ! Et toi ? Essaye aussi fort que tu peux ! Quelle direction prendre ?

Le Sourcier tapa des pieds pour décrocher les scarabées qui s'accrochaient encore à ses jambes, et balaya d'un revers de la main celui qui rampait sur son visage. Des serpents sortaient encore du sol à l'endroit où le monstre aux défenses était tombé. On eût dit de l'eau jaillissant d'une source...

— Je ne sens rien ! À part le danger, de tous côtés... Où devons-nous aller ?

— Je l'ignore..., soupira Verna.

Un cri retentit et Richard ne put s'empêcher de tourner la tête. Kahlan était debout au milieu des serpents, qui rampaient sur elle comme sur un rocher.

— Richard ! cria-t-elle, les bras tendus vers le Sourcier. Tu as juré de m'aimer pour toujours. Ne m'abandonne pas ! Je t'en prie ! Les serpents me terrifient !

— Sœur Verna, que voyez-vous ?

— Jedidiah... Il est couvert de reptiles et il m'appelle à l'aide. Que le Créateur ait pitié de nous !

— Pourquoi commencerait-il maintenant ?

— Pas de blasphème, Richard !

Le jeune homme se détourna de l'illusion, prit le bras de la sœur et avança, s'écartant chaque fois qu'un spectre se dressait devant eux. Ils évitèrent aussi les serpents, mais durent écraser des centaines d'insectes.

Maintenant que la magie les avait repérés, bouger au hasard pouvait être plus dangereux que rester sur place. Mais Richard ne parvint pas à empêcher ses jambes de courir…

Ils atteignirent enfin une zone sans reptiles et sans scarabées. Pour le moment !

— Il ne nous reste plus beaucoup de temps… Ma sœur, pouvez-vous de nouveau vous orienter ?

— Non. Désolée, Richard. J'ai failli à ma mission, et trahi le Créateur. À cause de moi, nous sommes condamnés.

— Pas encore !

Richard siffla pour appeler les chevaux, qui arrivèrent au trot, sans intéresser le moins du monde les spectres. Bonnie lui flanqua un coup de tête enthousiaste qui le fit reculer d'un pas. Verna saisit la bride de Jessup et voulut s'éloigner.

— Non ! cria Richard en sautant sur Bonnie. Montez en selle, vite !

Verna n'obéit pas.

— Richard, chevaucher ces animaux stupides est un suicide. Ils vont s'emballer et nous précipiter dans une tempête de sorts ! Et sans mors, nous ne pourrons pas les en empêcher !

— Ma sœur, vous avez lu les *Aventures de Bonnie Day*. Vous vous souvenez du passage où les trois héros tentent de conduire des blessés en sécurité ? Que disent-ils devant la rivière empoisonnée que nul ne peut traverser ? Qu'il suffit d'y croire pour réussir ! Bonnie, Geraldine et Jessup ont fait passer la rivière à leurs protégés. Offrez-vous un acte de foi, ma sœur ! En selle !

— Tu veux que je me fasse tuer à cause d'un roman pour enfants ? Pas question ! Nous devons marcher.

Bonnie bouillait d'envie de se lancer au galop. Richard tira sur les rênes pour l'en empêcher.

— Aucun de nous deux ne connaît le chemin du salut. Et si nous restons ici, nous sommes fichus.

— Et à quoi nous servira de chevaucher ? rugit Verna.

— Ma sœur, qu'ont fait nos montures toute la journée ?

— Elles ont brouté une herbe imaginaire. Tes précieux canassons avaient des visions !

— Vous en êtes sûre ? L'illusion, c'était peut-être de ne pas voir l'herbe ! Dans ce cas, les chevaux trouveront le chemin. En route !

Les spectres approchaient de nouveau. Verna leur jeta un coup d'œil angoissé, puis se hissa en selle.

— Un peu de foi, ma sœur, est-ce trop vous demander ? J'ai juré de vous sauver, et je le ferai. Venez et ne traînez pas en arrière.

Richard talonna Bonnie, qui partit au grand galop. Les deux autres chevaux la suivirent.

Richard laissa la bride sur le cou à la jument. Pour ne pas risquer de l'influencer, il ne regarda pas devant lui, rivant les yeux sur ses oreilles.

— Richard ! cria Verna. Au nom du Créateur, es-tu devenu fou ? Ne vois-tu pas vers où tu diriges ce cheval ?

— Je ne dirige pas Bonnie ! Elle va où elle veut.

La sœur le rattrapa et se tourna vers lui, furieuse.

— Espèce de crétin ! Regarde devant toi !

Richard jeta un coup d'œil. Il fonçait vers le bord d'une falaise.

— Fermez les yeux, ma sœur…

— Es-tu devenu…

— Fermez les yeux ! C'est une illusion. Une angoisse que nous avons tous en commun : tomber ! C'était pareil avec les serpents…

— Ils étaient réels ! Si tu te trompes, nous allons mourir.

— Fermez les yeux ! Si c'était vrai, les chevaux ne galoperaient pas vers un abîme.

Il espéra ne pas faire erreur sur ce point.

— Sauf si le gouffre est bel et bien là, mais qu'ils croient courir sur un terrain plat !

— Si nous ne sortons pas de la vallée, nous sommes foutus ! Alors, quel choix avons-nous ?

Verna tira sur les rênes de Jessup pour le forcer à bifurquer, mais il ne broncha pas et continua à suivre la femelle dominante.

— Sinistre imbécile ! rugit Verna. Je t'avais dit que détruire ces mors était une idiotie. On ne peut plus arrêter ces maudites bêtes et elles nous précipitent dans le vide !

— J'ai juré de vous sauver. Si je n'avais pas détruit les mors, votre manque de foi vous aurait condamnée. Fermez les yeux !

Verna ne dit plus un mot. Paupières baissées, Richard retint son souffle quand il estima qu'ils atteignaient le gouffre. Si les esprits du bien ne lui donnaient pas un petit coup de pouce, pour une fois, les choses risquaient de très mal finir.

À quoi ressemblerait une chute de plusieurs centaines de pieds ? Et l'atterrissage, surtout ?

Allons, c'était simplement une affaire de terreur commune à tous les êtres humains ! S'avisant qu'il serrait très fort la crinière de Bonnie, il relâcha sa prise, mais ne rouvrit pas les yeux.

La chute ne vint jamais.

Les trois chevaux continuèrent de galoper et il les laissa s'amuser. Après avoir brouté toute la journée, une bonne course leur faisait sacrément plaisir. Oui, ces braves bêtes se régalaient !

Soudain, Richard s'aperçut que le bruit de leurs sabots avait changé. Plus doux, comme s'ils martelaient un sol moins sec…

— Richard, nous sommes sortis de la vallée !

Le Sourcier se retourna et aperçut la masse de nuages noirs qui plombaient l'horizon. Derrière lui ! Devant, une plaine verdoyante s'étendait sous un soleil radieux.

— Vous en êtes sûre ?

— Oui. C'est l'Ancien Monde. Je connais cet endroit.

— C'est peut-être encore une illusion, pour nous mettre en confiance et mieux nous piéger.

— Dois-tu toujours me contredire ? Je le sens avec mon Han. Nous sommes hors de la vallée, et loin de sa magie. Elle ne peut plus rien contre nous.

Richard se demanda un instant si Verna n'était pas une nouvelle illusion. Mais il sentait lui aussi que le danger était passé. Ravi, il se pencha et serra très fort l'encolure de Bonnie.

Les grandes collines qu'ils abordaient étaient couvertes d'herbe et de fleurs sauvages. Pas un arbre à l'horizon. Le soleil, encore agréablement chaud, ne calcinait plus la terre.

Richard éclata de rire et tourna la tête vers sœur Verna.

— Efface cette expression idiote de ton visage ! cria-t-elle.

— Je suis heureux que nous ayons réussi. Et que vous soyez vivante, ma sœur.

— Si tu savais à quel point je suis furieuse contre toi, Richard, tu ne te réjouirais pas de ma présence ! Écoute ce que je vais te dire, et ne crois pas que je plaisante. Si tu veux t'éviter des ennuis, ferme ton clapet et ne l'ouvre plus !

Richard jugea plus prudent d'acquiescer.

Chapitre 33

—Il faut m'amputer de ce bras...
 Zedd tira la manche de la robe en satin bleu d'Adie sur la blessure qui refusait de guérir. Contre les draps immaculés du lit, la chair de la magicienne émettait une pâle lueur verte...

— Je ne le ferai pas, Adie. Combien de fois dois-je te le répéter ?

Le sorcier posa la lampe à huile sur la table en chêne massif, près du plateau lesté de tranches de pain noir et d'assiettes de ragoût d'agneau à demi pleines. Puis il marcha voluptueusement sur le riche tapis et alla écarter un peu les lourdes tentures ornées de broderies. À travers les vitres couvertes de givre, il jeta un coup d'œil dans la rue obscure – et ne vit rien du tout, bien évidemment. La lueur du feu de cheminée, dans l'autre pièce de la suite, conférait un rien de romantisme à l'atmosphère de la chambre. Leur refuge était remarquablement silencieux, vu la foule qui se pressait en bas, dans la salle à manger.

L'*Auberge de la Corne de Bélier* était pleine à craquer bien qu'on fût en plein hiver. Ou était-ce à cause de ça ? Dormir à la belle étoile n'avait rien d'amusant quand il neigeait, et on ne pouvait pas cesser de commercer à cause du temps. Les marchands, les cochers et les voyageurs avaient pris d'assaut l'établissement, comme tous ceux de Penverro.

Adie et Zedd avaient eu de la chance de trouver un toit. Enfin, c'était une façon de voir les choses. Car le propriétaire aurait été malvenu à se plaindre d'avoir déniché deux gogos prêts à payer une fortune pour sa « suite royale ».

Cela dit, l'argent n'était pas un problème pour Zedd. Un sorcier du Premier Ordre ne se laissait pas arrêter par ce genre de détails triviaux... En revanche, la blessure d'Adie refusait de guérir. Ça, c'était une sacrée tuile ! D'autant plus que la plaie devenait de plus en plus moche. Et augmenter la dose de magie n'arrangerait rien, puisque le pouvoir était la source du mal.

— Écoute-moi bien, vieil homme, grogna Adie en se soulevant sur les coudes, c'est le seul moyen ! Tu as tout essayé, je ne mets pas en doute ta bonne volonté. Mais si on ne fait rien, je vais mourir. Un bras est peu de chose comparé à la vie ! Si tu manques de courage, donne-moi un couteau. Je m'en chargerai moi-même.

— Ça, très chère dame, je n'en doute pas un instant… Mais j'ai peur que ça ne serve à rien.

— Que veux-tu dire ? croassa la magicienne.

Zedd prit un morceau de mouton froid, le goba goulûment et s'assit au bord du lit. Tout en mâchant, il prit la main valide de sa compagne. On eût dit celle d'une poupée, mais il savait que de l'acier se cachait derrière ce velours.

— Adie, tu connais quelqu'un qui a l'habitude de ce genre d'infection ?

— Que veux-tu dire ? répéta Adie, ignorant la question.

— Réponds-moi d'abord… Tu connais quelqu'un ?

— Je peux y réfléchir, mais je doute qu'il reste une personne vivante ayant cette expérience. D'ailleurs, tu es un sorcier. Qui pourrait être plus calé que toi ? (Elle dégagea sa main.) Et si couper le bras n'arrangeait rien ? Est-il déjà trop tard, de toute façon ?

Zedd se leva, tourna le dos à Adie et recensa les solutions qui s'offraient à eux. La liste n'était pas longue…

— Réfléchis vite, très chère dame ! Ça dépasse mes compétences, et c'est grave…

Le lit grinça quand Adie se laissa retomber sur les oreillers.

— Alors, je vais mourir… Et retrouver mon cher Pell ! Tu devrais continuer ton chemin, sorcier. Je t'ai assez retardé, depuis des jours que je croupis dans ce lit. Je t'en prie, Zedd, va en Aydindril. Sinon, je serai responsable de ce qui se passera si tu n'arrives pas à temps. Aide Richard et laisse-moi agoniser en paix.

— Adie, réfléchis, s'il te plaît ! Qui pourrait nous secourir ?

Trop tard, le vieil homme s'avisa qu'il venait de faire une bourde. Résigné, il attendit la question qui devait nécessairement suivre.

— Comment ça, *nous* ?

— Je voulais seulement dire…

Adie s'assit dans le lit et attrapa le sorcier par la manche de sa luxueuse tunique. Le front plissé, elle le força à s'asseoir près d'elle. À la lumière de la lampe, les yeux de la magicienne semblaient plus roses que blancs, même si une lueur verte presque imperceptible y dansait.

— Nous ? répéta Adie. Et tu critiques les magiciennes parce qu'elles gardent de petits secrets ? Crache le morceau, ou je te ferai regretter de m'avoir emmenée avec toi !

Zedd eut un soupir accablé. Au fond, se consola-t-il, sa bourde tombait plutôt bien. Il n'aurait pas pu cacher la vérité beaucoup plus longtemps.

Il releva sa manche.

À l'endroit exact où Adie avait été blessée, la peau du sorcier était constellée de petits cercles noirs de la taille d'une pièce d'or. La même lueur verte émanait de son bras…

Adie en resta sans réaction.

— Pour soigner les gens, les sorciers utilisent une variante empathique de la magie… Si tu préfères, nous absorbons l'essence de la maladie ou de la blessure. Comme nous avons réussi l'épreuve de la douleur, lors de notre formation, nous supportons ça assez bien. Le don nous soutient et permet de donner de la force au patient, pour qu'il aide la magie à le guérir. Notre harmonie intérieure remédie au désordre qui ronge le sujet. Les blessures et la maladie sont des aberrations. La magie remet les choses dans l'ordre. Bien entendu, il y a des limites. Nous ne sommes pas la Main de la Création, mais c'est d'elle que nous avons reçu le don.

— Pourquoi ton bras est-il dans le même état que le mien ?

— En principe, le transfert de la maladie ou de la blessure est interdit par une barrière de protection. Nous prenons la douleur et le désordre, pour soulager le malade, et lui communiquons de la force afin qu'il guérisse. (Il baissa sa manche.) La souillure du skrin a traversé cette barrière…

— Alors, nous allons tous les deux être manchots, souffla Adie, sincèrement atterrée.

— Non, parce que ça ne servirait à rien. Quand je soigne quelqu'un, je sens où se niche la maladie, la blessure ou le désordre… (Il se leva de nouveau, montrant son dos à son amie.) La plaie est sur ton bras, mais l'infection magique du skrin s'est répandue dans tout ton corps. (Il baissa la voix et ajouta :) Maintenant, elle circule aussi dans le mien.

Des rires étouffés montaient de la salle à manger. Et des échos de musique en filtraient malgré l'épaisseur des tapis. Tendant l'oreille, Zedd entendit un barde brailler une chanson coquine au sujet d'une princesse devenue simple serveuse. Son père, un quelconque roi, l'ayant promise à un prince détestable, elle ne s'était pas laissé démonter. Après avoir démasqué son soupirant – une fripouille intéressée par sa dot – elle avait jugé la vie de serveuse, même si on se faisait souvent pincer les fesses, préférable aux fastes de la cour. Dès lors, elle s'était abandonnée aux tourbillons d'une vie peuplée de chansons et de danses. Ravis par la prestation du barde, les auditeurs frappaient les tables avec leurs chopes, histoire de donner le la.

— Nous sommes dans la mouise jusqu'au cou, vieil homme, souffla Adie dans le dos de Zedd.

— Ça, c'est bien vu…, acquiesça-t-il discrètement.

— Je suis désolée, Zedd… Excuse-moi d'avoir attiré le malheur sur toi.

— Ce qui est fait est fait, répondit le sorcier avec un geste nonchalant de la main. Ce n'est pas ta faute, très chère dame. S'il faut blâmer quelqu'un, c'est moi, car j'aurais dû réfléchir avant d'utiliser ma magie. Voilà le prix à payer quand on écoute son cœur au lieu de sa tête…

Et quand on ignore la Deuxième Leçon du Sorcier, pensa-t-il. Mais ça, il le garda pour lui.

— Adie, fit-il en se retournant, il doit y avoir quelqu'un qui sait soigner une blessure de skrin. Pense aux gens que tu as rencontrés quand tu cherchais des informations sur le royaume des morts. Des bribes de connaissances me mettraient sur la voie de la solution…

— J'étais jeune quand j'ai rendu visite à ces femmes… Toutes avaient des années de plus que moi. Elles sont sûrement mortes.

— N'avaient-elles pas de filles ?

Adie croisa le regard du sorcier, fronça les sourcils et eut un petit sourire.

— Oui ! Celle qui m'a enseigné des choses importantes sur les skrins en avait plusieurs. (Elle se redressa sur son bon coude.) Trois ! Et toutes avec le don. C'étaient des gamines à l'époque, donc elles doivent être encore en vie. Et leur mère, si elle n'est pas morte trop tôt, leur aura sûrement transmis son savoir. C'est la coutume chez les magiciennes.

Malgré la douleur due à la présence d'une magie étrangère dans son corps, Zedd s'enthousiasma.

— Il faut aller les voir ! Où vivent-elles ?

— Nicobarese…, souffla Adie en se laissant retomber sur les oreillers. Dans une région isolée du royaume.

— Fichtre et foutre ! C'est un long détour dans la mauvaise direction. Tu ne vois personne d'autre ?

Adie se concentra et compta sur ses doigts.

— Celle-là n'avait que des fils… Celle-là… non, elle ne connaissait rien aux skrins ! Et la troisième… pas d'enfants ! (Elle laissa retomber sa main.) Désolée, Zedd. Il n'y a que les trois sœurs, et elles vivent en Nicobarese.

— Et leur mère, où a-t-elle appris tout ça ? On pourrait peut-être puiser à la même source.

— Hélas, seule la Lumière sait où elle a pêché ses informations. Ce sera Nicobarese ou rien.

— Alors, en route pour Nicobarese !

— Zedd… Les sadiques du Sang de la Déchirure se souviendront sans doute de moi. Et pas en bien.

— De l'eau a coulé sous les ponts, Adie. Depuis, deux rois ont été couronnés, là-bas…

— Le temps ne compte pas pour ces gens…

Le sorcier se gratta le menton, pensif.

— Personne ne sait qui nous sommes, puisque nous cachons notre identité au Gardien. Nous continuerons à nous faire passer pour de riches voyageurs. (Il foudroya la magicienne du regard.) Comme en témoignent nos accoutrements ridicules !

Les somptueux vêtements étaient une idée d'Adie… qu'il n'appréciait pas beaucoup.

— De toute façon, conclut la magicienne, nous n'avons pas le choix. (Elle s'assit péniblement au bord du lit.) Nous devrions partir sur-le-champ.

— Pas question ! Tu es faible et tu dois te reposer. Moi, je m'occuperai d'organiser le voyage. Chevaucher n'est plus une option. Je nous louerai une diligence… Ça ira très bien avec nos vêtements de riches voyageurs oisifs…

Adie regarda le sorcier alors qu'il s'étudiait dans le grand miroir en pied. La longue tunique bordeaux aux manches noires ornées aux poignets de trois rangées de fils d'argent en jetait vraiment. Autour du cou et sur la poitrine, des broderies en fil d'or ajoutaient une touche d'élégance discrète, selon Adie. Une ceinture en satin rouge fermée par une boucle d'or complétait ce tableau – si apocalyptique, aux yeux du sorcier, qu'il en grogna de déplaisir.

Enfin, toutes les guerres exigeaient des sacrifices…

— De quoi ai-je l'air, très chère dame ? demanda-t-il en se retournant, les bras en croix.

— D'un bouffon…, marmonna Adie en prenant une tranche de pain sur le plateau.

— Puis-je te rappeler que tu as choisi ces atours ? lança Zedd, un index accusateur pointé sur la magicienne.

— De la légitime défense… C'est toi qui as sélectionné ma robe, et ça méritait réparation.

Zedd traversa la chambre en marmonnant que le plus offensé des deux n'était pas celui qu'elle pensait.

— Repose-toi, très chère dame. Je vais m'occuper de l'intendance…

— N'oublie pas ton chapeau !

Zedd se retourna comme une furie.

— Fichtre et foutre, femme, suis-je obligé de porter cette horreur ?

— Selon le vendeur, c'est le dernier cri chez les gentilshommes…

Avec un grognement, le sorcier prit le chapeau mou rouge vif posé sur le guéridon de la pièce attenante, à côté de la double porte.

— Tu aimes ? grommela-t-il en se l'enfonçant sur la tête.

— La plume n'est pas droite…

Zedd serra les poings. Puis, résigné, il lissa la longue plume de paon.

— Ça te convient ?

Adie sourit – ironiquement, supposa le sorcier.

— Zedd, j'ai dit que tu avais l'air d'un bouffon, mais tu m'as mal comprise. Tu es si beau que ces vêtements se ridiculisent en essayant de rajouter à ta perfection.

— Eh bien, ma dame, fit Zedd en rosissant, merci du compliment !

— Mais Zedd, sois prudent… (Le vieil homme inclina la tête, perplexe.) Dans cette tenue, comme la princesse de la chanson, tu risques de te faire pincer les fesses !

— N'aie crainte, je ne laisserai aucune fille de salle marcher sur tes plates-bandes !

Il inclina son chapeau pour se donner un air canaille puis sortit en chantonnant un air joyeux.

Une canne ! Voilà ce qui lui manquait, pensa-t-il. Outrageusement sculptée, bien sûr. Un gentilhomme, selon lui, ne pouvait pas se passer de cet accessoire.

Chapitre 34

Un air agréablement chaud flottait dans l'escalier, montant de la salle à manger en même temps que les échos des voix des convives. La bonne odeur de gigot venue des cuisines se mêlait agréablement à celle de la fumée de pipe. Se frottant l'estomac, Zedd se demanda s'il ne pouvait pas s'offrir un petit intermède gastronomique.

Sur le palier, trois cannes étaient rangées dans un porte-parapluies. Zedd s'empara de la plus fantaisiste : noir brillant, avec un pommeau en argent artistiquement torsadé. Il tapa deux ou trois fois sur le plancher, histoire de tester la longueur et le poids de sa trouvaille. Un rien trop lourde, estima-t-il, mais esthétiquement adaptée à sa triste condition présente.

Le propriétaire, maître Hillman, un petit homme rondouillard qui arborait un tablier éternellement immaculé, se précipita dès qu'il aperçut le sorcier dans l'entrée, et lui fit un sourire qui lui fendit le visage d'une oreille à l'autre.

— Maître Rybnik, comme je suis content de vous revoir !

Zedd faillit se retourner pour voir à qui parlait l'aubergiste. Puis il se souvint que c'était le nom qu'il avait donné à la réception. Ruben Rybnik, accompagné par sa noble épouse, dame Elda. Depuis toujours, le vieil homme adorait ce prénom. Ruben. Deux syllabes si harmonieuses… Ruben…

— Maître Hillman, appelez-moi Ruben, je vous en prie.

— Comme il vous plaira, maître Rybnik. Comme il vous plaira…

Zedd brandit la canne.

— Il m'est apparu que j'avais absolument besoin de cet accessoire. Seriez-vous prêt à me le céder ?

— Pour vous, maître Rybnik, je consentirais à tous les sacrifices. C'est mon neveu qui les fabrique, et je l'autorise à les exposer à l'intention de mes invités d'honneur. Mais celle-ci est très spéciale… et affreusement chère. (Devant l'air sceptique de Zedd, l'homme approcha et baissa le ton.) Laissez-moi vous offrir une petite démonstration, maître Rybnik. Je ne fais pas ça pour tout le monde, vous savez… Ça risquerait de donner une fausse image de mon établissement. Mais regardez… Vous tournez l'anneau en argent, et vous tirez sur la poignée…

Il joignit le geste à la parole, révélant quelques pouces d'une lame étincelante.

— Deux bons pieds d'acier de Kelton. Une discrète protection pour les vrais gentilshommes. Mais je ne suis pas sûr que vous veuilliez investir une somme pareille…

Zedd appuya sur le pommeau, escamota la lame et fit tourner le petit mécanisme de verrouillage.

— Cette canne est parfaite. Et d'une exquise discrétion. Ajoutez-la sur ma note…

Les gentilshommes pleins aux as n'étaient pas censés s'enquérir de détails aussi triviaux qu'un prix.

— Avec joie, maître Rybnik, fit Hillman en inclinant plusieurs fois la tête. C'est un excellent choix qui ajoutera encore à votre panache. (Il s'essuya les mains – pourtant fort propres – sur son tablier et désigna la salle à manger.) Puis-je vous proposer une table, maître Rybnik ? S'il le faut, je ferai dégager quelqu'un… Un mot de vous, et je m'en occupe.

— Inutile… (Zedd tendit fièrement sa nouvelle canne.) Celle-là, près de la cuisine, conviendra tout à fait.

— Cette table ? Messire, je vous en prie, laissez-moi vous en trouver une meilleure. Plus près du barde, par exemple. Ce bougre connaît toutes les chansons du monde. Dites-moi celle que vous préférez, et il l'interprétera pour vous.

Zedd fit un clin d'œil à l'aubergiste.

— Figurez-vous, mon ami, que j'aime mieux humer les délicieuses odeurs qui montent de votre cuisine…

Rayonnant, Hillman conduisit son client à la table en question.

— Vous me faites un tel honneur, maître Rybnik. Personne n'a jamais autant vanté ma cuisine. Qu'est-ce qui vous plairait ?

— Que vous m'appeliez Ruben, cher ami. Une tranche du délicieux gigot que j'ai senti me comblerait aussi de bonheur.

— Vos désirs sont des ordres, maître Rybnik. Comment va votre délicieuse épouse ? Je prie pour elle chaque jour, vous savez. Se sent-elle mieux ?

— Pas vraiment, j'en ai peur, soupira Zedd.

— Que c'est triste ! Mais je continuerai à prier pour elle… Bien, permettez-moi d'aller vous chercher à manger…

Zedd regarda l'aubergiste s'éloigner. Puis il posa sa canne contre le mur et enleva son chapeau, le jetant négligemment sur la table. Le barde à la calvitie naissante était perché sur une chaise, au milieu d'une petite scène. Pour l'heure, penché sur son luth, il interprétait une chanson leste sur les aventures d'un cocher de diligence. De route accidentée en route accidentée, l'homme racontait comment, dans des villes minables, il s'empiffrait de mauvaise nourriture et troussait des beautés de comice agricole. Mais à l'en croire, il adorait relever le défi des collines escarpées et des cols sinueux où la pluie et le vent lui fouettaient le visage. Quand ce n'étaient pas les tempêtes de neige…

Zedd repéra un type, seul dans un petit box, qui écoutait la rengaine en roulant de gros yeux agacés. Un fouet soigneusement enroulé reposait sur la table. Les autres clients semblaient apprécier la chansonnette. Les plus soûls tentaient régulièrement de pincer les fesses des serveuses, qui esquivaient leurs assauts avec l'aisance de l'habitude.

Loin de la scène, des marchands et leurs épouses, tous tirés à quatre épingles, conversaient en méprisant souverainement l'artiste. Plus loin encore, des nobles, l'épée au côté, ne daignaient pas accorder un regard aux bourgeois replets. Sur la piste de danse, quelques couples se tortillaient en cadence : des clients et des serveuses, dûment rétribuées pour l'exercice. Vexé, le sorcier nota que les chapeaux, s'ils semblaient effectivement à la mode, n'étaient affublés d'aucune plume ostentatoire.

Zedd glissa une main dans sa poche pour compter ses pièces d'or. Il lui en restait deux… Décidément, jouer les riches coûtait cher ! Comment faisaient donc les grands de ce monde pour avoir un train de vie si dispendieux ?

Pour le voyage jusqu'à Nicobarese, Zedd allait devoir trouver une solution. Adie allait trop mal pour chevaucher…

De sa démarche sautillante, maître Hillman franchit le seuil de la cuisine. Posant un plateau doré à l'or fin devant le sorcier, il l'orienta d'un petit coup expert des deux pouces, puis sortit un torchon et frotta une minuscule tache de gras, sur la table. Bien qu'il fût affamé, le sorcier décida de manger lentement. Sinon, l'aubergiste risquait de venir lui nettoyer le menton !

— Désirez-vous une chope de bière, maître Rybnik ? Offerte par la maison ?

— Je vous en supplie, appelez-moi Ruben ! Du thé me conviendrait mieux…

— Comme il vous plaira, maître Rybnik. Vous désirez autre chose, en plus du thé ?

Zedd se pencha par-dessus la table et l'aubergiste l'imita.

— Quel est le taux de change de l'or contre l'argent ?

— Quarante virgule cinquante-cinq contre un, répondit l'aubergiste sans hésiter une fraction de seconde. (Il se racla la gorge.) Enfin, je crois me souvenir que c'est ça… (Il eut un sourire d'excuse.) Oui, oui, ça doit bien être ça…

Zedd fit mine de se plonger dans une profonde réflexion. Puis il sortit une de ses pièces, la posa sur la table et la poussa en direction d'Hillman.

— Je suis à court de petite monnaie, dirait-on. Auriez-vous la gentillesse de vous charger du change pour moi ? Et de répartir la somme dans deux bourses ? Dans l'une, prélevez une pièce d'argent et changez-la contre des pièces de cuivre que vous placerez dans une troisième bourse. Bien entendu, prenez une petite commission au passage.

— Ce sera fait, maître Rybnik. Merci beaucoup.

Hillman ramassa la pièce si vite que Zedd eut à peine le temps de le voir bouger. Après le départ de l'aubergiste, il savoura son gigot d'agneau en étudiant les convives. Avant la fin du repas, Hillman revint et se campa devant la table.

Il posa deux petites bourses à côté de Zedd.

— Les pièces d'argent, maître Rybnik. Dix-neuf dans le sac marron clair et vingt dans le foncé. (Zedd glissa les bourses sous sa tunique pendant que l'aubergiste en brandissait une troisième, beaucoup plus pansue.) Et voilà les pièces de cuivre !

— Merci. Mais où est mon thé ?

Le gros type se flanqua une claque sur le front.

— Pardonnez-moi, maître Rybnik ! Avec le change, j'ai oublié. (Un des nobles agitant le bras pour attirer son attention, Hillman attrapa au vol le bras d'une serveuse qui sortait de la cuisine avec un plateau lesté de chopes.) Julie, apporte du thé à maître Rybnik, et vite fait ! (La fille sourit à Zedd et fila livrer ses chopes.) Julie va s'occuper de vous, maître… S'il vous faut autre chose, n'hésitez pas à demander.

— Parfait… Mais si vous pouviez m'appeler Ruben…

— Vos désirs sont des ordres, maître Rybnik, marmonna distraitement l'aubergiste avant de se précipiter vers l'autre client.

Zedd se coupa un morceau d'agneau et le piqua avec sa fourchette. Il adorait ce prénom, Ruben, et regrettait d'avoir donné un patronyme fantaisiste à Hillman. En mâchant sa viande, il regarda Julie slalomer adroitement entre les tables.

Il plissa les yeux quand il la vit poser des chopes devant plusieurs types à l'air patibulaire vêtus de longs manteaux. Alors qu'elle servait le dernier, il lui murmura quelque chose, la forçant à se pencher pour comprendre. Les yeux rivés sur son décolleté, tous les gaillards éclatèrent de rire. Julie se redressa et flanqua un petit coup de plateau sur la tête du plaisantin, qui lui pinça aussitôt les fesses. Elle poussa un cri d'indignation… puis continua son service.

En passant près de la table de Zedd, elle s'arrêta et lui sourit.

— Votre thé arrive tout de suite, maître Rybnik.

— Ruben… Je m'appelle Ruben… J'ai vu ce qui vient d'arriver. Vous devez supporter ça tout le temps ?

— C'est Oscar, un type inoffensif, le plus souvent. Mais il n'a que des mots orduriers à la bouche. Pourtant, croyez-moi, je ne suis pas une sainte nitouche. Parfois, quand il s'adresse à moi, je prie pour qu'il attrape le hoquet. (Elle écarta une mèche rebelle de son front.) Maintenant, il va vouloir une nouvelle chope. Désolée, je suis trop bavarde. Mais je vais aller chercher votre thé, maître Ryb…

— Ruben ! coupa Zedd.

— Ruben, dit la serveuse avant de repartir au pas de course.

Le sorcier laissa errer son regard sur la bande de types bruyants. Un petit sort… Quel mal cela pouvait-il faire ?

Julie revenait déjà avec le thé. Pendant qu'elle posait le plateau sur la table, Zedd plia un index pour l'inciter à se pencher vers lui.

— Tu es très jolie, ma fille, dit-il en caressant le menton de la belle. Ce rustre d'Oscar ne devrait pas te parler mal, et encore moins te pincer les fesses. (Il baissa le ton.) Quand tu lui donneras sa bière, murmure son prénom en le regardant dans les yeux, comme je te fixe maintenant, et ta prière sera exaucée. Mais tu oublieras tout de notre petite conversation.

— Excusez-moi, fit Julie en se redressant, les yeux papillotants, qu'avez-vous dit ?

— Merci pour le thé… Je voulais aussi savoir si quelqu'un avait une diligence et un bon attelage à louer.

— Ah… La moitié des clients moins bien habillés que vous sont des cochers. Ceux-là… (elle désigna quelques tables) louent leurs services au plus offrant. Les autres sont des employés. Mais si vous engagez un type, il faudra d'abord le dessoûler.

Zedd la regarda repartir pour la cuisine, puis ressortir avec un plateau. Quand elle servit Oscar, il lui fit un sourire d'ivrogne et voulut ouvrir la bouche. Les yeux rivés dans les siens, Julie murmura son prénom. Pris d'une colossale crise de hoquet, le gaillard lâcha une énorme bulle d'air qui flotta au-dessus de la table avant d'exploser. Ses compagnons, peu charitables, éclatèrent de rire.

Le front plissé, Zedd observa l'étrange scène.

Chaque fois qu'Oscar ouvrait la bouche pour choquer Julie, il hoquetait et lâchait une myriade de bulles. Entre deux éclats de rire, les hommes accusèrent la serveuse d'avoir mis du savon dans sa bière. Équitables, ils ajoutèrent que ça ne pouvait pas faire de mal à Oscar, connu pour sa phobie des bains.

Voyant l'homme assis seul dans son box lever la main, Julie s'éloigna de la bande de poivrots et alla prendre la commande.

En passant, elle s'arrêta devant la table du sorcier.

— Celui-là aussi doit avoir un attelage, dit-elle. Il empeste le canasson plus qu'une écurie. (Elle gloussa.) Ce que je viens de dire n'était pas très gentil... Mais il m'énerve, parce qu'il refuse de dépenser ses pièces pour de la bière. Il voulait du thé...

— J'en ai largement pour deux... Nous partagerons, ça te reposera les jambes.

— Merci... Je vous apporte une deuxième tasse...

Zedd savoura son dernier morceau de gigot sans cesser de surveiller la salle. Oscar ne hoquetait plus et ses copains s'étaient calmés. Tous écoutaient religieusement le barde chanter une chanson à l'eau de rose sur le chagrin d'amour d'un pauvre chevalier.

Quand Julie eut tenu sa promesse, Zedd prit la théière et les tasses, et se leva. À mi-chemin de la table du cocher, il se souvint du chapeau et jura entre ses dents. Ayant récupéré l'atroce couvre-chef, il ramassa aussi la canne et avança, frôlant délibérément Oscar. Il l'étudia, toujours aussi étonné que celui-ci ait lâché des bulles en hoquetant. Le mystère lui résista. Le type semblait en bonne forme, n'était la gueule de bois qu'il se préparait.

Le sorcier s'arrêta devant le box et brandit la théière.

— Je vous invite ?

Sous ses sourcils broussailleux, le cocher lui jeta un regard méfiant. Zedd sourit, car Julie n'avait pas exagéré au sujet de l'odeur.

Le type déplia ses bras musclés, poussa le fouet et désigna une chaise au vieil homme.

— Enchanté de vous connaître... Je me nomme Ruben.

Zedd s'assit et posa son chapeau près du fouet.

— Ahern, se présenta l'homme, d'une belle voix de basse. Que me voulez-vous ?

Zedd cala sa canne entre ses jambes et posa la théière et les tasses devant lui.

— Partager mon thé, Ahern, rien de plus...

— À d'autres ! Que voulez-vous vraiment ?

— Eh bien, je me demandais si vous cherchiez du travail..., dit le sorcier en servant le thé.

— J'en ai déjà un...

— Vraiment ? Quelle sorte de travail ?

Ahern ne répondit pas. Un cache-poussière enfilé sur sa chemise de flanelle verte, des cheveux longs grisonnants emmêlés, faute de fréquenter assez souvent un peigne, la peau de son visage parcheminé était brûlée par le soleil et le vent.

— En quoi ça vous intéresse ? lâcha-t-il enfin.

— À savoir si je peux vous faire une meilleure proposition…

Grâce à ses pouvoirs, Zedd couvrirait l'homme d'or si c'était nécessaire. Mais ça ne lui semblait pas la meilleure tactique à adopter.

— Je transporte du fer de Tristen à Penverro, pour les forgerons. Parfois, je pousse jusqu'à Winstead. À Kelton, nous faisons les meilleures armes de toutes les Contrées. Mais vous devez le savoir…

— Ce n'est pas ce que j'ai entendu dire, fit Zedd. (Ahern sursauta, l'air peu commode.) On m'a affirmé que ce sont les plus belles lames des trois pays, pas seulement des Contrées.

Le barde s'était lancé dans une nouvelle chanson : l'histoire d'un roi, devenu muet, contraint de donner ses ordres par écrit. Ayant interdit à ses sujets d'apprendre à lire, l'imbécile finissait par perdre aussi son royaume.

— Un boulot plutôt dur, en cette période de l'année, continua le sorcier.

— C'est encore plus dur au printemps, dans la boue. Là, on découvre qui a une grande gueule et qui peut conduire un attelage.

Zedd poussa la tasse pleine plus près du type.

— Et c'est un job régulier ?

— Assez pour me nourrir, dit Ahern en acceptant enfin le thé.

Zedd joua distraitement avec le bout du fouet.

— Vous avez l'air d'un homme qui sait se servir de ce genre d'outil…

— Il y a plusieurs façons de tirer le meilleur d'un attelage. (Il engloba la salle d'un geste méprisant.) Ces crétins pensent obtenir ce qu'ils veulent en jouant de la lanière !

— Et pas vous ?

— Je fais claquer mon fouet pour attirer l'attention des bêtes et leur communiquer mes ordres. Mes chevaux travaillent pour moi parce que je les entraîne, pas à cause des coups. Quand je suis dans une situation délicate, je veux un attelage qui comprenne mes instructions, pas une bande de canassons abrutis par les coups. Dans le coin, assez de squelettes d'hommes et de chevaux pourrissent au fond des ravins. Inutile d'y ajouter le mien !

— On dirait que vous connaissez votre affaire…

— Dans quelle branche êtes-vous ? demanda Ahern en désignant les somptueux atours de Zedd.

— Les fruits, mentit le sorcier. Je produis les meilleurs du monde, mon ami.

— Vous voulez dire que vos terres et les gens qui les cultivent produisent les plus beaux fruits du monde !

— Vous avez raison… Aujourd'hui, en tout cas. Mais ce ne fut pas simple au départ. Pendant des années, j'ai travaillé comme une bête. Je soignais mes arbres nuit et jour, pour que ma production soit hors du commun. Beaucoup d'arbres m'ont déçu. À chaque échec, j'étais hors de moi. Avec le temps, je me suis amélioré. En économisant chaque pièce de cuivre, j'ai acheté davantage de terrain. Les semailles, la taille, la récolte, le transport, la vente : je faisais tout ça de mes mains ! Au fil des ans, ma réputation s'est établie et l'argent a commencé à rentrer. Alors, j'ai engagé des gens pour me seconder. Mais je mets toujours la main à la pâte, afin que la qualité ne baisse pas. Personne n'a envie de perdre sa réputation, n'est-ce pas ?

Zedd se radossa à son siège, fier de l'histoire édifiante qu'il venait d'improviser. Ahern tendit sa tasse pour qu'il lui reserve du thé.

— Et où sont vos vergers ?

— En Terre d'Ouest. J'ai émigré avant l'apparition de la frontière.

— Et que venez-vous faire ici ?

Zedd se pencha en avant et baissa la voix.

— Ma femme… hum… elle ne va pas très bien, et nous ne sommes plus de la première jeunesse. La frontière ayant disparu, elle a voulu retourner dans son pays natal. Il paraît que certaines guérisseuses pourraient l'aider… Mon ami, je ferais n'importe quoi pour ma chère épouse. Elle est trop malade pour chevaucher, à présent. Alors, je voudrais louer un attelage. Je suis prêt à payer un bon prix. Dans les limites du raisonnable, bien entendu…

— Une proposition tentante, admit Ahern. Où allez-vous ?

— Nicobarese…

Le cocher posa sa tasse sur la table si violemment que du thé se renversa.

— Quoi ? Vous êtes cinglé, mon vieux ! Nous sommes en plein milieu de l'hiver.

— J'avais cru comprendre que c'était pire au printemps…

— Nicobarese est au nord-ouest, sur l'autre versant des monts Rang'Shada. Si vous venez de Terre d'Ouest, direction Nicobarese, pourquoi avoir traversé les montagnes ? Maintenant, il vous faudra les franchir une nouvelle fois.

Pris au dépourvu, Zedd dut réfléchir à toute allure pour inventer une réponse. Bien entendu, il finit par la trouver.

— Je suis originaire des environs d'Aydindril. Nous avions l'intention d'y passer avant de gagner Nicobarese, au printemps. J'avais prévu de traverser les montagnes au sud, puis d'aller au nord-est, vers Aydindril. Mais Elda, ma femme, est tombée malade, et j'ai changé mes plans.

— Je maintiens que vous auriez dû aller en Nicobarese avant de traverser les montagnes.

— Eh bien, Ahern, savez-vous comment on répare les erreurs, histoire que je puisse recommencer ma vie selon vos brillantes suggestions ?

— Je crains que non…, répondit l'homme avec un petit rire. (Il réfléchit un moment, puis lâcha un soupir.) Ruben, c'est un sacré long voyage. Vous cherchez les ennuis. Je n'ai pas très envie de m'en mêler…

— Quel dommage… (Zedd balaya la salle du regard.) Dites-moi, puisque vous êtes hors du coup, lesquels de ces hommes conviendraient ? Qui est un meilleur cocher que vous ?

— Je n'ai jamais dit que j'étais formidable, mais ces gars-là ont plus de gueule que de tripes. À mon avis, aucun ne s'en sortirait.

— Mon ami, je crois que vous essayez de faire monter les enchères.

— Et moi, j'ai l'impression que vous voulez les faire baisser.

Zedd se fendit d'un rictus ironique.

— Selon moi, le boulot est moins dur que vous le dites.

— Sans blague ? Vous pensez que c'est un jeu d'enfant ?

— Vous savez diriger un attelage en hiver. Je vous demande simplement d'aller dans une autre direction. Ce n'est pas sorcier.

— Votre foutue direction est un piège à rats ! explosa Ahern. D'abord, on dit qu'il y a une guerre civile en Nicobarese. Ensuite, le chemin le plus court passe par Galea. Sinon, il faut traverser des cols, au sud, qui rallongeront le voyage de plusieurs semaines.

» L'ennui, c'est que les choses vont mal entre Galea et Kelton. Il y a eu des escarmouches à la frontière, et des villes keltiennes ont été mises à sac. Les gens de Penverro sont nerveux à l'idée d'être si près de Galea. Tout est là, mon ami ! Traverser Galea, c'est courir vers les ennuis !

— Des combats ? Vous prêtez attention à des bavardages stupides. La guerre est finie. Les troupes de D'Hara sont rentrées chez elles.

— Je ne vous parle pas d'attaques de D'Hara. C'est Galea qui lance des raids.

— Des foutaises ! Les Keltiens parlent d'un raid galeien dès qu'un paysan renverse une lanterne et fiche le feu à sa grange. Et les Galeiens accusent les Keltiens chaque fois qu'un loup dévore un mouton. J'aimerais avoir l'équivalent en pièces d'or de toutes les flèches qu'on a tirées sur des ombres ! (Zedd agita un index osseux sous le nez du cocher.) Si Kelton agressait Galea, ou l'inverse, le Conseil ferait décapiter les responsables, aussi haut placés soient-ils. (Il saisit sa canne et en martela le sol.) Un conflit est impossible !

— Je ne connais rien à la politique, et j'ignore ce que trafiquent ces maudites Inquisitrices. Mais je sais que traverser Galea est le meilleur moyen de finir criblé de flèches. Ce que vous demandez n'est pas facile, Ruben.

Zedd commençait à se lasser de ce petit jeu. De plus, certaines paroles d'Adie – au sujet de la lumière – lui trottaient dans la tête. Décidant d'en finir d'une manière ou d'une autre, il vida sa tasse cul sec.

— Merci de m'avoir fait la causette, Ahern, mais je vois que vous n'êtes pas l'homme qu'il me faut pour aller en Nicobarese.

Le sorcier se leva et récupéra son chapeau. Ahern lui posa un de ses battoirs sur le bras et le força à se rasseoir.

— Écoutez-moi bien, Ruben ! Ces derniers temps n'ont pas été faciles. La guerre contre D'Hara a perturbé le commerce. Kelton était relativement à l'abri, mais la plupart de nos voisins ont beaucoup souffert. Il est très difficile de brader des objets à des morts. Il y a moins de transit qu'avant, et toujours autant de types en quête de travail. Vous ne pouvez pas en vouloir à un homme de chercher à se remplir les poches quand l'occasion se présente. D'essayer, en quelque sorte, de vendre ses meilleurs fruits le plus cher possible.

— Ses meilleurs fruits ? (Zedd fit un grand geste circulaire.) Chacun de ces cochers se proposerait pour ce travail. Et tous me raconteraient, comme vous, qu'ils sont des as dans leur profession. Vous voulez obtenir un bon prix ? C'est normal, mais cessez de vous foutre de moi. Je veux savoir pourquoi il me faut me ruiner !

Du bout d'un index, Ahern poussa sa tasse au milieu de la table, signalant qu'il avait encore soif. Avant de le servir, Zedd lissa ostensiblement sa manche.

Le cocher prit sa tasse et regarda autour de lui.

Fascinés, les clients écoutaient le barde susurrer une chanson d'amour à une serveuse. Il lui tenait le bras et l'accablait de promesses d'éternelle fidélité. Rouge comme une pivoine, un plateau caché dans son dos, la fille gloussait bêtement.

Ahern sortit de sous sa chemise un médaillon accroché à une chaîne.

— C'est pour ça que je veux beaucoup d'argent.

Zedd fronça les sourcils en reconnaissant le profil régalien, sur le pendentif.

— On dirait que ça vient de Galea.

— Exact… Ce printemps, et tout l'été, les D'Harans ont assiégé Ebinissia. Les Galeiens allaient tous crever et personne ne voulait les aider. Les autres royaumes luttaient aussi contre D'Hara, et ça leur suffisait. Les défenseurs de la ville, eux, avaient besoin d'armes.

» J'ai réussi à faire passer des chargements d'épées et de lances – avec quelques précieux sacs de sel – par un des cols les plus isolés. Les soldats galeiens avaient proposé d'escorter tous ceux qui tenteraient le coup, mais il y eut peu de candidats. Ces chemins sont rudement dangereux.

— Ce fut très noble de votre part.

— Noble ? Vous rigolez ? La paie me stimulait, mon vieux ! Et je n'aimais pas savoir que ces gens étaient piégés comme des rats. Surtout en sachant comment les D'Harans traitent les vaincus. Bref, je me suis dit qu'un peu d'acier de Kelton donnerait aux défenseurs une chance de résister. Comme vous le savez, nos armes sont les meilleures.

— Et ce médaillon, que signifie-t-il ?

— Une fois le siège levé, j'ai été convoqué devant la cour de Galea. La reine Cyrilla m'a remis cette récompense. Pour mon courage, a-t-elle dit, je serais toujours le bienvenu dans le royaume. (Il remit le bijou sous sa chemise et le tapota fièrement.) C'est un laissez-passer royal. Grâce à lui, je peux aller où je veux en Galea, sans être inquiété.

— Et ce soir, vous voulez monnayer quelque chose qui n'a pas de prix ?

— Mon intervention n'était rien ! Les défenseurs sont des héros, pas moi ! J'ai aidé ces gens parce qu'ils en avaient besoin et par appât du gain. J'ai agi pour ces deux raisons, Ruben. Une seule n'aurait pas suffi. Maintenant, j'ai ce bijou. S'il me permet de mieux gagner ma vie, où est le mal ?

— Vous avez raison, Ahern… Les Galeiens eux-mêmes ont donné un prix à ce que vous avez fait. Je les imiterai, si c'est dans mes moyens. Combien pour nous conduire en Nicobarese ?

— Trente pièces d'or.

— Voilà un homme qui ne se prend pas pour du purin !

— Je réussirai, et c'est mon prix : trente pièces d'or.

— Vingt maintenant, et dix quand nous arriverons en Aydindril.

— Aydindril ? Il n'a jamais été question de ça ! Je ne veux rien avoir à faire avec les sorciers et les Inquisitrices. En plus, il faudra retraverser les monts Rang'Shada !

— Pour revenir ici, vous devrez y repasser de toute façon. Ça vous fera un petit détour par le nord, voilà tout. Si ma proposition ne vous convient pas, vous aurez vingt pièces pour nous conduire en Nicobarese, et je trouverai quelqu'un qui acceptera les dix autres pour finir le voyage. En supposant que nous ayons encore besoin d'un véhicule quand ma femme sera guérie. Si vous voulez les trente, je m'engage à vous les verser si vous nous conduisez en Aydindril. C'est à prendre ou à laisser.

— Marché conclu ! Vingt ce soir et dix en Aydindril. (Ahern braqua un index accusateur sur Zedd.) Mais j'ai une condition, et elle n'est pas négociable !

— Laquelle ?

— Ce foutu chapeau ! Pas question de le porter : la plume effraierait les chevaux !

— Accordé, à une contre-condition, mon ami : c'est vous qui annoncerez ça à ma femme !

Le sorcier sourit de toutes ses dents.

— Entendu, répondit Ahern. (Il sourit aussi – une fraction de seconde.) Ruben, ce voyage ne sera pas facile. Avec l'argent gagné en travaillant pour Ebinissia, je me suis acheté un coche. Je pourrai l'équiper de patins pour circuler plus facilement sur la neige. À présent, faites-moi voir la couleur de votre or !

Le barde entama un air entraînant. Presque tous les clients, même les plus huppés, battirent la mesure avec leurs semelles.

Zedd glissa une main sous sa tunique et la posa sur les deux bourses de pièces d'argent. Très discrètement, il se livra à une opération à laquelle il avait dû trop souvent se résigner, par le passé. Mobilisant sa magie, il transforma l'argent en or.

Avait-il le choix ? Reculer aurait conduit à sa perte le monde des vivants.

Ou était-ce une justification oiseuse pour un acte qu'il savait dangereux ?

— Rien n'est jamais facile, maugréa-t-il.

— Pardon ?

— Je disais que… hum… je sais que ce voyage n'est pas facile. (Il posa sur la table le sac marron foncé.) Mais l'or rend tout plus aisé. Voilà vos vingt pièces.

Ahern ouvrit la bourse pour compter son trésor.

Zedd regarda distraitement les clients qui se régalaient de nourriture, d'alcool et de musique. Il était pressé de partir pour Nicobarese !

— C'est une blague ? grogna soudain le cocher.

Zedd le regarda. Rouge comme une pivoine, le grand type tira une pièce de la bourse et la jeta sur la table. Elle y tournoya un moment, sans refléter la lumière, puis tomba sur une face avec un bruit qui n'avait rien de métallique.

Une pièce tout ce qu'il y avait d'ordinaire. À un détail près : elle était en bois, pas en or !

— Je… eh bien… hum…

Ahern vida la bourse dans sa paume. Les autres pièces étaient bien en or…

— J'en compte seulement dix-huit… Il en manque deux, puisque je ne prends pas les pièces en bois.

Avec un sourire bon enfant, Zedd tira l'autre bourse de sous sa tunique.

— Veuillez m'excuser, cher ami. On dirait que je vous ai donné la bourse où je garde ma pièce fétiche. Pas question de m'en séparer, vous pensez ! Pour moi, elle a plus de valeur que de l'or !

Il jeta un coup d'œil dans la bourse marron clair et compta dix-sept pièces. Dont deux en bois. Normalement, il y aurait dû en avoir dix-neuf. Comment expliquer ça ? Maître Hillman avait-il essayé de l'arnaquer ? Non, c'était un larcin maladroit pour un homme comme lui. Tenter de faire passer du bois pour de l'or ? Une ruse de crétin…

— Et mes deux autres pièces ? grogna Ahern.

— Oh, bien sûr…

Le sorcier donna son dû au cocher, qui glissa les deux dernières pièces dans la bourse foncée, la ferma soigneusement et la fourra dans sa poche.

— À présent, je suis à vos ordres. Quand voulez-vous partir ?

Les trois pièces d'argent transformées en bois n'inquiétaient pas trop le sorcier, certain qu'il trouverait une explication. Mais celles qui manquaient ? Elles s'étaient volatilisées, et ça, rien ne pouvait l'expliquer. Un événement inquiétant. Terrifiant, même, d'un certain point de vue.

— J'aimerais partir sur-le-champ, mon ami.

— Demain matin ?

— Non, tout de suite ! (Zedd ramassa son ridicule chapeau.) Ne prenez pas cet air étonné… C'est mon épouse, vous comprenez. Elle doit voir une guérisseuse le plus vite possible.

— Certes, mais je viens d'arriver de Tristen, et j'ai besoin d'un peu de sommeil. Ce voyage ne sera pas une partie de plaisir, vous savez… (Zedd acquiesça à contrecœur.) D'abord, je dois équiper le coche de patins. Ça me prendra deux heures, à condition de convaincre un de ces poivrots de m'aider.

— Pas question ! s'écria Zedd en tapant sur le sol avec sa canne. Personne ne doit savoir ce que vous faites et où vous allez. (Il se tut en voyant Ahern plisser le front, de nouveau méfiant. Bon sang, il devait trouver un truc à dire pour calmer ce type !) Les flèches dont vous parliez… Celles dont on est si facilement criblé. Un peu de discrétion devrait limiter les risques.

Ahern se leva – un vrai géant ! – et prit son manteau.

— D'abord, vous m'avez manipulé pour que je vous conduise dans le pays maudit des sorciers et des Inquisitrices… Après, cette histoire de discrétion… À mon avis, j'aurais dû demander plus. (Il enfila son manteau et en noua la ceinture.) Mais un marché est un marché ! Je vais m'occuper des patins et acheter des provisions, puis je dormirai un peu. Rendez-vous ici trois heures avant l'aube. Nous aurons traversé la frontière de Galea avant demain midi.

— J'ai une jument à l'écurie, dit Zedd. Autant l'emmener avec nous. Vous passerez la prendre avant de nous retrouver. (Il congédia l'homme d'un geste nonchalant.) Trois heures avant l'aube…

L'esprit du sorcier était déjà loin du cocher.

Les choses étaient plus graves qu'il ne l'avait cru. Ils avaient besoin d'aide, et vite ! La femme de Nicobarese, celle aux trois filles, avait peut-être étudié son art ailleurs. Plus près d'ici, avec un peu de chance. S'ils pouvaient trouver ce qu'ils cherchaient sans faire un si long voyage, quel gain de temps !

Et le temps était le nerf de cette guerre !

« *Hélas, seule la Lumière sait où elle a pêché ses informations* », avait répondu Adie quand il s'était enquis de l'endroit où la femme avait déniché ses connaissances. Le mot « lumière » était un synonyme courant de « don ». Mais pas seulement. Il s'agissait aussi d'une référence sibylline à quelque chose de très différent.

Zedd tambourina sur le plancher avec sa canne. Fichues magiciennes, avec leurs énigmes à la noix !

Au moment où Ahern franchissait la porte, le vieil homme se leva et se dirigea vers l'escalier.

Chapitre 35

Quand Zedd ouvrit la porte de la chambre, un nuage de fumée empestant le créosol agressa ses narines. La fenêtre ouverte laissait entrer un air glacial, mais cela permettait d'évacuer cette pollution. Assise sur le lit, enveloppée jusqu'au menton dans une couverture, Adie brossait consciencieusement ses cheveux argentés.

— Que s'est-il passé ? demanda le sorcier.

— Je mourais de froid. Alors, j'ai voulu faire du feu.

Zedd jeta un coup d'œil à la cheminée.

— Pour ça, il faut du bois, très chère dame. C'est indispensable !

Normalement, Adie aurait dû… l'incendier… à cause de cette remarque. Mais elle détourna le regard, l'air gêné.

— Il y en avait… J'ai utilisé ma magie pour l'enflammer sans me lever. Il y a eu des étincelles et une colonne de fumée. J'ai ouvert la fenêtre pour aérer… Quand j'ai regardé dans le foyer, les bûches avaient disparu.

— Comment ça, disparu ?

— Il y a un problème… Quelque chose qui cloche avec mon pouvoir.

Adie recommença à se brosser – sans grande conviction.

Le vieil homme eut un sourire las et lui caressa les cheveux.

— Je sais… Il m'est arrivé la même chose. Ce doit être à cause de cette… infection.

Il s'assit près de la magicienne, lui prit la brosse et la posa à côté d'eux.

— Adie, que sais-tu au sujet de ce mal ? Et du skrin ? Il nous faut des réponses.

— Je t'ai déjà tout dit… Le monstre est une entité qui rôde dans la frontière, entre le royaume des morts et notre monde.

— Pourquoi ta blessure ne guérit-elle pas ? Qu'est-ce qui rend ma magie impuissante ? Qui fait disparaître les bûches ?

— Le skrin appartient aux deux univers… Tu ne vois pas ce que ça implique ? Il participe des deux magies, l'Additive et la Soustractive, donc il est actif partout. L'infection, comme tu l'appelles, est le fait de la Magie Soustractive.

— Tu veux dire qu'elle corrompt notre pouvoir ? Ou pire, notre don ?

— C'est ça… Comme si tu venais de nettoyer une cheminée de ses cendres, à mains nues, et que tu essayes, sans les nettoyer, de pendre à une corde à linge des draps blancs récemment lavés. Tes mains sont souillées par les cendres : les draps seront tachés, que tu le veuilles ou non.

Zedd réfléchit quelques secondes.

— Adie, nous devons trouver un moyen de nous laver les mains. Se débarrasser de la souillure, voilà la solution !

— Tu es rudement doué pour enfoncer les portes ouvertes, vieil homme !

Adie ayant mis dans le mille, Zedd s'empressa de changer de sujet.

— J'ai loué un coche qui nous conduira en Nicobarese. Mais tu es de plus en plus faible et je ne tarderai pas à aller très mal. Qui sait si nous tiendrons jusqu'au bout du voyage ? Tu es sûre que nous ne trouverons pas de l'aide plus près d'ici ?

— Certaine.

— Mais la femme, celle qui a eu trois filles, elle a bien appris ces choses quelque part ! Un endroit où nous pourrions aller…

— Ça ne nous aiderait pas…

— Pourquoi ?

— Parce qu'elle a été formée par les Sœurs de la Lumière.

— Quoi ? couina Zedd en se levant d'un bond. (Il entreprit de faire les cent pas dans la chambre.) Fichtre, fichtre et double foutre ! C'est une catastrophe !

— Zedd, elle a étudié auprès des Sœurs, puis elle est rentrée chez elle. Sans devenir l'une d'elles… De plus, les Sœurs de la Lumière ne sont pas aussi… déraisonnables… que tu le penses.

— Et comment le sais-tu, grosse maligne ?

— L'os rond de skrin… Celui que nous avons perdu chez moi… La moribonde qui me l'a donné était une Sœur de la Lumière.

— Que faisait-elle dans le Nouveau Monde ? demanda Zedd d'une voix égale.

— Elle n'y était pas… À l'époque, je voyageais dans l'Ancien Monde.

— Tu as traversé la vallée des Âmes Perdues ? éructa Zedd. Et tu es entrée dans l'Ancien Monde ? Question « petits » secrets, tu me bats à plate couture !

— Tu sais que je cherchais des femmes ayant le don, pour apprendre d'elles. Toutes n'étaient pas dans le Nouveau Monde. Je me suis servie de mon droit à un aller-retour pour les contacter. Certaines Sœurs m'ont enseigné le peu qu'elles savaient. Des bribes, mais très précieuses. Elles estiment avoir le privilège et la mission d'en apprendre autant que possible sur le Gardien – ou Celui Qui N'A Pas De Nom, comme elles l'appellent. Pour l'empêcher de moissonner les âmes, selon elles… Mais je ne suis pas restée longtemps au palais. Sinon, j'aurais dû finir par prononcer mes vœux. Elles m'ont laissée étudier leurs secrets. Toutes n'étaient pas coopératives, loin de là, mais quelques-unes m'ont aidée.

— Les Sœurs de la Lumière sont des fanatiques dérangées du ciboulot, marmonna Zedd. À côté d'elles, les débiles du Sang de la Déchirure ont l'air de gens sensés. Quand tu étais au palais, as-tu vu un de leurs « sujets » ? Un de ces pauvres garçons possédant le don ?

— J'étais venue pour apprendre, pas pour me quereller avec les sœurs à propos de la théologie. Reconnais que ça n'aurait pas été futé ! Elles m'ont tenue à l'écart de leurs sujets, si elles en avaient. Et si c'était le cas, ce devait être des garçons qui appartenaient à leur monde. Zedd, ces femmes sont trop intelligentes pour violer cette trêve-là. Elles savent ce que les sorciers de chez nous leur feraient si elles s'y hasardaient. J'ai pu étudier dans leurs fameuses catacombes, et c'est déjà pas mal. Mais elles ne m'ont pas laissée voir leurs garçons, ni même révélé s'il y en avait au palais !

— Normal, explosa Zedd, puisqu'il n'y en avait pas ! Presque plus personne ne naît avec le don. Les guerres ont coûté la vie à trop de sorciers, et nous sommes une espèce en voie de disparition.

Le vieil homme fit un effort pour se calmer.

— Je suis un Premier Sorcier et je ne refuserai jamais de m'occuper un garçon ayant le don – comme cela s'est produit il y a des milliers d'années. Aucun élève que j'ai formé ne se serait dérobé à cette mission. Les Sœurs de la Lumière connaissent les règles ! Elles ne peuvent pas se charger de l'éducation d'un garçon, sauf si tous les sorciers lui ont tourné le dos. Passer outre cette loi vaudrait une sentence de mort à toute Sœur qui s'aventurerait à retraverser la vallée.

— Elles le savent, Zedd. Et elles ne prennent pas cette menace à la légère.

— J'espère bien ! J'ai rencontré une de ces femmes, dans ma jeunesse, et je l'ai chargée de transmettre un avertissement à la Dame Abbesse. (Il serra les poings.) Leurs méthodes sont de la pure barbarie ! Des enfants qui se piqueraient d'enseigner la chirurgie ! Si je savais comment franchir ces maudites tours, j'irais raser le Palais des Prophètes !

— Zedd, à cette époque, beaucoup de ceux qui avaient le don sont morts parce que personne ne pouvait leur apprendre à le contrôler. Les gens qui détenaient le pouvoir ne voulaient pas le lâcher et ils refusaient d'entraîner des concurrents potentiels. Les Sœurs de la Lumière n'ont pas eu le cœur de laisser mourir ces pauvres garçons. Elles ont fait ce qu'elles jugeaient le mieux pour les aider.

— Ces femmes, grogna Zedd, font ce qu'elles estiment le mieux pour elles ! Rien de plus !

— Peut-être… Mais elles sont tenues d'observer les règles et de respecter la trêve. Comme toi, quand tu leur fiches la paix lorsqu'elles viennent chez nous.

Zedd secoua la tête, dégoûté.

— Laisser mourir ces jeunes gens, simplement pour préserver leur pouvoir… Si ces sorciers avaient assumé leurs responsabilités, les Sœurs de la Lumière n'auraient pas existé. Hélas, la fonction a créé l'organe… Ces folles n'autoriseraient jamais un sorcier à former une magicienne. Mais elles se permettent d'éduquer de jeunes garçons dix fois plus doués qu'elles !

— Zedd, je suis d'accord avec toi, souffla Adie. Mais les guerres et les idéaux du passé sont morts et enterrés ! Le voile est déchiré et la Pierre des Larmes se balade dans le monde des vivants. Ça, c'est notre affaire !

» J'étais chez ces femmes pour apprendre. La magie qu'elles m'ont enseignée, et que je t'ai transmise, a pu ralentir l'infection, même si elle ne l'a pas éradiquée. Nous devons nous en débarrasser avant qu'elle nous submerge !

— Tu as raison, Adie, concéda le vieil homme. Nous avons des problèmes urgents à régler.

— Ravie que tu sois assez malin pour écouter la voix de la sagesse…

Le sorcier se massa la nuque en grimaçant.

— Tu es sûre que nous trouverons des réponses en Nicobarese ? C'est un long voyage, et…

— La femme a étudié des années auprès des Sœurs de la Lumière. Elles l'aimaient bien et voulaient l'accueillir en leur sein, mais elle ne partageait pas leur foi… Une certitude demeure : elle a sûrement transmis à ses filles toutes ses connaissances. Donc, même si ça me déplaît, nous devons aller en Nicobarese.

Voyant qu'Adie tremblait de froid, Zedd alla fermer la fenêtre. Puis il s'agenouilla devant la cheminée, mit du petit bois dans le foyer et ramassa des bûches. Tenté d'utiliser la magie pour allumer le feu, il se ravisa et alla embraser une brindille à la flamme de la lampe.

— Zedd, mon ami, murmura Adie en le regardant faire, je sais ce qui te tracasse. Mais rassure-toi, je ne suis pas une Sœur de la Lumière.

C'était exactement la question que le vieil homme se posait.

— Si tu en étais une, dit-il sans se retourner, me le dirais-tu ?

Adie ne répondit pas. Jetant un coup d'œil derrière lui, il vit qu'elle souriait.

— Pour les Sœurs de la Lumière, la franchise est une vertu majeure. Mais mentir pour mieux servir le Créateur ne leur paraît pas être un péché…

Le feu ayant pris, Zedd se leva et se retourna – sans rendre son sourire à la magicienne.

— Si tu racontais ça pour me réconforter, c'est raté !

Adie lui prit la main et la tapota gentiment.

— Zedd, je vais te dire la vérité. Je suis redevable à certaines de ces femmes, pourtant, je le jure sur l'âme de mon cher Pell : je ne suis pas une Sœur de la Lumière ! Je ne les laisserais jamais s'emparer d'un garçon de notre monde et le maltraiter, si je sais qu'un sorcier a accepté de le former.

— Très chère dame, déclara Zedd, je te crois. Mais penser à ce qu'elles font à ces garçons me révolte ! Elles agissent comme si le don était une malédiction. Moi, je montre à ses détenteurs que c'est une joie de tous les instants.

— J'ai vu que tu t'étais offert une superbe canne, fit Adie, désireuse d'alléger l'atmosphère.

— Oui, et le cœur de ma bourse saigne à l'idée de la somme que maître Hillman me facturera.

— Au fait, as-tu aussi trouvé un cocher ?

— Bien sûr ! Un type appelé Ahern. Nous devrions dormir un peu, mon amie. Il viendra nous chercher trois heures avant l'aube. (Zedd eut un sourire sinistre.) Adie, tant que nous ne serons pas débarrassés de cette infection, il vaudrait mieux éviter d'utiliser la magie, sauf en cas d'extrême urgence.

— Sommes-nous en sécurité ici ?

Une main jaillit du rideau de brume lumineux – une faible et douce lueur – et caressa tendrement la joue de Rachel.

Oui, mon enfant. Tous les deux, vous ne risquez plus rien. Pour toujours…

Rachel sourit. Elle se sentait vraiment en sécurité. Pas comme avec Chase, mais jusqu'au fond du cœur – une sensation qu'elle avait seulement connue dans les bras de sa maman. Jusqu'à ce jour, elle ne se souvenait pas de sa mère. À présent, la mémoire lui revenait. Des bras très doux qui la serraient contre une poitrine réconfortante…

La peur atroce qu'elle avait éprouvée, comme Chase, alors qu'ils essayaient de rattraper Richard, avait disparu. Ainsi que l'angoisse étouffante de ne pas le rejoindre à temps.

Des gens avaient tenté de les arrêter, forçant le garde-frontière à se battre. Tout ce sang qu'elle avait vu… Ce sang qui coulait…

Ces images-là aussi s'effaçaient.

Quand elle approcha du bassin étincelant, les mains se tendirent de nouveau pour la cajoler. Elles l'aidèrent à ouvrir les boutons de sa robe sale et poisseuse de sueur, puis la lui retirèrent. Quand le tissu frotta sur sa blessure à l'épaule, Rachel tressaillit. Elle avait récolté un mauvais coup lorsqu'un de leurs poursuivants s'était jeté sur elle.

Les visages souriants qui dansaient dans la brume prirent une expression soucieuse.

Les voix caressantes la consolèrent avec une infinie tendresse et les mains brillantes effleurèrent sa peau. Quand elles s'écartèrent, la blessure et la douleur n'étaient plus qu'un mauvais souvenir.

Tu te sens mieux ?

— Oh, oui ! Je n'ai plus mal. Merci !

Les mains débarrassèrent Rachel de ses chaussures et de ses bas de laine. Assise sur un rocher agréablement tiède, elle trempa le bout de ses orteils dans l'eau. Se défaire de toute cette crasse serait si agréable !

Soudain, les mains se tendirent vers le collier de l'enfant, où pendait l'étrange pierre. Mais elles reculèrent, comme si elles avaient peur.

Ça, nous ne pouvons pas te l'enlever. Il faut que tu le fasses toi-même.

Malgré la beauté paisible du paysage, autour de Rachel, malgré le confort et la paix qu'elle y avait trouvés, et en dépit de son désir de faire ce que ses amis lui demandaient, une autre voix se fit entendre dans son esprit. Celle de Zedd, disant qu'elle ne devait remettre la pierre à personne – et sous aucun prétexte. Et ajoutant qu'il était important qu'elle la garde à jamais sur elle…

L'enfant leva les yeux des cercles concentriques que ses orteils dessinaient dans l'onde et regarda les visages souriants.

— Je ne veux pas l'enlever. Puis-je le conserver ?

Bien sûr, Rachel, si c'est ce que tu désires. Tout ce qui te rend heureuse est bon pour nous.

— Si le collier reste autour de mon cou, je serai très contente.

Alors, qu'il en soit ainsi. Pour toujours, si tu veux !

Rachel sourit de béatitude quand elle se glissa dans l'eau merveilleusement tiède. Ravie, elle se laissa flotter et sentit tous ses problèmes se dissoudre en même temps que la crasse qui couvrait son corps. À chaque seconde, elle aurait juré ne pas pouvoir être plus heureuse… La seconde suivante lui montrait qu'elle se trompait !

Elle nagea voluptueusement vers l'autre extrémité du bassin, où elle se souvenait d'avoir laissé Chase. Dans l'eau presque jusqu'au cou, il se détendait, la tête posée sur un doux tapis d'herbe, au bord de la berge.

Les yeux fermés, il souriait comme un enfant.

— Papa ?

— Oui, ma chérie…

Elle barbota jusqu'à Chase, qui leva un bras pour qu'elle se glisse dessous, ravie de se sentir si bien protégée.

— Papa, serons-nous un jour obligés de partir d'ici ?

— Non. Les voix ont dit que nous pouvions rester pour toujours.

— Je suis si contente !

Blottie contre son père, Rachel s'assoupit. Elle dormit longtemps, d'un sommeil comme elle n'en avait jamais connu, profond, paisible et vraiment réparateur.

Quand elle se réveilla et voulut se rhabiller, ses vêtements étaient secs et étincelants comme s'ils venaient de sortir de chez le tailleur. Ceux de Chase resplendissaient aussi.

Rachel fit la ronde avec des enfants diaphanes qui riaient aux éclats. Entraînée par leur joie innocente, elle se sentit heureuse comme jamais.

Dès qu'ils avaient faim, Chase et elles s'asseyaient dans l'herbe, face à leurs nouveaux amis, et se régalaient de mets délicieux. Au premier signe de fatigue, la fillette s'endormait là où elle était, certaine qu'il ne pouvait rien lui arriver de mal.

Avait-elle envie de jouer ? Il lui suffisait d'y penser, et les merveilleux enfants venaient s'amuser avec elle. Ils l'aimaient. Ici, tout le monde l'adorait… et elle adorait tout le monde !

Parfois, elle se promenait seule dans la prairie semée de fleurs et caressée par un magnifique soleil.

D'autres fois, elle se baladait avec Chase, qui lui tenait la main. Le voir aussi heureux lui gonflait le cœur d'allégresse. Son papa n'aurait plus jamais besoin de se battre ! Il était en sécurité, soulagé, comme il le disait lui-même, d'avoir enfin trouvé la paix.

Rachel se réjouissait chaque fois qu'il l'emmenait découvrir les bois où il avait grandi. C'était là qu'il s'amusait quand il avait son âge.

Tous les deux étaient arrivés au terme de leur calvaire. Désormais, ils n'auraient plus jamais à souffrir.

La femme leva les yeux, un sourire flottant sur ses lèvres minces. Elle n'avait pas entendu de bruit et n'eut pas besoin de tourner la tête pour sonder la pénombre. Elle savait qu'il était là, de l'autre côté de la porte. Et elle pouvait même dire depuis combien de temps il l'espionnait.

Assise en tailleur, elle lévitait sur un coussin d'air au-dessus du sol couvert de paille. Les bras inertes du garçon pendaient comme des fils de pêche plombés. Le dos incliné vers l'arrière, le cadavre reposait mollement au creux de son coude. Dans sa main, la femme tenait la statuette…

Elle déplia les jambes et posa les pieds sur le sol. Le garçon glissa de ses bras et sa tête heurta durement la pierre. En mourant, il avait souillé son pantalon. Dégoûtée, la femme s'essuya les mains sur sa jupe.

— Pourquoi n'entres-tu pas, Jedidiah ? lança-t-elle. Je sais que tu es là. Inutile de jouer à cache-cache avec moi.

La lourde porte s'ouvrit en grinçant. Une silhouette sombre avança jusqu'au halo de lumière de l'unique chandelle posée sur la table bancale qui tenait lieu de mobilier à la petite pièce au plafond bas. L'homme s'immobilisa et regarda en silence la lueur orange disparaître des yeux de la femme, qui redevinrent lentement bleu pâle avec des taches de violet.

— La propriétaire de la statuette, dit-il enfin, m'envoie la récupérer.

— Vraiment ? (Le sourire de la femme s'élargit.) Eh bien, j'en avais assez, de toute façon. (Elle tendit l'artefact à Jedidiah.) Pour l'instant…

— Elle n'aime pas beaucoup que vous lui « empruntiez » son bien.

— Ce n'est pas elle que je sers…, rappela la femme en caressant la joue de Jedidiah. Ce qu'elle apprécie ou non m'indiffère.

— Eh bien, vous devriez vous en soucier un peu plus…

— Crois-tu ? Je pourrais lui donner le même conseil… (Elle se pencha, prit un poignet du mort et lui souleva le bras.) Il avait le don… (Elle croisa le regard de Jedidiah, son visage redevenu dur comme si ses lèvres, de sa vie, n'avaient jamais dessiné un sourire.) À présent, c'est moi qui le détiens !

Jedidiah plissa imperceptiblement le front.

— Tu croyais qu'il fallait la cérémonie pour obtenir ce résultat ? Le rituel du bois de Hagen ? (La femme secoua la tête.) J'en ai terminé avec ça ! C'est indispensable la première fois, sinon le Han féminin ne pourrait pas absorber le Han masculin. À présent que je possède le don d'un mâle, je peux en recueillir d'autres sans devoir subir le rituel.

Elle s'approcha de l'homme, quasiment nez à nez avec lui.

— Tu le pourrais aussi, Jedidiah. Grâce au quillion. Je t'apprendrai. C'est si facile… Je lui ai simplement montré le rituel de communion, pour tenter de lui révéler son Han. (Elle se pencha vers l'homme et souffla à son oreille :) Mais il ne savait pas contrôler son don, et j'avais généré un vide, dans le quillion, qui a aspiré son pouvoir. Désormais, celui-ci m'appartient.

— Je ne crois pas avoir jamais vu ce garçon, dit Jedidiah, les yeux baissés sur le mort.

— Ne joue pas au plus malin avec moi, Jedidiah. Tu te demandes où je l'ai trouvé, et pourquoi les Sœurs de la Lumière ne lui ont pas mis la main dessus avant moi ?

— S'il a le don, pourquoi ne porte-t-il pas de collier ?

— Parce qu'il était très jeune, son Han trop faible pour que les sœurs le détectent. Mais pas pour moi ! (Le nez de la femme vint chatouiller celui de Jedidiah.) Probablement le fruit de vos libertinages, tas de petits voyous !

— En tout cas, vous avez traité l'affaire avec une remarquable efficacité. Pas besoin de rapports ennuyeux et aucune question gênante !

— Sois un gentil garçon, Jedidiah, et débarrasse-moi de cette charogne. Quand je l'ai déniché, le sujet croupissait dans sa misère, près de la rivière. Jette-le quelque part dans ce coin. Personne ne s'en étonnera.

— Vous voulez que je fasse le ménage derrière vous ?

La femme passa un index autour du cou de l'homme, le long de son Rada'Han.

— Ne commets pas l'erreur de me prendre pour une sœur comme les autres, Jedidiah. J'ai en moi un don masculin, à présent, comme toi. Et je sais l'utiliser. Tu serais étonné de savoir combien ce pouvoir augmente, quand on y ajoute le Han de quelqu'un d'autre.

— On dirait que vous êtes devenue une sœur avec qui il faut compter... Une femme qu'un esprit avisé traite avec respect.

— Tu es malin, Jedidiah. Très malin !

La femme tapota la joue de son compagnon, puis laissa glisser une main sur sa poitrine.

— Je sais que tu penses être très puissant, Jedidiah, pourtant, tu devrais être moins présomptueux. Jusque-là, personne n'a contesté tes compétences, ni ta place parmi les sorciers du palais. Mais un nouveau va bientôt arriver, et tu n'as jamais rencontré quelqu'un comme lui. À mon avis, tu risques de ne plus être la fierté du palais...

Jedidiah ne broncha pas... mais il s'empourpra lentement.

— N'avez-vous pas proposé de m'apprendre ? dit-il en brandissant la statuette.

— Pas de ça, mon garçon ! Le nouveau est à moi ! Il faudra te choisir une autre proie.

— La propriétaire du quillion aura peut-être son mot à dire. Elle a des projets concernant ce fameux nouveau...

— Je sais. Et je compte sur toi pour m'informer de ses plans.

— Dois-je comprendre que *vous* avez des projets *me* concernant ?

— Des plans très spéciaux, oui... (Les mains de la femme glissèrent sur les hanches de Jedidiah, appréciant la fermeté de ses muscles.) Tu es doué pour le travail manuel. Particulièrement en joaillerie. Je voudrais que tu fabriques un réceptacle pour la magie. Il paraît que c'est un de tes nombreux talents...

— Vous voulez une sorte d'amulette ? En or, ou en argent ?

— Non, mon garçon, en acier ! Pour ça, tu devras te procurer les pointes d'une centaine d'épées. Des armes très spéciales que tu trouveras dans l'armurerie. Des lames anciennes, qui ont souvent transpercé la chair humaine sur les champs de bataille.

— Et que devrai-je en faire ?

— Nous en parlerons plus tard, souffla la femme en glissant une main entre les cuisses de Jedidiah.

La promptitude de sa réaction masculine la fit sourire.

— Tu dois te sentir bien seul, depuis le... départ... de Margaret. À mon avis, tu as besoin d'une amie qui te comprenne. Savais-tu, mon cher garçon, qu'absorber un Han masculin ouvre à une femme d'incroyables horizons ? Désormais, je vois sous un jour nouveau les désirs des hommes. Veux-tu que nous devenions une paire d'amis très... spéciale ? Si tu es d'accord, tu auras ta récompense avant de t'être acquitté de ta corvée.

Elle expédia un filament de magie dans le corps de l'homme, se concentrant sur l'endroit où ça lui serait le plus agréable. Le voyant renverser la tête en arrière, elle sourit de plus belle.

Les yeux fermés, Jedidiah eut un gémissement rauque. Haletant, il posa les mains sur la croupe de la femme et l'attira vers lui pour un baiser passionné.

Elle poussa le cadavre du pied et se laissa allonger sur le sol couvert de paille.

Chapitre 36

L e glouton approchait toujours. Richard arma son arc, attendant qu'il lève la tête. À cet instant, un grognement sourd retentit derrière son épaule.

— Silence ! souffla le Sourcier.

Le garn se tut et le glouton tendit enfin le cou. Aussitôt, la flèche déchira l'air en sifflant.

Le petit garn se prépara à bondir.

— Attends ! murmura Richard.

Le monstre ne broncha plus.

Quand le projectile foudroya sa cible, le garn couina de joie. Déployant ses ailes, il lévita à hauteur du nez du Sourcier, qui lui agita un index devant le museau.

— Tu peux y aller, mais rapporte-moi ma flèche !

Après avoir hoché vigoureusement la tête, le bébé garn fila vers son festin. À la pâle lueur de l'aube, Richard le regarda fondre sur le glouton mort comme s'il risquait toujours de s'enfuir. Quand son compagnon commença à manger, le jeune homme préféra contempler les bancs de nuages qui rosissaient dans le ciel brillant. Sœur Verna ne tarderait plus à se réveiller. Bien qu'elle jugeât cela inutile, Richard continuait à assurer son tour de garde.

Elle avait fini par céder, comprenant qu'il n'en démordrait pas. Mais ça l'avait mise hors d'elle. Comme beaucoup d'autres choses. Depuis qu'ils étaient sortis de la vallée, la veille, elle était d'une humeur épouvantable. Et elle n'avait quasiment pas desserré les lèvres.

Richard jeta un coup d'œil au petit garn, qui finissait son repas. Comment avait-il réussi à le suivre dans la vallée des Âmes Perdues ? Un mystère… Avant la traversée, Richard pensait déjà que le nourrir était une erreur. Mais il se sentait étrangement responsable de lui. Alors, chaque nuit, au moment de sa garde, il abattait une proie pour son protégé. En entrant dans l'Ancien Monde, il avait cru ne plus jamais le revoir. Une grossière erreur !

Pendant ses heures de garde, le petit garn ne le quittait pas d'un pouce. Il mangeait avec son humain, jouait avec lui et dormait à ses pieds – quand ce n'était pas dessus.

Dès que Richard allait se coucher, le monstre détalait et il ne le revoyait plus de la journée. D'instinct, il évitait d'être repéré par Verna. Un comportement judicieux, car elle aurait sûrement tenté de le tuer. Le bébé le savait-il ?

Richard ne cessait de s'étonner de l'intelligence du jeune animal, de loin supérieure à celle de toutes les bêtes qu'il avait vues. Selon Kahlan, les garns à queue courte étaient sacrément malins. Elle ne s'était pas trompée…

Il suffisait de montrer une chose une ou deux fois au bébé pour qu'il l'assimile. Il essayait même de reproduire les paroles de Richard. Même s'il ne semblait pas avoir la capacité physique de s'exprimer, certains sons étaient étrangement bien rendus.

Richard ignorait quoi faire avec ce foutu garn ! Il avait espéré qu'il apprendrait à chasser et finirait par mener normalement sa vie de monstre. Hélas, il n'y avait pas moyen de le décrocher. Inlassable, il leur collait aux basques, même quand il y avait du danger. Était-il trop jeune pour se débrouiller seul ? Voyait-il le Sourcier comme un protecteur ? Ou comme une mère de substitution ?

Au fond, Richard n'avait aucune envie qu'il disparaisse. Au fil du voyage, il était devenu son ami. Quelqu'un qui l'aimait inconditionnellement, qui ne le critiquait pas et ne le contredisait jamais. S'il appréciait cette amitié, au nom de quoi en aurait-il privé le garn ?

Un battement d'ailes arracha le jeune homme à ses pensées. Le garn sautillait sur le sol à côté de lui. Depuis leur rencontre, il avait pris pas mal de poids et grandi de dix bons pouces.

Les tendons, sous la peau rose de sa poitrine, semblaient plus solides et ses bras n'avaient plus rien de squelettique.

Richard s'inquiétait de la croissance rapide de son compagnon. S'il ne devenait pas autonome, chasser pour lui deviendrait vite une occupation à plein temps.

Après avoir passé la flèche sur sa fourrure pour la nettoyer, le garn gratifia son ami d'un sourire – encore plus hideux que d'habitude à cause des lambeaux de chair coincés entre ses crocs – et lui tendit le projectile.

— Je ne vais pas la prendre. Range-la à sa place.

Le monstre tendit un bras, glissa la flèche dans le carquois posé contre une souche et fit une grimace cocasse, comme pour demander s'il s'en était bien sorti.

— Tu es très doué, dit Richard en tapotant le ventre bien rond du bébé.

Très fier, le garn se lova aux pieds du Sourcier et entreprit de se lécher de la tête aux pieds. Quand il eut fini, il posa ses longs bras sur les genoux du jeune homme, qui s'était assis, et blottit sa tête dessus.

— Il te faut un nom… (Le monstre leva les yeux.) Un nom ! (Richard se tapota la poitrine.) Moi, c'est Richard. (Le garn leva un bras et martela les côtes de l'humain du bout d'un doigt.) Richard ! Richard.

— Raaaa…

— Richard… Tu n'en es pas si loin.

— Raaaa gurrr…

— Richard.

— Raaaach aaarg…

— Ce n'est pas si mal, dis-moi ! À présent, comment allons-nous te baptiser ?

Richard réfléchit, en quête d'un nom approprié. Le garn se campa face à lui, le front plissé. Soudain, il prit la main du jeune homme et la lui plaqua sur la poitrine.

— Raach aaarg. (Il déplaça la main du Sourcier, la posant sur sa fourrure.) Grratch.

— Gratch ? Tu t'appelles Gratch ?

— Grratch, répéta le garn, tout content. G*rrr*atch…

Richard eut du mal à en croire ses oreilles. Il ne lui était jamais venu à l'esprit que le monstre ait pu avoir un nom.

— Gratch… Toi, c'est Gratch, et moi Richard. Richard et Gratch.

— G*rrr*atch ! répéta le garn en se tapant sur la poitrine.

Richard éclata de rire. Enthousiaste, Gratch lui sauta dessus, le renversa sur le sol et entreprit de lutter gentiment contre lui. Sur la liste de ses plaisirs, ce jeu venait immédiatement après la nourriture.

Richard se retenait davantage que Gratch, vite emporté par l'exubérance de sa jeunesse. Il adorait par exemple prendre le bras de son adversaire dans sa gueule. Par bonheur, il ne le mordait pas, ses crocs étant assez longs et durs pour lui traverser l'os de part en part.

Le Sourcier mit fin à la récréation en s'asseyant sur la souche. Gratch l'entoura de ses bras, de ses jambes et de ses ailes, et se blottit contre lui. À l'aube, il le savait, les deux amis devaient se séparer.

Repérant un lapin dans les broussailles, le jeune homme se demanda si Verna apprécierait un rôti pour le petit déjeuner.

— Gratch, il me faut ce lapin…

Le garn sauta des genoux de l'humain. Richard prit son arc, tira, fit mouche puis demanda à son compagnon d'aller récupérer la proie – sans la dévorer.

Le petit monstre adorait faire ça. D'autant que la peau et les entrailles du rongeur, il le savait, seraient pour lui.

Quand il eut fini de préparer le lapin, Richard dit au revoir à Gratch et reprit le chemin du camp. En marchant, il se remémora l'image de Kahlan qu'il avait vue dans la tour. L'idée qu'elle soit décapitée le terrorisait.

Il se remémora aussi ses propos.

« Si tu le dois, répète mes paroles, mais n'évoque jamais cette vision. "Parmi tous ceux qui sont nés de la magie pour délivrer la vérité, un seul survivra quand la menace des ténèbres sera dissipée. Alors viendra une pire obscurité : celle des morts. Afin que la vie ait une chance, celle qui est en blanc devra être offerte à son peuple, pour lui apporter la joie et la prospérité." »

Il n'était pas difficile de deviner l'identité de « celle qui est en blanc ». Ni de comprendre ce que voulait dire « apporter la joie et la prospérité ».

Il repensa aussi à la prophétie que lui avait citée Verna : *« C'est le messager de la mort et ainsi se sera-t-il lui-même nommé. »* Selon elle, le porteur de l'épée était capable d'invoquer les morts et de ramener le passé dans le présent. Bon sang, qu'est-ce que ça voulait dire ?

Quand il atteignit le camp, la sœur, déjà réveillée, était accroupie devant le feu, où elle faisait cuire un bannock. L'odeur fit gargouiller l'estomac du Sourcier, qui approcha et plaça le lapin, dûment embroché, sur les flammes.

— Pour le petit déjeuner… J'ai pensé qu'un peu de viande vous ferait plaisir.

Verna se contenta d'un grognement peu éloquent.

— Vous êtes toujours furieuse contre moi parce que je vous ai sauvé la vie ?

— Je ne t'en veux pas pour ça, Richard…

— N'avez-vous pas dit que le Créateur déteste les mensonges ? À votre avis, Il vous croit, en cet instant ? Pas moi, en tout cas…

— Pas de blasphèmes ! rugit Verna, rouge de colère.

— Alors, on peut mentir, mais pas blasphémer ? J'avais cru comprendre que c'était presque la même chose.

— Richard, tu ignores pourquoi je suis en colère…

Le jeune homme s'assit en tailleur près du feu.

— Vous en êtes sûre ? En principe, vous êtes censée me protéger. Et l'inverse est arrivé. Vous pensez peut-être avoir failli à votre mission. Mais c'est faux. Nous avons tous les deux fait ce qu'il fallait pour survivre.

— Fait ce qu'il fallait ? (Verna plissa les yeux.) Si je me rappelle bien du livre, quand Bonnie, Geraldine et Jessup font traverser la rivière empoisonnée à leurs protégés, certains d'entre eux périssent.

— Ainsi, vous avez vraiment lu ce roman ?

— Je te l'ai dit, et je ne mens jamais ! Richard, c'était de l'inconscience ! Nous avons pris un risque qui aurait pu nous coûter la vie.

— Oui, mais nous n'avions pas le choix…

— On a toujours le choix, c'est justement ce que j'essaye de t'apprendre. Les sorciers qui ont créé cet affreux endroit pensaient aussi ne pas avoir d'autres solutions. Et ils ont aggravé les choses ! Dans la vallée, tu as recouru à ton Han, sans en mesurer les conséquences.

— Qu'aurais-je pu faire d'autre ?

— Il y a toujours plusieurs options… Tu as eu de la chance qu'utiliser la magie ne t'ait pas tué. Mais ça ne sera pas toujours le cas…

— De quoi parlez-vous, à la fin ?

Verna tendit un bras, prit une sacoche de selle et en sortit un sac vert en toile.

— Tu as reçu une goutte de sang sur le bras… As-tu été piqué par un insecte ?

— Oui, à la jambe… Plusieurs fois.

— Fais-moi voir ça.

Le jeune homme retroussa son pantalon et exposa les piqûres rougeâtres. La sœur secoua la tête, marmonna des paroles inintelligibles et sortit deux fioles de son sac.

Avec une brindille, elle préleva une pâte blanche dans la première fiole et en enduisit le plat de la lame d'un couteau. Puis elle jeta sa spatule improvisée dans le feu. Ramassant une autre brindille, elle recommença l'opération avec la seconde fiole, qui contenait une pâte noire. La mélangeant avec la blanche, elle en enduisit le tranchant de la lame.

Quand elle brûla la deuxième brindille, une boule de feu jaillit vers les cieux et se dissipa en émettant une épaisse fumée noire.

Verna montra au Sourcier la lame couverte d'une mixture grise.

— La lumière et l'obscurité, le ciel et la terre... De la magie, pour lutter contre ce qui, sinon, te tuerait avant ce soir. Tu as l'art de te fourrer dans les ennuis, Richard. À chaque pas, tu aggraves ta situation... À présent, approche !

Richard obéit à contrecœur.

— Vous réfléchissiez, tout ce temps ? Pour savoir si vous alliez m'aider ou non ?

— Quelle idée idiote ! Je vais utiliser une magie conçue pour contenir le venin que t'ont inoculé ces monstres. Si j'avais agi trop tôt, la « thérapie » t'aurait tué. Trop tard, les morsures auraient eu ta peau. Il faut recourir à la magie adéquate, au bon moment. J'attendais simplement que l'heure d'intervenir sonne.

Richard aurait voulu relancer une polémique. Pourtant, il s'entendit dire :

— Merci de m'aider... (Verna plissa le front, surprise, puis se pencha sur les piqûres.) Ma sœur, en quoi ai-je fauté ?

— Tu as été imprudent. La magie est dangereuse, pas seulement pour les autres, mais aussi pour celui qui l'utilise.

Richard grimaça quand Verna fit une incision en croix sur la première piqûre.

— Comment la magie peut-elle être dangereuse pour moi ?

Verna passa à la deuxième plaie. Quand elle l'incisa, Richard essaya de ne pas sursauter, mais ça faisait un mal de chien.

— C'est comme allumer un feu dans un bosquet d'arbres secs. On se retrouve au centre d'un incendie qu'on a provoqué... Tu as agi sans réfléchir et pris des risques fous.

— Sœur Verna, je tentais simplement de survivre.

— Et regarde ce qui t'est arrivé ! Si je n'étais pas là pour te soigner, ces piqûres te tueraient. (Elle en termina avec ses jambes et passa à son bras.) Quand ces monstres nous ont attaqués, tu pensais nous protéger, mais tous tes actes aggravaient les choses.

Son intervention achevée, Verna passa la lame au-dessus du feu. Une étrange flamme blanche jaillit et s'attaqua au reste de mixture. Quand il n'y en eut plus trace, la flamme aussi ayant disparu, elle recula son bras.

— Si je n'avais rien fait, ma sœur, nous serions morts.

— Je n'ai pas dit que tu avais eu tort d'agir ! s'écria Verna en pointant la lame chauffée au rouge sur le Sourcier. Mais tu t'es trompé. Si tu préfères, tu as utilisé la mauvaise magie.

— La seule que je détienne ! s'insurgea Richard. Celle de l'épée...

D'un geste souple du poignet, Verna planta le couteau dans une souche.

— Agir sans connaître les conséquences de la magie qu'on mobilise est un comportement dangereux !

— Peut-être, mais comme vous ne faisiez *rien*...

Verna foudroya Richard du regard, puis elle entreprit de ranger les fioles dans son sac.

— Désolé, ma sœur, mes paroles ont dépassé ma pensée. Je n'entendais pas vous insulter... Voilà ce que je voulais dire : vous ne trouviez plus le chemin, et je savais que rester là signerait notre arrêt de mort.

Les fioles cliquetèrent quand Verna tenta de les faire tenir dans le sac. Apparemment, les ranger n'était pas facile.

— Richard, souffla-t-elle, agacée, tu crois être avec nous pour apprendre à contrôler ton pouvoir. C'est la partie facile... Le plus dur, c'est de savoir quelle magie utiliser, à quelle puissance et à quel moment. Et d'évaluer les conséquences ! Comme ce que je viens de faire pour tes piqûres...

Elle le regarda avec une gravité qui le fit frémir.

— Si tu ignores tout ça, tu es aussi aveugle qu'un homme qui abat sa hache sur un groupe d'enfants. Mon garçon, la magie est terriblement dangereuse ! Nous essayons, avant que tu manies cette hache, de te donner un peu de sagesse et de bon sens.

Le Sourcier cueillit une touffe d'herbe, à ses pieds.

— Je n'avais jamais vu ça sous cet angle...

— Si je suis furieuse, c'est contre moi ! J'ai été trop orgueilleuse pour admettre que je pouvais être piégée. Merci de m'avoir sauvée.

— J'étais tellement soulagé de vous trouver..., dit Richard en jouant avec sa touffe d'herbe. Je vous ai cru morte... Et je suis ravi de m'être trompé.

— J'aurais pu être perdue à jamais dans ce sortilège. Oui, j'ai eu de la chance...

Agacée par ses difficultés, Verna sortit toutes les fioles du sac et les posa sur le sol.

— Que voulez-vous dire ?

Il semblait y avoir plus de fioles que le sac ne pouvait en contenir. Pourtant, elles en venaient...

— Nous avons tenté de sauver des sœurs piégées dans la vallée... Il nous est arrivé d'en voir, perdues dans les sortilèges avec leurs protégés. Moi-même, j'en ai aperçu une lors de mon premier voyage. Les récupérer fut toujours impossible. Des Sœurs de la Lumière sont mortes en essayant. (Elle recommença à ranger les fioles.) Tu as recouru à la magie.

— Bien sûr. Celle de l'épée, tout simplement.

— Non. Tu t'es servi de ton Han, sans t'en apercevoir. L'invoquer pour satisfaire un désir, sans l'aide de la sagesse, est mortellement dangereux.

— Ma sœur, je crois que c'était la magie de l'épée.

— Quand tu m'as appelée, je t'ai entendu. Les sœurs perdues ont toujours été sourdes à nos cris.

— Parce que vous n'avez pas su vous y prendre... Au début, vous ne m'entendiez pas. Alors, j'ai traversé une sorte de mur brillant. Là, vous avez réagi. Pour contacter vos collègues, il aurait suffi de franchir ce mur.

— Nous le savons, Richard, soupira Verna, s'échinant toujours sur ses fioles. Mais nous n'avons jamais pu traverser ! Je suis la première à avoir échappé à ces sortilèges. (Elle glissa enfin la dernière fiole dans le sac et se tourna vers le Sourcier.) Encore une fois, merci, Richard.

— Eh bien, c'était le moins que je pouvais faire, après... hum, après...

— Après quoi ?

— Vous avoir tuée ! Oui, avant de vous sauver, je vous ai... eh bien... exécutée.

— Pardon ?

— Vous me torturiez avec le collier...

— Pardonne-moi, mon enfant. Sous l'influence du sort, je n'avais plus conscience de mes actes.

— Je ne parle pas de ça… C'était avant. Dans la tour blanche…

— Tu es entré dans une tour ? s'écria Verna ? Es-tu fou ? Je t'avais prévenu, et…

— Ma sœur, je n'avais pas le choix.

— Nous avons déjà débattu de cette question ! On a toujours le choix ! Et moi, je t'avais dit de ne pas…

— Des éclairs m'avaient pris pour cible, coupa Richard, et j'ai vu une arche. Pour me protéger, j'ai foncé dedans…

— Es-tu trop crétin pour obéir aux ordres les plus simples ? Dois-tu toujours te comporter comme un enfant ?

— C'est mot pour mot ce que vous m'avez dit en entrant dans la tour, fit Richard, soudain méfiant. J'étais sûr de vous avoir en face de moi. Furieuse, comme à présent, vous m'avez dit exactement la même chose. (Les dents serrées, il posa un index sur son collier.) Vous avez utilisé le Rada'Han pour me projeter contre un mur et m'y épingler. Ce collier a ce genre de pouvoir, ma sœur ?

— Oui… Nous ne détenons pas la puissance des sorciers – le Han masculin. Le Rada'Han renforce notre don, pour que nous dominions nos sujets. Afin de les éduquer, bien sûr.

— Dans la tour, lâcha Richard, son calme l'abandonnant, vous m'avez fait souffrir, comme après, quand vous étiez perdue dans le sortilège. Mais la première fois, la douleur était plus intense et elle ne finissait jamais. Le collier peut faire ça, ma sœur ?

— Oui… Mais c'était une vision, ne l'oublie pas. En réalité, je ne t'ai pas maltraité.

— Je vous ai dit d'arrêter, sinon, ce serait moi qui m'en chargerais. Comme vous n'avez rien voulu entendre, j'ai invoqué la magie de l'épée. Vous avez menacé de me tuer pour avoir osé vous défier. Et vous auriez tenu parole, ma sœur…

— Je suis navrée que tu aies dû subir ça. Et… hum… qu'as-tu fait ensuite ?

Richard se pencha et tapota de l'index l'épaule de Verna.

— Je vous ai coupée en deux. Exactement à ce niveau.

La sœur se décomposa. Blanche comme un linge, elle mit un moment à se ressaisir.

Richard jeta au loin sa touffe d'herbe.

— Je ne voulais pas, mais vous m'auriez tué.

— Tu le croyais, mon enfant… C'était une illusion. Dans la réalité, les choses ne se seraient pas passées ainsi. Et tu n'aurais pas pu me… hum… couper en deux.

— Qui essayez-vous de convaincre, ma sœur ? Vous, ou moi ?

— Rien de tout cela n'était réel. Un point, c'est tout.

Richard n'insista pas et tourna la broche pour rôtir l'autre côté du lapin. Il retira du feu le plat en fer où avait cuit le bannock et le mit à refroidir.

— En vous revoyant, sans savoir si c'était une nouvelle illusion, j'ai espéré que c'était bien vous. Votre mort ne m'avait pas réjoui. En plus, j'avais promis de vous faire traverser la vallée…

— C'est vrai… Avec plus de bonne volonté que de sagesse, il faut le dire.

— Ma sœur, j'ai fait ce que je pensais utile pour survivre. Et vous sauver.

— Richard, je sais que tu fais toujours de ton mieux. Mais ça n'est pas nécessairement ce qui convient… Tu as invoqué ton Han sans le savoir et ça aurait pu tourner au désastre.

— Comment ai-je réussi ça ?

— Quand un sorcier fait une promesse, son Han est tenu de la réaliser. Tu as juré de me sauver. En agissant ainsi, tu as invoqué une prophétie.

— Je ne délivre pas de prophétie !

— Il ne s'agit pas seulement de « délivrer », comme tu dis. En mobilisant ton Han inconsciemment, tu t'es servi d'une prophétie, sans connaître sa forme, pour faire, dans le passé, quelque chose qui t'aiderait dans l'avenir.

— Excusez-moi, mais je n'y comprends rien.

— Tu as détruit les mors des chevaux.

— Parce que ce sont des instruments de torture. Je vous l'ai dit ce jour-là.

— C'est exactement mon propos… Tu as cru agir pour une raison, mais cela a servi un autre objectif. Ton esprit cherche à rationaliser ce que fait ton Han. Quand nous galopions dans la vallée, je n'avais pas confiance en toi, et j'ai essayé d'arrêter mon cheval. Comme il n'avait pas de mors, c'était impossible.

— Et alors ?

— Détruire les mors, dans le passé, t'a permis de tenir une promesse, des jours plus tard. C'est ainsi que fonctionnent les prophéties. Tu abats sans cesse ta hache à l'aveuglette.

— C'est tiré par les cheveux, ma sœur. Je suis sûr que vous n'y croyez pas vous-même.

— Je sais comment agit le don, mon enfant.

Richard réfléchit, conclut que c'était un tissu d'âneries, mais décida de ne pas polémiquer. Il avait d'autres questions à poser.

— Le livre que vous portez à la ceinture est-il rempli ? J'ai vu que vous n'écriviez plus dedans.

— Hier, j'ai envoyé un message pour annoncer que nous avions traversé. Je n'avais rien à ajouter, c'est tout. Ce livre est magique, et les messages s'effacent si on le désire. J'ai tout éliminé, sauf celui d'hier, et deux autres…

— Qui est la Dame Abbesse ? demanda Richard en se coupant un morceau de bannock.

— Elle dirige les Sœurs de la Lumière, et… (Verna fronça les sourcils.) Je ne t'ai jamais parlé d'elle. Comment connais-tu son existence ?

— J'ai lu son message, dans le livre.

Verna porta les mains à sa ceinture, s'assurant que l'artéfact était toujours à sa place.

— Ce sont des écrits privés. Tu n'avais pas le droit ! Je vais…

— Vous étiez morte, à ce moment-là, dit Richard, clouant le bec à son interlocutrice. Quand j'ai tué votre double, le livre est tombé, et je l'ai consulté.

— Eh bien, fit Verna, se détendant, c'était aussi une illusion. Ça n'a aucun rapport avec la réalité.

— À ce moment-là, deux pages seulement n'étaient pas vierges. Comme dans la réalité…

— Une illusion, mon enfant…

— Sur la première page, le message disait : *« Je suis la sœur responsable de ce garçon. Ces directives sont incohérentes, voire absurdes. Je demande des explications détaillées. Et je veux savoir de quelle autorité elles émanent. – Sœur Verna Sauventreen, sincèrement vôtre au service de la Lumière. »* Et voilà la réponse : *« Vous obéirez, ou en subirez les conséquences. Ne vous avisez plus jamais de contester les ordres du palais. – Écrit de ma propre main, la Dame Abbesse. »*

— De quel droit as-tu lu des textes qui ne t'étaient pas adressés ? demanda Verna, de nouveau blême.

— Vous étiez morte, ne l'oubliez pas ! Quelles directives vous ont paru incohérentes ?

— Ce sont des détails... techniques, en quelque sorte. Rien que tu pourrais comprendre. Et de toute façon, ça ne te regarde pas.

— Sans blague ? Vous prétendez vouloir m'aider, mais vous me faites prisonnier, et ça ne devrait pas me concerner ? J'ai autour du cou une saloperie qui peut me tuer, et ça ne me regarde pas ? Je dois obéir aveuglément, selon vous, mais tout ce que je découvre contredit vos propos ! Cette illusion, à vous en croire, n'avait aucun rapport avec la réalité. Je vous démontre le contraire et vous osez me prendre de haut ?

Verna le regarda sans broncher. Comme s'il était un insecte, pensa Richard.

— Sœur Verna, répondrez-vous au moins à une de mes questions ?

— Si je peux...

— Lors de notre rencontre, mon âge vous a surprise. Vous vous attendiez à un jeune garçon...

— Exact. Certaines personnes, au palais, sentent qu'un garçon né avec le don vient de voir le jour. Mais comme on t'a dissimulé à notre regard, il nous a fallu du temps pour te trouver.

— Vous m'avez dit avoir passé la moitié de votre vie loin du palais, pour me chercher. Si cela fait environ... hum... vingt ans que vous me traquez, comment avez-vous pu croire que j'étais jeune ? Vous auriez dû savoir mon âge. Sauf si vous ignoriez que j'étais né. Dans ce cas, vous vous êtes lancée à ma poursuite longtemps avant que quelqu'un, au palais, ne m'ait *senti*.

— Cela s'est passé ainsi, concéda Verna. C'était la première fois dans notre histoire...

— Pourquoi êtes-vous partie, si personne ne vous avait prévenue de ma naissance ?

— Nous savions que tu devais naître... Pas avec précision, mais c'était suffisant pour se mettre en chemin.

— Et comment le saviez-vous ?

— Parce qu'une prophétie annonce ta venue.

Richard hocha pensivement la tête. Il voulait en savoir plus sur cette prophétie – si importante pour les sœurs – mais il devait d'abord pousser son raisonnement jusqu'au bout.

— Donc, vous aviez conscience que me chercher pouvait vous prendre très longtemps ?

— Oui. Nous avions une fourchette de plusieurs décennies...

— Comment choisit-on les sœurs pour une mission ?

— La Dame Abbesse nous désigne.

— Et vous n'avez pas votre mot à dire ?

Verna se tendit, craignant de tomber dans une chausse-trape, mais elle répondit quand même.

— Nous sommes au service du Créateur. Pourquoi nous opposerions-nous aux décisions de la Dame Abbesse ? Le palais a pour vocation d'aider les garçons comme toi. Être sélectionnée pour une mission est un très grand honneur.

— Mais aucune, avant vous trois, n'a dû sacrifier tant d'années de sa vie pour secourir un « sujet » ?

— Non. Je n'ai jamais entendu parler d'une quête qui dépasse un an. Mais je savais à quoi je m'exposais.

Richard eut un sourire triomphant.

— À présent, je comprends.

— Pardon ?

— Sœur Verna, maintenant je sais pourquoi vous m'êtes si hostile. Pour quelle raison nous nous querellons sans cesse. Et pourquoi vous me détestez.

— Je ne te déteste pas, Richard, dit Verna, l'air d'attendre que la trappe du bourreau s'ouvre sous ses pieds.

Richard n'hésita pas à lui porter le coup de grâce.

— Oh, que si ! Vous me haïssez et je vous comprends. À cause de moi, vous avez perdu Jedidiah !

— Richard, s'indigna Verna, tu n'as pas à me parler sur ce… !

— Vous m'en voulez à cause de ça, coupa le Sourcier. Pas parce que les deux autres sœurs sont mortes. Sans moi, vous seriez avec Jedidiah, heureuse depuis vingt ans. Mais cette maudite quête vous a privée de l'homme de votre vie. Il vous était impossible de refuser. Alors, vous avez tout perdu : un amour, des enfants, une vie. Je vous ai tout pris et vous me vomissez !

Verna encaissa le coup sans broncher.

— Le Sourcier de Vérité…, dit-elle simplement. J'aurais dû m'en douter.

— Je suis désolé pour vous, sœur Verna.

— C'est inutile, Richard. Tu ne sais pas de quoi tu parles… (Elle retira le lapin du feu et le posa sur le plat, à côté du bannock.) Finissons de manger. Il faudra bientôt partir.

— D'accord… Mais ne perdez pas de vue, ma sœur, que je ne suis pas coupable. Je ne vous ai rien fait. La Dame Abbesse vous a choisie. Vous devriez vous en prendre à elle, ou si vous êtes si dévouée que ça à votre Créateur, porter votre fardeau dans la joie. Mais cessez de m'accuser.

Verna fit mine de répondre mais se ravisa. Prenant l'outre, elle se battit avec le bouchon, réussit enfin à le retirer et but longuement.

Ensuite, elle riva son regard dans celui de Richard.

— Nous serons bientôt au palais. Avant, il faudra traverser le territoire d'un peuple très dangereux. Mais nous avons un accord avec lui. Pour passer, tu devras faire quelque chose pour lui. Il faudra t'y plier, sinon, nous aurons de graves problèmes.

— Que devrai-je faire ?

— Tuer quelqu'un…

— Sœur Verna, je jure que je ne…

— Tais-toi ! Plus de promesses ! Ne recommence pas à abattre ta hache à l'aveuglette. Cette fois, tu n'as pas idée des conséquences que ça aurait… (Elle se leva.) Occupe-toi des chevaux. C'est l'heure de partir.

— Vous ne voulez pas manger ?

Ignorant la question, Verna approcha de Richard.

— Pour se disputer, mon garçon, il faut être deux. Tu t'opposes à tout ce que je dis, et tu me hais parce que je t'ai forcé à mettre ce collier. Mais c'est faux, et tu le sais. Kahlan est responsable. Sans elle, tu ne serais pas avec moi. Je t'ai pris ton avenir avec elle et c'est pour ça que tu me détestes. Mais ne perds pas de vue, Sourcier, que je ne suis pas coupable. Tu devrais t'en prendre à Kahlan, ou, si tu lui es si dévoué que ça, porter ton fardeau dans la joie. Au fond, elle avait peut-être de bonnes raisons de te forcer à mettre le Rada'Han. As-tu envisagé qu'elle ait pu agir dans ton intérêt ? Mais quoi qu'il en soit, cesse de m'accuser !

Cette fois, ce fut sous les pieds de Richard que s'ouvrit la trappe du bourreau.

Chapitre 37

L a lumière rouge sang du crépuscule filtrait entre les branches des arbres qui hérissaient la crête suivante. Kahlan détourna ses yeux verts des diverses positions, bien dissimulées, où se tapissaient des sentinelles qui ne les avaient pas encore repérés, les trois chasseurs et elle – à cause de la trop grande distance entre les avant-postes.

Elle estima le nombre de soldats qui évoluaient entre les tentes, au creux de la vallée, en contrebas. Cinq mille faisait une évaluation généreuse, conclut-elle.

Les chevaux étaient attachés à des piquets sur la gauche du camp, près des chariots de ravitaillement. À l'autre bout de la vallée, on avait creusé des latrines de fortune dans la neige. Au centre du camp, non loin des tentes de commandement surmontées d'étendards aux couleurs vives, les hommes faisaient paisiblement la queue devant les cantines roulantes. Kahlan avait rarement vu une armée en campagne aussi disciplinée. Mais les Galeiens, c'était connu, avaient un penchant certain pour l'ordre.

— Ils ont fière allure, dit Chandalen, pour des hommes qui vont se faire massacrer…

Kahlan acquiesça distraitement. Le matin, ils avaient aperçu la troupe que poursuivaient ces soldats. Des soudards sans discipline, loin d'avoir fière allure. Mais leurs avant-postes étaient plus près les uns des autres… Malgré cette précaution, les trois chasseurs s'étaient assez approchés pour voir les détails qui intéressaient Kahlan et dénombrer leurs adversaires.

Dans ce cas, l'estimation de base, cinquante mille, devait être révisée à la hausse.

— Je dois empêcher ça, souffla l'Inquisitrice. (Elle ramassa son paquetage et son arc.) Allons-y !

Chandalen, Prindin et Tossidin la suivirent sur la pente enneigée de la colline.

Rattraper ces hommes leur avait pris plus longtemps que prévu. Dans le col de Jara, le blizzard les avait contraints à rester deux jours durant à l'abri d'un pin-compagnon. Ces refuges naturels rappelaient toujours à Kahlan sa rencontre avec Richard. Pendant cette longue attente, elle avait rêvé de lui, qu'elle eût les yeux ouverts ou fermés.

Devoir se détourner d'Aydindril pour sauver des soldats d'une mort certaine la mettait hors d'elle. Mais la Mère Inquisitrice ne pouvait pas permettre que cinq mille hommes périssent pour rien. L'heure d'agir avait sonné : ces inconscients, si on les laissait faire, auraient rejoint leurs « proies » dès le lendemain.

Dès que les quatre intrus furent repérés, ce fut le branle-bas de combat. Des ordres circulèrent dans les rangs et la défense s'organisa. Toujours dans le calme, des archers prirent position sur les flancs et des lanciers se campèrent face aux nouveaux venus. Partout, des guerriers émergeaient des tentes, certains encore occupés à boucler leur harnachement.

Kahlan et ses trois compagnons s'immobilisèrent. L'Inquisitrice fit un pas en avant. Derrière elle, les Hommes d'Adobe s'appuyèrent nonchalamment sur leurs lances.

Un officier sortit de la plus grande tente. Finissant d'enfiler son manteau, il se fraya un chemin à travers les défenseurs et cria aux archers de ne pas tirer. Deux autres gradés le rejoignirent en chemin.

Kahlan vit que le premier type était un capitaine. Deux lieutenants l'accompagnaient.

Quand ils s'arrêtèrent devant elle, l'Inquisitrice abaissa sa capuche pour dévoiler sa longue chevelure.

— Que signifie… ?

Le capitaine s'interrompit, les yeux ronds. Puis il se jeta à genoux, imité par ses subordonnés.

Aussi loin que voyait Kahlan, tous les soldats se prosternèrent. Chandalen et les deux frères échangèrent des regards stupéfaits. La première fois qu'ils voyaient la Mère Inquisitrice recevoir un tel hommage ! Les marques de respect, quand elle venait chez eux, étaient nettement plus débonnaires.

— Relevez-vous, mes enfants, dit Kahlan.

Tous les soldats se redressèrent comme un seul homme. Le capitaine se fendit d'une petite révérence et avança, sourire aux lèvres.

— Mère Inquisitrice, c'est un grand honneur !

Stupéfaite, Kahlan étudia l'officier au visage poupin.

— Vous êtes un enfant…, souffla-t-elle.

Des milliers de jeunes gens la regardaient fixement. Dans les rangs, elle ne repéra pas un homme mûr.

— Des gamins ! Vous êtes tous des gamins ! s'écria-t-elle, les poings serrés de colère.

Le capitaine jeta un coup d'œil à ses hommes, l'air vaguement embarrassé… et vexé.

— Mère Inquisitrice, nous sommes de nouvelles recrues, mais de vrais soldats de l'armée galeienne.

— Des gosses, soupira Kahlan. Une bande de gosses !

La plupart de ces « guerriers » avaient quinze ou seize ans. Certains dévisageaient les Hommes d'Adobe, l'air ahuri. Ils n'avaient jamais vu de gens comme eux…

Kahlan saisit le capitaine par les revers de sa veste et l'entraîna avec elle.

— Vous, les lieutenants, accompagnez-nous ! (Elle haussa le ton.) Les autres, retournez à vos occupations !

Tandis que les soldats rengainaient leurs armes ou désarmaient leurs arcs, elle entraîna l'officier sous un bosquet, hors de portée d'oreille de ses hommes.

Le lâchant, elle s'assit sur une souche couverte de neige, royale comme s'il s'agissait d'un trône. Chandalen vint se placer sur sa droite et les deux frères sur sa gauche.

— Quel est votre nom, capitaine ?

— Bradley Ryan… (Le jeune homme releva fièrement la tête.) Capitaine Bradley Ryan, pour vous servir ! L'officier qui se tient à ma droite est le lieutenant Nolan Sloan. L'autre se nomme Flin Hobson.

— Combien d'*enfants* avez-vous sous vos ordres, capitaine Ryan ?

— Mère Inquisitrice, nous sommes à peine plus jeunes que vous. Et quoi que vous en pensiez, tous ces gars sont de bons soldats.

— De bons soldats ? répéta Kahlan, se forçant à ne pas exploser. Si c'est vrai, pourquoi ai-je pu me promener entre vos avant-postes, trop éloignés les uns des autres ? (Ryan rougit et dut se retenir de répondre vertement.) Un seul de ces « guerriers », vous trois compris, a-t-il fêté ses dix-huit ans ? (Ryan fit non de la tête.) Dans ce cas, je répète ma question : combien d'enfants avez-vous sous vos ordres ?

— Quatre mille cinq cents…

— Savez-vous, capitaine Ryan, que l'ennemi sur lequel vous foncez tête baissée est dix fois plus nombreux ?

— Nous ne nous précipitions sur personne, Mère Inquisitrice. Nous traquons ces bouchers et nous les vaincrons demain.

— Vraiment ? Si je n'étais pas venue, jeune homme, vos « soldats » et vous n'auriez pas vu le soleil se coucher, *demain* ! Vous n'avez pas idée de ce qui vous attend.

— Vous faites erreur, Mère Inquisitrice. Nos éclaireurs m'ont informé.

Kahlan se leva et tendit un bras vers la droite.

— Cinquante mille hommes campent derrière cette montagne.

— Cinquante mille et quelques centaines. Nous ne sommes pas idiots, Mère Inquisitrice. Je sais ce que je fais.

— Vraiment ? Et quel est votre plan, quand vous aurez rattrapé ces types ?

— Dans le col, expliqua Ryan, certain de convaincre son interlocutrice, la piste se sépare en deux à un endroit qu'ils atteindront bientôt. Ils devront se diviser. J'enverrai deux détachements les attaquer en déboulant des deux fourches, devant eux. Se croyant submergés, ils reculeront et nous les attendrons, au-delà du goulet d'étranglement que vous voyez juste devant nous.

» Puis nous nous replierons dans le passage, et les coincerons à l'intérieur. Pris en tenailles, ils ne pourront plus bouger. Mes piquiers se masseront devant eux, jouant le rôle de l'Enclume. Et mes archers, sur les flancs, les pousseront vers le centre du terrain. La force qui les repoussera vers les piquiers tiendra lieu de Marteau. (Le jeune officier sourit.) Nous les écrabouillerons ! Une tactique très classique, voyez-vous. On l'appelle le Marteau et l'Enclume.

— Je connais ce nom, jeune homme, et ce qu'il recouvre. Cette manœuvre est efficace… quand les conditions sont réunies. À un contre dix, c'est le summum du crétinisme ! Une grenouille qui essaye d'avaler un bœuf !

— On nous a enseigné qu'avec de la détermination, et un minutage précis, une petite force de bons soldats, dans un endroit étroit…

— De bons soldats ? coupa Kahlan. Jeune présomptueux, on ne déplace pas un rocher avec une brindille ! (Ryan baissa les yeux.) La seule façon de les forcer à reculer est de leur ficher la trouille. Mais ce sont des vétérans aguerris ! Voilà longtemps qu'ils se battent et qu'ils massacrent. Pensez-vous qu'ils n'ont jamais entendu parler d'une tactique nommée « le Marteau et l'Enclume » ? Les supposez-vous stupides parce que ce sont vos adversaires ?

— Non, mais j'estime que…

Kahlan enfonça un index dans la poitrine du jeune homme.

— Voulez-vous savoir ce qui arrivera, capitaine ? Comme vous n'avez pas assez d'hommes pour les repousser, ces soldats se contenteront de reculer un peu en s'écartant, pour laisser vos forces pénétrer dans leurs rangs. Puis ils refermeront le piège. Cette tactique-là s'appelle le Casse-Noix. Devinez qui sera la noix ?

» Après avoir éliminé le Marteau, ils submergeront votre Enclume. Ils couperont vos piquiers de leurs archers, et isoleront aussi vos fantassins. Une formation en pointe de flèche protégée par des boucliers foncera sur les piquiers, ouvrant la voie à leur cavalerie lourde, qui s'occupera des archers, désormais sans protection. Bons soldats ou non, vous serez écrasés sous le nombre. Le Marteau sacrifié pour rien, vous ne lutterez plus à un contre dix, mais contre quinze, ou peut-être vingt.

» Pour avoir une chance face à une force supérieure en nombre, il faut la diviser, et vaincre chaque fraction à la fois. Mais vous prévoyez de faire le contraire ! De vous séparer obligeamment en deux groupes, histoire qu'ils vous étripent à loisir.

— Nous ne partons pas vaincus d'avance, s'obstina le capitaine. Mes hommes ne sont pas des enfants de chœur !

— Non, ce sont des enfants tout court ! Et ils crèveront tous ! Avez-vous déjà vu quelqu'un mourir ? Pas un vieillard dans son lit, mais un soldat sur un champ de bataille ! Des lances vous déchireront les entrailles et des flèches vous transperceront les yeux. Des lames vous couperont les membres, puis vous ouvriront le ventre. Sur la neige, les boyaux qui en jailliront se verront comme une tache d'encre sur une feuille blanche.

» Tous ces gosses que vous connaissez, vos amis, vous jetteront des regards désespérés en crachant leur sang et leurs tripes. D'autres crieront au secours pendant que vos vainqueurs passeront entre les blessés pour les éventrer, les condamnant à une agonie très lente. Et ceux qui se rendront seront exécutés sous les cris de joie de vos ennemis, grisés par leur glorieuse victoire.

Contrairement à ses deux lieutenants, Ryan osa relever les yeux.

— On croirait entendre le prince Harold, Mère Inquisitrice. Il m'a souvent tenu le même discours, quasiment au mot près.

— Le prince est un excellent soldat.

— Sans doute, mais ça ne change rien à ma décision. Le Marteau et l'Enclume reste la meilleure tactique à notre disposition. Je crois que ça peut marcher. Il le faut !

Chandalen se pencha vers Kahlan et lui parla dans sa langue.

— *Mère Inquisitrice, ces gamins sont des morts ambulants. Il faut nous éloigner d'eux pour ne pas subir leur sort. Ils tomberont jusqu'au dernier.*

— Qu'a-t-il dit ? demanda Ryan.

— Que vous serez tous des cadavres demain soir…

Ryan étudia Chandalen des pieds à la tête.

— Que sait-il de la stratégie militaire, ce… sauvage ?

— Un sauvage ? C'est un chasseur très intelligent, et il parle deux langues… *lui*. (Le capitaine déglutit péniblement.) Mais c'est aussi un guerrier, et il a abattu beaucoup d'adversaires. Combien d'hommes figurent sur votre tableau de chasse, Bradley ?

— Eh bien… Hum, aucun, pour le moment… Je ne voulais pas l'offenser. Cela dit, j'en sais long sur la guerre.

— Parle-moi de ton expérience, mon enfant, susurra Kahlan.

— Nous sommes tous volontaires. Moi, je me suis engagé il y a trois ans. Et presque aucun gars n'a moins de douze mois de service. Quant à l'entraînement, vous pouvez nous faire confiance. Le prince Harold lui-même nous a formés, et nous l'avons souvent battu lors des manœuvres. Bref, ce n'est pas l'expérience qui nous manque. Cette expédition est une sorte d'épreuve finale, avant de nous attribuer une affectation. Nous sommes en campagne depuis un mois et nous ne cessons pas de nous exercer sur le terrain. Enfin, notre jeunesse est un gage de force.

— De force ? ricana Chandalen. Vous voyagez comme des femmes ! (Il se racla la gorge quand Kahlan le foudroya du regard.) Enfin, certaines femmes, pas toutes… Bref, vous êtes beaucoup moins forts que vous le croyez. Ces chariots, pour transporter le ravitaillement et les armes, vous affaiblissent. Demain, vous périrez tous.

— Mon ami se trompe, lâcha soudain Kahlan. Vous ne succomberez pas demain.

— Vraiment ? jubila le capitaine. Donc, vous croyez en nous ?

— Non, mais vous survivrez, parce que je vous interdis de combattre. Je vous renvoie chez vous, capitaine. Retournez dans votre caserne ! C'est un ordre ! Je suis en route pour Aydindril afin de régler ce problème. Cette armée de bouchers ne sévira plus longtemps.

— Où sommes-nous censés retourner ? grogna Ryan. Nous étions cantonnés à Ebinissia, mais ces chiens ont tout rasé. À présent, nous allons les rattraper et les punir.

— Les défenseurs de la ville étaient beaucoup plus nombreux que vous, et ils n'ont pas fait le poids face à cette armée.

— Nous le savons… Ces hommes étaient nos professeurs, nos frères et nos pères. Nous avons grandi près d'eux. (Ryan fit un effort pour empêcher sa voix de trembler.) Nous aurions dû être à leurs côtés et périr avec eux.

Kahlan tourna le dos aux trois soldats. Les yeux fermés, elle posa les doigts sur ses tempes et les massa lentement. L'inquiétude qu'elle éprouvait pour ces gamins lui déclenchait une migraine… Elle pleurait aussi leurs camarades, tombés pour défendre la cité. Et les visages des jeunes suppliciées continuaient à lui apparaître jour et nuit.

Soudain, elle se retourna et riva son regard à celui du capitaine. Ses yeux d'enfant, comprit-elle, avaient vu plus de choses qu'elle ne le pensait.

— C'est vous, souffla-t-elle, qui avez refermé les portes, au palais. Celles de la reine et de ses suivantes…

Ryan hocha la tête, des larmes perlant à ses paupières.

— Pourquoi ont-ils fait ça à ces pauvres gens ?

— L'objectif d'un soldat, répondit Kahlan, est de forcer l'ennemi à commettre des erreurs. Le meilleur moyen, c'est de lui faire assez peur, ou de l'enrager assez, pour qu'il cesse de réfléchir. Vos ennemis vous poussent à la faute, capitaine.

— Nous n'avons plus d'endroit où retourner et nous traquons ces bouchers. À nous de les châtier !

— C'est exactement ce qu'ils attendent de vous. Mais vous ne tomberez pas dans le panneau.

— Mère Inquisitrice, je suis un soldat qui a juré de servir Galea et les Contrées du Milieu. De ma vie, aussi courte la jugiez-vous, je n'ai jamais envisagé de désobéir à mes chefs, à ma reine, ou… à vous. Aujourd'hui, je ne puis accepter vos ordres. (Il prit la main de Kahlan entre le pouce et l'index et la plaqua sur sa poitrine.) Touchez-moi avec votre pouvoir, si ça vous chante. Ce sera le seul moyen d'obtenir ce que vous voulez.

— Après, dit le lieutenant Sloan, qui n'avait pas ouvert la bouche jusque-là, il faudra m'infliger le même sort. Sinon, je prendrai la place du capitaine, et je conduirai nos hommes au combat.

— Et après Sloan, affirma Hobson, ce sera mon tour.

— Et ça ne s'arrêtera pas là, ajouta Ryan. Vous devrez toucher tous les officiers, puis chaque soldat. S'il n'en reste qu'un, il attaquera et mourra sur le champ de bataille.

Kahlan dégagea sa main de celle du jeune fou.

— Je vais parler au Conseil et mettre un terme à tout cela. Pourquoi vous suicider ?

— Mère Inquisitrice, nous attaquerons !

— Pour la gloire ? Afin de devenir des héros morts lors d'une bataille épique ?

— Non, Mère Inquisitrice, répondit Ryan, très calme. Nous savons ce que ces chiens ont fait aux nôtres. Les soldats exécutés, les femmes violées, les enfants éventrés… Beaucoup de mes hommes avaient une mère ou une sœur à Ebinissia. Tous ont vu le carnage. Comprenez-vous ? (Il bomba le torse et osa regarder Kahlan dans les yeux.) La gloire ne nous intéresse pas, et nous savons que c'est une mission suicide. Trop jeunes pour être mariés, nous ne laisserons ni veuves ni orphelins. Alors, nous tenterons d'arrêter ces bouchers, pour qu'ils ne recommencent pas dans une autre ville.

» Nous avons juré de protéger notre peuple, et il nous faut tenir parole. J'implore les esprits du bien que votre intervention en Aydindril soit couronnée de succès, mais cela prendra trop longtemps. Combien d'autres villes seront rasées ? Nous seuls pouvons empêcher ça.

» Quand j'ai prêté serment, une chose était claire : la défense du peuple devait passer avant tout, y compris les ordres. Voilà pourquoi je m'oppose à vous, Mère Inquisitrice. Pas pour devenir un héros, mais afin de protéger les faibles. J'aimerais avoir votre bénédiction. Mais s'il le faut, je m'en passerai.

Kahlan se rassit sur la souche, le regard perdu dans le vide.

Des enfants, oui… Mais plus mûrs qu'elle l'avait cru. Et qui avaient raison !

Il lui faudrait encore quelques jours pour atteindre Aydindril. Quant à lever une armée, ça prendrait sûrement des semaines. Entre-temps, les tueries continueraient. Combien d'innocents périraient en attendant l'aide du Conseil ?

Kahlan aurait donné cher pour changer de peau et ne plus être la Mère Inquisitrice. Écartant ses sentiments, elle étudia le problème avec l'œil objectif que lui imposaient ses responsabilités. La balance des vies perdues et épargnées… Une atroce comptabilité. Hélas, c'était la seule qui eût un sens.

— *Chandalen*, dit-elle dans la langue du Peuple d'Adobe, *nous devons aider ces hommes.*

— *Mère Inquisitrice, ce sont des gamins inconscients condamnés à mort. Si nous restons, nos os pourriront à côté des leurs. Cela ne changera rien à rien, et tu n'iras jamais en Aydindril.*

— *Mon ami, ces garçons me rappellent ton grand-père, quand il traquait les Jocopos. Si nous ne faisons rien, d'autres villes seront mises à sac.*

— *Mère Inquisitrice,* intervint Prindin, *nous t'obéirons, bien entendu. Mais quelle différence feront quatre arcs de plus ?*

— *Et au bout du compte,* renchérit Tossidin, *tu n'atteindras jamais Aydindril. N'est-ce pas important ?*

— *Bien sûr que si... Mais imaginez que la prochaine cible de ces soldats soit votre village ? Ne m'imploreriez-vous pas de combattre à vos côtés ?*

Les chasseurs réfléchirent en jetant des coups d'œil furtifs aux trois jeunes officiers.

— *Si vous deviez vaincre cette armée, mes amis,* dit Kahlan, *comment feriez-vous ?*

— *C'est impossible,* répondit Tossidin. *Il y a trop de soldats.*

— *Nous sommes les guerriers du Peuple d'Adobe !* s'écria Chandalen. *Nous penses-tu moins intelligents que des chiens qui voyagent dans des wagons et égorgent les femmes ? Crois-tu qu'ils soient de meilleurs combattants que nous ?*

— *En tout cas,* dit Prindin, *nous savons que la tactique du capitaine est inefficace. Mais il doit y avoir de meilleurs moyens.*

— *Bien sûr,* fit Chandalen avec un sourire. *Les esprits les ont enseignés à mon grand-père. Il a transmis son savoir à mon père, qui me l'a communiqué. Le nombre d'ennemis est différent, mais le problème reste le même. Nous connaissons des solutions supérieures à celle du capitaine. Et toi aussi, Mère Inquisitrice, car tu sais qu'il ne faut jamais entrer dans le jeu de l'ennemi. Et ces gosses n'ont que cette idée en tête !*

— *Au fond,* dit Kahlan, *je commence à croire que nous allons réussir à les aider.*

Elle se tourna vers le capitaine.

— Très bien, Bradley. Nous allons attaquer.

— Merci ! cria le jeune homme en la prenant par les épaules. (Réalisant qu'il venait de toucher une Inquisitrice, il la lâcha et se frotta nerveusement les mains.) Ça va marcher ! Nous les prendrons par surprise, et pas un ne s'en sortira.

Kahlan se pencha vers le jeune homme, qui recula d'un pas.

— Les prendre par surprise ? (Elle saisit Ryan par le col et le tira vers elle.) Ils ont un sorcier avec eux, espèce de crétin !

— Un sorcier..., gémit l'officier.

Kahlan le lâcha et le repoussa sans douceur.

— À Ebinissia, vous n'avez pas vu les portes fondues ? Les trous dans les murs ?

— Je... Eh bien... il y avait tant de morts. Des cadavres partout... nos amis... nos mères...

— Je comprends, dit Kahlan, radoucie. Dans ces conditions, il était difficile de remarquer autre chose. Mais ça n'est pas une excuse pour un soldat. Rater certains détails peut être mortel, capitaine. En voilà un bon exemple !

— Vous avez raison, Mère Inquisitrice...

— Êtes-vous toujours décidés à tuer les hommes qui ont rasé Ebinissia ? (Les officiers répondirent « oui » d'une seule voix.) Alors, je prends le commandement de ce corps d'armée. À partir de cet instant, vous m'obéirez. Ainsi qu'à mes trois amis.

Kahlan prit une grande inspiration.

— Je veux bien croire que vous êtes des experts en tactiques livresques. Nous, nous savons comment tuer des gens. Il ne s'agit pas d'une bataille, capitaine, mais d'une série d'exécutions. Si vous voulez vous y prendre selon les règles de l'art, nous partirons, et vous serez tous morts demain.

Le capitaine s'agenouilla et ses lieutenants l'imitèrent.

— Mère Inquisitrice, servir sous vos ordres sera un grand honneur. Ma vie vous appartient, comme celles de tous mes hommes. Si votre tactique est meilleure que la nôtre, nous vous obéirons aveuglément.

— Ce ne sont pas des grandes manœuvres, capitaine ! Tout homme qui désobéira aidera l'ennemi. Une trahison, en somme. Si vous m'acceptez comme chef, pas question de revenir en arrière quand les choses vous déplairont. Vous me comprenez ?

— Parfaitement, mère Inquisitrice.

Kahlan se tourna vers les deux lieutenants.

— Et vous ?

— Je suis à vos ordres, Mère Inquisitrice.

— Moi aussi.

Kahlan fit signe aux jeunes gens de se relever.

— Je dois aller en Aydindril. Mais je vous aiderai à lancer l'opération. Nous vous dirons comment faire. Pendant les deux jours que je vous consacrerai, nous commencerons à frapper. Ensuite, je devrai partir.

— Et le sorcier, Mère Inquisitrice ?

— Vous me le laisserez. C'est compris ? C'est mon problème, et je le réglerai.

— Très bien. Par quoi devons-nous commencer ?

— Par me trouver un cheval…, répondit Kahlan.

Elle s'en fut à grandes enjambées, flanquée du capitaine et d'un des lieutenants. Chandalen bondit et la prit par un bras, la forçant à s'arrêter.

— Pourquoi veux-tu une monture ? Où as-tu l'intention d'aller ?

— Vous ne devinez pas ? demanda Kahlan aux six hommes. Il me reste à choisir mon camp. Quand je m'engage, toutes les Contrées sont impliquées. Chandalen, je ne peux pas faire ça sur la seule parole de ces gamins.

— Tu as encore besoin de preuves ? Ce que tu as vu ne te suffit pas ?

— Ça ne compte pas, mon ami. Pour déclarer une guerre, je dois connaître les motivations des deux parties. Savoir qui sont ces soldats, et pour qui ils se battent.

Sa démarche avait une autre raison, plus importante, mais elle préféra la garder pour elle.

— Ce sont des bouchers !

— Tu as tué des hommes. Ne voudrais-tu pas que leurs proches demandent pourquoi, avant de crier vengeance ?

— Espèce de folle ! cria Chandalen. (Prindin lui posa une main sur le bras pour l'inciter à plus de retenue, mais il se dégagea.) Tu as accusé ces enfants d'être idiots, alors qu'ils sont des milliers. Toi, tu es seule ! Si nos ennemis décident de te tuer, tu n'auras pas une chance.

— Je suis la Mère Inquisitrice. Nul ne lève une arme sur moi.

Une déclaration absurde, Kahlan en avait conscience. Mais elle devait aller dans le camp ennemi… et ne trouva rien de mieux pour apaiser les craintes de Chandalen. Trop furieux pour parler, l'Homme d'Adobe lui tourna le dos. Naguère, elle le savait, sa colère aurait eu une explication très simple : si elle mourait, il ne pourrait pas rentrer chez lui. À présent, elle aurait juré qu'il s'inquiétait vraiment pour elle.

Elle n'aimait pas plus que lui ce qu'elle devait faire. Mais c'était son devoir.

— Lieutenant Hobson, trouvez-moi un cheval. De préférence blanc ou gris. (L'officier partit au pas de course.) Capitaine, réunissez vos hommes et informez-les des derniers événements.

Chandalen lui tournant toujours le dos, elle lui tapota l'épaule, à l'endroit où était attaché l'os de son père.

— *Tu ne te bats plus seulement pour ton village*, dit-elle dans la langue du chasseur, *mais pour les Contrées tout entières.* (Chandalen émit un grognement rageur.) *Pendant mon absence, commencez à expliquer aux soldats ce qu'ils devront faire. J'espère être de retour avant l'aube.*

Quand Kahlan vit Hobson revenir avec un cheval, ses genoux manquèrent se dérober. Bon sang, dans quoi allait-elle encore se fourrer ?

— Capitaine Ryan, si… hum… si je ne retrouve pas le chemin de ce camp, vous devrez obéir à Chandalen. Compris ?

— Oui, Mère Inquisitrice. Que les esprits du bien vous accompagnent !

— D'expérience, je préfère avoir un cheval rapide pour compagnon !

— Alors, vous serez contente. Nick est rapide et courageux. Il ne vous laissera pas tomber.

Le capitaine aida Kahlan à monter en selle. Elle flatta l'encolure de l'étalon gris, regarda une dernière fois les six hommes, et partit au trot avant de perdre tout courage.

Chapitre 38

K ahlan suivit la piste qui contournait la montagne. La lumière de la lune lui suffisant pour se repérer, elle déboucha enfin dans la vallée parallèle à celle où campaient les Galeiens.

Comme elle ne cherchait pas à se dissimuler, les sentinelles la repérèrent vite. Mais elles ne prirent pas la peine d'intercepter un cavalier solitaire.

Devant elle, le camp ennemi fourmillait d'activité. Des feux brûlaient un peu partout dans ce foisonnement de tentes plus étendu que bien des villes. Sachant que leur nombre était dissuasif, ces soldats ne redoutaient pas une attaque. En conséquence, ils se fichaient qu'on puisse les voir – ou les entendre – de loin.

Kahlan entra dans le campement et fit slalomer Nick dans un labyrinthe anarchique de chariots, de chevaux, de mules, de tentes et d'hommes assis devant des feux.

Leur repas terminé, ils jouaient aux dés ou discutaient bruyamment en se passant des outres de vin. À première vue, la plupart de ces soudards étaient ivres morts. Une bonne chose, car ils ne lui accordèrent pas un regard.

Des cris de femmes montaient des tentes, ponctués de rires masculins paillards. Un frisson courut le long de la colonne vertébrale de l'Inquisitrice.

Dans ce genre d'armée en campagne, on trouvait immanquablement des hordes de prostituées destinées au repos du guerrier. De plus, les soudards de cet acabit considéraient les femmes des vaincus comme une part du butin, et les traitaient sans pitié. Que ces cris soient des râles de plaisir ou des hurlements de douleur, l'Inquisitrice ne pouvait rien faire. Tentant de ne pas les entendre, elle se concentra sur les soldats qu'elle dépassait.

Elle vit d'abord des hommes de D'Hara, avec sur leurs cuirasses le R emblématique de la Maison Rahl. Très vite, cependant, elle aperçut des Keltiens, puis une dizaine de guerriers de Terre d'Ouest, occupés à danser et à boire. Il y avait aussi des soldats de Nicobarese, des Sandariens et même – une vision d'horreur – quelques Galeiens. Peut-être, pensa-t-elle pour se rassurer, s'agissait-il de D'Harans vêtus d'uniformes volés.

Mais elle n'y crut pas un instant.

Partout, des hommes se querellaient au sujet de tout et n'importe quoi : le jeu, la nourriture, l'équipement, la boisson. Certaines disputes tournaient très mal, puisqu'elle vit un type se vider de son sang, un couteau dans le ventre, sous les éclats de rire d'un cercle de spectateurs.

Enfin, Kahlan repéra ce qu'elle cherchait : les tentes de l'état-major. En l'absence d'étendards, on ne pouvait quand même pas s'y tromper, puisque c'étaient les plus grandes. Devant la plus imposante, un pavillon en réalité, une petite table de banquet était dressée.

Éclairés par des lanternes posées sur des piquets, les officiers supérieurs s'empiffraient et buvaient comme des trous.

Alors qu'elle approchait, un gros type vautré sur sa chaise, les pieds sur la table, brailla à tue-tête :

— Quand je dis maintenant, c'est maintenant, ou tu goûteras à la hache du bourreau ! Un tonneau plein, sinon, tu es un homme mort !

Le soldat détala comme un lapin sous les rires gras de ses chefs.

Kahlan immobilisa son étalon à côté de la table et étudia les six pourceaux. Quatre étaient des D'Harans. Le cinquième, un commandant keltien, semblait encore plus soûl que les autres. Le sixième portait une tunique brune unie.

Le type qui venait de terroriser un pauvre troufion s'adressa à la cantonade.

— Notre brave sorcier Slagle m'a dit tout à l'heure qu'il sentait comme une odeur d'Inquisitrice. (Il se tourna vers Kahlan.) Où est ton sorcier, Inquisitrice ? On dirait que tu l'as perdu... (Tous les hommes s'esclaffèrent.) J'espère que tu nous apportes à boire, parce qu'on sera bientôt à sec. Non ? Quel dommage... (S'emparant d'un couteau, il désigna le Keltien.) Karsh dit qu'il y a une jolie petite ville, à une semaine d'ici, où la bière est délicieuse. J'espère que ses habitants seront plus coopératifs que la dernière fois...

Kahlan étudia longuement le sorcier. C'était lui, la véritable raison de sa venue. Pourrait-elle sauter de son cheval et le toucher avec son pouvoir avant de recevoir un coup de couteau ? Le gros type ignoble était le seul, pour le moment, à tenir une lame. Dans son état, ses réflexes devaient manquer de vivacité. Mais les chances de réussite étaient trop minces. Elle voulait bien se sacrifier pour tuer Slagle, à condition de ne pas le manquer...

Elle devait l'éliminer ! Ce salaud était les yeux et les oreilles des soudards. Il voyait et entendait tout avant eux – comme elle. Les D'Harans redoutant la magie et les esprits, sa présence les rassurait.

Kahlan baissa les yeux sur les mains du sorcier et vit qu'il était en train de tailler un morceau de bois. Devant lui, sur la table, le petit tas de copeaux lui rappela ceux qu'elle avait vus au palais, devant la porte d'une chambre.

Le sorcier ayant achevé son œuvre, il la posa près de son assiette. C'était un énorme phallus, très réaliste.

— Slagle a un cadeau pour toi, Inquisitrice, dit le gros type au couteau. Il y travaille depuis deux heures, le moment où il a senti que tu viendrais.

Deux heures... Ce gros porc abruti venait de lui indiquer les limites du pouvoir de ce sorcier. Elle avait quitté les Galeiens quatre heures plus tôt, mais sa progression, au début, avait été très lente à cause des crêtes à gravir. En clair, les jeunes soldats étaient trop loin pour que Slagle les ait repérés, mais il ne s'en était pas fallu de beaucoup. Au temps pour leur espoir de surprendre l'ennemi !

— Un présent qui me prend au dépourvu…, lâcha Kahlan, glaciale.

— Il te prendra de bien d'autres façons, crois-moi ! éructa le gros type.

Ses compagnons éclatèrent de rire.

Son calme recouvré, l'Inquisitrice abaissa sa capuche.

— Quel est ton nom, soldat ?

— Soldat ? beugla l'homme en plantant son couteau dans la table. Je suis le *général* Riggs, chef suprême de cette glorieuse armée.

— Et au nom de qui te bats-tu, général Riggs ?

— L'Ordre Impérial livre sa guerre au bénéfice de tous ceux qui intègre ses rangs. Un combat contre les oppresseurs et les crétins qui luttent pour eux. Quand on n'est pas avec nous, Inquisitrice, on est contre nous. C'est aussi simple que ça. Pour restaurer l'ordre, nous écraserons nos ennemis.

» L'Ordre Impérial protège ceux qui lui sont fidèles, et qui doivent en retour le défendre. Tous les pays se rallieront à nous ou seront balayés de la surface du monde. Nous militons pour un ordre nouveau, très chère. L'Ordre Impérial. Mes troupes règnent sur tous les royaumes, et moi, je règne sur elles.

Kahlan tenta de trouver un sens à ce discours absurde. Bien entendu, elle n'y parvint pas.

— Je suis la Mère Inquisitrice. C'est moi qui dirige les Contrées, pas vous !

— La *Mère* Inquisitrice ? Mazette ! (Riggs flanqua une grande claque dans le dos du sorcier.) Tu ne m'avais pas dit ça, foutu cachottier ! Pour l'instant, ma belle, tu ne ressembles pas à une mère. Mais demain matin, tu seras grosse, fais-moi confiance !

— Darken Rahl est mort, lâcha Kahlan, faisant taire les rires. Le nouveau maître Rahl a mis un terme à la guerre et rappelé les forces d'haranes.

Le général Riggs se leva avec la grâce d'un pachyderme.

— Darken Rahl avait une vision limitée du monde. Il se souciait beaucoup trop de l'ancienne magie et pas assez du nouvel ordre. Sa quête idiote le détournait des vrais problèmes. Jusqu'à ce qu'elle soit éradiquée, la magie restera un outil au service des hommes. Pas leur maîtresse !

» Darken Rahl n'a pas su saisir les occasions qui se présentaient à lui. Nous ne commettrons pas la même erreur. Lui-même, dans le royaume des morts, le sait et se repent. Il s'est joint à notre cause, à présent. Comme l'ont annoncé les esprits du bien, nous ne nous inclinons plus devant la Maison Rahl. Au contraire, c'est elle, à l'instar de toutes les autres, qui s'agenouille devant nous. Le nouveau maître Rahl nous prêtera allégeance, ou nous les réduirons en bouillie, lui et ses maudits païens de partisans !

— En d'autres termes, général, vous vous battez exclusivement pour vous. Et votre but consiste à tuer autant de gens que possible.

— Mensonges ! Cette cause me dépasse de loin ! Nous offrons à tous la possibilité de se joindre à nous. Ceux qui refusent sont les complices de nos ennemis et ils doivent mourir. Mais il est inutile d'expliquer de telles choses à une femme. Tes sœurs et toi n'êtes pas assez intelligentes pour commander.

— Les hommes n'ont pas l'exclusivité du pouvoir, général.

— Voir des mâles s'agenouiller pour demander la protection d'une femelle est une abomination ! Un homme, un vrai, cherche à s'approprier ce qu'il y a sous vos jupes. Il ne se cache pas derrière ! Les femmes gouvernent avec leurs mamelons et nous donnent à téter une bouillie douceâtre. Les hommes règnent avec leurs poings. Ils nourrissent leur peuple et le protègent.

» Tous les dirigeants mâles auront une chance de se joindre à nous. Les reines seront priées d'aller vendre leurs charmes dans les bordels, là où elles servent vraiment à quelque chose.

Riggs prit sa chope et but quelques gorgées.

— Tu comprends ? Ou es-tu encore plus stupide que tes sœurs ? Sous la férule des femmes, quel grand dessein a accompli l'Alliance des Contrées ?

— Un grand dessein ? Le but de l'alliance est de préserver la paix. D'aider les faibles et de soulager les miséreux. Rien de plus…

— Vous voyez, mes amis, lança Riggs à la ronde, ce qui s'appelle « parler avec ses nichons » ? Femme, ton Conseil ne dirige rien et n'impose pas de lois. Chaque royaume peut interdire ou autoriser ce qu'il veut. Ce qui est un crime d'un côté des monts Rang'Shada est une bonne action de l'autre. L'alliance ignore jusqu'à la notion d'ordre universel. Vous êtes des clans de sauvages renfermés sur eux-mêmes. Chacun conserve jalousement son « identité », comme vous dites, et affaiblit ainsi tout le monde !

— C'est faux ! Le Conseil unit les royaumes et organise leur défense commune. Contre des bouchers comme vous, général ! L'alliance n'est pas une vieille femme édentée, ainsi que vous semblez le croire. Elle a des crocs, et vous vous en apercevrez bientôt.

— Un noble idéal… À vrai dire, je le partage – sans vos foutues mamelles ! Vous ne savez pas régner d'une main de fer. Et votre mièvrerie fait de chaque nation un fruit prêt… à être écrabouillé ! Ce qu'il vous faut, c'est un vrai chef, et une authentique protection !

» Dès la chute des frontières, vous avez été massacrés par Darken Rahl. Pourtant, obsédé par sa quête de la magie, cet imbécile vous étripait de la main gauche ! S'il avait laissé agir ses généraux, il ne resterait plus rien de votre alliance de femmelettes.

— Et contre qui avons-nous tant besoin de protection ?

— Contre les hordes qui déferleront bientôt…, murmura Riggs, le regard soudain vide.

— Quelles hordes ?

Le général sursauta. On eût dit qu'il venait de se réveiller.

— Celles dont parlent les prophéties… (Il regarda Kahlan comme si elle était incurablement obtuse, puis désigna le sorcier.) Notre bon Slagle nous a guidés dans la compréhension de ces textes. Femme, tu as passé ta vie avec des sorciers sans jamais t'intéresser à leurs connaissances ?

— Votre discours sur la paix et l'ordre est très noble, général Riggs. Mais vos atrocités, à Ebinissia, en sont le sanglant démenti. Jusqu'à la fin des temps, cette ville restera le témoin muet de votre perversité. C'est vous et votre Ordre Impérial qui déferlez sur le monde. Vous, les hordes dont parlent les prophéties ! (Kahlan foudroya le sorcier du regard.) Quel rôle jouez-vous dans tout ça, Slagle ?

— Je contribue à unir les peuples sous la bannière d'une seule loi.

— La loi de qui ?

— Des vainqueurs, bien sûr. (Il sourit.) La nôtre. Celle de l'Ordre Impérial.

— La mission d'un sorcier est de servir, pas de diriger. Gagnez immédiatement Aydindril, pour occuper votre véritable place, ou vous devrez en répondre devant moi.

— Vous ? ricana l'homme. Vous exigez que des hommes se prosternent à vos pieds. En même temps, aveugle comme toutes les femmes, vous laissez des messagers du fléau régner sur le pays.

— Des messagers du fléau ? Vous n'êtes pas assez idiot, j'espère, pour prêter l'oreille aux sermons des fanatiques du Sang de la Déchirure ?

— Ces braves gens se sont joints à nous, annonça le général. Notre cause est la leur, et inversement… Ils savent à présent comment débarrasser le monde des serviteurs du Gardien, donc des alliés objectifs de nos ennemis. Bientôt, la *divinité* triomphera !

— Vous voulez dire que votre cause triomphera… C'est vous qui régnerez…

— Es-tu aveugle et sourde, Mère Inquisitrice ? Je règne déjà, mais ce n'est pas moi qui compte. Nous parlons de l'avenir ! Aujourd'hui, j'occupe le trône provisoirement et j'ensemence le champ pour qu'il produise de belles récoltes. Ce n'est pas moi, le point central.

» Nous offrons à tous les hommes de se joindre à nous, et ceux qui sont ici ont accepté la main que nous leur tendions. Des soldats de tous les royaumes se battent à nos côtés. Nous ne sommes plus les forces de D'Hara. Et nos nouveaux alliés ne représentent plus leurs anciens royaumes. L'Ordre Impérial est en marche. Tout esprit sain peut le diriger. Si je meurs pour notre cause, un autre prendra ma place, jusqu'à ce que l'Ordre Impérial règne sur le monde entier.

Ce type était trop soûl pour savoir ce qu'il disait. Ou fou à lier. Kahlan jeta un regard circulaire aux hommes qui buvaient, dansaient et chantaient dans le camp. Possédés, comme les Bantaks. Et comme les Jocopos.

— Général Riggs, je suis la Mère Inquisitrice. Que ça vous plaise ou non, je représente les Contrées du Milieu. À ce titre, je vous ordonne de cesser les hostilités. Retournez en D'Hara avec vos troupes, ou allez présenter vos doléances au Conseil. On vous écoutera, je m'en porte garante. Mais rien ne vous autorise à guerroyer contre mon peuple. Si vous ne m'obéissez pas, vous détesterez les conséquences de votre insubordination.

— Nous ne faisons pas de compromis ! cracha l'officier. Tous ceux qui nous combattent périront. C'est la seule manière d'en finir avec les tueries, et les esprits du bien nous ont chargés de cette mission sacrée. Nous luttons pour la paix. Tant que nous ne l'aurons pas obtenue, la guerre fera rage.

— Qui vous a ordonné de vous battre ?

— Je viens de te le dire ! Serais-tu stupide, femme ?

— J'ai du mal à croire qu'on soit assez idiot pour penser que les esprits du bien veulent la guerre. Ce n'est pas dans leur façon d'agir.

— C'est ce que tu penses ? Dans ce cas, nous avons un gros désaccord. Le but de la guerre n'est-il pas de régler ce genre de querelles ? Les esprits du bien savent que nous sommes dans le vrai, sinon, ils s'opposeraient à nous. Notre victoire sera la preuve éclatante qu'ils sont de notre côté. Le Créateur aussi souhaite notre triomphe, et tu t'en apercevras bientôt…

Ce type était vraiment cinglé.

Kahlan se tourna vers l'officier keltien.

— Karsh…

— *Général* Karsh !

— Vous faites honte à ce grade, général… Pourquoi avez-vous massacré les habitants d'Ebinissia ?

— Ils auraient pu se joindre à nous, mais ils ont préféré se battre. Nous avons fait un exemple avec ces païens, pour montrer au monde le sort qui attend les impies qui ne se joindront pas à notre croisade pour la paix. Nous y avons perdu près de la moitié de nos forces, mais ça en valait la peine. De nouveaux compagnons viennent déjà remplacer nos morts, et nous déferlerons sur tous les pays pour les convertir à notre cause.

— Extorquer, massacrer et raser, c'est ce que vous nommez « convertir » ?

Furieux, Karsh posa violemment sa chope sur la table.

— Nous rendons à nos ennemis la monnaie de leur pièce ! Ils ont pillé nos fermes et mis à sac nos villes frontières. Ces chiens écrasent les Keltiens comme s'ils étaient de vulgaires moustiques !

» Pourtant, nous leur avons proposé la paix. Mais ils ont opté pour la guerre ! Leur défaite montre à la face du monde que nous résister est absurde.

— Qu'avez-vous fait de la reine Cyrilla ? Est-elle morte, ou fait-elle désormais partie de votre troupeau de catins ?

Tous les soudards éclatèrent de rire.

— Elle écarterait ses jolies cuisses pour nous, répondit Riggs, si nous avions pu lui mettre la main dessus.

Kahlan dut réprimer un soupir de soulagement.

— Général Karsh, demanda-t-elle, que pense le prince Fyren de vos agissements ?

— Il est en Aydindril ! Et moi ici…

Ainsi, le pouvoir keltien n'y était peut-être pour rien, ces bouchers n'étant qu'une bande de hors-la-loi.

Kahlan connaissait Fyren, un homme raisonnable s'il en était. Ardent partisan de l'adhésion de son royaume au Conseil, il avait persuadé la reine, sa mère, de préférer la voie de la négociation à celle du conflit. Dans tous les sens du terme, c'était un authentique gentilhomme.

— Général Karsh, vous êtes un boucher et un traître. Vous avez tourné le dos à votre pays et à votre reine.

— Non ! Je suis un patriote ! Le protecteur de mon peuple !

— Balivernes ! Vous êtes un bâtard sans conscience ! Je laisserai au prince Fyren l'honneur de vous condamner à mort. À titre posthume, évidemment…

— Les esprits du bien nous ont prévenus que tu conspirais contre les Contrées du Milieu ! Ils avaient raison, Mère Inquisitrice ! Comme ils l'ont dit, nous ne serons jamais libres tant que tu vivras. Ils nous ont chargés d'exécuter les blasphémateurs de ton acabit. Avec leur aide, la défaite des sbires du Gardien sera totale !

— Aucun officier digne de ce nom ne prêterait l'oreille aux délires des fous du Sang de la Déchirure.

Le regard rivé sur Kahlan, le sorcier avait invoqué une petite boule de feu. Il jonglait avec, l'air menaçant…

— Assez de bavardages ! beugla soudain Riggs. Descends de cheval, ma mignonne, et amusons-nous ensemble. Les héroïques combattants de la liberté méritent un peu de distraction.

— Après les réjouissances, lâcha Karsh en souriant pour la première fois, demain ou après-demain, tu seras décapitée. Nos soldats et nos peuples adoreront te voir mourir. Ils applaudiront notre victoire sur la Mère Inquisitrice, le symbole de l'oppression par la magie. (Son sourire disparut et il s'empourpra.) Ton exécution sera un message d'espoir pour les opprimés. Quand nous t'aurons coupé la tête, ils exploseront de joie !

— Parce que les héroïques combattants de la liberté sont assez forts pour abattre une femme seule ?

— Non ! rugit le général Riggs. (Soudain, Kahlan eut le sentiment qu'il était plus sobre qu'il ne voulait le montrer.) Tu ne comprends rien à nos actes. (Il baissa la voix.) Nous entrons dans une nouvelle ère, femme. Les vieilles religions n'y auront pas de place, pas plus que les Inquisitrices et les sorciers.

» Il fut un temps, il y a environ trois mille ans, où presque tout le monde naissait avec le don. La magie dominait tout et les sorciers s'en servirent pour obtenir le pouvoir. Poussés par leur ambition, ils se sont entretués. Alors, sans personne pour le transmettre, le don est devenu de plus en plus rare. Et ses détenteurs devinrent l'exception. Pourtant, ils continuèrent à s'affronter, éclaircissant encore leurs rangs. Les autres créatures crépusculaires, telles que toi, furent privées de leur protection, alors qu'il s'agissait de leur première responsabilité. Aujourd'hui, quasiment plus personne ne naît avec le don et la magie s'éteint inexorablement. Les sorciers ont eu une chance de dominer le monde, comme Darken Rahl. À son instar, ils ont échoué. Désormais, leur âge d'or est révolu.

» Nous entrons dans l'ère de l'humanité, Mère Inquisitrice. Dans ce monde-là, la religion agonisante que tu nommes « magie » n'a aucun rôle à jouer. Il est temps que l'homme prenne possession de l'univers. L'Ordre Impérial est en marche et rien ne l'arrêtera. L'homme régnera et la magie crèvera comme un chien dans un caniveau.

Kahlan sentit une larme rouler sur sa joue. Une étrange panique lui serrait la gorge.

— As-tu entendu, Slagle ? Tu as un pouvoir, comme moi. Ceux que tu aides seront tes fossoyeurs.

— Il doit en être ainsi, dit le sorcier en continuant à jongler avec sa boule de feu. La magie, blanche ou noire, est la voie qu'emprunte le Gardien pour entrer dans ce monde. Quand j'aurai contribué à la destruction de ce fléau, je devrai disparaître aussi. Et ma mort servira la cause du peuple.

— Les gens doivent voir mourir les symboles vivants de cette religion, dit Riggs avec un regard presque compatissant pour Kahlan. Tu es la dernière Inquisitrice, une créature engendrée par les sorciers. Ta mort encouragera les peuples à en finir une bonne fois pour toutes avec les ultimes vestiges de la magie.

» Nous sommes le soc de la charrue, Mère Inquisitrice ! Les terres souillées par la magie en seront bientôt libérées, et des êtres pieux les ensemenceront. Alors, nous oublierons à jamais les anciens dogmes et leurs représentants...

Il but une gorgée de bière et reprit la parole d'un ton dur.

— Quand nous en aurons fini avec toi, nous briserons la résistance de Galea et des autres pays. Jusqu'à la victoire finale, la guerre sera notre seul horizon. Et notre unique exigence !

La colère explosa en Kahlan, balayant sa tristesse et sa panique. Son devoir était de défendre les êtres fragiles que le général appelait des « créatures crépusculaires ». Elle devait parler et se battre en leur nom !

— En ma qualité de Mère Inquisitrice, la plus haute autorité des Contrées du Milieu, je me plie à cette exigence... (Elle se pencha et ajouta :) Vous voulez la guerre ? Eh bien, vous l'aurez ! Et tant que je resterai à mon poste, aucun de mes alliés ne vous fera de quartier !

Kahlan tendit un poing vers le sorcier. La véritable raison de sa venue dans le camp...

Ces hommes étaient fous et dangereux ! Elle invoqua sa magie et l'implora de débarrasser le monde de Slagle.

Il était sa cible et elle ne devait pas le rater. La Rage du Sang déferla en elle.

Elle voulut lancer un éclair mortel.

Rien ne se produisit.

Kahlan fut un instant tétanisée par l'échec de la magie. Riggs en profita pour se lever et bondir vers elle, une main tendue vers sa jambe.

L'Inquisitrice tira sur les rênes de son destrier, qui se cabra et flanqua un formidable coup de sabot dans la figure du général. Ses pattes avant s'abattirent sur la table et la fracassèrent. Alors que les hommes toujours assis se jetaient en arrière, les sabots du cheval firent éclater la tête d'un officier d'haran et broyèrent la jambe d'un autre.

Kahlan talonna le destrier, qui partit au galop au moment où le sorcier se remettait debout. Alors que des soldats affolés s'écartaient du chemin de l'animal enragé, l'Inquisitrice jeta un coup d'œil derrière son épaule et vit Slagle tendre les mains. Une boule de feu se matérialisa devant lui, en suspension en l'attente de ses ordres. D'un geste, il l'expédia sur la fugitive.

Le cheval sauta par-dessus des feux de camp et des hommes, arrachant au passage des fixations de tentes. Kahlan avait repéré ce qu'elle cherchait et elle dirigeait l'animal droit dessus.

Le sifflement de la boule de feu devenait de plus en plus fort. Accidentellement touchés, des hommes hurlaient avant de s'écrouler. Jetant un nouveau coup d'œil derrière elle, Kahlan vit que le projectile magique, aussi ivre que son créateur, zigzaguait lamentablement. Le feu magique avait besoin d'être guidé. Dans son état, Slagle n'en était plus vraiment capable.

Esprits bien-aimés, implora l'Inquisitrice, *si je dois mourir, laissez-moi le temps de faire ce qui doit être fait...*

Atteignant enfin son objectif, un tas de neige où les soldats avaient planté leurs lances, elle arracha une arme au passage et talonna de nouveau le brave Nick.

La boule de feu semait toujours la mort derrière elle, de plus en plus grosse à mesure qu'elle approchait de sa cible.

Conçue pour des hommes bien plus musclés que Kahlan, la lance était très lourde. Afin d'économiser ses forces, la jeune femme dut la tenir à la verticale, comme à la parade.

Nick galopait sans se laisser perturber par le bruit, la confusion, les soldats qui couraient en tout sens ou la boule de feu. Sa cavalière lui fit décrire un demi-tour. Toujours aussi serein, il fonça vers le projectile… et vers l'homme qui la dirigeait.

Slagle essaya de modifier la trajectoire de la boule de feu en fonction de celle de Kahlan. Les réflexes du sorcier, ralentis par l'alcool, frôlaient le pathétique. Mais plus la cible approchait, moins il aurait besoin de vivacité…

Au dernier moment, Kahlan fit un écart sur la droite. La boule de feu la frôla de si près que ses cheveux roussirent.

Derrière elle, le projectile magique explosa au milieu d'un groupe d'hommes. Les vêtements en flammes, hurlant de douleur, ils se roulèrent dans la neige pour tenter d'échapper à une mort atroce. Mais le Feu de Sorcier ne s'éteignait pas si facilement…

À présent, la panique régnait dans une bonne moitié du camp. Ignorant les cris de douleur et les ordres aboyés par les officiers, Kahlan se concentra, à la recherche de son silence intérieur. Bientôt, elle ne vit plus rien à part la silhouette du sorcier, qui préparait déjà une nouvelle boule de feu.

Lance à l'horizontale, l'embout bien calé au creux de son bras, Kahlan continua sa charge.

Encore vingt pas ! Les plus longs de sa vie…

Slagle allait propulser un nouveau projectile au moment où la lance s'enfonça dans sa poitrine. Sous la violence de l'impact, la hampe se brisa et le corps du sorcier parut exploser comme un melon trop mûr.

Nick et sa cavalière continuèrent leur course à travers un geyser de sang.

Kahlan abattit sa lance sur la tête d'un homme qui se jetait en travers de son chemin. Le choc lui arracha l'arme de la main, mais son agresseur s'écroula, probablement mort sur le coup.

Un des officiers qui festoyaient avec Riggs se releva et cria qu'on lui amène un cheval. Partout, des hommes sautaient sur leurs montures sans prendre le temps de les seller. Histoire de les stimuler, leurs chefs beuglaient qu'ils seraient tous exécutés s'ils revenaient sans la fugitive.

Se retournant, Kahlan vit qu'une bonne trentaine de cavaliers étaient déjà à ses trousses.

Loin des tentes de commandement, sur le chemin qu'elle avait pris à l'aller, les soldats ignoraient ce qui se passait. Persuadés que cette galopade faisait partie des festivités, ils ne tentèrent pas de s'interposer.

Avisant un fourreau pendu au flanc d'un chariot, Kahlan dégaina au passage l'épée qu'il contenait. Galopant le long d'une rangée de piquets, elle trancha net la corde principale. Puis elle abattit le plat de sa lame sur le cheval le plus proche. Son hennissement de douleur et ses ruades paniquèrent les autres montures au repos, qui s'éparpillèrent dans toutes les directions. Elles renversèrent des supports de lanternes.

Arrosées d'huile enflammée, plusieurs tentes s'embrasèrent.

Effrayés par ces incendies, les chevaux des poursuivants de Kahlan freinèrent des quatre fers, envoyant leurs cavaliers voler dans les airs.

Un nouveau « héros » se dressant sur son chemin, Kahlan lui transperça la poitrine de son épée. Une fois encore, l'impact fut trop violent et elle dut lâcher son arme. Et les soldats qui avaient réussi à rester en selle la talonnaient toujours !

Enfin sortie du camp, l'Inquisitrice lança Nick sur la piste qu'ils avaient suivie en venant. À la pâle lueur de la lune, c'était le seul moyen de ne pas se perdre.

Kahlan jeta un dernier coup d'œil derrière elle. Une cinquantaine d'hommes la suivaient. En s'engageant sur le versant abrupt de la montagne, sous le couvert des arbres, l'Inquisitrice comprit que ses quelques minutes d'avance ne suffiraient pas.

Mais elle avait un autre atout dans sa manche.

Chapitre 39

-Doucement, maintenant, souffla Kahlan à sa monture, dont un sabot venait de glisser. Recule, mon brave Nick. Recule doucement.

Au pied de la pente, dans son dos, l'Inquisitrice entendait les bruits de ses poursuivants. Un homme, sans doute un officier de D'Hara, beuglait à ses soldats de ne pas la laisser s'enfuir. Hennissant sous l'effort, les chevaux gravissaient inexorablement la déclivité. Dès qu'ils arriveraient sur la zone plate qu'elle avait atteinte, ils se lanceraient de nouveau au galop.

Kahlan tira gentiment sur ses rênes. Nick leva prudemment les pattes et recula sur sa propre piste, entre les pins couverts de neige.

La jeune femme retrouva la longue branche au bout fourchu qu'elle avait taillée au couteau avant d'entrer dans le camp. Elle était toujours plantée verticalement dans la neige, là où elle l'avait laissée, près de l'épicéa aux troncs jumeaux. Elle s'en empara et commença à pousser les branches lestées de neige. Son épaule droite la fit grimacer de douleur. Le choc, quand la lance s'était cassée, avait été très violent.

En reculant entre les arbres, toujours sur sa propre piste, Kahlan garda sa branche levée et continua à secouer les arbres. Libérées de leur charge, les branches se redressaient et dissimulaient presque complètement le passage, entre les troncs. Plus important encore, la neige qui dégringolait sur le sol couvrait entièrement ses traces. Et le phénomène semblait tout à fait naturel, comme si le vent était responsable de la chute des paquets de neige.

Kahlan adressa des remerciements muets à Richard, qui lui avait tout appris au sujet des pistes, résolu à faire d'elle une authentique forestière. Il lui manquait tellement… À coup sûr, pensa-t-elle, il n'approuverait pas qu'elle utilise ses enseignements pour prendre des risques insensés.

Mais il n'était pas question que ses empreintes conduisent les bouchers de Riggs jusqu'aux soldats de Galea. Si l'un de ses poursuivants revenait avertir les autres, les jeunes héros se feraient massacrer. Mais si aucun ne se remontrait, il était douteux qu'on en envoie d'autres de sitôt…

Même si elle se trompait, ce serait trop tard pour Riggs. Dans les cols qu'elle emprunterait, le vent soufflait sans cesse, retournant la neige comme de la crème fouettée. Un deuxième contingent d'ennemis n'y retrouverait pas sa trace.

Des bruits de sabots étouffés par le tapis de neige ramenèrent Kahlan à des préoccupations plus immédiates. Les cavaliers avaient atteint le terrain plat et galopaient de nouveau. Sans s'affoler, l'Inquisitrice continua à reculer entre les arbres en secouant les branches.

Ses poursuivants approchaient.

Kahlan se pencha sur l'encolure de Nick et lui parla à l'oreille.

— Arrête-toi, maintenant… Ne bouge plus et ne hennis pas… Voilà, comme ça, exactement… Brave Nick…

Les soldats l'avaient rejointe. Galopant sur sa piste, en face d'elle, ils traversèrent l'écran de végétation sur sa gauche, à moins de vingt pas d'elle.

Kahlan retint son souffle.

Elle entendit le bruit sourd des sabots quand ils martelèrent la pente glacée cachée derrière les arbres. Un leurre qui conduisait le long d'un ruisseau dont l'eau, quand elle n'était pas gelée, dévalait un peu plus loin une pente vertigineuse.

Quand les cavaliers débouleraient près du ruisseau, ils auraient moins de vingt pas pour arrêter leurs montures avant de basculer dans le vide. Les berges du cours d'eau étant également gelées – et vallonnées, ce qui compliquait les choses – ils n'auraient pas une chance de s'en tirer.

Les premiers hommes arrivèrent au grand galop. L'Inquisitrice entendit les jambes de leurs chevaux se briser net quand ils tirèrent sur les rênes pour tenter de les arrêter. Leurs sabots pris dans des crevasses glissantes, les malheureux animaux furent entraînés en avant par leur vitesse acquise, leur poids et celui de leurs cavaliers.

Les soldats suivants percutèrent leurs camarades et les poussèrent en avant. Peu habitués à monter à cru, et en l'absence des mors à cuiller dont ils équipaient d'habitude leurs montures, il leur fut impossible de s'arrêter.

Les derniers sautèrent de leurs chevaux en voyant ce qui se passait devant eux. Emportés par leur élan, ils n'en basculèrent pas moins dans le vide, piétinés au passage par leurs propres montures.

Immobile sur sa selle, son masque d'Inquisitrice plus impassible que jamais, Kahlan écouta les cris de terreur des soudards et des pauvres équidés soudain transformés en une cascade de chair et d'os promise à un atterrissage mortel. Certains hommes, remarqua-t-elle, roulaient assez lentement sur le toboggan de glace pour tenter de trouver des prises. Hélas pour eux, il n'y en avait pas…

Quand le silence revint, la jeune femme mit pied à terre et approcha du bord du gouffre. Il ne restait plus un ennemi ni un cheval au bord de la cascade de glace. Et sur ce qu'elle voyait du toboggan, à la pâle lueur de la lune, des traînées de sang témoignaient qu'il n'y aurait sûrement pas de survivants au fond du gouffre.

Alors qu'elle se détournait, Kahlan entendit des gémissements. Son couteau dégainé, elle avança et se pencha prudemment pour sonder l'abîme.

Un soldat avait réussi à s'accrocher à une grosse racine affleurante. Suspendu à l'aplomb d'un gouffre de mille pieds, il tentait de caler ses pieds dans la glace. N'y parvenant pas, il pédalait comiquement dans le vide…

Kahlan repéra une souche, au bord de l'abîme, et s'y accrocha d'une main. Se penchant davantage, elle vit que le type, en uniforme keltien, claquait des dents tant il avait froid.

— Aidez-moi, par pitié ! cria-t-il quand il aperçut la jeune femme. Je vous en supplie !

Kahlan regarda sans frémir ce jeune garçon qui n'avait sans doute même pas son âge. Ses grands yeux noirs devaient faire chavirer le cœur des belles, dans son pays natal. Mais s'ils s'étaient posés sur les jeunes filles d'Ebinissia, elles avaient dû frissonner pour de tout autres raisons.

— Au nom des esprits du bien, aidez-moi !

— Comment t'appelles-tu, soldat ?

— Huon ! Je me nomme Huon ! Bon sang, ne me laissez pas comme ça !

L'Inquisitrice cala son pied droit dans une racine, assura sa prise sur la souche et tendit sa main libre à Huon – mais pas assez près pour qu'il la saisisse.

— Je vais t'aider, Huon, mais il y a une condition. J'ai juré d'être sans pitié et je ne reviendrai pas sur ma parole. Si tu prends ma main, je te toucherai avec mon pouvoir. Tu m'appartiendras jusqu'à ton dernier souffle. C'est ta seule chance de survivre, comprends-tu ? Et si tu penses me faire basculer dans le vide avec toi, oublie ça tout de suite. Tu n'auras pas le temps, car tu seras mien dès que nos mains se toucheront.

Kahlan tendit un peu plus le bras.

— À cet instant, Huon, ta vie se termine… d'une façon ou d'une autre. Si ton corps ne meurt pas aujourd'hui, ton esprit disparaîtra à jamais. Tu deviendras mon jouet…

— Pitié… Aidez-moi sans me toucher avec votre pouvoir. Je jure que je vous laisserai partir en paix. Il me faudra des heures pour retourner au camp à pied. Quand j'y arriverai, vous serez déjà loin. Ayez pitié, je vous en prie !

— À Ebinissia, combien de malheureux t'ont supplié de les épargner ? En as-tu écouté un seul ? Je suis la Mère Inquisitrice, et j'ai déclaré une guerre sans merci à l'Ordre Impérial. Ce serment tiendra jusqu'à ce que j'aie abattu le dernier d'entre vous. À toi de choisir, Huon : la mort, ou mon pouvoir. Dans les deux cas, l'homme que tu étais disparaîtra.

— Les chiens d'Ebinissia ont eu ce qu'ils méritaient ! Je préférerais prendre la main du Gardien qu'être touché par ton pouvoir, espèce de monstre ! Les esprits du bien ne voudraient plus de moi si j'étais souillé par ta magie. Que le Gardien veille sur toi, Inquisitrice !

Sur cette malédiction, Huon lâcha sa racine et bascula dans le vide.

Sur le chemin du retour, Kahlan réfléchit aux propos que lui avaient tenus Riggs, Karsh et Slagle. Elle pensa aussi aux créatures magiques qui vivaient dans les Contrées du Milieu.

Dans leur royaume où s'étendaient de vastes plaines entourées d'antiques forêts, les flammes-nuit adoraient se rassembler au crépuscule pour danser comme de joyeux feux follets au-dessus des buissons et des fleurs sauvages. Des nuits entières, allongée dans l'herbe, Kahlan les avait admirées, parlant avec elles des espoirs et des rêves communs à toutes les formes de vie. Et de l'amour, bien sûr…

Dans les eaux du lac Long, elle avait rencontré des êtres si translucides, tel du verre liquide, qu'on avait du mal à les voir. Sans jamais avoir conversé avec eux, elle les avait vus émerger de l'onde, la nuit, pour prendre des bains de lune sur les berges semées de rochers. Des créatures privées du don de la parole, mais pas incapables de communiquer, qu'elle avait comprises… et juré de protéger.

Ailleurs, elle avait rencontré les hommes-arbres, dont les murmures résonnaient encore à ses oreilles. Communiquer avec eux avait été une expérience magnifique et effrayante. Une tempête émotionnelle… pourtant étrangement douce et paisible.

Liés les uns aux autres par leurs racines, qui se rejoignaient sous terre, les hommes-arbres parlaient d'une voix unique, comme si la notion d'individu, chez eux, n'existait pas. Pourtant, dès qu'on leur promettait de dérisoires faveurs, tous avaient un nom bien distinct à murmurer à l'oreille de leurs interlocuteurs. Une collectivité qui était à la fois le tout et un ensemble de parties… Dans leur royaume, abattre un arbre revenait à infliger la douleur de sa fin à tous les autres, incapables, même pour se protéger, de se couper de la connexion. Ainsi, le plus banal bûcheron devenait pour eux un tueur en série. Kahlan les avait vus souffrir, et leur chagrin aurait arraché des larmes aux étoiles…

Il existait bien d'autres créatures magiques, et des êtres humains touchés par la grâce du pouvoir. Parfois, il était difficile d'établir une frontière entre les gens et les animaux. Des humains à demi autre chose ? Ou des bêtes en partie humaines ? Quelle importance, puisque tous étaient délicieusement étranges, doux et d'une timidité touchante.

Dans les Grottes Hurlantes, des formes de vie parmi les plus simples qui soient pouvaient aider les voyageurs curieux de contempler leurs nids à voir à travers d'épaisses strates de roche. À l'autre bout de l'échelle, des peuples comme les Hommes d'Adobe maîtrisaient une variante élémentaire de magie destinée à un seul et unique usage…

Toutes ces créatures, et des myriades d'autres, étaient sous la responsabilité de la Mère Inquisitrice. Les protéger et préserver leurs territoires faisait partie intégrante de sa mission. Peut-être en était-ce même l'essentiel…

Riggs avait parlé de « créatures crépusculaires »… Le nom que les fanatiques du Sang de la Déchirure leur donnaient – parmi d'autres, plus insultants. Sans doute parce que beaucoup de ces êtres ne se montraient que la nuit. Les associant aux ténèbres, les membres de cette organisation, prompts à s'effrayer, les tenaient pour des agents du Gardien…

Selon le Sang de la Déchirure, la magie était le vecteur de l'influence du Gardien sur le monde des vivants. Aussi déraisonnables et bornés que les autres humains, ces fondamentalistes croyaient avoir pour mission de renvoyer dans le royaume des morts tous ceux qu'ils prenaient pour des sbires du Gardien. En clair, toute personne qui ne partageait pas leurs opinions ! Dans certains royaumes, cette secte était hors-la-loi. Ailleurs, comme en Nicobarese, la couronne les encourageait et les finançait.

Riggs avait peut-être raison sur un point : elle aurait sans doute dû se servir de son pouvoir pour mettre un terme aux agissements d'hommes de cet acabit. Mais le Conseil, depuis toujours, se gardait d'imposer ses vues à tout un chacun. La diversité était une des forces des Contrées du Milieu, et sûrement la source principale de leur beauté. Dans ce foisonnement, un peu de laideur s'avérait inévitable. Encore fallait-il ne pas oublier que ce qui semblait laid d'un côté des monts Rang'Shada pouvait paraître superbe de l'autre. L'autonomie restait le maître mot pour chaque pays, tant qu'il n'agressait pas militairement ses voisins. Et s'il fallait, pour que la splendeur fleurisse, laisser pousser quelques mauvaises herbes, c'était un prix acceptable à payer. Mais pour le Conseil, maintenir l'équilibre entre deux exigences contradictoires – forcer les pays à collaborer sur certains points et les laisser libres sur d'autres – tenait souvent de la haute voltige.

Là encore, Riggs avait peut-être raison. Certains peuples, soumis à des dirigeants cupides ou incompétents, souffraient sans aucun espoir de voir les choses changer un jour de l'intérieur. Bien sûr, d'autres royaumes, plus petits et plus avisés, n'avaient pas à redouter d'être conquis par leurs voisins plus puissants. Mais si un pouvoir central était venu au secours des pays malchanceux, les choses ne seraient-elles pas allées encore mieux ?

Hélas, quand on instaurait un ordre universel, il étouffait les autres formes possibles de société. Un drame, si l'une d'entre elles, laissée libre d'évoluer, avait fini par se révéler un facteur de progrès pour le monde entier… Bref, le règne de l'Ordre Impérial, aussi séduisant qu'il pût paraître, revenait à rétablir l'esclavage.

En approchant de sa destination, Kahlan eut la surprise d'être interceptée par des sentinelles postées bien plus près les unes des autres, et assez loin du camp pour avoir le temps de donner l'alerte. À l'évidence, Chandalen, Prindin et Tossidin n'avaient pas chômé.

Bien entendu, les Galeiens s'écartèrent et la saluèrent dès qu'ils la reconnurent.

L'aube pointait. Sous la couverture de nuages, il promettait de faire un peu moins froid que la veille. Morte de fatigue, Kahlan avait plusieurs fois failli s'endormir sur sa selle. Voir des hommes s'agiter dans le camp la tira aussitôt de son apathie. Il restait tant de choses à faire…

Chandalen, Prindin, le capitaine Ryan et le lieutenant Hobson parlaient avec un groupe de soldats quand ils aperçurent l'Inquisitrice. Ils vinrent la rejoindre au pas de course, slalomant entre les hommes qui s'affairaient déjà comme des fourmis. Près des chariots, Tossidin, étincelant dans son manteau en peau de loup blanc, donnait une leçon de maniement de la lance à une escouade commandée par le lieutenant Sloan.

Kahlan mit pied à terre devant les quatre hommes et ne put retenir un soupir de lassitude. Autour d'elle, les soldats continuèrent à vaquer à leurs occupations – non sans lui jeter des regards curieux à la dérobée.

Les deux Hommes d'Adobe et leurs compagnons, plus directs, écarquillèrent carrément les yeux.

— Que regardez-vous comme ça ? lâcha Kahlan, agacée.

— Mère Inquisitrice, dit Ryan, vous êtes couverte de sang. Seriez-vous blessée ?

Kahlan baissa les yeux sur son manteau… qui n'avait plus rien de blanc. Se touchant les joues, elle sentit sous ses doigts des traînées de sang coagulé. Ses cheveux aussi en étaient empoissés.

— Aucun problème, dit-elle calmement. Je me porte comme un charme…

Chandalen et Prindin soupirèrent de soulagement.

— Et le sorcier, demanda Hobson, vous l'avez vu ?

— Une bonne partie de ce sang est le sien, lieutenant…

— Combien d'autres hommes as-tu tué ? demanda Chandalen, admiratif.

— Désolée, mais j'étais trop occupée pour compter… Tout compris, ça doit faire une bonne centaine, si on ajoute les incendies. Le sorcier est mort, c'est l'essentiel. Deux de leurs chefs ont également péri. Et deux autres sont salement amochés.

Ryan et Hobson blêmirent de stupeur.

— Je m'étonne que tu nous aies laissé quelques types à tuer, Mère Inquisitrice, dit Chandalen, rayonnant.

Kahlan ne lui retourna pas son sourire.

— Il en reste beaucoup trop… Et c'est Nick qui a fait le plus gros du travail.

— Je vous avais dit qu'il ne vous décevrait pas, Mère Inquisitrice, triompha Hobson.

— Il m'a été plus utile que les esprits du bien… Aujourd'hui, je lui dois la vie.

Sans crier gare, Kahlan s'agenouilla devant les deux officiers galeiens et inclina la tête.

— J'implore votre pardon, dit-elle en leur prenant la main. Même si vous ignorez comment accomplir ce qui doit être fait, vous avez refusé mes ordres au nom de l'intérêt supérieur des Contrées du Milieu. Un très grand courage, vraiment. Et vous aviez raison ! (Elle leur embrassa la main.) Vos intentions étaient nobles et vos cœurs vertueux. Je loue votre sens du devoir et j'espère que vous m'accorderez votre pardon.

— Mère Inquisitrice, souffla Ryan, relevez-vous, par pitié ! Tout le monde nous regarde.

— Pas avant d'avoir reçu votre pardon. Tous doivent savoir que vous avez bien agi.

— Mère Inquisitrice, vous n'aviez pas bien jugé la situation, mais vous pensiez à notre sécurité… (Kahlan attendit, augmentant la confusion du jeune homme.) Très bien, je vous pardonne… Mais ne recommencez pas, d'accord ?

Kahlan se releva, leur lâcha les mains et eut un sourire sans joie.

— À condition que ce soit la dernière fois que vous m'ayez désobéi, capitaine…

— Bien sûr que non… Enfin, je veux dire : bien sûr que oui. Hum… Nous ferons tout ce que vous nous direz, Mère Inquisitrice.

— J'avais compris dès votre première phrase, capitaine… À présent, nous avons du pain sur la planche avant de pouvoir attaquer.

— Nous ? explosa Chandalen. Nous allons leur expliquer deux ou trois choses, puis nous reprendrons le chemin d'Aydindril. Mère Inquisitrice, tu as déjà pris trop de risques. Il faut…

— Je dois vous parler à tous les trois, coupa Kahlan. Fais venir Tossidin. Capitaine, réunissez les hommes, y compris les sentinelles. J'entends m'adresser aussi à eux. Veuillez attendre ici avec vos soldats. Et me préparer une tente. Pendant les préparatifs, quelques heures de sommeil ne me feront pas de mal.

Alors que Prindin allait chercher son frère, l'Inquisitrice gagna un coin tranquille avec Chandalen. Elle prit la parole dès que les deux autres chasseurs les eurent rejoints.

— Le Peuple d'Adobe a des pouvoirs magiques…

— C'est faux ! lâcha Chandalen.

— Tu te trompes… Vous n'en avez pas conscience, parce qu'il en a toujours été ainsi. Et parce que vous ne connaissez pas les autres peuples. Mais vous pouvez communiquer avec les esprits de vos ancêtres. Pour ça, il faut des pouvoirs. La magie n'est pas une force étrange et dangereuse, mais une composante de la vie pour certains êtres et certaines créatures.

— D'autres peuples communiquent avec leurs ancêtres, argua Chandalen.

— C'est vrai, mais ils sont très rares. Pour ceux qui ne le peuvent pas, parler avec les morts passe pour une magie terrifiante. Nous savons que c'est faux, mais nous n'aurions pas une chance de les convaincre. Les gens s'accrochent à ce qu'on leur a enseigné. La plupart ont appris que communiquer avec les morts était maléfique…

— Les esprits de nos ancêtres nous aident, dit Prindin. Et ils ne nous ont jamais nui.

Voyant son trouble, Kahlan lui posa une main sur l'épaule.

— Je sais… C'est pour ça que j'interdis aux grands royaumes de vous empêcher de vivre comme vous l'entendez. Les peuples qui contactent les défunts détiennent le même pouvoir que vous. D'autres personnes, ou créatures, ont des dons différents. Vous me suivez ?

— Oui, Mère Inquisitrice, répondit Tossidin.

— L'important n'est pas que vous pensiez contrôler une magie… mais que d'autres le croient ! Comme ils ont peur du pouvoir, ils vous jugent mauvais…

Kahlan tendit un bras vers les montagnes.

— Les soldats qui campent derrière ces pics luttent pour une cause qu'ils croient juste. Ils veulent régner sur les Contrées du Milieu et imposer une unique façon de vivre.

— Pourquoi voudraient-ils nous diriger ? demanda Prindin. Nous ne sortons jamais de chez nous et nous ne possédons rien qui puisse les intéresser.

— Tu as raison… Mais ils pensent avoir pour mission de tuer ceux qui ont des pouvoirs. Et vous faites partie du lot… (Kahlan se tourna vers Chandalen.) Si on ne les abat pas jusqu'au dernier, à l'instar des Jocopos, ils détruiront votre village, comme ils ont rasé Ebinissia.

Les trois hommes prirent le temps d'assimiler ces propos.

— Tueront-ils aussi les autres peuples qui vivent comme nous ? demanda enfin Chandalen. Ceux qui refusent les étrangers ?

— Ils les massacreront, oui. J'ai parlé à ces soldats, Chandalen. Ils sont fous, comme les Bantaks et les Jocopos. Peut-être ont-ils aussi reçu la visite des esprits du mal. En tout cas, nous ne leur ferons pas entendre raison, car ils pensent que *nous* sommes les suppôts du Gardien. Ils tueront sans pitié, et vous avez vu ce qu'ils ont fait à cette ville…

» Je dois aller en Aydindril lever une armée. Les conseillers s'en occupent sûrement déjà, mais j'entends m'assurer que tous mesurent la gravité de la menace.

» Pour le moment, nos jeunes amis sont la seule force en mesure de s'opposer à ce fléau. Avant que je puisse envoyer de l'aide, d'autres cités seront mises à sac. Et par la terreur, ces bouchers risquent de recruter beaucoup de nouveaux hommes. Sans parler des opportunistes, qui se mettront comme toujours du côté du plus fort…

» En attendant l'arrivée des renforts, ces gamins, qui sont prêts à se battre, peuvent empêcher d'autres pillages et d'autres massacres. Mais ils ont besoin de nos leçons. Mes amis, nous devons livrer la première bataille avec eux, pour leur donner confiance et être sûrs qu'ils sauront continuer. Ensuite, nous poursuivrons notre chemin.

— Tu invoqueras tes éclairs pour nous aider ? demanda Chandalen.

— Hélas, non… J'ai essayé, dans le camp ennemi, mais ça n'a pas marché. Je crois que cette magie fonctionne seulement quand je veux protéger Richard. Ne me demandez pas pourquoi, mais c'est ainsi…

— Alors, comment as-tu tué tous ces hommes ? s'étonna Chandalen.

Kahlan tapota son épaule, là où était fixé le couteau en os.

— En agissant comme ton grand-père l'a appris à ton père, qui te l'a à son tour enseigné. Je n'ai pas joué selon leurs règles… Ces soldats aiment boire et l'alcool ralentit leurs réflexes. Il embrume leurs esprits…

— Ces soldats-là aussi aiment l'alcool, dit Tossidin. Ils ont un chariot plein de tonneaux. Nous leur avons interdit de boire, hier soir, et ils n'étaient pas contents du tout. Ils prétendaient que c'était leur droit.

— Ils croient aussi malin de se jeter en plein jour sur un ennemi dix fois supérieur, dit Kahlan. La preuve qu'ils ont besoin de nos lumières…

— Ils sont têtus comme des mules, grogna Prindin. Et ils n'arrêtent pas de discutailler ! On dirait qu'ils savent tout et qu'ils ne veulent rien changer à leurs habitudes.

— Pourtant, nous devons réussir à les rendre efficaces, dit Kahlan. J'ai besoin de vous pour y arriver, mes amis. Sinon, beaucoup de gens, y compris des Hommes d'Adobe, mourront sous les coups de ces bouchers. Je dois conduire la première bataille !

Chandalen ne broncha pas, muet comme une tombe. Les deux frères réfléchirent un long moment.

— Nous t'aiderons, dit enfin Prindin. Mon frère et moi sommes à ton service.

— Merci, mais tu ne peux pas décider à la place de Chandalen. C'est votre chef…

Prindin et Tossidin regardèrent le chasseur, qui ne quitta pas Kahlan des yeux.

— Très bien, lâcha-t-il enfin, exaspéré. Tu es si têtue, femme, que tu te feras tuer si nous ne sommes pas là pour te mettre un peu de plomb dans la cervelle. Nous irons avec toi massacrer ces bouchers.

— Merci, Chandalen, dit l'Inquisitrice, visiblement soulagée. (Elle se pencha, ramassa une poignée de neige et s'en servit pour se nettoyer le visage.) À présent, je dois aller donner des instructions à ces gamins. (Elle se frotta les mains pour les débarrasser de la neige.) Avez-vous dormi la nuit dernière, mes amis ?

— Un peu, répondit Chandalen.

— Parfait. Après mon petit discours, j'irai me reposer quelques heures. Commencez par leur montrer comment voyager sans chariots. Ils doivent devenir forts, comme vous. Cette nuit, nous commencerons à frapper nos ennemis.

— Cette nuit, répéta Chandalen, les poings serrés et l'air féroce.

Chapitre 40

D ans la lumière grisâtre du matin, Kahlan, debout sur un chariot, se campa devant les soldats qui attendaient son discours. À ses pieds, le capitaine Ryan et ses deux lieutenants observaient calmement leurs hommes.

L'Inquisitrice fut bouleversée par la jeunesse de tous ces visages. Des gamins… Elle allait demander à des gamins de se sacrifier. Mais avait-elle le choix ?

Chère mère, pensa-t-elle, *est-ce pour ça que tu as pris Wyborn ? Pour me préparer à ce que je vais devoir faire ?*

— J'ai peur, dit-elle, d'avoir une seule bonne nouvelle à vous annoncer. Nous commencerons par là, histoire de vous donner du courage pour la suite, qui sera moins agréable.

Kahlan prit une grande inspiration.

— Votre reine n'a pas été tuée à Ebinissia, et les bouchers qui ont rasé la ville ne l'ont pas capturée. Elle devait être absente de la capitale. Ou elle aura réussi à s'enfuir… Quoi qu'il en soit, Cyrilla est vivante !

Les jeunes hommes retinrent leur souffle un instant, comme s'ils redoutaient qu'elle ajoute quelque chose, puis ils laissèrent éclater leur joie.

Kahlan leur accorda le temps de se réjouir. Certains, oubliant leur statut de militaires, s'enlaçaient en dansant. D'autres pleuraient d'allégresse…

Ces garçons adoraient leur reine. Face à tant de vénération, l'Inquisitrice se sentit toute petite, comparée à sa demi-sœur. Et elle n'avait aucune envie de doucher l'enthousiasme de son auditoire…

Comprenant son dilemme, Ryan sauta sur le chariot, à côté d'elle, et réclama le silence.

— Du calme, soldats ! cria-t-il. Vous êtes devant la Mère Inquisitrice, alors cessez de vous comporter comme une bande d'écoliers ! Montrez-lui que vous êtes de vrais hommes !

Les vivats cessèrent. Ryan s'écarta de Kahlan et l'invita à continuer.

— Les habitants d'Ebinissia, reprit-elle, n'ont pas eu autant de chance.

Aussitôt, les sourires s'effacèrent et les yeux des soldats cessèrent de briller.

— Vous aviez tous des parents ou des amis en ville… Moi-même, je connaissais certaines victimes. (La jeune femme baissa un instant le regard.) Hier, je suis allée dans le camp de nos ennemis avec l'espoir de sortir pacifiquement de cette crise. Mais leur but est de conquérir toutes les Contrées – pour commencer – et ils tueront ceux qui résisteront. Comme les habitants d'Ebinissia…

Poings levés, les jeunes soldats hurlèrent qu'ils ne laisseraient pas faire ça.

Kahlan reprenant la parole, ils se turent avec une belle discipline.

— Les bouchers qui ont massacré les vôtres se sont donné le nom d'Ordre Impérial. Ils ne servent aucun royaume et entendent les dominer tous. Nul gouvernement, roi, seigneur ou Conseil n'a d'autorité sur eux. Ils sont la loi, ils incarnent l'ordre, et se croient tout permis. La plupart viennent de D'Hara, mais j'ai vu aussi des Keltiens.

Des murmures furieux coururent dans les rangs. L'Inquisitrice leur laissa libre cours quelques instants.

— Il y avait aussi des soldats d'autres pays. Et des Galeiens !

Cette fois, des voix indignées crièrent que ce n'était pas vrai.

— Je les ai vus de mes propres yeux ! explosa Kahlan. (Le silence revint, tendu comme la corde d'un arc.) Ça me brise le cœur, mais c'est la vérité. Des hommes de toutes les origines se joignent à l'Ordre Impérial, et il y en aura de plus en plus s'ils croient voler au secours de la victoire… et se tailler la part du lion dans le nouveau monde dont rêvent ces fous.

» La cité de Cellion est à quelques jours d'ici. L'Ordre Impérial la soumettra… ou la rasera.

» D'autres villes, des villages et des communautés agricoles subiront le même sort si nous ne faisons rien. J'irai bientôt en Aydindril lever une armée qui combattra au nom des Contrées. Mais cela prendra du temps. Et chaque jour, l'Ordre Impérial grossit comme une rivière en crue. Pour l'heure, personne ne peut l'endiguer. À part vous !

Kahlan marqua une pause, histoire de laisser les hommes assimiler ses propos.

— N'étant pas en mesure de consulter le Conseil, j'ai dû agir comme aucune Mère Inquisitrice ne l'avait fait depuis plus de mille ans. De ma seule autorité, j'ai engagé les Contrées du Milieu dans une guerre. Les forces de l'Ordre Impérial doivent être exterminées, et il n'y aura ni négociations ni compromis. Y compris en cas de reddition de l'adversaire… Au nom des Contrées, j'ai juré que nous ne ferions pas de quartier.

Les jeunes soldats la regardèrent, stupéfaits.

— Que je vive ou meure, ce décret est irrévocable. Tous ceux qui soutiendront l'Ordre Impérial en subiront les conséquences.

» Soldats, ce n'est pas au nom de Galea que je vous exhorte à vous battre, mais des Contrées du Milieu. Car la menace pèse sur tous nos royaumes.

Des hommes crièrent leur certitude de triompher. Ils étaient dans leur droit et se montreraient à la hauteur du défi.

— Vous le pensez vraiment ? leur demanda Kahlan. Regardez-vous les uns les autres, soldats ! (Presque tous les yeux restèrent rivés sur elle.) Obéissez ! Regardez vos camarades !

Désorientés, les jeunes gens tournèrent la tête dans tous les sens, découvrant une multitude de visages souriants, comme si tout ça était un jeu.

— Quelques-uns d'entre vous, reprit l'Inquisitrice, se souviendront à jamais des traits de leurs amis. Gravez-les dans vos mémoires et préparez-vous à les pleurer. Car il n'y aura pas beaucoup de survivants, si vous livrez cette bataille…

Dans le silence de mort, Kahlan entendit le lointain gazouillis d'un écureuil. Qui finit lui aussi par se taire…

Quand elle reprit la parole, tous les sourires s'étaient effacés.

— Nos ennemis sont en majorité des D'Harans. Entraînés depuis leur adolescence, ils ont participé à des guerres civiles et écrasé des révoltes. Une vie entière de combat ! Pour eux, le mot « paix » n'a pas de sens. Depuis le printemps, quand Darken Rahl les a lancés sur les Contrées, ils sont dans leur élément : la guerre ! Et jusque-là, sans connaître la défaite…

» Ils adorent se battre et ont depuis longtemps oublié la peur. Ils organisent entre eux des joutes, souvent mortelles, pour avoir le droit d'être en première ligne et de frapper avant leurs camarades.

Kahlan laissa son regard errer sur les jeunes soldats.

— Vous êtes sûrs de vous, de votre entraînement et de vos tactiques ?

Tous hochèrent la tête.

L'Inquisitrice désigna un sous-officier – sans doute un sergent, à ses galons.

— Alors, votre camarade va répondre à une question… Sur le champ de bataille, alors que vous venez de rattraper l'ennemi, vous commandez les piquiers et les archers. Soudain, des milliers d'hommes attaquent, résolus à vous couper du reste de vos forces. Tous brandissent les lourdes lances aux pointes barbelées qu'ils appellent des argons. Quand on est blessé par une de ces armes, la retirer vous arrache les entrailles. Du coup, presque toutes les blessures sont mortelles. Face à des milliers d'hommes ainsi équipés, quelle sera votre tactique ?

Le jeune homme bomba le torse.

— Disposer les piquiers en rangs serrés pour protéger les archers. Une formation en pointe de flèche devrait être idéale. Boucliers levés et piques brandies, cette ligne devient un mur impénétrable pour les attaquants. Les archers peuvent ainsi les abattre avant qu'ils n'arrivent au contact. Ceux qui y parviennent s'embrochent sur les piques. L'assaut repoussé, le commandement ennemi y réfléchira à deux fois avant d'en lancer un autre.

Kahlan fit mine d'être impressionnée.

— Bel exposé…, dit-elle. (Le sergent rayonna et ses compagnons se rengorgèrent. Ils étaient vraiment de sacrés stratèges !) Quand la frontière s'est écroulée, au printemps dernier, j'ai vu les armées les plus expérimentées des Contrées employer cette méthode face aux hordes de D'Harans.

— Eh bien, dit le sergent, ça prouve que je suis dans le vrai. Ces types se fracasseront contre nos défenses.

L'Inquisitrice se permit un petit sourire.

— L'avant-garde des D'Harans, cette élite qui gagne par le sang le droit d'être en première ligne, a trouvé quelques répliques intéressantes à cette manœuvre. *Primo*, ces soldats portent des rondaches qui les protègent des flèches pendant qu'ils chargent.

Secundo, j'ai oublié un petit détail au sujet des argons. Vous verrez qu'il a son importance. Les hampes de ces armes sont revêtues d'acier sur presque toute leur longueur. Et pendant que vos adversaires chargent, insensible aux tirs des archers, ils lancent leurs argons sur vous.

— Nous avons des boucliers, rappela le sergent. Après avoir gaspillé leurs argons, les D'Harans seront vulnérables.

— L'avant-garde est composée de colosses aux bras deux fois plus gros que les vôtres. Les argons sont très pointus. Propulsés par des muscles aussi puissants, ils se ficheront dans vos boucliers. Et je vous ai dit qu'ils étaient barbelés…

La confiance des Galeiens parut soudain en prendre un coup.

— Récapitulons : vos boucliers hérissés d'argons qui les alourdissent, vous lâchez vos piques et dégainez vos épées pour couper les hampes. Hélas, l'acier est résistant… Comme les D'Harans courent très vite, ils vous fondent dessus, sautent sur les hampes des lances fichées dans vos boucliers, vous font tomber à genoux et finissent le travail avec leurs haches.

» J'ai vu des hommes être fendus en deux, du crâne au nombril, par ces armes.

Les soldats se regardèrent, leur assurance plus qu'ébranlée.

— Ne croyez pas que je parle dans le vide. J'ai vu des D'Harans submerger ainsi une force dix fois supérieure en nombre. Une charge aux argons est presque aussi dévastatrice qu'une attaque de cavalerie – la multitude en plus ! Quant à la cavalerie d'harane… Eh bien, elle est si particulière, qu'il vaut mieux vous épargner une description…

» L'attaque d'Ebinissia a coûté à nos ennemis une bonne moitié de leurs forces. Savez-vous ce qu'ils font, dans leur camp ? Ils chantent et se soûlent ! Avec tant de camarades morts, seriez-vous d'humeur aussi guillerette ? Eux, ils s'en fichent !

» Soldats, vous pensez pouvoir vaincre une armée dix fois plus puissante et j'admets que c'est possible. Mais ce sont les hommes d'en face qui accomplissent de tels exploits. Pas vous ! N'y voyez aucun mépris de ma part, mais vous n'êtes pas leurs égaux. Pour le moment…

» Je ne prétends pas que vous perdrez, au contraire. Mais pour vaincre, il faudra changer les règles du jeu. Après vous avoir exposé mon plan, je conduirai le premier assaut. L'Ordre Impérial n'est pas invincible et nous allons le prouver.

» Encore un détail, mes amis… À partir d'aujourd'hui, je ne vous traiterai plus de gamins. Car vous êtes désormais des hommes ! Ceux qui sauveront les Contrées !

Un peu refroidis par ce qu'ils venaient d'entendre, les soldats crièrent néanmoins qu'ils se battraient jusqu'au bout. Mais à la droite de Kahlan, certains ne semblaient pas convaincus, et ils se disputaient avec ceux qui voulaient les empêcher de s'exprimer.

— Si vous choisissez de combattre, ajouta Kahlan, il faudra obéir aveuglément. Aujourd'hui, vous avez la permission de parler librement, sans risquer de sanction. Alors, si vous avez quelque chose à dire, c'est le moment ou jamais.

Un homme libéra son bras de l'étreinte d'un autre et cria :

— Nous sommes des guerriers ! Pas question d'obéir à une femme !

— Pourtant, vous suiviez la reine Cyrilla.

— Nous nous battions pour elle, c'est vrai. Mais elle ne venait pas pérorer sur les champs de bataille. C'est un travail d'homme.

— Quel est ton nom, soldat ?

— Je m'appelle William Mosle, et j'ai été formé par le prince Harold en personne.

— Moi, j'ai tout appris du père du prince, le roi Wyborn. C'était mon père. Oui, je suis la demi-sœur d'Harold et de Cyrilla !

Sans quitter Mosle des yeux, Kahlan fit taire les murmures de surprise.

— Mais ça n'a rien à voir avec la hiérarchie… Alors, écoutez bien ! Vous obéissez à vos officiers, qui prennent leurs ordres de la reine. Elle-même en répond devant le Conseil, que je dirige ! Si mon nom est Amnell, comme celui de Cyrilla, l'important est mon titre ! Quand la Mère Inquisitrice vous dit d'entrer dans un lac et de marcher, vous devez le faire, tant pis si vous respirez de l'eau et voyez des poissons ! Me suis-je bien fait comprendre, soldats ?

Quelques hommes poussèrent Mosle du coude, l'incitant à ne pas renoncer.

— Ça signifie que vous avez le pouvoir, dit-il. Pas que vous êtes compétente.

Kahlan soupira et écarta de son front une mèche empoissée de sang.

— Il serait trop long, aujourd'hui, de vous parler de ma formation, des victoires que j'ai remportées contre toute attente et des hommes qu'il m'a fallu tuer pour ça. Mais sachez qu'hier, je suis allée dans le camp ennemi pour vous sauver la vie. Un sorcier accompagnait les troupes de l'Ordre Impérial. Si vous aviez attaqué, sûrs de votre supériorité stratégique, cet homme vous aurait vu venir de loin… et sa magie aurait fait un massacre.

Mosle ne parut pas ébranlé. Certains de ses camarades, en revanche, se rembrunirent. Affronter l'acier était une chose. Mais la magie…

— La Mère Inquisitrice a tué le sorcier, annonça Ryan en faisant un pas en avant. (Des soupirs de soulagement montèrent des rangs.) Sans elle, nous aurions couru au désastre. Sachez que j'ai décidé de suivre aveuglément ceux que j'ai juré de servir : mon pays, ma reine, les Contrées du Milieu et la Mère Inquisitrice. Nous repousserons l'Ordre Impérial… sous les ordres de la Mère Inquisitrice !

— Je suis un soldat de l'armée de Galea ! rugit Mosle, de plus en plus hostile. Pas de je ne sais quel corps uni des Contrées ! Pourquoi donnerais-je mon sang pour un pays comme Kelton ? (Quelques soldats manifestèrent bruyamment leur approbation.) Ces bouchers se dirigent vers la frontière. Cellion est à cheval sur deux royaumes et la plupart de ses citoyens sont des Keltiens. Que nous importe leur sort ?

Des disputes éclatèrent un peu partout dans les rangs.

— Mosle, tu es une honte pour… commença Ryan, rouge de colère.

— Non, coupa Kahlan. Ce soldat parle librement, comme je le lui ai permis. Vous devez tous comprendre que je ne vous ordonne rien. Je vous *demande* de lutter pour les Contrées du Milieu. Des milliers de Galeiens sont déjà tombés face à l'Ordre Impérial. Je ne vous forcerai pas à mourir pour une cause que vous n'épousez pas. Car je le répète, il n'y aura pas beaucoup de survivants… C'est à vous de décider, soldats ! Ceux qui ne veulent pas se battre devront partir, car ils ne seront d'aucune utilité à leurs camarades. Et je ne veux pas, à nos côtés, d'hommes qui ne croient pas à ce qu'ils font. Ceux qui resteront, en revanche, devront m'obéir sans discuter.

La voix de l'Inquisitrice se fit plus glaciale que la bise.

— Dans les Contrées, personne n'a de grade supérieur au mien. En cas d'insubordination, la sanction sera impitoyable. L'enjeu est trop élevé pour que je tolère les trublions.

Elle leva un index et le pointa vers les soldats.

— C'est le moment de choisir. Et n'oubliez pas : dans tous les cas, il ne sera pas question de revenir en arrière.

Kahlan glissa les mains sous son manteau et attendit que les soldats aient fini de débattre. Des insultes et des cris fusèrent. Quelques hommes se massèrent autour de Mosle, les autres s'en écartant comme s'il avait la peste.

— Moi, cria-t-il, je m'en vais ! Pas question d'obéir à une femme, même celle-là ! Qui vient avec moi ?

La soixantaine d'hommes qui l'entouraient levèrent un bras.

— Alors, allez-vous-en vite, dit Kahlan, avant d'être pris dans une bataille qui ne vous concerne plus.

— Nous ficherons le camp dès que nous aurons fait nos paquetages, dit Mosle, indifférent au regard méprisant de l'Inquisitrice. Vous ne nous jetterez pas dehors comme des malpropres !

Certains soldats loyaux avancèrent, l'air menaçant.

— Laissez-les partir ! ordonna Kahlan. Qu'ils prennent leurs affaires et s'en aillent !

Mosle et ses partisans se détournèrent. Tandis qu'ils s'éloignaient, l'Inquisitrice les compta. Soixante-sept... Soixante-sept défections...

— Il y a d'autres candidats au départ ? (Personne ne broncha.) Alors, dois-je comprendre que vous vous battrez ? (Des cris enthousiastes retentirent.) Qu'il en soit ainsi... J'aurais préféré ne pas vous demander ça, hélas, il n'y a personne d'autre... Je pleure déjà ceux qui tomberont. Mais sachez que personne, dans les Contrées, n'oubliera jamais votre sacrifice.

Du coin de l'œil, Kahlan regarda les soixante-sept soldats marcher entre les chariots et récupérer des vivres au passage.

— À présent, passons à notre exposé tactique... Vous devez comprendre, soldats, qu'aucune glorieuse bataille ne nous attend. Si vous rêviez de superbes mouvements de troupes, oubliez ça ! Nous n'affronterons pas l'Ordre Impérial face à face. Le but est de tuer de toutes les autres façons possibles.

— Mère Inquisitrice, dit timidement un homme, le code d'honneur d'un soldat ne lui impose-t-il pas de combattre loyalement ses adversaires ?

— Dans une guerre, la loyauté ne compte pas. Le véritable honneur, c'est de vivre en paix. Dans un conflit, on tue avant d'être tué.

» Pour votre survie, il faut vous mettre cette idée en tête : prendre une vie n'a rien de noble, quelle que soit la méthode. Un mort reste toujours un mort. Au combat, on tue pour protéger ceux qu'on aime. Un duel loyal et héroïque ne les défend pas mieux qu'un poignard planté dans le cœur d'un ennemi endormi. Mais la deuxième solution est moins dangereuse...

» Si cette vision des choses vous perturbe, pensez à l'« honneur » dont ont fait montre les soudards de l'Ordre Impérial. Rappelez-vous qu'ils ont violé vos mères et vos sœurs. Et demandez-vous ce qu'elles auraient pensé, en agonisant, de votre sens de la loyauté...

Kahlan vit les hommes frissonner à ces évocations. Obsédée par les visages des jeunes suppliciées, elle eut du mal à ne pas insister sur le sujet.

— Si l'ennemi vous tourne le dos, félicitez-vous-en, car il ne pourra pas vous frapper. Et si vous le voyez au bout d'une flèche, à bonne distance, ce sera encore mieux, puisque vous serez hors de portée de son argon. Et s'il est en train de manger, tant mieux : il ne pourra pas donner l'alarme avec la bouche pleine. Quant au sommeil, peut-on rêver moment plus propice pour égorger quelqu'un ?

» Hier, mon cheval a fracassé le crâne d'un officier d'haran. Ça n'avait rien de glorieux, mais ainsi, je sais qu'il ne donnera pas un ordre qui entraînera la mort de certains d'entre vous. Et cette idée emplit mon cœur de joie.

» Nous allons combattre pour sauver les hommes et les femmes des Contrées – ceux qui vivent et ceux qui restent à naître. Vous étiez à Ebinissia, soldats ! N'oubliez jamais les visages des morts ! Souvenez-vous de leurs souffrances ! Pensez aux hommes qui furent capturés et décapités !

» Pour que ça ne se reproduise pas, nous devons abattre ces bouchers ! Ce n'est pas une affaire de gloire, mais de survie !

Au dernier rang, deux soldats firent des gestes obscènes à leurs camarades avant d'aller rejoindre le groupe de Mosle. Soixante-neuf… Mais personne d'autre ne les suivit.

Le moment était venu… Kahlan avait chassé de l'esprit des soldats leurs brumeux rêves de gloire, leur montrant la vérité toute nue. La plupart, désormais, mesuraient les enjeux des batailles à venir. Et ils comprenaient mieux le rôle qu'ils auraient à jouer dans ce conflit.

Oui, le moment était venu de poser sur leurs épaules un terrible fardeau, et de les transformer en machines à tuer, afin d'écarter à tout jamais la menace.

Kahlan écarta les bras.

— Je suis morte ! cria-t-elle au ciel plombé. (Stupéfaits, les soldats tendirent l'oreille.) Ce qui est arrivé aux miens – mes pères, mes mères, mes frères et mes sœurs – m'a vidée de mon sang. Mon cœur est mortellement blessé par l'horreur de leur destin.

Sa voix vibra soudain de rage.

— Seules la victoire et la vengeance me rendront la vie ! Soldats, je suis la Mère Inquisitrice, mais aussi vos mères, vos sœurs et les filles que vous n'avez pas encore ! Je vous demande de mourir avec moi et de me venger pour que nous revenions tous ensemble à la vie !

» Ceux qui marcheront à mes côtés sont morts avec moi. Et tant que nos ennemis vivront, nous le resterons ! Qu'avons-nous à redouter, puisque nous avons déjà perdu la vie ? Soyons des spectres, soldats, jusqu'à ce que le dernier des bourreaux d'Ebinissia gise dans la poussière !

Elle regarda les jeunes soldats suspendus à ses lèvres, dégaina son couteau et posa la lame sur son cœur.

— Prêtons serment, compagnons, sur la mémoire des habitants d'Ebinissia, désormais en compagnie des esprits, et sur la vie de tous les habitants des Contrées !

Presque tous les hommes dégainèrent leurs lames et se la plaquèrent sur le cœur. Sauf sept, qui allèrent rejoindre Mosle en crachant des imprécations.

Soixante-seize…

— Nous nous vengerons sans pitié pour que nos vies nous soient rendues ! cria Kahlan.

— Nous nous vengerons sans pitié pour que nos vies nous soient rendues ! répétèrent les soldats.

William Mosle jeta un regard haineux à l'Inquisitrice avant de suivre ses compagnons, déjà en route vers le col.

— Nous sommes liés par ce serment, désormais, déclara Kahlan. Ce soir, nous commencerons à harceler l'Ordre Impérial. Pas de quartier, soldats ! Et pas de prisonniers non plus !

Cette fois il n'y eut pas de vivats. Concentrés, les hommes attendirent la suite.

— Vous ne voyagerez plus comme avant, avec des chariots pour transporter les vivres et l'équipement. Il faudra vous charger uniquement de ce que vous pouvez porter. Notre mobilité doit être maximale, afin de désorienter nos adversaires. Je veux pouvoir fondre sur eux à tout moment – et de toutes les directions. Nous sommes des loups en chasse, soldats. Comme une meute organisée, nous influencerons les déplacements de nos proies.

» Originaires de ce pays, vous connaissez les forêts et les montagnes environnantes. Je parie que vous les arpentez depuis votre enfance, et nous tirerons parti de cet atout. L'ennemi se déplace en terre étrangère. Il s'en tiendra aux grands cols, adaptés aux chariots et aux longues colonnes de fantassins. N'étant plus encombrés de véhicules, nous passerons partout, exactement comme des loups.

» Triez le contenu des chariots, et ajoutez à vos paquetages ce que vous pourrez transporter. Abandonnez les armures complètes. Elles sont trop lourdes et ne correspondront pas à notre façon de combattre. Prenez les protections qui ne vous gêneront pas pendant une marche forcée. Et emportez autant de vivres que possible.

» J'interdis toutes les boissons alcoolisées, y compris la bière. Quand Ebinissia sera vengée, vous pourrez vous soûler à mort. Jusque-là, c'est interdit. Chaque homme devra être lucide à tout moment de la journée. Avant d'en avoir fini avec l'Ordre Impérial, nous n'aurons pas le droit de nous détendre.

» Les vivres surnuméraires devront être transférés dans quelques-uns des plus petits chariots. Il me faudra des volontaires pour les livrer à l'ennemi.

Les soldats murmurèrent de surprise.

— Devant nous, la route fait une fourche. Quand l'ennemi aura passé cette bifurcation et pris le chemin de Cellion, ces chariots emprunteront l'autre voie, puis des pistes plus étroites, pour contourner et devancer nos adversaires. Revenus près de la route principale, les volontaires attendront avec les chariots l'arrivée de l'avant-garde de l'Ordre Impérial. Là, ils lui couperont le chemin, pour être vus. Une fois la poursuite lancée, nos hommes abandonneront les véhicules chargés de nourriture… et de boisson.

» L'Ordre Impérial m'a semblé à court d'alcool. Ce soir, ces soudards célébreront leur bonne fortune. J'espère qu'ils seront soûls quand nous les attaquerons…

Les Galeiens apprécièrent à sa juste valeur la tactique de Kahlan.

— Gardez cette image à l'esprit, soldats : nous sommes une meute de loups qui tente d'abattre un taureau. N'étant pas assez forts pour le foudroyer d'un coup, nous allons le fatiguer, le faire basculer sur le flanc, et lui porter le coup de grâce. Il n'y aura pas d'assaut massif. Nous le harcèlerons, petite morsure par petite morsure, pour l'affaiblir peu à peu. Jusqu'à ce que l'avantage ait changé de camp…

» Cette nuit, nous nous infiltrerons dans leur camp pour une attaque éclair. Ce sera une action organisée, pas un raid de sauvages. Nous aurons une liste d'objectifs conçus pour miner la résistance du taureau. Souvenez-vous que je l'ai déjà à demi aveuglé en tuant le sorcier.

» Les sentinelles tomberont d'abord. Vêtus de leurs uniformes, nos éclaireurs s'introduiront dans le camp pour repérer nos cibles. La priorité est de réduire leurs possibilités de contre-attaques. Cela passe par l'affaiblissement de la cavalerie. Soldats, nous devrons nous en prendre à leurs chevaux. Ne perdez pas de temps à les tuer : leur briser les pattes sera suffisant. Il faudra aussi détruire les vivres. Nous sommes assez peu nombreux pour nous approvisionner en chassant et en achetant leur surplus aux fermes environnantes. Pour l'Ordre Impérial, c'est une autre affaire. Privés de leurs réserves, ces bouchers auront de gros problèmes.

» Il faudra tuer tous les spécialistes susceptibles de fabriquer ou d'entretenir leur armement. Des forgerons aux types qui fabriquent les flèches… Ils doivent avoir des réserves de plumes d'oie, pour les empennages. Nous devrons les voler ou les faire brûler. Comme les réserves de cordes pour les arcs. Si vous les dénichez, détruisez leurs clairons et tuez ceux qui en jouent. Ça compliquera leurs communications.

» Les lances, les piques et les argons seront rangés ensemble, comme dans tous les camps du monde. Quelques coups d'épée ou de hache en mettront un grand nombre hors d'état de servir. Pour les argons, des haches très lourdes, voire des marteaux, plieront assez les hampes pour les rendre inutilisables. Chaque arme brisée est une de moins qui nous passera à travers le corps. Brûlez leurs tentes, pour qu'ils aient froid la nuit. Et leurs chariots, surtout ceux qui transportent de l'équipement.

» Les officiers sont essentiels. Si on me donne le choix, ce soir, je préférerai abattre un gradé que mille soldats. Sans commandants, mal équipé et ralenti, notre taureau tombera plus facilement sur le flanc.

» Si l'un de vous pense à une autre technique de sabotage, qu'il en parle au capitaine Ryan. Ce soir, le but n'est pas de tuer des soldats, mais de priver la bête de ses ressources, et de saper sa confiance. Sans oublier la peur ! Ils n'y sont pas habitués et elle leur fera commettre des erreurs. Grâce à ça, il sera plus facile de les tuer. J'entends les terrifier, et je vous dirai plus tard comment procéder…

» Il vous reste quelques heures pour tout préparer. Ensuite, nous partirons. Envoyez des éclaireurs, histoire de savoir à tout moment où sont nos ennemis. Je veux des rapports réguliers, afin d'éviter les surprises. Ouvrez grand les yeux et signalez tout ce qui sort de l'ordinaire. Si un lièvre saute plus haut que la normale, informez-m'en. Nous tentons de les tromper. Ils peuvent nous rendre la monnaie de notre pièce. Alors, ne tenez rien pour acquis.

» Puissent les esprits du bien vous accompagner. À présent, au travail !

Les hommes se dispersèrent en échangeant des cris et de grands gestes. Un des lieutenants lança des ordres à ceux qui l'entouraient.

— Lieutenant Sloan, dit Kahlan pendant qu'il regardait ces soldats s'activer, placez au plus vite les sentinelles et les guetteurs. Que tous vos gars qui savent faire de la peinture blanche ou du blanc de chaux réunissent la matière première nécessaire. Nous aurons besoin de grandes cuves. Je veux aussi qu'on fasse chauffer des pierres, pour l'intérieur des tentes.

— Bien, Mère Inquisitrice, répondit l'officier sans s'étonner de ces ordres étranges.

— Faites préparez les chariots de vivres et de boissons, mais attendez mon ordre pour les laisser partir.

Sloan se frappa le cœur du poing et partit sur-le-champ.

Les jambes de Kahlan menaçaient de se dérober sous elle. Épuisée, elle avait mal partout et parvenait à peine à garder les yeux ouverts.

Nerveusement, c'était encore pire. En quelques heures, elle avait engagé les Contrées dans une guerre et exhorté cinq mille hommes à sacrifier leur vie. Malgré la tiédeur inhabituelle de l'air, elle frissonnait dans son manteau.

Ryan approcha d'elle sous le regard attentif des Hommes d'Adobe, debout près du chariot.

— J'aime votre plan, dit-il.

Il sauta à terre et tendit une main à Kahlan. Elle l'ignora, sauta à son tour, et, un vrai coup de chance, parvint à rester sur ses jambes. Avec ce qu'elle s'apprêtait à faire, accepter l'aide de l'officier était hors de question.

— À présent, capitaine, je vais vous donner un ordre que vous détesterez. Envoyez des hommes à la poursuite du groupe de Mosle. Assez nombreux pour faire proprement le travail.

— Le travail ?

— Tuer ces types jusqu'au dernier ! Expédiez un détachement qui prétendra vouloir se joindre à eux, pour qu'ils ne fuient pas en le voyant. Des cavaliers les suivront, hors de vue, au cas où certains réussissent à fuir. Quand le piège sera refermé, abattez-les. Ils sont soixante-seize. Comptez les corps pour être sûr qu'il n'y a pas de survivants. Si un seul s'échappait, je serais très mécontente.

— Mère Inquisitrice…

— Ça me déplaît profondément, croyez-moi. Mais les ordres sont les ordres. (Kahlan se tourna vers les Hommes d'Adobe.) Prindin, accompagne le détachement. Et assure-toi que le travail est bien fait.

Le chasseur hocha la tête, conscient que cette décision, aussi déplaisante fût-elle, était la bonne.

— Mère Inquisitrice, dit Ryan, bouleversé, je connais ces hommes depuis longtemps… Vous leur avez permis de partir. Nous ne pouvons pas…

Kahlan lui posa une main sur le bras. Il blêmit face à cette menace implicite.

— Je fais ce qu'il faut pour notre sécurité. Et vous avez juré de m'obéir. (Elle baissa le ton.) Ne m'obligez pas à faire soixante-dix-sept victimes…

Ryan hocha la tête et elle retira sa main.

— Si j'avais su qu'on commencerait par massacrer nos propres hommes…

— Vous vous trompez. Ce sont des ennemis.

Ryan désigna le col.

— Ils sont partis dans la direction opposée ! Ces braves gars ne se joindront pas à l'Ordre Impérial.

— Vous croyez qu'ils l'auraient fait sous vos yeux ? Un petit détour, capitaine, et ils rallieront les bouchers !

Kahlan partit vers la tente qu'on lui avait préparée.

Ryan la suivit, refusant d'en démordre. Prudents, les trois Hommes d'Adobe lui emboîtèrent le pas.

— Si vous étiez si soucieuse, pourquoi les avoir laissés partir ? Sans votre intervention, mes hommes les auraient tués.

— Je voulais que tous ceux qui désiraient nous lâcher puissent partir sans craindre de représailles.

— Comment jurer que tous les « traîtres » s'en sont allés ? Il peut rester parmi nous des espions et des assassins.

— C'est vrai. Mais pour le moment, je n'en ai aucune preuve. Si la situation change, je prendrai les mesures qui s'imposent. (Kahlan s'arrêta devant la tente.) Si vous pensez que je me trompe au sujet des « traîtres », sachez que je suis sûre de mon fait. Mais si c'était le cas, c'est un prix que nous devons payer. Si nous les épargnons, et qu'un seul trahisse, nous tomberons dans un piège ce soir. Nous morts, qui s'opposera à l'Ordre Impérial avant très longtemps ? Combien d'innocents périront, capitaine ? Si j'ai tort, soixante-seize mourront. Si j'ai raison, j'aurai sauvé une multitude de braves gens. À présent, exécutez vos ordres.

— Vous n'espérez pas que je vous pardonne un jour cette infamie ? lâcha Ryan, tremblant de rage.

— Non. J'entends que vous m'obéissiez, c'est tout. Détestez-moi si ça vous chante, capitaine. Tant que vous vivez, ça m'est égal.

L'homme serra les dents, muet de colère.

— Capitaine, dit Kahlan en saisissant le rabat de la tente, je suis épuisée. Il me faut un peu de sommeil. Qu'on poste un garde devant ma tente pendant que je me repose.

— Comment savez-vous que ce ne sera pas un traître qui vous égorgera au milieu de votre somme ?

— C'est possible… Mais si ça arrive, un de ces trois chasseurs me vengera…

Ryan tourna la tête vers les Hommes d'Adobe. Dans sa fureur, il avait oublié leur présence.

— Avant de châtier le coupable, dit Chandalen, je lui ferai tenir les yeux ouverts avec des petits bâtons, pour qu'il voie ce que je lui inflige.

Le lieutenant Hobson arriva au pas de course, une assiette dans les mains.

— Mère Inquisitrice, j'ai pensé que vous auriez faim. C'est du ragoût…

Kahlan se força à sourire.

— Désolée, lieutenant, mais je suis trop fatiguée pour manger. Pouvez-vous le garder au chaud jusqu'à mon réveil ?

— Bien sûr, Mère Inquisitrice !

— J'ai une mission pour vous, lieutenant, grogna Ryan au jeune homme souriant.

— Qu'on me réveille dans deux heures, dit Kahlan. En attendant, vous aurez tous de quoi vous occuper.

Elle entra dans la tente et s'écroula sur le lit de camp. Une couverture posée sur les jambes, elle tira sur son manteau pour se cacher les yeux.

Dans ce minuscule îlot d'obscurité, elle commença à trembler comme une feuille. Elle aurait donné sa vie pour que Richard la serre dans ses bras cinq minutes…

Chapitre 41

Kahlan embrassait Richard, le serrant très fort dans ses bras. L'esprit plein de joie et de paix, elle sursauta quand des cris retentirent. Richard disparut, lui laissant le cœur et les bras vides…

Elle s'assit, repoussa la couverture, paniquée, et se demanda où elle était. Puis elle se souvint et faillit vomir.

Un bain chaud… Depuis combien de temps n'en avait-elle pas pris ? Son pouvoir contre un bain chaud !

Elle se frottait les yeux au moment où le capitaine Ryan passa la tête à l'intérieur de la tente.

— Combien de temps ai-je dormi ?

— Très exactement deux heures… Quelqu'un vous attend dehors.

Devant la tente, l'Inquisitrice vit un groupe d'hommes. Mosle était au milieu, bâillonné et ligoté. Près de lui, le lieutenant Hobson tirait une mine d'enterrement.

Kahlan foudroya Ryan du regard.

— Mère Inquisitrice, lâcha-t-il, j'ai pensé que vous aimeriez l'exécuter vous-même, puisqu'il vous a manqué de respect.

Il tendit son couteau à Kahlan. Elle ne le prit pas, mais s'adressa aux deux hommes qui soutenaient le prisonnier.

— Lâchez-le et écartez-vous !

La jeune femme aurait juré qu'elle rêvait, toujours couchée sous la tente. Mais ça n'était pas le cas. Et elle n'avait aucun choix.

Quand les deux hommes lâchèrent Mosle, il tenta de s'enfuir, mais l'Inquisitrice le prit par le bras.

Encore endormie, elle n'hésita pourtant pas un instant. Cet homme allait lui appartenir. À la guerre, on ne faisait pas de détail.

L'air vibra… Un coup de tonnerre silencieux… Une fraction de seconde et William Mosle venait de tout perdre…

Il se jeta à genoux devant Kahlan, les yeux ronds de panique. À cause du bâillon, il ne pouvait pas supplier sa maîtresse de lui donner un ordre ! Le voyant terrifié à l'idée de lui déplaire, Kahlan défit le morceau de tissu noué sur sa bouche.

— Maîtresse, gémit-il, ordonne-moi ce que tu veux ! Mon seul désir est de te plaire.

Sous des centaines de regards stupéfaits, Kahlan adopta son masque d'Inquisitrice et regarda Mosle.

— Je serais très contente, William, si tu me disais ce que tu avais prévu de faire après avoir quitté le camp.

L'homme rayonna de joie, des larmes ruisselant sur ses joues. N'étaient ses poignets entravés, il se serait accroché aux jambes de l'Inquisitrice pour la remercier de sa question.

— Maîtresse, permets-moi de te le dire.

— Je t'écoute, William.

— Je voulais aller dans le camp de l'Ordre Impérial et me joindre à cette armée. Tous mes hommes m'auraient suivi, tu sais… (Il sourit comme un enfant stupide.) Après, j'aurais parlé à mes nouveaux chefs des forces du capitaine Ryan, et de vos plans d'attaque. Ça m'aurait sûrement valu des galons de sous-officier, tu ne crois pas ? Maîtresse, je pensais que l'Ordre Impérial avait de meilleures chances de l'emporter. Comme j'ai toujours cherché à être du côté du plus fort, je… (Il éclata en sanglots.) Maîtresse, j'ai tellement honte d'avoir voulu qu'il t'arrive malheur. Je souhaitais qu'ils te tuent ! Maintenant, je voudrais que tu me pardonnes ! Oh oui, c'est mon plus cher désir ! Dis-moi ce que je dois faire, je t'en supplie…

— Je désire que tu meures, souffla Kahlan. Devant moi, à la minute même…

William Mosle s'écroula aux pieds de sa maîtresse. Après quelques convulsions terribles, il rendit son dernier soupir.

Kahlan regarda Ryan, qui avait les yeux écarquillés, puis Prindin, debout près du lieutenant Hobson, totalement décomposé.

Chandalen aussi dévisageait son chasseur.

— *Prindin, tu devais t'assurer qu'il n'y aurait pas de survivant. Pourquoi m'as-tu désobéi ?*

Comme l'Inquisitrice, l'Homme d'Adobe parla dans sa langue.

— *Ils étaient décidés à ramener cet homme. Le capitaine le leur avait ordonné. Mais je l'ignorais en partant, sinon, je te l'aurais dit. Il y avait deux cents fantassins et cent cavaliers. Je n'aurais pas pu faire grand-chose, à part tuer l'homme moi-même. Quand j'ai compris que ça m'aurait coûté la vie, j'ai renoncé, parce que ça m'aurait empêché de continuer à te protéger. En plus, je savais que tu avais raison, et une bonne leçon ne pouvait pas nuire à ces blancs-becs !*

— *Un des hommes de Mosle s'est-il échappé ?*

— *Non. L'efficacité de nos soldats m'a étonné. Ils ont bien agi. Ils pleuraient en tuant les autres, mais ils n'ont pas fait de quartier.*

— *Je vois…,* souffla Kahlan. *Prindin, tu as pris la bonne décision.* (Elle jeta un coup d'œil à Chandalen.) *Et ton chef sera content aussi.*

Ce n'était pas un pronostic, mais un ordre.

Prindin eut un petit sourire soulagé.

— Vous êtes satisfait, capitaine ? demanda Kahlan à Ryan.

— Oui, Mère Inquisitrice…, murmura l'officier.

La jeune femme se tourna vers les autres hommes.

— Et vous ?

— Oui, Mère Inquisitrice ! répondirent-ils en chœur.

Si quelques-uns de ces garçons n'avaient pas peur d'elle, avant cet instant, ils venaient de changer d'idée. Un craquement de brindilles, aurait-on juré, et ils auraient détalé, plus effrayés que des lapins. C'était la première fois qu'ils voyaient la magie à l'œuvre et ça n'avait rien eu de ragoûtant…

— Mère Inquisitrice, demanda timidement Ryan, serrant toujours le couteau qu'il avait tendu à Kahlan, qu'allez-vous me faire pour avoir désobéi à vos ordres ?

— Rien… C'est votre première journée d'homme engagé dans le combat contre l'Ordre Impérial. La plupart d'entre vous doutent de la valeur de mes ordres. Vous allez recevoir votre baptême de la guerre, et vous n'avez pas fini d'apprendre. Retenez cette leçon. Nous en resterons là…

— Merci, Mère Inquisitrice. (La main tremblante, Ryan rengaina son couteau.) Vous savez, j'ai grandi avec lui… (Il désigna le cadavre de Mosle.) Nous vivions à une demi-lieue l'un de l'autre, sur la même route. On allait tout le temps pêcher et chasser ensemble. Et pour les corvées, on se donnait un coup de main. Les jours de fête, on mettait nos beaux manteaux, de la même couleur, et…

— Je suis navrée, Bradley… Rien n'apaise la douleur du deuil, ou de la trahison, à part le temps. La guerre est horrible, je vous l'ai déjà dit. Sans les bouchers de l'Ordre Impérial, peut-être seriez-vous allé pêcher aujourd'hui avec votre ami. Accusez vos ennemis et vengez Mosle en même temps que les autres.

Ryan hocha lentement la tête.

— Mère Inquisitrice, qu'auriez-vous fait si Mosle avait dit qu'il ne comptait pas rallier nos ennemis ?

— J'aurais pris le couteau que vous me tendiez, et je vous l'aurais enfoncé dans le corps.

Sur ces mots, Kahlan se détourna et posa une main sur l'épaule du lieutenant Hobson.

— Lieutenant, je sais que votre mission était difficile. Prindin m'a dit que vous l'avez accomplie courageusement. Et efficacement…

L'officier, au bord des larmes, parvint pourtant à bomber le torse de fierté. Kahlan remarqua qu'il n'avait pas encore de poils au menton.

— Merci, Mère Inquisitrice.

Kahlan balaya soudain du regard les centaines de curieux massés autour d'eux.

— Vous n'avez rien à faire, soldats ?

Hobson salua l'Inquisitrice et tourna les talons. Les hommes qui l'avaient ramené prirent le cadavre de Mosle et l'emportèrent. D'autres allèrent demander des instructions à Chandalen et aux deux frères. Ryan resta près de Kahlan, observant le camp en train de revenir à la normale.

L'Inquisitrice était au bord de la syncope. Utiliser son pouvoir quand elle était en pleine forme la vidait déjà de ses forces. Alors, dans son état actuel… Par quel miracle tenait-elle encore debout ?

Son raid dans le camp ennemi, deux ridicules heures de sommeil, et un réveil pareil… Dire qu'elle avait épuisé le peu d'énergie qui lui restait pour une affaire dont elle n'aurait pas dû, normalement, se mêler.

Était-ce le froid ? Les difficultés du voyage ? En tout cas, elle se sentait plus fatiguée que d'habitude, ces derniers jours.

Une bonne tasse de thé, voilà qui la requinquerait. Elle allait demander à Prindin…

— Puis-je vous parler un moment, Mère Inquisitrice ? souffla Ryan.

— Eh bien, oui… Qu'y a-t-il ?

— Je suis désolé, Mère Inquisitrice. J'ai eu tort…

— Oublions ça, Bradley. Mosle était votre ami. On a toujours du mal à penser qu'ils peuvent nous trahir. Je vous comprends très bien…

— Il ne s'agit pas exactement de ça… Mon père disait toujours qu'un homme doit admettre ses erreurs, sinon il ne devient jamais meilleur. (Il osa enfin regarder Kahlan dans les yeux.) Ma véritable erreur, c'est d'avoir cru que vous vouliez la peau de William parce qu'il refusait de vous suivre. Mais le dépit n'avait rien à voir là-dedans. Vous tentiez de nous protéger, même en sachant que nous vous haïrions. Eh bien, je ne vous déteste pas. Et j'espère que vous ne m'en voulez pas trop. Vous accompagner au combat sera un honneur. Et je souhaite, un jour, avoir la moitié de votre sagesse… et de votre courage.

— Je suis à peine plus vieille que vous, soupira Kahlan, et votre tirade me donne l'impression d'être une ancêtre. Je suis soulagée que vous m'ayez comprise. Une petite joie au milieu de tant de chagrin… Bradley, vous êtes un bon officier et vous deviendrez meilleur chaque jour.

— Je suis content que nous soyons de nouveau en bons termes…

À cet instant, un homme approcha timidement. Ryan lui fit signe d'avancer.

— Qu'y a-t-il, sergent Frost ?

L'homme salua avant de parler.

— Dans une ferme abandonnée, des hommes ont trouvé de quoi faire du blanc de chaux. Nous avons aussi des cuves, pour le mélange. Assez grosses pour qu'on se baigne dedans !

— Combien de cuves, sergent ? demanda Kahlan.

— Une dizaine, Mère Inquisitrice.

— Placez-les côte à côte et montez une tente au-dessus de chacune. Ne lésinez pas sur la taille, même si vous devez utiliser les pavillons de commandement. Fabriquez le blanc de chaux avec de l'eau bouillante et mettez les pierres chaudes sous les tentes. Enfin, prévenez-moi quand vous aurez fini.

Ravalant ses questions, le sergent partit au pas de course.

— Pourquoi voulez-vous du blanc de chaux ? s'étonna Ryan.

— Nous venons de nous réconcilier, lieutenant. Ne gâchons pas ça trop vite. Je vous le dirai quand les préparatifs seront terminés. Les chariots sont prêts ?

— Je suppose.

— Alors, je vais aller voir… Avez-vous placé des sentinelles et des guetteurs ?

— Dès que vous l'avez ordonné.

Alors qu'elle traversait le camp, des hommes vinrent sans cesse proposer des idées de sabotage à l'Inquisitrice. Beaucoup étaient excellentes : détruire les roues des chariots, brûler les étendards pour compliquer les ralliements, jeter du fumier dans les tonneaux d'eau. D'autres allaient de l'irréalisable à ... l'absurde. Kahlan écouta tout avec attention, fit des commentaires, et, dans un petit pourcentage de cas, donna son aval.

Soudain, le lieutenant Hobson apparut avec une gamelle en fer blanc. La dernière chose dont elle avait besoin !

— Mère Inquisitrice, je vous ai gardé du ragoût au chaud !

Heureux comme un gosse, il lui tendit la gamelle. Voyant qu'il la suivait comme un toutou, Kahlan fit mine de déborder de reconnaissance. Elle se força même à goûter du bout des lèvres et à s'extasier sur la qualité du rata.

Après avoir utilisé son pouvoir, pendant sa période de récupération, une Inquisitrice était incapable de manger. Seul le repos lui faisait du bien. Mais avec le programme en cours, c'était hors de question…

Ayant atteint les chariots, Kahlan envoya Hobson chercher Chandalen et les deux frères. Dès qu'il fut parti, elle se débarrassa de la gamelle et monta dans le chariot plein de tonneaux de bière.

En les comptant, elle fit signe à Ryan de la rejoindre.

— Dites à quelques hommes de décharger la rangée du haut. Faites-leur redresser les tonneaux du bas, et retirer les couvercles. Chandalen vous a-t-il fabriqué des *troga* ?

Cette arme était d'une grande simplicité. Un morceau de cordelette, ou de fil de fer, équipé de poignées aux deux extrémités. Quand la longueur était bien calculée, il suffisait de croiser les poignets afin de former une boucle parfaite pour passer sur la tête d'un homme et se refermer autour de son cou. Un *troga* en fil de fer, manié par un homme assez fort, décapitait proprement une sentinelle avant qu'elle ait poussé un cri. Avec la cordelette, la mort était plus lente, mais la victime ne donnait pas l'alarme non plus…

Ryan tira de sous son manteau un *troga* en fil de fer.

— Chandalen nous a fait une petite démonstration. Sans forcer, heureusement. Pourtant, je me félicite de n'avoir pas été le cobaye. Les deux frères et lui se chargeront d'éliminer les sentinelles et les guetteurs. À mon avis, il doute que nous soyons assez furtifs pour cette mission. Il a tort, car beaucoup de mes hommes sont des chasseurs, et…

Le capitaine couina comiquement et sursauta. Chandalen venait de lui enfoncer un index dans les côtes… et il ne l'avait pas entendu approcher. Vexé, l'officier se massa le flanc et foudroya l'Homme d'Adobe du regard.

Prindin et Tossidin prêtèrent main-forte aux soldats qui déchargeaient les tonneaux.

— Tu as besoin de quelque chose, Mère Inquisitrice ? demanda Chandalen.

— Donnez-moi votre réserve de poison pour les flèches « dix-pas ».

Étonné, le chasseur obéit en silence. Il sortit sa petite boîte en os, et les deux frères l'imitèrent.

— Combien de tonneaux puis-je empoisonner avec ça ?

— Tu veux verser le *bandu* dans cette boisson ? (Kahlan hocha la tête.) Nous en avons besoin pour…

— Je vous en laisserai un peu. Mais chaque soldat qui crèvera comme ça sera un adversaire de moins.

— Et s'ils découvrent que c'est du poison ? objecta Ryan. Ils ne boiront pas, et nous n'aurons même pas l'avantage qu'ils soient soûls.

— Ils ont des chiens, dit Kahlan. C'est pour ça que nous sacrifions aussi de la nourriture. Ils la feront goûter aux animaux, pour s'assurer qu'il n'y a pas de danger. Ces soudards ont tellement envie d'alcool qu'ils ne se méfieront pas de la bière après avoir pris cette précaution. En tout cas, je suis prête à le parier.

— J'ai compté les tonneaux, annonça Chandalen. Trente-six. Douze par stock de *bandu*. Mais ça ne les tuera pas, sauf s'ils boivent vraiment beaucoup. Cela dit, ils seront malades.

— Quel genre de maladie ?

— Des nausées, la tête qui tourne, une sensation de faiblesse… Certains mourront peut-être au bout de quelques jours…

— Ce sera très utile pour nous…

— Il n'y aura pas assez de bière pour tous ces types, dit Ryan. Une petite partie seulement en boira.

— Le butin reviendra d'abord à l'unité qui l'aura découvert. Les officiers prendront presque tout le reste, et les soldats seront servis en dernier, comme d'habitude. Ça me va tout à fait, puisque les officiers sont ma cible prioritaire. (Kahlan baissa les yeux sur les tonneaux.) Pourquoi y en a-t-il six plus petits ?

— C'est du rhum, répondit Ryan.

— La boisson des princes ? Les officiers se jetteront dessus. Chandalen, sentiront-ils le goût ? Surtout si on en met une dose plus forte dans le rhum ?

L'Homme d'Adobe trempa un doigt dans le liquide ambré et goûta.

— Non. C'est assez amer. Cette saveur dissimule celle du *bandu*.

De la pointe de son couteau, Kahlan divisa en six la réserve de Chandalen. Puis elle la répartit dans les petits tonneaux.

— Avec ça, ceux qui boiront le rhum mourront demain matin, ou au plus tard dans la journée. Mais tu ne pourras pas empoisonner toute la bière…

Kahlan rendit à son ami la boîte où il restait encore des traces de poison, dans les coins.

Elle descendit du chariot.

— Nous laisserons intacts six tonneaux de bière. Si le rhum est mortel, nous y gagnerons au change. (Elle recommença l'opération avec la boîte de Tossidin.) Et voilà douze barriques de bière mortelle ! Il faudra déplacer tout ça, pour que les officiers voient le rhum tout de suite.

Elle approcha des derniers tonneaux et ouvrit la boîte de Prindin.

— Elle est presque vide ! s'exclama-t-elle. Qu'as-tu fichu de ta réserve ?

Prindin fit un vague geste, l'air de souhaiter qu'elle n'ait pas posé cette question.

— Quand nous sommes partis, je n'avais pas l'esprit très clair… Dans l'urgence, j'ai oublié de vérifier ma boîte…

Furieux, Chandalen toisa Prindin du haut du chariot.

— Combien de fois t'ai-je dit que tu oublierais d'emporter tes pieds, si tu pouvais marcher sans eux ?

— Aucune importance, dit Kahlan. (Prindin parut soulagé qu'elle change de sujet.) Nos ennemis seront malades, c'est tout ce qui compte.

Pendant qu'elle s'occupait des derniers tonneaux, elle entendit des voix l'appeler, au loin. Quand elle eut fini, elle leva les yeux et vit approcher deux hommes montés sur d'énormes chevaux d'attelage.

C'étaient eux qui criaient son nom.

Les chevaux étaient équipés de leurs harnais et de leurs colliers. Une chaîne pliée plusieurs fois pendait à l'anneau de leurs colliers.

Quand les animaux s'arrêtèrent devant Kahlan, les cavaliers déplièrent la chaîne et la laissèrent tomber sur le sol. L'Inquisitrice s'aperçut alors que les deux bêtes étaient reliées latéralement par cette chaîne. De sa vie, elle n'avait jamais vu une chose pareille.

Les deux hommes mirent pied à terre.

« Hommes » semblait un bien grand mot, car ils avaient tout au plus quinze ans. Dégingandés, les cheveux bruns frisés coupés court, ils affichaient un sourire béat qui leur donnait l'air franchement stupide.

— Mère Inquisitrice, nous te saluons ! dirent-ils en chœur.

Ils s'arrêtèrent à une distance prudente de Kahlan. À l'évidence, elle leur faisait peur, mais ça ne douchait pas leur enthousiasme.

— Comment vous nommez-vous, soldats ?

— Je suis Brin Jackson. Et voilà Peter Chapman, Mère Inquisitrice. Nous avons eu une idée, et nous voulons vous l'exposer. Nous sommes sûrs que ça marchera. Ça, on en mettrait nos mains à couper !

— Et qu'est-ce qui marchera, si je puis me permettre ? demanda Kahlan.

Rayonnant, Brin souleva la chaîne qui gisait dans la neige.

— Ça, Mère Inquisitrice ! Et nous y avons pensé tout seuls ! Peter et moi ! (Il lâcha la chaîne.) Montre-lui, vieux frère !

Aussi souriant que son copain, Peter fit faire quelques pas de côté à son cheval jusqu'à ce que la chaîne se soulève du sol.

— Selon vos ordres, dit Brin, nous allons abandonner les chariots. Mais Daisy et Pip, nos chevaux, il n'est pas question de les laisser en arrière. Vous savez, nous sommes des cochers… Histoire que Daisy et Pip soient utiles, nous avons pris plusieurs grosses chaînes d'attelage et demandé à Morvan, le forgeron, d'en souder deux ensemble.

Il hocha benoîtement la tête, comme si son explication était limpide.

— Mais encore ? s'impatienta Kahlan.

— On doit blesser leurs chevaux, paraît-il ! C'est à ça que sert notre système. Comme nous attaquerons de nuit, ils seront attachés à des piquets, les uns à côté des autres. Nous galoperons le long de la ligne, chacun d'un côté ! La chaîne brisera par en dessous les pattes des chevaux ! On les éliminera tous en un seul passage !

Kahlan croisa les bras et regarda Peter, aussi enthousiaste que son ami.

— Brin, galoper de nuit reliés par une chaîne me semble très dangereux.

— C'est un risque à courir, Mère Inquisitrice ! Et si nous réussissons, nos ennemis n'auront plus de chevaux.

— Soldat, ils en ont environ deux mille…

Peter se rembrunit un peu et Brin perdit son beau sourire.

— Deux mille, répéta-t-il, accablé.

Kahlan consulta du regard le capitaine Ryan, qui haussa les épaules, incapable de dire si l'idée marcherait ou pas. Les autres hommes se grattaient le menton, tout aussi dubitatifs.

— Ça ne fonctionnera pas, dit Kahlan. (Brin se décomposa.) À deux, vous ne réussirez pas. Il faudra équiper d'autres chevaux avec votre système. (Les deux jeunes soldats relevèrent la tête.) Puisque vous l'avez inventé, je vous charge de diriger les cochers et leurs bêtes. Ce sera pour eux le meilleur moyen de se rendre utiles…

» Réquisitionnez tout le matériel nécessaire sur les chariots, puisque nous les laisserons ici, de toute façon. Dès que le forgeron aura fabriqué les chaînes, entraînez-vous toute la journée. Augmentez la difficulté régulièrement, pour être au point quand nous attaquerons.

— Vous verrez, Mère Inquisitrice, s'écria Peter, nous réussirons ! Vous pouvez compter sur nous.

— Votre idée est risquée, rappela Kahlan. Mais si elle marche, nous aurons un grand avantage, car leur cavalerie est redoutable… Ne prenez pas cette affaire à la légère : dans le camp ennemi, des soldats tenteront de vous tuer pendant que vous agirez.

Le menton bien droit, les deux garçons se frappèrent la poitrine du poing.

— Mère Inquisitrice, vous pouvez vous fier aux cochers. Nous ne vous décevrons pas.

Kahlan les ayant salués de la tête, ils remontèrent sur Daisy et Pip et partirent.

Au loin, un cavalier solitaire traversait le camp au galop. Il freina des quatre fers pour s'arrêter près d'un groupe d'hommes et leur poser une question. Un grand type lui désigna Kahlan.

— Brin et Peter sont avec nous depuis deux mois, dit Ryan. Ce sont des gamins…

— Non, capitaine. Depuis aujourd'hui, ces *hommes* se battent pour les Contrées du Milieu. Lors de notre rencontre, je vous ai également pris pour un gosse. À présent, vous me semblez un peu plus mûr…

— Comme d'habitude, vous avez raison… S'ils réussissent, ce sera un sacré exploit.

Le cavalier approchait. Il sauta de selle avant que son cheval soit complètement arrêté.

— Mère Inquisitrice, dit-il en exécutant un salut impeccable, je me nomme Cynric et je fais partie des sentinelles.

— Que se passe-t-il, Cynric ?

— Nous avons repéré un coche sur la route qui croise le col de Jara. Il venait de Kelton et nous avons jugé prudent de l'intercepter. À présent, je viens vous demander des instructions.

— Qui sont les passagers ?

— Un vieux couple de riches marchands. Je crois qu'ils travaillent dans les fruits…

— Vous ne leur avez pas parlé de notre armée, j'espère ?

— Bien sûr que non, Mère Inquisitrice ! Nous nous sommes fait passer pour une patrouille à la poursuite de bandits de grands chemins. J'ai dit qu'ils devaient attendre que j'aie consulté notre commandant.

— Une excellente improvisation, Cynric.

— Le cocher s'appelle Ahern. Il a tenté de continuer son chemin et nous avons dû sortir nos épées. Alors, le vieux type a sorti la tête par la portière en braillant que nous voulions le détrousser. Il nous a menacés avec sa canne, comme s'il pouvait nous faire disparaître. Quelques flèches bien placées, autour de lui, l'ont persuadé de ne plus se montrer.

— Et lui, comment s'appelle-t-il ?

— Robin… Ruben… Ruben Rybnik ! Un vieux bonhomme sacrément agressif…

— Probablement pas des espions…, soupira Kahlan. Mais si l'Ordre Impérial les capture, ils parleront à la première gifle. Que fichent-ils dans le coin ?

— Le vieux a dit que sa femme est malade. Il la conduit à Nicobarese, voir les guérisseuses. Pour tout vous dire, elle m'a eu l'air dans un sale état…

— S'ils vont à Nicobarese, leur route les éloignera du camp de l'Ordre Impérial. Mais avant de les laisser partir, j'aimerais leur parler.

— Mère Inquisitrice ! cria le sergent Frost en courant vers eux. Les cuves de blanc de chaux et les tentes chauffées sont prêtes, selon vos ordres !

Kahlan regarda le sergent, puis Cynric.

— Soldat, soupira-t-elle, agacée, je n'ai pas le temps de faire l'aller-retour. Désolée, mais il y a trop de travail ici.

— Je comprends, Mère Inquisitrice. Que faisons-nous des voyageurs ?

— Tuez-les ! ordonna Kahlan, sans montrer que cette décision lui déchirait les entrailles.

— Pardon, Mère Inquisitrice ?

— Tuez-les ! Nous ne sommes pas sûrs de leur identité, et nous ne pouvons pas prendre de risques. Frappez proprement, pour qu'ils ne souffrent pas.

Kahlan se tourna vers le sergent Frost.

— Mère Inquisitrice…, souffla Cynric.

Elle lui jeta un coup d'œil par-dessus son épaule.

— Le cocher, Ahern… Il a un laissez-passer royal.

— Un quoi ?

— Un médaillon que lui a donné la reine Cyrilla. Pour services rendus lors du siège d'Ebinissia. Normalement, ça lui assure un libre passage partout en Galea.

— La reine lui a donné ce bijou ?

— J'exécuterai vos ordres, Mère Inquisitrice. Mais il est quand même sous la protection de Cyrilla.

Kahlan se massa le front, trop épuisée pour réfléchir avec sa clarté d'esprit habituelle.

— Dans ce cas, il faut le laisser filer. Mais dites-lui de partir sur-le-champ. Reparlez-lui des bandits et précisez qu'il finira pendu avec eux si vous le revoyez. Ordonnez-lui de s'éloigner rapidement d'ici.

Cynric la salua et partit. Kahlan prit le bras du capitaine et se dirigea avec lui vers les tentes chauffées.

— Cet après-midi, dit l'officier, le brouillard se lèvera. Il sera épais comme de la purée de pois, ce soir… (Kahlan fronçant les sourcils, il s'expliqua :) J'ai passé mon enfance dans ces montagnes… Alors, prévoir le temps m'est facile…

— Ce brouillard nous avantagera. Surtout avec ce que je prépare pour terroriser nos ennemis.

— Allez-vous enfin me dire ce que vous entendez teindre en blanc ?

— Nous avons une longue liste d'objectifs à détruire. Ce soir, notre meilleure occasion se présentera, à cause de l'effet de surprise. Après, les bouchers seront sur leurs gardes…

— J'en ai conscience, et mes hommes aussi. Ils ne vous décevront pas.

— Notre but final, ne l'oublions pas, est de tuer tous nos adversaires. Ce soir, ils seront très vulnérables. Il faudra en profiter. Combien avons-nous de fantassins ?

— Environ deux mille. Plus huit cents archers, le reste étant composé de piquiers, de lanciers et de cavaliers. Moins l'intendance, bien entendu.

— Choisissez mille fantassins. Les plus forts, les plus féroces… et les plus avides de se battre.

— Et que devront-ils faire ?

— Les soldats déguisés avec les uniformes des sentinelles mortes iront explorer le camp et reviendront nous indiquer la position de nos objectifs. Pendant que leurs camarades s'occuperont du sabotage, les mille fantassins iront d'abord vérifier que les officiers sont empoisonnés, puis ils tueront autant de soldats que possible.

Ils arrivèrent devant la dizaine de tentes disposées en cercle. Kahlan jeta un coup d'œil dans chacune pour s'assurer qu'on avait exécuté ses instructions.

Puis elle se campa devant la plus grande.

— À présent, dit Ryan, puis-je savoir ce que nous allons blanchir ?

— Nos mille fantassins…

— Pardon ? Vous voulez peindre les hommes ?

— Les D'Harans redoutent les esprits, Bradley. En particulier ceux des ennemis qu'ils ont tués. C'est pour ça qu'ils ne laissent jamais leurs morts sur le champ de bataille après une victoire. Ce soir, ils seront attaqués par des spectres, et ça les terrorisera.

— Ils verront que nous sommes des soldats aux uniformes blancs, pas des esprits !

— Les hommes ne porteront pas d'uniforme, capitaine. Ils n'auront que leurs épées, peintes en blanc comme leurs corps. Juste avant l'attaque, ils se déshabilleront.

— Quoi ?

— Choisissez ces soldats et rassemblez-les ici. Ils entreront sous les tentes, se dévêtiront et se baigneront dans le blanc de chaux. Après, ils resteront près des pierres chaudes pour sécher. Ce ne sera pas long. Une fois secs, ils pourront remettre leurs uniformes. Jusqu'à l'assaut.

— Nous sommes en hiver ! Nus, ils crèveront de froid.

— Le temps s'est un peu adouci. De plus, se geler les incitera à accomplir leur mission le plus vite possible. Pas question qu'ils traînent dans le camp, sinon les D'Harans se ressaisiront. On frappe, on terrorise et on file !

» Les D'Harans, croyant voir des esprits, auront le réflexe de fuir. Frapper un homme dans le dos est plus simple que lorsqu'il se défend. Je parie que certains seront même paralysés par l'effroi. Et dans un premier temps, ceux qui éventeront la supercherie seront trop surpris pour réagir.

» Ces quelques secondes de confusion nous donneront l'avantage. À la guerre, la différence entre tuer et être tué est souvent une affaire de secondes…

» Capitaine, vos hommes ne devront pas engager de duels. En cas de résistance, ils fuiront et attaqueront de nouveaux ennemis. Les corps à transpercer ne manqueront pas, alors, inutile de ferrailler pour la gloire. Je veux des morts ! Autant de morts que possible ! Une fois réglé le sort des officiers, je me fiche de qui tombera sous nos coups. Mais que nos soldats ne risquent pas leur vie inutilement !

» Frapper et filer, ce sera leur devise !

— Je n'aurais jamais cru dire un truc comme ça, fit Ryan, mais votre tactique bizarre risque de réussir. Au début, les hommes n'aimeront pas ça, mais ils obéiront une fois que je leur aurai expliqué. Je n'ai jamais entendu parler d'une stratégie pareille. À mon avis, l'ennemi non plus…

Kahlan sourit, soulagée que l'officier en soit arrivé à cette conclusion.

— Bradley, je suis ravie d'avoir à mes côtés, dans l'armée des Contrées du Milieu, un capitaine galéen aussi enthousiaste. À présent, je voudrais qu'on apporte ici toute ma sellerie et qu'on la trempe dans le blanc de chaux. Encore un détail : veuillez poster des gardes devant cette tente pendant que je serai à l'intérieur.

— Votre sellerie… Mère Inquisitrice, vous ne pensez pas à… Enfin, vous plaisantez ?

— Pas question d'imposer à mes hommes quelque chose que je ne ferais pas moi-même. Ils ont besoin qu'un chef leur montre la voie. Cette mission me revient.

— Mère Inqui-qui-sitrice, bafouilla Ryan. Vous êtes une femme, et plutôt, hum… jolie. (Il la regarda des pieds à la tête, rouge comme une pivoine.) En fait, on pourrait même dire que vous… Hum, veuillez m'excuser…

— Ce sont des soldats en guerre, Bradley… Développez votre pensée, je vous en prie.

— Ils sont très jeunes, Mère Inquisitrice. Et on ne peut pas s'attendre à… Enfin, je veux dire… Eh bien, ils ne pourront pas contrôler certains réflexes. Et vous serez… *atrocement* embarrassée.

Il fit une grimace éloquente, espérant ne pas devoir entrer davantage dans les détails.

Kahlan lui sourit pour le décontracter un peu.

— Capitaine, connaissez-vous la légende des Shanaris ? (Le pauvre Bradley fit non de la tête.) À l'époque où des tribus et des royaumes furent unis pour former D'Hara, la philosophie de la « pacification » ressemblait beaucoup à celle de l'Ordre Impérial : se soumettre ou disparaître. Les Shanaris refusèrent les deux options…

» Ils se battaient si bien qu'ils devinrent la terreur des D'Harans, pourtant beaucoup plus nombreux. Les Shanaris adoraient la guerre. Ignorant la peur, ils étaient tellement excités par l'idée de ferrailler qu'ils le faisaient tous nus, et… *excités*, justement.

Kahlan savoura un instant la stupéfaction de l'officier, puis elle continua :

— Tous les D'Harans connaissent cette légende. Aujourd'hui encore, ils redoutent les Shanaris. (Kahlan s'éclaircit la voix.) Si vos hommes réagissent comme vous le prévoyez, leurs ennemis seront encore plus terrorisés. Cela dit, je doute que ça arrive. Ils auront des préoccupations plus urgentes, comme par exemple sauver leur peau. Et si ça devait se produire, dites-leur que j'en serais ravie, puisque ça augmentera la terreur de nos adversaires.

— Pardonnez-moi, Mère Inquisitrice, mais je n'aime toujours pas ce plan. Il vous met en danger sans grande nécessité…

— C'est faux, capitaine. Il y a deux raisons majeures pour que j'agisse ainsi. *Primo*, quand j'ai quitté le camp ennemi, hier soir, une cinquantaine d'hommes se sont lancés à ma poursuite. Les D'Harans ne doivent pas douter que ces soldats finiront par me rattraper et me tuer.

— Cinquante hommes rôdent dans les environs à votre recherche ? s'étrangla Ryan.

— Non. Ils sont tous morts, mais leurs camarades ne le savent pas. Quand ils me verront, blanche comme un fantôme, ils penseront que je viens venger ma propre mort. Et ils auront encore plus peur.

— Cinquante soldats…, répéta Ryan, ébahi. Tous morts… (Il se secoua.) Et la deuxième raison ?

— Quand nos ennemis me verront nue sur un cheval, ça attirera leur attention, qu'ils me prennent pour un esprit ou non. Pendant ce temps, ils ne pourront pas frapper vos hommes. Et ils seront vulnérables à leurs coups. Pour résumer, j'accepte volontiers tout outrage à ma pudeur, si cela peut sauver un seul de nos gars.

— J'ignorais que la Mère Inquisitrice se souciait tant de son peuple, murmura Ryan. Ai-je une chance de vous dissuader de commettre cette folie ?

— Un seul homme au monde pourrait m'en empêcher, capitaine, et ce n'est pas vous. (L'Inquisitrice s'autorisa un petit rire.) En fait, s'il était au courant, il me l'interdirait sûrement.

— Qui est cet homme ? Votre partenaire ? (Kahlan secoua la tête.) Celui que vous allez choisir ?

— Non, celui que je vais épouser ! Enfin, j'espère… (Elle sourit, amusée par le trouble du capitaine.) Il se nomme Richard, et c'est le Sourcier.

Ryan s'empourpra de nouveau, mais la curiosité fut la plus forte.

— Si je suis trop indiscret, n'hésitez pas à me rembarrer. Mais… hum… je pensais que les Inquisitrices utilisaient leur pouvoir afin de… Vous voyez ce que je veux dire ?

— Un vrai mariage nous est en principe interdit, c'est exact. Mais Richard est très spécial. Il a le don et mon pouvoir ne peut rien contre lui.

— J'en suis heureux pour vous, Mère Inquisitrice.

Kahlan plissa le front.

— Si vous le rencontrez un jour, n'allez surtout pas lui parler de cette histoire d'attaque et de fantômes… Sur ces sujets, il est plutôt vieux jeu. Dites-lui que vous m'avez laissée chevaucher seule, nue au milieu de mille hommes, et il vous décapitera proprement !

Ryan se décomposa. Kahlan gloussa, ravie de son petit effet.

— Capitaine, il me faut une épée…

— Parce que vous voulez vous battre, en plus de tout ?

— Bradley, imaginez qu'un D'Haran veuille s'en prendre à ma vertu. Sans lame, comment pourrais-je me défendre ?

— Hum… Je vois ce que vous voulez dire.

L'officier réfléchit quelques instants, puis son visage s'éclaira et il dégaina son épée, une vieille arme patinée par le temps.

— Le prince Harold me l'a remise le jour où j'ai été nommé capitaine. Elle appartenait à son père, le roi Wyborn, qui l'a brandie sur un champ de bataille. (Il haussa les épaules.) Bien sûr, les rois ont une multitude d'épées, dont ils se servent un jour ou l'autre pour défendre leur trône. Donc, cette lame n'a aucune valeur particulière. Mais je serais honoré que vous l'acceptiez. Ça me semble normal, puisque vous êtes la fille de Wyborn. Qui sait si une sorte de magie ne vous protégera pas ?

Kahlan prit solennellement l'épée.

— Merci, Bradley… Je suis très touchée. Et vous vous trompez : cette arme a une valeur inestimable. La porter sera un grand honneur, mais je ne la garderai pas. Ainsi, quand je partirai pour Aydindril, dans un jour ou deux, vous aurez au côté une lame brandie par un roi et par la Mère Inquisitrice.

À cette idée, le capitaine rayonna.

— À présent, voulez vous bien faire garder cette tente ? Puis choisir les fantassins.

— À vos ordres, Mère Inquisitrice !

Alors qu'elle entrait sous le pavillon, Kahlan entendit le jeune homme s'adresser à trois soldats, sévère comme s'il leur donnait un ordre d'une importance vitale.

— Pendant que la Mère Inquisitrice prendra son bain, vous tournerez le dos à la tente et vous ne laisserez approcher personne. C'est compris ?

— Oui, capitaine ! s'écrièrent à l'unisson les trois hommes.

Kahlan ferma le rabat, retira son manteau et commença à se déshabiller dans l'atmosphère agréablement chaude. L'épée posée contre la cuve, elle dut faire un effort pour rester debout. Sa tête tournait comme une toupie…

Elle tâta le blanc de chaux du bout de l'index. La température idéale, comme pour un bon bain. Mais ça n'en était pas un…

Elle entra dans la cuve et se plongea dans l'épais liquide blanc. Une seconde, elle ferma les yeux et imagina qu'elle était en Aydindril, dans sa baignoire.

Tendant une main, elle saisit l'épée et posa la garde entre ses seins, la lame appuyée sur son ventre. Ce n'était pas un bain, mais un acte de guerre qui visait à sauver des hommes et à en tuer d'autres. Comme toujours, elle porterait du blanc, mais ça ne serait pas une robe…

Les chevilles croisées et les jambes écartées pour ne pas risquer de se blesser avec la lame, l'Inquisitrice se pinça le nez, ferma les yeux et s'immergea dans le blanc de chaux.

Chapitre 42

Richard et Verna chevauchaient dans un tunnel de végétation humide et froid. La frondaison laissait filtrer une chiche lumière à peine suffisante pour qu'ils repèrent leur chemin sur la pente douce qu'ils gravissaient. Dans le lointain, des flûtes jouaient une musique lancinante – un autre moyen de se guider dans ces entrelacements d'arbres et de buissons.

Des deux côtés, les murs conçus pour contenir la nature avaient perdu la bataille. Submergés par les plantes grimpantes, ils disparaissaient en plus d'un endroit. Délogées par des lianes particulièrement virulentes, des pierres jaillissaient de la surface comme des boursouflures. Emprisonnées dans un réseau de vrilles, elles n'étaient pourtant pas tombées sur le sol. Un spectacle étrange : un gibier minéral lentement digéré par un énorme prédateur végétal…

Les crânes humains disposés à trois pieds d'intervalle au sommet des murs, chacun reposant sur un nid de mousse, avaient résisté à la voracité de la forêt. Leurs orbites vides rivées sur les voyageurs, ces reliques humaines affichaient l'éternel sourire des têtes de mort. Depuis un moment, le Sourcier avait renoncé à les compter.

Malgré les questions qui tourbillonnaient dans son esprit, et l'angoisse qui lui nouait les entrailles, le jeune homme se murait dans son silence. Depuis leur dernière dispute, Verna et lui n'avaient plus échangé un mot. Et Richard ne dormait même plus près du feu. Après avoir monté la garde, et chassé avec Gratch, il s'étendait avec le garn, qu'il jugeait de bien meilleure compagnie. Verna lui battait froid et il n'avait aucune intention, cette fois, de faire le premier pas…

La piste sortit enfin de la forêt. S'élargissant pour devenir une route, elle contournait, au loin, une pyramide dont les murs semblaient… striés. Richard plissa les yeux pour voir ce qui donnait cette impression. Des bandes de couleurs différentes alternaient jusqu'au sommet. Brun pâle, comme en pointillés, puis nettement plus sombres…

Quand ils furent plus près, le Sourcier constata que l'édifice se composait exclusivement d'ossements humains. Les « pointillés » étaient des crânes et les bandes plus sombres des tibias ou des humérus disposés en couches longitudinales. Considérant la hauteur de la pyramide, Richard estima qu'il y avait là des dizaines de milliers de crânes. En passant, il laissa son regard s'attarder sur l'étrange monument, auquel Verna ne daigna pas jeter un coup d'œil.

Au-delà de la pyramide, la route conduisait à la place principale d'une ville enveloppée de brume. Ce plateau avait été soigneusement déboisé, comme les champs en terrasse qu'ils avaient longés moins d'une heure plus tôt.

La terre fraîchement retournée dans l'attente des semailles, des épouvantails décourageaient les oiseaux de venir s'aventurer dans les sillons. On était en plein hiver, et ces gens se préparaient à semer. Une énigme de plus pour Richard…

La ville elle-même semblait aussi sombre et oppressante que la forêt. Pressés les uns contre les autres, ses bâtiments carrés aux toits plats et aux façades couleur écorce comptaient fort peu de fenêtres – jamais plus d'une par mur ! Les hauteurs variaient, avec un maximum de quatre niveaux. À part ça, toutes les structures se ressemblaient : même architecture, même absence d'ornements, même couleur…

La brume et la fumée des cheminées obscurcissaient le ciel et obstruaient l'horizon. La place, avec son puits central, était le seul espace vide visible. Elle donnait sur une myriade de ruelles obscures qui s'enfonçaient entre les bâtiments – des tunnels plus que des rues, car beaucoup de maisons les enjambaient. Si quelques-unes étaient pavées, la majorité, en terre battue, étaient sillonnées de ruisselets d'eau croupie.

Des hommes et des femmes en vêtements de toile grossière marchaient pieds nus dans la gadoue. D'autres, sur le seuil de leur demeure, conversaient à voix basse en jetant des regards furtifs aux étrangers.

Quand Verna et Richard s'engagèrent dans une des ruelles, personne ne leur adressa la parole, les femmes qui portaient des cruches d'eau sur la tête – tenues d'une seule main – se contentant de frôler les murs pour laisser assez de place aux chevaux. Elles ne se montrèrent pas plus loquaces que les autres et ne levèrent pas les yeux pour étudier les nouveaux venus.

Quelques hommes très âgés affublés d'étranges chapeaux plats sombres, sans bord et zébrés de lignes de couleurs vives – qu'on eût dit tracées avec les doigts – fumaient des pipes à long tuyau à l'abri de leurs porches. Ils se turent au passage des deux cavaliers et les suivirent longtemps du regard, certains en tirant sur le gros anneau qu'ils portaient à l'oreille gauche.

Verna guida Richard dans le labyrinthe de ruelles jusqu'à une avenue pavée plus large où elle s'arrêta et se retourna.

— Ces gens sont les Majendies. Leur pays, en forme de croissant, est couvert de forêts. Nous devons le traverser jusqu'à une des pointes du croissant. Ce peuple vénère les esprits. Les crânes que tu as vus en chemin, sont des sacrifices rituels…

» Les Majendies sont des païens et nous condamnons leurs croyances. Hélas, nous n'avons pas le pouvoir de les convertir. Tu devras faire ce qu'ils te demanderont. Sinon, nos têtes finiront dans la pyramide, ou en haut d'un des murs.

Richard ne daigna pas répondre. La sœur n'aurait pas le plaisir d'entendre sa voix, et encore moins de se quereller avec lui. Impassible, les mains sur le pommeau de sa selle, il soutint son regard jusqu'à ce qu'elle se décide à se détourner et à repartir.

Ils passèrent sous une arche et débouchèrent sur une nouvelle place. Un bon millier d'hommes vaquaient à leurs occupations. Eux aussi portaient des anneaux, mais à l'oreille droite. Armés d'épées courtes, une écharpe autour du cou, ils avaient le crâne rasé et aucun n'arborait de couvre-chef.

Au centre de la place, sur une plate-forme surélevée, d'autres Majendies étaient assis autour d'un gros poteau. Des joueurs de flûte ! C'était de là que venait la musique. Des femmes en noir les entouraient. Également assises, elles regardaient la foule, à l'inverse des musiciens.

Seule personne debout sur cette étrange scène, une grande femme au costume noir bouffant laissa glisser sa main le long du poteau où elle s'appuyait et saisit le bout de la cordelette accrochée à une cloche. Le regard rivé sur les deux étrangers, elle sonna une fois.

Verna tira sur les rênes de son cheval. Richard s'arrêta à côté d'elle. Sur la place, les Majendies se turent et les joueurs de flûte passèrent à une mélodie plus rythmée.

— C'était un avertissement destiné aux esprits de leurs ennemis, dit Verna. La cloche est aussi un appel pour tous les guerriers qui l'entendent. Et il n'y a que des guerriers autour de nous… Une fois les esprits avertis et les combattants alertés, il suffira qu'elle sonne la cloche une deuxième fois pour que nous mourions. (La sœur jeta un coup œil à Richard, qui ne broncha pas.) Un sacrifice rituel est en cours, pour apaiser les esprits…

Des guerriers approchèrent et leur prirent les rênes des mains. À cet instant, les femmes en noir se levèrent et commencèrent à danser au son des flûtes.

Très lentement, pour que tous le voient, Richard s'assura que l'Épée de Vérité coulissait bien dans son fourreau. Verna le foudroya du regard, lâcha un gros soupir et mit pied à terre. Quand elle se fut raclé plusieurs fois la gorge, agacée, le Sourcier consentit à descendre de cheval.

— Le territoire des Majendies, dit la sœur, entoure une étendue de marécages où vivent leurs ennemis. Des barbares encore plus sauvages qui ne nous permettraient pas de traverser leur pays et accepteraient encore moins de nous guider. Même si nous les évitions, nous serions perdus en moins d'une heure, et nos cadavres finiraient par pourrir dans la boue. Le seul moyen d'atteindre le Palais des Prophètes, de l'autre côté des marécages, est de longer le croissant de terre des Majendies. Notre destination se trouve entre les cornes du croissant, au-delà du territoire des barbares.

Verna jeta un coup d'œil à Richard pour s'assurer qu'il l'avait au moins écoutée.

— Les Majendies sont constamment en guerre contre leurs voisins. Pour traverser leur pays, nous devrons prouver que nous sommes leurs alliés. Les crânes appartiennent tous à des barbares sacrifiés en l'honneur des esprits majendies. Pour obtenir un droit de passage, nous devons apporter… hum… notre pierre à l'édifice. Tu me suis ? Les Majendies croient que ceux qui ont le don, et qui portent en eux, comme tous les hommes, la graine divine de la vie et de l'âme, ont un lien direct avec les esprits. Selon eux, si un jeune homme qui a le don contribue à leurs sacrifices, ça attire la grâce des dieux sur la tête de tous les membres de leur peuple. Chaque fois que nous faisons passer un de nos sujets, ils exigent qu'il tue au moins un de leurs ennemis. Ainsi – une sorte de bonus – ils s'assurent que les barbares détestent les sorciers. Et cette haine, toujours selon ces païens, interdit à leurs adversaires d'avoir accès au monde des esprits.

Autour d'eux, tous les hommes avaient dégainé leurs épées. Ils les posèrent devant eux, la pointe dirigée vers la grande femme en noir, s'agenouillèrent et inclinèrent leurs têtes chauves.

— La femme qui a sonné la cloche est la souveraine des Majendies. La Reine Mère, pour être précise. Liée aux esprits femelles, elle représente dans ce monde la déesse de la fertilité. Elle est aussi le réceptacle vivant de la graine divine dont je te parlais tout à l'heure...

Les danseuses formèrent une petite colonne, descendirent de la plate-forme et se dirigèrent vers le Sourcier et sa compagne.

— La Reine Mère t'envoie ses émissaires pour te conduire au sacrifice rituel. Nous sommes chanceux ! S'ils n'avaient eu personne à tuer, il aurait fallu attendre qu'ils capturent un sauvage. Parfois, ça dure des semaines, voire des mois.

Richard ne sortit pas de son mutisme.

Verna tourna le dos aux femmes qui approchaient et se campa devant lui.

— Elles te conduiront au prisonnier et te demanderont de donner ta bénédiction. Refuser signifie que tu entends être sacrifié avant le sauvage. Essaye de jouer au petit malin et tu mourras. Compris ?

» La bénédiction consiste à embrasser le couteau sacré qu'on te présentera. Tu n'auras pas besoin de tuer la victime de tes propres mains. Bénir la lame suffit. Les Majendies se chargeront de l'exécution, mais tu devras y assister, pour que les esprits la voient à travers tes yeux. (Elle baissa le ton.) Les croyances de ces gens sont une obscénité à la face du Créateur.

Le Sourcier croisa les bras, le visage de marbre.

— Je sais que tu n'aimes pas ça, Richard, mais grâce à cet accord, nous sommes en paix avec les Majendies depuis trois mille ans. Aussi paradoxal que ça semble, cet arrangement a sauvé plus de vies qu'il n'en a coûté. Les sauvages nous combattent aussi, comprends-tu. Le palais et les autres zones civilisées de l'Ancien Monde sont victimes de raids féroces...

Rien d'étonnant à ça, pensa Richard.

Mais il garda cette réflexion pour lui.

Verna se plaça à son côté quand les femmes s'immobilisèrent devant eux. Toutes étaient corpulentes et très âgées, sans doute assez pour être grand-mères. Leurs tenues noires les dissimulaient entièrement, à l'exception de leurs mains et de leurs visages parcheminés.

De ses doigts déformés par les rhumatismes, l'une d'elles tira jusque sous son menton le col noir de sa robe et s'inclina devant Verna.

— Je te salue, toi qui marches avec la Lumière. Les sentinelles nous ont annoncé ta visite hier. T'avoir avec nous est un grand honneur, car un sacrifice est en cours. Bien que ta présence soit une surprise, les esprits seront comblés de recevoir la bénédiction.

La vieille femme, qui lui arrivait à peine au sternum, étudia Richard des pieds à la tête et se tourna de nouveau vers la sœur.

— Il a la magie ? Ce n'est pas un jeune garçon...

— Nous n'avions jamais ramené au palais quelqu'un de si âgé, répondit Verna. Mais il est exactement comme les autres.

— Trop vieux pour donner la bénédiction, lâcha la femme.

— Il a le don, comme les autres, insista Verna.

— Peut-être… Mais à son âge, il n'a pas besoin que quelqu'un tue à sa place. Il maniera lui-même le couteau. (Elle fit signe à une de ses compagnes.) Conduis-le sur le lieu du sacrifice.

La femme hocha la tête et fit signe à Richard de le suivre.

Verna tira discrètement sur la manche du jeune homme, qui sentit la magie jaillir de ses doigts, remonter le long de son bras et faire picoter désagréablement sa peau, sous le Rada'Han.

— Richard, souffla-t-elle, ne t'avise pas d'abattre ta hache, cette fois. Tu n'as pas idée de ce que tu détruirais…

Le Sourcier soutint froidement le regard de la sœur. Puis il se détourna sans dire un mot.

La vieille femme rondouillarde le guida le long d'une ruelle boueuse, puis s'engagea dans une allée latérale encore plus étroite. Au bout, elle ouvrit puis franchit une porte si basse que Richard dut se plier en deux pour la suivre.

La pièce où ils entrèrent n'était pas meublée, à l'exception de plusieurs coffres bas recouverts de cuir qui servaient de support à des lampes à huile. Des tapis aux motifs intrigants, mais aux couleurs ternes, couvraient le sol.

Quatre hommes au crâne rasé étaient accroupis sur des carrés de carpette, de chaque côté d'un couloir obstrué par une tenture. De courtes lances aux pointes acérées reposaient sur leurs genoux. Au plafond, étonnamment haut, Richard vit danser des volutes de fumée de pipe.

Les quatre hommes se levèrent et saluèrent la femme en noir d'une obséquieuse révérence. Elle répondit d'un hochement de tête distrait, puis tira Richard en avant.

— Il détient la magie… Comme il est adulte, la Reine Mère a ordonné qu'il accomplisse le sacrifice de sa main. Pour le plus grand honneur des esprits…

Les guerriers s'inclinèrent, assurèrent que c'était une sage décision, et prièrent la femme de dire à la reine que ses volontés seraient scrupuleusement respectées.

Après leur avoir souhaité que tout se passe pour le mieux, l'émissaire royale gagna la porte, sortit et referma derrière elle.

Dès qu'elle fut partie, les guerriers, tout sourires, flanquèrent de grandes claques dans le dos du Sourcier. L'un d'eux le prit par l'épaule et désigna la lourde tenture.

— Tu es un sacré veinard, mon garçon ! s'exclama-t-il. Tu aimeras ce qu'on te réserve, crois-moi ! (Il sourit de nouveau, révélant qu'il lui manquait une dent de devant.) Viens avec nous. Tu te régaleras ! Et si tu n'es pas encore un homme, tu vas en devenir un !

Les trois autres guerriers s'esclaffèrent avec leur camarade.

Ils écartèrent la tenture et prirent une lampe. Le « nouvel ami » de Richard le poussa gentiment dans le couloir.

La pièce suivante était identique à l'autre, hormis la fumée de pipe. Ils en traversèrent une enfilade, toutes identiques, jusqu'aux étranges tapis. Enfin, les guerriers s'accroupirent devant une ultime tenture, posèrent l'embout de leurs lances sur le sol, et, s'y appuyant, se tournèrent vers Richard.

— Ne te précipite pas, mon garçon… Si tu gardes la tête sur les épaules, tu vas te payer du bon temps !

Riant de cette plaisanterie énigmatique, ils écartèrent la tenture et entrèrent. Richard les suivit.

La petite pièce carrée au sol en terre battue avait un plafond haut de vingt pieds au moins. Une lucarne, en haut d'un mur, laissait filtrer une chiche lumière.

Le pot de chambre rangé dans un coin empuantissait l'atmosphère. La femme nue recroquevillée le plus loin possible de cette infection, au fond de la pièce, tenta en vain de s'enfoncer dans le mur. Les bras autour des genoux, elle les ramena contre sa poitrine.

Le visage et le corps sales et couverts de bleus, les cheveux emmêlés et crasseux, elle écarquilla les yeux de terreur dès qu'elle aperçut les quatre hommes. À leurs sourires lubriques, Richard devina qu'elle avait de bonnes raisons de les redouter.

Autour du cou, la malheureuse portait un lourd collier de fer relié par une chaîne à un anneau scellé dans le mur.

Les guerriers se répartirent dans la pièce, s'adossèrent au mur et s'accroupirent. Richard les imita, se plaçant à la droite de la prisonnière.

— Je veux parler aux esprits, dit-il. (Les Majendies le regardèrent, étonnés.) Je veux leur demander comment ils préfèrent que je procède…

— Il n'y a qu'un moyen de *procéder*, dit le guerrier à qui il manquait une dent. Couper la tête de cette garce ! Maintenant qu'elle a le collier autour du cou, c'est la seule façon de la sortir d'ici. Il faut séparer le crâne du corps, mon garçon.

— Peut-être, mais je veux quand même connaître les souhaits des esprits. Je tiens à les honorer.

Les guerriers se grattèrent le crâne, pensifs. Puis le « copain » de Richard eut un grand sourire.

— La Reine Mère et ses officiantes boivent du *juka* quand elles veulent s'adresser aux esprits. On pourrait aller t'en chercher…

— Bonne idée ! Je ne voudrais pour rien au monde saboter votre précieux sacrifice.

Un des guerriers se leva et sortit.

Les trois autres attendirent en silence en reluquant la prisonnière. Elle se recroquevilla davantage, mais braqua sur eux des yeux pleins de haine.

Un Majendie sortit de sa poche une pipe et un long bâtonnet. Quand ce dernier eut passé sur la flamme de la lampe, il s'en servit pour embraser le tabac. Un œil de maquignon sur la prisonnière, il exhala un petit nuage de fumée.

Richard croisa nonchalamment les mains, histoire que la droite ne soit pas trop loin de la garde de l'Épée de Vérité.

Le quatrième homme revint avec une chope fermée en terre cuite, décorée de symboles blancs et munie d'une petite ouverture au sommet.

— La Reine Mère t'envoie ce *juka*. Bois-le et tu pourras parler aux esprits. (L'homme posa le récipient devant Richard, tira de sa ceinture un énorme couteau à la poignée de malachite gravée de dessins obscènes et le lui tendit.) C'est la lame sacrée…

Richard prit l'arme et la glissa à sa ceinture.

Satisfait, le Majendie alla s'asseoir.

Le guerrier assis le plus près de la prisonnière semblait ravi que la Reine Mère ait fourni du *juka*. Il fit un clin d'œil au Sourcier, puis pointa sa lance entre les deux yeux de la femme.

— Ce magicien est venu t'offrir aux esprits, dit-il. Mais avant, il voudrait te faire un petit cadeau. Sa semence divine, espèce de veinarde ! (La femme ne réagit pas.) N'insulte pas les esprits ! Tu vas accepter son cadeau. Tout de suite !

Sans quitter son tortionnaire des yeux, la femme se coucha passivement sur le dos, écarta les jambes et défia Richard du regard. À l'évidence, elle savait que refuser de se plier aux désirs de ces hommes n'allait pas sans de terribles conséquences.

Le guerrier tendit le bras et lui « caressa » une cuisse de la pointe de sa lance. La malheureuse hurla et se plaqua contre le mur.

— Ne nous insulte pas ! cria le Majendie. Tu sais ce que nous voulons !

Il fit mine de frapper encore.

Richard ne broncha pas, mais ses doigts se refermèrent sur la garde de l'Épée de Vérité.

La prisonnière ne tenta pas d'arrêter le sang qui ruisselait sur sa cuisse. Se retournant, elle se mit à genoux, en appui sur les coudes, et offrit sa croupe à la concupiscence des mâles.

— Tu ne voudrais pas la voir en face pendant que tu la besognes, pas vrai ? dit le guerrier à la dent manquante. De plus, cette chienne mord si on la laisse faire. (Les autres hochèrent la tête, approbateurs.) Empale-la par-derrière en la tenant par les cheveux. Elle ne pourra pas jouer des mâchoires, et tu la besogneras à ta guise.

Les guerriers attendirent. Richard ne bougea pas d'un pouce.

— Vous ne comprenez pas, espèces de crétins ? cria la femme. Il ne veut pas se comporter comme un chien devant vous ! Le pauvre chéri est timide. Il refuse de vous montrer sa minuscule baguette magique !

Tous les regards rivés sur lui, Richard tenta de ne pas laisser voir la colère dont l'emplissait la magie de l'épée. Il devait se contrôler. Déchaîner le pouvoir dans cette pièce ne servirait à rien.

— Cette garce a peut-être raison, dit un des guerriers en flanquant un coup de coude amical à l'homme assis près de lui. C'est un jeunot ! Il ne doit pas avoir l'habitude qu'on le regarde en pleine action.

À un cheveu d'exploser, Richard se concentra pour tendre la main gauche sans qu'elle tremble. Il leva la chope de *juka* et la montra aux Majendies.

— Les esprits ont des choses importantes à me dire, déclara-t-il d'une voix qu'il parvint à garder égale.

Les sourires égrillards s'effacèrent. Ce « magicien » était beaucoup plus vieux que d'habitude. Les guerriers ne savaient rien de ses pouvoirs, mais son calme étrange les inquiétait.

— Nous devrions le laisser seul, dit un des hommes. Il pourra parler aux esprits, puis s'amuser avec la sauvage avant de la sacrifier. Nous t'attendrons dans la première pièce, mon garçon…

Un peu blêmes, les Majendies se levèrent et sortirent précipitamment.

Quand elle fut sûre qu'ils étaient assez loin, la femme releva la tête, se tordit le cou et cracha sur Richard.

Arquant le dos comme une chatte en chaleur, elle ondula lascivement de la croupe.

— Tu peux me monter comme une chienne, à présent, espèce de porc ! Montre que tu es capable de violer une femme enchaînée ! Tu ne pourras pas me faire pire que tes amis. (Elle cracha de nouveau.) Une bande de pourceaux !

Richard tendit une jambe, lui posa un pied sur les hanches et la força à baisser les fesses.

— Je ne suis pas comme ces types…

La prisonnière roula sur le dos. Bras et jambes écartés, elle lui jeta un regard méprisant.

— Tu veux me prendre comme ça, pour prouver que tu es meilleur qu'eux ?

— Arrête ce jeu ! Je ne suis pas là pour ça.

La femme se rassit, le menton levé, mais les yeux ronds de terreur.

— Alors, tu vas me tuer ?

Le Sourcier s'avisa qu'il serrait toujours la garde de son épée. À coup sûr, il avait cessé de mimer le calme…

Il lâcha l'arme et attendit que la colère l'abandonne. Puis il vida la chope de *juka* dans la poussière.

— Je vais te tirer de là. Mon nom est Richard. Comment t'appelles-tu ?

— Qu'est-ce ça peut te faire ?

— Eh bien, si je dois te sauver, il faut que je te donne un nom. T'appeler « femme » ne me dit rien.

— Je suis Du Chaillu…

— Dois-je t'appeler Du ? Ou Chaillu ? Ou Du Chaillu ?

— Du Chaillu…, fit la prisonnière, perplexe. C'est ça, mon nom.

— Parfait… Du Chaillu, à quel peuple appartiens-tu ?

— Nous sommes les Baka Ban Mana.

— Et ça a un sens ?

— Oui. Ça veut dire « Ceux qui n'ont pas de maître ».

— Un nom qui te va comme un gant… Tu n'as pas l'air d'être le genre de femme qui se laisse dominer…

— Tu dis ça, mais je suis sûre que tu as l'intention de me monter, comme les autres.

— Non. Oublie cette histoire ! Je vais te sortir de là, et te ramener aux tiens.

— Aucun prisonnier des Majendies n'est jamais revenu chez nous.

— Dans ce cas, tu seras la première…

Richard dégaina son épée. Du Chaillu se plaqua contre le mur, les yeux fermés.

— Ne t'inquiète pas, dit le Sourcier, comprenant qu'elle se méprenait sur ses intentions. Je ne te ferai pas de mal. Mais il faut que je te débarrasse de ce collier.

Du Chaillu recula encore un peu. Puis, honteuse de battre en retraite, elle avança… et cracha sur Richard.

— Tu vas me couper la tête ! Tu mens pour que je me laisse faire…

D'un revers de la manche, Richard essuya la salive qui dégoulinait sur son front.

— Je ne te ferai pas de mal, assura-t-il en posant une main sur l'épaule de la femme. Il faut t'enlever ce collier. Sinon, comment te sortir d'ici ? Me laisseras-tu agir ?

— Une épée ne peut pas couper du fer.

— Mais la magie, oui…

Du Chaillu ferma les yeux et retint son souffle quand il lui passa un bras autour des épaules et la fit rouler sur ses genoux, visage en avant. Très doucement, il plaça la pointe de l'épée sur le cou de la prisonnière. L'arme pouvait couper du fer, il le savait d'expérience. La magie l'aiderait…

Du Chaillu ne broncha pas quand il glissa la lame entre le collier et sa peau.

Soudain, elle attaqua. Lui saisissant le bras gauche, elle ouvrit la bouche et la referma sur la peau tendre de la saignée du coude.

Richard se pétrifia. S'il essayait de se dégager, elle lui déchirerait sûrement les chairs jusqu'à l'os.

Sa main droite tenant toujours l'épée, il utilisa la colère de la magie pour bloquer la douleur.

Avec la position de la lame, un simple coup de poignet suffirait à égorger Du Chaillu. Un moyen radical de sauver son bras ! Et d'échapper à la torture de ses dents de louve…

— Du Chaillu, souffla-t-il, lâche-moi. Je ne te veux pas de mal. Sinon, un simple geste, et tu auras la gorge ouverte. Réfléchis un peu…

Après un long moment, la femme rouvrit la bouche – sans lâcher le bras du Sourcier.

— Pourquoi veux-tu m'aider ? demanda-t-elle.

Richard décida de prendre un risque. Lâchant l'épée, il porta la main droite à son cou.

— Moi aussi, je suis prisonnier, dit-il en touchant son collier. Et je déteste ça. Hélas, je ne peux pas me libérer. Mais toi, je t'aiderai…

Du Chaillu lui libéra enfin le bras et releva la tête.

— Mais tu as des pouvoirs magiques…

— C'est pour ça qu'on m'a capturé. La femme qui m'accompagne veut m'emmener dans un endroit appelé le Palais des Prophètes. Si je n'y vais pas, elle dit que la magie me tuera.

— Tu voyages avec une des sorcières qui habitent dans la grande maison de pierre blanche ?

— Ce n'est pas une sorcière, mais elle a des pouvoirs. Le collier m'oblige à la suivre…

— Si tu me sauves, les Majendies ne te laisseront pas traverser leur territoire.

— Mais si je te ramène à ton peuple, tu le convaincras sans doute de nous laisser traverser le tien. Et tu nous serviras peut-être même de guide…

— On pourra tuer la sorcière, si tu veux…

— Non. Je ne tue personne, sauf quand je ne peux pas faire autrement. De toute façon, ça ne me servirait à rien. Je dois aller au palais. Sinon, je suis fichu.

Du Chaillu prit soudain une décision.

— Je ne sais pas si tu dis la vérité, ou si tu as l'intention de m'égorger. (Elle lui massa gentiment le bras, là où étaient imprimées ses dents.) Mais de toute façon, j'étais condamnée… Si tu me tues, ces porcs ne viendront plus me labourer. Et si tu ne mens pas, je serai libre. Mais nous devrons encore fuir le territoire des Majendies.

— J'ai un plan, fit Richard. On pourra au moins essayer…

— Si tu me tuais, les Majendies te laisseraient passer. Ne crains-tu pas la mort ?

— Si… Mais j'ai encore plus peur de passer le reste de ma vie à regretter de ne pas t'avoir secourue.

— Tu as peut-être des pouvoirs, mais pas un gros cerveau. Un homme intelligent choisirait la sécurité.

— Je suis le Sourcier…

— Le quoi ?

— C'est une longue histoire… Mais ça signifie que je dois toujours faire le bien et agir au nom de la vérité. Mon arme est magique et elle m'aide. On l'appelle l'Épée de Vérité.

Du Chaillu reposa sa tête sur les genoux de Richard.

— Alors, essaye… Ou tue-moi, si tu préfères. De toute façon, j'étais déjà morte…

— Ne bouge pas, dit Richard en tapotant gentiment le dos de la Baka Ban Mana.

Il passa les doigts de sa main gauche sous le collier et le tint fermement. De la droite, celle où la magie coulait à flots, il releva violemment l'épée.

Le fer éclata et des échardes chauffées au rouge ricochèrent sur les murs.

Dans un silence de mort, Richard espéra qu'un des fragments n'avait pas ouvert la gorge de la prisonnière.

Du Chaillu se leva d'un bond. Portant les mains à son cou, elle ne trouva aucune blessure et sourit de toutes ses dents.

— Le collier n'est plus là et j'ai toujours la tête sur les épaules !

— Je te l'avais bien dit, fit mine de s'indigner Richard. À présent, il faut filer d'ici. Viens !

Ils traversèrent l'enfilade de pièces. Devant l'entrée de celle où attendaient les guerriers, Richard mit un doigt sur ses lèvres et fit signe à Du Chaillu de ne plus bouger.

Têtue, elle croisa les bras.

— Je viens avec toi ! Tu as promis de ne pas m'abandonner.

— Je vais essayer de te trouver des vêtements… On ne peut pas sortir si tu restes comme ça.

Du Chaillu décroisa les bras et s'inspecta d'un œil ravi.

— Pourquoi ? Qu'est-ce qui te gêne ? Je suis plutôt jolie à regarder, non ? Beaucoup d'hommes m'ont dit que…

— Mais qu'ont donc les gens ! grogna Richard. Depuis que j'ai quitté mon pays, en automne, j'ai vu plus de personnes nues que durant toute ma vie. Et aucune n'a semblé le moins du monde embarra…

— Tu es tout rouge ! coupa Du Chaillu.

— Attends-moi ici !

— D'accord, si ça peut te faire plaisir.

Quand Richard écarta la tenture, les quatre guerriers se levèrent d'un bond. Il ne leur laissa pas le temps de l'interroger.

— Où sont les vêtements de la prisonnière ?

— Ses vêtements ? Pour quoi faire ?

— Parce que les esprits l'exigent ! Oseriez-vous les contredire ? Les habits, vite !

Terrorisés, les Majendies coururent vers les coffres, posèrent les lampes à côté, soulevèrent les couvercles et commencèrent à fouiller frénétiquement.

— J'ai trouvé ! cria l'un d'eux en exhibant une robe en lin ornée de lanières de tissu multicolores et une ceinture en peau de daim.

Richard prit les vêtements.

— Attendez ici ! ordonna-t-il aux quatre guerriers.

Il ramassa un morceau de tissu jeté sur le sol par les types dans leur hâte à dénicher la robe.

Dans l'autre pièce, Du Chaillu n'avait pas bougé d'un pouce. Quand elle vit ce que tenait Richard, elle poussa un petit cri. S'emparant des vêtements, elle les serra contre son cœur, des larmes dans les yeux.

— Ma robe de prière !

Dressée sur la pointe des pieds, elle jeta les bras autour du cou du Sourcier et le couvrit de baisers.

— C'est bon… c'est bon…, marmonna le jeune homme en se dégageant. Habille-toi vite !

Radieuse, Du Chaillu enfila la robe. Sous les bras et en travers des épaules, les bandes de tissu coloré étaient simplement passées dans de petits trous et tenues en place par un nœud. La robe, fort seyante, arrivait aux genoux de la jeune femme. Pendant qu'elle fermait sa ceinture, Richard vit le sang qui ruisselait le long de sa jambe. La blessure infligée par le type à la lance…

Le Sourcier s'accroupit devant Du Chaillu.

— Soulève ta robe !

La Baka Ban Mana baissa les yeux sur son sauveur, le front plissé.

— Il faudrait savoir ce que tu veux ! Je viens de cacher mon joli corps, et voilà que tu désires le revoir !

Richard brandit son morceau de tissu.

— Tu saignes ! Je vais te faire un pansement.

En gloussant, Du Chaillu souleva sa robe et tendit sa jambe blessée, la faisant tourner lascivement.

Quand le Sourcier lui eut enveloppé la cuisse et noué le garrot de fortune, elle cria de douleur. Convaincu qu'elle méritait cette leçon, il s'excusa néanmoins.

La prenant par la main, il la tira dans la dernière pièce, qu'il traversa en trombe en criant aux guerriers de ne pas bouger de là.

Sans lâcher sa protégée, il courut dans le labyrinthe de ruelles et retrouva sans trop de mal la place où attendait Verna.

Apercevant la tête des trois chevaux, il se fraya sans douceur un passage parmi les guerriers.

Chapitre 43

Bien que son épée fût au fourreau, Richard puisait déjà dans sa magie. La colère déferlant en lui, il s'immergea dans un monde de silence qui n'appartenait qu'à lui. Un univers où il n'était plus qu'une chose : le messager de la mort.

Verna blêmit quand elle vit Du Chaillu derrière le Sourcier. Elle devint carrément blanche comme un linge lorsque le jeune homme, sans un mot pour elle, décrocha l'arc fixé à sa selle, le banda en grognant sous l'effort, et tira deux flèches à tête métallique de son carquois.

Tous les regards se rivèrent sur lui, y compris ceux des femmes en noir et de la Reine Mère.

— Richard, qu'as-tu l'intention de…

— Taisez-vous !

L'arc et les flèches dans une main, le jeune homme sauta en selle et se tourna vers la souveraine.

— J'ai parlé aux esprits !

La main de la grande femme glissa vers la corde de la cloche. Le signal que Richard attendait. Il lui avait laissé une chance, et elle refusait de la saisir.

Il lâcha la bride à sa magie.

Vif comme l'éclair, il encocha une flèche, banda l'arc et tira.

Le projectile siffla dans l'air. Alors qu'un cri de surprise montait de la foule, le Sourcier encocha sa deuxième flèche.

Avec un bruit sourd, la première fit mouche. La Reine Mère cria de douleur. S'enfonçant dans son poignet, la tête métallique le transperça, lui clouant la main droite au poteau. Entêtée, elle tendit la gauche vers la corde.

— Continuez, dit Richard, et la flèche suivante se plantera dans votre œil droit !

Les femmes en noir se jetèrent à genoux en gémissant. La Reine Mère se pétrifia…

La rage faisait bouillir les entrailles du Sourcier. Pourtant, son visage resta de marbre.

— Je vais vous dire ce qu'ont ordonné les esprits !

— Nous t'écoutons, soupira la souveraine en laissant glisser sa main indemne le long de son flanc.

Richard garda son arc armé. S'il visait une cible bien particulière, sa colère englobait tous les Majendies.

Jusque-là, sa rage avait toujours été concentrée sur un ennemi spécifique. Aujourd'hui, c'était différent. Elle visait tous ceux, dans ce royaume, qui prenaient part aux sacrifices humains. Ou qui les approuvaient… Une colère universelle.

Bien plus dévastatrice, car elle aspirait davantage de magie.

À moins que son entraînement avec Verna n'ait amélioré ses capacités de concentration. Quoi qu'il en fût, il tirait plus de magie de l'arme qu'il ne l'aurait cru possible. Un pouvoir terrifiant faisait vibrer l'air autour de lui.

Les guerriers reculèrent et les femmes en noir se turent. Le visage de la Reine Mère, frappant contraste avec sa tenue noire, semblait aussi blanc que du lait.

Un millier de personnes, terrorisées par un seul homme.

— Les esprits ne veulent plus de sacrifices ! tonna Richard. Ces actes ne prouvent pas votre dévotion, mais simplement que vous êtes capables de tuer. À partir d'aujourd'hui, vous montrerez votre respect aux esprits en épargnant les Baka Ban Mana. Sinon, la vengeance divine sera terrible. Obéissez, si vous ne voulez pas que la misère et la mort s'abattent sur les Majendies !

Voyant que les guerriers approchaient, il les foudroya du regard.

— Esquissez un geste contre moi ou mes compagnes, et la Reine Mère mourra ! (Les hommes se regardèrent, comme pour se donner du courage.) Vous me tuerez, c'est sûr, mais pas assez vite pour m'empêcher de tirer. Vous avez vu mon premier coup. La magie guide ma main, et je ne manque jamais ma cible.

Les Majendies reculèrent.

— Laissez-le ! cria la Reine Mère. Et écoutons-le !

— Je n'ai rien à ajouter. Les esprits ont parlé et vous obéirez !

— Nous vérifierons auprès d'eux…, menaça la souveraine.

— Vous oseriez les insulter ? Prouver que vous n'écoutez pas leurs paroles, mais celles que vous placez dans leurs bouches ?

— Mais nous devons…

— Je ne suis pas là pour marchander en leur nom. Ils veulent que je remette le couteau sacré à cette femme et qu'elle le rapporte aux siens. Ainsi, ils sauront que les Majendies ne les traqueront plus.

» Les esprits vous manifesteront leur colère en volant les graines que vous semez. Quand vous aurez envoyé des émissaires aux Baka Ban Mana, pour les assurer de vos intentions pacifiques, vous pourrez de nouveau ensemencer vos champs. Si vous désobéissez, la famine s'abattra sur vous.

» À présent, nous allons partir. Reine Mère, donnez-moi votre parole d'honneur que nous n'aurons rien à redouter sur vos terres. Si vous refusez, je lâcherai ma flèche…

— Nous devons réfléchir…

— Je vais compter jusqu'à trois pour vous laisser le temps de méditer. Un, deux, trois ! (La reine, ses suivantes et la foule poussèrent un cri d'horreur.) Votre réponse ?

La Reine Mère leva la main gauche, implorant Richard de ne pas tirer.

— Partez en paix ! Je jure sur mon honneur qu'il ne vous arrivera rien.

— Une sage décision, Majesté.

La reine serra le poing et le brandit vers les trois étrangers.

— Mais notre pacte avec le palais est rompu ! Quittez notre pays le plus vite possible, et ne revenez jamais. Vous êtes bannis !

— Qu'il en soit ainsi, dit Richard. Mais tenez votre promesse, ou vous le payerez cher.

Debout sur ses étriers, il tira le couteau sacré de sa ceinture et le leva au-dessus de sa tête pour que tous le voient.

— Cette femme remettra l'arme à son peuple, et lui répétera les paroles des esprits. Les Baka Ban Mana devront cesser de vous faire la guerre, et vous ne les attaquerez plus. Que la paix règne entre vous. N'oubliez pas : les esprits veillent et ils frapperont si vous désobéissez.

» Exécutez mes ordres ou affrontez ce que je déchaînerai sur vous ! conclut Richard d'une voix portée par la magie jusqu'au coin le plus reculé de la place.

L'onde de son pouvoir, incarnation sans substance mais bien réelle de son indignation, fit trembler tous les Majendies.

Quand il sauta de son cheval, les guerriers reculèrent de nouveau.

Verna était muette de rage. Tétanisée, elle ne bougeait plus un cil, les poings agressivement tendus.

— À cheval, ma sœur ! On s'en va !

— Tu es fou ! lâcha Verna entre ses mâchoires serrées. Nous n'allons pas…

— Si vous avez envie de vous disputer, ma sœur, restez donc ici, et querellez-vous avec les Majendies. Je suis sûr qu'ils vous donneront volontiers la réplique. Je vais au palais pour me débarrasser du Rada'Han. Vous voulez m'accompagner ? Alors, montez sur ce cheval !

— Nous n'irons nulle part ! La reine nous a bannis. Nous n'atteindrons jamais la frontière du territoire des Majendies.

Richard désigna Du Chaillu.

— Elle nous guidera jusqu'au Palais des Prophètes à travers son pays !

La Baka Ban Mana croisa les bras et sourit triomphalement à la Sœur de la Lumière.

— Tu es cinglé ! Nous ne pourrons pas…

— Assez ! explosa Richard, toujours animé par la magie de l'épée. Venez ou non, moi, je m'en vais !

Sous le regard intéressé de Du Chaillu, il glissa le couteau sacré dans sa ceinture en peau de daim.

— Je t'ai sauvée et chargée d'une mission, dit-il. Tu t'en acquitteras dignement ! En selle, toi aussi !

Du Chaillu décroisa les bras, jeta un regard angoissé au cheval, puis se tourna vers Richard et leva le menton, l'air pincé.

— Pas question que je monte sur cet animal. Il pue !

— Moins que toi ! rugit Richard. En selle !

La Baka Ban Mana sursauta, les yeux ronds de frayeur.

— À présent, je sais ce qu'est un Sourcier, grommela-t-elle en enfourchant Geraldine.

Verna était déjà perchée sur Jessup.

Richard sauta sur Bonnie et la lança au galop. Les deux autres montures suivirent le mouvement.

Toujours furieux, Richard espéra que quelqu'un essayerait de l'arrêter, histoire qu'il se défoule un peu.

Personne ne s'y risqua.

— Par pitié, gémit Du Chaillu, la nuit est presque tombée. On ne pourrait pas camper ? Ou au moins faire une pause, que je puisse me dégourdir les jambes ? J'ai si mal aux fesses !

Raide comme un bout de bois sur sa monture, la pauvre encaissait rudement les creux et les bosses du terrain.

Richard jeta un coup d'œil au soleil couchant. Verna les suivait à quelque distance, et il ne se retourna pas pour la regarder. Avec la pénombre, sa rage commençait à s'apaiser. Mais il avait cru qu'elle ne le quitterait jamais.

N'osant pas se lâcher d'une main, Du Chaillu désigna du menton un point, sur la droite du Sourcier.

— Par là, il y a un étang entouré de roseaux, et un endroit où camper.

— Tu es sûre que nous sommes sur le territoire de ton peuple ?

— Depuis deux ou trois heures, oui… C'est mon pays, je sais ce que je dis.

— Très bien. On s'arrête pour la nuit.

Richard tint les rênes de Geraldine pendant que Du Chaillu se laissait tomber lourdement à terre. Où elle se massa les fesses en gémissant.

— Si tu me forces à chevaucher, demain, je jure que je te mordrai !

Pour la première fois depuis qu'ils avaient quitté la ville des Majendies, Richard réussit à sourire.

Sautant à terre, il entreprit de desseller les chevaux et envoya Du Chaillu puiser de l'eau avec une outre.

Verna ramassa du bois et utilisa sa magie pour faire un feu.

Quand il se fut occupé des montures, Richard les attacha en leur laissant beaucoup de mou pour qu'elles puissent brouter à leur guise.

— Je crois que des présentations s'imposent, déclara le Sourcier quand la Baka Ban Mana revint. Sœur Verna, voilà mon amie Du Chaillu. Du Chaillu, c'est la sœur Verna…

Verna semblait de meilleure humeur – ou capable de dissimuler sa colère.

— Du Chaillu, dit-elle, je suis contente que tu n'aies pas dû mourir aujourd'hui.

La Baka Ban Mana se rembrunit. Richard se souvint qu'elle prenait les Sœurs de la Lumière pour des sorcières…

— Mais mon cœur saigne, ajouta Verna, quand je pense à tous ceux qui périront à ta place.

— Vous n'êtes pas contente du tout ! Vous auriez aimé qu'on me décapite. Si les Baka Ban Mana disparaissaient, vous seriez ravie.

— C'est faux… Je ne souhaite la mort de personne. Mais comme je ne pourrai pas vous en convaincre, pensez ce que vous voulez.

Du Chaillu tira le couteau sacré de sa ceinture et en plaça la garde sous les yeux de Verna.

— Vous voyez ces dessins ? Ils m'ont gardée prisonnière pendant trois lunes, et j'ai subi tout ça. Plusieurs fois !

— Du Chaillu, j'aimerais te persuader que j'abomine ce qu'ils t'ont fait et le sort qu'ils te réservaient. Il y a en ce monde beaucoup de choses qui me révulsent. Hélas, je n'y peux rien changer. Parfois, je dois même les tolérer au nom d'intérêts supérieurs…

— Mon ventre ne saigne plus depuis deux lunes…, souffla Du Chaillu. Ces chiens m'ont fait un enfant ! Il faudra que j'aille voir les sages-femmes pour m'en débarrasser. Heureusement, elles connaissent des herbes qui…

— S'il vous plaît, Du Chaillu, fit Verna, les mains jointes, ne faites pas ça ! Un enfant est un cadeau du Créateur. Ne le refusez pas !

— Un cadeau ? Votre Créateur a une drôle de façon de combler les gens de bienfaits !

— Mon amie, intervint Richard, jusqu'à aujourd'hui, les Majendies ont tué tous les Baka Ban Mana qu'ils capturaient. Tu seras la première à revenir, et il n'y aura plus de sacrifices. Considère cet enfant comme le symbole de la nouvelle ère qui s'ouvre pour vos deux peuples. Avec la fin des tueries, tous les petits grandiront en paix. Laisse vivre celui-là. Il n'a pas fait de mal.

— Son père en a fait pour lui !

— Les fautes du père ne retombent pas nécessairement sur la tête du fils, insista Richard, très mal à l'aise.

— C'est faux ! Quand le père est mauvais, l'enfant suit le même chemin.

— Tu te trompes, Du Chaillu, dit Verna, passant au tutoiement. Le père de Richard était un monstre qui a tué beaucoup d'innocents. Pourtant, son fils consacre sa vie à aider les autres. Sa mère savait que le mal ne se transmet pas ainsi. Elle a aimé le fils, bien que le père l'ait violée. Grâce à cet amour, Richard est devenu un homme de bien. C'est pour ça que tu es encore vivante. Élève bien ton enfant, et tu verras que j'ai raison.

— C'est vrai ? demanda Du Chaillu au Sourcier. Ta mère a subi les assauts d'un sale porc ?

Le jeune homme parvint à peine à hocher la tête.

— Je vais réfléchir à tout ça, fit Du Chaillu en se massant le ventre. Tu m'as sauvée, donc je dois tenir compte de ton avis.

— Quoi que tu décides, je suis sûr que ce sera pour le mieux.

— Si elle vit assez longtemps pour trancher, lâcha Verna. Richard, tu as proféré des menaces en l'air. Quand les Majendies ensemenceront leurs champs, et qu'il ne se passera rien, ils ne redouteront plus la famine dont tu leur as parlé. Oubliant tes autres divagations, ils recommenceront à combattre les Baka Ban Mana. Et ils s'en prendront aussi à mon peuple.

Richard enleva de son cou le sifflet de l'Homme Oiseau.

— À votre place, ma sœur, je n'affirmerais pas qu'il ne se passera rien. Parce que vous n'avez encore rien vu ! (Il passa la lanière de cuir autour du cou de Du Chaillu.)

On m'a offert ce sifflet. À présent, je te le donne, afin de mettre un terme aux massacres. Avec cet objet magique, tu pourras appeler des multitudes d'oiseaux. Plus que tu n'en as jamais vu de ta vie.

» Tu devras aller près des champs, et bien te cacher. Au coucher du soleil, souffle dans le sifflet magique. Tu n'entendras rien, mais les habitants du ciel viendront. Pense à tous ceux que tu connais, et ne cesse pas de souffler tant qu'ils n'arrivent pas.

— Un sifflet magique ? Les oiseaux viendront vraiment ?

— Ça, je te l'assure, fit Richard, amusé au souvenir de ses mésaventures aviaires. Personne n'entendra le son, à part eux. Du coup, les Majendies ne sauront pas que tu y es pour quelque chose. Les oiseaux, affamés, dévoreront les graines. À chaque nouvelle tentative de semailles, il te suffira de recommencer.

— Et tous ces porcs crèveront de faim !

— Non ! Je te fais un présent pour que les tueries cessent. Dès que les Majendies auront accepté de vivre en paix avec ton peuple, tu arrêteras d'appeler les oiseaux. Si vos ennemis respectent leurs engagements, vous devrez être fidèles aux vôtres. Tu comprends ?

Il brandit un index devant le nez de la Baka Ban Mana.

— Si tu fais un mauvais usage de mon cadeau, je reviendrai, et j'userai d'une autre magie sur ton peuple. J'ai confiance en toi. Ne me déçois pas.

Du Chaillu baissa les yeux.

— Je ferai ce que tu as dit… (Elle glissa le sifflet sous sa robe.) Merci d'apporter la paix à mon peuple.

— La paix est mon plus grand espoir.

— Quel idéaliste ! grogna Verna en foudroyant Richard du regard. Tu crois que c'est si simple ? Après trois mille ans de conflit, il suffirait que tu décrètes que c'est terminé ? Bref, tu te montres, et les gens changent aussitôt ? Tu es un gamin naïf, Richard. Même si les crimes du père ne pèsent pas sur le fils, ta façon simpliste de voir les choses est tout aussi dangereuse.

— Ma sœur, si vous avez cru que je participerais à un sacrifice humain, vous me connaissez très mal. Quel crime ai-je commis ? Quelle vie ai-je mise en danger ?

Verna eut un sourire mauvais.

— D'abord, si nous n'aidons pas ceux qui ont le don, ils meurent, comme ça risque de t'arriver. Comment les conduirons-nous au palais, désormais ? Traverser le territoire des Majendies nous est interdit… (Elle regarda Du Chaillu.) Cette femme a promis de *te* guider. Elle n'a jamais dit que d'autres pourraient passer. Beaucoup de jeunes garçons périront à cause de toi.

Richard tenta de réfléchir, mais la magie de l'épée l'avait vidé de ses forces. Son seul désir ? Dormir comme une masse ! Pas résoudre des problèmes compliqués.

Il se tourna pourtant vers Du Chaillu.

— Quand tu parleras de paix avec les Majendies, avant de les laisser ensemencer de nouveau leurs champs, il faudra ajouter une autre condition. Pour les remercier d'avoir contribué à la fin des massacres, ils devront laisser le passage aux Sœurs de la Lumière. (La Baka Ban Mana hésita puis acquiesça.) Et ton peuple promettra la même chose. Vous êtes satisfaite, ma sœur ?

— Dans la vallée des Âmes Perdues, quand tu as tué un monstre, un millier de serpents sont sortis de son cadavre. Il en ira de même pour cette affaire.

» J'aurais du mal à recenser tous les mensonges que tu as proférés aujourd'hui, Richard. Je t'ai pourtant interdit de mentir ! Et ordonné de ne pas abattre ta hache. Mais tu ne m'as pas écoutée. Combien de règles as-tu violées en quelques heures ? Tes actes n'ont pas mis un terme aux tueries. Bien au contraire…

— Pour ces choses, ma sœur, je suis le Sourcier, pas votre étudiant. Et le Sourcier ne tolère pas les sacrifices humains. En aucun cas ! Tout ce que vous m'opposez ne suffit pas à justifier des meurtres. Je ne ferai aucun compromis à ce sujet. Et je doute que vous me punissiez pour avoir retiré un caillou de *votre* chaussure.

— Les Sœurs de la Lumière n'ont pas le pouvoir de changer les choses, Richard. Pour sauver des vies, nous avons dû tolérer une situation vieille de trois mille ans. J'avoue que je détestais ça. En un sens, je suis ravie que tu aies agi à notre place. Mais ça ne change rien aux drames que ça provoquera. Ni aux vies que ça coûtera. Tu m'as dit que tenir la laisse de ton Rada'Han serait pire que de le porter. Eh bien, tu avais raison ! (Les yeux de Verna s'embuèrent.) À cause de toi, ce qui compte le plus dans ma vie – ma vocation – est devenu un calvaire.

» Je n'ai même plus envie de te punir, Richard. Dans quelques jours, nous arriverons au palais, et j'en aurai fini avec toi. D'autres se chargeront du fardeau ! Nous verrons comment elles réagissent quand tu leur déplais. À mon avis, elles seront beaucoup moins tolérantes que moi. Elles n'hésiteront pas à se servir du Rada'Han. Malgré cela, elles regretteront aussi d'avoir dû tenir ta laisse. Et d'avoir tenté de t'aider.

Richard se détourna et contempla la forêt de chênes vénérables.

— Je suis navré que vous en soyez là, ma sœur, même si je comprends votre réaction. C'est vrai, je me suis rebellé contre vous. Pourtant, aujourd'hui, l'enjeu n'était pas notre relation, mais la justice. Puisque vous devez me former, j'espère que vous partagez cette vision de la morale. Les Sœurs, j'en suis sûr, n'enseigneraient pas la magie à quelqu'un dont les convictions varient au hasard des circonstances. Je ne m'en suis pas pris à vous, sœur Verna. Mais je ne pourrais plus me regarder en face si j'assistais à un meurtre sans broncher, et encore moins si j'y participais.

— Je sais, Richard. Hélas, ça ne change rien, car le mal reste le même… (Elle approcha de leurs paquetages, fouilla dans une sacoche et en sortit un pain de savon.) Je vais préparer un ragoût et faire cuire un bannock. (Elle lança le savon à Richard.) Du Chaillu a besoin de se laver.

— Quand j'étais enchaînée, grogna la Baka Ban Mana, les porcs qui se servaient de mon corps ne m'ont pas proposé de prendre un bain, histoire que je sente la rose pour vous !

— Je ne voulais pas t'offenser, Du Chaillu. Mais à ta place, je serais pressée de me débarrasser de la souillure de ces hommes…

— Si vous présentez les choses comme ça, c'est différent… (La jeune femme prit le savon à Richard.) Tu pues le cheval, Sourcier ! Si tu ne te laves pas, je refuserai de m'asseoir près de toi.

— Alors, pour ne pas entrer en guerre contre toi, je veux bien aller à l'eau !

La Baka Ban Mana partit en direction de l'étang. Richard la suivit, mais Verna le retint en l'appelant à mi-voix.

— Depuis trois mille ans, son peuple a tué tous les « magiciens » qui lui sont tombés entre les mains. Ce n'est pas le moment de te donner un cours d'histoire, mais les vieilles habitudes ont la vie dure. Ne lui tourne pas le dos, Richard. Tôt ou tard, elle tentera de te planter un couteau entre les omoplates.

Le ton égal de Verna, paradoxalement, donna la chair de poule au Sourcier.

— Je ferai attention, ma sœur. Ainsi, vous pourrez me livrer au palais, et vous débarrasser d'un sacré poids mort !

Richard courut vers l'étang et rattrapa Du Chaillu alors qu'elle marchait encore dans les roseaux.

— Pourquoi appelles-tu ce vêtement une robe de prière ?

La Baka Ban Mana tendit les bras pour laisser le vent jouer avec les bandes de tissu multicolores.

— Ce sont des prières…

— Quoi ? Ces morceaux de tissu ?

— Chacun d'eux, oui… Quand le vent les fait voleter, ils envoient des messages aux esprits.

— Et que disent-ils, ces messages ?

— Tous expriment le même désir, venu du cœur des gens qui me les ont confiés. Une supplique pour qu'on nous rende notre terre.

— Votre terre ? Je croyais que nous étions dans ton pays.

— Non. Nous vivons ici, mais ce n'est pas notre pays. Il y a très longtemps, des magiciens nous ont chassés de chez nous et exilés ici.

Ils atteignirent les berges de l'étang et contemplèrent un moment l'onde ridée par le vent.

— Où était votre pays ?

— Nos ancêtres vivaient là-bas… (Du Chaillu tendit un bras en direction de la vallée des Âmes Perdues.) Au-delà du territoire des Majendies. J'essayais d'aller dans notre ancienne patrie, pour demander aux esprits de nous aider à la reconquérir. Mais j'ai été capturée, et je n'ai pas pu remplir ma mission.

— Comment les esprits pourraient-ils vous aider ?

— Je n'en sais rien… Les anciens mots disent simplement que nous devons y envoyer l'un des nôtres chaque année. Un jour, nous retrouverons notre terre natale…

Du Chaillu défit sa ceinture et la laissa glisser sur le sol. Avec une grâce troublante, elle lança le couteau sacré, qui se planta docilement dans une souche.

— Comment la retrouverez-vous ? insista Richard.

— Les esprits nous enverront notre maître !

— Je croyais que les Baka Ban Mana n'en avaient pas.

— Parce que les esprits ne nous l'ont pas encore envoyé !

Alors que le Sourcier essayait de comprendre cet étrange discours, la jeune femme leva les bras et commença à retirer sa robe.

— Que fais-tu ? s'écria Richard.

— C'est moi que je veux laver, pas mes habits.

— Peut-être, mais pas devant mes yeux !

— Tu m'as déjà vue, et il ne m'a rien poussé de nouveau depuis ce matin. (Elle leva les yeux sur son compagnon.) Et voilà, tu es encore tout rouge !

— Va derrière ces roseaux ! ordonna Richard. Moi, je me laverai de l'autre côté.

— Mais nous n'avons qu'un savon !

— Tu me le lanceras quand tu auras fini.

Du Chaillu vint se camper devant son sauveur. Il essaya de filer, mais elle s'accrocha à lui, s'attaquant aux boutons de sa chemise.

— Comment me frotterai-je le dos ? En plus, ça n'est pas juste ! Tu m'as vu nue, donc j'ai le droit de savoir à quoi tu ressembles sans tes vêtements. Je parie que c'est pour ça que tu rougis : tu sais que c'est de la triche. Mais tu vas te sentir beaucoup mieux, tu verras…

Richard écarta les mains de la jeune femme.

— Arrête ça, Du Chaillu ! Ce n'est pas convenable. Chez moi, les hommes et les femmes ne se baignent pas ensemble. Ça ne se fait pas, un point c'est tout !

— Je n'ai jamais vu un type aussi pudibond que toi ! Même mon troisième mari…

— Tu as eu trois époux ?

— Non, j'en ai cinq.

— « J'en ai » ? Que signifie ce verbe au présent ?

Du Chaillu le regarda comme s'il venait de lui demander si les arbres poussaient dans la forêt.

— J'ai cinq maris… et des enfants.

— Combien ?

— Trois. Deux filles et un garçon. (La jeune femme sourit tendrement.) Il y a longtemps que je ne les ai pas serrés dans mes bras. (Elle se rembrunit.) Les pauvres petits ont dû pleurer toutes les nuits, certains que j'étais morte. Personne n'avait jamais échappé aux Majendies. (Elle sourit de nouveau.) À mon retour, mes époux tireront au sort pour savoir lequel tentera le premier de me faire un nouvel enfant. Hélas, un porc de Majendie s'en est déjà chargé.

— Tout ira pour le mieux, tu verras, dit Richard en tendant le savon à son amie. Va te laver. Je resterai de ce côté des roseaux.

Il se délassa dans l'eau fraîche, attendant le retour du savon. La brume qui se formait sur l'étang gagnait lentement les arbres environnants.

— Je n'avais jamais entendu parler d'une femme mariée à plusieurs hommes. Toutes les Baka Ban Mana sont comme toi ?

— Non. Je suis la seule.

— Pourquoi ?

— Parce que je porte la robe de prière, bien entendu !

— Eh bien, ça paraît un peu…

Richard ne finit pas sa phrase. Surgissant d'entre les roseaux, Du Chaillu nageait voluptueusement vers lui.

— Si tu veux le savon, il faut me laver le dos d'abord !

Le Sourcier lâcha un soupir résigné.

— D'accord… Mais quand ce sera fait, tu retourneras derrière les roseaux.

— Si tu me frottes bien, gloussa la jeune femme.

Quand elle s'estima correctement lavée, elle sortit de l'eau et alla s'habiller pendant que Richard se savonnait consciencieusement.

Quand il eut terminé et entrepris de se sécher, puis de se vêtir, elle lui cria de se dépêcher, parce qu'elle mourait de faim.

Il boucla sa ceinture, et, sa chemise sur l'épaule, accéléra le pas pour la rattraper, l'estomac titillé par de délicieuses odeurs de cuisine.

Une fois propre, Du Chaillu était franchement agréable à regarder. Les cheveux démêlés, elle ne ressemblait plus à une sauvage, mais à une personne pleine de noblesse.

La nuit n'était pas entièrement tombée, mais ça ne tarderait plus. Avec la brume, on distinguait à peine les arbres à dix pas de distance.

Verna se leva pour les accueillir.

Richard commença à enfiler sa chemise.

Il se pétrifia en voyant la sœur écarquiller les yeux et pâlir. Elle fixait sa poitrine, qu'elle n'avait jamais vue.

Là où s'étendait l'empreinte de main noircie. La marque qui lui rappelait sans cesse l'identité de son père.

— Où t'es-tu fait ça ? demanda Verna d'une voix tremblante.

Du Chaillu aussi regardait la marque.

— Je vous l'ai déjà dit, grogna Richard en finissant de mettre sa chemise. Darken Rahl m'a brûlé avec sa main. Mais selon vous, j'ai eu des visions…

Verna leva lentement les yeux. Jusque-là, le Sourcier n'y avait jamais lu une telle panique animale.

— Richard, ne montre ça à personne au palais, à part la Dame Abbesse. Elle saura quoi faire. Mais les autres ne doivent pas voir cette cicatrice ! Tu m'entends ?

— Pourquoi ?

— Parce que tu serais exécuté ! C'est la marque de Celui Qui N'A Pas De Nom. Les fautes du père…

Au loin, des loups hurlèrent à la mort.

— Des gens vont mourir ce soir…, souffla soudain Du Chaillu.

— Que racontes-tu ? grogna Richard.

— Les loups… Quand ils crient comme ça dans la brume, ils annoncent que des êtres humains périront de mort violente pendant la nuit. Également dans la brume…

Chapitre 44

Ils jaillirent de la brume, tels les crocs blancs de la mort. Leurs proies, d'abord tétanisées par la terreur, tournèrent les talons pour fuir ce raz de marée dévastateur. Des lames blanches déchirèrent impitoyablement leurs chairs tandis qu'elles croyaient courir vers le salut. Des hurlements d'agonie retentirent, ajoutant à la panique. Au bord de l'hystérie, certains soldats se jetèrent carrément sur les épées fantomatiques qui les traquaient dans la nuit.

Des hommes qui n'avaient jamais connu la peur en firent l'expérience quelques secondes avant de mourir.

La horde de spectres déferlait sur le camp dans un vacarme apocalyptique. La chanson métallique des lames, les craquements du bois brisé, le sifflement de la toile déchirée, les grincements du cuir, le bruit sec des os fracassés, le souffle infernal des flammes, le son mat des corps heurtant le sol... Tout cela, plus les cris des hommes et des bêtes, formait une épouvantable cacophonie poussée vers le cœur du camp par la vague de mort blanche.

L'odeur du sang domina bientôt celle de la fumée, plus forte encore que la puanteur de la chair et de la fourrure carbonisées.

Très vite, les lames furent couvertes d'humeurs rouges et de lambeaux d'intestins, le tapis de neige virant à l'écarlate. Et les flammes, comme si elles présidaient au carnage, crépitaient partout où des hommes mouraient le ventre ouvert.

Des flèches, des lances et des piques volaient dans l'air, projectiles devenus fous qui fauchaient plus souvent les hommes de l'Ordre Impérial que leurs assaillants. Entre les tentes en feu, les épées se levaient et s'abattaient en rythme, chaque coup ponctué par des grognements de haine ou d'effroi.

Comme des fourmis affolées, les « défenseurs » couraient en tous sens, certains sans s'apercevoir, jusqu'au moment où ils s'écroulaient, que leurs viscères s'échappaient de leurs ventres ouverts. Un blessé, aveuglé par son sang, tituba dans le mauvais sens – vers la vague d'assaillants – et fut proprement coupé en deux par une lame encore à peu près blanche.

Nul n'avait donné l'alarme, car les sentinelles étaient tombées les premières, comme en lever de rideau au massacre. Dans le camp agressé, peu d'hommes avaient réagi avant d'avoir sous le nez un spectre grimaçant prêt à les éventrer.

Chaque soir, le campement de l'Ordre Impérial bruissait de cris et de chants. Et les bagarres, Kahlan l'avait constaté, y étaient monnaie courante. Abrutis par l'alcool, la majorité des soudards ne s'apercevaient même pas qu'on les attaquait. Empoisonnés par le *bandu*, certains gisaient autour des feux de camp, couchés dans leur vomi. D'autres brûlaient vifs sous les tentes, trop malades pour avoir la force de fuir.

Les plus soûls, ou les plus atteints, sourirent aux démons blancs qui venaient les égorger.

Ceux qui étaient sobres, ou modérément ivres, ne s'aperçurent pas non plus qu'un cataclysme les menaçait. Habitués au vacarme, ils ne prêtèrent pas attention aux feux supplémentaires qui s'allumaient un peu partout à côté des foyers normaux. Dans ce camp, il se passait sans cesse des choses étranges, et la prudence la plus élémentaire consistait à ne pas s'en mêler.

Quant aux cris, pourquoi s'en seraient-ils souciés ? Parmi les D'Harans, les alliances étaient aussi fluctuantes que les dunes, dans le désert, lors d'une tempête de sable. On se battait pour le pouvoir, la bière, les femmes et même les armes.

Au combat, ces hommes faisaient montre d'une discipline de fer. Le reste du temps, ils redevenaient une bande de tueurs livrés à l'anarchie. La solde, en campagne, consistait essentiellement à se partager le butin. Et malgré les beaux discours des officiers sur la morale, l'Ordre Impérial avait pillé Ebinissia. Les poches pleines, les bouchers étaient d'humeur à faire la fête, pas à se concentrer sur la rigueur militaire. Sur un champ de bataille, ou dès qu'une alarme retentissait, ils se transformaient en une impeccable machine à tuer dotée d'un cerveau collectif. Au repos, ils redevenaient des rapaces exclusivement concernés par leurs propres intérêts.

Tous ceux qui n'étaient pas à proximité des combats continuèrent à jouer, à boire, à rire et à besogner les gueuses qui les accompagnaient. En cas de danger, les officiers étaient là pour les appeler. Le reste du temps, ils menaient leur vie de prédateurs, indifférents aux problèmes des autres.

À mesure qu'ils avançaient dans le camp, les diables blancs se heurtaient à des adversaires surpris qui se défendaient à peine.

Comme Kahlan l'avait prévu, des hommes crièrent que les esprits des Shanaris revenaient se venger. Le voile qui séparait le royaume des morts du monde des vivants avait-il disparu ? Le camp tout entier, victime d'un étrange sortilège, aurait-il été aspiré dans le sinistre domaine du Gardien ?

Sans la bière, qu'elle fût empoisonnée ou non, ces délires ne se seraient pas répandus comme une traînée de poudre. Grisés par l'alcool et trop confiants en la supériorité du nombre, les tueurs de l'Ordre Impérial étaient plus vulnérables qu'ils ne le seraient jamais.

Tous n'étant pas ivres ou malades, certains commencèrent néanmoins à s'organiser et à résister.

Perchée sur son destrier, Kahlan suivait le déroulement de l'attaque. En proie à une multitude d'émotions violentes, elle affichait son masque d'Inquisitrice.

Les hommes dont elle avait ordonné le massacre n'avaient aucune notion de la morale ou de l'éthique. Comme des animaux, ils ne connaissaient aucune loi, à part celle du plus fort. À Ebinissia, ils avaient violé les femmes, décapité les vaincus et massacré sans pitié les vieillards et les enfants…

Un homme jaillit de la mêlée, devant Kahlan, et courut vers elle. S'appuyant au cheval pour ne pas tomber, il implora les esprits du bien de le prendre en pitié.

L'Inquisitrice lui fendit le crâne et se tourna vers un sergent nommé Cullen.

— Sommes-nous maîtres des tentes de commandement ? lui demanda-t-elle.

Le sergent fit signe à un Galeien qui partit en éclaireur.

Kahlan et son groupe continuèrent à s'enfoncer dans le camp. Dès qu'elle aperçut les chevaux, la jeune femme donna le signal. Derrière elle montèrent un roulement de sabots et un cliquetis de chaînes.

Tel un ouragan, la machine de guerre imaginée par Brin et Peter faucha impitoyablement les pattes des montures ennemies.

Alertés par les hennissements de douleur des pauvres bêtes, tous les soudards, même les plus soûls, tournèrent la tête vers cet atroce spectacle. Pour beaucoup, ce fut la dernière chose qu'ils virent…

Des hommes sortirent de leurs tentes en titubant, les yeux écarquillés de stupeur. D'autres erraient dans le camp, leurs chopes à la main, comme dans une fête foraine, se jetant au passage des regards hébétés. Trop nombreux, les assassins de l'Ordre devaient parfois patienter un peu avant de mourir…

Les plus malins, ou les plus sobres, ne tombèrent pas dans le panneau, voyant simplement en leurs adversaires des types peints en blanc. On les attaquait, et les épées, blanches ou pas, étaient bien de ce monde !

Une contre-attaque partit presque spontanément. Les Galeiens l'encerclèrent et la brisèrent, mais pas sans y laisser des plumes.

Kahlan leva son épée et fit signe à ses hommes de la suivre dans les entrailles du camp.

Sur sa droite, deux types montés sur des chevaux de trait – elle ne les reconnut pas – en avaient fini avec les montures adverses. Au lieu de battre en retraite, ils chargèrent une rangée de tentes, les éventrant en même temps que leurs occupants.

Hélas, la chaîne se coinça, peut être dans quelque racine, et les chevaux, stoppés dans leur élan, se percutèrent brutalement. Leurs cavaliers volèrent dans les airs. Dès qu'ils atterrirent, une meute de soudards armés de haches et d'épées se jetèrent sur eux.

Un soldat de l'Ordre Impérial fonça sur Kahlan. Épée au poing, la démarche assurée – donc, ce n'était pas un ivrogne – il riva sur l'Inquisitrice un regard féroce qui lui donna le sentiment d'être… une femme nue sur un cheval, et rien de plus.

— Par l'enfer, que…

Le soldat ne termina jamais sa phrase. Un bon pied d'acier émergea de sa poitrine, lui transperçant le cœur au passage.

— Mère Inquisitrice ! cria un Galeien en dégageant sa lame. Les tentes de commandement sont juste devant nous !

Kahlan capta un mouvement à la périphérie de son champ de vision. D'un revers de l'épée, elle décapita l'homme qui fondait sur elle.

— On y va ! cria-t-elle ensuite. Tout le monde court vers les tentes !

Ses hommes rompirent le combat pour la suivre. Sur leur chemin, soucieux de ne pas se laisser trop distancer, ils ne daignèrent pas s'arrêter pour pourfendre les D'Harans ivres morts qui leur offraient pourtant leurs poitrines. Mais ils ne manquèrent pas, chaque fois que c'était possible, de frapper de taille ou d'estoc sans ralentir le pas.

En deux ou trois occasions, ils durent perdre un peu de temps pour réduire une poche de résistance.

Les diables blancs avaient encerclé les tentes de commandement. Une trentaine de cadavres gisaient déjà dans la neige. Un peu plus loin, quinze officiers tremblaient de froid ou de peur, une lame plaquée sur la gorge.

Depuis le début de l'attaque, ils n'avaient pas lancé un seul ordre ! Pour l'heure, l'armée ennemie n'était plus qu'une vipère sans tête !

— Ceux-là étaient déjà morts, expliqua le lieutenant Sloan en désignant les cadavres. Le poison a fait son office. Les autres, nous les avons trouvés sous leurs tentes, malades comme des chiens. On a eu du mal à les en faire sortir. Le plus incroyable, c'est qu'ils nous ont demandé du rhum !

Kahlan regarda attentivement les morts et ne découvrit pas le visage qu'elle cherchait. Elle ne le repéra pas non plus parmi les prisonniers.

Elle vint se camper devant un commandant keltien, au début de la rangée.

— Où est Riggs ? demanda-t-elle.

L'homme cracha sur le sol.

Kahlan croisa le regard du Galeien qui le tenait par-derrière puis se passa un index sur la carotide.

Le soldat n'hésita pas et le Keltien s'écroula comme une masse.

L'Inquisitrice se campa devant le prisonnier suivant.

— Où est Riggs ?

— Je n'en sais rien !

Kahlan répéta son geste. Sans regarder tomber l'officier, elle passa au suivant, un commandant d'haran.

— Où est Riggs ?

Les yeux écarquillés, l'homme tremblait de peur. Pas à cause des deux agonisants, près de lui, mais du spectre qui lui faisait face.

— Le général a été blessé par la Mère Inquisitrice… Enfin, je veux dire… par vous. Avant… Quand vous étiez vivante…

— Où est-il ?

— Je l'ignore, ô puissant esprit ! Il a été touché au visage par les sabots de ton cheval. Les médecins s'occupent de lui, mais je ne sais pas où sont leurs tentes.

— L'un d'entre vous peut me le dire ? demanda Kahlan aux prisonniers.

Tous secouèrent négativement la tête.

L'Inquisitrice poussa Nick le long de la rangée de vaincus et tira sur ses rênes devant un visage qu'elle reconnut.

— Général Karsh, je suis vraiment ravie de vous revoir ! Où est notre bon ami Riggs ?

— Si je le savais, je ne vous le dirais pas ! (Il sourit en la détaillant de la tête aux pieds.) Nue, vous êtes plutôt mieux que je l'imaginais. Pourquoi vous envoyer en l'air avec ces gamins ? Nous aurions pu vous en donner beaucoup plus qu'eux !

L'homme qui tenait le général lui tordit le bras jusqu'à ce qu'il hurle de douleur.

— Chien de Keltien ! brailla-t-il. Sois respectueux devant la Mère Inquisitrice !

— Respectueux, moi ? Face à une catin qui brandit une épée ? Jamais !

— Les « gamins » dont vous parlez, général, viennent de vous botter les fesses. À mon avis, ils vous sont tous largement supérieurs…

» Vous vouliez la guerre, Karsh ? Eh bien, vous l'avez ! Pas une tuerie où on égorge les femmes et les enfants, mais un combat impitoyable mené par la Mère Inquisitrice. Un conflit où il n'y aura pas de quartier !

Kahlan se redressa sur sa selle, les yeux de l'homme au niveau de ses seins.

— J'ai un message pour le Gardien, général Karsh. Puisque vous allez bientôt le rejoindre, dites-lui de prévoir de la place dans le royaume des morts, car je vais lui renvoyer tous ses suppôts !

Kahlan se passa un index sur la gorge. Aussitôt, les Galeiens mirent fin à la misérable existence de leurs prisonniers.

Au moment où ils s'écroulèrent, la jeune femme porta les mains à son cou et cria de douleur.

L'endroit où Darken Rahl avait posé ses lèvres lui faisait atrocement mal. Comme à l'instant, dans la maison des esprits, où il lui avait promis à voix basse une éternité de souffrances.

— Mère Inquisitrice, que se passe-t-il ? crièrent des Galeiens en courant vers elle.

Kahlan écarta sa main et vit que du sang ruisselait sur ses doigts. Sans pouvoir expliquer pourquoi, elle comprit que sa peau avait été percée par les dents impeccablement blanches de Darken Rahl.

— Mère Inquisitrice, vous avez du sang sur la gorge !

— Ce n'est rien… Une flèche a dû me frôler, voilà tout… (Les mâchoires serrées, elle rassembla son courage.) Plantez les têtes des officiers sur des piques, pour que tous ces chiens sachent qu'ils n'ont plus de chefs. Exécution, et en vitesse !

Quand la dernière tête fut en place, l'Inquisitrice s'aperçut que des D'Harans affluaient de toute part. La majorité, plongés dans les vapeurs de l'alcool, ricanaient comme s'ils venaient se mêler à une bagarre d'ivrognes. Mais aussi inefficaces fussent-ils, leur nombre devenait inquiétant. Un véritable essaim d'abeilles : pour chaque type écrabouillé, dix rappliquaient à la course.

Les Galeiens se battaient bravement, mais ils ne tiendraient plus longtemps. Partout, ils tombaient avec des cris de douleur et de terreur. Les attaquants s'étaient trop attardés dans le camp !

Devant Kahlan, une bataille rangée faisait rage, et les Galeiens étaient forcés de reculer. Si ça se confirmait, ils n'auraient aucune chance de s'en sortir. Revenir en arrière impliquait de tomber sur des soudards dessoûlés par le massacre. Des hommes en train de reprendre leurs esprits qui retrouveraient toute leur efficience.

Après tout, les attaquants n'étaient qu'une bande de jeunes gens nus dirigés par une femme. S'ils défiaient le sort une deuxième fois, ils y laisseraient leur peau. Le seul espoir était de traverser le camp et d'en sortir par l'autre bout de la vallée.

Partout, les D'Harans fondaient sur les diables blancs, et ils menaçaient de les tailler en pièces. Sentant une main se refermer sur sa cheville, Kahlan la trancha net d'un coup d'épée, puis secoua sa jambe pour s'en débarrasser.

Encore quelques minutes, et les Galeiens seraient piégés dans le ventre du monstre qu'ils étaient venus combattre. Un monstre qui se ferait un plaisir de les digérer !

Oubliant les cris d'agonie des hommes et la promesse de ne pas s'éloigner de son cercle de protecteurs, Kahlan talonna Nick et fonça dans la mêlée.

Sa lame fit des ravages, tranchant la chair et fracassant les os. Mais très vite, son poignet la tirailla à cause des impacts répétés et son bras faiblit, menaçant de ne plus pouvoir soulever l'arme.

Voyant qu'elle se trouvait en mauvaise posture, les compagnons de l'Inquisitrice la rejoignirent et ajoutèrent leur férocité à sa contre-attaque désespérée.

Quand l'ennemi commença à céder du terrain, Kahlan leva sa lame et hurla à pleins poumons :

— Pour Ebinissia ! Pour ses morts… et pour son âme immortelle !

Cette intervention eut l'effet recherché. Les soudards de l'Ordre Impérial, déconcertés par leurs étranges ennemis, mais néanmoins résolus à les écraser, s'immobilisèrent, les yeux rivés sur la femme nue aux allures de spectre qui venait de surgir parmi eux. Étaient-ils vraiment attaqués par des esprits, et non par des êtres humains déguisés, comme ils le croyaient ?

Rongés par le doute, ils perdirent beaucoup de leur ardeur au combat.

Alors que le vent faisait voler ses cheveux blancs dans son dos, Kahlan leva son épée, la fit tourner autour de sa tête et hurla :

— Je suis là au nom des mânes des martyrs d'Ebinissia, et je les vengerai !

Les soudards en uniformes noirs tombèrent à genoux, lâchèrent leurs épées et joignirent les mains. Implorants, ils les tendirent vers la messagère des morts, en quête de sa pitié et de sa protection. Fous de terreur, ils la supplièrent de leur pardonner.

Moins soûls, l'illusion leur aurait-elle fait un choc pareil ? se demanda Kahlan. En tout cas, l'effet était apocalyptique.

— Pas de quartier ! cria l'Inquisitrice à ses hommes.

Ils repassèrent à l'assaut, vague d'acier implacable qui convainquit les soudards que les esprits les massacreraient jusqu'au dernier. Alors qu'ils disposaient d'une écrasante supériorité numérique, les bouchers de l'Ordre Impérial se débandèrent en braillant de peur.

Les Galeiens avaient atteint tous leurs objectifs. À présent, le temps jouait contre eux et ils devaient sortir de ce piège.

Ils se ruèrent en avant, renversant les tentes et les chariots. Leurs lames continuèrent à faucher les soudards tandis qu'ils couraient vers la brume, les premiers s'y enfonçant de nouveau, comme s'ils retournaient dans le royaume des morts dont la vengeance les avait arrachés.

Kahlan jeta un coup d'œil derrière elle. Les équipes de cochers arrivaient. Ils chevauchaient toujours par paires, tenant les chaînes en hauteur pour éviter qu'elles se prennent dans les pattes de leurs montures.

Quand l'Inquisitrice leur fit signe de se hâter, ils entreprirent de se « découpler » histoire de galoper plus vite. Mais en pleine course, et dans le noir, l'opération n'était pas un jeu d'enfant.

Au loin, sur sa droite, Kahlan aperçut une rangée de destriers attachés à des piquets. Brin et Peter leur fonçaient dessus, décidés à leur briser les jambes.

L'Inquisitrice voulut leur crier de battre en retraite. Ils avaient fait plus que leur part du travail, et continuer serait un suicide. Mais elle comprit qu'ils ne l'entendraient pas.

Les deux cochers chargèrent en hurlant. Kahlan les regarda une dernière fois, consciente qu'elle ne les reverrait plus en ce monde. Puis elle se concentra sur les obstacles qui se dressaient encore sur son chemin.

— Les derniers chariots de vivres sont là ! cria-t-elle, indiquant la direction du bout de sa lame.

Les hommes n'eurent pas besoin d'un dessin. Alors que Kahlan remontait la colonne, ils ramassèrent des lampes à huile et des torches et les jetèrent sur les bâches des véhicules. Pour faire bonne mesure, ils incendièrent aussi les tentes environnantes. Les soldats qui en sortirent, encore ensommeillés, n'eurent pas le temps de comprendre ce qui leur arrivait. Taillés en pièces, ils passèrent sans transition du repos au sommeil éternel.

Soudain, les diables blancs sortirent du camp et débouchèrent dans la plaine enneigée, sous un ciel noir comme de l'encre.

Les premiers hommes hésitèrent, incertains de la direction à prendre.

— Éclaireurs, en tête de la colonne ! cria Kahlan. Bon sang, où sont nos éclaireurs !

Deux hommes jaillirent des rangs, se portèrent en avant et tendirent un bras vers le col qu'ils devaient emprunter. Mais où étaient les autres ? Kahlan regarda à droite et à gauche. Aucun ne se montra.

— Où sont vos camarades ? demanda-t-elle aux deux soldats. Ils avaient ordre d'ouvrir la marche.

Les regards atterrés que lui jetèrent les derniers éclaireurs suffirent à répondre à sa question. Tous morts…

— Vous connaissez le chemin, n'est-ce pas ? Alors, ramenez-nous au camp !

Cinquante hommes étaient allés reconnaître le col. Un nombre suffisant, en principe, pour ne courir aucun risque lors de la retraite. Et il y avait seulement deux survivants…

Kahlan maudit mentalement les esprits. Puis, honteuse, elle retira ses imprécations. Deux, c'était encore assez pour que la troupe ne soit pas coincée dans la plaine. Perdus dans le brouillard, morts de froid, les Galeiens n'auraient eu aucune chance d'échapper aux soldats de l'Ordre qui ne tarderaient pas à les poursuivre.

Kahlan tira sur les rênes de Nick. Immobile à côté de la colonne de fuyards, elle leva et baissa frénétiquement le bras gauche.

— Avancez ! Vite, bon sang ! Bougez-vous, tas de fainéants ! L'ennemi vous collera bientôt aux fesses !

Les équipes de cochers arrivèrent au niveau de l'Inquisitrice. Sans Brin et Peter, comme elle l'avait, hélas, prévu.

— Cochers, regardez l'éclaireur, devant vous ! Il vous indiquera les piquets à suivre.

Les jeunes gens firent signe qu'ils n'avaient pas oublié.

Des soldats en uniforme d'haran passèrent à côté de Kahlan. Les bandes de tissu blanc cousues à leurs épaulettes lui indiquèrent qu'ils s'agissaient des Galeiens déguisés chargés de s'infiltrer dans le camp ennemi avant la bataille.

— N'oubliez pas de retirer les piquets avant de sauter sur les chevaux.

Ils devraient monter à deux ou à trois sur les bêtes de trait et galoper vers l'un des petits camps dressés autour de la position ennemie. Plus tôt dans la journée, ils avaient balisé le chemin avec les fameux piquets. Une fois qu'on les aurait retirés, plus personne ne retrouverait le chemin de ces campements provisoires.

Les traces des fantassins seraient faciles à suivre pour les soudards de l'Ordre, mais les Galeiens avaient également prévu une parade.

Derrière elle, au loin, Kahlan vit que l'arrière-garde s'était engagée dans une bataille rangée. Le lieutenant Sloan avait pourtant la mission d'empêcher ça… Lâchant une nouvelle malédiction, la jeune femme partit au triple galop. Sans marquer de pause, elle s'interposa entre les deux forces, fit volter Nick et fonça sur ses propres hommes, séparant les belligérants. À la vue du fantôme blanc monté sur un destrier tout aussi spectral, les D'Harans reculèrent.

— Qu'est-ce qui vous a pris ! cria Kahlan aux Galeiens. Vous aviez des ordres ! Courez, ou vous mourrez ici !

Les soldats partirent au pas de course, certains tentant de tirer un cadavre avec eux.

— Où est le lieutenant Sloan ? Il devait commander l'arrière-garde !

Quelques hommes désignèrent le cadavre au crâne fracassé. C'était le lieutenant, le cerveau quasiment à nu…

Les D'Harans repassant à l'assaut, Kahlan tira sur les rênes de Nick, qui se cabra en hennissant à la mort. Les forces de l'Ordre reculèrent de nouveau.

— Sloan est mort ! Laissez-le et fichez le camp d'ici, tas de crétins ! Si l'un de vous s'arrête encore, il se battra à poil jusqu'à la fin de cette guerre ! Courez !

Cette fois, les Galeiens prirent leurs jambes à leur cou. Kahlan fit un nouveau passage devant la ligne de D'Harans à moitié soûls, qui reculèrent dans un beau désordre, se piétinant tant ils paniquaient.

Kahlan les chargea. Tandis que certains de leurs camarades, hébétés, mouraient sous les sabots de Nick, la plupart des hommes détalèrent, terrifiés par la femme revenue du royaume des morts pour les exterminer.

Mais d'autres firent face, décidés à se battre. S'ils blessaient Nick aux pattes…

Kahlan et son destrier affrontèrent cette vague d'ennemis. Derrière eux, les Galeiens s'enfonçaient dans la brume.

Courez ! leur cria mentalement Kahlan. *Courez plus vite que jamais !*

D'un coup d'épée circulaire, elle faucha la petite forêt de bras qui se tendaient vers elle. Jetant un nouveau coup d'œil par-dessus son épaule, elle ne vit plus rien, à part le brouillard qui dansait sur la neige.

Elle avait gagné assez de temps pour que ses soldats puissent fuir. Mais où devait-elle aller, à présent ? À force de faire virevolter Nick, elle ne parvenait plus à s'orienter.

D'ailleurs, se dégager ne serait pas un jeu d'enfant. Les D'Harans l'encerclaient, et il en arrivait sans cesse de nouveaux. Les plus sobres criaient aux autres que leur

« fantôme » n'était qu'une femme en chair en os : les braves de l'Ordre Impérial se laisseraient-ils ridiculiser par une femelle ?

Soudain, l'Inquisitrice se sentit plus nue que jamais, au cours de cette nuit…

Des soldats se jetaient sur les pattes de Nick. Le brave cheval les repoussait à grands coups de sabots, mais d'autres prenaient leur place, et ils finiraient par le submerger.

Kahlan frappa sans relâche. Sa lame coupa des bras, fracassa des crânes et ouvrit en deux des torses…

Mais face à cette marée humaine, sa situation, elle le savait, était désespérée. Dès qu'elle tomberait de selle, c'en serait fini d'elle. Et le pauvre Nick vacillait de plus en plus…

Pour la première fois de la nuit, l'Inquisitrice pensa qu'elle allait mourir ici, déchiquetée par des soudards sur la neige rouge de sang…

Elle ne reverrait jamais Richard…

Une abominable douleur, sur sa gorge, lui rappela le baiser glacial de Darken Rahl. Elle crut entendre l'écho d'un rire moqueur dans la nuit.

Furieuse, elle abattit de nouveau sa lame sur les bras qui se tendaient vers elle. Des doigts puissants se refermèrent pourtant sur sa jambe. Mais la douleur décupla sa rage, et elle parvint à se dégager.

Nick continuait aussi à lutter. Certains de triompher tôt ou tard, les D'Harans ne le tueraient pas, car un destrier de cette qualité était un butin appréciable.

Un géant agrippa le pommeau de la selle de Kahlan et se hissa vers elle.

— Ne la tuez pas ! cria-t-il. C'est la Mère Inquisitrice ! Elle doit être vivante quand on la décapitera !

Les D'Harans rugirent de joie, sentant approcher le moment de leur victoire.

Un soudard parvint à sauter en croupe et saisit la jeune femme par les cheveux. Quand il la tira en arrière, elle dut lâcher les rênes, mais réussit à garder son épée.

Basculant de sa selle, elle cria, l'arme toujours serrée dans son poing droit.

Une meute de D'Harans se jeta sur elle. Des poings se refermèrent sur ses jambes, ses chevilles, sa taille et ses seins.

À mains nues, des téméraires tentèrent de lui arracher son épée. Ils y perdirent quelques doigts et renoncèrent vite.

Kahlan continua à se débattre, griffant des visages et mordant la paume plaquée sur sa bouche.

Puis quelqu'un la frappa au menton.

Plusieurs hommes parvinrent enfin à lui immobiliser les bras.

Le nombre avait triomphé.

Richard, si tu savais combien je t'aime…

Chapitre 45

K ahlan tenta de respirer, mais le poids de ses agresseurs lui coupait le souffle. Des larmes de douleur aux yeux, elle sentit que d'autres D'Harans venaient pour la curée. Des relents d'alcool montèrent à ses narines.

Sa vision se brouilla et elle avala de la salive mêlée de sang.

Le sien.

Alors, elle entendit un lointain roulement de tonnerre. Sous son dos, le sol vibra à mesure que le son augmentait, menaçant de lui percer les tympans. Des cris d'hommes retentirent…

Certains de ses agresseurs regardèrent le ciel. Un peu moins écrasée, l'Inquisitrice parvint à aspirer un peu d'air. Le meilleur qui eût jamais pénétré dans ses poumons.

Quand le colosse qui l'avait frappée au menton tourna la tête pour sonder le ciel à son tour, elle vit que son œil gauche était barré par une cicatrice qui lui descendait sur la joue. La paupière était cousue sur l'orbite vide…

Parvenant à dégager sa main gauche, Kahlan saisit le borgne à la gorge.

Entendant un fracas métallique, elle comprit que le « tonnerre » était en réalité un roulement de sabots. Brin et Peter, montés sur Daisy et Pip, venaient de surgir du brouillard. Ils chargeaient les D'Harans, les fauchant comme des épis de blé avec leur chaîne diabolique.

L'avantage changeait-il de nouveau de camp ?

Kahlan serra plus fort le cou du borgne. Puis elle libéra son pouvoir.

L'air vibra, comme après un coup de tonnerre silencieux. L'onde de choc balaya les agresseurs de l'Inquisitrice, qui la lâchèrent et crièrent de douleur. Trop proches de la magie au moment où elle s'était déchaînée, ils la sentaient fouailler leurs entrailles et vriller leurs nerfs…

Une colonne de neige s'éleva et tourbillonna comme un cyclone miniature.

Nick hennit de souffrance et fracassa la tête d'un homme d'un coup de sabot, à quelques pouces de l'oreille de Kahlan. Du sang et de la cervelle jaillirent, l'aspergeant copieusement.

— Maîtresse, gémit le borgne, dis-moi ce que je dois faire !

— Protège-moi !

Le colosse se releva, saisit deux soldats par les cheveux et les envoya s'écraser au loin sur la neige comme s'ils ne pesaient rien.

Son bras droit libéré, Kahlan leva son épée et fendit en deux le visage du dernier homme qui lui immobilisait le gauche.

Le borgne la débarrassa obligeamment du cadavre.

Les chevaux de trait approchaient toujours.

Kahlan se releva et constata que la chaîne les percuterait dans quelques secondes.

— Aide-moi à monter à cheval ! cria-t-elle au borgne.

Le colosse lui saisit une cheville. D'un bras, et sans effort, il la propulsa en selle. Se penchant, elle fendit en deux le crâne du D'Haran qui retenait Nick par le mors.

Les rênes en main, Kahlan regarda le borgne, occupé à pourfendre ses anciens camarades à grands coups de hache.

— Maîtresse, enfuis-toi ! Orsk protégera tes arrières !

— Je m'en vais, oui ! Cours, Orsk ! Ne les laisse pas t'avoir !

Les D'Harans se désintéressèrent de la Mère Inquisitrice et de son cheval pour faire face à deux menaces pressantes : Orsk et la chaîne infernale.

Kahlan talonna Nick au moment où Brin et Peter arrivaient à sa hauteur. Ensemble, ils détalèrent à la vitesse du vent.

L'Inquisitrice repéra la piste laissée dans la neige par les Galeiens et la suivit. Mais les D'Harans, elle le savait, ne seraient pas longs à reprendre leurs esprits. Ils les poursuivraient, et il en restait assez de vivants pour que ce soit un problème.

Peter décrocha la chaîne qui avait brisé des milliers de pattes et de jambes et Brin la replia.

Lancée au grand galop, Kahlan crut entendre mourir derrière elle les derniers échos d'un rire moqueur. Frissonnant au souvenir du baiser que Darken Rahl avait posé sur son cou, elle se sentit de nouveau atrocement nue. Malgré le vent glacial, elle transpirait à grosses gouttes et du sang ruisselait de sa lèvre inférieure éclatée.

— J'ai cru ne jamais vous revoir ! cria-t-elle aux deux cochers.

— On vous avait bien dit qu'on était à la hauteur ! répondit Brin.

— Vous êtes des merveilles ! lança Kahlan en souriant pour la première fois de la nuit. (Loin devant, elle aperçut la colonne de neige soulevée par les chevaux de trait.) J'aperçois vos hommes ! Rejoignez-les, et bonne chance !

Brin et Peter la saluèrent et galopèrent vers leurs compagnons.

Kahlan rattrapa assez vite les fantassins.

Enfin, un fantassin, pour commencer. La jambe ouverte, il avait couru tant qu'il pouvait, puis s'était écroulé dans la neige, où il s'efforçait de ramper, acharné à rejoindre ses camarades.

Elle devait le laisser ! Il le fallait, car des D'Harans devaient déjà s'être lancés à sa poursuite.

Quand elle passa près de lui, il leva la tête mais n'appela pas au secours. Lui aussi connaissait les ordres. Suivre les autres, ou être abandonné…

Les ordres de Kahlan ! Et ils ne souffraient aucune exception.

Elle ralentit, baissa un bras, saisit le poignet du malheureux et le hissa derrière elle.

— Accroche-toi bien, soldat !

L'homme tendit les bras pour tenter de conserver son équilibre. À l'évidence, il avait peur de toucher la Mère Inquisitrice.

— Mets tes bras autour de ma taille !

— Quoi ?

— Tu n'as jamais enlacé une femme, jeune idiot ?

— Oui, mais… hum… elle avait des vêtements.

— Dommage pour toi ! Fais ce que je te dis, ou tombe ! Et n'espère pas que je reviendrai te chercher !

À contrecœur, le soldat passa les bras autour de la taille de Kahlan, attentif à ne rien toucher de trop stratégique…

— Quand tu te vanteras de cet exploit, mon garçon, dit-elle en lui tapotant gentiment la main, n'en rajoute pas, s'il te plaît !

Le malheureux lâcha un grognement angoissé qui la fit sourire.

Mais elle sentait son sang ruisseler le long de sa jambe et jusqu'à ses chevilles. Il était salement amoché, et elle entendait déjà les cris de leurs ennemis, dans leur dos.

Oubliant sa ridicule pudeur, le jeune homme céda à l'épuisement et posa la tête sur l'omoplate de l'Inquisitrice. Sans garrot – et dans les plus brefs délais ! – il n'en avait plus pour longtemps. Hélas, même s'ils avaient pu s'arrêter, nue comme un ver, elle n'avait rien sous la main pour enrayer l'hémorragie.

— Rapproche les lèvres de ta plaie d'une main, et serre aussi fort que tu peux ! Mais continue à te tenir à moi avec l'autre bras. Ce n'est pas le moment de tomber !

Le blessé obéit en tremblant. De froid, ou parce que la fin approchait ?

Quand ils rattrapèrent la colonne de fantassins, Kahlan s'aperçut aussitôt, comme elle l'avait redouté, qu'ils étaient gelés jusqu'aux os et morts de fatigue. Et les D'Harans, à entendre leurs braillements, n'étaient plus bien loin.

Risquant un coup d'œil en arrière, la jeune femme fut frappée par leur nombre.

— Courez ! Sinon, nous sommes fichus !

Une muraille rocheuse hérissée d'arbres ratatinés se dressait devant eux. Dès que les premiers fantassins eurent commencé l'escalade, Kahlan donna le signal en frappant trois fois la roche du plat de sa lame.

Un homme se retourna sans cesser de courir.

— Nous sommes trop loin de notre destination ! cria-t-il. C'est trop tôt. Nous allons être piégés avec nos ennemis !

— Dépêche-toi, soldat, au lieu de bavarder ! Si nous attendons trop longtemps, ils nous tomberont dessus !

Kahlan frappa trois nouveaux coups sur la roche. Son plan allait-il fonctionner ? Il fallait l'espérer, car ils n'avaient pas eu, évidemment, la possibilité de faire des essais préliminaires…

Devant elle, les fantassins gravissaient péniblement la piste. Et les sabots de Nick glissaient souvent sur la roche couverte de neige.

Au début, Kahlan sentit comme des vibrations dans sa poitrine, échos d'un grondement trop bas pour qu'on l'entende, mais trop puissant pour qu'on ne le capte pas dans toutes les fibres de son corps. Elle leva les yeux vers le sommet de la muraille rocheuse, perdu dans le brouillard. Si elle ne voyait rien, ç'avait commencé, elle le savait.

Elle espéra que le soldat, tout à l'heure, avait eu tort, et qu'il n'était pas trop tôt. Entendre derrière elle les cris de guerre des hommes de l'Ordre lui confirma qu'elle n'avait pas eu le choix, de toute façon…

Alors, elle entendit un bruit d'apocalypse, comme si les entrailles de la terre se déchiraient. Des troncs d'arbre se brisèrent avec un craquement sec, le sol vibra et un roulement de tonnerre se répercuta dans les montagnes environnantes.

— Plus vite ! cria l'Inquisitrice aux hommes. Vous voulez être ensevelis vivants ? Dépêchez-vous, bon sang !

Ils faisaient de leur mieux. Mais ils étaient à pied, et du haut de son destrier, leur progression lui semblait atrocement lente.

Le grondement se fit plus fort quand des tonnes de neige se détachèrent de la paroi. Les Galeiens postés en hauteur avaient réussi à déclencher une avalanche ! Mais n'avait-elle pas donné l'ordre trop tôt ?

De la neige humide s'écrasa sur son visage et sur son épaule. Un nuage blanc, héraut du gros de l'avalanche, dévalait la pente. Le bruit, à présent, était assourdissant…

Ils traversèrent ce rideau blanc comme s'il s'était agi d'une cascade. Derrière Kahlan, un arbre déraciné bascula dans le vide.

Les Galeiens atteignirent le sommet au moment où l'enfer se déchaînait. Leurs poursuivants eurent moins de chance et reçurent de plein fouet la gigantesque coulée de neige lestée de rochers et de troncs. Balayés du flanc de la falaise comme des fétus de paille, leurs cris couverts par le grondement de l'avalanche, ils dégringolèrent vers une mort certaine.

Kahlan soupira de soulagement. Désormais, plus personne ne pourrait les suivre, car le passage était obstrué.

Haletants, les Galeiens ralentirent un peu. Mais pas trop, sinon, ils risquaient de crever de froid. Malgré leurs pieds enveloppés de chiffons blanc, pour les protéger autant que possible, ils devaient être gelés.

Ces braves s'étaient admirablement battus au nom des Contrées du Milieu. Et beaucoup avaient sacrifié leur vie…

Épuisée par le manque de sommeil, les efforts de la bataille et l'utilisation de son pouvoir, Kahlan chancelait sur sa selle. Mais bientôt, pensa-t-elle, elle pourrait se reposer un peu…

Elle tapota la main du blessé, toujours plaquée sur son ventre.

— Nous avons réussi, soldat ! Il ne peut plus rien nous arriver !

— Je sais, Mère Inquisitrice, souffla l'homme. Mais je suis désolé…

— De quoi ?

— J'ai tué seulement dix-sept ennemis, et je m'étais juré d'en avoir vingt…

— Je connais des héros bardés de décorations qui n'ont pas atteint la moitié de ce nombre lors d'une seule bataille. Je suis fière de toi, soldat. Et les Contrées te remercient.

Le blessé marmonna quelques mots incompréhensibles.

— On s'occupera bientôt de toi, mon ami, dit Kahlan en lui tapotant de nouveau la main. Accroche-toi, et tout ira bien.

Le soldat ne répondit pas. Jetant un coup d'œil derrière elle, Kahlan vit une vaste étendue de neige sur laquelle régnait un silence de mort.

Dans le lointain, un loup hurla à la lune.

Quelques minutes plus tard, ils atteignirent le camp provisoire, sur un haut plateau. Les premiers Galeiens, enveloppés dans des couvertures, se réchauffaient déjà autour des feux. Certains s'étaient rhabillés, et les plus vaillants s'occupaient des nouveaux arrivants ou des blessés.

Comme tous ceux qui avaient des plaies, l'excitation du combat et de la fuite dissipée, Kahlan commença à sentir la douleur de sa lèvre éclatée.

À la lueur des feux, elle vit Prindin et Tossidin s'affairer à aider les Galeiens. Quand ils l'aperçurent, tous les deux sourirent de soulagement.

Vêtu d'un uniforme d'haran, un bandage autour de la main gauche, le capitaine Ryan courut à la rencontre de l'Inquisitrice. Un homme prit les rênes de son cheval et d'autres se chargèrent du blessé, qu'ils déposèrent dans la neige.

Prindin apporta son manteau à Kahlan. Souriant, il attendit qu'elle descende de cheval pour l'aider à l'enfiler. Une galanterie qui n'était pas sans arrière-pensées…

Mais la jeune femme tendit un bras tremblant.

— J'ai été assez reluquée comme ça, dit-elle. Envoie-moi ce manteau !

Prindin obéit. Grognon, Tossidin lui flanqua une claque sur la nuque.

Dans un silence tendu, les soldats détournèrent – plus ou moins – le regard pendant que leur chef couvrait sa nudité.

Kahlan mit pied à terre et constata que ses jambes parvenaient à peine à la porter. La tête lui tournant, elle se servit de son épée comme d'une canne et attendit que le monde se stabilise autour d'elle.

— Pourquoi ne vous occupez-vous pas de ce malheureux ? dit-elle en baissant les yeux sur l'homme qu'elle avait sauvé. Ne restez pas là à ne rien faire ! (Personne ne broncha.) Aidez-le, c'est un ordre !

— Mère Inquisitrice, dit Ryan en avançant vers elle, je suis navré, mais il est mort.

— Non ! cria Kahlan. Il y a cinq minutes, il me parlait ! (Elle martela la poitrine du capitaine de coups de poing.) Il n'est pas mort ! Pas mort ! Pas mort !

Les hommes ne dirent rien et détournèrent le regard.

Kahlan cessa de frapper et laissa retomber son bras.

— Il a tué dix-sept de ces chiens…, souffla-t-elle à Ryan. Vous m'entendez, tous ? Dix-sept !

— Il s'est bien battu, et nous sommes fiers de lui, souffla Ryan.

Kahlan parvint enfin à se ressaisir.

— Pardonnez-moi… Je vous en prie, veuillez m'excuser… Vous avez tous été formidables ! Des héros à mes yeux, et pour toutes les Contrées du Milieu.

Les hommes parurent un peu moins abattus. Certains recommencèrent à manger et les cuistots reprirent la distribution de rata.

— Où est Chandalen ? demanda Kahlan en commençant à mettre les bottes que Tossidin venait de lui apporter.

— Il était avec les archers, répondit Ryan. Je suppose qu'ils continuent à arroser de flèches les D'Harans. (Alors que les deux frères s'éloignaient, l'officier baissa la voix.) Je suis content que ces trois-là aient été avec nous. Si vous aviez vu Prindin éliminer les sentinelles avec son *troga* ! Ces hommes sont incroyables ! On ne les entend pas, on ne les voit pas, et ils font un véritable carnage !

— Et ils réussissent la même chose dans leurs plaines, en plein jour ! (Kahlan étudia le capitaine de pied en cap.) Très bel uniforme. Il vous va à ravir.

— Ces cuirasses pèsent une tonne ! Je me demande comment ils les supportent à longueur de journée. (Il tapota une entaille, dans le cuir.) Mais j'étais bien content de l'avoir...

— Comment s'est déroulée l'opération ? Et combien d'hommes avez-vous perdu ?

— Presque tous les objectifs ont été atteints. Avec ces uniformes, nous n'avons pas dû nous battre beaucoup. À part les types que nous avons tués, personne ne nous a remarqués. Les pertes sont minimes, de notre côté. Mais votre groupe, c'est différent... J'ai fait une estimation, lors de votre arrivée. Quatre cents fantassins sur mille ne sont pas revenus.

— Nous avons tous failli y rester... Mais vos gars ont fait du bon boulot. Et les cochers aussi.

— Les hommes à qui j'ai parlé ont au moins abattu dix adversaires. Beaucoup ont fait mieux encore. Nous avons arraché un gros morceau de viande au taureau.

— Mais nous en avons perdu un gros aussi...

— Mes gars ont-ils fait ce que je leur avais dit ? Vous ont-ils protégée ?

— Ils ont tenu l'ennemi si loin de moi que je ne saurais vous dire à quoi il ressemble... J'ai peur de ne pas avoir ajouté à la gloire de votre épée, capitaine. Espérons que vous serez quand même honoré qu'elle ait battu mon flanc pendant les combats...

Ryan plissa les yeux, étudiant son interlocutrice.

— Vous avez une lèvre éclatée, et j'ai vu que votre cheval était couvert de sang. Comme vous, d'ailleurs...

À l'évidence, le capitaine n'était pas dupe.

— Un ivrogne m'a jeté sa chope à la tête, mentit Kahlan. C'est ça qui m'a blessée à la lèvre. Quant au sang... Hum, ça doit être celui du malheureux que j'ai essayé de sauver. (Elle tourna la tête vers les jeunes héros assis autour des feux.) J'aurais aimé être à moitié aussi efficace qu'eux. Ce sont des lions !

— Je suis soulagé que vous soyez restée à l'écart des combats, fit le capitaine, pas du tout convaincu. Et ravi de vous revoir.

— Et le reste de nos forces ? Où en sont les archers et la cavalerie ? Il faut harceler nos ennemis tant qu'ils sont encore soûls ou malades. Ce temps brumeux est idéal pour des embuscades. Nous devons enchaîner les frappes, capitaine ! Pas de bataille rangée, mais des raids incessants !

— Tous les hommes savent ce qu'ils ont à faire. Ils attendent que vienne leur tour d'attaquer. Les archers devraient en avoir bientôt terminé. La cavalerie prendra le relais, puis les piquiers. Nos gars dormiront par roulement. Les bouchers de l'Ordre n'auront plus une minute de repos !

— Très bien... Que les fantassins récupèrent... Demain, ils devront repasser à l'action. (Kahlan brandit un index sous le nez de l'officier.) N'oubliez pas le plus important ! (Elle cita littéralement son père.) L'arme qui vient à bout le plus vite de la raison d'un adversaire est un mélange de violence et de terreur. Ils ont utilisé cet outil. À présent, nous allons le retourner contre eux.

— Mère Inquisitrice, dit Prindin en approchant, Tossidin et moi t'avons préparé un abri. Tes vêtements t'y attendent, et de l'eau chaude, si tu souhaites te laver.

— Merci, Prindin, répondit Kahlan en essayant de ne pas montrer combien elle avait hâte de se débarrasser des souillures de la guerre.

Au centre d'une clairière, l'Homme d'Adobe désigna un petit abri composé de branches de sapin baumier couvertes de neige. Kahlan en approcha, se baissa pour entrer et constata que des bougies brûlaient dans le refuge, apportant une agréable chaleur. Le sol étant lui aussi couvert de branches, la minuscule cabane embaumait le sapin. Près des pierres chauffées, de la vapeur montait d'un seau d'eau…

L'Inquisitrice se réchauffa les mains au-dessus des pierres.

Les deux frères lui avaient préparé un vrai petit nid. Leur gentillesse lui fit monter des larmes aux yeux.

Son paquetage était là aussi, près de ses vêtements soigneusement pliés. Kahlan retira le collier que lui avait offert Adie. La seule chose qu'elle s'était autorisée à porter pendant la bataille. Elle serra le bijou contre sa joue avant de le tremper dans l'eau pour le nettoyer. C'était la réplique exacte de celui que lui avait jadis donné sa mère…

Elle plongea la tête dans le seau et se lava longuement les cheveux. Puis elle se débarbouilla méthodiquement. C'était moins agréable qu'un bain, mais se débarrasser du sang la ravit. Au prix d'un gros effort, elle parvint à oublier un moment les horreurs qu'elle venait de vivre.

Elle pensa à Richard, à son sourire de gamin qui la faisait fondre, à ses yeux gris qui voyaient jusqu'au fond de son âme…

Une fois propre, elle s'étendit, laissant sécher ses cheveux au contact des pierres.

Elle devait dormir ! Depuis qu'elle l'avait utilisé sur le borgne – Orsk, lui semblait-il – son pouvoir ne s'était pas reconstitué. Elle sentait comme un creux, dans son estomac, à l'endroit où il se concentrait. Il faudrait encore un peu de temps pour qu'il revienne. Mais sans dormir, elle ne parviendrait pas à se débarrasser de son épuisement et de sa nausée.

Elle rêvait de s'allonger et de dormir. Dans son état, il ne lui aurait pas été difficile de s'assoupir. Mais il ne fallait pas ! Pas encore…

Se relevant, elle remit le collier et s'habilla laborieusement. Puis elle sortit de son sac un pot d'onguent et s'en appliqua sur la lèvre. En rangeant le petit récipient, elle avisa le couteau de Chandalen et le fixa de nouveau à son bras.

Avant de se reposer, même si elle se sentait à bout de forces, elle devait aller passer un moment avec ses hommes. Sinon, ils penseraient qu'elle ne s'intéressait pas vraiment à eux. Après leurs exploits, il convenait, au nom des Contrées du Milieu, qu'elle leur manifeste son admiration.

Propre, les cheveux démêlés et chaudement vêtue, elle marcha entre les feux de camp, prêtant l'oreille aux récits excités de certains soldats autant qu'aux propos laconiques des autres. Elle répondit à toutes les questions, sourit à ceux qui avaient besoin de réconfort, et répéta un nombre incalculable de fois que leurs exploits gonflaient son cœur de fierté. S'agenouillant près des blessés, elle s'assura qu'ils avaient assez chaud, leur tapota les joues et leur souhaita une prompte guérison. Les voir apaisés par son contact mit du baume sur ses propres blessures, plus morales que physiques.

Autour d'un feu où se serraient une dizaine d'hommes silencieux, elle avisa un très jeune soldat qui tremblait de tous ses membres. Et pas de froid, selon toute probabilité…

— Comment vas-tu, soldat ? On se réchauffe un peu ?

— Oui, Mère Inquisitrice, dit le garçon, agréablement surpris de la voir là. (Malgré tous ses efforts, il ne parvint pas à cesser de claquer des dents.) Mais je ne pensais pas que ce serait comme ça… (Il désigna ses compagnons.) Ce sont mes amis… Six de nos camarades ne sont pas revenus.

Kahlan tendit une main et écarta les mèches de cheveux collées au front du jeune homme.

— Je suis navrée, et je les pleure aussi. Mais vous devez savoir, soldats, que je suis fière de vous. Des braves d'entre les braves, voilà ce que vous êtes !

— Sans vous, nous serions tous morts ! Les D'Harans allaient nous tailler en pièces, mais vous les avez chargés, seule, et déconcentrés le temps que nous puissions contre-attaquer. Mère Inquisitrice, vous nous avez sauvés ! Et je serais fier de compter à mon palmarès la moitié des types que vous avez étripés. (Ses amis hochèrent tous la tête.) Encore merci, Mère Inquisitrice. Si j'avais le choix, je préférais combattre à vos côtés qu'auprès du prince Harold en personne !

— Elle se débrouille plutôt bien avec une épée, pas vrai ? lança soudain une voix dans le dos de Kahlan.

Le soldat salua aussitôt Ryan.

— Elle pourrait nous en remontrer à tous, capitaine. Vous n'allez pas le croire, mais elle…

— Soldat, coupa précipitamment Kahlan, tu as eu à manger ?

— Des haricots, oui. Il en reste. Vous en voulez un peu, Mère Inquisitrice ?

À l'idée d'avaler quelque chose, la jeune femme crut qu'elle allait vomir.

— Non, merci. Finissez la portion, car vous devez reprendre des forces. Moi, je vais aller voir vos camarades…

Ryan la suivit comme son ombre.

— J'aurais cru que manier une épée vous poserait quelques problèmes…, dit-il. Les hommes qui ont dessellé votre cheval ont retrouvé des mains et des doigts coincés un peu partout…

Kahlan sourit aux hommes qu'elle dépassait. Ils lui répondirent d'un petit geste ou d'une amicale révérence.

— Avez-vous oublié de qui je suis la fille ? Wyborn m'a appris à jouer de la lame.

— Mère Inquisitrice, ce n'est pas une raison pour avoir…

— Le lieutenant Sloan avait été tué !

— Je sais… Des hommes m'ont tout raconté. (Voyant que Kahlan titubait, Ryan glissa un bras sous le sien.) Vous n'avez pas l'air bien, Mère Inquisitrice. J'ai vu des ennemis empoisonnés qui semblaient plus vaillants que vous.

— C'est le manque de sommeil… (Elle omit de mentionner l'utilisation imprévue de son pouvoir.) Je suis morte de fatigue.

Quand elle revint devant son abri, les deux frères l'attendaient. Lorsque Tossidin lui proposa une portion de haricots, elle ferma les yeux et porta une main à sa bouche. La vue et l'odeur de la nourriture lui retournaient l'estomac.

Tossidin parut comprendre et fit promptement disparaître le rata.

Prindin lui prit l'autre bras.

— Mère Inquisitrice, tu dois manger, mais je crois que dormir est plus urgent. Je t'ai préparé du thé, pour te requinquer un peu. Il est dans l'abri.

— Oui, ça me fera du bien… Capitaine, réveillez-moi juste avant la prochaine attaque. Je veux accompagner mes gars…

— Si vous êtes assez remise. Et si… (Kahlan le foudroyant du regard, il n'insista pas.) Très bien, je vous réveillerai moi-même.

Revenue dans son nid, elle se servit du thé en tremblant, en but un peu, et, la tête lui tournant plus que jamais, reposa sa chope. Une fois couchée, elle se répéta qu'elle irait beaucoup mieux après quelques heures de sommeil. Déjà, elle sentait son pouvoir revenir…

Elle se recroquevilla en position fœtale et pensa aux millions de choses qu'elle devrait faire une fois réveillée. Que devenaient les hommes qui attaquaient en ce moment ? Et ceux qui leur succéderaient, avaient-ils le moral ? Elle s'inquiétait pour eux. Tous étaient si jeunes…

De quel droit avait-elle déclaré une guerre ?

Mais elle n'avait rien déclaré du tout ! Seulement refusé de livrer des innocents à une bande de bouchers. Quelle autre solution aurait-elle eue ? Responsable de tous les peuples des Contrées, il lui revenait de mettre fin aux exactions de l'Ordre Impérial.

Elle revit les visages des jeunes suppliciées d'Ebinissia. Ce soir, elle était trop épuisée pour les pleurer. Plus tard, la vengeance accomplie, l'heure des larmes reviendrait.

Mais elle ne connaîtrait plus la paix avant que le dernier soldat de l'Ordre Impérial ne soit dans la tombe. Dès demain, elle repartirait au combat. Tous les innocents seraient vengés…

Si l'Ordre Impérial triomphait, des multitudes de malheureux périraient. Mais ça n'était pas tout. L'Ordre voulait tuer toutes les créatures dotées de magie, qu'elles fussent maléfiques ou non.

Et Richard était du nombre !

En repensant à lui, Kahlan pleura enfin, mais d'espoir. Celui qu'il ne la déteste pas, qu'il comprenne pourquoi elle avait agi ainsi, et qu'il la pardonne. Elle avait fait de son mieux pour le sauver, et protéger les vivants…

Après un long moment, ses larmes se tarirent.

L'image du Sourcier chassa de sa tête celles de la bataille. Pour la première fois, elle put se concentrer sur autre chose que le combat et les tueries…

Alors, elle se souvint que neutraliser l'Ordre Impérial n'était pas sa seule mission. Elle en avait une autre, aussi importante, que le tumulte de la guerre lui avait presque fait oublier…

Elle repensa aussi à Darken Rahl, qui avait marqué Richard, avant que les Sœurs de la Lumière ne le capturent. Kahlan devait aller en Aydindril, pour demander de l'aide à Zedd…

Ensuite, Richard devrait vaincre le Gardien.

Le voile était déchiré… L'Inquisitrice avait mieux à faire que de guerroyer contre les D'Harans.

Soudain, elle réentendit le rire de Darken Rahl.

Touchant son cou, elle sentit la chair tuméfiée, là où il l'avait embrassée. Le rire de Rahl n'avait pas été une illusion. Il s'était moqué d'elle !

Kahlan s'assit en sursaut. Que fichait-elle ici ? Il fallait arrêter le Gardien ! Shota, Darken Rahl et Denna lui avaient parlé de la déchirure, dans le voile. Et elle avait vu un grinceur de ses yeux…

L'ancienne Mord-Sith s'était sacrifiée pour sauver Richard afin qu'il puisse réparer le voile.

Kahlan devait aller retrouver Zedd. Ce n'était pas le moment de jouer au petit soldat !

Mais si l'Ordre Impérial continuait…

Mais si le voile se déchirait…

La priorité était d'aller rejoindre Zedd en Aydindril. Les Galeiens sauraient bien se débrouiller sans elle. Après tout, c'était leur métier. La Mère Inquisitrice n'était pas censée risquer stupidement sa vie quand les Contrées du Milieu – et le monde entier – étaient en danger.

Voilà pourquoi Darken Rahl s'était moqué d'elle !

Elle prit la tasse de thé – encore une attention touchante de Prindin – et se réchauffa les mains à son contact. Elle devait agir comme une dirigeante, s'occupant de ce dont elle, et elle seule, pouvait se charger.

Elle vida la chope et fit la grimace, étonnée par le goût amer du breuvage. Puis elle se rallongea, la chope posée sur son estomac. Les visages des jeunes filles mortes dansèrent de nouveau devant ses yeux.

L'arme qui vient à bout le plus vite de la raison d'un adversaire est un mélange de violence et de terreur.

Voilà ce que l'Ordre Impérial lui avait fait. À force d'horreurs, l'ennemi l'avait privée de sa raison…

Quelques heures plus tôt, ses hommes et elle auraient été perdus et condamnés s'il n'était resté aucun survivant parmi les éclaireurs.

À sa façon, elle était une éclaireuse. Ou plutôt un guide… En Aydindril, son rôle était d'orienter le Conseil et d'unir tous les royaumes quand une menace se présentait. Aujourd'hui, sans ses lumières, les conseillers risquaient de réagir beaucoup trop tard.

Elle était aussi le guide de Richard – et son ultime recours, si elle parvenait à contacter Zedd. Sans elle, le Sourcier et tous les vivants risquaient de s'égarer.

Kahlan se rassit et contempla la flamme de l'unique bougie qui brûlait encore.

Pas étonnant que Darken Rahl se soit moqué d'elle ! Elle s'était laissé voler sa raison ! En oubliant son véritable devoir, elle avait fourni davantage de temps au Gardien pour mener à bien ses plans.

Mais à présent, elle savait quoi faire. Les jeunes soldats galeiens, grâce à elle, appliquaient la bonne stratégie, et ils pourraient continuer seuls. Leurs chemins allaient se séparer, chacun se consacrant à son devoir.

Les militaires se battraient. Et l'Inquisitrice irait en Aydindril.

Sa décision prise, Kahlan eut l'impression qu'un grand poids venait d'être retiré de ses épaules. En même temps, elle se sentit pleine d'une nouvelle détermination. Même s'il n'était pas là, Richard l'avait aidée à voir la vérité et à retrouver le chemin du devoir.

Elle baissa les yeux sur sa chope et constata qu'elle était vide. L'esprit embrumé, les paupières lourdes, elle se rallongea et ferma les yeux.

Que faisait Richard en cet instant ? Il devait être avec les Sœurs de la Lumière, occupé à apprendre le contrôle du don. Les esprits du bien, avec un peu de chance, l'aideraient à comprendre combien elle l'aimait.

Son bras retomba et elle lâcha la chope pour sombrer dans un sommeil aussi profond que la mort.

Chapitre 46

K ahlan plongea dans un abîme d'obscurité désolée qui la priva de toute notion du temps et de l'espace. Perdue pour le monde, elle dérivait dans un néant où plus rien ne comptait. Une forme de non-être qui la déchargerait à tout jamais des fardeaux qui pesaient sur sa vie.

Alors qu'elle s'enfonçait de plus en plus, elle sentit, ou vit, ou imagina, qu'il lui restait un espoir minuscule de s'arracher à ce lieu qui n'en était pas un. S'accrochant à cette lueur dans la nuit comme à un rocher au milieu de rapides, elle tenta, pouce après pouce, de remonter à la surface. Ce combat désespéré ramena des sensations dans son corps.

Elle émergea à demi du néant, la tête douloureuse et le corps engourdi, tentant de comprendre ce qu'il lui arrivait. Quelqu'un l'appelait. Plusieurs voix… « Mère Inquisitrice ! » criaient-elles.

Très bien. Mais ce n'était pas son nom…

Soudain, cela lui revint. Elle s'appelait Kahlan. Et des mains la secouaient.

Alors, elle revint d'un voyage qui n'aurait pas dû avoir de fin. Dès qu'elle ouvrit les yeux, le monde tourna follement autour d'elle. Dans un semi-brouillard, elle reconnut le capitaine Ryan. C'était lui qui tentait de la réveiller.

Elle inspira une grande goulée d'air glacé et se dégagea de son étreinte. Aussitôt, elle dut s'appuyer sur les mains pour ne pas retomber.

L'officier semblait très inquiet. À ses côtés, Tossidin n'en menait pas large non plus.

— Mère Inquisitrice, vous allez bien ?

— Je… je… Ma tête… Quelle heure est-il ?

— L'aube approche. Nous sommes venus vous réveiller, selon vos ordres. Les hommes repasseront bientôt à l'attaque.

— Laissez-moi quelques minutes pour me préparer, et…

La jeune femme se souvint de sa décision : aller en Aydindril, contacter Zedd, aider Richard à réparer le voile…

— Mère Inquisitrice, vous n'avez pas l'air bien du tout… Il vous faut encore du repos. Ces quelques heures de sommeil n'ont pas suffi.

Ryan avait raison. Si son pouvoir était revenu, elle ne pouvait pas prétendre être en pleine forme.

— Capitaine, je dois gagner Aydindril, et…

— D'abord, reposez-vous ! Vous n'êtes pas en état de voyager. Restez ici. À notre retour, vous serez rétablie, et vous pourrez partir.

— D'accord… Mais il faudra que je m'en aille, vous savez. C'est très important. (Elle regarda autour d'elle et ne vit que Tossidin.) Où sont Chandalen et Prindin ?

— Mon frère est allé s'occuper des sentinelles, répondit l'Homme d'Adobe, pour que la prochaine attaque prenne aussi l'ennemi par surprise.

— Chandalen est avec les piquiers, ajouta Ryan. Nous devons aller le retrouver pour lancer l'assaut.

— Tossidin, fit Kahlan en tâtant sa lèvre tuméfiée, dis à Chandalen que nous partirons aussitôt après le combat. Soyez prudents, tous les trois. J'ai toujours besoin d'une escorte… (Incapable de garder les yeux ouverts, elle avait à peine la force de parler.) En vous attendant, je me reposerai.

Ryan eut l'air soulagé qu'elle reste en sécurité.

— Quelques hommes monteront la garde pendant que vous dormirez…

— Inutile, je ne risque rien, ici…

— Une dizaine d'épées en moins ne changeront rien pour nous. Et si je ne m'inquiète pas pour vous, je serai beaucoup plus efficace.

— Comme vous voudrez…, capitula Kahlan, hors d'état de polémiquer.

Elle se rallongea. Le front plissé d'inquiétude, Tossidin la recouvrit.

Dès que les deux hommes furent sortis, elle retomba dans l'obscurité étouffante. Malgré ses efforts pour lui échapper, elle replongea, comme aspirée par des sables mouvants. Un instant, la panique la submergea.

Elle tenta de penser, sans parvenir à formuler une idée cohérente. Quelque chose clochait dans tout ça, mais la solution se dérobait à elle, insaisissable.

S'accrochant à l'idée que Richard avait besoin d'aide, elle réussit pourtant à ne pas sombrer dans un néant absolu.

Consciente du passage du temps – à un rythme sans doute atrocement étiré – elle surnagea en gardant sans cesse l'image de Richard à l'esprit.

De nouveau, cette lueur dans la nuit l'aida à remonter à la surface. Avec un cri étouffé, elle se réveilla, la tête douloureuse comme si elle allait exploser. Tout son corps lui faisait mal, pouce de chair après pouce de chair. Se relevant péniblement, elle constata que la bougie était presque consumée. Aucun bruit ne montait à ses oreilles…

Un peu d'air frais la remettrait d'aplomb, décida-t-elle. Les membres lourds et engourdis, elle sortit de l'abri. Dehors, la nuit tombait et les premières étoiles scintillaient au firmament. Quand elle expira, un nuage de vapeur blanche se forma devant sa bouche.

Kahlan fit un pas, trébucha sur quelque chose et s'étala dans la neige. La joue contre le sol, elle rouvrit les yeux et les plongea dans un regard vitreux, à quelques pouces d'elle. Un jeune soldat gisait près d'elle – mort. Apparemment, elle s'était pris les pieds dans sa jambe…

La gorge du cadavre était ouverte, son cou quasiment coupé en deux permettant à sa tête d'adopter un angle impossible. Apercevant la trachée-artère sectionnée, Kahlan sentit de la bile lui monter dans la bouche. Elle la ravala péniblement.

Puis elle leva la tête et aperçut d'autres cadavres. Tous des Galeiens, qui n'avaient même pas eu le temps de dégainer leurs épées. Exécutés sans avoir une chance de se défendre.

L'Inquisitrice aurait voulu fuir à toutes jambes, mais elle se força à ne pas bouger et à réfléchir, malgré la brume du demi-sommeil qu'elle ne parvenait pas à dissiper.

L'assassin de ces hommes pouvait être encore là ! Si son cerveau refusait de fonctionner, elle était fichue.

Tendant la main, elle toucha celle du cadavre. Encore chaude… Le massacre était récent. Était-ce cela qui l'avait réveillée ?

Elle sonda la pénombre, entre les arbres. Des silhouettes se déplaçaient sans prendre la peine de se dissimuler. Riant et braillant, elles approchèrent assez pour que l'Inquisitrice les identifie : une dizaine de D'Harans et deux Keltiens. Des bouchers de l'Ordre Impérial.

Kahlan se releva d'un bond.

L'homme le plus proche avait tout le côté gauche du visage boursouflé là où le sabot de Nick l'avait frappé. Des points grossiers tenaient ensemble les lèvres de la plaie.

Le général Riggs sourit avec la moitié de bouche qui lui restait.

— Je te retrouve enfin, Mère Inquisitrice ! cracha-t-il.

Comme ses ennemis, Kahlan sursauta quand une silhouette noire jaillit des broussailles en hurlant. Alors que les hommes se tournaient pour l'affronter, elle fila en sens inverse.

Avant de se retourner, elle avait vu le tranchant d'une hache de guerre abattre deux D'Harans d'un seul coup.

Orsk ! Il devait s'être lancé à sa recherche, afin de la protéger. Une fois touché par une Inquisitrice, un homme ne renonçait jamais à la défendre.

Les jambes toujours engourdies, comme si elle avait dormi dans une mauvaise position, Kahlan s'éloigna aussi vite qu'elle le pouvait. Derrière elle, Orsk hurlait comme un possédé en affrontant les soudards qui osaient s'en prendre à sa maîtresse.

Mais un homme au moins la poursuivait déjà, et il lui était impossible d'accélérer le pas.

Le type plongea et lui faucha les jambes. Le souffle coupé par la chute, Kahlan se débattit sans parvenir à l'empêcher de la ceinturer, puis de la saisir par les cheveux.

Pour la dissuader de se débattre, il lui flanqua un coup de genou dans les côtes.

Puis il la retourna, se campa sur elle et la gifla.

Riggs ! C'était le général !

— Je te tiens, Inquisitrice ! Cette fois, tu ne m'échapperas pas !

L'abominable crétin ! Il était seul… Comment pensait-il s'en sortir ?

Kahlan lui plaqua une main sur la poitrine, stupéfaite qu'un homme seul puisse se croire capable de venir à bout d'une Inquisitrice.

— Tu es fichu, Riggs, parvint-elle à souffler malgré le poids de l'homme qui lui comprimait la poitrine. Tu as perdu, et tu vas m'appartenir.

— Ça m'étonnerait, salope ! Il m'a dit que tu serais incapable d'utiliser ton foutu pouvoir !

Riggs souleva la tête de sa proie et la cogna contre le sol. Sonnée, Kahlan tenta de se concentrer sur ce qu'il lui restait à faire. Le général la tira de nouveau par les cheveux, prêt à recommencer...

Aussi désorientée fût-elle par ce qu'il venait de dire, il lui fallait agir tout de suite, avant qu'il ne l'assomme.

Kahlan libéra son pouvoir.

Dès que le tonnerre silencieux fit vibrer l'air, Riggs la lâcha et secoua la tête comme s'il venait de recevoir un bon direct.

— Maîtresse, cria-t-il, ordonne et je t'obéirai !

— Qui t'a dit que mon pouvoir serait sans effet ?

— Maîtresse, c'était...

La pointe d'une flèche jaillit de la gorge du général et s'immobilisa à un pouce de celle de Kahlan. Du sang coulant de sa bouche, l'homme bascula en avant.

Une main le saisit par l'épaule et l'écarta avant qu'il ne s'écroule sur Kahlan.

Orsk ? se demanda la jeune femme.

Mais ce n'était pas lui...

— Mère Inquisitrice, ça va ? C'est moi, Prindin. Tu n'es pas blessée ?

Il finit d'écarter le cadavre et tendit un bras à Kahlan pour l'aider à se relever – non sans laisser errer son regard sur sa silhouette, ce qui la dérangea un peu.

Elle ne prit pas sa main. Recourir à son pouvoir l'avait vidée de ses dernières forces.

Souriant de toutes ses dents, Prindin remit son arc à l'épaule.

— Je vois que tu n'es pas blessée... Tu as l'air... parfaite.

— Le tuer était inutile. J'en avais fait ma marionnette, et il allait me révéler qui...

Kahlan se tut, glacée d'appréhension par le regard étrange de l'Homme d'Adobe. Y lisait-elle vraiment du désir ?

— Maîtresse ! cria Orsk en courant vers eux. Tu vas bien ?

D'autres hommes marchaient dans les broussailles, derrière le borgne. Kahlan reconnut la voix de Chandalen.

Prindin encocha une flèche et Orsk leva sa hache.

— Prindin, ne le tue pas ! (Le chasseur visa.) Orsk, va-t'en !

Le colosse obéit, comme il se devait. Prindin tira.

Il y eut un bruit sec. Le borgne s'enfonça dans les broussailles en titubant. Puis Kahlan l'entendit s'écrouler.

Elle essaya de se relever, mais retomba, comme si elle n'avait plus de muscles. L'obscurité tentait de nouveau de l'aspirer...

L'Homme d'Adobe se tourna vers elle, sourit et banda son arc.

— Prindin, pourquoi as-tu fait ça ?

— Pour que nous passions un petit moment en tête à tête... (Son sourire s'élargit.) Avant qu'on te décapite.

Prindin ! C'était lui qui avait menti à Riggs, pour qu'il se croie invulnérable. Cet imbécile de général avait en quelque sorte servi de bouclier au traître. Kahlan ayant déchaîné son pouvoir sur lui, elle serait désarmée durant quelques heures.

Elle tenta encore de se relever et échoua lamentablement.

Au milieu des arbres, une voix retentit. C'était Chandalen, à bout de souffle à force d'appeler l'Inquisitrice. Plus loin, Tossidin aussi braillait à tue-tête.

Kahlan voulut leur hurler de se méfier, mais un gémissement pitoyable sortit de ses lèvres.

Le vide l'envahissait…

Était-elle toujours endormie ? Comme dans un cauchemar, elle ne pouvait ni bouger ni parler. Alors…

Non, elle ne rêvait pas !

Prindin se tourna vers les arbres. Les talons enfoncés dans la neige, Kahlan réussit à reculer un peu et ses mains se posèrent sur une grosse branche morte d'érable.

L'Homme d'Adobe se précipita sur elle. Mobilisant toute sa peine, sa douleur et son horreur pour agir, elle leva son arme improvisée et l'abattit sur le traître.

Il esquiva sans effort, lui arracha la branche, la retourna brutalement et lui plaqua une main sur la bouche pour qu'elle ne puisse pas prévenir Chandalen. Malgré sa petite taille, Prindin était très fort. De toute façon, dans son état, un enfant aurait eu raison de Kahlan.

Chandalen apparut, un couteau au poing. Désespérée, l'Inquisitrice mordit la main de Prindin. Insensible à la souffrance, il se retourna et frappa le chasseur à la tête avec la branche.

Le pauvre Chandalen vola dans les airs et s'écroula contre le tronc d'un sapin.

— Prindin, que se passe-t-il ? cria Tossidin en déboulant à son tour dans la clairière.

Il s'immobilisa, regarda Chandalen, sonné, puis jeta un coup d'œil interloqué à son frère.

— *Chandalen a essayé de nous tuer !* dit Prindin dans leur langue natale. *Quand je suis arrivé, il s'en prenait à la Mère Inquisitrice. Viens m'aider, elle est blessée !*

— Non… Tossidin… non…, parvint à gémir Kahlan.

Mais l'Homme d'Adobe accourut.

— *Quel est le problème dont Chandalen m'a parlé ? Qu'est-ce qui cloche avec toi, mon frère ? Et qu'as-tu fait ?*

— *Aide-moi ! La Mère Inquisitrice est blessée !*

Tossidin saisit son frère par l'épaule et le força à se retourner.

— *Mon frère, qu'as-tu fait ?*

Prindin enfonça un couteau dans la poitrine de Tossidin, qui écarquilla les yeux de surprise. Il ouvrit la bouche, mais aucun son n'en sortit. Le cœur transpercé, le chasseur s'écroula dans la neige.

À cet instant, Chandalen gémit, se rassit et tâta son crâne ouvert. Sans le quitter des yeux, Prindin sortit une petite boîte en os de sa poche de poitrine et l'ouvrit. Elle était pleine de *bandu* ! Le traître avait une réserve secrète…

Incapable de l'en empêcher, Kahlan le vit tirer une flèche de son carquois et enduire la pointe de poison.

Chandalen se prit la tête à deux mains pour essayer de retrouver ses esprits.

Prindin encocha la flèche, banda son arc et visa. Sachant qu'il voulait toucher sa cible à la gorge, Kahlan parvint à se jeter dans ses jambes au moment où il tirait. Bien que dévié, le projectile se planta dans l'épaule de Chandalen.

D'un coup de poing, Prindin envoya la jeune femme bouler au loin. La terreur lui rendant un peu de force, l'Inquisitrice rampa dans la neige pour fuir le plus loin possible du tueur.

Prindin tira une nouvelle flèche de son carquois et l'enduisit de poison. Impassible, il regarda Kahlan comme il avait dévisagé Chandalen avant de le tuer.

Terrorisée, elle parvint à se relever et commença à courir.

Une flèche se planta dans sa cuisse gauche, l'envoyant de nouveau rouler dans la neige. Aussitôt, un picotement désagréable se répandit dans tout le muscle. La douleur remonta en un éclair jusqu'à sa hanche.

Prindin approcha, saisit la hampe de la flèche, posa une main sur les reins de Kahlan pour prendre appui, et arracha le projectile.

Le picotement du poison, suivant la douleur, remontait déjà le long de la cuisse de l'Inquisitrice.

— *Ne t'inquiète pas,* dit Prindin. *J'ai mis moins de* bandu *que pour Chandalen. Je veux seulement que tu te tiennes tranquille. Lui, il mourra dans quelques minutes. Toi, tu dois vivre pour qu'on te décapite.* (Il lui caressa les fesses.) *Tu seras bien vivante, s'ils n'attendent pas trop longtemps. Mais il fait trop froid, ici. Rentrons dans ton abri.*

Il saisit Kahlan par les poignets et la tira dans la neige. Tétanisée par le poison, qui remontait à présent jusqu'à ses côtes, elle se laissa faire comme une poupée de chiffon.

Des larmes ruisselèrent sur ses joues. Orsk… Tossidin… Chandalen… Comment Prindin avait-il pu faire une chose pareille ? Tuer son propre frère sans frémir. Quel être humain avait aussi peu de…

Un messager du fléau !

Cette révélation lui arracha un petit cri. Elle n'avait jamais cru à l'existence de ces « agents », même si les sorciers assuraient qu'ils existaient. Mais ils avaient tendance à exagérer, comme elle s'en était aperçue à d'autres occasions. Et les superstitions liées au Gardien ne manquaient pas dans les Contrées…

À présent, elle n'avait plus aucun doute. Un messager du fléau la tenait en son pouvoir. Comment avait-il pu se dissimuler aussi longtemps ? Il l'avait aidée, choyée, enveloppée d'amitié…

Afin d'être près d'elle et de servir le Gardien ! Prindin était un messager du fléau et Darken Rahl avait ri à cause de sa stupidité et de son aveuglement !

Désormais, elle ne pouvait plus douter que le voile était déchiré. Darken Rahl lui avait dit qu'une éternité de tourments l'attendait. Il était venu pour finir de déchirer le voile ! Pendant tout ce temps, Kahlan avait cru agir librement et prendre les bonnes décisions. Mais Rahl et le Gardien, à travers les yeux de Prindin, avaient suivi chacun de ses gestes.

Pourquoi avoir attendu si longtemps avant de frapper ? Cette guerre, tous ces morts, pour en arriver là ?

Soudain, l'Inquisitrice comprit. Le Gardien régnait sur les défunts. Chaque soldat tombé lors des combats avait servi son plan ultime : lâcher des hordes de morts dans le monde des vivants qu'il détestait tant.

Voir mourir des êtres le ravissait. Pourquoi aurait-il gâché cette magnifique occasion ? Une guerre, entre deux camps décidés à ne pas faire de quartier...

Quand Prindin la tira sans ménagements au-dessus d'une souche, Kahlan eut l'impression que ses bras allaient se détacher de son corps. Le poison, à présent, envahissait sa poitrine.

Elle ne sentait plus sa jambe gauche. Au moins, ça lui épargnait la douleur de la flèche. La pointe avait touché l'os et Prindin s'était passé de précautions quand il l'avait arrachée.

Quand ils atteignirent l'abri, Kahlan vit les corps des gardes galeiens, plus ceux des D'Harans qu'Orsk avait massacrés. Bientôt, quand Prindin en aurait terminé avec elle, il la livrerait à l'Ordre Impérial, et on la décapiterait. Tout serait fini, et elle était impuissante à dévier le cours des choses.

Elle ne reverrait plus jamais Richard, qui ignorerait jusqu'à son dernier souffle à quel point elle l'aimait.

Prindin la poussa dans l'abri et la jeta sur le matelas de branches. Puis il alluma deux bougies.

— *Je tiens à te voir,* expliqua-t-il avec un sourire lubrique. *Tu es rudement jolie, et je ne veux pas en rater une miette.*

Kahlan avait toujours aimé son sourire. C'était fini, à présent.

Prindin enleva son manteau et le jeta dans un coin.

— *Déshabille-toi, femme ! Je veux te regarder, pour que ta vue m'excite.*

Même s'il lui avait plaqué un couteau sur la gorge, l'Inquisitrice n'aurait pas pu obéir, car ses bras refusaient de bouger.

— Prindin, parvint-elle à dire, les soldats seront bientôt de retour et ils te captureront.

— *Ça m'étonnerait, avec la petite surprise que je leur ai préparée... Crois-moi, le combat n'aura rien à voir avec ce qu'ils attendaient. Ils ne reviendront pas de sitôt, s'ils se remontrent un jour... Femme, je t'ai dit de te déshabiller !*

— Prindin, tu es mon ami. Je t'en prie, ne fais pas ça...

Il se pencha sur elle et saisit sa ceinture.

— *Bon, je vais m'en charger moi-même...*

— Prindin, pourquoi ? gémit Kahlan, désespérée par le plongeon d'un brave homme dans la folie... et entre les mains du Gardien.

Il se releva, comme surpris par la question.

— *Le grand esprit a dit que je pourrais t'avoir avant que ton âme soit attirée dans le royaume des morts. Une récompense pour mon excellent travail... Le grand esprit est content que je t'aie livrée à lui.*

Sur son cou, le baiser-morsure de Darken Rahl fit trembler Kahlan de douleur. Chandalen et Tossidin étaient morts, et elle les rejoindrait bientôt. Le poison se répandait déjà dans ses épaules, attaquant la naissance de sa gorge.

Prindin se pencha sur elle, l'écrasa de tout son poids et posa ses lèvres là où Darken Rahl avait imprimé les siennes.

— *Prindin, je t'en supplie, laisse-moi partir après... quand tu auras eu ce que tu voulais...*

Le messager du fléau releva la tête et regarda sa proie dans les yeux.

— *Te libérer ne m'apporterait rien de bon… De plus, tu as été empoisonnée par le thé, puis par la flèche. Mère Inquisitrice, tu n'en as plus pour très longtemps. J'espère qu'on te décapitera avant que le* bandu *ne te tue. Ce serait une mort plus agréable. C'est ma façon d'avoir pitié de toi…*

Prindin se baissa de nouveau et l'embrassa dans le cou.

— *Je te hais…,* souffla Kahlan dans la langue du Peuple d'Adobe. *Et ton grand esprit aussi.*

Il se releva, les poings sur les hanches, et la toisa, le regard brillant de haine.

— *Tu dois être à moi ! On me l'a promis. Pour ça, je me suis assuré que tu sois privée de ton pouvoir. Si tu ne te donnes pas à moi, je te prendrai de force. Tu as infecté mon peuple avec ta maudite magie et tes coutumes impies. Tu es un démon, et je te posséderai, pour m'approprier ta perversité. Le grand esprit a dit qu'il devait en être ainsi !*

Prindin enleva sa tunique en peau de daim… puis il se laissa tomber sur Kahlan en grognant, son visage à quelques pouces du sien.

Ils se regardèrent, aussi surpris l'un que l'autre par ce qui se passa alors.

Prindin ne comprit pas ce qui lui arrivait. Kahlan saisit, mais sans savoir comment c'était possible.

Elle sentit un liquide chaud ruisseler sur ses bras.

Les yeux écarquillés, Prindin toussa et cracha du sang au visage de l'Inquisitrice. Puis il rendit son dernier soupir et ne bougea plus.

Des larmes montèrent aux yeux de Kahlan. Elle n'avait plus la force de le pousser et son poids l'empêchait de respirer.

Elle resta ainsi, inondée du sang de l'homme qui l'avait trahie.

Le picotement du poison venait d'atteindre son cou.

Chapitre 47

Dans les ténèbres où elle était plongée, la lèvre de Kahlan lui faisait atrocement mal. Un objet appuyait contre la plaie, et on essayait d'introduire quelque chose dans sa bouche. Un doigt, peut-être, qui tentait de lui desserrer les dents.

— Avale !

Dans son sommeil – ou son coma – Kahlan plissa le front.

— Avale ! Tu m'entends !

Avec une grimace, l'Inquisitrice obéit. Le doigt lui fourra dans la gorge un peu plus d'une étrange matière sèche.

— Avale encore !

Elle s'exécuta, espérant que la voix allait lui ficher la paix. Ce qu'elle fit…

Kahlan retomba dans le néant, toute conscience envolée. Elle perdit la notion du temps, embrassant dans la même fraction de seconde les minutes et l'éternité.

Soudain, elle ouvrit les yeux et poussa un petit cri.

Dans l'abri, les bougies étaient à moitié consumées et quelqu'un avait étendu sur elle son manteau de fourrure.

Chandalen la couvait du regard. La voyant réveillée, il soupira de soulagement et sourit.

— Te revoilà parmi nous, dit-il. Tu es en sécurité, à présent.

— Chandalen ? Suis-je dans le royaume des morts ? Ou es-tu vivant ?

— Chandalen n'est pas si facile que ça à tuer…

Kahlan essaya d'humidifier sa bouche sèche comme du vieux parchemin. Elle était réveillée, et vraiment consciente, pour la première fois depuis ce qui lui semblait un siècle. Cette sensation lui parut grisante. Prudente, elle ne bougea pas, de peur que le vide noir ne repasse à l'assaut.

— Prindin t'a tiré dessus une flèche « dix-pas ». Je l'ai vu…

Le chasseur se détourna un peu, l'air peiné. Ses cheveux noirs étaient empoissés de sang.

— Tu te souviens de ce que je t'ai raconté sur nos ancêtres, qui prenaient du *quassin doe* avant une bataille ? (Elle hocha la tête.) Eh bien, pour les honorer, avant l'attaque, j'ai mâché quelques feuilles de celui que tu m'as offert dans la ville en ruine. C'était simplement pour leur rendre hommage, comprends-tu ?

— Tes ancêtres doivent être fiers de toi, mon ami, dit Kahlan en posant une main sur le bras du chasseur.

La garde du couteau en os, celui que Chandalen lui avait offert et qu'elle portait sur le bras, dépassait de la poitrine de Prindin. D'une manière ou d'une autre, Kahlan avait réussi à le brandir au moment où le traître avait sauté sur elle.

Elle se souvenait de l'engourdissement dû au poison, de sa sensation d'impuissance, et du grognement lubrique de Prindin.

Pas d'avoir saisi l'arme sacrée.

— Chandalen, je suis désolée d'avoir tué ton ami.

Le chasseur jeta un coup d'œil au cadavre.

— Un type qui essaie d'avoir ma peau n'est pas un ami… Prindin était un émissaire du grand esprit maléfique des morts. Son cœur appartenait aux ténèbres.

— Mon ami, le grand esprit dont tu parles tente de franchir le voile. Il veut nous entraîner tous dans son royaume.

— Je te crois, Mère Inquisitrice. Nous devons aller en Aydindril, pour que tu puisses l'arrêter.

— Merci, Chandalen, dit Kahlan avec un soupir de soulagement. Merci de me comprendre et de m'avoir sauvée. (Elle sursauta.) Les hommes ! Prindin leur a tendu un piège ! Quelle heure est-il ?

L'Homme d'Adobe eut un sourire rassurant.

— Quand le capitaine Ryan nous a rejoints avant l'attaque, Tossidin et moi, j'ai demandé où tu étais. Ton absence m'a étonné, mais il m'a parlé de ta maladie, disant que tu ne parvenais pas à te réveiller. Ça m'a fait penser au *bandu*. Il a ajouté que tu refusais d'avaler quoi que ce soit, à part le thé de Prindin. Alors, j'ai compris ce qui se passait. Tu étais empoisonnée, et comme tu consommais seulement du thé…

» Tossidin et moi étions très inquiets pour toi… et pour nos hommes. Alors, nous sommes allés voir si l'ennemi avait modifié ses positions. Les D'Harans étaient au courant de notre plan, et ils nous attendaient ! J'ai dit à Ryan d'attaquer ailleurs que prévu, puis je suis revenu ici avec Tossidin.

» J'étais sûr que Prindin nous avait trahis. Son frère espérait découvrir une autre explication. Il refusait de voir la réalité en face, et il l'a payé de sa vie.

— Et tes blessures ? demanda soudain Kahlan. Il faut s'en occuper…

Chandalen tira sur le col de sa tunique, révélant le bandage qui enveloppait son épaule gauche.

— Les Galeiens sont revenus pendant la nuit. Ils ont recousu mon cuir chevelu. La plaie est moins méchante qu'elle en a l'air… Ils ont aussi extrait la flèche.

Il fit la grimace en remettant en place sa tunique.

— J'ai bien formé Prindin… Il a utilisé une flèche à tête métallique. Ces projectiles-là font plus de dégâts quand on les retire qu'en entrant… Le soldat qui passe son temps à soigner les autres a réussi à l'extraire, et il a recousu ma plaie. Mais je ne pourrai pas me servir de ce bras pendant un bon moment.

— Le chirurgien a aussi recousu ma jambe ?

— Non. Tu avais seulement besoin d'un pansement, et je m'en suis occupé. Pour toi, Prindin s'est servi d'une flèche à tête ronde. Je ne lui ai pas appris ça… Pourquoi ce choix étrange ?

— Il voulait pouvoir la retirer facilement… (Kahlan jeta un coup d'œil au cadavre, toujours étendu dans le refuge.) Pour ne pas être gêné, parce qu'il avait prévu de me violer avant de me livrer à l'Ordre Impérial.

Chandalen détourna la tête, gêné, et marmonna qu'il se réjouissait que Prindin ne soit pas parvenu à ses fins.

— Moi, je suis contente qu'il t'ait touché à l'épaule, pas à la gorge.

— C'est moi qui lui ai appris à tirer… À cette distance, il n'aurait pas raté sa cible. Pourquoi n'a-t-il pas visé la gorge ?

Kahlan haussa les épaules, feignant d'ignorer la réponse.

Chandalen émit un grognement soupçonneux.

— Mon ami, pourquoi n'as-tu pas sorti le cadavre d'ici ?

— Parce que le couteau-esprit de mon grand-père est planté dans sa poitrine. (Soudain très grave, il chercha le regard de Kahlan.) Tu as utilisé l'os de mon grand-père pour te protéger et prendre une vie. À présent, l'esprit de mon ancêtre est lié à toi. Plus personne n'a le droit de toucher cette arme. Elle t'appartient, et toi seule peux la saisir. Il faut que tu la retires toi-même de cette charogne.

Kahlan envisagea un instant d'enterrer le couteau avec la dépouille du traître. L'os n'avait-il pas gagné le droit au repos éternel ? Mais elle renonça à cette idée. Pour le Peuple d'Adobe, ces armes étaient chargées d'une puissante magie. En rejetant le couteau, elle insulterait Chandalen.

Ce n'était pas tout… N'humilierait-elle pas aussi les mânes du grand-père de son ami ? Ignorant comment l'os s'était retrouvé dans sa main, elle ne pouvait pas écarter une hypothèse : c'était l'esprit qui avait tué Prindin pour la sauver !

Kahlan tendit une main, saisit la garde du couteau et tira, écœurée par le bruit de succion. Après avoir essuyé l'arme sur le matelas de branches, elle porta la garde à ses lèvres et l'embrassa.

— Merci de m'avoir sauvé la vie, esprit du grand-père de Chandalen…

Curieusement, cet étrange rituel s'était imposé à elle.

Chandalen prit le couteau et le remit à sa place sur le bras de l'Inquisitrice.

— Tu es une digne Femme d'Adobe. Je ne t'ai pas dit ce qu'il fallait faire, et tu l'as deviné… L'esprit de mon grand-père veillera toujours sur toi.

— Chandalen, nous devons partir pour Aydindril ! Le voile est déchiré… Nous avons aidé les Galeiens autant que possible. À présent, je dois m'occuper de *mon* travail.

— Quand nous avons rencontré ces blancs-becs, soupira l'Homme d'Adobe, je voulais les fuir à toutes jambes, pour que tu sois en sécurité. Puis j'ai tout oublié, à part le désir de me battre et de tuer.

— Je sais, mon ami… La même chose m'est arrivée. J'ai perdu de vue ma mission. Comme si j'avais aussi été sous l'influence du grand esprit. Le voile est déchiré, c'est peut-être l'explication…

— Tu veux dire que la soif de tuer nous venait du grand esprit ? Qu'il s'est servi de nous ?

— Je n'en sais rien… Mais je dois aller en Aydindril. Le sorcier saura quoi faire, et Richard a besoin d'aide. Nous sommes restés trop longtemps ici… Il faut parler aux hommes, puis nous en aller. (Le chasseur acquiesça.) Alors, allons-y !

Kahlan voulut se lever, mais Chandalen la retint de sa main valide.

— Ils ont attendu dehors toute la nuit. J'ai refusé de les laisser entrer.

Il lâcha Kahlan et sembla chercher ses mots.

— J'avais peur que tu ne survives pas… Prindin t'empoisonnait depuis des jours, et j'ignorais s'il n'était pas trop tard pour que le *quassin doe* agisse. Tu n'as pas été loin de sombrer dans le royaume des morts…

» Dans ce cas, je n'aurais jamais pu rentrer chez moi. Mais ça n'est pas pour çà que je me réjouis que tu vives. Mon cœur est plein de joie parce que tu es une vraie Femme d'Adobe. Comme moi, tu protèges notre peuple. Chacun de nous se bat à sa manière. (Il leva un sourcil.) Ces derniers temps, tu m'as un peu trop imité. Tu t'en es très bien sortie, mais tu devrais me laisser ce genre de bataille, et lutter avec tes armes.

— Tu as raison, mon ami… Merci de m'avoir veillée. Ta présence m'a réconfortée. Désolée que tu aies été blessé…

— Aucune importance… Un jour, quand je me trouverai une épouse, je lui montrerai mes cicatrices, et elle verra que son homme est un brave.

— Je suis sûre que ta blessure par flèche l'impressionnera beaucoup !

Chandalen fit mine de se rembrunir.

— Cette cicatrice-là ne prouve pas mon courage. N'importe quel crétin peut recevoir une flèche. (Il releva le menton.) Je suis courageux parce que je n'ai pas crié quand on m'a retiré le projectile !

Avec ce gaillard, pensa Kahlan, la veinarde qui l'épouserait ne risquait pas de s'ennuyer.

— Je me réjouis que les esprits aient veillé sur toi et que tu sois toujours à mes côtés.

— Je ne sais pas ce qui s'est passé, fit Chandalen, dubitatif, mais je parierais que Prindin a raté ma gorge parce que… quelqu'un d'autre… veillait sur moi.

Kahlan se contenta de sourire. Puis son regard se posa sur le cadavre et son sourire s'effaça.

— Pauvre Tossidin… Il adorait son frère. Son amitié me manquera beaucoup.

— Je les connaissais depuis leur enfance…, soupira Chandalen. Ils me suivaient partout, me suppliant de les prendre avec moi. Des braves gosses… (Il détourna les yeux de la dépouille.) Les hommes se rongent les sangs pour toi. Ils nous attendent !

Il sortit. Kahlan le suivit après avoir récupéré son épée.

Dehors, il faisait jour. Dès qu'ils aperçurent l'Inquisitrice, tous les soldats bondirent sur leurs pieds en criant de joie.

Ryan se précipita, mais un colosse, un bras en écharpe, lui barra le chemin de sa main valide – qui serrait une énorme hache de guerre.

— Orsk ? Tu t'en es sorti ?

L'œil unique du géant était rouge d'avoir trop pleuré. Kahlan se souvint des larmes de son père, quand sa mère était tombée malade.

— Maîtresse ! Tu es vivante ! Ordonne, et j'obéirai.

— Orsk, ces hommes sont mes amis. Inutile de les tenir à distance. Je serais ravie si tu t'asseyais tranquillement dans un coin…

Aussitôt, le colosse se laissa tomber sur le sol.

Kahlan interrogea Chandalen du regard.

— Je l'ai vu se battre pour toi, puis Prindin lui a tiré dessus… À tout hasard, je lui ai donné du *quassin doe*. Le Galeien lui a retiré la flèche du dos. J'ignore s'il est gravement blessé. Lui, il s'en fiche, parce qu'il ne pense qu'à toi. Je n'ai pu l'expulser de l'abri qu'en le persuadant que tu avais besoin de calme pour te rétablir…

Kahlan soupira, jetant un coup d'œil à Orsk. Sa cicatrice et son œil cousu la faisaient frissonner, mais elle devrait s'y habituer…

Elle se tourna vers Ryan, qui bouillait d'impatience, et vers les centaines d'hommes debout derrière lui.

— Comment se passe la guerre ?

— La guerre ? Qui s'en soucie ? Mère Inquisitrice, vous nous avez fait mourir d'inquiétude. Vos deux adorateurs m'ont empêché d'aller voir comment vous alliez !

— C'est leur travail, dit Kahlan. (Elle sourit.) Merci à tous de vous être inquiétés. Chandalen m'a sauvée…

— Qu'est-il arrivé ? demanda Ryan. Les gardes que j'avais laissés sont morts. Tués par un *troga* ! Prindin et Tossidin ont péri, et il y avait partout des cadavres de soldats de l'Ordre… Nous avons craint qu'ils vous aient abattue…

À l'évidence, constata Kahlan, Chandalen avait été avare d'informations.

— Un des morts est le général Riggs, chef de l'Ordre Impérial. Orsk, notre ami borgne, a tué la plupart des D'Harans. Prindin a assassiné les gardes et son frère. Il voulait m'éliminer.

Des murmures coururent dans les rangs.

— Prindin ? s'écria Ryan. Mais pourquoi ?

— C'était un messager du fléau.

Un silence de mort tomba sur la clairière.

— Vous faites du très bon travail, soldats, continua Kahlan, et vous allez devoir continuer sans moi. Je dois partir pour Aydindril. (Des murmures de déception coururent dans les rangs.) Si je ne vous savais pas à la hauteur, je resterais… Mais vous avez amplement prouvé votre valeur.

Les Galeiens se redressèrent un peu et tendirent l'oreille.

— Je suis fière de chacun d'entre vous. Vous êtes les héros des Contrées du Milieu. Mais l'armée de l'Ordre Impérial, aussi redoutable fût-elle, est seulement la partie visible de la menace qui pèse sur les Contrées et sur le monde des vivants. La preuve, c'est que le Gardien a envoyé un messager du fléau pour m'éliminer. Soldats, je pense que l'Ordre Impérial s'est allié au Gardien. À présent, c'est cette menace que je dois parer. Je sais que vous tiendrez votre serment de lutter jusqu'au bout, sans faire de quartier. Les bouchers de l'Ordre sont des morts en sursis…

Kahlan s'avisa que son cou ne lui faisait plus mal. Le touchant, elle constata que les stigmates de Darken Rahl avaient disparu. Comme si elle venait d'échapper totalement à l'influence du Gardien…

— Aussi impitoyables que vous soyez, continua-t-elle, ne devenez jamais comme vos adversaires. Ils se battent pour massacrer des innocents et réduire les survivants en esclavage. Luttez pour la vie et la liberté, et ne perdez jamais votre idéal de vue. (Elle leva un poing.) Je jure de ne jamais vous oublier ! Promettez-moi, en retour, quand tout cela sera fini, de venir en Aydindril pour que les Contrées du Milieu honorent comme il se doit votre sacrifice.

Les soldats jurèrent d'une seule voix et crièrent de joie.

— Capitaine Ryan, veuillez répétez mes paroles aux hommes du camp principal. J'aurais aimé m'adresser à eux, mais le temps me manque…

L'officier assura que ce serait fait. Kahlan lui tendit son épée.

— Le roi Wyborn a brandi cette arme pour défendre son pays. La Mère Inquisitrice aussi. À présent, je la confie à des mains compétentes.

Ryan prit l'arme et sourit comme s'il tenait la couronne de Galea.

— Je serai digne de cette lame, Mère Inquisitrice. Merci de nous avoir enseigné tant de choses. Avant de vous rencontrer, nous étions des gamins. Vous avez fait de nous des hommes. En nous apprenant à nous battre, mais surtout, en nous montrant ce que signifie être un soldat et un défenseur des Contrées du Milieu.

Il saisit la garde de l'épée et la leva au ciel en se tournant vers ses hommes.

— Un triple hourra pour la Mère Inquisitrice !

En écoutant les Galeiens l'acclamer, Kahlan s'avisa que c'était la première fois qu'elle entendait quelqu'un fêter la Mère Inquisitrice. Elle s'efforça de dissimuler sa surprise et souffla un baiser à ses admirateurs.

— Capitaine Ryan, j'aimerais garder Nick, et j'aurai besoin de deux autres montures.

— Pourquoi veux-tu chevaucher, à présent ? marmonna Chandalen.

— Parce qu'avec ma jambe blessée, marcher est impossible. J'espère que tu ne prendras pas ça pour une preuve de faiblesse…

— Eh bien… hum… non… On ne peut pas te demander de marcher. Mais pourquoi *deux* autres montures ?

— Pour mon escorte.

— Je n'ai pas besoin qu'un animal me porte ! Chandalen est fort.

Kahlan se pencha et lui parla dans sa langue.

— *Mon ami, je sais que les Hommes d'Adobe ne montent pas à cheval. N'aie pas peur d'être ridicule. Je t'apprendrai et tu t'en sortiras très bien. De retour chez toi, tu auras un nouveau talent. Nouveau et unique. Les hommes seront impressionnés et les femmes t'admireront.*

— Peut-être… Mais pourquoi veux-tu deux chevaux de plus ?

— Parce qu'Orsk nous accompagne.

— Quoi ?

— Tu ne peux pas tirer à l'arc ! Comment me protégeras-tu ? Orsk jouera de la hache avec son bras valide, et tu te serviras d'une lance avec le tien.

— Tu ne changeras pas d'avis, pas vrai ? grogna le chasseur.

— Non… Allons faire nos bagages, le temps presse…

Kahlan regarda une dernière fois les hommes. Ses hommes ! Elle les salua, frappant du poing sur sa poitrine.

En silence, tous imitèrent son geste.

Avec ces soldats, elle avait perdu beaucoup de choses. Mais gagné beaucoup plus encore.

— Soyez prudents. Tous…

Chapitre 48

−Quand rencontrerons-nous les gens de ton peuple qui nous guideront jusqu'au palais ? demanda Richard.

Du Chaillu jeta un coup d'œil derrière son épaule. Pour mieux voir le Sourcier, elle écarta de ses yeux sa longue crinière noire. Elle avançait à pied, son cheval tenu par la bride. Fatigué de l'entendre se plaindre d'avoir mal aux fesses, Richard avait décidé de lui céder. Pour l'heure, il marchait aussi, histoire de se dégourdir les jambes. Verna chevauchait derrière eux, observant Du Chaillu avec l'intensité malveillante d'une vieille chouette.

— Bientôt… (La froideur de la femme déplut au jeune homme.) Très bientôt…

Son attitude avait changé depuis qu'ils étaient hors du territoire des Majendies. Son exubérance envolée, Du Chaillu s'était refermée comme une huître. Verna la quittait rarement des yeux. La Baka Ban Mana, en retour, épiait tous ses mouvements. On eût dit deux chattes, la fourrure hérissée et prêtes à bondir. Richard n'aurait pas été surpris qu'elles commencent à se montrer les crocs.

Elles se cherchaient sans cesse des noises, se mettant au défi d'une manière qu'il ne comprenait pas. Richard, devant le comportement de la sœur, pensa qu'elle n'était pas enchantée par ce qu'elle découvrait sur leur guide. À force de voyager avec elle, il avait appris à voir à quel moment Verna touchait son Han. Et elle le faisait à l'instant même.

Alors que la nuit tombait, Du Chaillu quitta abruptement la large piste forestière et s'engagea sur un sentier qui serpentait dans les broussailles. Des deux côtés s'étendait une eau noire bordée de roseaux aux allures sinistres.

Du Chaillu s'arrêta à la lisière d'un grand cercle de sable dégagé et tendit les rênes de sa monture à Richard.

— Les autres nous retrouveront dans cette clairière. Attends ici, magicien.

Ce mot fit monter la moutarde au nez du Sourcier.

— Richard. Mon nom est Richard ! C'est moi qui t'ai sauvé la peau, tu te souviens ?

Du Chaillu le regarda, l'air pensif.

— Je t'en prie, ne pense pas que je sous-estime ce que tu as fait pour moi et pour mon peuple. Le souvenir de ta bonté ne me quittera jamais. (Son regard se voila et sa voix vibra de mélancolie.) Mais tu es quand même un magicien. (Elle s'ébroua.) Attends ici.

Elle s'enfonça dans la forêt. Richard la regarda s'éloigner pendant que Verna mettait pied à terre.

— Elle essayera de te tuer, tu sais, dit-elle, imperturbable comme si elle annonçait qu'il allait pleuvoir demain.

— Je lui ai sauvé la vie…

— Pour ces gens, tu es un magicien, fit Verna en attachant les chevaux à un arbre. Et ils exécutent les magiciens.

Richard aurait aimé ne pas croire un mot de tout ça. Hélas…

— Alors, ma sœur, utilisez votre Han pour l'en empêcher. Afin de préserver la vie, comme vous lui avez dit d'épargner son enfant à naître.

— Ce n'est pas si simple… Du Chaillu aussi sait se servir de son Han. Voilà pourquoi les Sœurs de la Lumière ont toujours évité ce peuple. Quelques-uns de ces gens ont accès à leur Han, mais d'une manière que nous ne comprenons pas.

» J'ai lancé de petits sorts sur elle, pour la mettre à l'épreuve. Ils ont tous disparu comme des cailloux qu'on jette dans un puits. Elle a senti ce que je faisais et elle peut neutraliser mon pouvoir. Richard, je te l'ai dit, ce peuple est dangereux. J'ai tout tenté pour nous éviter ça. Il a quand même fallu que tu abattes ta hache à l'aveuglette, parce que tu ne me croyais pas.

Richard serra les dents et saisit la garde de son épée. De la main gauche, car il n'avait pas l'intention de la dégainer.

— Je ne suis pas un meurtrier !

— Parfait… Continue à puiser la colère de l'épée. Tu en auras besoin pour survivre. Pendant que nous parlons, les Baka Ban Mana nous encerclent. Je les sens avec mon Han.

Richard eut le sentiment que les événements échappaient à son contrôle. Il ne voulait blesser personne et n'avait pas sauvé Du Chaillu pour devoir ensuite affronter son peuple.

— Invoquez votre Han, ma sœur, et vite ! Je suis le Sourcier, pas un vulgaire assassin. Pas question de tuer vos ennemis à votre place.

Verna avança vers le jeune homme.

— Je t'ai dit que mon Han ne pourrait rien pour nous. Je me chargerais de la menace si c'était possible, mais ça n'est pas le cas. Du Chaillu neutralise ma magie. Par pitié, Richard, défends-toi !

— Et si vous ne vouliez pas m'aider ? Vous êtes furieuse que j'aie saboté votre pacte avec les Majendies. Alors, vous avez décidé d'observer, comme toujours, pour voir comment je m'en sors.

La sœur secoua la tête, exaspérée.

— Si j'avais l'intention de te laisser mourir à deux pas du but, crois-tu que j'aurais sacrifié la moitié de ma vie pour te trouver et te ramener au palais ? Me penses-tu capable de t'abandonner si je pouvais t'aider ? Tu as une aussi piètre opinion de moi…

Richard eut l'impulsion d'envenimer la querelle. Mais il réfléchit et dut admettre que le raisonnement se tenait. Il s'excusa d'un rapide hochement de tête, puis sonda de nouveau les ombres.

— Combien sont-ils ?

— Une trentaine...

— Tant que ça ? Comment suis-je censé me défendre, seul contre trente ?

Verna tendit les mains et se concentra. Le vent se leva, projetant un tourbillon de sable et de poussière à la lisière des arbres.

— Ça les ralentira un moment... Mais ça ne les arrêtera pas. Richard, j'ai recouru à mon Han pour obtenir la réponse à ta question. Tout ce que je sais, c'est que tu dois utiliser la prophétie pour survivre. Tu t'es surnommé le « messager de la mort » comme le texte l'annonce. Cette prophétie parle bien de toi, et il faut t'en servir pour vaincre. Ces quelques lignes disent que le porteur de l'épée peut invoquer les morts et ramener le passé dans le présent. Si tu veux t'en tirer, c'est ce que tu devras faire : invoquer les morts et ramener le passé dans le présent.

— Nous allons être étripés par trente sauvages, et vous m'offrez une foutue devinette ? Ma sœur, je vous ai déjà dit que je ne comprenais rien à cette prophétie. Si vous voulez vraiment m'être utile, soyez plus précise.

Verna se détourna et approcha des chevaux.

— Écoute bien : parfois, les prophéties ont pour but d'aider celui dont elles parlent. Un message à travers le temps, si tu préfères, qui fournit une clé susceptible d'ouvrir la porte de la compréhension. Je crois que cette prophétie fonctionne comme cela. Elle est à ton sujet, et tu dois découvrir comment l'utiliser. Moi, je ne comprends pas son sens.

Elle se retourna vers Richard.

— As-tu oublié que j'ai essayé de te tenir loin de ces gens ? Mais qu'as-tu dit ? Qu'à ce sujet, tu n'étais pas mon étudiant, mais le Sourcier. Alors, Sourcier, sers-toi de la prophétie ! Tu nous as fichus dans ce pétrin. À toi de nous en sortir !

Richard regarda la sœur calmer les chevaux avec une étonnante compassion. Il avait déjà réfléchi à la prophétie, sans grand résultat. Parfois, il pensait être au bord de la révélation, mais la solution lui échappait toujours au dernier moment.

Il avait brandi l'épée plusieurs fois et n'ignorait rien de son pouvoir. Mais il connaissait aussi ses propres limites. Contre un seul adversaire, l'arme était quasiment invincible. Lui, il restait un être de chair et de sang. Escrimeur plutôt moyen, il s'était toujours fié à la magie de la lame pour lui assurer la victoire. Face à trente hommes, l'épée ne pourrait pas être en plusieurs endroits en même temps.

— Ce sont de bons guerriers ? demanda-t-il.

— Les Baka Ban Mana n'ont pas d'égaux. Leurs combattants d'élite, des maîtres de la lame, s'entraînent chaque jour du lever au coucher du soleil, et ils continuent souvent au clair de lune. Pour eux, la bataille est une religion.

» Dans ma jeunesse, j'ai vu un de ces hommes combattre la garnison de Tanimura et tuer cinquante soldats avant de succomber. Ils luttent comme s'ils étaient des esprits invincibles. Et certains prétendent que c'est le cas.

— Exactement ce qu'il me fallait, marmonna Le Sourcier.

— Richard, je sais que nous ne nous entendons pas. Quand nous regardons la même chose, l'un la voit blanche et l'autre noire. Nous venons de mondes différents et nous sommes tous les deux des têtes de mule. Pour couronner le tout, nous ne nous aimons pas beaucoup...

» Aujourd'hui, ne crois pas que je joue avec toi. Tu avais raison de dire qu'en ces matières, tu es le Sourcier, pas mon étudiant. D'une façon qui m'échappe, c'est lié à la prophétie. Tu vogues sur la crête d'une vague d'événements. Et me voilà réduite au rôle de spectatrice. Mais si tu meurs, je mourrai avec toi...

» Je ne sais que faire pour t'aider, Richard. Des gens nous surveillent, attendant de voir ce qui se passera. Si j'interviens, ils me tueront. Tout ça se joue entre la prophétie, les Baka Ban Mana et toi. Je n'ai aucun rôle dans ce drame. À part celui d'un cadavre gisant près du tien, si tu ne t'en sors pas. J'ignore le sens de la prophétie, et toi aussi, à l'évidence. Mais garde-la à l'esprit et tu découvriras peut-être son utilité au cours de l'action. Essaye aussi de mobiliser ton Han, si tu le peux.

Richard plaqua les poings sur ses hanches.

— Très bien, ma sœur, j'essayerai. Désolé d'être si mauvais au jeu des devinettes. Et si je meurs, merci d'avoir tenté de m'éviter ça.

Il jeta un coup d'œil au ciel plombé. L'obscurité dissimulait ses adversaires. Mais il pouvait aussi s'en servir à son avantage.

Comme tout bon guide forestier, il se sentait à l'aise dans des bois obscurs. Chez lui, il avait passé des heures à jouer à ce genre de jeux avec les autres guides. Lui aussi, comme ses ennemis, était dans son élément. Il n'avait aucune raison de respecter *leurs* règles. Plié en deux, il s'éloigna de la sœur et des chevaux pour se fondre dans les ténèbres.

Le premier guerrier qu'il découvrit ne surveillait pas la bonne proie. Un genou en terre, l'homme ne quittait pas Verna des yeux. Une lance courte à la main, il en avait posé deux autres près de lui.

Richard s'efforça de contrôler sa respiration, afin de ne pas alerter sa cible, et avança lentement. Pouce après pouce, il parvint assez près du guerrier pour toucher sa lance s'il tendait le bras.

L'homme tourna la tête et se leva, mais le Sourcier était assez près. Il arracha l'arme du Baka Ban Mana et l'assomma proprement avec. Le guerrier s'écroula sans avoir eu le temps de donner l'alerte.

Un de moins... Et sans avoir pris de vie. Un bon début...

Une silhouette jaillit soudain de l'obscurité. Puis une autre, et encore une autre... Avant de pouvoir réagir, Richard dut se rendre à l'évidence : il était encerclé.

Les Baka Ban Mana portaient d'amples tuniques couleur écorce, afin de se confondre avec leur environnement. Les foulards qui leur enveloppaient la tête laissaient seulement apercevoir des yeux terrifiants de détermination.

Richard retourna à reculons dans la clairière et ses adversaires le suivirent. D'autres les rejoignirent, formant un second cercle autour de lui.

Peut-être pourrait-il quand même s'en sortir sans tuer...

— Qui parle en votre nom ? demanda-t-il.

Les guerriers du cercle intérieur lâchèrent leurs rondaches et posèrent leurs lances de réserve sur le sol, pointes dirigées vers le Sourcier. Puis ils saisirent leur lance restante à deux mains, comme des bâtons. Ceux du cercle extérieur laissèrent tomber leurs boucliers et toutes leurs lances. Une main sur la garde de leurs épées, ils ne les dégainèrent pas.

Une litanie s'éleva. Les deux cercles commencèrent à tourner lentement dans des directions différentes.

Richard continua à reculer en tentant de garder tous ses adversaires à l'œil.

— Qui parle en votre nom ? répéta-t-il.

Une silhouette vêtue comme les guerriers monta sur un rocher, au cœur du deuxième cercle.

— Je suis Du Chaillu, et je parle au nom des Baka Ban Mana.

Le Sourcier eut du mal à en croire ses oreilles.

— Du Chaillu, je t'ai sauvé la vie. Pourquoi veux-tu nous assassiner ?

— Nous ne sommes pas là pour commettre un meurtre. Nous allons t'exécuter parce que tu as volé notre terre sacrée.

— Du Chaillu, je n'étais jamais venu ici. Quoi qu'il se soit passé, je n'y suis pour rien.

— Les magiciens nous ont dérobé notre pays. Tu es de leur race, donc leurs fautes retombent sur ta tête. Et tu portes leur marque, telle une preuve indélébile. Comme tous ceux que nous avons capturés avant toi, tu dois te tenir face aux cercles… et mourir.

— Du Chaillu, je t'ai dit que les tueries devaient cesser.

— Plutôt facile à affirmer, quand on a le couteau sous la gorge !

— Comment oses-tu me jeter ça au visage ? Pour te sauver, et pour que cessent les massacres, j'ai risqué ma vie !

— Je sais, Richard… À cause de ça, j'honorerai toujours ta mémoire. Si tu me l'avais demandé, j'aurais porté tes fils. Et je me sacrifierais pour toi si je le pouvais. Pour mon peuple, tu seras à jamais un héros. J'ajouterai à ma robe une prière pour que les esprits te serrent tendrement contre leur cœur.

» Mais tu es un magicien. Les anciennes lois disent que nous devons nous entraîner chaque jour et devenir invincibles à l'épée. Notre mission sacrée est de tuer tous les magiciens. Sinon, l'Esprit des Ténèbres entraînera le monde des vivants dans l'obscurité.

— Vous ne pouvez pas continuer à tuer les magiciens. Ni personne. Cela doit s'arrêter !

— Les tueries ne cesseront pas à cause de ce que tu as fait, mais quand les esprits danseront avec nous.

— Qu'est-ce que ça signifie ?

— Que nous devons te tuer. Sinon, ce qui fut prédit se réalisera : l'Esprit des Ténèbres s'échappera de sa prison.

Richard brandit la lance prise au premier guerrier.

— Du Chaillu, je n'ai pas envie de vous blesser, mais je me défendrai. Je t'en prie, arrête ça avant que quelqu'un ne soit blessé. Ne me force pas à tuer. Je t'en supplie !

— Si tu avais tenté de fuir, nous t'aurions planté nos lances dans le dos. Comme tu as fait face, tu as gagné le droit de nous affronter. Quoi que tu fasses, tu mourras. Si tu ne te bats pas, nous t'exécuterons vite, et tu ne souffriras pas. Je te le jure.

Du Chaillu leva une main. Aussitôt, le chant mourut et les hommes du cercle extérieur dégainèrent leurs épées. De longues armes incurvées à la poignée noire munie d'une corde passée autour du cou du guerrier : un moyen infaillible pour ne jamais perdre sa lame au combat.

Les combattants d'élite firent passer leurs armes d'une main à l'autre avec une agilité incroyable. Puis ils les firent tourner sur elles-mêmes et continuèrent leur petit jeu. Les hommes du cercle intérieur décrivirent des arabesques dans l'air avec leurs lances, les maniant comme des bâtons.

Certains guides jouaient du bâton et personne ne leur cherchait jamais de noises. Mais les Baka Ban Mana étaient meilleurs que tous les collègues de Richard.

Il cassa la hampe de la lance sur son genou et dégaina l'Épée de Vérité.

— Du Chaillu, ne fais pas ça ! Des hommes vont mourir !

— Ne résiste pas, magicien, et ta fin sera rapide. Je te dois bien ça.

— Je décline toute responsabilité pour ce qui arrivera, Du Chaillu. Le sang retombera sur tes mains.

— Richard, tu es seul et nous sommes trente… Je suis désolée…

— Seul un crétin se fie aveuglément au nombre ! Votre supériorité est moins écrasante qu'il n'y paraît, parce que vous ne pourrez pas m'affronter à plus de deux ou trois à la fois. Vos chances ne sont pas si bonnes que ça…

Dans un coin de sa tête, le Sourcier se demanda d'où il avait tiré cet étrange discours.

— Je vois que tu comprends la danse de la mort, magicien…

— Je ne suis pas un magicien, Du Chaillu, mais Richard, le Sourcier de Vérité ! Et je n'ai pas choisi d'aller apprendre la magie avec sœur Verna. Je suis son prisonnier. Et tu le sais. Mais je me défendrai !

Du Chaillu le dévisagea à la lueur de la lune.

— Les esprits savent que mon cœur saigne pour toi, Richard le Sourcier. Hélas, tu dois mourir.

— Ne pleure pas sur mon sort, mais sur celui des hommes qui mourront ce soir. Sans raison !

— Tu n'as jamais vu les Baka Ban Mana se battre… Tu ne nous toucheras pas, et toi seul goûteras à la morsure de l'acier. Ne te tourmente pas, tu n'auras aucune mort sur la conscience.

Richard libéra la colère de l'épée.

Les deux cercles de guerriers recommencèrent à chanter en tournant de plus en plus vite.

La rage de la lame se déversa dans les veines du Sourcier. Pourtant, même sous l'influence de la magie, et assoiffé de sang, il sut qu'il ne triompherait pas. Ses ennemis étaient trop nombreux et il n'avait jamais vu personne manier les armes aussi bien qu'eux.

Inconsciemment, il puisa davantage de magie dans l'épée, jusqu'à ce que la puissance de sa rage et de sa haine manque le rendre malade.

Immobile au milieu des cercles en rotation, il se toucha le front du plat de sa lame.

— Mon épée, combats pour la vérité, ce soir !

La magie le submergea comme un torrent. Sans vraiment mesurer ce qu'il faisait, il enleva sa chemise et la jeta au loin, pour être parfaitement libre de ses mouvements. Quelle mouche l'avait piqué ? se demanda-t-il. Ça lui semblait la bonne chose à faire, mais d'où tirait-il cette idée ?

La lame bien droite devant lui et le corps luisant de sueur, il plongea en lui-même et chercha l'endroit calme et isolé où il puisait sa concentration. Puis il tenta de repérer son Han dans le magma en fusion de sa fureur.

Utilise ce que tu as, murmura une voix dans sa tête. *Libère cette force !*

Dans la zone de son esprit où régnait un calme parfait, Richard se souvint du jour où il était monté sur le rocher de Zedd pour briser le sort qui le liait à un nuage-espion envoyé par Darken Rahl.

Debout sur le rocher, invoquant la magie, il avait senti l'essence des générations de sorciers qui s'étaient servies de l'artefact avant Zedd. Leurs sentiments et leurs connaissances étaient pour un temps devenus les siens. Oui, il s'était senti lié à tous ceux qui, au fil des âges, avaient contrôlé la magie.

À cet instant, il comprit le sens de la prophétie.

Comment avait-il pu manier si souvent l'Épée de Vérité sans s'en apercevoir ? L'arme n'était pas différente du rocher de Zedd…

Avant Richard, bien des Sourciers avaient brandi l'épée et puisé dans sa magie. En retour, elle conservait le souvenir de leurs talents d'escrimeur. Les compétences de centaines d'hommes et de femmes dont il ne connaîtrait jamais le nom étaient à sa disposition. Certains avaient fait le bien et d'autres le mal. Mais tous savaient se battre.

Dans son îlot de calme, Richard vit le premier attaquant venir sur sa gauche.

Sois une plume, pas un rocher. Vole sur les ailes de la tempête.

Richard déchaîna sa magie et esquiva l'attaque. Se laissant guider par la magie de l'épée, il ne riposta pas, et vit le Baka Ban Mana, emporté par son élan, s'étaler sur le sol.

Un autre guerrier bondit en faisant tourner sa lance si vite qu'on ne la voyait plus vraiment. Richard esquiva de nouveau. Au passage, il abattit son épée et coupa en deux la hampe de l'arme.

Une autre lance vola vers lui. Sans s'arrêter, il l'évita et trancha une nouvelle hampe.

Sentant une attaque, dans son dos, il décocha un coup de pied réflexe qui toucha son agresseur à la poitrine et l'envoya dix pas en arrière.

Richard s'était abandonné à la magie de l'épée et à son étrange paix intérieure. Dans cet état, il exécutait d'instinct des choses qu'il ne comprenait même pas.

Capable de maîtriser sa fureur, il parvenait à s'empêcher de tuer. Frappant du plat de l'épée, des pieds ou des coudes, il mettait ses adversaires hors d'état de nuire sans les saigner à mort.

— Du Chaillu, arrête ce combat avant que je sois obligé de faire couler leur sang !

S'adresser à la Baka Ban Mana avait été une erreur. Déconcentré, il laissa une lance percer sa défense, et se trouva aussitôt confronté à un choix : tuer son adversaire ou faire le minimum nécessaire pour parer la menace.

Cette fois, la rage fut plus forte. L'Épée de Vérité fendit l'air et trancha net la main qui tenait l'arme. Du sang et des éclats d'os volèrent autour du Sourcier.

Un cri de femme retentit.

Une partie de ces combattants d'élite étaient des femmes, comprit Richard. Aucune importance ! S'il ne se défendait pas, elles le tueraient sans pitié. Et il valait mieux perdre une main que la tête…

La vue du sang réveilla en Richard la soif de tuer qu'il s'était efforcé de contenir.

Sans cesser d'affronter ses adversaires, il lutta contre la pulsion qui voulait le pousser à attaquer et à faire un massacre. Il ne désirait pas abattre ces guerriers, mais seulement les convaincre de le laisser en paix. Hélas, s'ils ne comprenaient pas…

Quand il coupait leurs lances, ils en prenaient d'autres et revenaient à la charge. Tel un fantôme, il tourbillonnait entre eux, économisant son énergie pendant qu'ils épuisaient la leur.

Le cercle extérieur n'avait pas cessé de tourner pendant que les autres Baka Ban Mana, les lanciers, tentaient d'en finir avec le Sourcier. Du coin de l'œil, il vit les guerriers s'immobiliser, dégainer leurs épées et avancer vers lui tandis que les lanciers reculaient.

Au lieu d'attendre l'assaut, Richard chargea et l'Épée de Vérité brisa net deux lames incurvées.

— Du Chaillu, je t'en prie ! Ne me force pas à tuer !

Les escrimeurs se révélèrent encore plus rapides que les lanciers. Trop rapides ! Parler à Du Chaillu et essayer de les désarmer sans les tuer était un jeu dangereux.

Une douleur fulgurante, au flanc gauche, le démontra à Richard. S'il n'avait pas vu venir la lame, un réflexe miraculeux lui valait d'avoir récolté une estafilade plutôt qu'un coup mortel.

Mais son sang avait coulé et tout venait de changer. L'Épée de Vérité, pour défendre son porteur, mobilisa la rage et le génie des centaines de Sourciers qui l'avaient tenue. Leur essence envahit le corps et l'esprit de Richard, qui ne put pas la repousser.

Sa retenue fondit comme neige au soleil. Après avoir donné toutes les chances possibles aux Baka Ban Mana, il n'avait plus le choix.

Le messager de la mort prit le relais.

Une vague de guerriers déferla sur lui.

Richard avait fini de jouer au chat et à la souris. Toutes les digues brisées en lui, il allait danser avec les morts.

Dans un brouillard de sang, il s'entendit hurler comme un fou et sentit qu'il se déplaçait plus vite que jamais. Autour de lui, des hommes et des femmes s'écroulaient, la tête proprement décollée des épaules.

Aucune lame ne le toucha plus. Il para toutes les attaques comme s'il les voyait venir longtemps à l'avance, tel un maître d'armes face à ses élèves. Et ses ripostes, vives et précises, coûtaient à chaque fois la vie à un de ses adversaires. Bientôt, le sable de la clairière devint rouge, comme dans un cauchemar.

Les songes sinistres du messager de la mort.

Richard s'avisa qu'il tenait aussi son couteau dans la main gauche au moment où deux Baka Ban Mana le prirent en tenailles. Passant le bras autour du cou de l'homme de gauche, il lui trancha la gorge tout en embrochant celui de droite avec son épée.

Ils s'écroulèrent au même moment. Haletant, Richard regarda autour de lui.

Plus rien ne bougeait, à part la femme à qui il avait coupé la main, au début du combat. Elle avançait vers lui, un couteau dans son poing indemne.

Le Sourcier lut dans les yeux de la guerrière qu'elle ne renoncerait pas. Enveloppé dans un cocon de magie, la rage bouillant en lui, il la regarda charger en hurlant.

L'Épée de Vérité lui transperça le cœur.

La femme s'effondra, dernière victime du messager de la mort.

Alors, Richard foudroya du regard Du Chaillu, toujours perchée sur son rocher. Elle sauta à terre, se débarrassa du foulard qui enveloppait sa tête et s'agenouilla.

Fou de rage, le Sourcier courut vers elle et lui releva le menton avec la pointe de son épée.

— Le *Caharin* est venu à nous..., souffla la Baka Ban Mana.

— Qui est le *Caharin*?

— Celui qui danse avec les esprits..., répondit Du Chaillu, le regard rivé à celui du Sourcier.

— Celui qui danse avec les esprits..., répéta Richard.

C'était limpide comme de l'eau de roche ! Il venait de danser avec les mânes de ses prédécesseurs. Il avait invoqué les morts, et « dansé » avec eux.

Il faillit éclater d'un rire amer.

— Du Chaillu, je ne te pardonnerai jamais de m'avoir forcé à tuer ces gens. Je t'épargnerai parce que je déteste prendre une vie. À cause de toi, j'ai dû en voler trente d'un coup.

— *Caharin*, je suis navrée que tu portes ce fardeau. Mais pour que les tueries cessent, il fallait que coule le sang de trente Baka Ban Mana. C'était la seule façon de servir les esprits.

— En quoi un massacre peut-il les servir?

— Quand les magiciens ont volé notre pays, ils nous ont exilés ici. Et ils nous ont chargés d'apprendre au *Caharin* à danser avec les esprits. Seul le *Caharin* peut éviter que l'Esprit des Ténèbres s'empare du monde des vivants. Mais il vient au monde comme un nourrisson à qui il faut tout enseigner. Une partie de sa formation reposait sur nous. Tu as bien appris quelque chose ce soir, n'est-ce pas?

Richard hocha la tête sans enthousiasme.

— Je suis la gardienne des lois de mon peuple. Te donner cette leçon était notre mission. Si nous nous étions dérobés, le *Caharin* aurait été impuissant face aux forces de la mort. Alors, tout le monde aurait péri.

» Les Majendies nous massacraient pour nous rappeler notre devoir et nous inciter à nous entraîner au maniement des armes. Les magiciennes qui vivent de l'autre côté de notre territoire les aidaient afin que nous soyons encerclés. Sous une menace permanente, et sans possibilité de fuir, nous ne risquions pas d'oublier notre devoir.

» Il est écrit que le *Caharin* annoncera son arrivée en dansant avec les esprits et en versant le sang de trente Baka Ban Mana. Un exploit que personne ne peut accomplir, à part l'élu, et avec l'aide des esprits. Il est aussi prédit, lorsque cela arrivera, que nous serons contraints de nous plier à sa loi. Les Baka Ban Mana ont désormais un maître, et c'est toi, *Caharin*.

» Selon les anciennes paroles, si celle qui porte la robe de prière allait chaque année dans notre ancien pays, pour implorer les esprits, ils enverraient un jour le *Caharin*. Alors, à condition que nous accomplissions notre devoir, celui-ci nous rendrait nos terres.

L'esprit embrumé, comme dans un rêve, Richard foudroya de nouveau la femme du regard.

— Tu m'as pris quelque chose de très précieux, ce soir, Du Chaillu.

La Baka Ban Mana se releva et bomba le torse.

— Ne viens pas me parler de perte, *Caharin* ! Mes cinq époux adorés, les pères de mes enfants, qui ne m'avaient pas vue depuis ma capture, gisent dans le sable de cette clairière.

Richard tomba à genoux, pris d'une atroce nausée.

— Mon amie, pardonne-moi…

Du Chaillu lui posa une main sur la tête.

— C'est un grand honneur d'avoir porté la robe de prière au moment où le *Caharin* est venu à nous. À présent, tu dois remplir ta part du contrat et nous rendre notre pays.

— Tes… hum… anciennes paroles disent-elles comment je suis censé m'y prendre ?

— Non. Nous savons simplement que tu le feras si nous t'obéissons. Mon peuple est à tes ordres.

— Alors, dit Richard en sentant une larme couler sur sa joue, j'ordonne que les tueries cessent. Comme je te l'ai dit, tu te serviras du sifflet magique pour faire la paix avec les Majendies. Avant, tu tiendras ta promesse en nous fournissant un guide qui nous conduira au Palais des Prophètes.

Du Chaillu claqua des doigts.

Richard s'aperçut que la clairière était encerclée par des Baka Ban Mana age-nouillés, la tête inclinée vers lui. Répondant à l'ordre de Du Chaillu, deux se relevèrent et coururent vers le sorcier.

— Guidez-les jusqu'à la grande maison de pierre.

— Du Chaillu, je suis désolé t'avoir tué tes maris, dit Richard. Je t'ai suppliée de ne pas m'y forcer, mais ça me navre quand même…

Dans les yeux de la Baka Ban Mana, il vit briller la sagesse antique qu'il avait remarquée chez d'autres femmes : sœur Verna, la voyante Shota… et Kahlan. À présent, il savait que c'était une manifestation du don.

L'ombre d'un sourire flotta sur les lèvres de Du Chaillu. Richard ne comprit pas comment elle pouvait réagir ainsi à un moment pareil.

— Ces hommes et ces femmes se sont battus en dignes Baka Ban Mana. Et ils ont eu l'honneur d'enseigner quelque chose au *Caharin*. Couverts de gloire, ils vivront à jamais dans nos légendes.

Du Chaillu posa une main sur la marque qui noircissait la poitrine du Sourcier.

— À présent, tu es mon mari.

— Quoi ? s'étrangla le Sourcier.

— Je porte la robe de prière et je suis la femme-esprit de mon peuple. Toi, tu es le *Caharin*. Les anciennes lois sont formelles : nous sommes mari et femme.

— Non, c'est impossible, parce que j'ai déjà…

Il avait failli dire « une bien-aimée », mais les mots se coincèrent dans sa gorge. Kahlan l'avait rejeté. Il n'avait plus personne…

— Tu aurais pu tomber plus mal, fit Du Chaillu. Celle qui portait la robe de prière avant moi était une vieille harpie édentée. J'espère que tu as au moins plaisir à me regarder. Un jour, peut-être, ton cœur chantera en me voyant. De toute façon, j'appartiens au *Caharin*. Ce n'est pas à toi, ni à moi, d'en décider.

— Oh que si ! cria Richard avant d'aller rageusement récupérer sa chemise.

En l'enfilant, il vit Verna, campée à la lisière du cercle de sable, et occupée, comme d'habitude, à l'observer avec l'intérêt glacial d'un entomologiste.

— Tu as une mission à remplir, Du Chaillu, et tu t'en acquitteras. Les massacres sont terminés. La sœur et moi devons aller au palais pour qu'on me retire ce collier.

Du Chaillu se hissa sur la pointe des pieds et posa un baiser sonore sur la joue du jeune homme.

— J'ai hâte de te revoir, Richard le Sourcier. À bientôt, *Caharin*. Mon cher mari…

Chapitre 49

Au sommet d'une colline, Richard et Verna contemplaient le paysage qui s'étendait devant eux. Au-delà d'une plaine richement boisée par endroits, et presque nue à d'autres, une énorme cité se dressait derrière un rideau de brume aux reflets jaunes. Les toits de tuiles, au loin, brillaient sous les rayons du soleil couchant comme des points lumineux à la surface d'un étang.

Le Sourcier n'avait jamais vu autant de bâtiments disposés avec une telle rigueur. À la lisière de la ville, ils étaient assez petits, grandissant en hauteur et en largeur à mesure qu'on progressait vers le centre. Porté par une brise aux senteurs iodées, le lointain vacarme de milliers de gens, de chevaux et de chariots montait aux oreilles des deux cavaliers.

Un fleuve serpentait au milieu de la cité, la séparant en deux parties inégales – la plus lointaine beaucoup plus grande que l'autre. À la lisière de l'agglomération, des quais s'alignaient le long des berges. Des navires y mouillaient tandis que d'autres, toutes voiles au vent, fendaient l'onde paisible du fleuve. Certains de ces vaisseaux n'avaient pas moins de trois mâts. Richard n'aurait jamais cru que des monstres pareils puissent exister.

Même s'il aurait donné cher pour être ailleurs, le jeune homme écarquilla les yeux, fasciné. Quel endroit gigantesque ! On devait pouvoir s'y promener des jours et des jours sans en faire le tour.

Au-delà de la cité, l'océan s'abandonnait voluptueusement aux dernières caresses du soleil couchant.

Bâti sur un îlot, au cœur de la ville, le Palais des Prophètes la dominait de ses hautes murailles. Plus qu'un simple palais, c'était un complexe de bâtiments interconnectés et fortifiés qui aurait fait paraître minuscules bien des cités de Terre d'Ouest.

Vu de haut, et de loin, on aurait cru voir une énorme araignée blottie au centre de sa toile.

— Le Palais des Prophètes, dit Verna.

— Ma prison, souffla Richard sans la regarder.

La sœur ne releva pas.

— La ville se nomme Tanimura. Elle est traversée par le fleuve Kern, et le palais se trouve sur l'île Kollet.

— C'est une mauvaise blague ? grogna Richard.

— Que veux-tu dire ?

— Vous savez ce qu'est un *collet*. Les braconniers s'en servent pour attraper les petites proies, comme les lapins.

— Tu vas chercher trop loin, Richard…

— Vraiment ? C'est ce que nous verrons…

Verna talonna son cheval. Exaspérée, comme souvent face au Sourcier, elle préféra changer de sujet.

— Il y a des années que je ne suis pas revenue, mais rien n'a changé…

Les deux Baka Ban Mana qui les avaient guidés dans un dédale de marécages les dernières quarante-huit heures étaient repartis chez eux dès que Verna avait affirmé connaître le terrain. Bien qu'il n'ait jamais perdu son sens de l'orientation, même dans les marais les plus denses, Richard ne s'étonnait pas que la plupart des gens aient craint de se perdre dans ce territoire. Se sentant chez lui dans ce genre de paysage, il risquait beaucoup plus de s'égarer dans le labyrinthe de pierre de Tanimura.

Leurs deux guides n'avaient guère ouvert la bouche pendant le voyage. Ces guerriers, à coup sûr aussi redoutables que les adversaires malheureux de Richard, le regardaient avec une admiration béate. Agacé par leurs incessantes courbettes, le Sourcier avait dû donner de la voix pour qu'ils arrêtent de lui passer la brosse à reluire. Mais rien n'avait pu les empêcher de lui donner à tout bout de champ du *Caharin*.

Un soir, avant qu'il aille monter la garde, selon son habitude, Verna s'était déclarée désolée qu'il ait dû tuer ses trente adversaires. Surpris par sa sincérité, et l'absence de sous-entendus malveillants, il l'avait remerciée de sa compréhension.

— Pourquoi n'y a-t-il pas de fermes autour de la ville ? demanda-t-il soudain. Avec autant d'habitants, il doit y avoir besoin de grosses récoltes.

— Les fermes sont sur l'autre rive du fleuve, au-delà de la cité. Ici, les hommes et les bêtes ne seraient pas en sécurité. Les Baka Ban Mana font souvent des raids…

— Donc, il n'y a pas de culture, ni d'élevage, parce que les Tanimuriens ont peur des Baka Ban Mana ?

Verna tourna la tête vers la gauche.

— Tu vois cette forêt très sombre ?

Elle tendit un bras vers une étendue de végétation dense et torturée.

— C'est le bois de Hagen… Ne t'en approche pas. Tous ceux qui laissent le soleil se coucher pendant qu'ils sont dans le bois y perdent la vie. Et beaucoup de ceux qui s'y aventurent meurent avant que l'astre du jour ne décline. Une magie maléfique règne dans ces lieux…

En chevauchant, Richard garda le regard rivé sur le bois de Hagen. Cet endroit sinistre l'attirait. Il correspondait à merveille à son humeur sombre, comme s'il y avait été chez lui. En détourner les yeux lui demanda un gros effort.

De près, les rues de Tanimura perdaient de leur perfection géométrique. Et la périphérie de la ville était le royaume d'une terrible misère. Des hommes tirant des charrettes chargées de sacs de riz, de tapis, de bûches, de peaux de bêtes ou même d'ordures se croisaient dans la plus grande confusion, se barrant parfois le chemin. Le long des rues, des colporteurs de tout poil proposaient des fruits, des légumes, des brochettes de viande, des herbes, des gris-gris, des bottes ou des perles. Au moins, les odeurs de cuisine faisaient oublier par endroits la puanteur des tanneries.

Des groupes de traîne-misère en haillons braillaient ou s'esclaffaient autour de jeux de cartes et de dés. Les ruelles et les allées latérales grouillaient de malheureux, condamnés à vivre dans des bicoques délabrées en fer-blanc dont les toits, de simples bâches, devaient laisser passer la pluie en hiver et accumuler la chaleur en été. Des enfants nus jouaient autour de ces logis de fortune, pataugeant dans la boue comme des cochons. Penchées sur des baquets, des femmes s'échinaient à laver du linge en bavardant gaiement.

Verna marmonna qu'elle n'avait pas souvenir d'une telle misère ni d'un nombre pareil de sans-abri. En dépit de leur infortune, Richard trouva à ces gens un air plus heureux qu'on ne s'y serait attendu.

Malgré ses vêtements sales et froissés, sœur Verna, comparée à ces pauvres hères, avait l'air d'une reine en balade. Tous ceux qui la croisaient d'un peu près se fendaient d'une révérence. En retour, elle priait le Créateur de leur accorder sa bénédiction.

Dans cette partie de la ville, les bâtiments ne valaient guère mieux que les bicoques. Leurs façades décrépites – du plâtre effrité ou du bois noirci par l'âge – ne donnaient aucune envie de découvrir l'intérieur.

La cité gagna en splendeur à mesure que Verna et Richard avançaient. D'abord, les rues s'élargirent et les bicoques disparurent. Ensuite, dans de belles avenues bordées d'arbres, ils aperçurent des maisons de plus en plus gracieuses et des auberges élégantes devant lesquelles des portiers en livrée rouge faisaient consciencieusement le pied de grue.

Sur le pont de pierre qui traversait le fleuve Kern, des hommes allumaient déjà les lampadaires pour que les citadins ne se perdent pas dans l'obscurité. Dessous, des barques de pêcheurs sillonnaient l'eau noire à la lueur d'une multitude de lanternes. Des deux côtés du pont, des soldats en uniforme de parade patrouillaient, la hallebarde à l'épaule.

— Au palais, dit Verna tandis qu'ils traversaient le fleuve, c'est toujours un grand moment quand un nouveau garçon arrive. (Elle jeta un regard dubitatif à Richard.) Un événement rare et joyeux. Ne perds pas de vue que toutes les sœurs seront contentes de te voir. Elles voudront que tu te sentes le bienvenu.

— Développez votre raisonnement, fit le Sourcier.

— Je n'ai rien à ajouter.

— Mais je suis censé comprendre le sous-entendu, pas vrai ? « Évite de les choquer ou de les terrifier dès la première minute ! »

— Je n'ai pas dit ça… (Le font légèrement plissé, Verna regarda les soldats qui gardaient le pont.) Mais je voudrais que tu comprennes que ces femmes se donnent corps et âme à leur vocation.

— Une personne très sage, et que j'aime, m'a dit un jour qu'on ne pouvait rien être de plus que soi-même. (Il jeta un coup d'œil au mur d'enceinte, devant lui, notant le nombre de soldats qui y patrouillaient et le type d'armement qu'ils portaient.) Je suis le messager de la mort et je n'ai plus aucune raison de vivre.

— Ce n'est pas vrai, Richard. Tu es un jeune homme. Une longue vie t'attend. Même si tu t'es donné ce surnom, j'ai vu à quel point tu désires qu'il n'y ait plus de tueries. Parfois, tu n'écoutes rien et tu aggraves les choses, mais ce n'est pas de la méchanceté. Juste de l'ignorance…

— Ma sœur, puisque vous détestez le mensonge, vous n'allez sûrement pas me demander d'être hypocrite…

Verna soupira tandis qu'ils franchissaient une arche, dans le mur d'enceinte. Au-delà, la route serpentait entre de petits arbres au feuillage dense. Derrière les fenêtres des bâtiments, de douces lumières jaunes brillaient comme des lucioles. Beaucoup de ces constructions étaient reliées par des colonnades ou des corridors couverts. Contre un mur décoré d'une splendide frise équestre, une série de bancs invitaient au repos et à la méditation.

Ils passèrent une nouvelle arche et entrèrent dans les écuries. Près du bâtiment, des chevaux broutaient paisiblement dans un champ. Des palefreniers élégamment vêtus de vestes noires sur des chemises marron vinrent tenir les montures pendant que Richard et la sœur mettaient pied à terre. Après avoir flatté l'encolure de Bonnie, le Sourcier entreprit de récupérer ses affaires.

Verna lissa les plis de sa jupe d'équitation, ajusta son manteau et passa les doigts dans ses boucles brunes.

— Inutile de faire ça, Richard. Quelqu'un viendra prendre tes bagages.

— Non. Personne d'autre que moi n'a le droit d'y toucher.

Verna grogna d'agacement avant de lancer à un garçon d'écurie de s'assurer qu'on vienne chercher son paquetage. Le garçon lui fit une rapide révérence, puis mit une longe à Jessup et tira brutalement dessus. Le cheval manifesta aussitôt son déplaisir.

Le garçon lui flanqua un coup de cravache sur la croupe.

— Avance, animal stupide !

Jessup hennit de douleur.

Comme propulsé par un poing invisible, le garçon d'écurie vola dans les airs, alla s'écraser contre un mur et glissa mollement sur le sol.

— Que je ne te voie plus cravacher ce cheval ! cria Verna en se précipitant vers le fautif. Qu'est-ce qui t'a pris ? Tu aimerais que je te traite comme ça ? (Désorienté, le garçon d'écurie secoua la tête.) Si j'entends dire que tu as refait ça, sur Jessup ou un autre cheval, tu perdras ton travail. Et avant, tu goûteras de la cravache, fesses nues !

Le garçon s'excusa d'un hochement de tête pathétique. Verna le foudroya du regard, se détourna et appela Jessup d'un sifflement modulé. Il accourut, ravi que sa maîtresse lui caresse le menton pour le rassurer. Quand il parut calmé, elle le fit entrer dans une stalle et vérifia qu'on y avait mis de l'eau et de l'avoine.

Richard se gratouilla le nez pour qu'elle ne le voie pas sourire.

Alors qu'ils traversaient la cour, la sœur se tourna vers son « sujet ».

— Retiens cette leçon, Richard. Ici, il n'y a pas une sœur, ni même une novice, incapable de t'envoyer valser dans les airs sans même y penser.

Trois femmes les attendaient dans un long couloir aux murs lambrissés et au sol couvert d'un tapis jaune et bleu. Dès qu'elles aperçurent Verna, elles tressaillirent d'excitation. Toutes étaient plus petites que la sœur, elle-même moins grande que Richard d'une bonne tête.

— Sœur Verna ! cria l'une d'elles. Nous sommes si contentes de vous revoir enfin ! Toutes plus jeunes que leur collègue, elles étaient émues aux larmes.

Verna caressa la joue de la première qui arriva devant elle au pas de course.

— Sœur Phoebe... Sœur Amelia, sœur Janet. Je me réjouis aussi de vous revoir après si longtemps.

Les trois femmes gloussèrent d'excitation, puis se ressaisirent un peu. Phoebe regarda derrière l'épaule de Richard.

— Où est-il ? Pourquoi ne l'avez-vous pas amené ?

Verna désigna le Sourcier d'une main lasse.

— C'est lui... Richard, je te présente de très chères amies. Les sœurs Phoebe, Amelia et Janet...

Les sourires se transformèrent en expressions stupéfaites. Un sujet de cet âge et de cette taille ? De quoi rester muettes un moment, avant de marmonner quelques mots de bienvenue... puis de se tourner très vite vers sœur Verna.

— Une bonne moitié du palais attend de vous accueillir dignement, dit Phoebe. Nous ne nous tenons plus d'impatience depuis que vous nous avez annoncé votre arrivée pour aujourd'hui.

Sœur Amelia lissa ses cheveux marron, disciplinant les pointes qui effleuraient à peine ses épaules.

— Depuis votre départ, il n'y a plus eu de garçon né avec le don... Tout le monde a hâte de le voir. Ce sera une sacrée surprise, je parie. (Elle jeta un regard en coin à Richard et s'empourpra.) Très agréable, dois-je dire, surtout pour les plus jeunes sœurs. Mais qu'il est grand !

Richard se souvint d'un jour, pendant son enfance, où il était cloîtré chez lui à cause d'un déluge. Pour l'aider à confectionner un nouvel édredon – et histoire de passer le temps en bavardant – sa mère avait invité quelques amies. Tandis qu'il jouait sur le plancher, elles avaient parlé de lui comme s'il n'était pas là, s'extasiant sur sa croissance rapide. Sa mère s'était émerveillée de son appétit et de ses facilités pour la lecture.

Se sentant très mal à l'aise au milieu de ces quatre femmes, Richard modifia la position de son sac sur son épaule.

Phoebe se tourna vers lui, sourit de toutes ses dents et lui posa une main sur le bras.

— Par le Créateur, que nous sommes bavardes ! Nous ne devrions pas parler de toi comme si tu n'étais pas là ! Bienvenue au Palais des Prophètes, Richard.

Le Sourcier ne desserra pas les lèvres.

— Il n'est pas très loquace, on dirait, fit sœur Amelia.

— Ne vous inquiétez pas, il n'a pas la langue dans sa poche, la rassura Verna. (Avant de marmonner :) Heureusement, pour l'instant, il ferme son clapet...

— Eh bien, lança Phoebe, y allons-nous ?

— Ma sœur, fit Verna, le front plissé, qui sont les soldats que j'ai vus dehors ? Ceux qui portent d'étranges uniformes...

— Les soldats ? Ah, oui, ces soldats-là ? Le gouvernement a été renversé il y a quelques années, alors que vous étiez absente. L'Ancien Monde a un nouveau régime. Un empereur nous dirige, maintenant, à la place de cette kyrielle de rois... (Phoebe regarda sœur Janet.) Quel nom se donnent ces gens, déjà ?

— L'Ordre Impérial... Et il s'agit bien d'un empereur. C'est logique, après tout : l'Ordre Impérial, dirigé par un empereur...

— Des enfantillages, ajouta Phoebe, nonchalante. Les gouvernements vont et viennent et le Palais des Prophètes reste. Les mains du Créateur nous protègent... Nous allons rejoindre les autres ?

Verna et Richard suivirent leurs guides le long d'une série de corridors à la riche décoration. Se sentant en territoire hostile, donc menacé, le Sourcier réveilla sans le vouloir la magie de l'épée. Il jugea que ça n'était pas une mauvaise chose et garda la colère en veilleuse, tel un feu qui couve sous la braise.

Verna le regarda plusieurs fois du coin de l'œil, comme si elle voulait prendre le pouls de sa fureur.

Après un bon quart d'heure de marche, ils franchirent une imposante double porte en noyer qui donnait sur une grande salle. Slalomant entre des colonnes blanches ornées de lettres capitales en or, ils arrivèrent sous un immense dôme. Richard fut frappé par la superbe fresque qui représentait des personnages en robes, en adoration autour d'une silhouette scintillante. Deux niveaux de balcons aux balustrades sculptées faisaient le tour de la salle circulaire. Sur le sol, des petits carreaux noirs et blancs dessinaient des motifs en zigzag. L'écho d'une centaine de voix se répercutait contre les murs.

Des femmes se massaient au centre de la pièce. D'autres, plus nombreuses encore, se pressaient sur les balcons. Parmi elles, Richard aperçut quelques hommes et de jeunes garçons.

Les Sœurs de la Lumière avaient revêtu leurs plus beaux atours. Il ne semblait pas y avoir de règle en la matière, car leurs robes, d'une grande variété de couleurs, allaient de l'austère au provocant. Les mâles bénéficiaient de la même liberté vestimentaire. Certains arboraient des manteaux qu'un prince ou un roi n'aurait pas dédaignés.

Le bruit des conversations mourut et toutes les têtes se tournèrent vers les nouveaux venus. Puis des applaudissements crépitèrent.

Phoebe se plaça au centre de la salle, leva les bras et obtint aussitôt le silence.

— Mes sœurs, dit-elle, veuillez saluer sœur Verna, enfin de retour dans son foyer. (Il y eut de nouveaux applaudissements et Phoebe dut encore lever les bras.) Puis-je aussi vous présenter le nouvel élève que le Créateur nous envoie ? (Elle fit signe à Richard d'approcher. Il obéit, suivi comme son ombre par Verna.) As-tu un nom, en plus d'un prénom ?

Richard hésita un moment avant de répondre :

— Cypher...

— Veuillez accueillir Richard Cypher, le nouveau pensionnaire du Palais des Prophètes.

La foule applaudit encore.

Richard jeta un regard noir à ses « admiratrices ». Les sœurs du premier rang s'approchaient subrepticement, histoire de mieux le détailler. Il y avait dans cette salle des femmes de tout âge et de toute constitution. De vénérables grand-mères, des fillettes, des jeunes filles et de solides matrones ayant atteint l'âge de raison depuis plus ou moins longtemps. De tous les poids et de toutes les tailles, leur caractéristique principale était… la diversité. Une infinité de styles vestimentaires, de couleurs de cheveux et de coiffures, de maintiens et d'expressions…

Il remarqua une sœur debout près de lui. Un sourire éclatant sur ses lèvres pulpeuses, elle avait d'étranges yeux bleu pâle constellés de taches violettes. Rayonnante, elle le regardait comme si elle retrouvait un vieil ami adoré qu'elle n'avait plus vu depuis des années. Applaudissant frénétiquement, elle flanquait des coups de coude à la femme hautaine campée à côté d'elle, sans doute pour l'inciter à montrer plus d'enthousiasme.

Les poings sur les hanches, Richard nota la configuration de la salle – surtout les couloirs et les issues – et la disposition des gardes.

Quand les applaudissements cessèrent, une jeune sœur vêtue d'une robe à col et jabot de dentelle – un tissu du même bleu que celle de Kahlan pour le mariage – se fraya un chemin dans la foule.

Elle s'arrêta devant le Sourcier. Plus petite que lui d'une bonne tête et environ cinq ans plus jeune, elle avait de superbes yeux marron et des cheveux bruns qui lui cascadaient jusqu'aux épaules.

À chaque fois qu'elle prenait une inspiration, sa poitrine généreuse soulevait très esthétiquement le jabot. Elle tendit une main, caressa la joue barbue du jeune homme et parut transfigurée par l'extase.

— Le Créateur a exaucé mes prières, murmura-t-elle.

Comme si elle s'avisait que des centaines d'yeux la regardaient, elle s'empourpra et retira vivement sa main.

— Je suis-suis…, bredouilla-t-elle. (Se ressaisissant, elle joignit les mains. Comme si rien ne s'était passé, elle se tourna vers sœur Verna.) Je suis Pasha Maes, novice du troisième niveau. On m'a chargée de m'occuper de Richard…

— Je crois que je me souviens de toi, Pasha, dit Verna avec un sourire coincé. Ravie de voir que tu as étudié assidûment… Désormais, Richard n'est plus sous ma responsabilité, mais sous la tienne. Le Créateur puisse-t-Il vous tenir tous les deux entre Ses douces mains.

Pasha sourit fièrement, regarda de nouveau le Sourcier, et le détailla de la tête aux pieds.

— Enchantée de te connaître, jeune homme. Je m'appelle Pasha et je m'occuperai de ta formation. Sache que je suis là pour t'aider et te guider. Pose-moi toutes les questions qui te viennent à l'esprit et je ferai de mon mieux pour y répondre. Tu sembles être un garçon brillant. Je crois que nous ferons une bonne équipe.

Le sourire de la sœur pâlit un peu sous le regard mauvais de son « sujet ». Mais elle se reprit et continua :

— Avant tout, Richard, nous n'autorisons pas nos garçons à porter des armes dans le palais. (Elle tendit la main.) Donne-moi ton épée.

Le ruisselet de rage de la magie se transforma aussitôt en torrent.

— Vous aurez ma lame… quand je serai raide mort à vos pieds !

Pasha regarda Verna, qui hocha la tête pour l'avertir qu'elle s'aventurait sur un terrain glissant.

— Bien, nous en reparlerons plus tard, dit Pasha en fronçant les sourcils. Mais tu devras apprendre les bonnes manières, jeune homme.

— Laquelle de ces femmes est la Dame Abbesse ? demanda Richard d'un ton qui fit blêmir Pasha.

— Elle n'est pas là… La Dame Abbesse est trop occupée pour…

— Qu'on me conduise à elle.

— On ne la voit pas comme ça ! Elle reçoit les gens quand elle le décide. Je ne comprends pas que sœur Verna ne t'ait pas dit que les garçons n'ont pas le droit de…

Richard posa une main sur l'épaule de Pasha, l'écarta sans ménagement et avança dans la salle.

— J'ai une déclaration à faire, dit-il.

L'assistance se tut. Dans l'esprit du jeune homme, la même idée avait jailli simultanément de deux endroits différents, et il identifiait parfaitement ces sources. La première était *les Aventures de Bonnie Day*, le livre que lui avait offert son père. La deuxième, la magie de l'épée, ou plus exactement l'expérience des esprits avec qui il avait dansé.

Un seul et même message : *Quand tu es en infériorité numérique, dans une situation désespérée, la meilleure défense, c'est l'attaque !*

Richard savait à quoi servait le collier. Et sa situation était bel et bien désespérée. Donc, il n'avait pas le choix. Il laissa le silence s'éterniser jusqu'à ce qu'il devienne inconfortable.

Il tapota son Rada'Han du bout des doigts.

— Tant que je porterai ce collier, vous serez mes geôlières et moi votre prisonnier. Puisque je ne vous ai jamais causé de tort, cela fait de nous des ennemis. Nous sommes en guerre.

» Sœur Verna m'a promis qu'on m'apprendrait à contrôler le don, et que je pourrais partir dès que ce serait fait. Si vous respectez ce serment, je veux bien signer une trêve. Mais il y a des conditions.

Richard saisit l'Agiel qui pendait à son cou. Avec la rage de la magie, il sentit à peine la douleur.

— J'ai déjà porté un collier. La personne qui me l'a imposé l'a utilisé pour me punir, me dresser et me briser. C'est à cela que sert cet instrument. On le met à une bête ou à un ennemi…

» J'ai fait à cette personne la même offre qu'à vous. Je l'ai suppliée de me relâcher et elle a refusé. Alors, j'ai dû la tuer. Aucune de vous ne lui arrivera à la cheville en matière de cruauté. Elle agissait ainsi parce qu'on l'avait torturée et brisée, pour qu'elle s'acharne sur les autres. Ce n'était pas dans sa nature, et ça la rendait plus redoutable encore.

Il marqua une courte pause.

— Vous pensez faire le bien en réduisant des innocents en esclavage au nom du Créateur. Je ne connais pas votre Créateur. Le seul être étranger à ce monde qui se comporterait ainsi, à mes yeux, est le Gardien. (La foule glapit d'indignation.) Pour ce que j'en sais, vous pouvez tout aussi bien être ses disciples ! Alors, si vous me faites souffrir avec le collier, comme la personne dont je parlais, notre trêve sera rompue. Et si vous croyez me tenir en laisse, vous découvrirez, en cas de problème, que vous serrez la foudre dans vos poings.

Un silence de mort régnait dans la salle.

Richard releva sa manche gauche et dégaina l'Épée de Vérité, dont la note métallique résonna longuement dans l'air.

— Les Baka Ban Mana sont désormais mon peuple. Ils ont accepté de vivre en paix avec tous leurs voisins. Quiconque s'en prendra à eux devra en répondre devant moi. Si vous les agressez, notre trêve sera rompue.

Il désigna sœur Verna de la pointe de son épée.

— Cette femme m'a capturé, et je l'ai combattue tout au long de notre voyage. Pour me conduire ici, elle a tout fait, à part me tuer et attacher mon cadavre sur le dos d'un cheval. Bien qu'elle soit aussi mon ennemie, j'ai une certaine dette envers elle. Si quelqu'un touche à un de ses cheveux à cause de moi, je tuerai le coupable, et la trêve sera également rompue.

Du coin de l'œil, Richard vit Verna fermer les yeux et se cacher le visage derrière une main.

La foule cria quand le Sourcier se passa la lame au creux du bras. Il la fit tourner dans le sang, jusqu'à ce que des gouttes tombent de la pointe.

Les phalanges blanches à force de serrer la garde, il brandit l'arme.

— Je le jure sur mon sang ! Si vous faites du mal aux Baka Ban Mana, à Verna ou à moi, la trêve n'existera plus et vous saurez ce que veut dire le mot « guerre ». Car je raserai le Palais des Prophètes !

— À toi tout seul ? lança une voix moqueuse sur un balcon – à un endroit où l'intervenant ne risquait pas d'être repéré.

— Doutez-en à vos risques et périls. Je suis prisonnier et je n'ai plus aucune raison de vivre. Mais je suis aussi la chair et le sang de la prophétie : le messager de la mort !

Personne ne reprit la parole. Rageur, Richard rengaina l'Épée de Vérité.

Puis il fit une révérence dans les règles de l'art et sourit.

— Maintenant que nous nous comprenons, je vous en prie, continuez à vous réjouir de ma capture…

Il tourna le dos à l'assistance médusée. Le visage toujours dissimulé derrière une main, sœur Verna avait baissé la tête. Pasha serrait tellement les lèvres qu'elles viraient au bleu.

Une grosse sœur à l'air sévère vint se camper devant Verna, le menton pointé, et attendit qu'elle relève les yeux.

— Verna, il semble évident que tu n'as pas les compétences pour être une Sœur de la Lumière. Un échec pareil est inédit dans notre histoire. Dès cette minute, tu es ramenée au rang de novice du premier niveau. Et tu le resteras jusqu'au moment, si le Créateur le veut, où tu mériteras de nouveau le titre de Sœur de la Lumière.

— Oui, sœur Maren.

— Les novices ne parlent pas aux sœurs sans qu'on le leur demande ! T'ai-je invitée à me répondre ? (Maren tendit une main.) Donne-moi ton dacra.

Verna plia le poignet et l'arme sortit de sa manche. Elle la présenta, garde en avant, à son interlocutrice, puis serra les dents mais ne baissa pas les yeux.

— Demain à l'aube, présente-toi aux cuisines. Tu récureras des casseroles jusqu'à ce qu'on t'estime en état de t'attaquer à une tâche plus exigeante pour ton pauvre cerveau. Me suis-je bien fait comprendre ?

— Oui, sœur Maren.

— Et si tu te permets encore une fois de me parler sans autorisation, tu finiras aux écuries, à pelleter le fumier !

— Si c'est ainsi, sœur Maren, envoyez-moi directement aux écuries. Ça épargnera à vos chastes oreilles ce que j'ai tellement envie de vous dire.

— Très bien, novice, ce seront les écuries ! grogna Maren, rouge comme une pivoine. (Elle se tourna vers Richard.) Je pense que ça ne brise pas notre trêve ?

Sur ces mots, elle s'en fut au pas de charge.

Dans un silence à couper au couteau, Richard se tourna vers sœur Verna, qui refusa de croiser son regard.

— Tu n'as plus rien à voir avec Verna, dit Pasha en s'interposant entre eux. Ton bras saigne. Mon devoir est de m'en occuper… Nous avons organisé un grand banquet en ton honneur, dans la salle à manger. Après, tu nous verras peut-être d'un moins mauvais œil. Tout le monde veut te souhaiter la bienvenue. (Elle brandit un index sous le nez du Sourcier.) J'espère que tu te comporteras bien, jeune homme !

Ayant rengainé son épée, Richard ne bouillait plus de colère. Mais il lui en restait quand même un peu.

— Je n'ai pas faim. Montre-moi ma cellule, *mon enfant* !

Pasha serra les poings et le foudroya du regard.

— Très bien… Si tu veux jouer à ça, tu iras au lit sans manger, comme un sale garnement. (Elle tourna les talons.) Suis-moi !

Chapitre 50

Verna posa une main sur le levier de cuivre. La pièce était protégée par un bouclier… Elle prit une grande inspiration et frappa.

— Entrez, dit une voix assourdie.

Le bouclier se dissipa. Verna ouvrit le battant de droite et avança. Dans l'antichambre, deux femmes étaient assises à des bureaux qui flanquaient une autre porte. Aucune ne leva le nez de ses travaux d'écriture.

— Oui, marmonna celle de gauche sans cesser de faire gratter sa plume sur le papier. Que voulez-vous ?

— Sœur Ulicia, je suis venue rapporter le livre de voyage.

— Posez-le sur mon bureau… Vous viendrez au banquet, ce soir ? Il est en votre honneur, et vous serez sûrement ravie de refaire connaissance avec de vieilles amies.

— J'ai plus urgent à faire, désolée… Sœur Ulicia, je veux remettre le livre à la Dame Abbesse. En mains propres. Et lui parler.

Les deux femmes relevèrent la tête.

— Hélas, la Dame Abbesse ne souhaite pas vous voir. Elle est trop occupée pour s'occuper d'affaires sans importance.

— Sans importance ? Sans importance ! tonna Verna.

— N'élevez pas la voix dans ce bureau, sœur Verna !

Ulicia plongea sa plume dans l'encrier et se pencha de nouveau sur ses écritures.

Verna fit un pas en avant. L'air brilla soudain devant elle. Un bouclier puissant défendait la seconde porte.

— La Dame Abbesse est occupée, grogna Ulicia. Si elle estime que votre retour le mérite, elle vous fera convoquer. Posez le livre de voyage sur mon bureau. Je m'assurerai qu'il lui parvienne.

— J'ai été rétrogradée au rang de novice, lâcha Verna. (Les deux femmes relevèrent la tête.) Parce que j'ai obéi scrupuleusement aux ordres de la Dame Abbesse ! Malgré mes réticences, j'ai fait ce qu'elle me demandait, et me voilà punie. Pour avoir été loyale ! Je veux connaître les raisons de ma disgrâce !

Ulicia se tourna vers sa compagne.

— Sœur Finella, veuillez envoyer un rapport à l'intendante des novices. Signalez-lui que Verna Sauventreen est entrée sans invitation dans le bureau de la Dame Abbesse. Et qu'elle s'est autorisé une tirade indigne de quelqu'un qui aspire à devenir une Sœur de la Lumière.

Finella, l'air ennuyé, coula un regard noir à Verna.

— Eh bien, *novice* Verna, vous méritez une lettre de réprimande le premier jour de votre initiation au palais… (Elle émit un claquement de langue désapprobateur.) J'espère que vous apprendrez à vous tenir. Sinon, n'escomptez pas devenir un jour une Sœur de la Lumière.

— Ce sera tout, novice, grogna Ulicia. Vous pouvez disposer.

Verna tourna les talons. Entendant une série de bruits sourds, elle se retourna et vit qu'Ulicia tapotait nerveusement sur son bureau.

— Le livre de voyage ! Et quand une novice est renvoyée par une sœur, elle ne file pas comme une malpropre.

Verna tira le petit livre noir de sa ceinture et le posa doucement sur le bureau.

— Vous avez raison… (Elle fit une révérence.) Merci de m'avoir accordé un peu de votre temps, mes sœurs…

Verna poussa un lourd soupir en refermant la porte derrière elle. Elle s'y adossa un moment, pensive.

Les yeux baissés, elle s'éloigna dans le couloir et traversa une enfilade de halls. À une intersection, elle faillit percuter quelqu'un. Elle releva la tête… et découvrit un visage qu'elle avait espéré ne plus revoir.

— Verna, que je suis content ! s'exclama l'homme.

Il n'avait pas vieilli d'un iota, à part ses épaules, bien plus larges, et ses cheveux un rien plus longs. Verna se retint de lui caresser la joue… et de tomber dans ses bras.

— Jedidiah, dit-elle en rebaissant les yeux. Tu as l'air en pleine forme. Et tu n'as pas du tout changé… On dirait que le temps ne t'a pas flétri…

— Et toi, tu parais… hum…

— Le mot que tu cherches est « vieille ». C'est vrai, moi, les ans ne m'ont pas épargnée.

— Verna, quelques rides et quelques livres en trop ne fanent pas une beauté comme la tienne.

— Toujours aussi galant, à ce que je vois… (Elle désigna sa tunique marron unie.) Et tu as continué à étudier, pour obtenir un tel avancement. Je suis fière de toi.

Jedidiah éluda le compliment d'un haussement d'épaules.

— Parle-moi plutôt du nouveau que tu as ramené.

— Tu ne m'as pas revue depuis près de vingt ans, et c'est tout ce qui t'intéresse ? Je suis sortie de ton lit pour partir en mission, et tu ne veux pas savoir comment ça s'est passé ? Ni ce que je ressens pour toi après tout ce temps ? Ou si j'ai trouvé quelqu'un d'autre ? Je suppose que le choc de me voir si décrépite t'a fait oublier toutes ces questions ?

— Verna, tu n'es plus une gamine… Tu sais bien qu'aucun de nous deux ne pouvait espérer, après tant d'années…

— Bien sûr que je le sais ! Je ne me faisais pas d'illusions… Mais j'aurais aimé, à mon retour, être traitée avec un peu de tact et de sensibilité.

— Navré, Verna, mais je t'ai toujours tenue pour une femme qui appréciait la franchise. Moi, j'ai appris tant de choses sur la vie, depuis ma lointaine jeunesse…

— Bonne nuit, Jedidiah.

— Et ma question ? lança l'homme d'un ton désagréable qu'il rectifia aussitôt. À quoi ressemble le nouveau ?

— Tu étais là, je t'ai vu… Richard est exactement ce dont il a l'air.

— J'ai également vu ce qui t'est arrivé. Mais j'ai une certaine influence auprès de quelques sœurs haut placées… Je pourrai peut-être intervenir. Si tu satisfais ma curiosité, tes ennuis ont une chance de s'arranger.

— Bonne nuit, Jedidiah, répéta Verna avant de s'éloigner.

Comment avait-elle pu être aussi aveugle, dans sa jeunesse ? Elle se souvenait de Jedidiah comme d'un garçon affectueux et sincère. Le temps avait-il embelli la réalité ?

Ou était-elle trop préoccupée pour lui avoir laissé l'occasion de se montrer plus gentil ? Elle devait avoir l'air d'une souillon. Si elle s'était lavée, changée – ou au moins peignée – avant de le voir, tout aurait pu être différent. Mais elle n'avait pas eu le temps…

Si elle lui avait caressé la joue, se serait-il souvenu des larmes qu'il avait versées, le jour de son départ ? Et de la promesse qu'il lui avait faite ? Un serment, comprit-elle, qu'il s'était empressé d'oublier dès qu'elle avait eu le dos tourné.

Elle s'engagea dans le couloir qui menait aux quartiers des novices. S'arrêtant devant les portes, elle hésita un moment. La fatigue l'avait rattrapée. Et travailler aux écuries du matin au soir serait épuisant. Pourtant, elle fit demi-tour.

Avant de se coucher, elle avait quelque chose à faire…

Pasha s'arrêta devant une grande porte ronde en chêne noir nichée au cœur d'une arche décorée de sculptures imitant un treillis de lierre.

— Ta « cellule »…

— Il n'y a pas de serrure… Comment m'y enfermerez-vous ?

Pasha sembla surprise de cette question.

— Nous ne cloîtrons pas nos garçons. Tu es libre d'aller et venir à ta guise.

— Vous voulez dire que je peux me promener dans ce bâtiment ?

— Non, presque partout dans le palais, et même en ville, si ça te chante. Beaucoup de nos sujets passent une grande partie de leur temps dans la cité.

Pasha rosit et détourna le regard, supposant qu'il avait saisi le sous-entendu.

— Et hors de la ville ?

— Je me demande pourquoi tu ferais ça, mais rien ne t'en empêche. (Pasha plissa le front.) Cela dit, ne t'approche pas du bois de Hagen. C'est très dangereux. Verna te l'a-t-elle signalé pendant le voyage ? Es-tu prévenu ?

— Oui… À quelle distance puis-je m'éloigner de la cité ?

— Le Rada'Han t'empêchera d'aller trop loin. Nous devons toujours être en mesure de te localiser. Mais ça représente plusieurs lieues dans le périmètre du Palais des Prophètes.

— Combien de lieues ?

— Plus que tu n'auras envie d'en parcourir. Presque jusqu'au territoire des sauvages, je crois…

— Vous parlez des Baka Ban Mana ?

— Oui…

— Et je pourrai me promener seul ?

Pasha plaqua les poings sur ses hanches.

— Tu es sous ma responsabilité. À partir de maintenant, je t'accompagnerai presque partout. Quand tu seras un peu plus expérimenté, je te laisserai davantage la bride sur le cou.

— Donc, j'aurai le droit de partir me promener à ma guise ?

— Eh bien, tu devras vivre au palais, et être présent pour tes leçons. Je me chargerai d'une partie de ta formation, et d'autres sœurs interviendront. Nous t'enseignerons à toucher ton Han. Quand tu y parviendras, nous t'apprendrons à le contrôler.

— Pourquoi aurai-je plusieurs professeurs ?

— Parce que les Han de certaines personnes s'harmonisent parfois mieux que d'autres. Et les sœurs ont plus d'expérience et de connaissances que moi. Nous tenterons des expériences pour savoir avec qui tu travailles le mieux. Ensuite, tu n'auras plus qu'une formatrice.

— Sœur Verna figurera-t-elle parmi les candidates ?

— Elle n'a plus droit au titre de sœur… C'est une novice, désormais, et tu devras l'appeler Verna, simplement. À part moi, parce que tu m'as été affecté, les novices ne peuvent pas donner de leçons. Et celles du premier niveau, comme Verna, ne doivent avoir aucun rapport avec nos garçons. La mission d'une novice est d'apprendre, pas d'enseigner…

Richard douta de pouvoir un jour penser à sœur Verna comme à… Verna. Cela lui paraissait si étrange…

— Quand redeviendra-t-elle une sœur ?

— Elle devra servir comme une novice, et avancer tout doucement. Quand j'étais petite, j'ai commencé par récurer les casseroles, aux cuisines. Il m'a fallu long-temps pour avoir une chance de faire mes preuves. Si elle travaille dur, Verna pourra réussir, comme moi. Jusque-là, elle devra obéir et servir…

Richard était furieux que Verna subisse ce sort à cause de lui. Le temps de redevenir une Sœur de la Lumière, elle serait une très vieille femme… Il préféra changer de sujet.

— Pourquoi les « garçons » sont-ils autorisés à aller et venir librement ?

— Parce que vous n'êtes pas dangereux pour les gens… Plus tard, quand tu auras appris à contrôler ton Han, ta liberté de déplacement sera limitée. Les habitants de Tanimura craignent les sujets qui maîtrisent leur pouvoir, parce qu'il y a eu, dans le passé, de regrettables accidents. Quand un élève commence à dominer son Han, on lui interdit d'aller en ville. Lorsqu'il devient un sorcier, son régime se durcit encore. Vers la fin, juste avant d'être libéré, il est consigné dans certaines zones du palais…

» Pour l'instant, tu es libre comme l'air. Grâce à ton Rada'Han, je saurai où tu es.

— Et toutes les sœurs pourront me localiser à cause de ce foutu anneau de métal ?

— Non. Seulement celle qui te l'a remis, et moi, puisque tu es sous ma responsabilité. Mon Han devra reconnaître la « signature » unique de ton Rada'Han.

Elle ouvrit la porte, entra dans la pièce obscure et fit un petit geste : toutes les lampes à huile s'allumèrent aussitôt.

— J'espère que vous m'apprendrez ce truc, marmonna Richard.

— Ce n'est pas un « truc », mais une manifestation de mon Han. Une des plus simples parmi celles que je t'enseignerai.

Autour de ses moulures, le plafond de la grande pièce était zébré de lignes de différentes couleurs qui dessinaient des motifs géométriques. Les murs étaient lambrissés en bois de merisier clair. De somptueux rideaux bleus protégeaient les hautes fenêtres. Il y avait une cheminée, flanquée de deux belles colonnes blanches. Le parquet disparaissait presque sous une profusion d'épais tapis. Des chaises et des sofas qui invitaient à la détente attendaient un peu partout, en particulier autour de la cheminée.

La modeste maison de Richard serait entrée deux fois dans ces quartiers de prince. Impressionné, il fit glisser son sac de son épaule et le posa près de l'âtre, avec son carquois et son arc.

Sur la droite, il remarqua une baie vitrée aux portes coulissantes tendues de rideaux couleur crème. Derrière, un immense balcon fleuri dominait la cité. Richard alla l'explorer.

— Les couchers de soleil sont splendides, vus de ce balcon, dit Pasha.

Le Sourcier se fichait des couchers de soleil ! Il étudia la cour intérieure, le portail, les routes, les soldats en patrouille et les ponts, dans le lointain. Il devait graver tous ces détails dans son esprit…

Il revint à l'intérieur et alla ouvrir une porte, au fond de la pièce. Derrière, il découvrit une chambre à coucher aux dimensions stupéfiantes. Au milieu trônait le plus grand lit qu'il ait vu de sa vie. Une seconde baie vitrée donnait sur un autre balcon. Mais celui-là était orienté au sud, vers l'océan.

— Une vue magnifique, dit Pasha. Et très romantique… (Elle remarqua qu'il étudiait la configuration du palais.) De l'autre côté de cette cour se trouvent les principaux quartiers des femmes, où habitent la majorité des sœurs. (Elle agita sous le nez de Richard un index menaçant.) Tu t'en tiendras éloigné, jeune homme. (Elle ajouta dans un souffle :) Sauf si l'une d'entre elles t'invite dans sa chambre…

— Comment dois-je vous appeler ? demanda Richard. Sœur Pasha ?

— Non. Je suis toujours une novice, même si j'espère devenir une sœur grâce à toi. Appelle-moi simplement « Pasha ».

— Moi aussi, j'ai un nom, grogna le Sourcier. Richard ! Vous avez du mal à le garder en tête ?

— Eh bien, tu es sous ma responsabilité, et…

— Si la mémoire continue à vous manquer, dites adieu à vos chances de devenir une sœur, parce que je ferai tout pour saboter votre travail. Vous me comprenez bien, Pasha ?

— N'élève pas la voix devant moi, jeune homme… (La novice déglutit péniblement.) Je veux dire : ne prends pas ce ton avec moi, *Richard…*

— Vous voyez, ça n'est pas si difficile ! Merci.

Il espéra qu'elle en resterait là : il n'avait aucune envie d'être conciliant si elle s'entêtait.

Il se détourna du balcon, car la vue l'intéressait peu.

Elle le suivit comme une ombre alors qu'il explorait la chambre.

— Richard, tu devras apprendre les bonnes manières, sinon, je…

À bout de patience, le Sourcier se retourna, obligeant Pasha à freiner des quatre fers pour ne pas le percuter.

— Vous n'avez jamais été responsable de quelqu'un, pas vrai ? (La novice ne répondit pas.) À mon avis, c'est la première fois, et vous crevez de peur à l'idée de saloper le boulot. Dans votre inexpérience, vous croyez qu'un comportement tyrannique masquera votre incompétence.

— Eh bien, je…

— Ne craignez pas de me montrer que vous n'avez pas l'habitude de commander, Pasha. Le véritable risque, c'est que je vous tue.

— N'ose plus jamais me menacer ! cria Pasha.

— Pour vous, insista Richard, c'est un jeu. On tient son chiot en laisse, on lui apprend à lécher la main qui le tourmente, et on gagne de l'avancement ! (Il baissa le ton.) Pour moi, ce n'est pas un jeu, mais une question de vie ou de mort. Je suis prisonnier, un collier autour du cou, comme un animal ou un esclave. Je contrôle ma propre vie dans la mesure que *vous* me concédez. Et je sais que vous me torturerez pour briser ma volonté. Je ne vous menace pas, Pasha. Je jure de vous tuer si c'est nécessaire.

— Tu te trompes à mon sujet, Richard. Je veux être ton amie.

— Non, vous êtes ma geôlière ! (Il brandit à son tour un index.) Ne me tournez jamais le dos, sinon, je vous abattrai. Comme j'ai exécuté celle qui, avant vous, m'a forcé à porter un collier.

— Richard, j'ignore ce qui t'est arrivé, mais nous ne sommes pas comme cette… personne. Ma vocation est d'aider les autres à voir la Lumière du Créateur.

Le Sourcier se sentit dangereusement près de lâcher la bonde à sa magie. Il lutta pour se contrôler, car ce n'était pas le moment.

— Votre théologie fumeuse ne m'intéresse pas ! Souvenez-vous de ce que je vous ai dit, c'est tout !

— Je n'oublierai pas… (Pasha réussit à sourire.) Pardon de t'avoir insulté en n'utilisant pas ton prénom. Je croyais bien agir en respectant les règles qu'on m'a enseignées, mais c'était une erreur.

— Au diable les règles ! Soyez vous-même et vous aurez moins de problèmes dans la vie.

— Si ça t'aide à croire que je veux seulement ton bien, je suis prête à le faire. À présent, assieds-toi au bord du lit.

— Pourquoi ?

Pasha ne bougea pas. Pourtant, Richard sentit qu'on le poussait doucement. Il ne résista pas, et se retrouva assis au bord du lit.

— Ne…

Pasha avança et se campa entre les jambes du jeune homme.

— Silence… Laisse-moi travailler. Comme je te l'ai dit, il faut que mon Han reconnaisse la signature de ton collier, afin que je sache à tout moment où tu es.

Elle posa les deux mains de chaque côté du cou de Richard – sur le Rada'Han – et ferma les yeux. Ses seins au niveau du visage de l'élève, elle inspira profondément, les faisant tendre à craquer le tissu de sa robe.

Le Sourcier sentit un doux picotement qui se diffusa jusqu'à la pointe de ses pieds et remonta lentement jusqu'au sommet de son crâne. L'expérience était un peu… inconfortable… mais pas déplaisante. À vrai dire, plus elle durait et plus cela devenait agréable.

Lorsque Pasha retira ses mains, la disparition de cette sensation fut un petit calvaire pour Richard. Le monde sembla tourner autour de lui et il secoua la tête pour chasser son malaise.

— Que m'avez-vous fait ?

— J'ai permis à mon Han de reconnaître ton collier. (Pasha aussi semblait un peu sonnée, et une larme roula sur sa joue.) Et un peu de ton Han – de ton essence.

Elle se détourna et Richard se leva.

— À partir de maintenant, vous saurez toujours où je suis ?

Pasha hocha la tête, pas encore tout à fait remise.

— Qu'aimes-tu manger ? demanda-t-elle. Tu as des préférences ?

— Je ne consomme pas de viande.

— Voilà une particularité dont je n'avais jamais entendu parler !

— Et je crois que je n'aime plus le fromage non plus…

— Je communiquerai tes exigences aux cuisiniers.

Un plan se formait dans la tête du Sourcier et Pasha n'avait aucun rôle à y jouer. Il fallait qu'il se débarrasse d'elle !

La novice se campa devant une garde-robe remplie de superbes vêtements : des pantalons en riches tissus, une bonne dizaine de chemises, la plupart blanches, et des manteaux de toutes les couleurs.

— C'est à toi, Richard…

— Tout le monde a eu l'air étonné que je sois adulte. Pourquoi ces habits sont-ils à ma taille ?

Pasha inspecta attentivement les tenues, touchant le tissu pour s'assurer qu'il était doux au contact.

— Quelqu'un devait savoir… Verna doit avoir averti les autres.

— *Sœur* Verna !

— Désolée, Richard, mais elle n'a plus droit à ce titre. (Pasha sortit une chemise blanche.) Tu l'aimes ?

— Non. J'aurais l'air d'un bouffon avec ce truc sur le dos.

— Moi, je crois que tu serais superbe… Mais si tu veux autre chose, il y a de l'argent sur cette table, à côté du lit. Nous irons en ville, et tu achèteras ce que tu voudras.

Richard jeta un coup d'œil sur la table. Il repéra une coupe d'argent pleine de pièces du même métal, et une coupe d'or débordant de pièces jaunes. Une fortune dont il n'aurait pas gagné la moitié en travaillant toute sa vie comme guide.

— Cet argent ne m'appartient pas.

— Si ! Tu es invité au palais, et nous te fournissons tout ce dont tu as besoin.

(Pasha sortit un manteau rouge aux épaulettes et boutons jaunes.) Richard, tu auras l'air d'un prince là-dedans !

— Même incrusté de pierres précieuses, un collier reste un collier.

— Ça n'a rien à voir avec ton Rada'Han. Tes vêtements sont affreux. Tu as l'air d'un sauvage sorti de ses bois. Essaye donc ce manteau.

Richard lui arracha le vêtement et le jeta sur le lit.

Prenant Pasha par le bras, il la tira sans ménagement jusqu'à la porte de ses appartements.

— Richard, que fais-tu ? Arrête ça !

— La journée a été longue et je suis fatigué, dit le Sourcier en ouvrant la porte. Bonne nuit, sœur Pasha.

— J'essaye seulement d'améliorer ton allure. Tu as l'air d'un barbare ! D'une sombre brute ! D'un animal !

D'un calme glacial, Richard saisit un pan de la robe bleue de la novice – la teinte exacte que Kahlan aurait dû porter à leur mariage.

— Cette couleur ne vous va pas du tout, lâcha-t-il. Absolument pas !

Il poussa la novice dans le couloir et lui claqua la porte au nez.

Après quelques minutes, il rouvrit et sonda le corridor. Aucun signe de Pasha ! Satisfait, il alla fouiller dans son sac, près de la cheminée, et en sortit diverses affaires. Il n'aurait pas besoin de tout emporter. Par exemple, les vêtements de rechange…

Alors qu'il bandait son arc, quelqu'un gratta à sa porte.

Il ne broncha pas, espérant que la novice se découragerait en l'absence de réponse. Pas question qu'elle lui tourne autour en lui donnant des conseils sur son « allure ». Il avait des choses importantes à faire.

Cette fois, on frappa à la porte. Ce n'était peut-être pas la novice… Dégainant son couteau, Richard alla ouvrir.

— Sœur Verna…

— Je viens de voir Pasha, en larmes, courir dans le couloir. Ça m'étonne de toi, Richard… (Elle leva un sourcil moqueur.) J'aurais cru que ça te prendrait moins long-temps ! Étais-tu obligé de la faire pleurer ?

— Elle a eu de la chance que je ne la fasse pas saigner.

La sœur abaissa son châle, dévoilant ses cheveux bruns bouclés.

— Puis-je entrer ? (Richard hocha courtoisement la tête.) Et tu dois m'appeler simplement Verna. Je ne suis plus une sœur.

Elle entra alors que Richard rengainait son couteau.

— Désolé, mais j'aurais du mal à changer d'habitude. Pour moi, vous êtes et serez toujours sœur Verna.

— Me donner ce titre est inconvenant… (Elle jeta un regard circulaire dans la pièce.) Comment est ton domaine ?

— Un roi pourrait s'en satisfaire… Sœur Verna, je sais que vous ne me croirez pas, mais je suis navré de ce qui vous est arrivé. Je n'avais pas l'intention de vous attirer des ennuis…

— Tu es une source de problèmes pour moi depuis le début, Richard ! Mais cette fois, tu n'y es pour rien. Quelqu'un d'autre m'a mis des bâtons dans les roues…

— Ma sœur, je sais que vous avez été rétrogradée, si j'ose dire, à cause de moi. Pour ce qui est des écuries, vous n'avez que vous à blâmer.

— Les choses ne sont pas toujours ce qu'elles semblent, Richard. Je déteste récurer les casseroles ! Dans ma jeunesse, c'était ma hantise. J'aime beaucoup plus les chevaux. Ils sont calmes et ne me cherchent pas querelle… C'est encore plus vrai depuis que tu as détruit les mors et que je suis devenue amie avec Jessup. Sœur Maren croyait mener la valse, mais c'était elle qui dansait à mon rythme !

— Vous êtes machiavélique, sœur Verna ! Je suis très fier de vous, même si ça me chagrine qu'on vous ait fait ça…

— Je suis ici pour servir le Créateur. La manière importe peu ! Et je répète que tu n'y es pour rien. Les ordres de la Dame Abbesse ont provoqué ma disgrâce.

— Vous parlez de ceux qui vous interdisaient d'utiliser votre pouvoir sur moi ? Les consignes qu'elle vous transmettait dans le livre noir ?

— Comment sais-tu ça ?

— J'ai reconstitué le puzzle. Vous étiez souvent furieuse contre moi, pourtant vous n'avez jamais rien tenté de magique pour m'arrêter. J'ai compris que vous ne recouriez pas au Rada'Han parce qu'on vous l'avait défendu.

— Question machiavélisme, tu n'es pas mal non plus, Richard. Quand as-tu compris ?

— Dès que j'ai lu le livre noir, dans la tour… Pourquoi êtes-vous venue, ma sœur ?

— Pour voir si tu allais bien. À partir de demain, je n'en aurai plus l'occasion. Enfin, jusqu'à ce que je redevienne une Sœur de la Lumière, dans très longtemps. Les novices du premier niveau ne doivent pas frayer avec les jeunes sorciers. La sanction est très sévère.

— Votre premier jour de noviciat, et vous violez déjà les règles ! Vous prenez trop de risques, ma sœur…

— Il y a des choses plus importantes que le règlement.

Richard eut quelque difficulté à en croire ses oreilles.

— Si on s'asseyait, ma sœur ? proposa-t-il.

— Le temps me manque, Richard. Je suis venue tenir une promesse… et t'apporter quelque chose.

Elle sortit un petit objet de sa poche, le posa dans la paume de Richard et lui ferma les doigts dessus.

Quand il les rouvrit, les genoux du Sourcier manquèrent se dérober. Ce n'était pas un objet, mais la mèche de cheveux de Kahlan, qu'il avait jetée dans une crise de désespoir.

— J'ai récupéré ça notre premier soir de voyage…

— Comment est-ce possible ? souffla Richard.

— Quand tu t'es rendormi, après avoir renoncé à me tuer, je suis allée faire un petit tour, et j'ai trouvé cette mèche de cheveux.

— Je ne peux pas la prendre… Ma sœur, j'ai rendu sa liberté à Kahlan.

— Elle a consenti à un grand sacrifice pour te sauver. J'ai juré de ne pas te laisser oublier à quel point elle t'aime.

— Je lui ai rendu sa liberté, répéta Richard, les mains tremblantes. Elle m'avait rejeté, et…

— Elle t'aime, coupa Verna. Accepte cette mèche. Je te le demande comme une faveur. Pour toi, j'ai jeté le règlement aux orties. Et il y a ma promesse à Kahlan… Aujourd'hui, j'ai pu mesurer à quel point le véritable amour est rare.

Richard eut le sentiment que le palais venait de s'écrouler sur lui.

— Très bien, ma sœur… Je la prends pour vous faire plaisir, mais je sais que Kahlan ne veut plus de moi. Quand on aime quelqu'un, on ne lui demande pas de porter un collier. Et on ne le laisse pas partir au loin. Elle voulait être libre. Par amour, j'ai accompli sa volonté.

— J'espère que tu mesureras un jour combien elle t'aime, et ce qu'elle a sacrifié pour toi. L'amour est un bien précieux qui ne doit jamais être oublié. J'ignore ce que la vie te réserve, mais tu retrouveras l'amour.

» Pour le moment, tu as surtout besoin d'une amie. C'est une offre sincère, Richard.

— M'enlèverez-vous ce collier ?

— C'est impossible, hélas… Cela te ferait du mal, et mon devoir est de te protéger. Le Rada'Han restera en place.

— Dans ce cas, je n'ai pas d'amis. Un homme perdu en territoire hostile, entre des mains hostiles…

— C'est faux ! Mais avec mon nouveau statut, je n'aurai pas le loisir de te convaincre du contraire. Pasha a l'air d'une brave fille. Rapproche-toi d'elle, Richard. Tu as besoin d'une alliée.

— Je ne copine pas avec quelqu'un que je devrai peut-être tuer. Ma sœur, je pensais chaque mot que j'ai dit aujourd'hui.

— Je sais… Mais Pasha a presque ton âge. Parfois, l'amitié est plus facile quand on est de la même génération. À mon avis, elle aimerait être ton amie.

» Ce qu'elle vit avec toi est capital. La relation entre une novice et le futur sorcier dont elle a la charge est une chose unique. Le lien qui se forge ne ressemble à aucun autre, et il dure jusqu'à la fin de leur vie. Elle a aussi peur que toi, Richard ! Pour la première fois de son existence, elle joue le rôle du professeur. Vous apprendrez tous les deux ! Une nouvelle vie s'ouvre devant vous.

— La maîtresse et l'esclave… C'est le seul lien que je vois.

— Aucune novice n'a jamais eu à relever pareil défi…, soupira Verna. Essaye d'être compréhensif avec elle. Pasha va avoir du pain sur la planche, face à toi. Et la Dame Abbesse aussi !

— Avez-vous jamais tué quelqu'un que vous aimiez, ma sœur ?

— Quoi ? Non… bien sûr.

Richard referma un poing sur l'Agiel.

— Denna me contrôlait à travers ma magie, comme vous. Et elle m'a imposé un collier, encore comme vous. On l'avait torturée jusqu'à ce qu'elle perde la raison, et soit prête à tourmenter les autres. J'ai compris comment ça fonctionnait, parce que j'aurais obéi à n'importe quel ordre pour qu'elle cesse de me faire souffrir.

Exalté, le Sourcier sentait à peine la douleur de l'Agiel.

— Je la comprenais… et je l'aimais. Ce fut mon salut. Denna contrôlait la fureur de l'Épée de Vérité. Parce que je l'aimais, j'ai pu faire virer la lame au blanc.

— Au nom du Créateur, tu as réussi cela ?

— J'ai dû accueillir en mon cœur l'amour que j'éprouvais pour elle. Alors, la lame a changé de couleur, et je la lui ai passée à travers le corps pendant qu'elle me regardait tendrement dans les yeux. Mon amour pour elle m'a permis de la tuer, puis de m'enfuir. Aussi longtemps que je vivrai, je ne me pardonnerai pas ce crime.

— Cher Créateur, souffla Verna en serrant Richard dans ses bras, qu'as-tu donc infligé à Ton enfant ?

Richard se dégagea et s'essuya les yeux.

— Partez, ma sœur, ou vous finirez par avoir des ennuis. Je viens de me conduire comme un idiot.

— Pourquoi ne m'as-tu pas raconté ça plus tôt ?

— Ce n'est pas un acte dont je suis fier, et vous êtes mon ennemie, ma sœur. (Richard remarqua que Verna avait les yeux humides.) Je n'ai pas menti, tout à l'heure : je vous tuerai toutes si c'est nécessaire. Aucun assassinat ne me répugne. Je suis un monstre : le messager de la mort. C'est pour ça que Kahlan n'a plus voulu de moi.

Verna écarta une mèche de cheveux du front de son protégé.

— Elle t'aime et elle a voulu te sauver. Un jour, tu comprendras. Hélas, je dois filer, à présent. Tu crois que tout ira bien ?

— J'en doute, ma sœur… Il y aura une guerre, et je devrai abattre beaucoup de Sœurs de la Lumière. J'espère que vous ne serez pas du nombre.

— Qui sait ce que le Créateur nous réserve, souffla Verna en caressant la joue de Richard.

— S'Il a une once de pouvoir, vous redeviendrez une sœur plus vite que vous ne le pensez…

— Je dois partir, Richard. Bonne chance et ne perds jamais la foi.

Dès que Verna fut partie, le Sorcier enfila son manteau et prit son sac. Il devait agir maintenant, alors qu'elles avaient encore peur de lui. Et qu'elles doutaient…

Il s'assura que l'Épée de Vérité coulissait bien dans son fourreau, boucla la bandoulière de son sac, prit son arc et passa sur le balcon.

Il fixa solidement la corde récupérée dans ses affaires à la balustrade de pierre. Son couteau entre les dents, il se laissa glisser le long de la façade.

Vers les ténèbres…

Son élément.

Chapitre 51

L a nuit, les rues de Tanimura grouillaient presque autant de monde que le jour. Les petits feux de cuisson, pour les brochettes, brûlaient encore, et les colporteurs beuglaient toujours leurs boniments. Des ivrognes appelèrent Richard pour qu'il vienne jouer aux dés avec eux. Aussitôt qu'ils aperçurent son collier, une foule de gens lui proposèrent des « emplettes » mirifiques : de la nourriture, une théorie de colifichets et… des femmes. Il voulut doucher leur enthousiasme en déclarant qu'il n'avait pas d'argent. Hilares, ses interlocuteurs lui assurèrent que le palais réglerait rubis sur l'ongle tout ce qu'il voudrait s'offrir.

Il haussa les épaules et continua son chemin.

Des filles à peine vêtues se collèrent à lui en gloussant, leurs doigts agiles tentant de s'introduire dans ses poches. À l'oreille, elles lui soufflèrent des propositions érotiques qui le laissèrent sans voix. Les écarter ne suffisant pas à les décourager, il les foudroya du regard.

L'effet fut immédiat.

Soulagé, Richard sortit de la cité et s'enfonça dans la campagne, où il respira aussitôt mieux.

Il était en permanence conscient du collier, autour de son cou. Que se passerait-il s'il s'aventurait trop loin ? Selon ce que Pasha lui avait dit, ça ne risquait pas de se produire ce soir, car il n'avait pas l'intention de marcher beaucoup. Mais elle pouvait s'être trompée et il n'avait aucune envie de sentir la « chaîne » se tendre brusquement pour le ramener dans sa niche.

Au sommet d'une butte, il sonda le paysage et aperçut ce qu'il cherchait : le bois de Hagen.

Furieux d'être prisonnier, angoissé par ce qui l'attendait et en mal d'amour pour Kahlan, il avait besoin de se défouler, comme on boxe un mur quand on est en colère. Et ces bois lui semblaient un exutoire très prometteur.

Il s'en détourna pourtant et entreprit de ramasser des brindilles et des branches pour allumer un feu. Quand il eut bien pris, Richard sortit une casserole de son paquetage et la mit à chauffer. Un bon mélange de riz et de haricots lui calerait l'estomac.

En attendant que ce soit cuit, il grignota le petit morceau de bannock qu'il lui restait.

Assis sur un rocher, il contempla de nouveau le bois de Hagen. De temps en temps, il surveillait le ciel, pressé d'y voir apparaître une silhouette familière.

Soudain, il entendit un doux battement, dans son dos, et éclata de rire quand des bras couverts de fourrure le ceinturèrent et le firent basculer sur le sol.

Gratch essaya d'envelopper son adversaire avec ses quatre membres et ses ailes. Richard lui chatouilla les côtes, le forçant à éclater de rire à son tour. Le combat amical se termina par une victoire du garn – qui s'empressa de serrer contre lui son compagnon humain.

— Grrrratch aaaime Raaach aard.

Le Sourcier rendit son étreinte au jeune prédateur.

— Je t'aime aussi, Gratch.

Le garn plaça son museau sous le nez de Richard et lâcha un petit rire guilleret.

— Gratch ! s'exclama le jeune homme en pinçant les narines. Ton haleine sent très fort. (Il se rassit, son ami sur les genoux.) Tu as attrapé une proie tout seul ?

Le garn hocha vigoureusement la tête.

— Bravo, mon petit vieux ! Et tu as réussi ça sans mouches à sang ? Qu'as-tu attrapé ?

Gratch détourna le regard, les oreilles aplaties.

— Une tortue ? (L'animal secoua la tête, moqueur.) Un daim ? (Là, le Sourcier eut droit à un grognement dépité.) Un lapin ?

Le garn secoua la tête. Il semblait s'amuser comme un petit fou.

— J'abandonne ! Qu'as-tu mangé ?

Gratch se couvrit les yeux avec les pattes et regarda entre ses griffes écartées.

— Un raton laveur ?

Le jeune monstre sourit de tous ses crocs, leva les yeux au ciel et rugit en se frappant la poitrine.

— Bien joué, mon vieux ! Encore bravo !

Gratch tenta de renverser Richard sur le sol pour une nouvelle séance de lutte. Mais le jeune homme ne se laissa pas convaincre de jouer. Faisant signe à l'animal de se calmer, il vérifia la cuisson de sa tambouille et retira la casserole du feu.

Il était soulagé que le garn sache enfin subvenir à ses propres besoins. Ainsi, il aurait une chance de survivre, si les choses tournaient mal pour son protecteur.

— Tu en veux un peu ?

Gratch se pencha prudemment et renifla la casserole. S'étant brûlé une fois, il faisait désormais très attention quand son ami cuisinait.

Plissant le museau, il grogna et roula comiquement des épaules, histoire de signifier que ça ne lui disait trop rien, mais qu'il s'en contenterait, si rien de mieux ne se présentait.

Richard lui servit une portion dans le bol qu'il lui avait affecté.

— Souffle dessus, c'est chaud !

Le garn obéit. Quand il jugea avoir assez refroidi son festin, il tenta de lécher le riz et les haricots. L'opération se révélant délicate, il finit par se coucher sur le dos et se vida le bol dans la gueule.

Il se releva, battit des ailes et tendit le récipient à Richard avec un gémissement à faire fondre les pierres.

— Désolé, il n'y en a plus.

Gratch tendit une griffe vers le bol du Sourcier et le tapota doucement.

— Non, ça, c'est *mon* dîner, fit Richard en lui tournant le dos.

Le garn se résigna à attendre que son ami ait fini de manger.

Quand ce fut fait, Richard releva les genoux, les entoura de ses bras et recommença à contempler Tanimura. Gratch s'assit et essaya d'imiter sa position.

Le jeune homme sortit de sa poche la mèche de cheveux de Kahlan. Le regard noir, il la fit tourner entre ses doigts à la lumière de la lune.

Le garn tendit une griffe curieuse.

— Non, dit Richard en le poussant de l'épaule. Tu peux toucher, mais doucement.

Du bout de la griffe, Gratch tâta délicatement la relique. Puis, pensif, il passa la même griffe dans les cheveux de son compagnon. Lui caressant ensuite la joue, il écrasa la larme qui y roulait. Richard renifla et remit la mèche à sa place.

Le garn lui entoura les épaules d'un bras et posa sa grosse tête contre lui. Le jeune homme l'enlaça aussi et ils contemplèrent le paysage nocturne en silence.

Décidant qu'il était temps de dormir, Richard repéra une petite étendue d'herbe épaisse où il déroula sa couverture. Le garn se blottit contre lui et ils s'endormirent comme des masses.

Richard se réveilla une heure avant l'aube. Il s'assit et s'étira. Fidèle à ses habitudes, Gratch l'imita, ajoutant des bruissements d'ailes aux bâillements de son ami.

Le Sourcier se frotta les yeux. Le soleil se lèverait bientôt. Il était temps d'agir.

— Gratch, fit-il, il faut que tu m'écoutes attentivement. J'ai des choses très importantes à te dire. Ouvre grand tes oreilles.

Le garn plissa le front, concentré au maximum.

— Tu vois cet endroit ? demanda Richard en désignant Tanimura. Celui où brillent toutes ces lumières ? (Il se tapota la poitrine, puis tendit de nouveau un bras vers la cité.) Je vais y vivre un moment, comprends-tu ? Mais je ne veux pas que tu viennes me voir. Il ne faut pas t'en approcher, parce que ce serait dangereux pour toi. C'est moi qui viendrai te rejoindre ici. Tu as saisi ?

Le garn réfléchit puis hocha la tête.

— Donc, tu n'approches pas de la ville. Tu vois le fleuve, en bas ? Tu sais ce que c'est, puisque je t'ai déjà montré de l'eau. Tu devras rester sur cette berge. Là où nous sommes. Pigé ?

Le Sourcier voulait éviter que Gratch s'en prenne aux animaux de ferme, sur l'autre rive, car ça lui attirerait sûrement des ennuis.

Le garn grogna pour signifier qu'il avait compris.

— Encore une chose : si tu vois des gens comme moi, ne les mange surtout pas. (Il brandit un index devant le museau du monstre.) Les humains ne sont pas de la nourriture. Alors, pas question de t'en régaler. C'est entendu ?

L'air déçu, Gratch grogna de nouveau. Richard lui passa un bras autour des épaules et l'orienta face au bois de Hagen.

— Continue d'écouter, parce que c'est toujours très important. Tu vois ces bois ?

Le petit monstre lâcha un grognement menaçant. Il dévoila ses crocs et ses yeux verts brillèrent plus intensément.

— Là non plus, pas question d'y aller ! Je veux que tu en restes loin. Et je ne plaisante pas. (Le garn ne l'écoutant plus, Richard saisit sa fourrure à pleines mains et le secoua.) C'est interdit, compris ?

Un hochement de tête apprit au Sourcier que le message était passé.

— Je vais devoir y aller, mais tu ne me suivras pas. C'est dangereux pour toi.

En gémissant, Gratch passa un bras autour de la taille de son ami et le tira en arrière.

— Ne t'inquiète pas pour moi. J'ai mon épée. Tu te souviens, ma grande lame ? Elle me protégera. Mais toi, tu ne peux pas venir.

Richard espéra qu'il ne se trompait pas au sujet de l'Épée de Vérité. Selon Verna, une magie maléfique régnait sur le bois de Hagen. Mais il n'avait pas le choix : c'était le seul plan qui lui fût venu à l'esprit.

Richard serra le garn contre lui.

— Va chasser, et ne te ronge pas les sangs pour moi. Je reviendrai te voir, et on se bagarrera. D'accord ?

Gratch rayonna à la mention d'une bonne séance de lutte. Plein d'espoir, il tira sur le bras du Sourcier.

— Pas maintenant, mon vieux. J'ai autre chose à faire… Mais je reviendrai bientôt, et on s'amusera.

Le garn serra l'humain dans ses bras pour lui dire au revoir. Après avoir ramassé ses affaires, Richard le salua de la main et disparut dans l'obscurité.

Il marcha durant une heure. Pour que son plan fonctionne, il devrait s'enfoncer assez loin dans le bois de Hagen. La végétation, très dense, ne lui facilitait pas la tâche, mais il n'avait pas passé sa vie dans la nature pour se laisser arrêter par ce genre d'obstacle. Ni par les « splash » des créatures qui plongeaient dans la vase en l'entendant approcher.

Couvert de sueur et le souffle court, il atteignit une petite clairière assez surélevée pour que le sol soit sec. De là, il apercevait un carré de ciel où brillaient encore quelques rares étoiles.

Ne repérant ni rocher ni souche, il s'assit en tailleur sur un tapis d'herbe, son sac posé près de lui.

Le souvenir des bois de Hartland lui serra le cœur. Il avait tellement hâte de rentrer chez lui… et de retrouver ses amis, Chase et Zedd…

Bien qu'il eût grandi près de lui, il avait toujours ignoré que Zedd était son grand-père. Mais jamais douté de son affection. La seule chose qui comptait ! Quelle différence faisaient les liens du sang ? Il n'aurait pas pu aimer Zedd davantage, ni être aimé davantage de lui.

Ils ne s'étaient plus parlé depuis si longtemps… Au Palais du Peuple, ils n'avaient pas eu le temps d'aller au fond des choses. Richard avait eu tort de partir si vite. À présent, il regrettait de ne pas pouvoir bénéficier des conseils et de la compréhension du vieux sorcier.

Kahlan irait-elle vraiment voir Zedd ? Maintenant qu'elle s'était débarrassée de lui, au nom de quoi se donnerait-elle tant de mal ?

Kahlan lui manquait tellement ! Son sourire, ses splendides yeux verts, le son de sa voix, son intelligence et son courage... Sans elle, le monde n'avait plus de couleur, de parfum ou de douceur. Il aurait donné sa vie, à cet instant, pour pouvoir la serrer cinq minutes dans ses bras.

Mais elle s'était débarrassée de lui, consciente qu'il était un monstre. Par amour, il lui avait rendu sa liberté. Une sage décision, car il n'était pas digne d'elle.

Sans même s'en apercevoir, il chercha à toucher son Han, comme Verna le lui avait appris. Malgré des échecs répétés, il trouvait plaisant cet exercice qui lui apportait une grande paix intérieure. En ce moment, c'était un luxe appréciable...

Il imagina l'Épée de Vérité flottant devant ses yeux – une image si détaillée qu'il aurait pu tendre une main pour en saisir la garde.

Sans ouvrir les yeux, ni émerger de sa méditation, il dégaina la véritable lame. Pourquoi ? Il aurait été incapable de le dire, mais ça lui semblait la chose à faire. La note métallique retentit, annonçant l'intrusion de l'arme magique dans le bois de Hagen.

Il la posa sur ses genoux. À présent, la magie dansait avec lui au cœur de sa quiétude. Si un danger se présentait, il était prêt.

Il ne lui restait plus qu'à attendre. Ça prendrait du temps, mais elle viendrait. Oui, dès qu'elle saurait où il était, elle le rejoindrait...

Autour de lui, comme s'il n'était pas là, la nuit bruissait de vie. Concentré sur l'image de l'épée, il entendait vaguement le bourdonnement des insectes, les coassements des grenouilles et les craquements des souris et des campagnols qui s'ébattaient entre les brindilles sèches. Parfois, un battement d'aile semait la panique parmi les rongeurs. Un cri aigu lui apprit qu'un hibou venait d'attraper son repas.

Soudain, alors qu'il contemplait l'image de l'épée dans un état de rêve éveillé, tous les bruits moururent.

En esprit, Richard vit la silhouette noire, derrière lui.

Il se leva d'un bond. L'épée fendit l'air et manqua de peu le monstre, qui avait reculé juste à temps.

Richard fut étrangement excité d'avoir raté son coup. Le combat allait durer un peu, lui donnant l'occasion de danser avec les esprits et de défouler sa rage.

Le monstre se déplaçait comme une cape agitée par le vent. Sombre comme la mort, et tout aussi rapide.

Les deux adversaires évoluèrent gracieusement dans la clairière, l'un évitant le tranchant de la lame et l'autre celui des griffes acérées. Immergé dans la magie de son arme, Richard se laissa guider par les esprits de ses prédécesseurs et eut le sentiment de suivre le combat comme un spectateur certain de son issue.

Il avait tellement soif d'apprendre la danse !

Enseignez-moi !

Comme un flot de souvenirs, la connaissance se déversa dans son esprit, maillon vital de la chaîne qui le liait aux anciens Sourciers.

Il n'était plus l'esclave de l'arme, de la magie et des spectres, mais leur maître. La lame, le pouvoir, les fantômes et lui ne faisaient plus qu'un.

Le monstre noir chargea.

Le moment était venu ! À une vitesse folle, la lame coupa le monstre en deux et un geyser de sang arrosa le sol et les troncs d'arbre. Un cri atroce retentit.

Puis le silence revint. Haletant, Richard se sentit presque désolé que ce soit fini. Presque…

Il avait dansé avec la magie et avec les morts. Au cours de ce ballet sanglant, il avait trouvé l'exutoire qu'il cherchait : pas seulement à sa frustration, mais au sombre désir, tapi au fond de lui, et qu'il ne comprenait pas.

Le soleil était levé depuis deux heures quand il entendit des bruits de pas. La femme se frayait un chemin parmi les broussailles, écartant sans ménagement les branches qui s'accrochaient à ses vêtements.

Enfin, elle émergea dans la clairière.

— Richard ! cria-t-elle.

— Bonjour, Pasha, dit le Sourcier en ouvrant les yeux. Une magnifique journée, n'est-ce pas ?

Son chemisier trempé de sueur, la jupe soulevée d'une main, la novice avait des brindilles plein les cheveux.

— Richard, tu dois partir d'ici tout de suite ! C'est le bois de Hagen.

— Je sais, sœur Verna me l'a dit. Un endroit intéressant. J'aime bien…

Pasha cligna des yeux de stupéfaction.

— Intéressant ? C'est un piège mortel ! Qu'es-tu venu faire ici ?

— Vous attendre, évidemment…

— Quelque chose pue, dit Pasha en regardant autour d'elle. (Elle s'accroupit devant le Sourcier et lui sourit comme à un enfant… ou à un fou.) Bon, tu as fait un petit tour dans la forêt, et tu t'es bien amusé. À présent, donne-moi la main et filons d'ici.

— Je ne bougerai pas tant que Verna n'aura pas récupéré son titre de sœur.

— Quoi ?

Richard se leva, épée au poing.

— Je reste ici tant qu'on ne lui rendra pas son grade et ses prérogatives. Le palais devra choisir ce qui importe le plus : ma vie, ou la disgrâce de Verna.

— Une seule personne peut lever la punition, souffla Pasha. Sœur Maren…

— Je sais… Vous irez la voir et lui direz de me rejoindre ici – en personne. Elle devra me jurer que la sanction est effacée, et accepter mes conditions.

— Tu es fou ! Sœur Maren ne t'obéira jamais.

— Eh bien, je ne bougerai pas d'un pouce tant qu'elle fera sa mauvaise tête.

— Richard, rentrons ensemble. J'irai plaider la cause de Verna devant sœur Maren. Mais ça ne vaut pas la peine de sacrifier ta vie.

— Ça, c'est une question qui me regarde.

— Tu agis comme un idiot ! Ce bois est dangereux, et tu es sous ma responsabilité. Je t'interdis de rester ici ! Si tu t'obstines, j'utiliserai le Rada'Han pour te forcer à partir.

Richard serra un peu plus fort la garde de son épée.

— Verna a été punie à cause de moi. Je trouve ça insupportable. Donc je suis prêt à tout pour que ça change. Y compris à mourir. Si vous recourez au collier, je résisterai de toutes mes forces. J'ignore qui gagnera, mais une chose est sûre : l'un de nous y laissera la vie. Si c'est vous, ça marquera le début de la guerre. Si c'est moi, vous ne deviendrez pas de sitôt une Sœur de la Lumière. Sœur Verna restera une novice, mais ça ne sera pas pire pour elle que maintenant. Moi, j'aurai la satisfaction d'avoir fait de mon mieux.

— Tu serais prêt à mourir pour une bêtise pareille ?

— Oui, parce que c'est vital à mes yeux. Il serait injuste que sœur Verna paie pour mes fautes.

— Mais…, commença Pasha, hésitante. Sœur Maren est l'intendante des novices. Si je vais lui ordonner de modifier sa décision, elle m'écorchera vive.

— Le fauteur de troubles, c'est moi. Vous n'êtes que la messagère. Qu'elle vous punisse et je prendrai racine dans ce bois jusqu'à ce que sœur Verna et vous soyez traitées équitablement. Si sœur Maren veut déclencher une guerre, libre à elle. Mais si la trêve lui tient à cœur, elle devra venir ici et se plier à mes exigences.

— Richard, si tu es toujours ici au coucher du soleil, tu mourras.

— Raison de plus pour vous dépêcher, Pasha.

La novice blêmit.

— Il me faudra des heures pour rentrer en ville… En admettant que j'arrive à convaincre sœur Maren, nous risquons d'arriver trop tard.

— Pourquoi n'êtes-vous pas venue à cheval ?

— Quand j'ai compris que tu étais ici, je suis partie sans réfléchir. Te sachant en danger, j'ai réagi d'instinct.

— C'était une erreur, Pasha. Il fallait penser avant d'agir. Ça vous servira de leçon pour la prochaine fois.

— Richard, ce n'est pas le moment de…

— Vous avez raison, alors, dépêchez-vous ! Sinon, votre sujet chéri sera toujours assis au même endroit au crépuscule.

— Ce n'est pas un jeu ! explosa Pasha. Tu ne comprends pas ! Ce bois est vraiment dangereux.

— Je sais, fit Richard en désignant quelque chose de la pointe de son épée.

Pasha tourna la tête et poussa un petit cri en découvrant le cadavre du monstre. Elle avança pour mieux voir. Richard ne la suivit pas, sachant ce qu'elle verrait : une créature de cauchemar coupée en deux, les entrailles répandues sur le sol.

La tête difforme du monstre évoquait un croisement entre un serpent et une mandragore. Son corps, bien que couvert d'écailles, ressemblait à celui d'un être humain. Vêtue d'une tunique en peau de bête et d'une longue cape à capuche, la créature n'avait pas de griffes, comme il l'avait cru au premier abord, mais serrait dans chaque poing un étrange couteau à trois lames. Des extensions en acier fixaient l'arme au poignet de son porteur pour que les frappes soient plus dévastatrices.

Pasha en fut tétanisée de stupéfaction. Richard finit par la rejoindre et baissa les yeux sur les deux moitiés du monstre. D'où qu'il vînt et quoi qu'il fût, il saignait comme tout le monde. Et une puanteur d'entrailles de poisson pourri montait de la charogne.

— Cher Créateur…, souffla Pasha. C'est un mriswith. Que lui est-il arrivé ?

— C'est évident, non ? répondit Richard. Je l'ai tué. Mais c'est quoi, un mriswith ?

— Comment ça, tu l'as tué ? Personne n'a jamais pris la vie d'un mriswith !

— Dans ce cas, c'est une grande première.

— Tu l'as… abattu… pendant la nuit ?

— Oui. Comment le savez-vous ?

— Les mriswiths s'aventurent rarement hors du bois de Hagen. Mais au fil des millénaires, nous avons réuni sur eux quelques rapports rédigés par des gens qui ont réussi à vivre assez longtemps pour raconter ce qu'ils avaient vu. Les mriswiths prennent toujours la couleur de leur environnement. Dans la boue, ils sont grisâtres. Au soleil, ils deviennent jaunes, tout comme quand ils évoluent sur du sable. La nuit, on peut à peine les voir, puisqu'ils sont noirs. Nous pensons que cette aptitude est une sorte de pouvoir magique. Celui-là étant noir, j'en ai conclu que tu l'avais tué pendant la nuit.

Richard prit la main tremblante de Pasha et l'entraîna à l'écart du cadavre, l'arrachant à sa fascination.

— Que sont ces monstres ? insista-t-il.

— Des créatures qui vivent dans le bois de Hagen… Je n'en sais pas plus. On prétend que les sorciers créèrent des armées de mriswiths lors de la guerre qui sépara l'Ancien Monde du Nouveau. Mais certains prétendent qu'ils sont envoyés par Celui Qui N'A Pas De Nom.

» Une certitude demeure : le bois de Hagen est leur royaume. Et celui d'autres monstres. C'est pour ça que personne ne vit dans la campagne, de ce côté de la rivière. Parfois, les monstres sortent de leur tanière, et ils chassent les humains. Ils ne les dévorent jamais, comme s'ils tuaient par plaisir. Les mriswiths aiment démembrer leurs victimes. Certaines survivent assez longtemps pour raconter ce qui leur est arrivé. C'est la source de nos maigres connaissances.

— Depuis combien de temps existe le bois de Hagen ? Et ces monstres ?

— Depuis la construction du palais, il y a près de trois mille ans. Et jusqu'à ce jour, personne n'avait jamais tué un mriswith. Toutes les victimes ont dit n'avoir rien vu ni senti avant que le monstre se jette sur elles. Il y avait dans le lot des sœurs et des sorciers, et leur Han ne les a pas prévenus. Ils furent aveugles, comme s'ils n'avaient pas eu de pouvoir… Comment as-tu réussi cet exploit ?

— Une simple question de chance, mentit Richard, qui ne voulait pas entrer dans les détails. Il fallait bien que ça arrive un jour. Et ce mriswith était peut-être un peu idiot…

— Richard, viens avec moi, je t'en prie. Ce n'est pas la bonne façon de défier le palais. Tu risques d'y laisser la vie.

— Je ne défie personne, Pasha. Il s'agit simplement d'assumer mes responsabilités. Si je me dérobais, je ne pourrais plus me regarder en face.

— Richard, si le soleil se couche pendant que tu es dans le bois de Hagen…

— Vous perdez un temps précieux, Pasha !

Chapitre 52

L'après-midi touchait à sa fin quand Richard entendit le bruit des sabots d'un unique cheval. Puis Pasha l'appela, quelques instants avant que les deux femmes n'entrent dans la clairière.

Le Sourcier rengaina son épée.

— Bonnie ! cria-t-il avant de flatter l'encolure de la jument. Comment vas-tu, ma brave fille ?

Bonnie lui donna un gentil coup de museau dans la poitrine. Sous l'œil agacé de sœur Maren, il tâta la bouche de la jument pour savoir quel genre de mors elle portait.

— Content de voir que vous utilisez un mors articulé, ma sœur.

— Le garçon d'écurie n'a pas pu mettre la main sur les autres. (La sœur jeta à Richard un regard soupçonneux.) On dirait qu'ils ont mystérieusement disparu.

— Vraiment ? fit Richard. Pour être franc, ça ne me brise pas le cœur.

Pasha était dans tous ses états d'avoir dû suivre la sœur à pied. Sa chemise trempée de sueur, elle tripotait sans cesse ses cheveux emmêlés. Maren avait dû l'obliger à marcher pour la punir. Sur sa selle, la sœur, dans une robe boutonnée jusqu'au cou, semblait fraîche comme une rose.

— Richard, dit-elle en mettant pied à terre, me voilà, comme tu l'avais demandé. Quelles sont tes exigences ?

Elle savait très bien de quoi il retournait, mais le jeune homme décida de jouer le jeu.

— C'est très simple : sœur Verna doit retrouver son statut. Sur-le-champ ! Et il faudra aussi lui rendre son dacra.

— Et moi qui m'attendais à des demandes déraisonnables ! Considère que c'est fait. Verna est de nouveau une Sœur de la Lumière. Ça n'a aucune importance pour moi.

— Quand elle voudra connaître la raison de ce retour en grâce, ne lui parlez pas de mon intervention. Dites que vous avez changé d'avis. Ou que le Créateur vous a fait comprendre qu'elle devait rester une sœur.

— Une très bonne idée… Tu es satisfait, ou il y a autre chose ?

— Non. Et notre trêve est sauvée.

— Parfait. À présent que ces futilités sont réglées, montre-moi le cadavre de cet ours. Pasha a fait la révolution au palais en criant partout que tu as tué un mriswith. (La novice baissa la tête, honteuse.) Cette pauvre enfant n'a jamais posé un pied sur une surface qui n'ait pas été astiquée et cirée. Les seules occasions où elle met le nez dehors, c'est pour aller voir les derniers étals de dentelle, au marché. Elle ne ferait pas la différence entre un lapin et une vache ! Qu'est-ce qui pue comme ça ?

— Les entrailles de l'ours, lâcha Richard.

Il guida la sœur jusqu'au cadavre. Pasha les suivit, tête basse. Quand elle entendit Maren crier, elle releva les yeux et sourit.

Dès que la sœur se retourna, la novice reprit sa pose repentante.

— Tu as dit la vérité, fit Maren en lui relevant le menton. Je te prie de me pardonner.

— Ce n'était pas grave, sœur Maren. Merci d'être venue vérifier *de visu* mon témoignage.

Son attitude hautaine ayant cédé la place à une inquiétude sincère, la sœur se tourna vers Richard.

— Comment est morte cette créature ?

Le Sourcier tira à demi son épée du fourreau.

— Pasha n'a pas raconté n'importe quoi ? Tu l'as tuée ?

— J'ai passé la plus grande partie de ma vie dans la nature. Et j'ai bien vu que ce n'était pas un lapin…

— Je dois examiner la dépouille de près, dit Maren en se penchant sur le monstre. C'est une occasion unique.

Pasha fit la grimace pendant que la sœur étudiait en détail le cadavre, sans hésiter à le toucher. Après un long moment, elle se leva et regarda Richard.

— Où est la cape ? Pasha a dit que le monstre en portait une.

Quand Richard avait coupé le mriswith en deux, sa cape flottait derrière lui, et n'avait pas été endommagée. En attendant le retour de Pasha, le jeune homme avait, par hasard, découvert les étonnantes propriétés de ce vêtement. Après l'avoir lavé et mis à sécher sur une branche, il s'était empressé de le plier et de le fourrer dans son sac. Et il n'avait aucune intention de le remettre aux sœurs.

— La cape m'appartient, répondit-il. C'est une prise de guerre, et je la garderai.

— Pourquoi n'as-tu pas préféré les couteaux ? demanda Maren, perplexe. Je croyais que les hommes adoraient ce genre de trophée…

— J'ai mon épée… À quoi me serviraient des lames qu'elle a vaincues ? J'ai toujours rêvé d'une cape noire, et je veux la conserver !

— Une autre condition à la trêve ?

— Si on doit en arriver là…

— Ce ne sera pas utile. C'est la créature qui compte, pas ses habits. Mais je n'ai pas terminé mon inspection…

Pendant que la sœur continuait son macabre examen, Richard attacha son sac, son carquois et ses flèches à la selle de Bonnie.

Puis il sauta sur la jument.

— Partez avant le coucher du soleil, sœur Maren !

— Mon cheval ! Tu ne peux pas me le prendre !

— Désolé, mais je me suis foulé une cheville en combattant le mriswith. Vous ne laisseriez pas le nouveau pensionnaire du palais boitiller tout au long d'un pareil chemin ? Si je tombais et que je me fracasse le crâne ?

Richard tendit un bras, saisit celui de Pasha et la hissa en selle derrière lui. De surprise, la novice lâcha un petit cri assez peu digne de son statut.

— Filez avant le coucher du soleil, sœur Maren ! lança le Sourcier. J'ai entendu dire que le bois de Hagen n'était pas sûr, la nuit…

— Oui, oui, dit la sœur, de nouveau concentrée sur la dépouille. Vous pouvez rentrer, tous les deux. Je vous félicite d'avoir si bien travaillé. Mais il faut que j'en sache plus sur ce monstre avant que les bêtes sauvages le dévorent…

Pasha serra si fort le torse du Sourcier qu'il en eut du mal à respirer. Sentir le contact de ses seins dans son dos le mit vaguement mal à l'aise.

Quand ils furent sortis du bois, il fit ralentir Bonnie et desserra l'étreinte de Pasha. Qui se raccrocha aussitôt à lui.

— Richard, je risque de tomber !

Il la força de nouveau à serrer moins fort.

— Il n'y a aucun risque. Tenez-vous légèrement, et accordez le mouvement de vos hanches à ceux du cheval. Recherchez l'équilibre, c'est suffisant.

Elle posa les mains sur les flancs du jeune homme.

— D'accord… Je vais essayer.

Alors qu'ils approchaient de la ville, le soleil déclinant déjà, Richard repensa au monstre et à l'excitation qu'il avait éprouvée en le combattant. Le désir de retourner dans le bois de Hagen le torturait déjà.

— Ta cheville n'est pas foulée, n'est-ce pas ? demanda soudain Pasha.

— Non.

— Tu as menti à une sœur, Richard. Ce n'est pas bien du tout. Le Créateur déteste le mensonge.

— Sœur Verna m'en a déjà informé.

Décidant qu'il n'avait plus envie de chevaucher collé à la novice, le jeune homme descendit de Bonnie et la tint par la bride.

— Pourquoi l'as-tu fait, si tu savais que c'était mal ?

— Parce que je voulais que sœur Maren rentre à pied. Elle vous a obligée à marcher, à l'aller, pour vous punir alors que vous n'étiez pas coupable.

Pasha se laissa glisser le long du flanc de Bonnie et marcha à côté de son compagnon.

— Une délicate attention…, dit-elle avec un petit sourire. Je crois que nous allons devenir de bons amis.

Elle posa un bras sur celui de Richard, qui fit mine de regarder autour de lui pour se dégager en douceur.

— Vous pouvez m'enlever ce collier ?

— Le Rada'Han ? Non. Seule une sœur saurait comment faire.

— Alors, nous ne serons jamais amis. Car vous ne me servez à rien.

— Tu as pris de grands risques pour Verna. Elle doit être ton amie, je suppose, parce qu'on ne fait pas ça, en général, pour un parfait étranger. Ayant menti pour que je puisse rentrer à cheval, j'imagine que tu espères gagner mon amitié.

— Sœur Verna n'est pas mon amie. J'ai agi pour réparer une injustice dont j'étais responsable. C'est tout.

» Quand je déciderai de me débarrasser du collier, mes vrais amis m'aideront. Sœur Verna m'a déjà dit qu'elle ne serait pas du nombre. Le moment venu, si elle se dresse sur mon chemin, je la tuerai. Ce sera pareil pour vous…

— Richard, tu n'es même pas encore un vrai élève. Ne te vante pas ainsi au sujet de tes pouvoirs. C'est inconvenant de la part d'un jeune homme. Tu ne devrais même pas plaisanter là-dessus. (Pasha reprit le bras de Richard.) Je ne crois pas que tu pourrais faire du mal à une femme…

— Une grossière erreur !

— La plupart des nouveaux ont du mal à s'adapter, au début. Mais tu me feras très bientôt confiance, et nous deviendrons amis.

Richard dégagea son bras et se tourna vers la novice.

— Ce n'est pas un jeu, Pasha ! Si vous vous opposez à moi, quand l'heure aura sonné, j'ouvrirai sans trembler votre jolie gorge.

— Tu penses vraiment que j'ai une jolie gorge ? minauda la novice.

— C'était une façon de parler…

Il accéléra le pas et Pasha l'imita pour rester à sa hauteur.

Ils marchèrent un moment en silence. Richard n'était pas d'humeur à bavarder gentiment. Tuer le monstre lui avait communiqué un étrange sentiment de plénitude qui se dissipait peu à peu. Avec la frustration d'être prisonnier, sa colère remontait à la surface.

Après avoir passé un moment à débarrasser ses cheveux de diverses scories, Pasha sourit et revint à la charge.

— Je ne sais pas grand-chose de toi, Richard. Si tu me parlais un peu de ta vie ?

— Qu'est-ce qui vous intéresse ?

— Eh bien… Avant de venir au palais, que faisais-tu ? Exerçais-tu une profession, par exemple ?

— J'étais guide forestier…

— Où ?

— Chez moi, à Hartland. En Terre d'Ouest.

Pasha tira sur son chemisier blanc, l'éloignant de sa peau avec l'espoir qu'il sèche un peu.

— J'ai peur de ne pas savoir où c'est. J'ignore tout du Nouveau Monde. Un jour, quand j'aurai prononcé mes vœux, je devrai peut-être y aller pour sauver un jeune garçon. (Richard ne relançant pas la conversation, Pasha continua :) Donc, tu étais guide forestier. Être dans les bois tout le temps devait t'effrayer, je suppose ? N'avais-tu pas peur des bêtes sauvages ? Moi, je serais morte de trouille, à ta place.

— Pourquoi ? Si un lapin sautait d'un buisson, vous pourriez le réduire en cendres avec votre Han.

— Malgré tout, je préfère la ville. (Elle plissa le nez d'une façon que Richard trouva adorable.) Avais-tu… hum… une petite amie ?

Richard faillit répondre, mais il refusait d'évoquer Kahlan avec cette fille.

— J'ai une femme, mentit-il.

— Une femme ? répéta Pasha, stupéfaite. Comment s'appelle-t-elle ?

— Du Chaillu…

— Elle est jolie ?

— Très… Elle a des cheveux noirs un peu plus longs que les vôtres, une poitrine attirante et des courbes là où il faut.

Du coin de l'œil, Richard vit que Pasha s'empourprait.

— Depuis combien de temps la connais-tu ?

— Quelques jours…

— Comment ça ? Si c'est ta femme, tu ne peux pas l'avoir rencontrée il y a quelques jours !

— Quand sœur Verna et moi étions chez les Majendies, j'ai découvert qu'elle était leur prisonnière et qu'ils voulaient la sacrifier. En fait, ils entendaient que *je* la sacrifie. Sœur Verna voulait que je le fasse, car ça nous permettrait de traverser le territoire des Majendies.

» J'ai désobéi, et tiré une flèche sur la Reine Mère, lui clouant une main à un poteau. Tout le monde m'a cru quand j'ai dit que je logerais la prochaine dans la tête de la souveraine, si ces gens ne laissaient pas partir Du Chaillu. Et s'ils ne faisaient pas la paix avec les Baka Ban Mana.

— Ta femme est une sauvage.

— Non. Elle est en quelque sorte le chef spirituel de son peuple.

— Elle t'a épousé parce que tu étais son sauveur ?

— Non. Sœur Verna et moi avons dû traverser leur pays. Au cours du voyage, j'ai tué ses cinq maris.

— Des guerriers ? Tu as tué cinq guerriers baka ban mana ?

— Non, trente… Ses époux étaient du nombre. Du Chaillu a déclaré que j'étais désormais le chef de leur peuple. Le *Caharin*, comme ils l'appellent, devient automatiquement son époux.

— Alors, vous n'êtes pas vraiment mariés ! jubila Pasha. Elle t'a juste servi ces histoires à dormir debout de sau… de Baka Ban Mana.

Richard ne dit rien et Pasha se rembrunit.

— Mais comment sais-tu, pour sa poitrine et le reste ? Je suppose qu'elle t'a… récompensé… de l'avoir secourue.

— Quand on m'a envoyé la tuer, elle était enchaînée nue, un collier autour du cou, pour que des hommes puissent la violer quand ça leur chantait. (Pasha blêmit et détourna le regard.) Elle porte l'enfant d'un de ces salauds… Comme les condamnés ont un collier, je suppose que les sœurs ne se sont jamais souciées de mettre un terme à ces horreurs. À mon avis, le sort des gens qui ont un collier leur est indifférent.

— C'est faux…, souffla Pasha.

Richard jugea inutile de polémiquer.

Après quelques minutes de silence, Pasha retrouva de son mordant et sourit de nouveau.

— Si on reparlait de toi ? Ton père avait-il le don ? C'est lui qui te l'a transmis ?

— Il l'avait, oui…

— Et il est toujours vivant ?

— Non. Il est mort récemment.

— Richard, je suis désolée…

— Inutile. C'est moi qui l'ai tué.

— Quoi ?

— Il m'avait capturé et forcé à porter un collier pour pouvoir me torturer. J'ai abattu la superbe femme qui faisait le sale travail à sa place, puis je me suis chargé de lui.

Pasha ne se méprit pas un instant sur la menace sous-jacente.

Elle éclata en sanglots, releva ses jupes et courut comme une folle vers le pied d'une colline.

Avec un soupir exaspéré, Richard attacha la bride de Bonnie à un rocher pointu.

— Attends-moi ici, gentille jument.

Quand il retrouva Pasha, assise sur un rocher, elle pleurait toujours.

— Va-t'en ! lui cria-t-elle. Ou es-tu venu m'égorger ?

— Pasha…

— Tu passes ton temps à tuer les gens !

— C'est faux… Mon plus grand désir est d'en finir avec les tueries.

— Sûrement ! C'est pour ça que tu parles sans arrêt de meurtres ?

— C'est juste que…

— Toute ma vie, j'ai prié pour que ce jour arrive ! Mon seul désir, c'est de devenir une Sœur de la Lumière. Pour aider les autres, comme elles. Et ça n'arrivera jamais !

— Bien sûr que si…

— Si on t'écoute, tu nous tueras toutes ! Depuis ton arrivée, tu ne cesses de nous menacer.

— Pasha, vous ne comprenez pas…

— Vraiment ? Nous avons organisé en ton honneur un banquet plus somptueux que celui qui célèbre les moissons. J'ai dû mentir à tout le monde en racontant que tu étais malade. Tu aurais vu les regards qu'on m'a lancés ! Les autres novices ont des élèves désireux d'apprendre. Des garçons qui leur font des blagues, comme mettre une grenouille dans leur poche. Toi, tu m'as refilé un mriswith !

» Sœur Maren nous a félicités. Ça n'est pas vraiment son genre, et tu peux être sûr qu'elle était sincère. Toi, tu as été cruel avec elle. C'est une femme sévère, je l'admets, mais elle agit pour notre bien. Le jour de mon arrivée au palais, j'étais morte de peur. Sœur Maren a fait un dessin pour moi. Une image du Créateur, pour qu'il veille sur moi la nuit…

Pasha tenta en vain d'endiguer ses larmes.

— J'ai toujours gardé cette image. Pour la donner à mon élève, s'il avait peur la première nuit. Je l'avais hier, mais quand j'ai vu ton âge, je n'ai pas voulu t'embarrasser…

» Sais-tu ce que j'ai pensé ? *Eh bien, Pasha, il n'est pas jeune, comme les autres, mais c'est le plus bel homme que tu aies jamais vu.* J'étais si contente d'avoir mis ma jolie robe ! Et tu as dit qu'elle ne m'allait pas du tout !

— Pasha, fit Richard, je suis navré…

— C'est faux ! Tu n'es qu'une grosse brute ! Nous avions tout préparé pour te recevoir, et tu as une des plus belles chambres du palais. Avec de l'argent, pour t'acheter ce que tu veux. Et tu réagis comme si nous te crachions dessus ! Tu méprises même les vêtements que nous avons choisis pour toi !

Elle essuya ses larmes, aussitôt remplacées par un nouveau flot.

— Je suis prête à reconnaître que certaines sœurs sont arrogantes et hautaines. Mais les autres ont tellement bon cœur qu'elles ne feraient pas de mal à une mouche. Toi, tu as brandi une épée sous leur nez en menaçant de les étriper !

Richard voulut poser une main sur l'épaule de la novice, mais elle le repoussa.

— Pasha, je suis désolé… Je sais que…

— Tu mens ! Tu voudrais qu'on te retire le Rada'Han. Sais-tu que mon travail est de te former, pour qu'on puisse te l'enlever ? Alors, pourquoi le sabotes-tu ? Sans le Rada'Han, tu serais mort.

» Deux sœurs se sont sacrifiées pour toi. Elles ne reviendront jamais chez elles, et leurs amies les pleurent en secret. Et toi, tu veux faire un massacre !

— Pasha…

— Je ne prononcerai jamais mes vœux. Au lieu d'un gentil garçon qui veut apprendre, j'ai sur les bras un fou armé d'une épée. On se moquera de moi jusqu'à la fin des temps. Et on dira aux novices : « Comportez-vous bien, ou vous finirez comme Pasha Maes ! Alors, on vous jettera dehors, comme elle… » Tous mes rêves sont fichus.

Peiné de la voir si désespérée, Richard la prit dans ses bras. Elle se débattit un peu, puis se laissa aller contre lui, heureuse qu'il la berce comme une enfant.

— Je voulais simplement t'aider, Richard… T'apprendre des choses…

— Je sais… Tout ira bien, vous verrez…

— Non… Rien n'ira bien…

— Mais si, c'est promis !

Richard se tut, la serrant contre lui jusqu'à ce qu'elle cesse de sangloter.

— Tu crois vraiment pouvoir m'apprendre à contrôler mon don ? Et ensuite, on m'enlèvera le collier ?

— C'est mon travail…, souffla Pasha. Je désire tellement te faire découvrir la beauté du Créateur et du don qu'Il t'a conféré…

Elle l'enlaça, s'accrochant à lui comme pour le supplier de l'aider.

— Richard, hier, quand j'ai touché ton Rada'Han, et effleuré ton Han, j'ai senti à quel point tu souffres. Et ça m'a rendue malade…

Elle lui posa une main sur le cou, comme pour le réconforter.

— Très peu de choses peuvent rendre un homme aussi malheureux, Richard… Et je ne demande pas à prendre *sa* place dans ton cœur.

Richard baissa la tête, accablé. Elle lui passa une main dans les cheveux, et blottit sa joue contre la sienne.

— Eh bien, fit le Sourcier, la voix rauque, porter de temps en temps une de ces tenues ne me tuerait sans doute pas.

Pasha s'écarta un peu et leva les yeux vers lui.

— Par exemple ce soir, pour dîner avec les sœurs.

— Ce serait une bonne occasion… Vous choisirez pour moi, parce que je ne m'y connais pas en mode. (Il réussit à sourire.) Après tout, je suis un guide forestier…

— Tu seras splendide dans le manteau rouge !

— Le rouge ? fit Richard avec une grimace. C'est obligatoire ?

— Non, mais il sera magnifique sur tes larges épaules !

— Je me sentirai ridicule dans tous ces habits… Alors, va pour le rouge !

— Tu ne seras pas ridicule, mais magnifique ! Tu verras… Toutes les femmes te feront de l'œil. (Elle toucha l'Agiel du bout d'un index.) Richard, qu'est-ce que c'est ?

— Une sorte de gri-gri… Vous vous sentez de repartir ? Je crois qu'on devrait commencer les leçons ! Plus vite on arrivera au bout, plus vite on m'enlèvera ce collier. Alors, nous serons tous les deux heureux. Moi d'être libre, et vous d'avoir le titre de sœur.

Enlacés, ils retournèrent vers l'endroit où Bonnie les attendait.

Chapitre 53

S ur le pont menant à l'île Kollet, sous un lampadaire, une foule de garçons et de jeunes hommes coinça Pasha et Richard. La plupart portaient de somptueux atours, certains arboraient des tuniques de sorcier, et tous avaient un Rada'Han autour du cou. Ils posèrent leurs questions en même temps, avides de savoir si Richard avait vraiment tué un mriswith. Et si oui, à quoi ressemblait le monstre. Ils tinrent à se présenter à Richard, qui ne retint aucun de leurs noms, le suppliant de dégainer son épée et de leur montrer comment il avait vaincu la créature de légende.

Pasha s'adressa au jeune type qui se collait à ses basques.

— Oui, Kipp, Richard a vraiment tué un mriswith. Sœur Maren examine le cadavre. Si elle estime que vous devez savoir, elle vous le décrira par le menu. Mais crois-moi, c'est une créature terrifiante. À présent, filez d'ici, c'est presque l'heure du dîner.

Malgré leur déception – une maigre collecte d'informations ! – ils partirent en caquetant comme des oies, leur curiosité exacerbée par le peu qu'ils avaient appris.

Après avoir laissé Bonnie aux écuries, Richard suivit Pasha dans un dédale de couloirs et de salles dont il s'efforça de mémoriser la configuration. Elle lui montra le réfectoire des élèves et la salle à manger réservée aux sœurs et aux garçons les plus âgés. Ils passèrent aussi devant les cuisines, d'où montaient des effluves appétissants.

Pasha désigna une arche qui donnait sur une allée bordée d'arbres. Au fond se dressaient des bâtiments aux murs couverts de lierre.

— Les bureaux de la Dame Abbesse et ses quartiers sont par là, dit-elle.

— Viendra-t-elle au dîner ?

— Non, bien sûr que non ! Elle est bien trop occupée pour avoir le temps de manger avec nous !

Richard fit demi-tour et se dirigea vers l'arche.

— Où vas-tu ? s'écria Pasha.

— Il faut que je voie la Dame Abbesse.

— Tu ne peux pas y aller comme ça !

— Pourquoi ?

— Parce qu'elle a un emploi du temps très chargé ! On ne te laissera pas la déranger. D'ailleurs, les gardes te bloqueront à sa porte.

— Demander ne coûte rien, non ? Après, vous me choisirez une tenue, et nous irons dîner avec les sœurs. Ça vous va ?

Pasha supposa qu'il avait raison : demander ne leur vaudrait pas la peine capitale. Elle suivit le Sourcier, pressant le pas pour qu'il ne la sème pas, et s'arrêta quand la sentinelle en poste devant le portail de fer leur barra le chemin.

Richard posa une main sur l'épaule du soldat.

— Je suis vraiment navré. Vous me pardonnez ? S'il vous plaît ? J'espère ne pas vous avoir attiré d'ennuis… Au moins, elle n'est pas sortie pour vous réprimander ?

Le garde plissa le front, ne comprenant rien à ce discours. Et pour cause !

— Écoutez… Au fait, quel est votre nom ?

— Soldat Kevin Andellmere.

— Kevin, si j'avais une minute de retard, elle a dit qu'elle enverrait la sentinelle de la porte ouest à ma recherche. Mais elle a dû oublier. Vous n'y êtes pour rien, et je ne mentionnerai pas votre nom. Alors, ne soyez pas en colère contre moi… Vous comprenez ? (Richard jeta un regard appuyé à Pasha, puis fit un clin d'œil à Kevin.) Bien sûr que vous comprenez ! Entre hommes, ce serait dommage… Kevin, vous m'autoriseriez à vous payer un coup ? Pour le moment, je devrais entrer au plus vite, mais avant de me laisser passer, jurez que je pourrai vous offrir une bière, histoire de me faire pardonner.

— Eh bien, pourquoi pas…

— Ça, c'est un brave type ! lança Richard à Pasha en flanquant une solide claque sur l'épaule du malheureux garde.

La novice lui colla aux basques quand il franchit la porte en souriant à la victime de sa manipulation.

— Comment as-tu réussi ça ? Personne ne passe le portail de la Dame Abbesse !

— Je lui ai donné trop d'informations pour qu'il puisse les analyser. Et je lui ai fait craindre qu'elles soient toutes vraies…

Ils arrivèrent devant une nouvelle porte, frappèrent et entrèrent quand une voix les y invita.

Deux sœurs, assises à des bureaux, défendaient ce qui devait être l'entrée du fief de la Dame Abbesse.

— Mes sœurs, dit Pasha en s'inclinant, je suis la novice Maes et voilà notre nouvel aspirant, Richard Cypher. Il aimerait parler à la Dame Abbesse…

Les deux cerbères foudroyèrent la jeune femme du regard.

— La Dame Abbesse est occupée, répondit la sœur de droite. Vous pouvez disposer, novice.

Pasha blêmit et s'inclina de nouveau.

— Merci de nous avoir consacré un peu de temps, mes sœurs…

Richard aussi se fendit d'une révérence.

— Oui, merci beaucoup, mes sœurs, dit-il. Veuillez transmettre mes meilleurs souvenirs à la Dame Abbesse.

— Je t'avais dit qu'elle ne nous recevrait pas ! triompha Pasha dès qu'ils furent dans le couloir.

— Au moins, nous avons tenté le coup. Merci de m'avoir laissé faire…

Depuis le début, le Sourcier savait que la novice avait raison. Mais il avait vu ce qui l'intéressait : la configuration des lieux, en prévision d'une prochaine visite.

Il n'avait pas changé de position sur sa captivité, mais décidé de modifier son approche pour un temps. Pourquoi ne pas découvrir ce que ces femmes avaient à lui apprendre ? S'il pouvait se débarrasser du collier sans tuer personne, ce serait formidable…

Dans le bâtiment où se trouvaient ses quartiers – baptisé le pavillon Gillaume en l'honneur d'un prophète – un homme sortit timidement des ombres alors qu'ils allaient s'engager dans un escalier de marbre. Ses cheveux blonds bouclés coupés court, il portait une tunique violette aux manches et au col ornés de fil d'argent. Penché comme il l'était, il faisait beaucoup plus petit que sa véritable taille.

— Le Créateur vous bénisse, Pasha, dit-il en rosissant. Vous avez l'air splendide, ce soir. J'espère que vous allez bien.

— Tu te nommes Warren, je crois, fit la novice, sourcils froncés. (L'homme acquiesça, surpris qu'elle connaisse son nom.) Je vais très bien, Warren. Merci de t'en être soucié… Je te présente Richard Cypher.

— Bonjour… Je vous ai vu parler aux sœurs, hier…

— Tu as certainement des questions au sujet du mriswith, soupira Pasha.

— Le mriswith ?

— Richard en a tué un… Ce n'est pas de ça que tu voulais parler ?

— Un mriswith… Vraiment ? Non… (Il se tourna vers le Sourcier.) Je voulais savoir si vous aimeriez venir dans les catacombes, pour jeter un coup d'œil aux prophéties avec moi.

Soucieux de ne pas vexer Warren, Richard n'avait pourtant aucune envie d'aller perdre son temps avec de vieux textes.

— Votre offre m'honore, mais j'ai peur de ne pas être très doué pour résoudre les énigmes…

— Je comprends… Les autres non plus n'aiment pas trop ça. Mais j'ai pensé, puisque vous avez mentionné une prophétie, hier, que vous apprécieriez d'en parler avec moi. C'est une prédiction unique en son genre… Désolé de vous avoir dérangé…

— Quelle prophétie ai-je mentionnée ? demanda Richard.

— À la fin, quand vous avez parlé du « messager de la mort ». Je n'ai jamais rencontré quelqu'un qui figure dans les textes… Alors, puisque c'est votre cas, j'ai cru… hum… j'ai supposé… (Warren baissa la tête et commença à tourner les talons.) Eh bien, toutes mes excuses…

Sans le brusquer, Richard le rattrapa par un bras et lui fit faire volte-face.

— C'est vrai que les énigmes me dépassent, mais vous pourriez peut-être m'apprendre quelque chose… J'aime bien acquérir de nouvelles connaissances.

Warren rayonna et se redressa de toute sa taille. Il était presque aussi grand que Richard.

— J'adorerais parler avec vous de cette prophétie. Un vrai casse-tête ! On se dispute à son sujet depuis des siècles… Peut-être qu'avec votre aide…

Un homme aux larges épaules, un Rada'Han dépassant du col de sa tunique unie, prit Warren par l'épaule et l'écarta sans ménagements. Le regard rivé sur la novice, il lui fit un sourire de prédateur.

— Bonsoir, Pasha… L'heure du dîner approche, et j'ai décidé que nous mangerions ensemble. (Il la détailla de la tête aux pieds.) À condition que tu te laves. Et que tu arranges tes cheveux. Tu as l'air d'une souillon, alors, fais quelque chose !

Il fit mine de se détourner, mais Pasha prit le bras de Richard et lança :

— Désolée, Jedidiah, j'ai d'autres projets.

Jedidiah gratifia le Sourcier d'un regard méprisant.

— Avec ce bouseux ? Vous allez fendre du bois, ou dépecer des lapins ?

— Je me souviens de votre voix…, grogna Richard. C'est vous, hier, qui avez crié, du balcon : « À toi tout seul ? »

— Et alors ? C'était une bonne question, non ?

— Richard a tué un mriswith ! fit Pasha en relevant le menton.

— Sans blague ? Voilà un bouseux qui ne manque pas de tripes !

— Vous n'avez jamais tué de mriswith ! intervint Warren.

Quand Jedidiah le foudroya du regard, il se recroquevilla sur lui-même.

— Que fiches-tu à l'air libre, la Taupe ? (Jedidiah se tourna vers Pasha.) Tu l'as vu accomplir cet exploit ? Bien sûr que non ! Je parie qu'il était seul quand il a réussi ça. À mon avis, ce frimeur a trouvé un mriswith mort de vieillesse et l'a lardé de coups d'épée, histoire de t'impressionner. Avoue que c'est ça, le bouseux !

— Vous m'avez eu ! fit Richard, souriant. C'est exactement ça.

— Qu'est-ce que je disais ? Pasha, viens me voir quand tu auras un moment. Je te montrerai de la vraie magie. Une magie d'homme.

Dès que Jedidiah s'en fut allé, Pasha se campa devant Richard, les poings sur les hanches.

— Pourquoi lui as-tu laissé croire qu'il avait raison ?

— Pour vous faire plaisir… J'ai cru comprendre que vous vouliez que j'arrête de défier tout le monde.

— Eh bien, c'est vrai, mais…

Richard se tourna vers Warren, le visage toujours décomposé.

— S'il vous fait du mal, mon ami, venez me le dire. C'est moi, l'épine dans son pied. S'il se défoule sur vous, prévenez-moi.

— Vraiment ? Mais je doute qu'il s'en prenne à moi. Rendez-vous dans les catacombes, dès que vous aurez une minute. Bonne nuit, Pasha. J'ai été ravi de vous voir. Vous êtes superbe…

— Bonne nuit, Warren. (L'homme dévala le couloir comme s'il avait le Gardien aux trousses.) Quel type étrange… Tout le monde l'appelle « la Taupe » parce qu'il ne met presque jamais le nez à la surface. (Elle jeta un regard dubitatif à Richard.) Tu viens de te faire un ami qui ne te servira à rien, et un ennemi capable de te nuire. Reste loin de Jedidiah. C'est un sorcier expérimenté, proche de sa libération. Tant que tu ne sauras pas te défendre avec ton Han, il risque de te faire très mal. Voire de te tuer.

— Je pensais que nous étions une grande famille unie !

— Il y a un ordre hiérarchique parmi les sorciers. Les plus puissants dominent les autres. Parfois, ça devient dangereux. Jedidiah est la fierté du palais. Il voit d'un mauvais œil l'arrivée d'un concurrent.

— Un sorcier n'a rien à craindre de moi.

— Jedidiah n'a jamais tué de mriswith, et tout le monde le sait.

Très mal à l'aise dans le manteau rouge choisi par Pasha, Richard essaya de faire honneur au repas que les sœurs avaient préparé spécialement pour lui.

La novice avait revêtu une robe verte saisissante qui en révélait plus sur ses charmes qu'il n'était raisonnable. Surtout au niveau de la poitrine, selon Richard. Les jeunes hommes invités par les sœurs ou les novices ne mangeaient pas beaucoup, trop occupés à profiter du spectacle. Pas un ne manquait l'ombre d'un mouvement de Pasha.

Beaucoup de ces jeunes gens, tous porteurs d'un collier, se présentèrent à Richard et affirmèrent vouloir le connaître mieux. Ils promirent aussi de lui faire découvrir la ville et ses « vues les plus intéressantes ». À cette mention égrillarde, Pasha s'empourpra.

Richard leur demanda où les gardes allaient boire en général. Ils jurèrent de l'y emmener en virée dès qu'il voudrait.

Des sœurs de tous les âges vinrent souhaiter la bienvenue au Sourcier, comme si elles avaient oublié son discours de la veille.

Pasha lui expliqua pourquoi elles agissaient ainsi. Comprenant les difficultés d'un jeune homme à s'adapter au palais, elles ne lui tenaient jamais rigueur de ses premiers éclats.

Cette fois, pensa Richard, *elles auraient dû...* Mais il garda cette réflexion pour lui...

Certaines sœurs, souriantes, affirmèrent avoir hâte de travailler avec lui. D'autres lui jetèrent des regards noirs, promettant d'être d'une sévérité exemplaire. Richard jura de donner le meilleur de lui-même, et se demanda, un peu inquiet, à quoi il venait de s'engager.

Vers la fin du repas, deux jeunes beautés, l'une en robe de satin rose, l'autre en jaune, firent irruption dans la salle à manger, s'arrêtèrent à certaines tables et murmurèrent à l'oreille de quelques femmes. Elles finirent leur tournée par la table où étaient assis Pasha et Richard.

L'une souffla quelques mots à la novice.

— Tu ne connais pas la nouvelle ? Jedidiah est tombé dans un escalier. Il s'est cassé une jambe.

— Quand ? s'écria Pasha. Nous l'avons vu il n'y a pas deux heures !

— Oh, ça vient juste d'arriver... Les guérisseuses s'occupent de lui. Inutile de t'inquiéter, il sera retapé demain.

— Comment est-ce arrivé ?

— Un accident stupide. Il s'est pris le pied dans un tapis et a basculé en avant. (La femme baissa le ton.) De fureur, il a réduit le tapis en cendres...

— Du Feu de Sorcier, dans le palais ? se récria Pasha. Mais c'est un crime...

— Il n'a pas utilisé du Feu de Sorcier, tu penses bien ! Jedidiah lui-même n'est pas assez fou pour ça. De banales flammes ont suffi. Mais c'était un des plus anciens tapis du palais, et les sœurs ne sont pas vraiment ravies. Pour le punir, elles ont ordonné que la fracture ne soit pas réduite avant demain matin. Et qu'on ne supprime pas la douleur…

Quand elles eurent fini de cancaner, Pasha présenta à Richard ses deux amies, Celia et Dulcy. Également novices, elles avaient aussi la charge d'un sujet. Délicieusement poli, le Sourcier les complimenta sur leurs tenues et vanta particulièrement leurs coiffures.

Les jeunes femmes rayonnèrent.

Quand ils quittèrent la salle à manger, Pasha prit le bras du jeune homme et le remercia.

— De quoi ?

— C'est la première fois que je dîne avec les sœurs… Grâce à toi ! En plus, tu as été courtois et attentionné avec tout le monde. J'étais si fière d'être avec toi ! Et ces vêtements te vont si bien !

— Avec cette robe, vous trouveriez facilement un compagnon de table plus huppé, dit Richard en ouvrant le col fantaisie de sa chemise. Parce que dans ce manteau, et avec cette dentelle autour du cou, j'ai vraiment l'impression d'être un bouffon.

— Crois-moi, ce n'est pas le sentiment qu'ont eu Celia et Dulcy. Tu ne les as pas vues verdir de jalousie ? Si elles avaient osé, elles se seraient assises sur tes genoux !

Si ces deux filles aimaient à ce point le manteau rouge, pensa Richard, il voulait bien le leur offrir ! Encore une fois, il garda cette réflexion pour lui.

— Pourquoi Jedidiah, un important sorcier, ne porte-t-il pas lui aussi des tenues… hum… *raffinées* ?

— Les débutants s'habillent comme ça, et ils ont le droit d'aller en ville. À chaque étape de leur formation correspond un style vestimentaire. Plus un sorcier progresse, plus il se vêt modestement. Jedidiah ayant presque terminé son entraînement, il porte une tunique très simple.

— Quelle est l'utilité de cette règle ?

— Enseigner l'humilité aux sorciers. Ceux qui sont bien vêtus, quasiment libres, avec des poches pleines d'argent, ont le moins de pouvoir. Et personne ne les respecte pour leurs attributs extérieurs de richesse. Ainsi, ils apprennent que la puissance vient de l'intérieur d'un homme, pas de ce qu'il possède. Pour le moment, tu n'as pas le droit de porter une tunique sans ornement. Si tu veux, tu pourras mettre de temps en temps tes anciens vêtements. Mais pas de tunique unie !

» Les citadins mesurent la puissance d'un sorcier à sa tenue. Et ceux qui ont atteint le niveau de Jedidiah n'ont plus l'autorisation d'aller en ville. Un jour, tu porteras aussi une tunique unie…

— Je déteste les tuniques… Mes anciens vêtements m'allaient très bien.

— Quand tu quitteras le palais, sans collier autour du cou, tu t'habilleras comme tu voudras ! Mais beaucoup de sorciers en viennent à respecter l'« uniforme » de leur profession, et ils le gardent toute leur vie.

Richard changea abruptement de sujet.

— Je veux voir Warren. Comment descend-on dans les catacombes ?

— Maintenant ? Richard, la journée a été longue, et je dois encore te donner ta première leçon.

— Dites-moi comment y aller ! Warren y sera-t-il, à cette heure ?

— Probablement… Je crois qu'il dort sur un matelas de livres ! Le voir à la surface, comme nous disons, a été une sacrée surprise. Les gens en feront des gorges chaudes pendant des semaines.

— Je ne voudrais pas qu'il croie que je l'ai oublié. Indiquez-moi simplement le chemin…

— Si tu insistes, soupira Pasha, nous irons ensemble. Pour le moment, je suis censée t'accompagner partout dans l'enceinte du Palais des Prophètes.

Chapitre 54

Ils gagnèrent le cœur du palais et commencèrent leur descente vers les catacombes. Au début, les marches, en marbre, reflétaient l'élégance de rigueur dans tout le complexe. Elles devinrent bientôt de simples degrés de pierre usés par le temps. Ici, les servantes, qu'on croisait un peu partout à la « surface », brillaient par leur absence.

Les lambris remplacés par de simples murs de pierre, Richard dut parfois se pencher pour passer sous d'énormes poutres. En ces lieux, il n'y avait plus de lampes à huile, mais des torches disposées à d'assez grands intervalles.

Bientôt, les bruits déjà étouffés de la vie du palais moururent complètement.

— Qu'y a-t-il dans les catacombes ? demanda Richard.

— Les livres de prophéties… Les ouvrages d'histoire et les archives du palais y sont également stockés.

— Pourquoi ?

— C'est une mesure de sécurité. Les prophéties sont dangereuses pour les esprits mal exercés. Toutes les novices en étudient, mais seules quelques sœurs triées sur le volet ont le droit de les lire toutes. Elles forment les jeunes sorciers qui montrent des aptitudes pour l'étude de ces textes.

» Quelques hommes travaillent dans les catacombes, mais Warren est très particulier. C'est un peu le Jedidiah des sous-sols ! Un champion ! Tous les sorciers ont une spécialité. Nous t'aiderons à découvrir la tienne. Tant que ce ne sera pas fait, ta formation ne pourra pas aller très loin…

— Sœur Verna m'en a parlé. Selon vous, Pasha, quelle est ma spécialité ?

— Richard, quand nous sommes seuls, tu peux me tutoyer. Si tu es d'accord…

— Eh bien, pourquoi pas ? C'est plus… convivial.

— Pour répondre à ta question, c'est la personnalité du garçon qui nous sert de guide. Ceux qui aiment travailler avec leurs mains sont parfaits pour la fabrication des artéfacts. Ceux qui ont tendance à aider les autres deviennent d'excellents guérisseurs. Tu vois l'idée ?

— Et que penses-tu de moi ?

— Nous n'avons jamais vu quelqu'un comme toi. Du coup, nous sommes dans le noir absolu. (Pasha sourit.) Mais ça ne durera pas.

Ils s'arrêtèrent devant une porte de pierre ronde – ouverte – aussi large que Richard était grand. Derrière, dans des salles creusées à même la roche, ils aperçurent une série d'antiques tables jonchées de livres et de rouleaux de parchemin. Les murs étaient couverts d'étagères qui s'étendaient à l'infini. Dans la pénombre que les lampes à huile peinaient à dissiper, deux femmes, assises à une table, lisaient et prenaient des notes à la lueur des chandelles posées près de leurs coudes.

— Que faites-vous ici, mon enfant ? demanda l'une d'elles en levant à peine les yeux.

— Nous venons voir Warren, ma sœur.

— Pourquoi ?

À cet instant, la Taupe sortit de l'ombre.

— Tout va bien, sœur Becky. Je les ai priés de passer.

— La prochaine fois, n'oublie pas de nous prévenir…

— Oui, ma sœur, je n'y manquerai pas.

Warren se faufila entre ses deux visiteurs, leur prit le bras et les guida dans un labyrinthe d'étagères. Quand il s'avisa qu'il touchait Pasha, il retira sa main comme s'il s'était brûlé et s'empourpra jusqu'à la racine des cheveux.

— Vous êtes… sublime… Pasha, souffla-t-il.

— Merci, la Taupe… (La novice rougit à son tour et posa une main sur l'épaule du garçon.) Désolée, Warren… Je ne voulais pas te vexer. Ça m'a échappé…

— Il n'y a pas de mal, Pasha. Je sais qu'on me surnomme la Taupe. C'est sans doute péjoratif, mais je prends ça comme un compliment. Voyez-vous, une taupe sait trouver son chemin dans le noir alors que les autres y sont aveugles. C'est exactement ce que je fais : trouver des chemins là où les gens ne voient rien.

— Je suis contente que ça ne te fâche pas, fit Pasha, soulagée. Dis-moi, la Taupe, tu sais que Jedidiah s'est cassé une jambe dans un escalier ?

— C'est vrai ? Le Créateur a peut-être voulu lui apprendre qu'on ne voit pas où on met les pieds quand on marche avec le nez en l'air !

— Je doute que Jedidiah accorde beaucoup d'attention aux leçons du Créateur, dit Pasha. Il était si furieux qu'il a brûlé le tapis « coupable » de sa chute. Un très vieux tapis…

— C'est vous qui devriez être furieuse, pas lui. Il vous a dit des choses cruelles, et personne ne devrait se permettre ça.

— D'habitude, il est gentil avec moi. Et j'admets que j'avais l'air d'une souillon.

— Certaines personnes prennent ces livres pour des vieilleries sans intérêt. Mais c'est le contenu qui importe, pas la poussière sur la couverture.

— Hum… Merci, la Taupe… Si c'était un compliment.

Warren se tourna enfin vers Richard.

— Je me demandais si vous viendriez… La plupart des gens le promettent, mais on ne voit jamais le bout de leur nez. Venez avec moi. Pasha, j'ai peur que vous deviez attendre ici.

— Quoi ! cria la jeune femme en se penchant en avant. (Richard eut peur que son décolleté craque si elle ne se redressait pas très vite.) Je viens aussi !

— Pasha, gémit Warren, je dois l'amener dans une des salles du fond. Les novices n'y ont pas accès.

Au grand soulagement du Sourcier, Pasha se redressa et sourit.

— La Taupe, si les novices n'ont pas le droit d'y aller, comment un nouvel étudiant peut-il y être autorisé ?

— Il figure dans les prophéties ! Si les prophètes ont cru bon d'écrire sur lui, ils espéraient sûrement qu'il voie ces textes un jour.

Warren semblait bien plus assuré dans son royaume qu'à la surface. Apparemment, il ne céderait pas un pouce de terrain.

Mais quand Pasha lui reposa une main sur l'épaule, il sembla ne pas croire en sa bonne fortune.

— Warren, tu es la Taupe qui montre le chemin aux autres. Je suis responsable de Richard, donc c'est à moi de *lui* montrer le chemin. Le laisser aller quelque part seul, pour l'instant, reviendrait à négliger mon devoir. Je suis sûre que tu peux faire une exception pour moi. Warren, un effort… Nous devons aider Richard à comprendre, à travers la prophétie, comment il doit servir le Créateur. N'est-ce pas important ?

Warren demanda à ses compagnons d'attendre et alla parler à voix basse aux deux sœurs.

— Sœur Becky est d'accord, annonça-t-il en revenant. Pasha, je lui ai dit que vous compreniez un peu le haut d'haran. Si elle vous pose la question, confirmez-le-lui.

— Le haut quoi ? Warren, tu veux que je mente à une sœur ?

— Je suis sûr qu'elle ne vous posera pas la question…, éluda la Taupe. J'ai menti pour vous, Pasha, donc vous n'aurez pas à le faire…

— Warren, si on te surprend à raconter n'importe quoi sur des sujets pareils, tu sais ce qui arrivera ?

— Oui…

— Moi, je l'ignore, grogna Richard.

— Aucune importance, dit Warren. Allons-y !

Ils pressèrent le pas pour que leur guide ne les sème pas dans la pénombre. Après avoir slalomé entre des bibliothèques, ils arrivèrent devant un mur de pierre. Warren posa la main sur une plaque de métal, faisant coulisser une partie de la muraille. Derrière, ils découvrirent une petite salle meublée d'une table et de quelques étagères. Les quatre lampes qui y brillaient les éblouirent presque – par contraste.

Quand ils furent entrés, Warren toucha une autre plaque et le mur se referma sur eux comme la porte d'un tombeau. Ayant fait asseoir ses invités, il prit sur une étagère un livre relié de cuir et le posa délicatement devant Richard.

— Ne le touchez pas, dit-il. C'est un ouvrage très ancien et très fragile. Dernièrement, il a servi davantage que d'habitude. Je tournerai les pages…

— Qui le consulte ? demanda Richard.

— La Dame Abbesse, répondit Warren avec un petit sourire. Chaque fois qu'elle doit venir, ses deux terribles gardes du corps passent d'abord et font sortir tout le monde. Il faut vider les catacombes, pour que leur maîtresse soit tranquille. Et que personne ne sache ce qu'elle lit.

— Ses terribles gardes du corps ? demanda Pasha. Tu parles des deux sœurs qui défendent l'accès à son bureau ?

— Oui. Les sœurs Ulicia et Finella…

— Nous les avons vues aujourd'hui, intervint Richard. Elles ne m'ont pas paru si terribles que ça.

— Si vous les énervez, vous changerez d'avis, fit Warren. Elles vous paraîtront terriblement terribles, croyez-moi !

— Puisque vous n'étiez pas là, comment savez-vous qu'elle a lu ce livre-là et pas un autre ?

— Je le sais, répondit Warren. (Il baissa les yeux sur l'ouvrage.) Oui, je le sais… Elle est beaucoup venue dans cette pièce, ces derniers temps. Moi, je vis avec ces livres. Quand quelqu'un les touche, je m'en aperçois. Vous voyez cette trace, dans la poussière ? Ce n'est pas moi qui l'ai faite, mais la Dame Abbesse.

Warren souleva délicatement la couverture et tourna avec mille précautions les pages jaunies. Richard ne reconnut pas un mot, ni même une lettre. Mais sur une page, un dessin attira son attention, éveillant quelque chose dans sa mémoire.

Arrivé à l'endroit qu'il cherchait, Warren cessa de feuilleter l'ouvrage. Penché sur l'épaule du Sourcier, il désigna un paragraphe.

— Voilà la prophétie dont vous avez parlé… (Il fit le tour de la table et se plaça à la droite du Sourcier.) C'est l'original, de la main même du Prophète. De très rares personnes ont posé les yeux dessus. Vous comprenez le haut d'haran ?

— Non. Pour moi, ce sont des hiéroglyphes… Vous dites qu'il y a une polémique au sujet du sens de ces mots ?

— Et comment ! C'est une très vieille prophétie. Aussi ancienne que le palais, et peut-être davantage. Elle est en haut d'haran, comme tous les textes de cette salle. Très peu de gens comprennent cette langue…

— N'ayant lu que des traductions, dit Richard, ils ont des raisons de croire qu'elles ne sont pas précises.

— Vous avez tout compris ! En un éclair, vous avez saisi le problème, alors que la plupart des gens n'y parviennent jamais. Ils pensent qu'un mot, dans une langue, correspond forcément à un autre dans une langue différente. Quand ils traduisent, ils se livrent en fait à une interprétation, basée sur leurs *a priori* sémantiques, et fournissent une version qui peut s'éloigner ou non de la signification du texte.

— Ils ne tiennent pas compte des différentes possibilités, dit Richard. À la traduction, l'ambiguïté se perd forcément…

— Bravo ! C'est exactement ça ! Ensuite, ils se disputent au sujet des traductions, comme s'il y avait une seule bonne façon de procéder. Mais avec le haut d'haran…

Warren n'acheva pas sa phrase. Richard étudia la page, comme aspiré par les illustrations. Et on eût dit que les mots lui murmuraient une douce litanie à l'oreille. C'était la première fois qu'il voyait ces phrases. Pourtant, elles *résonnaient* au plus profond de lui.

Le Sourcier tendit lentement une main, attirée par un mot en particulier. Son index s'y posa comme de lui-même.

— Celui-là…, souffla-t-il, comme en transe.

Les pleins et les déliés des lettres semblèrent s'enrouler autour de son doigt, le caressant comme si elles étaient vivantes.

L'image de l'Épée de Vérité flotta soudain devant ses yeux.

— *Drauka...*, souffla Warren, impressionné. Ce mot est au cœur de la polémique. *Fuer grissa ost drauka* : le messager de la mort.

— Où est le problème ? demanda Pasha. Tu penses que cette expression pourrait se traduire différemment ?

— Eh bien... Oui et non. C'est la traduction littérale. Mais personne n'est d'accord sur le sens...

Richard recula sa main et bannit de son esprit l'image de l'Épée de Vérité.

— Le mot « messager » peut s'entendre de plusieurs façons. Celui qui parle pour la mort, ou celui qui l'apporte aux autres. Moi, je lui ai toujours donné le deuxième sens. « Mort » aussi se comprend de plusieurs façons.

— C'est ça, oui ! s'enthousiasma Warren. Vous avez tout saisi !

— La mort, c'est la mort, rien de plus ou de moins, dit Pasha.

— Non, déclara Warren. Pas en haut d'haran. L'arme que portent les sœurs – le dacra – tire son nom de ce terme. *Drauka* peut vouloir dire « mort » comme dans la phrase : « Le mriswith que Richard a tué est mort. » Mais il signifie aussi « l'esprit des morts ».

— Doit-on comprendre que *drauka*, dans cette acception, veut dire « le messager des âmes » ?

— Non, souffla Richard. Des esprits... Le messager des esprits...

— Oui, confirma Warren. C'est la deuxième interprétation possible.

— Et combien y en a-t-il en tout ? demanda Pasha.

Trois, pensa Richard.

— Trois, répondit Warren.

— Le royaume des morts, dit Richard. L'endroit où sont les morts. C'est le troisième sens du mot *drauka*.

— Et vous prétendez ne pas connaître le haut d'haran ? souffla Warren, blanc comme un linge. (Richard confirma d'un hochement de tête.) Ne me dites pas que vous avez du sang d'haran ?

— Darken Rahl était mon père... Le sorcier qui régnait sur D'Hara. Avant lui, Panis, mon grand-père, tenait les rênes du pouvoir.

— Par le Créateur ! s'écria Warren.

— Royaume des morts ? répéta Pasha. Le messager du royaume des morts ? C'est admissible dans le premier sens que Richard donne au mot « messager ». Mais avec le deuxième ? Comment peut-on « apporter » le royaume des morts ?

— Il suffit de déchirer le voile, lâcha Richard.

— D'après ce qu'on m'a enseigné, dit Pasha, quand un mot étranger, dans une prophétie, a plusieurs sens possibles, il faut se fier au contexte pour faire son choix. Dans le cas qui nous occupe...

— ... la discussion peut être infinie, coupa Warren. Dans cette prophétie, la notion de « messager », éventuellement double, s'applique au mot *drauka*, qui a trois sens possibles. La manière dont on combine ces termes change radicalement le sens du texte. Aucune interprétation n'est incontestable. C'est comme un chien qui court après sa queue : plus il s'acharne, et plus il tourne en rond.

» Pour le premier mot, « messager », je partage l'analyse de Richard. Pour le deuxième, je nage complètement. Si j'avais la solution, je serais en mesure de déchiffrer la prophétie. Un exploit que personne n'a réalisé en trois mille ans !

— Hélas, fit Richard en se levant, les énigmes ne sont pas mon fort. Mais je promets d'y réfléchir…

— Vraiment ? s'écria Warren. Si vous m'aidiez, je vous en serais éternellement reconnaissant !

— Je jure de faire de mon mieux.

— Eh bien, dit Pasha en se levant à son tour, je crois que nous devrions passer à la première leçon de Richard. Il se fait tard…

— Merci d'être venus, mes amis. J'ai si peu de visiteurs…

Ils se dirigèrent vers la porte, Pasha en tête.

Le mur coulissa. Dès que la novice fut sortie, Richard posa la main droite sur la plaque de métal.

La cloison mobile se referma. De l'autre côté, Pasha tambourina sur la pierre en criant aux deux hommes de lui ouvrir. Quand le mur se fut totalement refermé, ils n'entendirent plus sa voix.

— Comment avez-vous fait ça ? s'exclama Warren. Un néophyte ne devrait pas pouvoir agir sur la plaque de métal avec son Han !

N'ayant pas de réponse à cette question, Richard l'ignora.

— Warren, dis-moi – tu veux bien que nous nous tutoyions ? – ce que les sœurs t'infligeraient si elles savaient que tu leur mens ?

La Taupe porta les mains à son collier.

— Elles me feraient souffrir.

— Avec le Rada'Han ?

— Oui.

— Font-elles ça souvent ?

— Non. Mais pour devenir un sorcier, il faut passer une épreuve de douleur. Les sœurs nous torturent de temps en temps, pour voir si nous sommes assez formés pour la réussir.

— Et comment la réussit-on ?

— Je suppose qu'il faut subir la souffrance sans les supplier d'arrêter. Mais elles ne m'ont rien révélé de précis. (Il se décomposa.) Je n'ai jamais pu ne pas craquer. Dès qu'on supporte un certain niveau de douleur, elles augmentent la dose.

— Je pensais bien qu'il s'agissait d'un truc dans ce genre… Merci de tes informations… (Richard se gratta la barbe.) Warren, j'ai besoin de ton aide.

La Taupe essuya du revers de la manche ses yeux embués.

— Comment pourrais-je vous… hum… t'aider ?

— Les prophéties à mon sujet… Je voudrais que tu les étudies toutes. Plus celles qui parlent des Tours de la Perdition et de la vallée des Âmes Perdues. J'ai aussi besoin de savoir le plus de choses possibles au sujet du voile. (Richard désigna le livre, toujours posé sur la table.) J'ai remarqué un dessin, quelques pages avant celle de la prophétie. Un objet en forme de larme. Tu sais ce que c'est ?

Warren approcha de la table et feuilleta l'ouvrage à l'envers.

— Tu parles de ça ?

— Oui...

Richard avait remarqué cette pierre au cou de Rachel, dans sa vision, au cœur de la vallée des Âmes Perdues. L'image de Zedd s'imposa à son esprit et son pouls s'accéléra.

— C'est ça, oui. La gemme que j'ai vue ressemblait à ça.

— La Pierre des Larmes... Tu l'as vue, dis-tu ?

— Qu'est-ce que la Pierre des Larmes ?

— Eh bien, je n'en suis pas très sûr... Mais si *drauka* a un rapport avec le royaume des morts, je suppose que la pierre est liée au voile. Tu dis l'avoir vue ?

Pour la deuxième fois, Richard ignora la question.

— Warren, je dois aussi avoir des informations sur la Pierre des Larmes, et sur les gens qui vivaient jadis dans la vallée des Âmes Perdues. Ce sont les Baka Ban Mana. *Ceux qui n'ont pas de maître...* Renseigne-toi également sur un personnage nommé le *Caharin*.

— C'est une énorme masse de travail.

— M'aideras-tu, Warren ?

— À une condition... Je ne sors presque jamais des catacombes. Bien sûr, j'aime étudier les prophéties, mais les gens croient que je ne m'intéresse à rien d'autre. En réalité, j'adorerais voir ce qu'il y a hors du palais : les bois, les collines...

» Malheureusement, je suis agoraphobe... Le ciel est si grand... C'est aussi pour ça que je reste ici, où je me sens en sécurité. Mais j'en ai assez de vivre comme une taupe ! Si je t'aide, me montreras-tu le monde extérieur ? Tu as l'air de bien connaître la nature. Avec toi, je n'aurai pas peur.

— Tu t'adresses à la bonne personne, fit Richard en souriant. Avant... tout ça... j'étais guide forestier. Je ne connais pas encore parfaitement les environs, mais j'ai l'intention de combler cette lacune. Te servir de guide me rappellera les jours heureux.

— Merci, Richard ! J'attends ça depuis si longtemps ! Un homme a besoin d'un peu d'aventure dans sa vie. Je vais faire tes recherches, mais les sœurs m'accablent de travail, et je devrai m'y consacrer à mes moments perdus. Mon ami, je crains que ce soit très long. Il y a des milliers de livres, et il me faudra des mois pour commencer à avoir des résultats.

— Warren, ce seront les recherches les plus importantes de ta vie ! Ne peux-tu pas gagner du temps en attaquant par ce que la Dame Abbesse a lu ?

— Et tu prétends ne pas être bon pour les énigmes ? C'est exactement la méthode que j'envisageais. Mais pourquoi veux-tu savoir toutes ces choses ?

— Je suis *fuer grissa ost drauka*, Warren. Et je sais ce que cette expression veut dire.

La Taupe saisit le bras de Richard.

— Tu connais la bonne traduction ? Vraiment ? Et tu accepterais de me la révéler ?

— Si tu promets, pour l'instant, de ne le répéter à personne. (La Taupe hocha frénétiquement la tête.) Nul n'a pu dire laquelle des trois versions est la bonne parce que tenter d'en imposer une annule les trois. (Warren plissa le front.) Elles sont toutes bonnes, mon ami.

— Quoi ? Comment est-ce possible ?

— J'ai tué des gens avec mon épée. En ce sens, je suis le messager de la mort. Tout bêtement, si j'ose dire… Mais pour vaincre alors que tout était contre moi, comme face au mriswith, j'ai demandé à la magie de l'arme d'invoquer les esprits de tous les sorciers de l'histoire. Je suis donc aussi le messager des esprits…

» Quant à la troisième version, j'ai des raisons de croire que je déchirerai le voile. Donc, me voilà aussi le messager du royaume des morts. Tu vois, la boucle est bouclée.

Warren en resta bouche bée.

— Les informations que je te demande sont vitales. Et je crains de n'avoir pas beaucoup de temps.

— J'essayerai de te satisfaire… Mais je crois que tu me surestimes.

— Un homme capable de casser une jambe à Jedidiah m'inspire une confiance aveugle.

— Je n'ai rien fait à Jedidiah ! C'est un puissant sorcier, et je ne me frotterais pas à lui pour un empire.

— Ne me raconte pas d'histoires, Warren ! Je vois un peu de cendres du tapis sur ton épaule.

— C'est faux ! se défendit la Taupe en brossant frénétiquement sa tunique. Je ne vois pas de cendres !

— Alors, pourquoi te frottes-tu l'épaule ?

— Eh bien, c'est juste que…

— Ne t'en fais pas, mon vieux, je crois à la justice immanente. Jedidiah a eu ce qu'il méritait. Je ne dirai rien à personne. Toi, tu garderas secrète notre conversation.

— Richard, il faut que je te prévienne : tu as pris de grands risques, hier, en disant devant les sœurs que tu es le messager de la mort. Cette prophétie est très connue et on en débat beaucoup au palais. Certaines sœurs croiront que tu es condamné à tuer, et elles tenteront de te réconforter. D'autres penseront que tu peux invoquer les esprits, et elles voudront t'étudier comme un insecte rare. D'autres, enfin, concluront que tu vas déchirer le voile pour livrer les vivants à Celui Qui N'A Pas De Nom. Celles-là tenteront de t'éliminer.

— Je sais, Warren…

— Alors, pourquoi leur avoir révélé que tu étais l'homme de la prophétie ?

— Parce que je suis *fuer grissa ost drauka*. Quand l'heure sera venue, je tuerai toutes les sœurs pour être débarrassé de ce collier. Les avertir était loyal, car ça leur donne une chance d'éviter un massacre.

— Mais… mais… tu ne ferais pas de mal à Pasha ?

— J'espère ne blesser personne, Warren. Avec les informations que tu me fourniras, ce sera peut-être possible. Je déteste être *fuer grissa ost drauka*, mais c'est mon destin.

— S'il te plaît, pas Pasha…

— Warren, je l'aime beaucoup. Elle est très jolie « à l'intérieur », comme tu l'as dit. Je tue uniquement pour me protéger ou défendre des innocents. Je doute que Pasha me donne un jour une raison de lui nuire. Mais si le voile est déchiré, il y a beaucoup plus en jeu que la vie d'une seule personne. Que ce soit la mienne, la tienne… ou celle de Pasha.

— J'ai lu les prophéties… et je comprends. Je me chargerai de ces recherches pour toi.

— Tout ira bien, Warren. Je suis le Sourcier et je ferai de mon mieux pour ne blesser personne.

— Le Sourcier ? Qu'est-ce que…

— Je te le dirai plus tard, fit Richard en appuyant sur la plaque de métal.

— Comment réussis-tu ça ? demanda de nouveau Warren pendant que le mur coulissait.

Pasha les attendait de l'autre côté, concentrée pour ne pas laisser voir sa colère.

— Qu'avez-vous fait ? lança-t-elle.

— Un bavardage entre garçons…, répondit Richard.

— Que veux-tu dire par là ?

— Je harcelais Warren pour qu'il me parle de l'épreuve de souffrance. Tu as omis de m'éclairer à ce sujet, alors je lui ai posé la question. Peut-être attendais-tu de me faire la surprise ?

— Ce n'est pas de mon ressort, Richard. Les sœurs se chargent de ce genre de choses.

— Alors, pourquoi ne m'en as-tu pas parlé ?

— Je déteste voir les gens souffrir, et je ne voulais pas t'inquiéter avec un stade de ta formation que tu n'atteindras pas avant longtemps. Parfois, l'angoisse est pire que la réalité. Tu risquais de vivre dans la peur…

— Pasha, c'est une explication très convaincante. Excuse-moi d'avoir pensé du mal de toi.

— C'est oublié… Prêt pour notre leçon ?

Revenus à la surface, ils passèrent de bâtiment en bâtiment pour gagner le pavillon Gillaume, où se trouvaient les appartements de Richard.

Le fief des Sœurs de la Lumière était fort impressionnant, mais il n'arrivait pas à la cheville du Palais du Peuple de D'Hara. Sans cette première expérience, Richard aurait été intimidé par l'opulence des lieux. Là, il se contenta de noter leur configuration, à toutes fins utiles.

Dans le couloir qui menait à ses quartiers, ils croisèrent plusieurs jeunes porteurs de Rada'Han.

Devant sa porte, Richard saisit le poignet de Pasha pour l'empêcher d'ouvrir.

— Il y a quelqu'un à l'intérieur, souffla-t-il.

Chapitre 55

—Mon travail est de veiller sur toi, dit Pasha.

Elle recourut à son Han pour dégager son poignet et écarter sans ménagements Richard, qui s'étala sur le sol, fit un roulé-boulé, se releva en souplesse et dégaina son épée.

Il se précipita sur les talons de la novice et entra dans le salon de sa « cellule ». À la chiche lueur du feu de cheminée, tous les deux s'arrêtèrent net quand une voix lança :

— Tu avais peur que ce ne soit un mriswith, Richard ?

— Sœur Verna ! s'écria le Sourcier en rengainant sa lame. (Assise sur un fauteuil, la sœur contemplait les flammes agonisantes, dans l'âtre.) Que faites-vous ici ?

Verna se leva. Elle tendit un bras vers une lampe, qui s'alluma toute seule.

— J'ignore si tu es au courant, mais me voilà de nouveau une Sœur de la Lumière…

— Vraiment ? feignit de s'étonner Richard. Quelle formidable nouvelle !

— Du coup, j'ai décidé de venir te parler en privé. (Elle regarda Pasha.) Richard et moi avons une… hum… affaire en cours…

— Eh bien, pour donner une leçon, cette robe n'est pas la tenue idéale… (Pasha s'inclina devant Verna.) Bonne nuit, ma sœur. Je suis très contente pour vous ! Richard, merci de t'être comporté comme un gentilhomme, ce soir. Je vais me changer, et je reviens…

Richard ferma la porte derrière Pasha et ne se tourna pas tout de suite vers la sœur.

— Un gentilhomme…, répéta-t-elle dans son dos. Voilà une douce musique à mes oreilles. Au fait, je voulais aussi te remercier, Richard. Sœur Maren m'a tout raconté.

— Je finis par déteindre sur vous, ma sœur ! fit Richard en se retournant. Mais si vous voulez mentir, entraînez-vous encore un peu. Vous manquez de conviction.

— En réalité, sœur Maren m'a dit avoir prié le Créateur… et compris que je Le servirais mieux en gardant mon rang. Pauvre Maren ! Mentir semble être à la mode, depuis ton arrivée.

— Sœur Maren a très bien agi. Votre Créateur est sans doute ravi du résultat de sa méditation.

— Il paraît que tu as tué un mriswith… La nouvelle s'est répandue dans le palais comme un feu de savane.

— À vrai dire, je n'ai pas vraiment eu le choix…

Verna approcha du jeune homme, debout devant la cheminée, et lui caressa les cheveux.

— Tu t'en sors bien, Richard ?

— Je n'ai pas à me plaindre, ma sœur. (Le Sourcier enleva son baudrier et posa l'Épée de Vérité contre un mur. Puis il se débarrassa du manteau rouge, le jetant sur une chaise.) Ça irait encore mieux si je ne devais pas m'habiller comme un bouffon. Mais c'est un prix raisonnable pour avoir la paix. Pendant un temps, en tout cas… De quoi vouliez-vous me parler, ma sœur ?

— Je ne sais pas ce que tu as fait pour qu'on me rende mon titre, mais merci encore, Richard. Dois-je prendre ton intervention comme une preuve d'amitié ? Acceptes-tu la proposition que je t'ai faite hier ?

— Si vous m'enlevez ce collier, nous serons amis… (Verna détourna le regard.) Tôt ou tard, ma sœur, vous devrez choisir votre camp. J'espère que vous serez de mon côté, parce que vous tuer, après tout ce que nous avons traversé ensemble, me déplairait beaucoup. Mais vous savez que ça ne m'arrêtera pas… À présent, si nous passions au vif du sujet ?

— Je t'ai déjà dit que tu utilises ton Han sans t'en apercevoir, n'est-ce pas ?

— Oui, mais je ne vous crois pas.

— Tu as tué un mriswith ! Personne n'a réussi ça depuis au moins trois mille ans ! Sans ton Han, tu n'aurais pas pu…

— Non, coupa Richard, j'ai simplement recouru à la magie de l'épée.

— Au cours de notre voyage, j'ai appris quelques petites choses sur toi et sur ton arme. Si personne n'a jamais abattu de mriswith, c'est parce qu'il est impossible de sentir *venir* ces monstres. Même les sœurs et les sorciers se laissent surprendre. J'admets que ta lame a tué cette créature, mais c'est ton Han qui a capté sa présence. Tu as invoqué ton don sans aucun contrôle.

Très fatigué, Richard n'avait aucune envie de se disputer avec Verna. Il se laissa tomber sur une chaise et souffla :

— Je ne saurais dire ce que j'ai fait, ma sœur. Le mriswith a attaqué… et je me suis défendu.

Verna s'assit en face du jeune homme.

— Essayons de récapituler. Tu as tué un des monstres les plus dangereux du monde. Pourtant, une jeune fille dont le pouvoir est très inférieur au tien vient de t'envoyer valser dans le couloir – sans même y penser ! Une affaire de contrôle du Han ! Il faut que tu travailles dur et tu y arriveras… (Verna plongea son regard dans celui du Sourcier.) Pourquoi es-tu allé dans le bois de Hagen ? Tu étais prévenu du danger, non ? Réponds-moi franchement. Je ne veux pas de justifications oiseuses, mais la vérité.

— Quelque chose m'attirait vers le bois. Un désir. Une sorte de faim… Comme si j'avais eu envie de marteler un mur de coups de poing… Oui, ça revient exactement à ça !

Richard s'attendait à un sermon, mais il se trompait.

— J'ai parlé à certaines de mes amies. Aucune ne sait *tout* sur la magie du palais – et du bois de Hagen – mais il semble que ce lieu existe à l'intention de certains sorciers… très particuliers.

— Faut-il comprendre, ma sœur, que je ne dois pas me retenir quand j'ai envie de « boxer un mur » ?

— Le Créateur nous a donné la faim pour que nous mangions. Parce que se nourrir est nécessaire.

— À quoi sert une « faim » comme la mienne ?

— Je n'en sais rien… Aujourd'hui, la Dame Abbesse a encore refusé de me recevoir. Mais je cherche des réponses, et je finirai par les trouver. En attendant, ne reste pas dans le bois de Hagen au moment où le soleil se couche.

— C'est ça que vous vouliez me dire, ma sœur ?

Verna détourna le regard, l'air désorienté.

Le jeune homme ne l'avait jamais vue dans un tel état.

— Richard, il se passe des choses, liées à toi, que je ne comprends pas. Tout ce que je sais, c'est que les événements ne se déroulent pas comme prévu. Hélas, je ne peux pas entrer dans les détails… (Verna s'éclaircit la gorge.) Mais ne te fie à aucune Sœur de la Lumière !

— Ma sœur, je me méfie de vous toutes.

— Pour le moment, c'est une excellente politique… Ne t'en éloigne pas tant que je n'aurai pas obtenu toutes les réponses.

Après le départ de Verna, Richard réfléchit à ce qu'elle venait de lui apprendre. Puis il repensa aux propos de Warren… et à la Pierre des Larmes.

Pourquoi la magie de la vallée des Âmes Perdues lui avait-elle fait voir sur Rachel un bijou qu'il ne connaissait pas ? Toutes les autres visions avaient pour source ses angoisses ou ses désirs. Son ami Chase lui manquant, il pouvait être logique qu'il ait vu Rachel, puisqu'elle ne le quittait pas d'un pouce. Mais comment expliquer la présence, à son cou, d'une gemme qu'il n'avait jamais vue, et qui ressemblait à une illustration découverte par hasard dans un antique grimoire ?

Ça ne pouvait pas être la même pierre. Et pourtant, un étrange sentiment taraudait Richard…

Pour autant qu'il ait eu envie de revoir Chase, et même la petite fille, c'était la « Pierre des Larmes » qui l'avait fasciné. Comme si Rachel la lui avait apportée de la part de Zedd. Et comme si le sorcier avait été là, près de lui, pour l'inciter à la prendre.

Des coups frappés à la porte arrachèrent Richard à sa réflexion. Il alla ouvrir à Pasha, à présent vêtue d'une robe brune unie dont les petits boutons roses remontaient jusqu'au ras de son cou. Bien qu'elle dévoilât moins de peau nue que la robe verte, cette tenue ne gardait dans l'ombre aucune de ses voluptueuses courbes. Et ce qu'elle cachait, paradoxalement, en devenait plus intrigant.

La novice s'assit en tailleur sur le tapis bleu et jaune posé devant la cheminée.

— Viens t'asseoir en face de moi, Richard…

Le jeune homme obéit. Quand il fut en position, Pasha lui fit signe d'approcher jusqu'à ce que leurs genoux se touchent. Puis elle lui prit les mains.

— Quand je m'entraînais avec elle, sœur Verna ne faisait pas ça…

— C'est normal. Pour procéder ainsi, il faut que le Rada'Han soit dans le cercle d'influence de la magie du palais. Jusqu'à présent, quand tu tentais de toucher ton Han, tu étais seul. À partir de maintenant, une autre sœur ou moi t'y aiderons. Ainsi, tu progresseras beaucoup plus vite.

— Si tu le dis… Que dois-je faire ?

— Verna t'a expliqué comment essayer d'accéder à ton Han ? Elle t'a parlé de l'endroit paisible, en toi, que tu dois découvrir ? (Richard hocha la tête.) Eh bien, c'est exactement ce que je veux te voir faire. Pendant que tu chercheras l'*endroit*, je mobiliserai mon Han, à travers le Rada'Han, pour te guider.

Richard se déplaça un peu, à la recherche d'une position plus confortable. Pasha lui lâcha une main et s'éventa en soupirant.

— Après avoir porté l'autre, je meurs de chaud dans cette robe…

Elle ouvrit les cinq boutons du haut puis reprit la main de son élève.

Richard jeta un coup d'œil vers la cheminée pour voir où en étaient les bûches qu'il avait rajoutées. Ainsi, quand il rouvrirait les yeux, il saurait combien de temps aurait passé. Sans ce type de repères, il pensait avoir médité quelques minutes alors qu'une bonne heure au moins s'était écoulée.

Il ferma les yeux et invoqua l'image de l'Épée de Vérité – sur un fond uni. Respiration ralentie, il sombra lentement dans un océan de calme, au centre de lui-même.

Le contact des genoux de Pasha contre les siens, et celui de ses mains, étaient une amélioration incontestable par rapport à ses précédentes expériences. Ne pas se sentir seul l'apaisait, et il plongea plus profondément en lui-même que jamais. Parce que la novice utilisait son pouvoir ? Ou simplement à cause de sa présence ?

Richard se laissa dériver dans le lieu hors du temps et de l'espace qu'il atteignait vraiment pour la première fois. Pourquoi aurait-il *cherché* son Han, puisqu'il ignorait à quoi il ressemblait ? Il se sentait plus détendu que d'habitude et se réjouissait de la présence de Pasha. À part ça, cette séance ressemblait à toutes les autres…

Quand il rouvrit les yeux, la novice l'imita aussitôt. Dans la cheminée, les bûches n'étaient plus que des braises. Pour en arriver là, il avait fallu deux bonnes heures, estima Richard.

— On étouffe, ce soir, dit Pasha en essuyant la sueur qui ruisselait sur son cou.

Elle ouvrit de nouveaux boutons. Beaucoup de boutons… Au point que Richard en découvrit plus sur ses charmes que lorsqu'elle portait la fameuse robe verte. Prudent, il décida de la regarder plutôt dans les yeux.

Pasha eut un drôle de petit sourire…

— Il ne s'est rien passé, dit le Sourcier. Je n'ai pas senti mon Han. Enfin, je suppose, parce que j'ignore ce que ça fait…

— Je n'ai rien senti non plus, et c'est très étrange… (Pasha soupira, l'air perplexe.) Mais il faut du temps… As-tu capté *mon* Han ? Cela t'a-t-il aidé ?

— Non, je n'ai rien capté du tout.

— Vraiment ? Referme les yeux et essayons encore…

Il se faisait tard. Fatigué, Richard n'avait aucune envie de continuer. Il décida pourtant de ne pas contrarier Pasha. Baissant les paupières, il invoqua l'image de l'épée…

… et rouvrit les yeux quand il sentit les lèvres de Pasha se poser sur les siennes.

Elle se serra contre lui et lui prit le visage entre ses mains si douces.

Richard la saisit par les épaules pour la repousser doucement.

— Et ça, tu as senti ? demanda-t-elle.

— Oui...

— Mais pas assez, je crois, fit la novice en passant un bras autour du cou de son compagnon.

— Pasha, s'il te plaît..., souffla Richard en se dégageant.

— Il est tard, personne ne nous entendra... Si tu préfères, je peux verrouiller la porte avec un petit sort... Ne t'inquiète donc pas.

— Je ne m'inquiète pas... Mais je n'ai pas envie que nous...

— Tu ne me trouves pas assez jolie ?

Richard ne voulait pas vexer Pasha – et encore moins la mettre en colère. Mais comment la décourager en douceur ?

Elle ouvrit d'autres boutons. Le Sourcier lui prit la main pour l'empêcher de continuer. La situation devenait périlleuse. Pasha était son professeur. S'il l'humiliait, ou s'il la mettait en rage, sa formation en souffrirait. Il était là pour une raison bien précise. S'attirer l'animosité de la novice serait une énorme erreur.

Elle releva la robe le long de ses jambes et posa sur sa cuisse la main du jeune homme.

— Tu aimes ça, n'est-ce pas ? souffla-t-elle.

Richard frissonna en sentant sous sa paume la peau satinée de Pasha. Verna avait prédit qu'il tomberait vite sous le charme d'une nouvelle paire de jolies jambes. Celles de Pasha correspondaient parfaitement à la définition...

— Pasha, dit-il en retirant sa main, tu ne comprends pas. Je te trouve très belle...

— Moi, coupa la novice, je n'ai jamais vu un homme aussi beau que toi.

— Tu te fais des idées...

— Non... (Pasha passa les doigts dans la barbe du jeune homme.) J'adore ta barbe ! Ne la coupe jamais. Ça va très bien à un sorcier.

Richard se souvint d'une leçon que lui avait donnée Zedd, alors qu'ils parlaient de la magie. Le vieux sorcier s'était fait pousser une barbe incroyablement longue, puis il l'avait rasée aussitôt, grommelant que ça le grattait trop.

L'apparition de l'appendice pileux était due à la Magic Additive. Pour s'en débarrasser sans utiliser un couteau bien affûté, Zedd aurait dû recourir à la Magie Soustractive. Celle du royaume des morts...

Celle que les sorciers ne contrôlaient pas.

Richard prit le poignet de Pasha et éloigna sa main de son menton. Pour lui, cette barbe était un symbole de servitude. L'emblème de son statut de prisonnier, comme il l'avait dit à Verna. Mais ce n'était pas le moment de raconter ça à Pasha.

La novice l'embrassa dans le cou. Cette fois, il ne parvint pas à l'empêcher de continuer. Ses lèvres étaient si douces ! Comme les mots qu'elles murmuraient à son oreille... Ce baiser lui communiquait, de la tête aux pieds, une sensation qu'il avait connue quand Pasha s'était « connectée » au Rada'Han. Ce délicieux picotement engourdissait son cerveau.

Le baiser de Pasha venait inexorablement à bout de sa résistance !

Entre les mains de Denna, un autre collier au cou, il n'avait jamais eu le choix, puisque même le suicide lui était interdit. Pourtant, il avait toujours honte de son comportement face à la Mord-Sith.

À présent, une autre femme utilisait sa magie sur lui. Mais cette fois, il avait le choix...

Il repoussa doucement la novice.

— Pasha, je t'en prie...

— Comment se nomme la fille que tu aimes ?

Richard refusait de prononcer le nom de Kahlan devant Pasha. C'était sa vie privée et toutes les femmes du palais restaient ses geôlières, pas des amies.

— Ça n'a aucune importance... Le problème n'est pas là...

— Qu'a-t-elle donc de plus que moi ?

Tu es une enfant, pensa Richard, *et c'est une femme. Jolie petite bougie, comment te comparer à l'astre du jour en personne ?*

Des réflexions qu'il valait mieux garder pour lui. S'il vexait Pasha, il se retrouverait avec une guerre sur les bras. Il devait se tirer de ce mauvais pas sans heurter sa susceptibilité ni blesser son orgueil.

— Pasha, je suis flatté de te plaire, mais nous venons à peine de nous rencontrer. C'est trop rapide...

— Richard, le Créateur nous a offert le désir et le plaisir pour que nous contemplions Sa beauté à travers celle de Sa création. Il n'y a rien de mal à... C'est un acte très pur.

— Ton Créateur nous a aussi donné un cerveau pour distinguer le bien du mal.

— Le bien et le mal ? répéta Pasha en relevant un peu le menton. Si cette fille t'aimait, elle serait avec toi, ou elle ne t'aurait pas laissé partir. C'est ça qui est mal ! Elle te croit indigne d'elle, alors elle s'est débarrassée de toi. Si tu comptais pour elle, elle se serait battue pour te garder. À présent, je suis là, tu comptes pour moi, et je suis prête à me battre s'il le faut.

Richard ne put pas répondre, vidé de son énergie et de son espoir par l'analyse atrocement pertinente de la novice. Elle avait raison. Kahlan l'avait rejeté et il n'était plus qu'une coquille vide sans avenir.

— Tu verras que tu comptes à mes yeux, Richard, continua Pasha. Cette fille ne s'est jamais vraiment souciée de toi. Faire... ce que nous allons faire... est bien quand les sentiments sont si forts. (La novice plissa soudain le front.) Sauf si tu me trouves moche ! Tu as vu beaucoup de femmes, n'est-ce pas ? Me juges-tu sans intérêt, comparée à elles ?

— Pasha, tu es ravissante ! Un enchantement... (Il fallait absolument qu'elle croie au mensonge qui allait suivre !) Mais ne peux-tu pas me laisser un peu de temps ? Pour moi, c'est trop tôt. Voudrais-tu aimer un homme qui oublie si vite ses sentiments ? Et qui te ferait la même chose un jour ?

Pasha enlaça le Sourcier et posa la tête sur son épaule.

— Hier, quand tu m'as serrée dans tes bras, j'ai su que c'était un autre signe du Créateur. Il t'a envoyé à moi, et je ne voudrai jamais personne d'autre. Puisque je serai à toi pour toujours, le temps ne nous manque pas. Bientôt, tu comprendras que je suis faite pour toi. Ce jour-là, un seul mot de ta part, et je t'appartiendrai.

Richard ferma la porte derrière Pasha, s'appuya au battant et soupira. Il n'aimait pas avoir menti à la novice. Lui faire miroiter qu'il changerait un jour d'avis n'était pas loyal. Mais il avait dû improviser quelque chose !

Pasha avait une connaissance tellement superficielle des gens… Comment pouvait-elle espérer gagner l'amour d'un homme en éveillant sa lubricité ?

Il sortit la mèche de cheveux et la fit tourner entre ses doigts. La novice avait prétendu que Kahlan ne s'était pas battue pour lui, et ça le rendait fou de rage. Comment aurait-elle pu imaginer tout ce qu'ils avaient traversé ensemble ? Les difficultés si durement surmontées, les angoisses partagées, les victoires remportées de haute lutte… Que savait-elle de l'intelligence, de la force et du courage d'une femme comme Kahlan ?

Elle s'était battue pour lui plus d'une fois, risquant sa vie sans hésiter. Pasha ignorait tout des horreurs que Kahlan avait affrontées. Elle n'était même pas digne de lui servir le thé !

Richard remit la mèche dans sa poche et chassa de son esprit toute image de Kahlan. C'était trop douloureux, et il avait mieux à faire que souffrir.

Il passa dans la chambre, orienta le superbe miroir au cadre de frêne et alla chercher son sac. Après en avoir sorti la cape du mriswith, il la mit sur ses épaules et regarda son image dans la glace.

Le vêtement, très esthétique, lui allait comme un gant, car le monstre était à peu près de sa taille. Le tissu d'un noir mat lui rappela la pierre de nuit qu'Adie lui avait donnée pour l'aider à traverser la frontière. Un noir très semblable à celui des boîtes d'Orden… Presque aussi sombre que la mort…

Mais ces considérations étaient secondaires.

Richard alla se placer devant le mur gris. Il tira la capuche sur sa tête et s'enveloppa plus étroitement dans la cape. Sans quitter des yeux son reflet, il se concentra sur la couleur du mur auquel il s'adossait.

En une fraction de seconde, son reflet disparut.

La cape avait pris la couleur de la muraille ! L'illusion était si parfaite qu'il fallait se concentrer sur les contours du vêtement – à condition de *savoir* qu'il y avait quelque chose à voir – pour distinguer la silhouette d'un homme. Et le camouflage restait presque aussi parfait quand le Sourcier bougeait. Bien que son visage fût exposé, la magie de la cape – peut-être combinée à la sienne – lui permettait de se fondre dans le gris du mur. Ça expliquait pourquoi les mriswith semblaient changer sans cesse de couleur.

Richard plaça derrière lui la chaise sur laquelle il avait jeté son manteau rouge. La cape produisit aussitôt un camouflage rouge moins parfait que le précédent, mais suffisant pour qu'on ne distingue pas un homme s'il restait immobile.

Les mouvements compliquaient un peu les choses, forçant le vêtement à s'adapter à toute vitesse. Malgré tout, l'œil humain continuait d'être abusé… Mais s'il s'immobilisait devant une surface unie, Richard disparaissait totalement. Il fit plusieurs expériences, jusqu'à ce que la tête commence à lui tourner.

Dès qu'il cessa de se concentrer, la cape redevint noire.

Un accessoire vestimentaire simple, élégant… et qui lui serait sans doute très utile.

Chapitre 56

L es semaines passèrent dans un tourbillon.

Richard n'avait pas une seconde à lui.

Naguère, Kahlan et Zedd lui avaient dit qu'il ne restait plus de sorciers dans les Contrées du Milieu. Pas étonnant, puisqu'ils étaient tous au Palais des Prophètes ! Plus d'une centaine d'adolescents et de jeunes hommes occupaient les lieux. Et d'après ce que le Sourcier avait pu apprendre, un bon nombre des plus âgés venaient des Contrées – voire de D'Hara.

Pour les jeunes garçons, Richard, le tueur de mriswith, était devenu une célébrité. Deux gamins, Kipp et Hersh, lui collaient sans cesse aux basques, avides de l'entendre raconter ses aventures. À certains moments, ils affichaient la maturité, et presque la sagesse, d'hommes mûrs. À d'autres, comme tous les enfants, ils semblaient s'intéresser exclusivement à collectionner les sottises.

Les sœurs étaient les cibles favorites de leur polissonnerie. Jamais à cours d'idées sur ce sujet, ils imaginaient une kyrielle de mauvais tours à base d'eau, de boue ou de petits reptiles. Leurs victimes explosaient rarement de colère et se montraient promptes à les pardonner. À la connaissance de Richard, la punition la plus sévère se limitait à un sermon gratiné.

Les premiers temps, ils crurent bon d'ajouter Richard sur la liste de leurs souffre-douleur. Dès qu'ils s'aperçurent que le tueur de mriswith goûtait peu la plaisanterie, et qu'il était autrement plus autoritaire que les sœurs, ils s'empressèrent de lui ficher la paix.

Kipp et Hersh, impressionnés par sa fermeté, lui vouèrent désormais un culte. Entourés de femmes, ils paraissaient avides de fréquenter un homme mûr. Richard ne se montra pas avare de récits d'aventures. Quand leur présence ne risquait pas de le gêner, il les emmenait même avec lui en promenade, histoire de les initier aux secrets de la nature.

Désireux de rester dans les bonnes grâces de leur mentor, les deux garçons disparaissaient dès qu'il désirait être seul. La présence de la novice l'empêchant de se consacrer à ses autres occupations, il s'arrangeait pour que Kipp et Hersh ne soient jamais bien loin à ces moments-là. Frustrée de ne pas être seule avec son élève, Pasha révisa un peu sa position quand elle bénéficia par extension de « l'immunité » du Sourcier. Ne plus risquer d'être mouillée de la tête aux pieds la ravissait, sans parler des serpents qu'elle ne trouverait plus lovés dans ses châles…

De temps en temps, Richard chargeait Kipp et Hersh de missions faciles. Il avait des plans pour eux…

Les autres apprentis sorciers tenaient à faire découvrir la ville à leur nouveau compagnon. Perry et Isaac, qui résidaient au pavillon Gillaume, comme lui, l'emmenèrent en virée et lui firent découvrir la taverne où les gardes se retrouvaient rituellement. Le lendemain, Richard offrit à Kevin Andellmere la bière qu'il lui avait promise.

Les pensionnaires « âgés » du palais passaient le plus souvent leurs nuits en ville, dans des tavernes cossues. Couverts d'or et d'argent, comme lui, ils s'entraînaient à le dépenser. S'habillant comme des princes, ils n'hésitaient pas à s'offrir les suites les plus somptueuses lors de leurs escapades nocturnes.

Une multitude de femmes, toutes belles à couper le souffle, ne rechignaient jamais à profiter de leurs largesses.

Le soir où il alla en ville avec Perry et Isaac, un régiment de beautés en délire les encercla. Le Sourcier n'avait jamais vu des filles aussi hardies. Chaque nuit, ses nouveaux amis en sélectionnaient deux – parfois davantage –, leur offraient quelques babioles et les ramenaient à leur auberge.

Si le coup des petits cadeaux l'ennuyait, expliquèrent-ils à Richard, il existait des bordels tout à fait convenables. Mais il n'y trouverait pas, selon ces experts, des filles aussi belles et aussi jeunes que leurs compagnes d'un soir… Cela dit, reconnurent-ils, ils n'hésitaient pas à fréquenter ces établissements quand ils ne se sentaient pas d'humeur à conter fleurette à de fausses mijaurées…

Dès qu'elles repérèrent son Rada'Han, les damoiselles se jetèrent sur Richard, multipliant les œillades et les effets de hanche. À l'aune de cette expérience, les propos de Verna sur la « nouvelle paire de jolies jambes » prirent tout leur sel pour le Sourcier.

Perry et Isaac assurèrent qu'il était fou de refuser systématiquement tant d'alléchantes propositions. À certains moments, Richard se demanda s'ils n'avaient pas raison.

Il voulut savoir si ses amis n'avaient pas peur de se faire arranger le portrait par les pères de leurs conquêtes. Hilares, ils lui répondirent que de dignes paternels leur présentaient souvent la chair de leur chair. Et les maternités accidentelles ? s'enquit ensuite le jeune homme. Dans les cas de « grossesse spontanée », lui expliquèrent ses compagnons, le palais s'occupait de la mère, du rejeton et souvent de tout le reste de la famille…

Quand il demanda à Pasha pourquoi il en était ainsi, elle croisa les bras, lui tourna le dos et parla des « besoins incontrôlables des hommes » qui risquaient, en restant inassouvis, de perturber leur apprentissage. Pragmatiques, les sœurs encourageaient leurs sujets à ne pas accumuler d'inutiles frustrations. C'était pour ça que Pasha n'avait pas le droit d'accompagner Richard lors de ses virées nocturnes en ville.

Au cas où cela eût contrarié la satisfaction de ses… besoins.

Après ce discours, la novice s'était tournée vers le jeune homme, l'implorant de s'en remettre à elle pour ce genre de choses. Ou au moins, s'il voulait continuer d'aller en ville, qu'il l'autorise à devenir une de ses maîtresses. Certaine de le satisfaire mieux que toute autre femme, elle se proposait de le lui démontrer.

Richard fut ébahi par ce discours, sans parler du comportement qui l'accompagnait. Toujours prudent quand on abordait ce sujet, il assura Pasha qu'il allait en ville pour assouvir sa curiosité – et rien d'autre. Ayant grandi dans la forêt, il ne connaissait pas les cités et leurs mystères. Mais chez lui, ajouta-t-il, on ne traitait pas les femmes de cette manière.

Cela dit, promit-il, si ses « besoins » devenaient trop pressants, il se tournerait vers la novice. Ravie d'entendre cela, Pasha ne se rembrunit pas quand il lui rappela qu'il n'était pas « encore prêt ». À l'évidence, elle ne se doutait pas qu'il se sentait tellement seul, par moments, que la tentation devenait presque irrésistible. La jeune femme avait tout pour plaire à un homme. Parfois, la tenir à une « distance de sécurité » était loin d'être un jeu d'enfant.

Elle lui avait fait visiter toutes les parties autorisées du palais, une bonne moitié de la ville, et même les docks, où il avait pu admirer de grands bateaux – appelés des « navires », car ils étaient conçus pour voguer sur l'océan.

Ils allèrent aussi sur la plage et passèrent des heures à observer les vagues ou à patauger dans les poches d'eau laissées par la marée. Apprendre que la mer montait et descendait régulièrement – et d'elle-même ! – stupéfia le Sourcier. Il pensa d'abord que c'était un effet de la magie du palais, mais la novice le détrompa. Il en allait ainsi partout !

Fasciné par l'océan, Richard aurait consacré ses journées à l'admirer. Et Pasha, ravie d'être près de lui, n'aurait rien fait pour l'en empêcher. Hélas, il avait des choses bien plus importantes sur son programme…

La novice n'avait pas le droit de l'accompagner en ville le soir, au cas où il aurait décidé de se payer un peu de bon temps. Comme il ne couchait avec aucune fille, il trouva assez facilement les accents de la sincérité quand il lui jura, pour la centième fois, que la luxure n'était pas la raison de ses escapades. Pour autant, il ne se risqua pas à lui dire la vérité sur ses occupations nocturnes…

Le palais le couvrant d'argent, Richard décida d'utiliser cette manne… contre ses mécènes. Devenu un client régulier des tavernes favorites des gardes, il s'assura que ces hommes ne payent plus une seule chope lorsqu'il était présent.

Il apprit les noms de tous les soldats, notant dans un cahier tout ce qu'il savait sur eux. Bien entendu, il s'intéressa tout particulièrement à ceux qui défendaient les quartiers de la Dame Abbesse et les autres zones interdites du palais.

Ne ratant pas une occasion de leur parler quand il déambulait dans les couloirs, il les bombarda de questions sur leurs petites amies, leurs épouses, leurs parents, leurs enfants, leurs préférences gastronomiques et leurs divers problèmes.

Pour Kevin, il acheta une boîte de chocolats hors de prix – les préférés de sa petite amie, inabordables pour un simple soldat. Le présent ayant valu un « grand succès » au brave garçon, il rayonnait dès qu'il apercevait son bienfaiteur, même quand il avait les yeux cernés suite à ses exploits avec la dame.

Richard prêta de l'argent à tous les gardes qui lui en demandèrent – et qui n'auraient jamais, il le savait, les moyens de le rembourser. Lorsque certains vinrent s'en excuser, il leur assura que ça n'avait aucune importance, et leur conseilla de ne pas se gâcher la vie pour de pareilles vétilles.

Deux vétérans endurcis, affectés à la surveillance d'une partie interdite du palais, dans l'aile ouest, le laissèrent payer leurs consommations sans pour autant fraterniser avec lui. Décidé à relever le défi, Richard proposa de leur louer les services de quatre prostituées, deux par tête de pipe. Quand ils s'enquirent des motifs de sa générosité, il leur expliqua que le palais lui allouait des fonds illimités. Pourquoi en aurait-il profité égoïstement ? Puisque les deux hommes passaient leurs journées debout à assurer la sécurité des sœurs, il semblait normal qu'elles contribuent à allonger une jolie fille sous eux quand ils pouvaient enfin se mettre à l'horizontale.

La méfiance des deux types fondit comme neige au soleil. Après leur première nuit d'extase, ils gratifièrent Richard de force clins d'œil chaque fois qu'il passait devant eux. Ravi du résultat, il les alimenta en jolies poupées et des sourires vinrent promptement s'ajouter aux clins d'œil.

Comme le Sourcier s'en doutait, les deux types se vantèrent partout de leur bonne fortune. Apprenant cela, certains de leurs camarades vinrent se plaindre auprès du jeune homme. Pourquoi un tel favoritisme ? Convaincu par la logique de leur raisonnement, Richard passa à une plus grande échelle. Histoire que l'opération ne lui mange pas tout son temps, il imagina une audacieuse solution.

Ayant trouvé une tenancière de bordel ouverte aux arrangements commerciaux inventifs, il réquisitionna son établissement, désormais réservé à ses « amis ». En plus d'être efficace, ce système, basé sur un ingénieux « forfait », ménageait un peu les finances du palais.

Désireux que les hommes sachent à qui ils devaient leur bonheur, il exigea qu'ils utilisent, pour montrer patte blanche, la phrase codée suivante : « Je suis un ami de Richard Cypher. » C'était la seule obligation en vigueur. Et lorsque la tenancière se plaignit qu'il y avait plus de travail que prévu, le Sourcier lui alloua de bon cœur une rallonge conséquente.

Quand sa conscience le torturait – après tout, on n'eût guère pu qualifier de « moral » son petit commerce – le Sourcier se consolait en pensant qu'il n'avait pas inventé le comportement de ces hommes. Et si ça pouvait lui éviter de commettre un massacre, le moment venu, l'éthique serait tout de même sauve.

Un jour, alors qu'il se promenait avec Pasha, elle lui demanda pourquoi tous les gardes lui faisaient des clins d'œil. L'explication qu'il improvisa – parce qu'il était au bras de la plus jolie fille du palais – la fit sourire aux anges pendant une bonne heure.

Richard habitua aussi les soldats à le voir vêtu de la cape noire du mriswith. Histoire de ne pas irriter la novice, il continua néanmoins à porter le manteau rouge qu'elle adorait. Pour changer un peu, il mettait parfois les autres. Le bleu, le bleu marine, le marron ou le vert lui allaient un peu mieux. Mais il se sentait toujours aussi ridicule dans ces atours de courtisan.

Même si elle préférait les promenades en ville, la novice l'accompagnait parfois lors de ses excursions dans la nature ; histoire, sans doute, de partager ses intérêts.

Au fil de leurs conversations, Richard apprit que les gardes du palais étaient des soldats de l'Ordre Impérial en mission spéciale. L'Ancien Monde était tout entier sous la coupe de l'Empire – à part le Palais des Prophètes, heureux bénéficiaire d'une sorte d'entente cordiale. Aucun Impérial ne se mêlait jamais des affaires des sœurs et des porteurs de Rada'Han.

Les soldats se chargeaient surtout de gérer les flots de visiteurs qui envahissaient chaque jour l'île Kollet. Venus demander la charité, un arbitrage dans une dispute, ou une initiation à la sagesse du Créateur, ces étranges pèlerins occupaient une bonne part du temps des Sœurs de la Lumière.

Tanimura, aussi grande fût-elle, n'était qu'un avant-poste de l'Empire. À l'évidence, l'empereur consentait à fournir des hommes sans demander, en contrepartie, que le palais soit sous sa jurisprudence. Bien entendu, cela faisait autant d'espions disposés à lui raconter ce qui se passait dans cette « zone libre ». Et les sœurs devaient sans doute lui rendre quelques menus services en échange de sa générosité…

Le Sourcier apprit aussi qu'un « invité de marque » était consigné dans une des parties interdites du complexe… Malgré ses efforts, il ne put en découvrir plus.

Afin de tester la loyauté des gardes, il commença à leur présenter d'inoffensives requêtes. À Kevin, il raconta qu'il voulait offrir à Pasha une rose jaune – une variété qu'on trouvait exclusivement dans les quartiers de la Dame Abbesse. Quand le soldat la lui procura, il mit un point d'honneur à conduire « par hasard » la novice devant le brave garçon… qui se rengorgea de fierté.

Pour avoir ses entrées dans d'autres zones interdites, le Sourcier réutilisa son astuce florale, ou prétendit avoir envie de contempler l'océan sous un angle inédit. Pour rassurer les gardes et endormir leur méfiance, il s'efforçait, pendant ces intrusions, de rester toujours bien en vue.

Les soldats s'habituèrent vite à le voir partout. Après tout, n'était-il pas leur ami ? Et une « relation » précieuse et digne de confiance…

Son petit jeu avec les fleurs lui donna l'occasion d'affiner sa stratégie. Les offrant aux sœurs avec qui il travaillait, il leur expliqua, quand elles s'en étonnèrent, que des femmes aussi spéciales méritaient de recevoir des présents hors du commun. En sus de les faire rougir, ce compliment joliment troussé les incita à fermer les yeux sur les transgressions inoffensives de leur élève.

Sur les quelque deux cents Sœurs de la Lumière présentes au palais, une demi-douzaine seulement se chargeaient de la formation du nouveau.

Les doyennes, Tovi et Cecilia, étaient d'authentiques grand-mères poules. À chaque séance, Tovi lui apportait des petits gâteaux ou d'autres friandises. Cecilia, elle, ne manquait jamais, quand ils se séparaient, de lui planter un baiser sonore sur les joues. Toutes les deux rougissaient comme des pucelles chaque fois qu'il leur offrait des fleurs. De quoi avoir quelque difficulté à les tenir pour des ennemies potentielles…

La première fois que sœur Merissa frappa à sa porte, Richard en resta bouche bée. Fasciné par ses splendides cheveux noirs et ses courbes que mettait en valeur une magnifique robe rouge, il bégaya comme un parfait imbécile pendant dix minutes. Sœur Nicci, une adepte des tenues noires, lui fit tout autant d'effet. Qu'elle pose ses yeux bleus sur lui, et voilà qu'il en oubliait de respirer !

Plus âgées que Pasha, Merissa et Nicci irradiaient la confiance et la grâce. Bien que l'une fût blonde et l'autre brune, on les aurait crues taillées dans le même tissu rare et délicat. Auréolées du pouvoir de leur Han – parfois, le Sourcier aurait juré que l'air crépitait autour d'elles – ces deux femmes ne semblaient pas marcher sur le sol. Elles y glissaient, comme des cygnes sur une onde paisible.

Elles souriaient toujours du coin des lèvres, et uniquement quand elles regardaient le jeune homme dans les yeux. À ce moment-là, le cœur du pauvre bougre battait si fort qu'il craignait de le voir jaillir de sa poitrine.

Un jour, Richard osa offrir une de ses fleurs rares à Nicci. Trop ému pour lui sortir son explication « stratégique », il blêmit quand il la vit prendre la rose du bout des doigts, comme si elle redoutait de se salir, et lâcher un « Merci, Richard » d'une indifférence glaciale. Se souvenant que la plupart des garçons piégeaient les sœurs en leur « apportant » des grenouilles, il décida de ne plus jamais se livrer à son petit jeu avec Merissa ou Nicci. Tout autre présent que des bijoux hors de prix, pour elles, passerait pour une insulte…

Bien entendu, lors des séances, elles ne proposaient jamais de s'asseoir sur le sol. Avec elles, cette idée semblait parfaitement ridicule ! À l'inverse de Tovi, Cecilia et Pasha, elles prenaient place sur des chaises et tenaient les mains de Richard au-dessus d'une petite table. Une expérience curieusement érotique qui le faisait transpirer dans sa tunique.

Toutes deux parlaient avec une économie de mots qui ajoutait à leur noblesse naturelle. Bien qu'elles ne l'eussent jamais clairement dit, Richard aurait parié qu'elles étaient prêtes à l'accueillir dans leur lit. Rien n'était prononcé, mais ça flottait dans l'air, comme un parfum qu'il ne pouvait s'empêcher de sentir. Cette « évanescence » lui permit fort heureusement de jouer les crétins. Face à des propositions plus directes, il aurait dû se mordre la langue pour ne pas accepter avec enthousiasme.

Cela lui rappela les propos de Pasha au sujet des « besoins incontrôlables des hommes ». De sa vie, il n'avait jamais rencontré de femmes aptes à lui fouetter ainsi les sangs… et à le faire passer pour un idiot. Bref, Merissa et Nicci étaient des pousse-au-crime. L'incarnation triomphante du désir et de la luxure…

Quand Pasha apprit qu'elles comptaient parmi ses formatrices, elle haussa les épaules et marmonna qu'étant très douées, elles l'aideraient sûrement à toucher son Han. Mais la façon dont elle rosit éclaira le Sourcier sur ses véritables sentiments.

Perry et Isaac, eux, frôlèrent l'apoplexie quand ils le surent. Pour une nuit avec une des deux, affirmèrent-ils, ils voulaient bien renoncer à jamais aux femmes de la ville. Au cas où Richard aurait ce grand bonheur, ils le conjurèrent de saisir l'occasion au vol… et de tout leur raconter. Histoire de doucher leur enthousiasme, il leur affirma que des dames de cette classe se fichaient comme d'une guigne d'un vulgaire guide forestier.

Et tant pis si ça n'était pas la vérité…

La cinquième sœur, Armina, plus mûre que ses deux incendiaires collègues, n'était pas déplaisante non plus. Professionnelle jusqu'au bout des ongles, elle lui conseilla, en l'absence de résultat probant, de ne pas se décourager et de travailler de plus en plus durement. Assez chaleureuse, elle rougit comme une pivoine quand son élève lui fit le coup des fleurs. À vrai dire, Richard aimait bien cette femme, à la personnalité tout d'une pièce.

La dernière formatrice, Liliana, était sa favorite. Dotée d'un sourire désarmant, elle ne manquait pas de charme malgré sa maigreur, sans doute à cause de son caractère ouvert et amical. Traitant Richard comme un confident, elle l'entraînait souvent dans de longues conversations nocturnes qu'il n'aurait pas dû se permettre, mais qui le réconfortaient. Bien qu'il n'eût aucune amie parmi ses geôlières, Liliana restait ce qui s'en approchait le plus.

Quand il lui offrit la fleur rituelle, elle écarquilla les yeux, curieuse de savoir comment il se l'était procurée. Elle rit de bon cœur lorsqu'il lui raconta son histoire – fausse – de jeu du chat et de la souris avec les gardes. Arborant à la boutonnière chaque rose qu'il lui offrait, elle s'en débarrassait uniquement quand elle était fanée – ou lorsqu'il lui en apportait une fraîche.

Un adjectif suffisait à définir leur relation : *naturelle* ! Quand Liliana le touchait amicalement, ce n'était jamais un problème. Et il se surprit à lui tenir la main ou le bras pendant qu'il lui racontait ses aventures de guide forestier. Ensemble, il leur arrivait souvent de rire comme des gamins en se tenant les côtes.

Liliana lui ayant confié qu'elle avait grandi dans une ferme – en adorant ça – il l'invita plusieurs fois à pique-niquer avec lui dans les collines. En authentique fille des bois, elle se moqua royalement de tacher sa robe sur l'herbe. Merissa et Nicci auraient à coup sûr refusé de marcher dans la poussière. Liliana, elle, n'hésitait jamais à s'asseoir sur le sol avec son élève…

Son attitude étant dépourvue d'ambiguïté érotique, Richard se sentait à l'aise en sa compagnie. Une femme simple, qui semblait apprécier sans arrière-pensées les moments passés avec lui. Et quand il lui avouait, après une séance, n'avoir pas senti l'ombre de l'ombre de son Han, elle n'en faisait pas une maladie, se contentant de dire qu'*elle* essayerait de faire mieux la prochaine fois.

Mis en confiance, Richard se surprit à lui raconter des choses qu'il avait soigneusement dissimulées à ses collègues. Quand il lui avoua bouillir d'impatience d'être débarrassé du Rada'Han, elle lui posa une main sur le bras, lui fit un clin d'œil et lui assura que ça viendrait bientôt. Lorsque le temps serait venu, ajouta-t-elle, s'en charger en personne serait un plaisir. En attendant, il devait garder la foi, car elle comprenait ses sentiments mieux que quiconque.

Et s'il arrivait un jour au bout de sa patience, jura-t-elle, il n'aurait qu'à le dire, et elle le libérerait du collier. Mais il valait mieux, si possible, qu'il apprenne à contrôler son Han avant de songer à des mesures aussi radicales.

Beaucoup de futurs sorciers, lui confia-t-elle, tentaient d'oublier leur condition de prisonniers en culbutant toutes les femmes consentantes qui croisaient leur chemin. Même si elle comprenait qu'un homme eût des « besoins », elle espérait, s'il couchait avec une femme, qu'il la choisirait pour ce qu'elle était, pas afin d'oublier le Rada'Han. Elle lui conseilla aussi d'éviter les prostituées, tristement connues pour refiler des maladies à leurs clients.

Richard lui avoua qu'il aimait une femme et refusait de lui être infidèle. Cette déclaration lui valut une grande claque dans le dos. Et il vit que la sœur était rudement fière de lui.

Il ne lui raconta pas que Kahlan l'avait rejeté, mais s'en voulut de ne pas en être capable. Un jour, si ce fardeau devenait trop lourd à porter, il pourrait s'en ouvrir à Liliana, et elle comprendrait ses tourments…

À cause de leur complicité, il conclut – et espéra – que Liliana était celle qui lui permettrait de découvrir son Han – si ça devait arriver un jour ! Ayant eu seulement un frère, il ignorait ce qu'on éprouvait face à une sœur – au sens familial du terme. Mais ça ne devait pas être très loin de la relation qu'il vivait avec Liliana. Du coup, le nom *sœur* Liliana prenait un autre sens que prévu…

Pourtant, il refusait de s'ouvrir totalement à elle. Les Sœurs de la Lumière, se répétait-il sans cesse, étaient ses geôlières, pas ses amies. Pour l'heure, elles restaient donc l'ennemi… Mais quand le moment viendrait, Liliana, il le savait, serait de son côté.

Les leçons lui prenaient environ deux heures par jour. Du temps perdu, selon lui, puisqu'il n'était pas plus près de toucher son Han que lors de sa première séance avec Verna.

Dès qu'il était seul, le Sourcier testait les limites de son autonomie. Quand il atteignait la distance maximale permise par le Rada'Han, on eût dit qu'il essayait de traverser un mur de pierre revêtu d'une épaisse couche de boue. N'était qu'il pouvait voir au-delà de cet obstacle infranchissable. Une privation de liberté d'autant plus frustrante…

La « barrière » se dressait à plusieurs lieues du palais, dans toutes les directions. Mais quand il y fut confronté, son univers lui sembla soudain minuscule.

Le jour où il fit pour la première fois cette expérience, fou de rage, il alla dans le bois de Hagen et tua un mriswith.

Gratch étant sa seule véritable consolation, il passait le plus de nuits possible avec lui. Lutter, manger et dormir avec son compagnon à fourrure le comblait de joie.

S'il chassait toujours pour le garn, celui-ci se débrouillait de mieux en mieux seul. Un soulagement pour le Sourcier, qui n'avait pas le temps de le rejoindre tous les soirs. Même le ventre plein, Gratch était toujours déçu lorsque son humain manquait un rendez-vous.

Redoutant que Pasha sache à tout instant où il était, grâce au collier, Richard découvrit par hasard un autre pouvoir de la cape magique : quand il la portait, la novice perdait le contact avec son Rada'Han et se retrouvait… dans le brouillard.

Étonnée par le phénomène, elle ne s'en inquiéta pas outre mesure, convaincue qu'il s'agissait d'une défaillance de sa part qu'elle corrigerait un jour ou l'autre. Bien entendu, Richard ne la détrompa pas.

Mais il comprit que la cape, et elle seule, expliquait pourquoi les sœurs et les sorciers ne sentaient pas l'approche d'un mriswith. Pour quelle raison, dans ce cas, l'avait-il captée ? Parce qu'il utilisait son Han sans le savoir, comme l'affirmait Verna ? Ridicule ! Les sorciers et les sœurs y recouraient à volonté, et ça ne les avait jamais aidés.

Le Sourcier adorait les moments où il échappait à la surveillance de Pasha, ce qui lui évitait d'inventer des explications oiseuses. Mais si elle trouvait la solution du problème, nul doute qu'elle détruirait la cape. Histoire de parer à toutes les éventualités, il cacha la deuxième dans un endroit connu de lui seul.

Gratch grandissait de jour en jour. Un mois après l'arrivée de son ami au palais, il le dépassait d'une bonne tête. Par bonheur, conscient de sa force, il avait appris à se retenir pendant leurs joutes amicales.

Richard s'occupait aussi de l'éducation de Warren. L'homme lui ayant avoué que l'étendue du ciel l'angoissait, il lui fit faire sa première sortie de nuit, dans les jardins du palais. L'astuce fonctionnant, le Sourcier continua dans cette voie.

Confiné dans les catacombes depuis une éternité, Warren s'était habitué à la claustration au point de commencer à s'en fatiguer. Conscient du problème, le Sourcier faisait de son mieux pour le résoudre. La Taupe, à ses yeux, était un type brillant aux connaissances quasi encyclopédiques. En un mot, le genre d'homme qu'il appréciait et estimait.

Mort d'inquiétude dès qu'il quittait le palais, Warren était rassuré par la présence de Richard – qui se gardait bien de rire de ses angoisses. Au contraire, il évitait de l'emmener trop loin hors du complexe, l'accoutumant peu à peu à l'aventure, comme on réapprend lentement à marcher à un blessé trop longtemps alité.

Après plusieurs sorties nocturnes, ils passèrent à une excursion diurne sur les créneaux, afin de contempler dans toute leur splendeur l'océan et le ciel. Ne s'éloignant jamais de l'escalier, Warren dut battre en retraite deux ou trois fois. Richard le suivit sans émettre de commentaires et lança la conversation sur d'autres sujets, histoire de ne pas le traumatiser. Plus tard, jamais à court d'idées, il le fit sortir sur les remparts avec un livre à la main pour que la lecture détourne son attention de la taille décidément impressionnante du ciel.

Quand la Taupe se sentit mieux en plein jour, Richard l'emmena pour la première fois dans les collines. Assis sur un rocher plat, devant un superbe panorama, l'homme annonça qu'il en avait fini avec la peur. Toujours mal à l'aise, il était néanmoins délivré de l'angoisse…

Tout sourires, il profita longuement de la vue et rayonna quand Richard se déclara ravi de l'avoir tiré hors de sa taupinière.

La Taupe avait un besoin urgent d'aventures, et la porte du monde lui était désormais ouverte.

Warren avançait lentement mais sûrement dans ses recherches. Les quelques références à la vallée des Âmes Perdues et aux Baka Ban Mana qu'il avait découvertes ne manquaient pas d'intérêt. Selon ces sources, les sorciers avaient octroyé un certain pouvoir à ce peuple en échange de son territoire. Et cette magie lui permettrait de récupérer un jour son pays… De plus, précisaient les textes, lorsque le « lien manquant » viendrait se joindre au pouvoir investi dans la femme-esprit, les Tours de la Perdition s'écrouleraient.

Richard repensa aux propos de Du Chaillu : il était le *Caharin*, et donc son époux. Un lien comme un autre, il fallait en convenir… Au fil des ans, les Baka Ban Mana avaient-ils assimilé au mariage – une réalité familière pour eux – une union éminemment plus symbolique ?

— La Dame Abbesse, dit soudain Warren sans détourner les yeux du paysage, a lu les prophéties et les autres textes qui mentionnent le « caillou dans la mare ».

Richard sursauta. La chanson de Kahlan, cette horrible comptine au sujet des grinceurs, parlait aussi d'un caillou dans la mare… N'ayant jamais étudié ces prophéties avant d'être chargé d'une mission par le Sourcier, Warren n'était pas encore parvenu à en évaluer l'importance.

— Tu connais la Deuxième Leçon du Sorcier ? lui demanda abruptement Richard.

— La deuxième ? Les sorciers dispensent des leçons ? Quelle est la première ?

— La nuit où Jedidiah a eu son « accident », j'ai prétendu qu'il y avait des cendres sur ton épaule et tu t'es brossé. Tu t'en souviens ? Eh bien, c'était une application pratique de la Première Leçon. (Warren plissa le front de perplexité.) Réfléchis à la question, mon ami, et informe-moi quand tu auras trouvé la réponse. En attendant, il faut que tu accélères le rythme de tes recherches.

— Ce sera plus facile, désormais. Sœur Becky étant malade tous les matins, elle ne viendra plus regarder sans cesse par-dessus mon épaule.

— Sœur Becky, malade ?

— Comme nombre de femmes enceintes, au début…

— Beaucoup de sœurs ont des enfants ?

— Bien sûr ! Tu sais que nous n'avons plus le droit d'aller en ville à partir d'un certain stade de notre formation… À ce moment-là, les sœurs se chargent de nos… hum… besoins, pour que nous puissions étudier en paix.

— Et sœur Becky porte ton enfant ? demanda Richard avec un regard soupçon-neux pour la Taupe.

— Non ! s'écria Warren. Moi, je me réserve pour la femme que j'aime…

— Pasha, je parie…

Warren se contenta de hocher la tête.

Richard regarda la ville, puis le Palais des Prophètes.

Les « besoins incontrôlables des jeunes hommes »… Tu parles !

— Warren, tous les enfants des sorciers héritent-ils du don ?

— Oh, non ! D'après ce qu'on dit, avant la séparation des Mondes, il y a trois mille ans, la transmission était presque automatique. Mais au fil du temps, pour pré-server leur pouvoir, les sorciers en place ont éliminé tous les nouveaux-nés qui risquaient de devenir des rivaux. Ils ont aussi cessé de dispenser l'enseignement requis. Jadis, les pères se chargeaient de l'éducation de leurs fils. Le don se faisant de plus en plus rare, au point de sauter plusieurs générations, ces connaissances sont devenues une sorte de trésor. Le Palais des Prophètes fut créé pour se substituer aux sorciers qui refusaient de former les jeunes candidats. Histoire de leur donner une chance, si tu préfères…

» Avec le temps, le don disparut de l'héritage de l'espèce humaine, comme on peut éliminer par croisement telle ou telle variante chez les animaux. Ainsi, les sorciers en place n'eurent plus à affronter d'opposition sérieuse…

» Aujourd'hui, un garçon qui naît avec le don est l'exception qui confirme la règle. Sur mille fils de sorciers, on peut s'estimer heureux d'en trouver un… Nous sommes une race en voie de disparition…

— Ces femmes se fichent de nos « besoins », fit Richard en se levant – sans quitter des yeux le Palais des Prophètes. Elles nous utilisent comme étalons !

— Quoi ?

— Le palais sert à produire des sorciers, Warren.

— Dans quel but ?

— Je l'ignore, mais j'ai bien l'intention de le découvrir.

— Bonne idée ! J'ai fichtrement besoin d'un peu d'aventure !

— Sais-tu de quoi tu parles, mon ami ?

— Bien sûr ! Une aventure est une expérience excitante et passionnante !

— Tu as tout faux, Warren. Une aventure, c'est crever de trouille sans savoir si tu survivras ou si ceux que tu aimes s'en tireront. Bref, être dans la mouise jusqu'au cou et ignorer comment t'en sortir.

— Je n'avais jamais considéré ça sous cet angle…

— Eh bien, tu devrais y réfléchir, parce que je vais nous lancer dans une « aventure ».

— Qu'as-tu l'intention de faire ?

— Moins tu en sauras, et moins tu t'inquiéteras… Contente-toi de trouver les informations dont j'ai besoin. Si le voile est déchiré, nous allons tous vivre une aventure… sans fin.

— À ce propos, fit Warren avec un clin d'œil, j'ai découvert quelque chose de très utile.

— Sur la Pierre des Larmes ?

— Exactement ! Richard, tu ne peux pas l'avoir vue ! Elle est prisonnière du voile ! On peut même dire qu'elle en fait partie.

— Tu es sûr que je n'ai pas pu la voir ?

— À cent pour cent ! La Pierre des Larmes est l'artéfact qui emprisonne Celui Qui N'A Pas De Nom dans le royaume des morts. Il peut régner sur les âmes des défunts, mais il n'a aucun accès à notre monde. La Pierre des Larmes l'empêche de sortir de son sinistre domaine.

— Une bonne nouvelle…, fit Richard. Tu as travaillé comme un chef, Warren. (Il prit la Taupe par la manche et le tira vers lui.) Tu es certain de ce que tu avances ? La Pierre des Larmes ne peut pas être dans notre monde ?

— C'est impossible, te dis-je ! Pour passer chez nous, la Pierre des Larmes aurait dû traverser le portail…

— Le portail ? répéta Richard, soudain très mal à l'aise. Qu'appelles-tu un portail ?

— Un passage, comme le nom l'indique… Dans le cas qui nous occupe, il s'agit d'une voie de communication entre le royaume des morts et le monde des vivants. Mais pour l'ouvrir, il faut recourir aux deux variantes de magie, la Soustractive et l'Additive. Celui Qui N'A Pas De Nom maîtrise uniquement la Magie Soustractive. Donc, il est coincé dans le royaume des morts. Et ici, nous contrôlons seulement la Magie Additive…

— Mais si quelqu'un, dans notre monde, pratiquait les deux formes de magie, pourrait-il ouvrir le portail ?

— Sans doute, à condition de savoir où il est… Depuis plus de trois mille ans, il a disparu. Personne ne peut le localiser. Du coup, nous sommes en sécurité.

Richard ne partageait pas ce sentiment. Pas du tout !

— Warren, l'autre nom du portail ne serait-il pas « la magie d'Orden » ? Ce passage, ce n'est pas les trois boîtes d'Orden ?

— Où as-tu entendu parler de tout ça ? demanda Warren, les yeux écarquillés. Au palais, seuls la Dame Abbesse, deux autres sœurs et moi sommes autorisés à consulter les livres où le portail est désigné par son ancien nom !

— Et qu'arrive-t-il si on ouvre une des boîtes ?

— C'est impossible ! s'écria Warren. Pour ça, il faudrait maîtriser les deux sortes de magie…

— Qu'arrive-t-il si on réussit, Warren !

— Cela ouvre le portail… Le voile est déchiré, et Celui Qui N'A Pas De Nom n'est plus prisonnier.

— Dans ce cas, la Pierre des Larmes passerait-elle dans notre monde ? (Warren hocha la tête.) Pour sceller le portail et réparer le voile, suffirait-il de refermer la boîte ?

— Non… Enfin, oui, mais il faut qu'un sorcier la referme. La magie est indispensable pour sceller le portail. Hélas, si un sorcier de notre monde s'en charge, il détruit l'équilibre, puisqu'il contrôle uniquement la Magie Additive. Du coup… hum… Celui Qui N'A Pas De Nom peut s'échapper du royaume des morts. Enfin, pas vraiment… En réalité, c'est plutôt notre monde qui serait aspiré dans le sien.

— Comment fermer la boîte sans provoquer la fusion des deux univers ?

— En procédant comme pour son ouverture : une combinaison de Magie Additive et Soustractive !

— Et que devient la Pierre des Larmes dans tout ça ?

— Je l'ignore… Il faudra que je me penche sur cette question.

— Alors, penche-toi vite dessus, mon ami ! Nous n'avons pas de temps à perdre !

— Richard, gémit Warren, tu ne prétends pas savoir où sont les boîtes d'Orden ? Ne me dis pas, je t'en prie, que tu les as retrouvées ?

— Retrouvées ? La dernière fois que je les ai vues, celle du milieu était ouverte et prête à attirer mon salopard de père dans le royaume des morts !

Warren s'évanouit comme une jeune vierge.

Chapitre 57

S ous les derniers rayons du soleil couchant, une vieille femme répandait des cendres sur les marches glacées du grand escalier de marbre. Kahlan la dépassa, soulagée que la servante ne lève pas les yeux. Car malgré ses vêtements grossiers, son manteau de fourrure, son sac à dos et son arc, elle aurait sûrement reconnu la Mère Inquisitrice, enfin de retour en Aydindril.

Kahlan n'était pas d'humeur à supporter des festivités. Malgré son épuisement, avant de gagner le palais, elle était passée à la Forteresse du Sorcier, bâtie à flanc de montagne. Les lieux étaient hélas déserts. En dépit des boucliers magiques, l'Inquisitrice avait pu y entrer, mais elle n'avait vu personne.

Zedd n'était pas là…

La Forteresse restait dans l'état où elle l'avait connue des mois plus tôt, avant de partir à la recherche du « grand sorcier ». Kahlan l'avait trouvé, contribuant ainsi à la défaite de Darken Rahl. À présent, elle avait de nouveau besoin du vieux sage…

Le voyage jusqu'en Aydindril avait été plus long et difficile que prévu. D'abord ralentis par des tempêtes, l'Inquisitrice et son escorte avaient dû faire d'interminables détours à cause des cols obstrués par la neige. Près d'un mois d'avanies et de difficultés pour arriver enfin au but et découvrir l'absence de Zedd !

Pour gagner le palais, Kahlan avait emprunté un dédale de ruelles afin d'éviter l'avenue des Rois, où se dressaient les diverses ambassades des pays membres du Conseil. Les rois et les reines y demeurant lorsqu'ils venaient en Aydindril, ces « ambassades » étaient en réalité de somptueux châteaux. Mais aucune n'égalait la splendeur du Palais des Inquisitrices…

Chandalen avait choisi de camper dans la forêt. Même s'il ne l'aurait reconnu pour rien au monde, la taille de la ville et l'importance de sa population le mettaient mal à l'aise. Kahlan ne pouvait pas l'en blâmer. Après la solitude majestueuse des montagnes, elle se sentait perdue et vulnérable entre les murs de la cité où elle avait pourtant grandi. Un sentiment de claustration qu'elle n'avait jamais connu à ce point…

Sa mission accomplie, l'Homme d'Adobe avait hâte de rentrer chez lui. Consciente qu'il avait besoin de repos, Kahlan lui avait demandé de rester jusqu'au matin... et de ne pas partir sans lui dire au revoir.

Elle avait chargé Orsk de lui tenir compagnie. À la longue, la présence du colosse borgne devenait pesante. Un peu comme si elle avait eu sans cesse un chien collé à ses basques. Un bon chien, certes, mais ô combien envahissant !

Qu'allait-elle faire de lui, à présent qu'elle ne risquait plus rien, rendue à la sécurité de son palais ?

Une bouffée d'air chaud fouetta le visage de l'Inquisitrice quand elle ouvrit la porte des cuisines. Entendant grincer les gonds, une femme mince au tablier blanc immaculé se retourna comme une furie.

— Que viens-tu faire ici, mendiante ! beugla-t-elle. Va-t'en immédiatement, ou je fais appeler la garde !

Kahlan abaissa sa capuche et sourit quand la harpie cria de surprise.

— Maîtresse Sanderholt, je suis si contente de vous revoir...

— Mère Inquisitrice ! (La femme tomba à genoux, les mains jointes.) Pardonnez-moi, par pitié ! Je ne vous avais pas reconnue ! Les esprits du bien en soient loués, vous êtes enfin de retour !

Kahlan fit signe à sa vieille amie de se relever.

— Vous m'avez tellement manqué, maîtresse Sanderholt !

Elle ouvrit les bras et la terreur des marmitons s'y précipita.

— Mon enfant, que je suis contente de vous retrouver ! Nous ne savions pas où vous étiez, et j'avais peur de ne plus jamais vous revoir.

— Ces derniers temps n'ont pas été faciles, maîtresse Sanderholt. Mais me voilà revenue au bercail...

— Venez, dit l'intendante en se dégageant. Un peu de soupe vous fera un bien fou. J'en ai au chaud, si les têtes de linottes qui se prennent pour des cuisiniers ne l'ont pas massacrée en ajoutant trop de poivre !

Ayant entendu la remarque, les maîtres queux et les assistants baissèrent la tête, se concentrant sur leurs casseroles.

— Je n'ai pas le temps de manger..., soupira Kahlan.

— Mon enfant... J'ai des choses importantes à vous dire.

— Je sais. Moi aussi, j'en ai long à raconter. Mais je dois voir le Conseil au plus vite. Tant pis si je ne peux pas me reposer tout de suite... Nous parlerons demain.

— Bien sûr. Allez voir le Conseil, puis passez une bonne nuit...

Kahlan prit le chemin le plus court, à travers la grande salle réservée aux céré-monies et aux fêtes. Pour lui enseigner la tactique militaire, son père disposait souvent des milliers de noix et de glands – les armées en lice ! – sur l'immense sol de marbre.

La salle du Conseil se trouvait au bout d'un long couloir à colonnades noires. Avant de l'atteindre, on dépassait un petit panthéon à deux niveaux consacré à la mémoire des fondatrices de l'ordre des Inquisitrices. Placés entre sept immenses piliers de marbre, leurs portraits, deux fois plus grands que nature, avaient toujours impressionné Kahlan. Face à eux, elle se sentait toute petite, comme si une question indignée allait sortir de leurs bouches pourtant à jamais muettes : « De quel droit, Kahlan Amnell, te prétends-tu aujourd'hui la Mère Inquisitrice ? » Connaître l'histoire de ces héroïnes ne faisait rien pour rassurer la jeune femme sur la légitimité de sa position...

Elle poussa les portes en chêne de la salle du Conseil et entra.

Au fond de l'immense salle couronnée par un dôme imposant, une fresque nichée sous la voûte principale honorait la glorieuse mémoire de Magda Searus, la première Mère Inquisitrice. Elle était représentée avec son sorcier, Merrit, qui avait sacrifié sa vie pour la protéger. Unis à jamais par le talent d'un peintre, ils avaient vu défiler sous leurs yeux éternellement ouverts toutes les Inquisitrices qui s'étaient assises sur le Prime Fauteuil – et tous les successeurs de Merrit.

La noble assemblée se réunissait toujours sous leurs regards, les sièges des conseillers disposés autour de celui de la Mère Inquisitrice.

Malgré l'heure tardive, une bonne moitié des fauteuils étaient occupés. Et quelqu'un avait osé prendre place sur le Prime Fauteuil !

S'approprier ce siège, pour un conseiller, était une offense capitale. Et une déclaration de guerre jetée à la face de la Mère Inquisitrice...

Tous les hommes se turent et tournèrent la tête pour regarder Kahlan approcher.

Le prince Fyren de Kelton ne fit pas mine de libérer le Prime Fauteuil. À vrai dire, il ne retira même pas ses pieds du lutrin...

Les yeux rivés sur Kahlan, il continua d'écouter ce que lui murmurait à l'oreille un homme à la barbe et aux cheveux noirs légèrement striés de gris. Remarquant sa longue tunique unie, l'Inquisitrice trouva étrange qu'un assistant du prince soit vêtu comme un sorcier...

— Mère Inquisitrice ! s'écria soudain Fyren. (Avec une lenteur calculée, il retira ses pieds du lutrin et se leva.) Quel plaisir de vous revoir !

Pour la première fois de sa vie, Kahlan se tenait devant le Conseil sans sorcier à ses côtés. Privée de défenseur, ce n'était pas le moment de se montrer timide ou vulnérable.

— Prince Fyren, si je vous revois sur mon siège, je vous tuerai.

— Vous utiliseriez votre pouvoir sur un conseiller ?

— Ou je vous égorgerai avec mon couteau, si ça s'impose...

L'homme à la tunique unie foudroya Kahlan de ses yeux noirs. Les autres conseillers blêmirent comme un seul homme.

— Mère Inquisitrice, dit Fyren, je n'entendais pas vous offenser. Vous êtes absente depuis si longtemps que nous vous avons crue morte. Il n'y a plus l'ombre d'une Inquisitrice au palais depuis près de six mois... (Il se fendit d'une révérence peu convaincante.) Inutile de vous énerver, je vous rends votre siège de bonne grâce.

— Il est très tard, dit Kahlan en balayant l'assemblée du regard. Le Conseil se réunira en session plénière demain à la première heure. Aucune absence ne sera tolérée. Messires les conseillers, les Contrées du Milieu sont en guerre !

— En guerre ? répéta Fyren, le front plissé. Sur l'ordre de qui ? Nous n'avons pas débattu d'un aussi grave sujet...

— Sur l'ordre de la Mère Inquisitrice, prince ! Soyez tous là demain matin. Pour l'heure, vous pouvez disposer.

Sur ces mots, Kahlan se détourna et sortit de la salle. En longeant les couloirs du palais, elle ne reconnut aucune des sentinelles. Rien d'étonnant, hélas... Lors de la prise d'Aydindril par les D'Harans, lui avait appris Zedd, presque tous les braves de la

Garde Nationale avaient péri les armes à la main. Ces visages familiers lui manquaient terriblement...

Au cœur du Palais des Inquisitrices se nichait un gigantesque escalier à huit branches éclairé par la lumière naturelle qui filtrait du toit en verre, quatre étages plus haut. À mi-hauteur, la grande structure était entourée par une série d'arches donnant sur des couloirs à colonnades. Sur chaque pilier des arches, un médaillon célébrait la mémoire d'un ancien dirigeant des différents royaumes de l'alliance. Lors de ses voyages, Kahlan avait vu des châteaux qui seraient aisément entrés dans la salle qui contenait le grand escalier. Et plusieurs maisons auraient tenu aisément sur le palier central où se dressaient les statues de huit Mères Inquisitrices.

La construction de l'escalier et de la salle qui l'abritait avait demandé quarante ans de travail. Kelton s'était chargé du financement de l'opération – une juste punition pour avoir rechigné à se joindre au Conseil... et provoqué ainsi une guerre. Dans le même esprit, aucun souverain keltien, avait-on décidé, n'aurait jamais droit à un médaillon. Dédié aux peuples des Contrées du Milieu, l'escalier ne devait pas chanter la gloire de celui qui l'avait érigé à son corps défendant.

Aujourd'hui, Kelton était devenu un membre puissant et respecté des Contrées du Milieu. Il semblait stupide, aux yeux de Kahlan, de continuer à humilier une population à cause d'erreurs remontant à plusieurs siècles...

Quand elle atteignit le palier central et s'engagea sur l'escalier secondaire qui conduisait à ses quartiers, l'Inquisitrice vit qu'une phalange de domestiques l'attendait en haut des marches. Bien entendu, tous s'agenouillèrent dès qu'elle eut posé le regard sur eux. Un tableau quelque peu absurde : trente personnes, dans des livrées immaculées, prosternées devant une espèce de sauvageonne échevelée...

À l'évidence, la nouvelle de son arrivée s'était répandue dans le palais à la vitesse du vent. Tout le monde, jusqu'au plus humble jardinier, devait être informé du retour de la Mère Inquisitrice.

— Relevez-vous, mes enfants, dit Kahlan lorsqu'elle eut atteint le palier.

Les serviteurs obéirent et s'écartèrent pour lui laisser le passage.

Puis ils montèrent à l'assaut ! La Mère Inquisitrice voulait-elle prendre un bain, se faire masser ou voir sa manucure ? Fallait-il convoquer sa coiffeuse ? Désirait-elle rencontrer maintenant les émissaires, ou voir un de ses assistants, ou faire rédiger une lettre par un secrétaire ?

Kahlan se tourna vers Bernadette, la maîtresse des servantes, et enraya ce flot de propositions assourdissantes.

— Bernadette, un bain me ferait très plaisir. Rien d'autre. Simplement un bon bain chaud.

Deux femmes coururent s'en occuper.

— Mère Inquisitrice, demanda Bernadette, un œil critique sur l'accoutrement de Kahlan, avez-vous besoin qu'on raccommode ou qu'on lave vos vêtements ?

— Je vous ai rapporté pas mal de linge sale, en effet, répondit Kahlan en pensant à sa jolie robe bleue et au reste de ses habits, pratiquement tous tachés de sang.

— Nous nous en occuperons, Mère Inquisitrice. Voulez-vous que je prépare votre robe blanche pour tout à l'heure ?

— Tout à l'heure ?

— Des messagers sont déjà en chemin pour l'avenue des Rois, Mère Inquisitrice. Tout le monde entend vous accueillir dignement au palais.

Kahlan grogna de dépit. Morte de fatigue, elle n'avait aucune envie de voir des hommes et des femmes qu'il lui faudrait remercier de leur gentillesse et complimenter sur leurs tenues. Sans parler d'écouter les innombrables enquiquineurs qui viendraient se plaindre devant elle d'une quelconque injustice – neuf fois sur dix à propos de la répartition des fonds. Non qu'ils aient envie de se remplir les poches, évidemment... Tous ces fâcheux prétendaient parler dans l'intérêt général...

Comme lorsque Kahlan était petite, Bernadette la gratifia d'un regard sévère dont le sens ne faisait pas mystère : « Mon enfant, tu as des obligations, et il n'est pas question de t'y soustraire. »

Mais son discours fut beaucoup plus policé :

— Tout le monde ici est mort d'inquiétude pour vous, Mère Inquisitrice. Vous voir saine et sauve réjouira bien des cœurs...

Kahlan ne fut pas dupe. Bernadette pensait qu'il serait bon, pour la Mère Inquisitrice, de montrer à ces gens qu'elle était vivante et occupait toujours son poste.

— Si vous me présentez les choses ainsi, maîtresse Bernadette... Merci de m'avoir rappelé à quel point je suis aimée et respectée...

La femme eut un sourire entendu et inclina la tête.

— De rien, Mère Inquisitrice.

— Autrefois, quand j'oubliais quelque chose, vous me flanquiez une tape sur les fesses en guide de punition...

— Vous êtes bien trop grande et intelligente pour ça, à présent... Mère Inquisitrice, avez-vous ramené quelques unes de vos collègues ? Ou vont-elles revenir bientôt ?

— Désolée, mon amie, je pensais que vous le saviez... Elles sont toutes mortes. Oui, je suis la dernière survivante...

— Puissent les esprits du bien veiller sur elles, souffla Bernadette, les larmes aux yeux.

— Pourquoi commenceraient-ils maintenant..., lâcha Kahlan. Ils n'ont pas daigné sauver Dennee le jour où un *quatuor* s'est acharné sur elle.

Comme Kahlan s'y attendait, un bon feu crépitait dans les cheminées de ses quartiers. Il devait en avoir été ainsi tous les jours depuis le début de l'hiver, au cas où elle serait revenue à l'improviste. Sur une table, un plateau d'argent était lesté d'un bol de soupe aux épices, d'une miche de pain frais et d'une théière fumante.

Maîtresse Sanderholt connaissait bien ses goûts...

La soupe la fit penser à Richard. Chacun en avait mitonné pour l'autre, lorsqu'ils étaient encore ensemble.

Dès qu'elle se fut débarrassée du sac et de l'arc, l'Inquisitrice entra dans la pièce suivante. Debout devant le grand lit, elle se souvint qu'elle aurait dû y dormir avec Richard, dès leur arrivée en Aydindril. En principe, le lendemain de leur mariage...

Comme elle avait été heureuse à l'idée de retourner chez elle avec un mari ! Et maintenant, que lui restait-il ?

Les larmes aux yeux, elle alla ouvrir la fenêtre et contempla, dans le lointain, la silhouette noire de la Forteresse du Sorcier.

— Zedd, où êtes-vous donc ? J'ai besoin de vous…

L'homme se réveilla en sursaut parce qu'il venait de se cogner la tête contre quelque chose. Ouvrant les yeux, il découvrit, en face de lui, une vieille femme aux cheveux poivre et sel. Assise sur la banquette d'un coche, comme lui… Le véhicule roulait à un train d'enfer, les ballottant de tous côtés.

La femme le regardait. Pourtant, ses yeux étaient entièrement blancs.

— Qui êtes-vous ? demanda-t-il.

— Et vous ?

— J'ai posé la question le premier !

— Je… hum… J'ignore qui je suis. Et vous ?

— Mon nom est… est… Désolé, mais ça semble m'échapper aussi. Mon visage vous rappelle quelque chose ?

— Je n'en sais rien… Navrée, mais je suis aveugle.

— Aveugle ? Vraiment… Pas de chance, ça…

Le vieil homme se massa le crâne, là où il avait percuté la paroi du coche. Baissant les yeux, il constata qu'il portait des vêtements de qualité : une tunique marron ornée aux manches de fils d'argent et d'or. Au moins, pensa-t-il, il ne devait pas manquer d'argent.

Avisant une canne noire, sur le plancher du véhicule, il la ramassa, admira sa jolie poignée, et frappa plusieurs coups au plafond, à l'endroit où devait être assis le cocher.

— Quel est ce bruit ? s'écria sa compagne.

— Oh, pardon… J'essaye d'attirer l'attention du cocher.

L'homme devait avoir entendu : le coche s'immobilisa et grinça lorsque quelqu'un en descendit.

Quand la portière s'ouvrit sur un géant à l'air morose, le vieil homme recula, sa canne brandie.

— Qui êtes-vous ? cria-t-il.

— Moi ? Le roi des crétins ! Mais mes amis m'appellent Ahern.

— Ahern… Hum… Que fichez-vous avec nous ? Vous nous avez enlevés dans l'espoir d'obtenir une rançon ?

— C'est plutôt le contraire…, grogna Ahern.

— Que voulez-vous dire ? Combien de temps avons-nous dormi ? Et qui sommes-nous ?

Ahern leva les yeux au ciel, l'air accablé.

— Vénérés esprits du bien, comment me suis-je fourré dans ce pétrin ? (Il s'ébroua.) Vous dormez depuis hier. Toute la nuit. Plus la journée d'aujourd'hui. Et vous vous appelez Ruben Rybnik.

— Ruben… J'aime ce prénom.

— Et moi, qui suis-je ? demanda la femme.

— Elda Rybnik.

— Nous portons le même non ? s'étonna Ruben. Serions-nous parents ?

— Oui et non… Vous êtes mari et femme. C'est un lien familial, en somme…

— Ahern, fit le vieil homme, je crois que nous méritons quelques explications.

— Ça, je m'y attendais… Vous êtes Ruben et elle Elda, mais ce ne sont pas vos vrais noms. Vous m'avez dit qu'il valait mieux, pour le moment, que je ne vous les révèle pas.

— Vous nous avez enlevés ! En nous frappant sur la tête, ce qui nous a fait perdre la mémoire !

— Non. Calmez-vous un peu, et je vous expliquerai…

— Dépêchez-vous, avant que je vous assomme avec ma canne !

— Ça ne valait pas le coup…, marmonna Ahern. Même pour de l'or, j'aurais dû rester loin de tout ça.

Il entra dans le coche, s'assit à côté de Ruben et ferma la portière pour barrer le chemin aux flocons de neige tourbillonnants.

— Ne vous gênez pas…, marmonna Ruben. Faites comme chez vous.

— Bon, à présent, vous allez m'écouter ! grogna Ahern, ignorant la remarque acerbe. Vous étiez malades tous les deux, et vous m'avez chargé de vous conduire chez trois femmes… (Il baissa le ton.) Des magiciennes !

— Pas étonnant que nous ayons la tête en capilotade ! couina Ruben. Vous nous avez conduits chez des magiciennes… et elles nous ont envoûtés !

— Du calme, vieux hibou ! Ruben, vous êtes un sorcier. Et vous, Elda, une magicienne.

— Moi, un sorcier ? s'écria Ruben. Impossible ! Sinon, vous seriez déjà transformé en crapaud !

— Vous avez perdu vos pouvoirs…, soupira Ahern.

— Admettons, fit Ruben en bombant le torse. Étais-je un sorcier doué ?

— Assez pour me plaquer les doigts sur les tempes et implanter dans mon cerveau l'idée stupide de vous aider. Il paraît, selon vous, que les sorciers doivent parfois utiliser les gens pour accomplir ce qui doit l'être. Le fardeau de la profession, à vous en croire… Mais, toujours selon vous, je vous aurais secourus de toute façon, donc vous avez simplement stimulé ma « bonté naturelle », histoire que je me décide plus vite. Tout ce boniment, plus quelques pièces supplémentaires, et me voilà dans la mouise jusqu'au cou… Moi qui ne supporte pas ces foutus sorciers et leur magie !

— Je suis une magicienne ? intervint Elda. Aveugle…

— Eh bien, pas exactement, ma dame… Vos yeux étaient morts, mais avec votre don, vous pouviez voir mieux que moi.

— Alors, pourquoi suis-je aveugle, à présent ?

— Vous et votre… mari… aviez une maladie. Une infection de magie maléfique, ou un truc comme ça. Les trois magiciennes ont accepté de vous aider. Mais pour vous sauver, elles ont dû vous administrer une décoction qui a… hum… chassé votre don. Comme j'ai attendu dehors, je n'en sais pas plus. Mais c'est ce que vous m'avez raconté avant d'aller voir les femmes pour la dernière fois.

— Vous ne nous vendriez pas des salades, par hasard ? grogna Ruben.

— La maladie se nourrissait de votre « bonne » magie, continua Ahern, méprisant la remarque. Je n'en sais pas plus, et je refuse d'en apprendre davantage. Mais je vous répète mot pour mot ce que vous m'avez dit avant de perdre la boule.

— Donc, nous n'avons plus de pouvoir.

— D'après ce que j'ai compris, on ne se débarrasse pas vraiment de la magie. Ces femmes vous ont fait oublier votre passé, pour que vous soyez incapables de localiser votre don. Du coup, le pouvoir maléfique ne peut pas non plus… Vous pigez ? Parce que moi, ça me donne mal à la tête, vos histoires. Mais en gros, vous ne savez plus qui vous êtes, vos pouvoirs ont fichu le camp, et Elda n'y voit plus.

— Pourquoi ces magiciennes ont-elles accepté de nous soigner ?

— À cause d'Elda… Il paraît qu'elle est une légende parmi les magiciennes de Nicobarese. Rapport à un truc qu'elle a fait lorsqu'elle y vivait, dans sa jeunesse.

— Ce doit être vrai…, grogna Ruben en dévisageant le cocher. Elda, c'est sûrement vrai. Qui inventerait une histoire aussi absurde ? Qu'en penses-tu ?

— La même chose que toi… Il dit la vérité.

— Bravo ! s'exclama Ahern. Maintenant, passons à la partie que vous n'allez pas aimer.

— Quand récupérerons-nous nos pouvoirs ? Et nos souvenirs ?

— C'est ça que vous allez détester. Les magiciennes doutent que vous les retrouviez un jour. Vous pigez ?

Un long silence régna dans le coche.

— Et pourquoi aurions-nous accepté de courir un tel risque ? demanda enfin Ruben.

— Parce que vous n'aviez pas le choix. Vous étiez très malades, et Elda, sans traitement, serait déjà morte. Vous, il vous resterait à présent un jour ou deux. C'était la seule solution.

— Dans ce cas, fit Ruben, nous avons pris la décision qui s'imposait. Si nos souvenirs ne nous reviennent pas, nous recommencerons nos vies sous l'identité de Ruben et Elda.

— C'est un peu plus compliqué que ça… Avant votre amnésie, vous m'avez dit que vous devriez impérativement recouvrer vos pouvoirs. Pour empêcher je ne sais quelle catastrophe de détruire le monde. Des âneries de sorcier, d'après moi. Mais vous sembliez y croire dur comme fer. Et selon les magiciennes, avez-vous ajouté, si la mauvaise magie vous quittait pour de bon, vous auriez une chance de redevenir vous-mêmes.

— De quelle catastrophe s'agissait-il ? Et que devais-je faire ?

— Vous ne l'avez pas précisé, sous prétexte que je n'aurais rien compris.

— Et que devons-nous faire pour récupérer nos pouvoirs ?

— Pour avoir une *possibilité* de les récupérer, souligna Ahern. Les magiciennes ne vous donnaient pas beaucoup de chances d'y parvenir. Pour que ça arrive, il faudra un choc émotionnel. Très fort…

— Quel genre de choc ?

— Une colère noire, par exemple. Si vous êtes vraiment furieux…

— Allez-vous me tabasser pour me mettre en rogne ?

— Non. Un truc aussi simple ne marcherait pas, m'avez-vous dit. Il faudrait un choc émotionnel, mais vous ne saviez pas lequel. Ni comment le provoquer. Si ça marche, la colère sera dévastatrice, à cause de la magie. Il paraît que vous n'avez pas le choix, parce que vous mourrez si vous ne faites rien.

— Ouais…, fit Ruben, dubitatif. Au fait, où nous conduit ce coche ?

— En Aydindril.

— Aydindril ? Je n'ai jamais entendu parler de ce bled. C'est loin ?

— Aydindril est le foyer des Inquisitrices, de l'autre côté des monts Rang'Shada. Il nous faudra encore des semaines de voyage. Peut-être un mois. Nous devrions arriver autour du solstice d'hiver, la plus longue nuit de l'année…

— Un sacré voyage, en effet, marmonna Ruben. Pourquoi voulais-je aller là-bas ?

— Pour entrer dans la Forteresse du Sorcier… Il faut du pouvoir pour y accéder, et comme vous n'en avez pas, vous m'avez révélé une astuce. J'ai cru comprendre que vous étiez un sacré garnement, qui avait découvert un moyen d'entrer et de sortir en douce de la Forteresse.

— Et j'ai dit que toute cette affaire était urgente ?

— Oui.

— Alors, que fichons-nous ici à bavarder ?

Après une soirée passée à congratuler des gens, Kahlan n'eut aucun mal à sourire à la femme qui se tenait devant elle. Vêtue d'une somptueuse robe bleu marine, cette courtisane assurait avec emphase que tout le monde, au palais, s'était rongé les sangs pendant l'absence de la Mère Inquisitrice. Son hypocrisie, hélas, était aussi visible que celle des autres. Kahlan avait passé une bonne partie de sa vie à entendre les discours faussement généreux et amicaux d'êtres rongés par la cupidité. Et ça la rendait malade.

Elle aurait donné cher pour qu'un seul de ces beaux parleurs jette enfin le masque et dise à haute voix combien il la haïssait. Car tous ces nobles sans foi ni loi lui en voulaient de les empêcher de saigner à blanc les Contrées du Milieu et leurs populations.

Enfin, pas tous, se corrigea-t-elle. Il pouvait y avoir des exceptions…

En écoutant d'une oreille distraite, l'Inquisitrice se demanda comment aurait réagi cette digne épouse d'ambassadeur bardée de bijoux en la voyant nue sur un cheval, peinte en blanc et couverte de sang. Un évanouissement fort à propos, sans nul doute…

Quand la femme marqua enfin une pause pour reprendre son souffle, Kahlan la remercia de sa sollicitude et s'éloigna à grands pas. Il fallait qu'elle mette un terme à cette soirée ! Le lendemain, très tôt, une réunion cruciale du Conseil l'attendait…

Captant son reflet dans un miroir, la jeune femme eut l'impression qu'elle venait de se réveiller d'un très long rêve pour découvrir… qu'elle n'avait pas changé. La Mère Inquisitrice, vêtue de sa robe blanche, au palais d'Aydindril…

Une illusion ! La femme qu'elle était aujourd'hui n'avait plus rien à voir avec celle de jadis, comme si elle avait vieilli de cent ans en quelques mois.

Alors qu'elle atteignait la sortie, une autre dame somptueusement vêtue l'accosta. Kahlan plissa aussitôt le front, frappée par un détail étrange. Les cheveux de cette courtisane étaient bien trop courts pour quelqu'un qui arborait une tenue pareille et des bijoux aussi coûteux.

— Mère Inquisitrice, dit l'inconnue en lui barrant le passage, je dois vous parler. C'est très urgent.

— Désolée, mais j'ai peur de ne pas vous connaître…

— Vous ne m'avez jamais vue, en effet… Pourtant, nous avons un ami en commun.

En parlant, la courtisane ne cessait de sonder la foule. Apercevant au loin une vieille femme à l'air revêche qui regardait dans leur direction, elle lui tourna vivement le dos.

— Mère Inquisitrice, êtes-vous venue seule en Aydindril ? Ou avez-vous amené… quelqu'un ?

— Un ami, Chandalen, m'a accompagnée. Mais il a préféré passer la nuit dans la forêt. Pourquoi cette question ?

— Ce n'était pas le nom que j'espérais entendre… Mère Inquisitrice, vous devez…

La voix de l'inconnue mourut et elle écarquilla les yeux, comme pétrifiée sur place.

— Que se passe-t-il ? demanda Kahlan.

On eût dit que la femme venait de voir des fantômes.

— Vous… vous…

Blanche comme un linge, l'inconnue recula d'un pas. La soudaine pâleur de ses épaules, sous le tissu noir transparent de sa robe, lui conféra l'allure d'un spectre en tenue de soirée. Terrorisée, elle essaya en vain de continuer à parler.

Ses yeux se révulsèrent. Kahlan tendit un bras. Trop tard. Sa mystérieuse interlocutrice s'écroula sur le sol.

Kahlan et d'autres convives se penchèrent sur elle. Dans la foule qui s'était formée, attirée par l'incident, des murmures coururent au sujet d'un « excès de boisson » plutôt inconvenant.

— Jebra ! s'écria la vieille femme en se frayant un chemin à grands coups de coude parmi les curieux. Je savais bien que c'était elle !

Kahlan releva les yeux.

— Vous connaissez cette femme ? Tout d'abord, qui êtes-vous ?

S'avisant qu'elle parlait à la Mère Inquisitrice, la courtisane s'inclina bien bas.

— Je suis dame Ordith Condatith de Dackidvich, Mère Inquisitrice. Vous rencontrer enfin est un grand bonheur. J'attendais impatiemment de vous dire…

— Qui est cette femme ? coupa Kahlan. Vous le savez ?

— Si je le sais ? Et comment ! C'est ma servante, Jebra Bevinvier. Cette fichue paresseuse recevra une sacrée correction !

— Une servante, elle ? lança un homme. Voilà qui m'étonnerait. J'ai dîné avec elle, et je peux vous assurer que c'est une authentique dame.

— Elle s'est fichue de vous ! couina Ordith.

— Dans ce cas, railla l'homme, vous devez la payer grassement. Elle fréquente les meilleures auberges et paye tout en pièces d'or.

Dame Ordith gratifia son contradicteur d'un sourire méprisant et tira un garde par sa manche.

— Toi ! Conduis cette garce dans mes quartiers, à l'ambassade de Kelton. Je saurai le fin mot de cette histoire.

Kahlan se releva et foudroya la vieille femme du regard.

— Il n'est pas question de vous confier cette malheureuse. Sauf si vous prétendez donner des ordres à la Mère Inquisitrice, dans son palais.

Dame Ordith marmonna des excuses. Sans la quitter des yeux, Kahlan claqua des doigts à l'intention de plusieurs gardes, qui accoururent aussitôt.

— Conduisez dame Jebra dans une chambre d'amis… Qu'une servante lui apporte du thé au gingembre, des serviettes imbibées d'eau froide pour sa tête et tout ce qu'elle voudra d'autre. J'ordonne que personne ne la dérange, y compris dame Ordith. Je me retire pour la nuit, et j'entends aussi qu'on me laisse en paix. Demain, après la séance du Conseil, qu'on fasse venir dame Jebra dans mes quartiers.

Les gardes saluèrent et soulevèrent délicatement Jebra.

Lorsque Kahlan arriva devant sa chambre, la vue de deux soldats keltiens, en faction devant la porte, la tira de ses sombres réflexions. Dès que les gardes l'aperçurent, l'un d'eux tapa nonchalamment à la porte avec l'embout de sa lance.

Il y avait quelqu'un chez elle…

Kahlan foudroya du regard les deux hommes, qui ne bronchèrent pas, puis entra.

Personne dans la première pièce. Passant dans la chambre, elle se pétrifia en apercevant le prince Fyren, debout sur son lit, où il urinait sans complexe.

Quand il eut vidé sa vessie, il se retourna en finissant de refermer sa braguette.

— Que faites-vous donc ? souffla Kahlan.

Le prince sauta à terre et se dirigea vers la sortie.

— J'étais venu montrer à la Mère Inquisitrice à quel point nous sommes ravis qu'elle soit de retour. Bonne nuit, très chère…

Dès qu'il fut parti, Kahlan tira six fois sur le cordon de sa sonnette. Retournant dans le couloir, elle vit arriver six servantes à bout de souffle.

— Vous désirez quelque chose, Mère Inquisitrice ?

— Sortez mon lit et ma literie dans la cour et brûlez-les !

— Mère Inquisitrice ?

— Sortez mon lit et ma literie de la chambre et incendiez-les ! Il vous faut un dessin ?

— Non, Mère Inquisitrice. Tout de suite, vous voulez dire ?

— Si j'avais désiré que vous le fassiez demain, je ne vous aurais pas appelées ce soir !

Kahlan atteignit les marches qui dominaient l'entrée principale à temps pour voir Fyren rejoindre l'homme en tunique unie qui l'attendait là. Un long moment, ses yeux noirs croisèrent le fer avec les siens.

— Gardes ! cria l'Inquisitrice. (Des soldats accoururent, le nez en l'air.) L'immunité diplomatique est levée ! Si je vois ce porc de Keltien ou un de ses hommes rôder dans le palais avant la séance du Conseil, demain matin, je vous écorcherai tous vifs après avoir tué l'insolent !

Les hommes la saluèrent, un peu blêmes. Du coin de l'œil, Kahlan aperçut dame Ordith, qui ne manquait pas une miette du spectacle.

— Dame Ordith, j'ai cru comprendre que vous résidiez à l'ambassade de Kelton. Veuillez y retourner sur-le-champ !

Se fichant comme d'une guigne des salutations polies de la vieille femme, l'Inquisitrice tourna les talons et fit signe à quelques gardes de la suivre.

Revenue devant ses appartements, elle attendit que tous se soient alignés dans le couloir.

— Si un intrus pénètre dans ma chambre cette nuit, il vaudrait mieux pour vous qu'il ait marché sur vos cadavres. Compris ?

Tous hochèrent la tête et saluèrent.

Kahlan entra, mit le manteau de fourrure sur ses épaules et sortit sur le balcon, pour contempler un triste spectacle.

Elle aurait voulu fuir à toutes jambes, mais c'était impossible. Comme toutes les Mères Inquisitrices, il lui fallait penser avant tout à son devoir : protéger les Contrées du Milieu.

Seule…

Des larmes aux yeux, elle regarda brûler le splendide lit qu'elle avait promis à Richard.

Chapitre 58

K ahlan arriva avec une heure d'avance devant l'entrée de la salle du Conseil réservée à la Mère Inquisitrice.

Elle entendait occuper le Prime Fauteuil au moment où entreraient les conseillers. Une manière de les empêcher de parler entre eux en son absence.

Ouvrant la porte, elle se pétrifia. La salle était comble. Tous les sièges des émissaires occupés, les galeries débordaient de monde : des officiels, des administrateurs et des nobles, mais aussi et surtout des gens du peuple.

Tous les regards se rivèrent sur elle quand elle avança.

Les conseillers se taisaient, l'air tendu. Quelqu'un avait osé s'asseoir sur le Prime Fauteuil ! De si loin, Kahlan ne reconnut pas l'homme, mais elle avait sa petite idée…

Elle porta la main au collier offert par Adie et pria les esprits du bien de la protéger. Puis elle continua son chemin. Quelque chose gisait sur le sol, au pied de l'estrade, mais elle ne put distinguer de quoi il s'agissait.

Quand elle se campa devant le lutrin, elle découvrit que l'occupant du Prime Fauteuil n'était pas celui qu'elle croyait.

Le cadavre du prince Fyren était étendu sur une civière, au pied de l'estrade. Le teint cireux, on lui avait croisé les bras sur sa chemise rouge de sang. Quelqu'un lui avait ouvert la gorge, manquant lui trancher la colonne vertébrale.

Son épée reposait le long de son flanc droit.

Alors, Kahlan remarqua un détail qui lui avait échappé : des soldats en armes formaient un cercle serré autour de la salle.

— Quittez mon fauteuil, dit-elle froidement au type aux yeux noirs qui s'y pavanait. Sinon, je vous tuerai de mes mains !

Comme un seul homme, les soldats tirèrent leurs épées. Sans cesser de dévisager Kahlan, l'imposteur fit un petit signe de la main. Aussitôt, mais comme à contrecœur, les gardes rengainèrent leurs lames.

— Tu ne tueras plus personne, Mère Inquisitrice. Le prince Fyren aura été ta dernière victime.

— Qui es-tu ? Et de quel droit oses-tu me tutoyer ?

— Je m'appelle Neville Ranson… (Il leva la main et une boule de feu se matérialisa au-dessus de sa paume.) Et pour répondre à ta deuxième question, les sorciers peuvent tutoyer les Inquisitrices, me semble-t-il ?

La boule de feu lévita lentement jusqu'au dôme où elle explosa en une myriade d'étincelles. Des cris de surprise saluèrent cette démonstration de puissance.

Ranson se radossa au fauteuil et s'empara d'un rouleau de parchemin.

— Nous avons une longue liste d'accusations, Mère Inquisitrice. Par où veux-tu commencer ?

Du coin de l'œil, Kahlan étudia la configuration de la salle. Pas une chance de s'échapper ! Même si elle n'avait pas été en face d'un sorcier, le piège se serait refermé sur elle.

— Comme elles sont toutes imaginaires, ça n'a aucune importance. Épargne-moi cette caricature de procès et passons tout de suite à l'exécution !

Dans un silence de mort, Ranson fronça les sourcils sans daigner sourire.

— Tout ça est très sérieux, Mère Inquisitrice… Nous ferons la lumière sur les charges qui pèsent sur toi, tu peux me croire. À l'inverse des Inquisitrices, je refuse de mettre à mort un innocent. Aujourd'hui, nous apporterons les preuves de ta trahison. Car tout le monde, ici, doit connaître le véritable visage de ton infâme tyrannie.

Kahlan se redressa, joignit les mains et adopta son masque d'Inquisitrice.

— Puisque tu n'as pas de préférence, continua Ranson, commençons par l'accusation la plus sérieuse. La trahison !

— Depuis quand défendre les peuples des Contrées est-il une trahison ?

Ranson se leva et tapa du poing sur le lutrin.

— Défendre les peuples des Contrées ? De ma vie, je n'ai jamais entendu de tels mensonges sortir de la bouche d'une femme ! (Il lissa sa tunique, sur son ventre, et se rassit.) Déclarer la guerre, c'est cela que tu appelles « défendre » les peuples ? Tu es prête à condamner à mort des milliers de malheureux pour empêcher que quelqu'un d'autre que toi exerce le pouvoir. Avec l'accord unanime du Conseil, me dois-je d'ajouter…

— Où est l'unanimité si la Mère Inquisitrice n'est pas d'accord ?

— Que vaut sa position, si seul l'intérêt la motive ?

— Et qui dirigera les Contrées du Milieu ? Kelton ? Toi ?

— Non, le bienfaiteur de tous les peuples. L'Ordre Impérial !

Kahlan en eut l'estomac retourné – et crut que le dôme venait de s'écrouler sur sa tête. Mais pas question d'être malade devant ces gens !

— L'Ordre Impérial ? Ces bouchers ont rasé Ebinissia ! Ils écrasent toute opposition pour imposer leur loi !

— Mensonges ! L'Ordre Impérial cherche simplement à faire le bien. Et à mettre un terme à *tes* crimes !

— Ces chiens ont massacré les Ebinissiens ! Et violé leurs femmes avant de les égorger !

— Allons, Mère Inquisitrice, l'Ordre Impérial n'a tué personne. (Ranson se tourna vers un homme que Kahlan ne connaissait pas.) Conseiller Thurstan, votre capitale a-t-elle été attaquée ?

— J'arrive d'Ebinissia, sorcier Ranson. Au moment de mon départ, ses habitants se portaient comme un charme. Surtout pour les victimes d'un massacre !

La foule rit de cette saillie.

— Pensais-tu, Mère Inquisitrice, jubila Ranson, que nous n'aurions pas de témoin pour démonter tes affabulations ? Tu as inventé cette histoire pour effrayer les gens et les inciter à faire la guerre.

Ranson claqua des doigts. Une femme aux vêtements usés vint se placer à côté de lui. Il l'incita gentiment à parler sans crainte.

Ses enfants, dit-elle, se couchaient l'estomac vide parce qu'elle n'avait pas d'argent. Pour les nourrir, elle avait dû se prostituer. Kahlan sut que c'était un mensonge. En Aydindril, il ne manquait pas d'organisations charitables et de particuliers prêts à aider ceux qui en avaient vraiment besoin.

Une heure durant, des « témoins » parlèrent de leurs malheurs, affirmant que le palais les laissait crever de faim avec leurs rejetons. Dans les galeries, les spectateurs les plus modestes écoutèrent avec une fascination croissante. Certains pleuraient à chaudes larmes.

Kahlan reconnut certains de ces menteurs. Quelque temps plus tôt, maîtresse Sanderholt les avait engagés au palais. Agacée de les voir paresser, et de devoir finir le travail à leur place, elle s'était résignée à les licencier.

Quand la dernière histoire larmoyante eut été racontée, Ranson se leva et s'adressa à l'assistance.

— Vous devez savoir, messires et mes dames, que la Mère Inquisitrice dispose d'un fabuleux trésor. Mais elle préfère le garder pour financer sa guerre privée contre les héros qui veulent se libérer de sa tyrannie. Elle commence par vous affamer, puis sort de sa manche un ennemi imaginaire afin de vous empêcher de penser. Avec votre argent, elle enrichit ses amis, déjà prospères, et se lance dans un conflit inique.

» Alors que vous crevez de faim, elle se remplit la panse ! Tandis que vous manquez de tout, elle achète des armes ! Et pendant que vos fils meurent sur les champs de bataille, elle se vautre dans le luxe ! Pour réduire au silence ceux qui protestent contre sa dictature, elle les fait accuser de crimes qu'ils n'ont pas commis. Avec son pouvoir, elle les force à passer aux aveux !

Dans la foule, des excités demandèrent vengeance pour ces exactions. Si ça continuait comme ça, Kahlan doutait de finir décapitée, car ces gens la tailleraient en pièces avant qu'elle n'atteigne le billot.

— En ma qualité de représentant de l'Ordre Impérial, continua Ranson, j'ordonne que le trésor d'Aydindril soit distribué au peuple. Tous les mois, chaque famille recevra une pièce d'or pour se vêtir et se nourrir. Sous le règne de l'Ordre Impérial, il n'y aura plus de famine !

Les vivats retentirent pendant cinq minutes. Jubilant, Ranson se rassit et continua à défier Kahlan du regard.

Les difficultés de la vie, l'Inquisitrice le savait, n'étaient pas aussi simples à résoudre. En la matière, ce qui passait pour de la générosité pouvait s'avérer cruel. En six mois, calcula-t-elle de tête, le trésor serait épuisé. Qu'arriverait-il après, alors que les gens auraient arrêté de travailler pour subvenir à leurs besoins ? La famine ferait vraiment rage, et plus rien ne l'endiguerait.

Quand la foule se tut, Ranson se releva.

— Nul ne peut savoir combien d'innocents sont morts de faim ou ont péri à la guerre à cause de toi, Mère Inquisitrice. Qui pourrait douter que tu aies trahi les Contrées du Milieu ? Les choses étant claires, je ne vois pas l'intérêt d'écouter d'autres témoignages. (Les conseillers acquiescèrent.) Nous te déclarons donc coupable de trahison !

La foule explosa de joie.

Kahlan ne broncha pas, son masque d'Inquisitrice impénétrable. Ranson avait lu des accusations si ridicules qu'il avait eu du mérite à ne pas éclater de rire. Ensuite, des « témoins » avaient raconté des histoires tellement absurdes qu'elles auraient dû déclencher l'hilarité générale.

Mais personne n'avait ri…

Des gens qu'elle n'avait jamais rencontrés vinrent raconter ce qu'ils savaient – d'expérience ! – sur les turpitudes des Inquisitrices. Un ramassis de sornettes qui courait parmi le peuple, les pires visant bien entendu la *Mère* Inquisitrice.

Elle avait, comme ses collègues, sacrifié son existence pour protéger des ingrats qui préféraient croire des monstruosités. Quand un témoin affirma que les Inquisitrices mangeaient régulièrement de la chair humaine pour entretenir leur pouvoir, elle crut que l'accusation était allée trop loin. Mais il n'y eut pas de protestations. Comment son peuple pouvait-il gober de tels mensonges sur elle ?

Kahlan cessa très vite d'écouter. Pendant que Ranson récitait des accusations fantaisistes et produisait de faux témoins, elle repensa à Richard, tentant de se remémorer leurs bons moments ensemble.

— Tu trouves ça amusant ? lança soudain Ranson.

Kahlan s'aperçut qu'elle souriait.

— Pardon ?

Une femme, debout à la « barre » sanglotait dans un mouchoir. L'Inquisitrice lui jeta un coup d'œil, puis regarda de nouveau Ranson.

— Navrée, mais j'ai loupé son numéro…

La foule grogna de colère.

— Nous te déclarons coupable d'avoir utilisé ton pouvoir sur des enfants !

— Quoi ? C'est de la folie ! Des enfants !

Ranson désigna la pleureuse.

— Elle vient de nous apprendre que son fils a disparu. D'autres mères ont perdu ainsi leurs chers petits. Nous savons maintenant qu'ils étaient livrés aux Inquisitrices, pour qu'elles s'entraînent sur eux. En ma qualité de sorcier, je peux attester que c'est vrai.

— J'ai mal à la tête, dit Kahlan. Vous n'auriez pas l'obligeance de me la couper ?

— C'est pénible, n'est-ce pas, Mère Inquisitrice ? Être démasquée devant tant de gens… Voir étaler au grand jour ses pires abominations…

— Je suis seulement navrée d'avoir consacré ma vie aux Contrées du Milieu. Si j'avais deviné qu'on me « récompenserait » ainsi, je me serais davantage occupée de moi-même. Et ces peuples auraient su ce qu'est la vraie tyrannie.

— Toute ta vie, tu as travaillé pour le Gardien ! beugla Ranson. C'est lui, ton vrai maître ! Tu voulais lui offrir nos âmes à tous, avoue-le !

La foule cria de rage, menaçant de déborder le cordon de sécurité pour faire justice elle-même. Mais les soldats l'en dissuadèrent sans trop de peine.

Kahlan balaya l'assistance du regard.

— Je vous confie aux bons soins de l'Ordre Impérial, dit-elle. Désormais, je ne lèverai plus le petit doigt pour vous. Vous avez voulu croire à ces mensonges ? Supportez-en les conséquences ! Un jour, vous regretterez d'avoir attiré le malheur sur vos têtes. Moi, je serai morte, et je m'en réjouis d'avance. Ça m'épargnera la tentation de vouloir vous aider ! Mon seul regret en quittant ce monde ? Avoir gaspillé mes larmes à pleurer sur votre sort ! Soyez heureux avec le Gardien, c'est tout ce que vous méritez !

Elle se tourna vers Ranson.

— Qu'on en finisse ! Coupez-moi la tête, et vite, car cette mascarade me donne la nausée. Tu as gagné, sorcier ! Et l'Ordre Impérial aussi. Tue-moi, que j'aille dans le royaume des morts, où je n'aurai plus jamais l'idée idiote de secourir les autres. Je confesse tout ce que vous voulez ! Coupable sans circonstances atténuantes ! De tous les crimes possibles et imaginables. (Elle baissa les yeux sur la dépouille de Fyren.) À part d'avoir tué ce porc. Je regrette de ne pas l'avoir fait, mais il serait injuste de m'attribuer le mérite de quelqu'un d'autre.

— Un dernier mensonge avant le grand départ, Mère Inquisitrice ? Tu ne peux même pas avouer ce crime-là ?

Dame Ordith vint à la barre assurer qu'elle avait entendu Kahlan menacer de mort le prince Fyren. Les conseillers murmurèrent entre eux, car ils avaient aussi assisté à la scène.

— C'est ça, votre preuve ? demanda Kahlan.

— Qu'on fasse venir le témoin principal, dit Ranson. Tu vois, Mère Inquisitrice, nous savons tout. Une de tes amies s'est entêtée à te couvrir, mais nous avons réussi, sans lésiner sur les moyens, à lui éclaircir les idées.

Soutenue par deux gardes, maîtresse Sanderholt entra dans la salle. Livide, les yeux cernés, elle semblait avoir perdu toute sa vitalité. Voyant qu'elle tenait les mains loin de son corps, comme si elle redoutait tout contact, Kahlan s'aperçut qu'on lui avait arraché les ongles, sans doute avec une tenaille.

— Dis-nous ce que tu sais, femme ! ordonna Ranson.

Maîtresse Sanderholt serra les dents. À l'évidence, elle n'avait pas l'intention de parler.

— Témoigne ! beugla Ranson. Veux-tu être accusée de complicité de meurtre ?

— Maîtresse Sanderholt..., dit Kahlan. (La femme tourna la tête vers elle.) Je connais la vérité, et vous aussi. C'est tout ce qui compte. Avec ou sans votre aide, ces gens iront jusqu'au bout de leur machination. Je refuse que vous souffriez à cause de moi. Dites-leur ce qu'ils ont envie d'entendre.

— Mais...

— Maîtresse Sanderholt, je vous ordonne de témoigner contre moi ! Allez-vous désobéir à la Mère Inquisitrice ?

Après avoir souri à Kahlan du coin des lèvres, la femme se tourna vers Ranson.

— J'ai vu la Mère Inquisitrice se glisser derrière le prince Fyren et lui couper la gorge. Il n'a pas eu une chance de se défendre.

— Merci, maîtresse Sanderholt, dit Ranson. Bien qu'étant son amie, vous avez tenu à offrir la vérité au Conseil et au peuple… C'est bien cela, n'est-ce pas ?

— Oui, répondit maîtresse Sanderholt, des larmes ruisselant sur ses joues. Même si je l'aime, je devais révéler au peuple à quel point elle est malfaisante.

Quand on eut fait sortir le « témoin », et voté à l'unanimité la culpabilité de Kahlan, Ranson demanda le silence et prit la parole.

— La Mère Inquisitrice, mes amis, a bien commis tous ces crimes, et elle n'a pas de circonstances atténuantes. (La foule hurla de satisfaction et réclama une exécution immédiate.) N'ayez crainte, elle sera décapitée, mais pas aujourd'hui. (D'un geste agacé, il fit taire les protestations.) Cette femme a attenté au bien-être et à la vie de tous les habitants des Contrées. Ils doivent savoir que justice est faite et pouvoir décider, s'ils le désirent, de venir assister à son exécution. En conséquence, celle-ci aura lieu dans quelques jours.

Ranson descendit de la plate-forme et vint se camper devant l'Inquisitrice.

— Penserais-tu à utiliser ton pouvoir sur moi, femme ?

C'était exactement ce que Kahlan préméditait, même si elle savait qu'elle n'y survivrait pas.

— Eh bien, tu n'en auras pas l'occasion. Vois-tu, je vais te dépouiller de trois choses précieuses. D'abord, de ton pouvoir et de ce qui le symbolise. Ensuite, de ta dignité. Et enfin, de ta vie…

Kahlan se jeta sur lui. Impossible, il la regarda avancer de quelques pouces puis s'immobiliser, prisonnière d'une force invisible.

Le sorcier leva une main.

Kahlan vit un éclair jaillir vers elle. Quand il la percuta, elle hurla, glacée jusqu'aux os comme si elle était tombée dans un étang en plein hiver. Des larmes plein les yeux, elle ne put s'empêcher de trembler…

On eût dit qu'on lui déchiquetait la poitrine de l'intérieur. Criant de douleur, elle s'aperçut vaguement qu'elle était tombée à genoux.

Ranson lui passa une main au-dessus de la tête.

La souffrance cessa, remplacée par une atroce panique. Kahlan ne sentait plus son pouvoir ! À la place de ce compagnon familier, il ne restait qu'un vide désolé.

Combien de fois avait-elle souhaité qu'on la débarrasse de sa magie ? Sans imaginer, bien sûr, que ce serait une torture…

Elle se sentait comme nue devant cette foule haineuse.

Elle parvint pourtant à s'arrêter de pleurer. Ces chiens ne méritaient pas de voir couler les larmes de la Mère Inquisitrice. Non – celles de *Kahlan Amnell* !

Ranson dégaina l'épée du prince Fyren et vint se placer derrière la jeune femme. Il lui prit les cheveux de la main gauche, lui arrachant un nouveau cri, et les coupa à ras de sa nuque.

Une perte presque aussi douloureuse que celle du pouvoir ! La crinière que Richard aimait tant !

Kahlan se mordit les lèvres pour ne pas pleurer.

Ranson brandit son trophée et des applaudissements crépitèrent. Le regard dans le vide, l'Inquisitrice déchue ne broncha pas quand des soldats vinrent lui lier les poignets dans le dos.

— Mère Inquisitrice, la première partie de mon programme est accomplie, dit Ranson. Vous venez de perdre votre pouvoir et son symbole. À présent, passons à la deuxième étape.

Kahlan ne desserra pas les lèvres – qu'aurait-elle pu dire ? – tandis que le sorcier et une poignée de gardes la faisaient descendre dans les entrailles du palais. Sa destination finale lui étant indifférente, elle pensait à Richard, avec l'espoir qu'il n'oublierait jamais à quel point elle l'aimait. Perdue dans ses souvenirs, elle s'isola d'un monde qu'elle quitterait bientôt, de toute façon. Car les esprits du bien l'avaient abandonnée.

La suite ne l'intéressait plus. Privée de son pouvoir, elle était déjà morte… Étrange qu'elle n'ait jamais remarqué, jusqu'à ce qu'elle lui soit arrachée, combien sa magie était une part vitale d'elle-même. Les gens privés de pouvoir évoluaient-ils toute leur vie dans cette espèce d'hébétude brumeuse ?

Exister sans la magie était tout simplement impossible !

Alors, que la mort vienne vite, pour la débarrasser de cette sensation de vide.

Seul Richard l'avait acceptée totalement – avec son pouvoir. Elle-même n'y était pas parvenue… Et maintenant, il était trop tard ! La perte de la magie la désespérait plus que la fin imminente de son existence. Sachant désormais ce qu'éprouvaient les autres créatures magiques quand ça leur arrivait, elle pleurait sur leur sort.

Ranson tendit un bras, la forçant à s'arrêter et à revenir un bref instant dans le monde des vivants.

Devant elle, un garde tentait d'ouvrir une serrure rouillée. Kahlan reconnut cet endroit, où elle avait parfois recueilli des confessions.

— C'est l'heure de tenir ma deuxième promesse, Mère Inquisitrice, annonça le sorcier. Dis adieu à ta dignité !

Kahlan cria quand il saisit les cheveux qui lui restaient, la forçant à baisser la tête. La tenant d'une main de fer, l'homme lui posa un baiser sur le cou.

À l'endroit exact où Darken Rahl l'avait embrassée.

Les mêmes visions d'horreur déferlèrent dans sa tête. Puis elle revit les suppliciées d'Ebinissia. Mais cette fois, elle gisait morte parmi elles.

— Je t'aurais bien violée moi-même, souffla Ranson, mais ton sens de l'honneur me dégoûte.

La porte enfin ouverte, il jeta sa proie impuissante dans l'oubliette.

Chapitre 59

Kahlan cria en se sentant tomber dans le vide. Mais elle n'eut pas le temps de se demander à quoi ressemblerait l'impact, car des mains rugueuses la rattrapèrent au vol et la plaquèrent sur le sol.

Elle entendit la porte se refermer, en haut, oblitérant toute lumière, à part celle de la torche fixée à un support, contre un mur de l'oubliette.

Des hommes aux trognes de cauchemar l'entouraient, la palpant comme des maquignons.

Les mains liées dans le dos, l'Inquisitrice comprit qu'elle était perdue. Sûrement pas une raison pour se laisser faire ! Elle flanqua un coup de genou dans le bas-ventre d'un type puis propulsa son pied vers le nez d'un autre. Étendue sur le dos, elle était dans une position idéale pour se servir de ses jambes…

Les brutes reculèrent. Hélas, des mains s'accrochèrent à ses chevilles. Kahlan battit des jambes, roula sur le flanc, parvint à se dégager et se recroquevilla dans un coin.

Un répit momentané. Les types lui immobilisèrent de nouveau les jambes.

Sans cesser de se débattre, la jeune femme essaya de réfléchir. Une vague idée, liée à Zedd, lui traversa l'esprit, trop fugace pour qu'elle puisse l'exploiter.

Des mains relevèrent sa robe, remontèrent le long de ses cuisses, s'accrochèrent à sa culotte et la firent glisser jusqu'à ses chevilles. Le contact de la peau calleuse des violeurs, sur la sienne, la fit frissonner de dégoût. Continuant à résister comme une furie, elle dut aussi lutter contre la panique qui menaçait de la priver de ses moyens.

Deux hommes étaient hors de combat pour l'instant. L'un gémissait en se tenant l'entrejambe. L'autre, le nez éclaté, pissait le sang comme une fontaine. Mais il en restait dix, avides de s'approprier une proie si tentante. Ils se battaient, chacun essayant de se coucher sur elle avant les autres.

Au prix d'un terrible effort, l'Inquisitrice parvint à développer l'embryon d'idée qu'elle avait eu un peu plus tôt. Un jour, elle avait demandé à Zedd s'il pouvait la débarrasser de son pouvoir, afin qu'elle puisse aimer Richard. Le vieux sorcier avait été catégorique : une Inquisitrice naissait avec sa magie et la gardait jusqu'à son dernier souffle.

Alors, comment Ranson avait-il réussi à l'en priver ? Zedd était un sorcier du Premier Ordre – ce qui se faisait de plus puissant dans sa confrérie. Ranson pouvait-il être meilleur que lui ? Probablement pas. Et pourquoi s'était-il privé du plaisir de la violer ? Son histoire de dégoût ne tenait pas, puisqu'il désirait la priver de sa dignité. Donc, il devait y avoir une autre raison.

Avait-il eu peur qu'elle ne découvre quelque chose ? Mais quoi ?

Alors, la lumière se fit dans son esprit.

La Première Leçon du Sorcier !

Les gens croient n'importe quoi parce qu'ils ont envie d'y croire. Ou parce qu'ils ont peur que ça ne soit vrai...

Kahlan redoutait que Ranson l'ait privée de son pouvoir. Et s'il l'avait fait souffrir pour qu'elle ne sente plus sa propre magie ? Un simple truc pour lui faire gober un énorme mensonge...

Alors que les types continuaient à la harceler, elle tenta d'accéder à son pouvoir. D'abord, se concentrer, et retrouver l'endroit où...

Non, il n'y avait rien ! Du vide... Un vide atroce...

Elle faillit crier en sentant une main s'insinuer entre ses cuisses, mais réussit à se retenir. Qu'elle perde sa lucidité, et c'en serait fini de ses maigres chances. Malgré ses efforts, le pouvoir lui échappait toujours. Mais si elle réussissait au moins à se faire détacher les mains...

— Arrêtez ! cria-t-elle.

Les types hésitèrent, se consultant du regard.

Parle ! s'ordonna Kahlan. *Dans trois secondes, il sera trop tard.*

— Vous vous y prenez très mal ! lança-t-elle.

— Peut-être bien, ma poulette, mais on finira par y arriver quand même !

Kahlan bloqua sa peur et réfléchit à toute vitesse. Ces brutes avaient un objectif, et elle ne les en détournerait pas. Se battre comme une folle ne servait à rien, sauf à exacerber sa panique. Le seul espoir était d'utiliser son intelligence. Elle devait ralentir ses agresseurs pour se donner le temps de penser.

— En vous y prenant comme ça, vous allez vous gâter le plaisir...

— Que veux-tu dire ? lança un des hommes.

— En vous battant contre moi, et entre vous, vous ne m'apprécierez pas à ma juste valeur.

— C'est pas idiot, grogna un des violeurs. La reine n'était plus un très bon coup, quand elle s'est évanouie.

— La reine ? souffla Kahlan. Quelle reine ? Les gars, je parie que vous me faites marcher ! Vous n'avez pas eu une reine ?

— Cyrilla, qu'elle s'appelait, fit un des types. Elle s'est évanouie... Après son réveil, il devait y avoir un truc de pété dans son cerveau. Un vrai tas de viande froide. Mais on se l'est tapée quand même. Une reine, c'est pas tous les jours...

Kahlan lutta pour ne pas recommencer à ruer et à hurler. Si elle cédait à l'horreur de ce qu'elle venait d'apprendre, elle connaîtrait le même sort que sa demi-sœur...

Il lui fallait un instant de répit pour accéder à son pouvoir. Et si par miracle elle le retrouvait, les gibiers de potence devaient être le plus loin possible. Sinon, les neuf restants submergeraient son « élu ». Bref, elle devait tout préparer, au cas où sa magie fonctionne de nouveau. Et il serait impératif qu'elle « touche » le type le plus costaud du lot.

Un instant, elle faillit baisser les bras, craignant que sa tactique ne la sauve pas, ou pire, qu'elle n'ait pas les nerfs assez solides pour aller jusqu'au bout. Puis elle comprit, glacée jusqu'aux os, que ça n'avait aucune importance. Si elle échouait, tant pis ! De toute façon, en ne tentant rien, elle serait violée à coup sûr.

— Ce que vous venez de dire, au sujet de la reine…, fit-elle. Eh bien, c'est tout à fait ça ! Nous allons être ensemble plusieurs jours. Si je coopère, vous aurez beaucoup plus de plaisir.

La jeune femme crut qu'elle allait vomir.

— Continue à parler, dit le plus musclé des types.

— Eh bien… hum… ça va être ma première fois, vous comprenez ?

Les violeurs se réjouirent de leur bonne fortune. Elle les laissa faire, ravie de ce répit supplémentaire.

— Donc, reprit-elle quand ils se furent calmés, je suis une débutante, et je sais que vous… hum… m'aurez quoi que je fasse. Alors, j'aimerais mieux que ça… me plaise.

— Et qu'est-ce qui te fait envie, ma poulette ? demanda le costaud.

— Vous avoir les uns après les autres… Ça ne serait pas mieux pour vous ? Si vous ne vous battez pas, chacun attendant son tour, vous profiterez à fond de tout ce qu'une jolie femme peut offrir à un homme.

Deux types lui saisirent les chevilles et lui écartèrent les jambes en déclarant qu'ils préféraient faire ça à leur façon. Le costaud les écarta sans ménagements, les envoyant valdinguer contre le mur.

— Laissez-la parler ! grogna-t-il. C'est pas idiot, je vous dis ! Ma poulette, nous écoutons ta proposition.

Kahlan tenta de paraître très assurée… et intéressée par ces perspectives érotiques.

— Si vous acceptez ma proposition, je ne vous refuserai rien. Et croyez-moi, ça vous plaira !

Quelques-uns des hommes gloussèrent lubriquement.

— Comment être sûrs que tu dis la vérité ? demanda le costaud, soupçonneux.

— Parce que j'aimerai ça autant que vous, fit Kahlan en empêchant sa voix de trembler. Détachez-moi les mains, et vous verrez que je ne vous raconte pas d'histoires.

Elle se pencha en avant pour que le colosse dénoue les cordes. Un autre type en profita pour lui peloter les seins, mais elle réussit à garder son calme.

Quand elle eut les mains libres, elle se massa les poignets, puis sourit à l'homme et lui caressa la joue.

— Assez de boniment ! dit-il en écartant ses doigts. Tu as intérêt à ne pas nous avoir raconté des craques.

Kahlan mobilisa toute sa volonté puis s'adossa au mur. Elle remonta sa robe jusqu'à la taille, releva les genoux, écarta les jambes et regarda bravement le costaud.

— Touche-moi !

Trois autres types tendirent le bras.

— J'ai dit un à la fois ! cria l'Inquisitrice en chassant ces mains exploratrices. (Elle chercha le regard du colosse et demanda :) Quel est ton nom ?

— Tyler…

— Un à la fois, c'est la règle. Tyler, touche-moi…

Un concert de souffles rauques résonna contre les murs. Tyler tendit la main et obéit à Kahlan, qui dut lutter contre sa répulsion pour garder les genoux écartés. Espérant que l'homme ne la sentirait pas trembler, elle se força à respirer lentement.

Tyler sourit de toutes ses dents quand sa grosse paluche se posa à l'endroit le plus intime de la jeune femme.

Elle le repoussa doucement et serra les genoux.

— Tu vois ? N'est-ce pas plus plaisant qu'une femelle effarouchée qui s'évanouit dès qu'on la touche et ne réagit plus ?

Les autres hommes approuvèrent avec enthousiasme.

— Tu ressembles à une de ces Inquisitrices de malheur, grogna Tyler, toujours méfiant.

— Une Inquisitrice ? Tu as vu mes cheveux ? Tu crois qu'elles les portent aussi courts ?

— Non… Mais ta robe…

— Sa propriétaire ne l'avait pas mise et je la lui ai empruntée…

— D'après ce que je sais, on ne décapite pas les gens pour avoir volé une robe. Qu'est-ce qui t'a valu un séjour avec nous ?

— Je n'ai rien fait du tout ! Je suis innocente !

Les hommes éclatèrent de rire. Eux aussi avaient la conscience tranquille, ironisèrent-ils.

Tyler ne rit pas avec eux. À voir son regard mauvais, Kahlan comprit qu'elle devait faire quelque chose. Et vite !

Le cœur battant la chamade, elle lui prit la main, la remit entre ses jambes et serra très fort les cuisses.

Tyler en oublia instantanément ses soupçons.

— Comment veux-tu que nous procédions ? demanda-t-il.

— Je… hum… m'offrirai à vous ici. Pendant que je serai avec un homme, les autres s'éloigneront au maximum, pour que je puisse apprécier sans gêne les… événements… (Elle regarda Tyler et se passa la langue sur les lèvres.) Il y a une autre condition. Je veux que tu sois le premier. Depuis toujours, je rêve d'un colosse comme toi…

En voyant briller le regard de l'heureux élu, Kahlan trembla comme une feuille. Mais elle était la Mère Inquisitrice, se sermonna-t-elle, et elle devait garder la tête froide. Se passant de nouveau la langue sur les lèvres, elle pressa plus fort, et plus lascivement, la main de Tyler.

Il éclata de rire. Les autres l'imitèrent… avec une certaine nervosité.

— Les dames de la haute font des tas de chichis, mais devant un beau mâle, ce sont de vraies putes, comme les autres !

Il changea de ton et d'expression – et Kahlan crut que son cœur allait cesser de battre.

— J'ai brisé la nuque de la dernière catin qui m'a pris de haut et a décidé de changer d'avis. Le sorcier nous a menacés de mille morts si on te tuait, mais ça ne nous empêchera pas de te faire très mal si tu te fous de nous. (Kahlan réussit à sourire et à hocher la tête.) Maintenant, passons aux choses sérieuses.

D'un geste, Tyler indiqua à ses compagnons de reculer contre le mur opposé. Si ça les amusait, dit-il, ils pouvaient patienter en décidant qui serait le suivant. Puis il se tourna vers Kahlan et entreprit de déboutonner son pantalon.

L'Inquisitrice tenta de localiser son pouvoir. Toujours rien ! Il fallait gagner un peu de temps…

— Et si tu m'embrassais d'abord ?

— J'en ai rien à foutre de t'embrasser ! Ouvre les jambes, comme tout à l'heure. Ça, j'aimais beaucoup.

— Pourtant, un baiser, habilement donné par un bel homme, met une femme dans… d'excellentes dispositions.

Tyler hésita un moment. Puis il passa le bras droit autour des épaules de l'Inquisitrice et la plaqua sur le sol.

— Tu as intérêt à te chauffer vite, ma poulette, avant que je perde patience.

— C'est promis… Embrasse-moi quand même…

Tyler écrasa ses lèvres sur celles de la jeune femme. Elle poussa un cri étouffé quand sa main remonta le long de ses cuisses pour une deuxième exploration, impérieuse et brutale, cette fois. Pensant qu'elle gémissait de plaisir, il l'embrassa plus passionnément et elle se força à lui passer les bras autour du cou.

Sa puanteur de bête fauve faillit la faire vomir.

Kahlan se força au calme, comme chaque fois qu'elle décidait d'utiliser son pouvoir. Mais elle ne sentit rien à l'intérieur d'elle-même. Pas l'ombre d'un frémissement…

Des larmes de frustration lui montèrent aux yeux. De plus en plus excité, Tyler lui mordillait les lèvres. Elle fit mine d'adorer ça…

Avec la main de l'homme entre ses jambes, de plus en plus hardie et sauvage, Kahlan ne réussissait pas à se concentrer ! La panique manqua la submerger quand il la força à écarter les cuisses.

De nouveau, la jeune femme se sermonna. Elle était la Mère Inquisitrice et avait recouru des dizaines de fois à son pouvoir ! Elle essaya encore. Sans succès… Le souvenir des jeunes victimes d'Ebinissia l'empêchait d'agir avec le calme indispensable.

Soudain, elle pensa à Richard. Comme il lui manquait ! Pour avoir une chance de le revoir, il fallait qu'elle touche cette brute avec son pouvoir. Pour Richard, elle devait y parvenir.

Pour lui ! Pour Richard !

Rien ne se passa. Elle s'aperçut qu'elle gémissait de rage contre la bouche de Tyler, qui prenait ça pour de la passion.

Il écarta un peu ses lèvres des siennes.

— Écarte plus les jambes, que mes chers amis voient à quel point une dame de la haute désire ce bon vieux Tyler !

Kahlan obéit. Tous les hommes grognèrent d'excitation. Alors, elle comprit ce que Ranson avait voulu dire en parlant de lui voler sa dignité.

Tyler recommença à l'embrasser.

Ça ne marchait pas ! Incapable d'accéder à son pouvoir – s'il était vraiment toujours là – elle allait devoir tenir la promesse faite à ces porcs. Sinon, ils la battraient et prendraient quand même ce qu'ils voulaient. Il n'y avait pas d'issue…

Elle repensa aux pauvres femmes d'Ebinissia. Leur sort, voilà exactement ce qui l'attendait. Il fallait s'y résigner. C'était inéluctable.

Alors, un discours que son père lui répétait souvent lui revint en mémoire.

Si tu abandonnes, Kahlan, tu es perdue. Bats-toi jusqu'à ton dernier souffle et ne concède jamais la victoire à tes ennemis. Utilise toutes tes armes jusqu'à la fin !

Elle n'était pas fidèle à l'enseignement de Wyborn. Baisser les bras, voilà ce qu'elle faisait.

— Assez embrassé, grogna Tyler. Tu es dans de très bonnes dispositions, ma poulette !

Plus possible de gagner du temps ! Richard allait-il la détester pour ce qui suivrait ? Non, car il comprendrait qu'elle n'avait pas eu le choix. Si elle avait honte d'être une victime, alors, il serait déçu. Avec Denna, il avait appris ce que signifiait l'expression « être sans défense ». Elle ne lui en avait pas voulu d'avoir dû céder, et il réagirait de la même façon.

Si ça ne fonctionnait pas avec Tyler, elle essayerait avec le deuxième. Puis avec le troisième. Et ainsi de suite, jusqu'au dernier.

— Garde les jambes écartées, grogna Tyler en abaissant son pantalon.

Sans en avoir conscience, Kahlan les avait resserrées. Elle obéit docilement malgré les larmes qui ruisselaient sur ses joues.

Esprits bien-aimés, aidez-moi !

Non ! Les esprits du bien n'étaient jamais venus à son secours, malgré la loyauté qu'elle leur avait témoignée. Ils ne changeraient pas de comportement aujourd'hui.

Que le Gardien les emporte !

Ne pleure pas, pensa-t-elle. *Combats jusqu'à ton dernier souffle !*

— Tyler, tu m'embrasses encore ? souffla-t-elle.

— Assez de cajoleries ! À moi de m'amuser, à présent !

Kahlan écarta les jambes au maximum et ondula lascivement des hanches.

— S'il te plaît ! Tu embrasses mieux que personne ! Encore un, je t'en prie ! Après, je te donnerai plus de plaisir que toutes les femmes que tu as connues. Encore un baiser !

Il se laissa tomber sur elle, lui coupant le souffle.

— Encore un, puis tu tiendras tes promesses !

Il lui écrasa les lèvres sous les siennes, trop excité pour se contrôler encore. Leurs dents s'entrechoquèrent douloureusement, mais il ne sembla pas s'en apercevoir.

Kahlan plaqua les mains sur le cou de taureau de Tyler. Écrasée par son poids, elle avait du mal à respirer.

C'est ta dernière chance ! Ton ultime souffle ! Bats-toi !

Pour Richard !

Comme elle l'avait fait si souvent, Kahlan relâcha son contrôle, même si elle ne sentait pas la furie du pouvoir tentant de se libérer.

Elle eut le sentiment de sombrer dans un puits sans fond.

Enfin, un roulement de tonnerre silencieux fit trembler les murs.

Tous les hommes crièrent de douleur.

Kahlan, elle, faillit hurler de joie. Elle sentait de nouveau la magie ! Très faible, puisqu'elle venait à peine de l'utiliser, mais bien présente. Son pouvoir ne l'avait jamais quittée ! Pour lui faire gober un mensonge, Ranson avait utilisé *sa* magie... et la Première Leçon du Sorcier.

Tyler se redressa et la regarda dans les yeux.

— Maîtresse ! Ordonne, et je t'obéirai !

Les autres types approchaient déjà.

— Protège-moi !

Tyler envoya un de ses anciens compagnons valdinguer contre le mur, où il se fracassa le crâne. La bagarre fit rage quelques minutes, jusqu'à ce que Kahlan impose à son champion d'obtenir ce qu'elle voulait : une trêve.

Un combat à mort ne l'intéressait pas. Si Tyler succombait, l'issue la plus probable, elle n'aurait plus une chance de s'en tirer. Il fallait que l'homme garde les autres à distance, jusqu'à ce que son pouvoir se soit reconstitué.

Il restait six brutes face à son « héros ». Quatre autres ne bougeaient plus – y compris celui qu'elle avait frappé au visage – et un cinquième, le bras cassé, se tordait de douleur sur le sol.

L'Inquisitrice promit que Tyler n'attaquerait plus si les six survivants restaient dans leur coin. À contrecœur, ils obéirent, tirant avec eux leurs camarades blessés ou morts. La folie meurtrière du colosse les avait convaincus qu'il valait mieux ne pas insister – pour le moment.

Quand l'Inquisitrice menaça de lancer son fauve à l'assaut, ils consentirent même à lui renvoyer sa culotte.

Elle s'assit dans un coin, le dos contre le mur. Tyler se plaça devant elle, prêt à frapper.

Cette trêve ne durerait pas longtemps... Quand Tyler se fatiguerait, les autres en viendraient à bout. Ensuite, ils auraient la femme.

Ils avaient compris tout ça. Comme Kahlan.

Chapitre 60

La nuit s'étira en longueur, chacun campant sur ses positions. Kahlan dormit un peu, par tranches de quelques minutes, se réveillant chaque fois en sursaut. Bien qu'elle n'eût aucune idée de l'heure, elle estima que l'aube ne devait plus être très loin.

Toujours effrayée, et consciente qu'on viendrait bientôt la chercher pour l'exécuter, l'Inquisitrice était quand même heureuse que son pouvoir soit revenu. Sur un point, au moins, elle avait vaincu ses ennemis. Sans l'aide des esprits du bien, elle avait triomphé… et surmonté la tentation du renoncement.

Les esprits l'avaient laissée se débrouiller, comme toujours. Kahlan était furieuse contre eux. Après une vie passée à leur service, ils n'avaient jamais daigné faire un effort pour elle.

Eh bien, assez de tout ça ! Plus question de vénérer les esprits du bien, ou de tenter d'aider les peuples des Contrées – un ramassis d'ingrats ! Que lui avaient rapporté ses efforts ? Elle l'avait découvert la veille, dans la salle du Conseil : la haine de ceux qu'elle protégeait ! Ces gens allaient jusqu'à penser qu'elle torturait des enfants ! Certes, les Inquisitrices n'étaient pas aimées et on les redoutait pour une multitude de raisons. Mais de là à croire de telles horreurs…

À partir d'aujourd'hui, elle se soucierait d'elle-même, de ses amis et de Richard. Que le Gardien se régale avec les autres ! L'héroïsme n'était décidément pas un métier d'avenir…

La Mère Inquisitrice n'existait plus. Kahlan Amnell venait de prendre sa place.

La torche crachota puis s'éteignit, plongeant sa prison dans l'obscurité.

— Merci beaucoup, les esprits du bien ! cria Kahlan. Que le Gardien vous emporte !

Les six brutes encore valides venaient de fondre sur Tyler. Des cris et des bruits sourds déchirèrent le silence.

Kahlan entendit soudain l'écho de coups frappés contre du métal. Loin, très loin…

Non, pas loin du tout ! Une voix familière beuglait : « Mère Inquisitrice ! Mère Inquisitrice ! »

— Chandalen ! Chandalen ! Je suis là, dans ce puits !

— Mère Inquisitrice, comment ouvrir la porte ?

Kahlan cria quand une main s'accrocha à sa cheville et la fit basculer sur le sol. Mais Tyler la libéra, brisant un à un les doigts qui l'emprisonnaient, et son agresseur hurla de douleur.

— Chandalen, il te faut une clé ! Utilise la clé !

— Une clé ? Qu'est-ce que c'est ?

— Tu te souviens, à Ebinissia ? La porte de la chambre royale était fermée, et je t'ai montré comment l'ouvrir. Un des gardes, là-haut, a un trousseau de clés à sa ceinture. Prends-le !

Kahlan entendit le bruit sourd d'un corps percutant la pierre. Le cri qui suivit lui apprit que c'était celui de Tyler.

Les choses tournaient mal…

— Mère Inquisitrice, la clé ne marche pas !

— Ce n'est pas la bonne ! Essaye avec une autre !

Un homme percuta Kahlan, qui s'étala de nouveau. Son adversaire sur elle, elle tenta de lui griffer les yeux et reçut plusieurs coups de poing dans le ventre.

De la lumière inonda soudain le puits. Avisant la brute qui s'en prenait à Kahlan, Tyler l'écarta violemment au moment où une échelle descendait dans l'oubliette.

— Tyler ! Tiens-les éloignés de l'échelle !

Kahlan commença à gravir les barreaux.

Dans son dos, Tyler venait de succomber sous le nombre. Elle l'entendit grogner de rage. Puis un bruit d'os brisés, et un silence de mort, lui apprirent que son défenseur n'était plus.

Kahlan rata un barreau quand un poing s'abattit sur l'arrière de son mollet. Sentant une main saisir sa cheville, elle rua de l'autre jambe, se réjouit du craquement sinistre qui retentit, et recommença à grimper.

Chandalen lui tendit le bras, la hissa au-dessus du muret et la poussa hors de la petite pièce. Après avoir poignardé le premier type qui émergea du trou, il sortit à son tour et referma la porte.

À bout de souffle, Kahlan se laissa tomber dans ses bras.

— Mère Inquisitrice, il faut sortir d'ici !

Il y avait partout des cadavres de gardes tués en silence par le *troga* de l'Homme d'Adobe. Mais comment l'avait-il retrouvée ? Quelqu'un avait dû lui montrer le chemin…

Au bout d'un couloir, ils débouchèrent sur les lieux d'une sanglante bataille. Un seul homme était encore debout parmi les morts. Orsk, sa hache dégoulinante de sang ! En voyant sa maîtresse, il sauta de joie comme un enfant.

— Je lui ai dit d'attendre ici, expliqua Chandalen en guidant la jeune femme vers un autre corridor. De surveiller ce couloir pour que je puisse aller à ton secours.

Chandalen se tut, les yeux rivés sur les cheveux courts de l'Inquisitrice. Par bonheur, il ne fit aucune remarque, et elle lui en fut très reconnaissante. Avoir perdu la crinière qui plaisait tant à Richard était un crève-cœur.

Kahlan arracha une hache de guerre à un cadavre. Son pouvoir n'étant pas reconstitué, elle se sentirait mieux avec une arme à la main.

Chandalen en tête, Kahlan au milieu et Orsk fermant la marche, ils déboulèrent dans une salle où le capitaine de la garde, après l'avoir plaquée contre un mur, embrassait et pelotait une femme.

Au passage, alors que le soldat se retournait, Chandalen lui transperça le cœur.

— Viens ! cria-t-il à la femme. Nous l'avons retrouvée !

L'inconnue leur emboîta le pas. Jetant un coup d'œil derrière elle, Kahlan reconnut la fille qui s'était évanouie le soir du banquet – Jebra Bevinvier.

— Que faites-vous là ? demanda l'Inquisitrice.

— Pardonnez-moi de m'être évanouie, mais j'ai eu une vision, ce soir-là. On vous décapitait, Mère Inquisitrice... Cela m'a tellement horrifiée que j'ai perdu conscience. Après, j'ai compris que mon devoir était d'empêcher que ça se réalise. Vous m'avez parlé d'un ami à vous, dans les bois. Je suis allée le chercher...

Ils se plaquèrent contre un mur pour laisser passer une patrouille, dans une salle adjacente. Quand les soldats furent loin, Chandalen foudroya Jebra du regard.

— Que fichais-tu avec cet homme ?

— Tu as bien vu que c'était le capitaine de la garde... Il faisait une ronde avec tout un détachement. Je l'ai convaincu d'envoyer ses hommes ailleurs un moment... Si je n'avais pas agi, cinquante soldats vous seraient tombés dessus.

De mauvaise grâce, l'Homme d'Adobe admit que ça se tenait. Alors qu'ils repartaient, Kahlan souffla à Jebra qu'elle avait bien agi, car elle savait à quel point ce genre de chose demandait du courage. Jebra répondit qu'elle n'était pas une héroïne... et qu'elle n'avait aucune intention d'en devenir une.

Maîtresse Sanderholt les attendait devant l'entrée d'un couloir. Criant de joie, Kahlan lui jeta les bras autour du cou.

— Pas maintenant, Mère Inquisitrice, dit la femme en se dégageant. Vous devez fuir. Par là, la voie est libre.

Alors que les autres s'engouffraient dans le couloir, Kahlan prit la direction opposée. Tous firent demi-tour et la talonnèrent.

— Que fais-tu ? cria Chandalen. Il faut filer !

— J'ai quelque chose à prendre dans mes quartiers !

— Ça ne peut pas être important au point de...

— *Le couteau de ton grand-père !* lâcha l'Inquisitrice sans s'arrêter de courir.

Conscients qu'elle ne changerait pas d'avis, ses compagnons la suivirent dans un dédale de couloirs étroits où les gardes ne devaient pas souvent patrouiller. Ils en rencontrèrent pourtant quelques-uns, qu'Orsk se fit un plaisir de hacher menu.

Au détour d'un corridor, un soldat bondit sur l'Inquisitrice. Sans ralentir, elle lui enfonça sa hache dans la poitrine.

L'homme s'écroula, raide mort. Kahlan tenta de dégager son arme. Le tranchant étant coincé dans les côtes du mort, elle renonça et s'empara de l'épée keltienne de sa victime.

Avant d'atteindre ses appartements, elle eut plusieurs fois l'occasion d'utiliser sa lame avec une mortelle efficacité sous le regard surpris de Chandalen.

Ses compagnons l'attendirent dans l'antichambre, contents de pouvoir reprendre leur souffle.

Kahlan récupéra sa robe de mariée bleue, pliée sur une chaise. C'était pour elle qu'elle avait pris tant de risques ! Certaine de ne plus jamais revenir au palais, elle refusait de laisser à des porcs son bien le plus précieux.

Elle prit aussi le couteau et le mit en place. Avisant ses autres vêtements, nettoyés et repassés, elle les fourra dans son sac, avec la robe, puis enfila son manteau de fourrure. Son arc et son carquois à l'épaule, elle sortit de la chambre, certaine d'emporter tous les objets qui lui tenaient à cœur. Après un dernier coup d'œil au décor qu'elle avait connu toute sa vie, elle fit signe à ses amis de la suivre et les entraîna dans un escalier, en quête d'une porte donnant sur l'extérieur.

Elle perdit vite le compte des soldats que Chandalen exécuta avec son *troga* ou son couteau. *Idem* pour ceux qu'elle embrocha avec son épée…

Les quatre fugitifs semèrent la mort sur leur passage, dansant un ballet dévastateur au son de l'alarme qui retentissait partout dans le palais.

Ils dévalèrent le grand escalier. Juste avant le palier principal, sur les dernières marches, les deux jambes soudain tétanisées par la douleur, Kahlan perdit l'équilibre et termina la descente sur les fesses. Ses compagnons accoururent et voulurent savoir si elle était gravement blessée.

Elle prétendit avoir simplement trébuché.

Un pieux mensonge…

— Prenez ce couloir ! (Elle décrocha l'arc de son épaule et le brandit sur sa droite.) Filez et tournez à droite au bout ! Je vous rattraperai. Allez-y !

— Pas question de te laisser ! cria Chandalen.

— C'est un ordre ! (L'Inquisitrice se releva, malgré ses jambes atrocement douloureuses.) Orsk, force-les à m'obéir ! Je serai très mécontente de toi si tu ne les fais pas sortir d'ici.

Le colosse borgne leva sa hache et grogna. Chandalen et Jebra marchèrent à reculons vers le couloir en tentant de plaider leur cause. Après avoir risqué leur vie pour la sauver, ils n'allaient sûrement pas l'abandonner.

— Orsk ! Fais-les sortir d'ici !

— Pourquoi ? crièrent en chœur Jebra et Chandalen.

Du bout de son arc, Kahlan désigna la silhouette tapie sous une arcade, à l'autre extrémité de la salle.

— Si vous restez là, il vous tuera !

— Il faut fuir ! Sinon, c'est toi qu'il abattra !

— S'il vit, il nous traquera avec sa magie et nous éliminera tous !

Un éclair jaune traversa la salle et percuta l'arche du couloir où Orsk, Chandalen et Jebra s'engageaient. Des blocs de pierre s'en détachèrent, obstruant presque le passage.

Kahlan sortit de son carquois une des flèches à tête horizontale de Chandalen.

— Mère Inquisitrice, cria l'Homme d'Adobe, tu ne peux pas faire mouche à cette distance. C'est même trop loin pour moi ! Tu dois fuir !

Kahlan ne précisa pas au chasseur que le sorcier l'empêchait de courir en s'attaquant magiquement à ses jambes.

— Orsk, force-les à partir ! Je vous rattraperai.

Un nouvel éclair fit sauter des blocs de pierre. Enfin, poussés par Orsk, Jebra et Chandalen consentirent à partir.

L'Inquisitrice mit un genou à terre pour se stabiliser et encocha la flèche. Quand elle banda l'arc, la tête du projectile bien à plat dans sa ligne de mire, elle constata qu'elle distinguait à peine Ranson. À cause de la distance, et parce que la douleur brouillait sa vision…

Mais elle l'entendait rire aux éclats tandis qu'il la torturait de loin. Un rire qui lui rappela celui de Darken Rahl…

— On se prend pour un archer, Mère Inquisitrice ? Quel bel optimisme ! Mais tu n'auras pas été libre bien longtemps. J'espère que tu en as profité, parce que le long séjour qui t'attend au fond du puits, avec tes petits copains, ne sera pas une partie de plaisir !

La cible était trop loin. Elle n'avait jamais réussi un coup pareil. Mais Richard, lui…

S'il te plaît, aide-moi ! Montre-moi, comme ce jour-là, dans les plaines. J'ai besoin de toi !

Des vrilles de lierre se détachèrent du mur, à côté d'elle, s'enroulèrent autour de son torse et le serrèrent comme dans un étau. La douleur lui arracha un cri rauque.

Elle pointa de nouveau son arc.

Jusqu'à ton dernier souffle…

Les bras tremblants, elle voyait à peine le sorcier. Et les vrilles l'emprisonnaient…

Richard, aide-moi !

Une autre vague de douleur remonta le long de ses jambes et lui déchira les entrailles. Comment tenir un arc, dans ces conditions ?

Des éclairs pleuvaient autour d'elle. Ranson s'amusait à jouer au chat et à la souris…

Alors, les paroles de Richard retentirent dans sa tête :

« *Un bon archer peut tirer dans toutes les circonstances. Si rire t'en empêche, quel effet te ferait la peur ? Toi et la cible, voilà tout ce qui doit exister. Rien d'autre n'importe. Il faut faire abstraction de tout. Quand un sanglier te charge, penser à ta peur ou à ce qui arrivera si tu le rates est exclu. Il faut savoir faire mouche sous la pression.* »

Elle se souvint de ce qu'il lui avait murmuré à l'oreille : *appelle la cible…*

Et soudain, la cible vint à elle, comme si le sorcier était debout à trois pas de là. Elle vit même les étincelles qui crépitaient au bout de ses doigts.

Elle distingua tout aussi clairement la « mouche » : la gorge du sorcier, qui se gonflait et se dégonflait au rythme de son hilarité.

Kahlan relâcha lentement sa respiration, comme Richard le lui avait appris.

En douceur, comme le souffle d'un enfant, la flèche jaillit de l'arc. L'Inquisitrice la regarda voler, consciente qu'une vrille s'enroulait à présent autour de son cou. Malgré la douleur, de plus en plus vive, elle ne quitta pas le projectile des yeux…

… et vit la gorge du sorcier éclater en libérant un geyser de sang.

Aussitôt, les vrilles se détachèrent de son corps. Tombée à quatre pattes, Kahlan serra les dents en attendant que la douleur se dissipe.

Ce qu'elle fit avec une miséricordieuse rapidité.

— Que le Gardien t'emporte aussi, sorcier Neville Ranson ! cria Kahlan en se relevant.

Il y eut un bruit assourdissant, comme celui d'un éclair.

Une vague d'obscurité totale déferla dans la salle. La lumière des lampes vacilla et Kahlan se sentit plus glacée que cette fameuse nuit, dans le camp ennemi.

Le Gardien venait – littéralement – d'emporter Ranson !

Entendant un grognement, l'Inquisitrice se retourna et vit un garde dévaler les marches dans sa direction. Elle s'accroupit, attendit que l'homme soit sur elle et utilisa son élan pour le propulser par-dessus la balustrade, dans la cage d'escalier.

Il tenta d'entraîner la jeune femme avec lui, mais ses doigts, au passage, réussirent seulement à accrocher son collier. La lanière se cassa et le bijou tomba dans le vide avec le soldat.

Kahlan se pencha par-dessus la balustrade et vit l'homme s'écraser sur le sol, trois niveaux plus bas. Le collier lui échappa et glissa sur les dalles.

— Maudits soient les esprits du bien !

Kahlan envisagea de descendre chercher le précieux cadeau d'Adie, mais des bruits de bottes l'en dissuadèrent. D'autres gardes accouraient. Après une brève hésitation, l'Inquisitrice s'engouffra dans le couloir où avaient disparu ses trois compagnons. Si les esprits du bien ne lui avaient servi à rien, de quel secours serait un collier ? Ça ne valait pas la peine de risquer sa vie.

Elle rattrapa ses amis au moment où ils sortaient du palais. Tous furent soulagés de la revoir, et d'apprendre que le sorcier ne leur ferait plus d'ennuis.

L'Inquisitrice les guida vers le sud – le chemin le plus court pour gagner la forêt.

— Mère Inquisitrice…, souffla Jebra, haletante, en la retenant par le bras.

— Il n'y a plus de Mère Inquisitrice ! Je suis Kahlan Amnell…

— Kahlan, si vous préférez… Il faut m'écouter : vous ne pouvez pas fuir le palais !

— J'en ai assez de cet endroit !

Ils traversaient déjà la cour. Encore quelques minutes et ils seraient en sécurité.

— Zedd a besoin de vous !

Kahlan s'arrêta et se retourna.

— Zedd ? Vous le connaissez ? Où est-il ?

— C'est lui qui m'a envoyée en Aydindril, le lendemain de votre départ de D'Hara. Il devait aller chercher une femme nommée Adie, puis venir ici avec elle. J'avais pour mission de vous accueillir quand vous arriveriez avec Richard, et de vous dire d'attendre le sorcier. Il a besoin de vous.

— C'est moi qui ai besoin de lui ! Et plus que jamais !

— Alors, écoutez-moi ! Ne fuyez pas. Vos ennemis s'y attendent, et ils passeront les environs au peigne fin. En revanche, ils ne penseront pas que vous êtes toujours en Aydindril.

— Rester ici ? Où tout le monde me connaît ?

Non, ce n'était pas exact… Personne n'ignorait son apparence générale – en particulier sa longue chevelure. À part les conseillers, les ambassadeurs, les courtisans et les domestiques, peu de gens voyaient de près la Mère Inquisitrice. Et le plus souvent, ils étaient fascinés par sa longue crinière.

Qui n'existait plus…

Cette idée lui noua l'estomac. Jusqu'à leur disparition, elle n'avait jamais mesuré combien ses cheveux et son pouvoir comptaient pour elle.

— Ça pourrait marcher, Jebra… Mais où nous cacher ?

— Zedd m'a donné de l'or… Personne ne sait que je suis votre alliée. Je louerai des chambres pour nous tous.

— Nous serions vos domestiques… Oui, c'est une bonne idée. Une dame de votre qualité peut en avoir trois.

— Mère Inquisitrice, je ne saurai pas jouer ce rôle. Zedd m'y a forcée, mais je ne suis pas crédible. *Vous* êtes une authentique dame. Moi, je reste une domestique.

— Ça ne vous rend pas inférieure à moi. Nous sommes seulement ce que nous sommes, rien de plus ou de moins. Et vous verrez, face à la nécessité, on se surprend souvent soi-même ! Mais si vous continuez à m'appeler Mère Inquisitrice, et à me vouvoyer, *ma dame*, nous finirons tous sur l'échafaud.

— Je ferai de mon mieux… Kahlan. Tout ce que je sais, c'est que nous devons attendre l'arrivée de Zedd. (Jebra tira sur la manche de sa future « servante ».) Mère Inquisitrice, où est Richard ? C'est vital ! N'en soyez pas offusquée, mais c'est lui qui compte vraiment. Zedd a besoin du Sourcier.

— C'est exactement pour ça que *j'ai* besoin de Zedd ! répliqua Kahlan.

Sur ces mots, elle prit la direction d'un quartier de la ville où ils trouveraient des auberges tranquilles, discrètes… et fort luxueuses.

Chapitre 61

Richard prit chaque garçon par le bras.

— Ralentissez…, souffla-t-il. Vous savez bien que je dois passer le premier.

Kipp et Hersh soupirèrent, agacés. Le Sourcier jeta un coup d'œil dans le couloir qu'ils allaient emprunter puis poussa ses deux compagnons contre le mur. Dans leurs poches, les grenouilles se débattaient furieusement.

— Ce n'est pas un jeu, les gars ! Je vous ai choisis parce que vous êtes les meilleurs. Restez ici, le dos contre la cloison, et comptez jusqu'à cinquante. Surtout, ne passez pas le bout du nez dans l'autre couloir avant d'en être arrivés là. Mon succès dépend de vous.

— Tu as sélectionné les bons types, dit Kipp. On va les faire sortir de là…

— Peut-être, mais ce ne sont pas des gamineries, cette fois. Vous risquez d'avoir de gros ennuis. Sûrs de vouloir continuer, les amis ?

Kipp mit les mains dans ses poches, tâtant les grenouilles en expert.

— Tu ne t'es pas trompé d'alliés, Richard. On veut le faire, et on *peut* le faire.

Les deux garçons étaient excités comme des poux. Logique, puisqu'ils n'avaient jamais pu tromper la vigilance des gardes. Ravis de s'aventurer en territoire inconnu, ils ne mesuraient pas le danger. Richard le savait et détestait les utiliser ainsi, mais il n'avait pas eu d'autre idée.

— Alors, commencez à compter.

Richard s'engagea dans le couloir, sa cape ouverte. Quand il eut atteint la bonne porte, il se plaqua contre le mur de marbre opposé, ferma le vêtement et tira la capuche sur son crâne.

Il ne bougea plus, devenu parfaitement invisible.

Les garçons firent irruption dans le couloir en beuglant comme des possédés. Ils s'arrêtèrent devant la double porte et regardèrent autour d'eux. Ne voyant pas Richard, ils se demandaient où il se cachait.

Selon leurs instructions, ils ouvrirent la porte, sortirent les grenouilles de leurs poches et les lancèrent dans la pièce en riant aux éclats.

Les deux sœurs ne furent pas longtemps paralysées par la surprise. Elles jaillirent de derrière leurs bureaux, l'une ramassant une badine au passage.

Kipp et Hersh libérèrent leurs dernières grenouilles puis détalèrent en criant :

— Vous ne nous attraperez pas ! Vous ne nous attraperez pas !

Ulicia et Finella s'arrêtèrent sur le seuil de la porte. Quand elles avancèrent pour regarder à droite et à gauche, elles frôlèrent le Sourcier, qui retint son souffle.

Apercevant les garçons, chacun à une extrémité du couloir, les sœurs tendirent les mains. Des tableaux se décrochèrent des murs, percutés par des éclairs, mais les deux garnements s'en sortirent indemnes. Furieuses, Ulicia et Finella se séparèrent, chacune lancée à la poursuite d'une proie.

Richard attendit qu'elles soient hors de vue pour s'écarter du mur. Dès qu'il relâcha sa concentration, la cape redevint noire. Il se demanda, vaguement amusé, comment aurait réagi un passant en le voyant se « matérialiser » ainsi.

L'antichambre était déserte. Devant la porte, entre les bureaux, l'air étincelait légèrement. Richard le testa du bout des doigts. Il semblait plus épais, mais pas plus dangereux que ça…

Le Sourcier traversa le bouclier et ouvrit la porte. La pièce aux murs richement lambrissés où il entra, beaucoup plus petite que ses appartements, était chichement éclairée par trois bougies. Au centre trônait un bureau en noyer couvert de documents et de livres. Sur les deux murs latéraux, de hautes bibliothèques croulaient sous le poids de grimoires et de quelques étranges artéfacts.

Debout sur une chaise, une vieille domestique en robe grise époussetait consciencieusement une étagère.

Elle se retourna, surprise, et lança :

— Que faites-vous là ?

— Désolé de vous avoir effrayée, ma dame. Je voudrais voir la Dame Abbesse. Elle est ici ?

La femme tenta de descendre de son perchoir, le pied mal assuré. Richard lui tendit une main. Ravie de l'attention, elle écarta coquettement une mèche de cheveux gris de son front. Le reste de sa chevelure était noué en queue-de-cheval, remarqua le Sourcier.

Une fois qu'elle fut sur le sol, Richard nota que le sommet du crâne de la femme arrivait à peine au creux de son estomac. Elle était plus large que haute, comme si un géant, jadis, avait appuyé sur sa tête pour la faire rapetisser d'un bon pied.

— Les sœurs Ulicia et Finella t'ont laissé entrer, jeune homme ?

— Non… Elles avaient dû… hum… sortir d'urgence.

— Mais le bouclier, devant la porte…

— Excusez-moi, coupa Richard, mais je voudrais parler à la Dame Abbesse. (Au bout de la pièce, il avisa une autre porte qui donnait sur une cour intérieure.) Est-elle ici ?

— Tu as un rendez-vous, mon garçon ?

— Non. J'essaye d'en obtenir un depuis des jours. Les sœurs refusant de coopérer, j'ai dû improviser une solution.

— Je vois… Mais il faut avoir un rendez-vous… Désolée, c'est le règlement.

Richard se dirigea vers la porte intérieure. Sa patience mise à rude épreuve, il s'efforça de parler calmement, pour ne pas brusquer la vieille femme.

— Si je ne vois pas la Dame Abbesse, nous risquons tous d'avoir rendez-vous avec le Gardien.

— Vraiment ? fit la servante en fronçant les sourcils. Le Gardien, rien que ça ? Tu m'en diras tant…

Richard s'arrêta et fit volte-face.

— Vous êtes la Dame Abbesse, n'est-ce pas ?

— Oui, Richard, répondit la fausse domestique. Je crois bien que c'est mon titre…

— Et vous savez qui je suis ?

— Bien sûr !

— Alors, c'est vous qui dirigez le palais ?

— D'après ce que j'ai entendu, on dirait que tu as pris ma place. Un mois que tu es là, et la moitié des gens sont devenus tes marionnettes. Je pensais *te* demander un rendez-vous, vois-tu…

— Eh bien, je vous l'aurais accordé, assura Richard.

— J'étais impatiente de te connaître… (La Dame Abbesse tapota le bras de son visiteur.) À partir d'aujourd'hui, tu pourras venir me voir quand ça te chantera.

— Alors, pourquoi ne pas m'avoir reçu plus tôt ?

— C'était une épreuve, mon garçon. Et je suis impressionnée par ton succès. Je croyais qu'il te faudrait six mois de plus. Au moins.

La porte s'ouvrit soudain à la volée. Soulevé du sol, et tiré en arrière par son collier, Richard alla s'écraser contre un mur. Le souffle coupé, il vit Ulicia et Finella campées sur le seuil, l'air pas commode.

— Allons, allons…, dit la Dame Abbesse. Mes sœurs, arrêtez vos bêtises et laissez ce garçon tranquille.

Dès qu'il fut retombé sur le sol, Richard foudroya du regard les deux cerbères.

— C'est moi qui ai entraîné Kipp et Hersh dans cette aventure. Si vous voulez vous venger, ne le faites pas sur eux. Et s'il leur arrive des misères, vous en répondrez devant moi.

— Leur punition est déjà décidée, dit Ulicia en avançant. Pour cette fois, ils recevront simplement une bonne leçon. (Elle brandit sa badine vers Richard.) À ta place, je m'inquiéterais plutôt de ce qui t'attend, toi, mon garçon…

— Sœur Ulicia, intervint la Dame Abbesse, vous avez raison. Une punition s'impose. (La sœur-cerbère jubila.) Mais c'est vous qui la recevrez.

— Dame Abbesse Annalina ! s'étrangla Ulicia.

— N'avais-je pas spécifié que Richard ne devait pas entrer ici ?

— Oui, Dame Abbesse Annalina ! firent en chœur les deux sœurs.

— Et n'est-il pas dans mon bureau ?

— Mais…, souffla Ulicia. Nous avions laissé un bouclier. Il n'aurait pas dû…

— Pas dû ? coupa Annalina. Pourtant, il est debout devant moi ! Ou ai-je la berlue, mes sœurs ?

— Non, Dame Abbesse…

— Et vous comptiez reprendre vos postes, après un échec pareil, faire comme si de rien n'était, et punir ceux qui ont démontré votre incompétence ? Eh bien, pour la peine, c'est vous qui écoperez des punitions prévues pour les deux garçons.

Les sœurs blêmirent.

— Dame Abbesse, gémit Finella, vous ne pouvez pas infliger ça à des sœurs…

— Vraiment ? Qu'aviez-vous en tête ?

— Une bastonnade cul nul, en public, demain matin après le petit déjeuner.

— Excellente idée. Mais vous prendrez leur place.

— Dame Abbesse, souffla Ulicia, nous sommes des Sœurs de la Lumière. Ce serait trop offensant.

— Une leçon d'humilité n'a jamais fait de mal à personne. Devant le Créateur, nous sommes tous de petits enfants. Pour votre échec, vous recevrez le bâton à la place des deux garçons.

— Et si nous refusons ? demanda Ulicia en redressant le menton.

— J'en déduirai que vous n'êtes plus dignes de confiance, et que vous ne désirez plus être des Sœurs de la Lumière.

Les deux cerbères s'inclinèrent… humblement. Quand elles furent sorties, Richard leva un sourcil à l'intention de la vieille femme.

— J'espère ne jamais être sur la liste de vos ennemis, Dame Abbesse Annalina.

— Je t'en prie, appelle-moi Anna, comme toutes mes vieilles connaissances.

— J'en serais honoré, Dame Abbesse. Mais je ne suis pas une de vos vieilles connaissances.

— Vraiment ? Quel garçon bien informé tu fais ! Aucune importance, appelle-moi quand même Anna. Sais-tu pourquoi j'ai puni ces deux idiotes ? Parce que tu as assumé la responsabilité de tes actes. Elles n'ont pas saisi que c'était crucial. Tu apprends à être un sorcier.

— Que voulez-vous dire ?

— Tu sais qu'il est dangereux d'énerver ces femmes, n'est-ce pas ? (Richard hocha la tête.) Pourtant, tu t'es servi des deux garçons, en sachant qu'ils risquaient d'y laisser des plumes.

— C'est vrai. Hélas, je n'avais pas d'autre solution, et je devais vous voir.

— Le fardeau du sorcier… C'est le nom officiel de la chose… Utiliser les gens. Un sorcier avisé sait qu'il ne peut pas tout faire seul. Quand c'est important, il doit se servir des autres. Même si ça risque de leur coûter la vie. C'est une aptitude rare, et essentielle pour un sorcier. Comme pour une Dame Abbesse, je le crains…

— Anna, nous devons parler. C'est très urgent.

— Vraiment ? Allons nous promener dans mon jardin, que tu puisses m'entretenir de ton affaire si… urgente.

Ils sortirent dans un jardin intérieur dont la beauté, en d'autres temps, aurait fasciné Richard. Ce jour-là, il ne la remarqua pas. Depuis sa conversation avec Warren, il avait à peine mangé et dormi. Si le Gardien s'échappait de sa prison, tout le monde serait fichu, y compris Kahlan. Le Sourcier devait faire quelque chose.

— Anna, l'univers des vivants est en danger. J'ai besoin de votre aide. Il faut me retirer ce collier pour que je puisse intervenir.

— Je suis là pour t'aider, Richard. Quelle est la menace ?

— Le Gardien.

— Celui Qui N'A Pas De Nom, corrigea la Dame Abbesse.

— Quelle différence ça fait ? demanda Richard.

— Prononcer son vrai nom attire son attention.

— Anna, ce n'est qu'un mot… Le sens importe, pas la combinaison de lettres qu'on utilise. Quand vous l'appelez Celui Qui N'A Pas De Nom, le croyez-vous assez bête pour ignorer que vous parlez de lui ? Seuls les imbéciles prennent leurs ennemis pour des idiots. Et vous êtes très intelligente.

— Voilà longtemps que j'attends ça ! jubila la Dame Abbesse. Enfin quelqu'un qui s'en aperçoit !

— Qu'est-ce que le « caillou dans la mare » ? demanda Richard alors qu'ils s'arrêtaient, justement, devant une petite étendue d'eau.

— Tu en es un, Richard…

— Parce qu'il y en a plusieurs ?

Un petit caillou lévita dans les airs et vint se poser sur la paume d'Annalina.

— Chacun de nous a un effet sur les autres. Certains inspirent à leurs compagnons le désir de faire de grandes choses. D'autres les entraînent vers le crime… L'influence de ceux qui ont le don est très supérieure à la moyenne. Plus fort est le Han, plus l'effet est puissant.

— Quel rapport avec moi ? Et avec un caillou dans la mare ?

— Tu vois les canards qui flottent sur cette eau ? Imagine que ce sont les gens, dans le monde, et que tu es ce caillou. (Elle jeta la petite pierre dans la mare.) Tu vois ce qui arrive ? Les rides, dans l'eau, affectent tout le monde. Et sans toi, l'onde serait restée lisse comme de l'huile.

— Les autres nagent sur ces ondulations… Mais le caillou coule à pic.

— N'oublie jamais ça, fit la Dame Abbesse avec un sourire sans joie.

— Anna, je crois que vous me surestimez. Après tout, vous ne savez rien de moi.

— Tu te trompes peut-être, mon enfant… Mais parle-moi de tes soucis, avec e Gardien.

— Il faut agir, car il risque de s'évader. On a ouvert une des boîtes d'Orden, et le portail est béant. De plus, la Pierre des Larmes est dans notre monde. Je dois intervenir…

— Bien sûr… N'importe quelle sœur peut te plaquer contre un mur sans y penser, et tu veux affronter le Gardien en personne ?

— Mais on ne peut pas ne rien faire !

— Je vois que tu as parlé avec Warren… Un brillant jeune homme, en vérité. Mais qui a encore besoin d'être guidé… (Annalina saisit délicatement la branche d'un arbuste.) Il a étudié tous ces livres et il les adore. Je parie qu'il les connaît jusqu'à la dernière virgule…

Annalina examina soigneusement une fleur, sur la branche. En la regardant faire, à la lueur du clair de lune, il vint à l'esprit de Richard qu'il avait peut-être surestimé sa propre intelligence. Et celle de Warren.

— Alors, que pensez-vous au sujet du Gardien ? Et de la Pierre des Larmes ?

La Dame Abbesse prit le Sourcier par le bras et recommença à flâner dans le superbe jardin.

— Si le portail est ouvert, la Pierre des Larmes étant dans notre monde, pourquoi le Gardien ne nous a-t-il pas déjà sous sa coupe ?

— Qui vous dit que ça ne va pas se produire d'un instant à l'autre ?

— Tu penses qu'il n'a pas fini de dîner ? Après le dessert, il s'essuiera le menton, fera son petit rot, et viendra avaler notre monde ? Alors, tu veux fermer le portail avant qu'il retire sa serviette de son cou ? Crois-tu que les univers qui nous entourent fonctionnent exactement comme le nôtre ?

Richard se passa nerveusement une main dans les cheveux.

— Je ne sais rien de tout ça, mais Warren a dit…

— Il ne sait pas tout, Richard. C'est un étudiant doué pour les prophéties, mais il lui reste beaucoup à apprendre.

» Sais-tu pourquoi nous gardons ces textes dans les catacombes, à l'abri des profanes ? Eh bien, à cause du type de conversation que nous avons. Les prophéties sont dangereuses pour les esprits non initiés. Et parfois, même pour ceux qui le sont. Il existe beaucoup plus de choses que celles que tu vois, Richard. Sinon, le Gardien nous aurait déjà eus.

— Selon vous, nous ne sommes pas en danger ?

— Nous le sommes *toujours*, mon enfant. Et nous le resterons tant qu'il y aura un monde des vivants. Car toute vie peut être fauchée par la mort. (Annalina tapota de nouveau le bras du jeune homme.) Tu es une personne importante qui figure dans une prophétie. Mais si tu agis sans réfléchir, ça causera plus de mal que de bien. La Pierre des Larmes, même si elle est dans ce monde, ne permet pas, toute seule, au Gardien de franchir le portail. Elle n'est qu'un outil, Richard !

— J'espère que vous avez raison…

— Comment va ta mère ? demanda abruptement la Dame Abbesse.

— Elle est morte quand j'étais enfant… Dans un incendie.

— Je suis navrée, Richard. Et ton père ?

— Lequel ?

— Celui qui t'a adopté. George Cypher.

— Il a été tué par Darken Rahl. Mais comment savez-vous, au sujet de George ?

Annalina le gratifia du regard sans âge qu'il avait remarqué chez d'autres femmes : Adie, Shota, sœur Verna, Du Chaillu et Kahlan.

— Je suis navrée, Richard… J'ignorais que George était mort. C'était un sacré bonhomme !

Le Sourcier s'immobilisa, frappé par une idée.

— C'est grâce à vous qu'il a obtenu le livre !

Il n'en dit pas plus, espérant inciter Annalina à combler les lacunes de son raisonnement.

— Tu as peur de prononcer le titre à voix haute, mon garçon ? Parlerais-tu du *Grimoire des Ombres Recensées* ? (La Dame Abbesse désigna un banc de pierre.) Assieds-toi, mon pauvre petit, avant de te retrouver le cul par terre.

Richard obéit et elle prit place à côté de lui.

— C'est vous qui avez donné le livre à mon père ?

— En fait, je l'ai aidé à se le procurer. Richard, je t'ai dit que nous sommes de vieilles connaissances. Bien sûr, la dernière fois que je t'ai vu, tu suçais encore ton pouce. Ce qui est normal, pour un bébé de quelques mois… (La vieille femme eut un sourire mélancolique.) Si ta mère pouvait te voir… À l'époque, elle était déjà si fière de toi ! À l'entendre, tu étais la bénédiction qui compensait une malédiction. Tu sais, Richard, la notion de compensation – ou d'équilibre, si tu préfères – est essentielle dans le monde des vivants. Tu es le fils de l'équilibre, et c'est pour ça que je mise tant sur toi.

— Je ne comprends toujours pas pourquoi…, avoua Richard.

— Parce que tu es un caillou dans la mare. Il y a plus de trois mille ans, les sorciers contrôlaient la Magie Soustractive. Depuis, aucun n'est venu au monde avec ce don-là. Nous avons espéré en vain, jusqu'à ces derniers temps. Quelques sorciers ont eu la vocation pour cette magie, mais jamais le don. Toi, tu l'as, Richard, et pour les deux variantes !

— Quoi ? Vous êtes cinglée ! cria le Sourcier en se levant d'un bond.

— Assieds-toi !

Vaincu par le pouvoir serein de la voix d'Annalina – et par sa présence imposante –, le jeune homme obéit. Pour une raison inconnue, il se sentait soudain tout petit face à la vieille femme. Elle n'avait pas grandi d'un pouce, pourtant, il aurait juré qu'elle le toisait de haut.

— À présent, écoute-moi ! Tu me causes beaucoup de problèmes, comme un taureau qui abat les clôtures et piétine les récoltes. L'enjeu est trop élevé pour te laisser foncer tête baissée. Je sais, tu crois bien agir, mais un taureau fou le pense aussi. Ton vrai handicap, c'est le manque de connaissances. Alors, je vais faire ton éducation.

» Même si tu commenceras par nier certaines de mes révélations, tu devrais vite changer d'avis. Sinon, tu risques de porter ce collier pendant longtemps. Car il ne s'ouvrira pas tant que tu n'accepteras pas la vérité.

— On m'a dit que les sœurs retiraient elles-mêmes le Rada'Han…

L'éclair qui passa dans les yeux de la Dame Abbesse fit regretter à Richard d'avoir ouvert la bouche. Pour un peu, il aurait volontiers changé de place avec les deux sœurs promises à une fessée en public.

— Quand tu te seras accepté toi-même, avec tes capacités et ton véritable pouvoir, le collier s'ouvrira. Pas avant. Tu l'as mis toi-même autour de ton cou, et nous n'avons pas le pouvoir de l'enlever sans ton aide. Sans l'assistance de ton don, pour être précise. Pour y arriver, tu devras apprendre à te regarder en face…

» Avant tout, tu dois en savoir plus sur le Gardien, le Créateur, et la nature de notre monde. Ton problème, comme Warren, c'est que tu tentes de comprendre les *autres* mondes selon les règles du nôtre.

» Le bien et le mal – le Créateur et le Gardien – sont issus du chaos, qui s'est divisé en deux forces opposées. Même s'ils se détestent, ils sont interdépendants et ne peuvent pas exister l'un sans l'autre. Ils s'inter-définissent, comprends-tu ? Notre combat, dans ce monde, est de maintenir l'équilibre.

Richard ne dit rien, mais ne put s'empêcher de faire la moue.

— Le Créateur est la source et l'âme de la vie qui s'épanouit dans notre monde. Mais sans le Gardien, sans la mort, la vie ne serait pas possible. Car elle serait éternelle…

» Peux-tu imaginer un univers où personne ne mourrait ? Où chaque bébé vivrait à jamais ? Où les plantes ne se flétriraient pas ? Tous les arbres seraient indestructibles et la moindre graine donnerait naissance à un géant immortel…

» Qu'arriverait-il, selon toi ? Comment mangerions-nous, sans pouvoir abattre un animal ni cueillir un fruit ? Aimerais-tu connaître une éternité de famine ? Le monde des vivants, consumé par le chaos, finirait par s'autodétruire.

» La mort – ou le royaume des morts, si tu préfères – est éternelle. Tu y penses selon les critères de la vie, par essence éphémère. Mais dans l'éternité, le temps n'a aucune réalité. Pour le Gardien, une seconde ou un an, cela ne veut rien dire.

» À travers ceux qui le servent dans ce monde, il peut appréhender le temps. C'est leur sentiment d'urgence qui le pousse à se battre. Pour réussir, il a besoin des vivants. Donc, il leur fait des promesses mirobolantes et eux ont soif de le voir triompher.

— Alors, quel rôle jouent les vivants dans tout ça ?

— Nous divisons et définissons le chaos, au moyen de l'ordre, et nous maintenons la séparation : la lumière et l'obscurité, l'amour et la haine, le bien et le mal. Nous sommes le vecteur de l'équilibre.

» Compare-nous aux canards qui nagent dans cette mare. L'air, au-dessus de leurs têtes, est le Créateur. L'eau, sous leurs ventres, est le Gardien. Les âmes des vivants, nées du Créateur, s'épanouissent en ce monde. Après la fin, elles sombrent dans les profondeurs de la mort.

» Cela ne veut pas dire que la mort est maléfique. C'est un jugement que nous plaquons sur elle. Le Gardien, lui, est comme le limon qu'on trouve au fond de la mare. Les esprits des morts sont présents partout, dans les profondeurs du chaos et de la haine, près du Gardien, comme à proximité des vivants, non loin de la lumière du Créateur.

» La mission des vivants est de séparer et de définir les mondes qui s'étendent de chaque côté de la vie. La magie nous en donne le pouvoir. C'est elle, le point d'équilibre.

» Le Gardien voudrait avaler notre univers. Ce serait son triomphe absolu ! Pour ça, il doit éliminer la magie. En même temps, il entend l'utiliser pour rompre l'équilibre.

Richard posa une question, histoire d'avoir une chance de ne pas sombrer dans une mare… de perplexité.

— Et les sorciers ont le pouvoir d'influer sur cet équilibre ?

— Oui. Tu peux maîtriser les deux variantes de la magie. Cela fait de toi un homme très dangereux.

» Ton don étant double, tu es à même de réparer ou de détruire le voile. Beaucoup de gens de bien, s'ils le savaient, te tueraient de peur que tu nous détruises tous – même si c'est accidentellement.

— Vous êtes du nombre, Dame Abbesse ?

— Si c'était le cas, je n'aurais pas aidé ton père à se procurer le *Grimoire des Ombres Recensées*. Tes actes ont neutralisé la menace immédiate, mais également nourri la magie du portail. Un plus grand danger nous guette, mais je n'avais pas le choix, car ne rien faire aurait été désastreux. Hélas, si on ne remédie pas à ce qui est arrivé, tout cela finira par pire désastre…

— Le voile, où est-il ? Et qu'est-il exactement ?

Annalina se tapota le front.

— Le voile est à l'intérieur de ceux qui détiennent la magie. Nous sommes ses protecteurs. C'est pour ça que l'équilibre importe tant pour nous. Quand le voile est déchiré, l'équilibre bascule. Et plus il bascule, plus le voile se déchire…

» Le Créateur règne sur Son domaine, et le Gardien sur le sien. Le Gardien a besoin du Créateur pour l'alimenter en vie. Et le Créateur attend du Gardien qu'il aide l'existence à se renouveler. Le voile préserve l'équilibre…

La Dame Abbesse se rembrunit.

— Beaucoup de gens tiendraient ces propos pour des blasphèmes. Ils voient le Gardien comme une entité maléfique qui doit être détruite. Mais s'ils réussissaient, la vie disparaîtrait avec lui.

— Pour le plaisir de débattre, dit Richard, si j'avais vraiment les deux dons, à quoi servirait mon pouvoir ?

— Tous les sorciers ont une spécialité. Certains sont des guérisseurs, d'autres fabriquent des artéfacts, d'autres encore, moins nombreux, ont un talent particulier pour les prophéties. Les plus rares sont les sorciers de guerre. Aucun n'est venu au monde depuis plus de trois mille ans. Jusqu'à toi.

— Je n'aime pas du tout ça…, grogna Richard.

— *Sorcier de guerre* est un nom qui a deux sens. Ceux-ci s'équilibrent réciproquement, comme toute chose en matière de magie. Le premier sens, c'est qu'un tel sorcier peut déchirer le voile, apportant la destruction et la mort. Le second signifie qu'il a la magie nécessaire pour affronter le Gardien. Être un sorcier de guerre ne fait pas de toi un homme maléfique, Richard. Beaucoup de combattants luttent pour protéger des innocents sans défense…

Richard jugea que le moment était venu de placer une petite citation.

— « *Sauf si celui qui de la vérité naquit*
Pour les chances de vie héroïque se bat.
Mais cet homme est marqué. Ce n'est pas un hasard
Car l'ombre sait qu'il est le caillou dans la mare. »

— Pour quelqu'un qui se prétend hermétique aux prophéties, tu sembles connaître quelques-uns des passages essentiels. À moins que je ne comprenne plus rien à rien, ça doit signifier que tu es marqué.

Le Sourcier hocha la tête… et sentit la cicatrice, sur sa poitrine.

— Vous voulez dire que ma vie est déjà décidée ? Que je dois m'abandonner à un destin prédéterminé ?

— Non. Rien n'est écrit d'avance. Les textes indiquent seulement que tu as un grand potentiel. Tu peux influencer les événements. À cause de cela, il est essentiel que tu apprennes.

» La première étape sera de t'accepter toi-même. Sinon, tu abîmeras la partie la plus précieuse de ton être : ton libre arbitre. Si tu agis sans comprendre, tu risques de te précipiter vers le chaos.

» Je t'ai laissé vivre, quand j'ai appris ta naissance, parce que tu as le pouvoir de faire le bien. Mais tant que tu n'auras pas accepté les deux faces de ta magie, tu seras un danger pour toutes les créatures vivantes.

— Parlez-moi de la Pierre des Larmes, demanda Richard.

Comme écrasé par le discours de la Dame Abbesse, il était pressé de changer de sujet.

— Dans le royaume des morts, c'est une force immatérielle. Dans le nôtre, elle devient un artéfact qui incarne cette puissance.

» La Pierre des Larmes est comme une ancre qui retient le Gardien dans les profondeurs de son royaume, où son influence sur notre univers est assez réduite pour assurer l'équilibre.

— Alors, si elle est chez nous, ça signifie qu'il est libre.

— Si tu avais raison, nous serions tous morts, non ? (Richard ne fit pas de commentaire.) C'est une des entraves qui emprisonnent le Gardien. Il y en a d'autres, toujours intactes. Pour le moment, la magie aide aussi à le retenir derrière le voile.

» Mais la Pierre des Larmes, quand elle est mal utilisée dans notre monde par des gens comme toi, peut déchirer le voile et libérer le Gardien. Richard, la pierre a la capacité d'exiler n'importe quelle âme dans les entrailles du royaume des morts. Et si on s'en sert chez nous avec la haine ou l'égoïsme au cœur, elle nourrit le pouvoir du Gardien et détruit le voile.

» Dans ce cas, seul quelqu'un qui contrôle les deux magies peut arranger les choses. Et la pierre doit être rapportée au royaume des morts…

» Nous devons lutter pour renforcer les autres entraves du Gardien, jusqu'à ce que quelqu'un comme toi fasse ce qui doit être fait. En attendant, le Gardien devient de plus en plus fort ici et ses sbires tentent de briser ces entraves…

— Anna, êtes-vous sûre, à mon sujet ? Il se peut que…

— Tu viens de démontrer que j'ai raison, ce soir, en traversant le bouclier de Magie Additive. Pour cela, il a fallu que ton Han recoure à la Soustractive.

— Et si ma Magie Additive était simplement plus forte que la vôtre ?

— En traversant la vallée des Âmes Perdues, tu as été attiré par les deux types de tour, n'est-ce pas ?

— C'était peut-être un hasard…

— Les tours furent créées par des sorciers qui maîtrisaient les deux magies. Dans les tours blanches, il y a du sable blanc. Du sable de sorcier. Mais il m'étonnerait que tu en aies pris…

— Ça ne prouve rien. D'ailleurs, c'est quoi, du sable de sorcier ?

— Une matière si précieuse qu'elle n'a pas de prix. En réalité, il s'agit des os réduits en poudre des sorciers qui sacrifièrent leur vie dans les tours. Il alimente en puissance les sorts qu'on dessine avec – les bénéfiques comme les autres. Un sortilège particulier, tracé dans du sable de sorcier blanc, peut invoquer le Gardien.

» Mais toi, tu as pris du sable noir, n'est-ce pas ?

— Hum… oui… Je voulais un petit échantillon, voilà tout…

— Un petit échantillon, soupira la Dame Abbesse. Depuis la construction des tours, aucun sorcier n'a pu récupérer de sable noir. Pour en sortir d'une tour, il faut avoir le don de la Magie Soustractive. Veille sur ton « échantillon » comme sur la prunelle de tes yeux. Il a plus de valeur que tu ne l'imagines.

— Pourquoi ? Quel pouvoir a-t-il ?

— C'est l'opposé du sable blanc… Et ils se neutralisent. Un seul grain du noir peut infecter le sortilège dessiné pour invoquer le Gardien. À la fin, il le détruit. Une cuillerée de cette poudre d'os est une arme plus précieuse que bien des régiments.

— Pourtant, dit Richard, il ne peut pas s'agir seulement…

— Les derniers sorciers nés avec le double don ont enveloppé le palais de leur magie. Les prophètes de cette époque savaient qu'un nouveau sorcier de guerre viendrait un jour au monde. C'est pour cela qu'ils ont créé le bois de Hagen et les mriswiths. Un sorcier de guerre est automatiquement attiré par ce lieu. Pour s'y battre…

» Le collier interdit au don additif de te tuer. Le bois de Hagen fournit un exutoire à ton don soustractif. Cela, les Sœurs de la Lumière ne peuvent te le procurer.

— Mais j'ai utilisé l'Épée de Vérité, dit Richard. C'est elle qui a tué le mriswith.

— Elle aussi fut créée par des sorciers doués pour les deux magies. Seul un de leurs pairs peut l'exploiter pleinement. Bref, à part toi, personne n'en est capable. Et tu ne l'as pas encore fait.

» Elle t'a aidé, mais tu aurais pu te passer d'elle pour abattre le mriswith. Ton don aurait suffi. Si tu ne me crois pas, va dans le bois de Hagen avec un simple couteau. Tu viendras aussi à bout de la créature.

— D'autres avant moi se sont servis de cette arme. Ils n'avaient pas le don, et encore moins pour la Magie Soustractive.

— Ils n'ont pas vraiment recouru à la magie de la lame. Cette épée a été fabriquée pour toi, Richard. Pour t'assister ! Comme les prophéties et les mriswiths. Une aide qu'on t'envoie par-delà le flot du temps.

— Je ne crois pas pouvoir être un sorcier de guerre, Anna.

— Manges-tu de la viande ?

— Quel rapport avec le reste ?

— Tu es le fils de l'équilibre. Les sorciers ont tous un système de *compensation* pour leur pouvoir. Ceux de ta catégorie sont souvent végétariens. Une manière d'équilibrer les carnages qu'ils sont parfois obligés de faire.

— Désolé, Anna, mais je ne peux pas croire que j'aie un don pour la Magie Soustractive.

— C'est bien pour ça que tu es dangereux ! À chaque rencontre avec la magie, ton Han apprend à mieux te servir et te protéger. Mais tu n'en as pas conscience. Le Rada'Han favorise la croissance de ton pouvoir – que tu t'aperçoives ou non du phénomène.

» Tu agis sans connaître l'importance ni la raison de ce que tu fais. Comme quand tu as été attiré par le sable noir… ou lorsque tu as pris l'os rond de skrin à Adie.

— Vous connaissez la dame des ossements ?

— Oui. Elle nous a aidés, ton père et moi, à traverser le Passage du Roi pour retrouver le *Grimoire des Ombres Recensées*.

— De quel os rond parlez-vous ?

Pour la première fois, Richard vit de l'inquiétude dans le regard de la Dame Abbesse.

— Adie possédait un os rond de skrin. Un artéfact très puissant. Ta Magie Soustractive a dû l'attirer vers toi.

Richard se souvint d'avoir vu l'artéfact sur une étagère.

— J'ai bien aperçu cet os chez elle, mais je ne l'ai pas volé à Adie. Ça montre peut-être que je n'ai pas de don pour la Magie Soustractive.

— Non, car tu l'as remarqué… Si tu ne l'as pas pris, c'est parce que, sans le Rada'Han, ton pouvoir n'était pas assez fort pour t'orienter vers cet os. Avec le collier, tu as été naturellement attiré vers le sable noir.

— Et… hum… est-il grave que je n'aie pas pris cet os ?

La Dame Abbesse eut un sourire que le Sourcier trouva forcé.

— Non. Adie protégera cet artéfact jusqu'à son dernier souffle. Elle connaît son importance. Tu le récupéreras plus tard…

— Quel est son pouvoir ?

— Il contribue à protéger le voile. Quand un sorcier de guerre y recourt, il invoque un skrin – à savoir une force qui aide à préserver la séparation entre les mondes. En quelque sorte, ce sont des garde-frontière…

— Et si un allié du Gardien s'appropriait cet os ?

— Tu t'inquiètes trop, Richard ! J'ai du travail et il va falloir que tu me laisses. Étudie et fais de ton mieux, mon enfant. Apprends à toucher ton Han et à le contrôler. Il le faut, si tu veux être utile au Créateur.

Richard se leva et s'éloigna, sentant peser dans son dos le regard de la Dame Abbesse.

— Anna, pourquoi le Gardien convoite-t-il le monde des vivants ? Qu'a-t-il à y gagner ? Quel est son but ?

— La mort est l'antithèse de la vie, mon enfant, répondit Annalina d'une voix lointaine. Le Gardien existe pour consumer les vivants. Sa haine de tout ce qui respire n'a pas de bornes. Et elle est aussi éternelle que sa prison… Aussi immuable que la mort !

Chapitre 62

Insensible au monde extérieur, Richard avançait vers le pont de pierre. Pendant des jours, il était resté cloîtré dans sa chambre, le cerveau en ébullition. Quand les sœurs étaient passées pour les leçons, il n'y avait mis aucun enthousiasme. À présent, l'idée de toucher son Han le terrorisait.

Warren s'activait jour et nuit dans les catacombes, à la recherche des nouvelles informations qu'il lui avait demandées.

Il y avait un fond de vérité dans les révélations de la Dame Abbesse. Sinon, pourquoi le Gardien, s'il en avait eu le loisir, n'aurait-il pas déjà emprunté le portail ?

Sa tête menaçant d'exploser, le jeune homme avait décidé de faire un petit tour, histoire de s'éloigner du palais.

Il se réjouissait de sa solitude au moment où Pasha le tira soudain par la manche.

— Je te cherchais…

— Pourquoi ?

— Pour être avec toi, c'est tout…

— Tu sais, je vais aller me promener dans la nature.

— Ça ne me dérange pas. Je peux t'accompagner ?

Richard étudia la novice. Elle portait sa robe marron vaporeuse généreusement décolletée et il faisait plutôt froid. Cela dit, son manteau violet semblait assez chaud. Mais avec ses grosses boucles d'oreilles, plus son collier et sa ceinture ornée d'un médaillon en or, elle ne ressemblait pas vraiment à la randonneuse type…

— Tu portes tes fichues mules avec lesquelles on ne peut pas marcher ?

Pasha tendit un pied.

— Je me suis acheté des bottes pour me promener avec toi.

Un effort touchant, pensa Richard, pas vraiment ravi. Se souvenant du chagrin qu'il lui avait fait en dénigrant sa robe bleue, il n'eut pas envie de la blesser de nouveau. Après tout, elle essayait simplement d'être gentille. De plus, un visage souriant le tirerait peut-être de sa morosité.

— Tu peux venir… Mais n'espère pas que je te ferai la conversation.

— Être avec toi me suffira, fit la novice en prenant le bras du jeune homme.

Avoir Pasha à ses côtés dissuada les femmes de lui coller aux basques quand il traversa la ville. Enfin, presque toutes… La plupart de celles qui s'y aventurèrent, foudroyées du regard par la novice, n'insistèrent pas. Les autres goûtèrent de son Han. Sursautant quand une main invisible leur pinça les fesses, elles détalèrent sans demander leur reste.

À présent, Richard comprenait pourquoi le palais entretenait un « élevage » de sorciers. Le but était d'obtenir un sujet doué pour les deux magies.

Maintenant, les sœurs en avaient un…

Ils marchèrent en silence jusqu'aux collines caressées par les derniers rayons du soleil couchant. Dès qu'il fut en hauteur, avec une vue plongeante sur la cité, Richard se sentit beaucoup mieux. Conscient que c'était une illusion, il éprouva pourtant une grisante impression de liberté. Pensant à Gratch, qu'il n'avait pas vu depuis des jours, il regretta soudain que Pasha soit avec lui. Le pauvre garn devait se ronger les sangs d'inquiétude.

Le Sourcier, lui, n'avait aucune idée de ce qu'il devait faire. Tout ce que lui avait dit la Dame Abbesse était-il vrai ? Et si oui, était-ce rassurant – ou terriblement inquiétant ?

Pasha lui serra si fort le bras qu'il s'immobilisa, tiré de ses réflexions. Il vit à sa respiration heurtée qu'elle mourait d'angoisse.

— Que se passe-t-il ? souffla Richard.

— On nous observe… Une présence maléfique… Rebroussons chemin, s'il te plaît !

Le Sourcier dégaina son épée et la note métallique brisa la quiétude environnante. Il ne sentait aucun danger, mais sa compagne avait capté avec son Han quelque chose qui la terrorisait.

Quand elle poussa un petit cri, Richard tourna la tête et vit, de derrière un rocher, jaillir la gueule…

…amicale de Gratch !

— Ne t'en fais pas, il n'est pas méchant…, dit Richard à sa compagne.

Gratch se dressa de toute sa hauteur, tenta de sourire et dévoila ses crocs.

— Tue-le ! hurla Pasha. C'est un monstre ! Tue-le !

— Pasha, tu ne risques rien. Il est inoffensif.

La novice détala à toutes jambes. Richard la regarda sauter de rocher en rocher… Puis il se tourna vers Gratch.

— Qu'est-ce qui t'a pris ? Pourquoi lui as-tu fait peur ? Je t'avais dit de ne te montrer à personne.

Le garn aplatit les oreilles, baissa les épaules et gémit. Quand ses ailes commencèrent à trembler, Richard avança vers lui.

— C'est trop tard pour se désoler, mon vieux. Allez, serre-moi dans tes bras ! (Gratch ne broncha pas, l'air honteux.) Tout va bien, ne t'inquiète pas.

Richard enlaça le grand monstre, qui lui rendit son étreinte, l'enveloppant de ses bras et de ses ailes. Son chagrin oublié, il renversa son ami sur le sol pour une petite séance de lutte amicale. En « combattant », Richard lui chatouilla les côtes jusqu'à ce qu'il se torde de rire.

Quand ils eurent fini de jouer, Gratch tapota du bout d'une griffe la poche où le jeune homme gardait la mèche de cheveux de Kahlan.

— Non, répondit Richard, ce n'est pas cette femme-là…

Le jeune garn fronça des sourcils à présent aussi gros qu'un manche de hache. Il ne comprenait pas, et le Sourcier ne voyait pas comment lui expliquer que Pasha n'était pas la femme dont il gardait en permanence un souvenir sur lui.

Sur l'insistance de Gratch, ils s'offrirent une nouvelle joute pour rire.

Richard revint au palais au crépuscule, décidé à dénicher Pasha et à tout lui révéler au sujet de son étrange ami.

Mais Verna l'intercepta.

— As-tu nourri le bébé garn que je t'avais ordonné de tuer ? Lui as-tu permis de nous suivre ?

— Il était seul et sans défense, ma sœur. Je n'ai pas eu le cœur de l'abattre et nous sommes devenus amis.

— Aussi absurde que ça paraisse, je peux comprendre ça. Tu avais besoin d'amitié, et je n'étais pas une candidate plausible.

— Sœur Verna…

— Mais pourquoi avoir montré ton petit copain à Pasha ?

— Ce n'était pas prévu… Il a sorti la tête de derrière un rocher et elle l'a vu avant moi.

— D'accord, mais ça n'arrange rien. Les gens d'ici ont peur des bêtes sauvages et ils les tuent. Pasha a beuglé partout qu'il y avait un monstre dans les collines…

— Je vais raconter mon histoire aux sœurs, et elles comprendront.

— Richard, écoute-moi bien ! Au palais, on pense que les « animaux de compagnie » sont une distraction pour les élèves. Une relation qui les éloigne de leur Han, si tu préfères. Je trouve ça idiot, mais la question n'est pas là.

— Vous craignez qu'on m'empêche de voir Gratch ?

— Non, mon garçon. Les sœurs te croient en danger, parce que le monstre risque de se retourner contre toi. Elles sont en train de se préparer à la chasse. Ces idiotes traqueront ton garn et le tueront, pour te protéger, selon elles.

Richard se détourna et courut comme un fou. Il retraversa le pont de pierre, fonça dans les rues en bousculant des passants stupéfaits, déboula hors de la ville et fila vers les collines.

Quand il eut gravi celle où Gratch lui avait fait une malencontreuse surprise, il hurla à pleins poumons le nom de son ami. Sans obtenir de réponse.

Épuisé, le Sourcier tomba à genoux. Les sœurs seraient bientôt là. Elles utiliseraient leur Han pour débusquer le garn, qui ne mesurerait pas le danger. Et même s'il restait à distance, la magie pourrait l'atteindre et le tuer.

— Graaatch ! Graatch !

Une forme noire, dans le ciel, occulta un instant les étoiles. Le garn se posa lourdement et plia ses ailes, l'air interloqué.

Richard saisit sa fourrure à deux mains.

— Gratch, écoute-moi ! Il faut que tu partes d'ici ! Des gens veulent te tuer. Tu dois t'enfuir !

Le garn émit des grognements dubitatifs et voulut enlacer son ami.

Richard l'écarta sans ménagements.

— File ! Il le faut ! Je veux que tu partes ! Sinon, tu mourras ! Va-t'en et ne reviens jamais !

Gratch ne broncha pas. Richard lui flanqua un coup de poing dans la poitrine et désigna le nord.

— Fiche le camp, bon sang ! Et ne reviens jamais !

Le garn voulut de nouveau étreindre l'humain.

— Grrrratch aaaime Raaach aard.

Richard mourait d'envie d'enlacer son copain et de lui dire qu'il l'aimait aussi. Mais il devait se l'interdire – pour lui sauver la vie.

— Eh bien, moi, je ne t'aime pas ! Fiche le camp !

Gratch regarda la pente que Pasha avait dévalée, quelques heures plus tôt, puis il dévisagea Richard et tendit une main tremblante.

Le Sourcier recula, impitoyable en apparence. Il repensa à sa rencontre avec le bébé monstre, si petit à l'époque. Aujourd'hui, il était énorme, mais leur amitié et leur tendresse avaient grandi avec lui.

C'était son unique ami, et seule une séparation le sauverait. Si Richard l'aimait vraiment, il devait le chasser de sa vie.

— File ! Je ne veux plus te voir ! Tu n'es qu'un gros tas de fourrure idiot ! Si tu veux me faire plaisir, débarrasse-moi le plancher. Oui, va-t'en !

Richard aurait voulu continuer à crier, mais une boule, dans sa gorge, l'en empêcha. Gratch baissa les bras, pitoyable, et gémit comme un enfant puni.

Le Sourcier recula encore. Le garn avançant, il ramassa une pierre et la lui jeta dessus.

— Fous le camp ! Je ne veux plus jamais te voir !

Des larmes ruisselant sur sa gueule parcheminée, Gratch murmura :

— Grrrratch aaaime Raaach aard.

— Si c'est vrai, file et ne reviens jamais, tu m'entends !

Le garn regarda de nouveau la pente qu'avait dévalée Pasha. Puis il se détourna et déplia ses ailes. Après avoir jeté un dernier coup d'œil derrière lui, il s'envola et disparut rapidement dans la nuit.

Quand il ne le vit plus, Richard se laissa tomber sur le sol. Son seul ami venait de le quitter…

— Je t'aime aussi, Gratch, murmura-t-il. Esprits du bien, pourquoi m'infliger ça ? C'était mon unique compagnon. Je vous hais tous !

Richard était à mi-chemin du palais quand une idée le frappa. Il s'immobilisa, pétrifié, puis glissa une main tremblante dans sa poche et en sortit la mèche de cheveux.

Il venait de tenir à Gratch le discours que Kahlan lui avait servi dans la maison des esprits ! Quel crétin il avait été de ne pas avoir compris plus tôt !

Kahlan ne l'avait pas rejeté. Elle lui avait sauvé la vie. Exactement comme lui avec le garn…

Et dire qu'il avait douté d'elle, au risque de lui briser le cœur ! Comment avait-il pu être aussi aveugle ?

Le Rada'Han ! L'angoisse de porter un collier avait tout occulté ! Kahlan l'aimait, elle avait voulu le protéger, et il ne s'était aperçu de rien.

Elle l'aimait !

Il écarta les bras, défiant le ciel et les étoiles.

— Elle m'aime !

Il baissa les yeux sur la mèche de cheveux qu'elle lui avait offerte en gage de son amour. De sa vie, il ne s'était jamais senti aussi soulagé. Et le monde, autour de lui, reprenait ses couleurs.

Quel déchirement ! Avoir le cœur brisé par le départ de Gratch puis déborder de joie à cause de cette révélation !

Le bonheur finit par l'emporter. Un jour, comme lui, le garn comprendrait la nécessité de leur séparation. Plus tard, débarrassé du collier, Richard partirait à sa recherche et le consolerait. S'il ne le retrouvait pas, Gratch pourrait mener sa vie normale de chasseur. Et il connaîtrait un jour ou l'autre le bonheur. Comme son ami humain.

Le jeune homme aurait voulu serrer Kahlan dans ses bras et la couvrir de baisers. Hélas, il était toujours prisonnier des Sœurs de la Lumière. Mais en travaillant dur, il ne porterait bientôt plus de collier et tout redeviendrait possible. Car sa bien-aimée, il n'en doutait pas un instant, l'aurait attendu. N'avait-elle pas dit qu'elle l'aimait pour toujours ?

Quand il rencontra le groupe de sœurs, à la lisière de Tanimura, Richard leur annonça que le monstre était parti. Elles ne le crurent pas et s'enfoncèrent dans les collines.

Le Sourcier ne s'inquiéta pas. Gratch était loin… et en sécurité.

Au passage, il acheta un collier en or à un colporteur. Enfin, sans doute un collier *plaqué* or. Mais ça n'avait pas d'importance, car ce bijou lui plaisait.

Ravi de son emplette, il gagna le palais d'un pas allègre.

Pasha l'attendait devant sa porte, marchant nerveusement de long en large.

— Richard ! J'étais si inquiète ! Je sais que tu es furieux contre moi, mais avec le temps, tu comprendras que…

— Je ne t'en veux pas ! J'ai même apporté un cadeau pour te remercier.

La novice sourit quand il lui tendit le collier.

— C'est pour moi ? Pourquoi ?

— Grâce à toi, j'ai compris qu'*elle* m'aimait toujours et qu'elle n'avait jamais cessé de m'aimer. Je me suis comporté comme un imbécile, et tu m'as ouvert les yeux.

Pasha se rembrunit.

— Mais tu es là, à présent, et tu l'oublieras tôt ou tard. Alors, tu t'apercevras que je suis faite pour toi.

— Pasha, je suis désolé… Tu es une femme superbe. Bientôt, tu rencontreras l'homme de ta vie. Le choix ne te manquera pas, car tout le monde t'apprécie. Mais je ne te suis pas destiné. Peut-être, si je devais vivre cent ans sans elle, mais sinon…

La novice retrouva son sourire.

— Dans ce cas, j'attendrai.

Richard lui posa un baiser sur le front, puis entra chez lui. Il doutait de pouvoir dormir, dans son état d'excitation, mais sa course effrénée l'avait épuisé.

Du coup, avec une dernière pensée pour Kahlan, il sombra dans le sommeil le plus réparateur qu'il eût connu depuis des mois.

Les jours suivants, il vécut dans l'euphorie, et tout le monde s'étonna de le voir aussi guilleret. Après un moment de perplexité, les résidents du palais se mirent au diapason. Certaines sœurs gloussèrent de joie quand il assura qu'elles étaient aussi belles qu'une journée ensoleillée.

Il demanda à ses formatrices de travailler plus dur, les forçant à prolonger les leçons. Tovi et Cecilia en furent enthousiasmées. Merissa et Nicci se fendirent de petits sourires. Armina montra prudemment sa satisfaction et Liliana se réjouit sans détour.

Richard voulait être débarrassé du Rada'Han. S'il ne se montrait pas coopératif, ça n'arriverait jamais.

N'ayant pas vu Warren depuis quelques jours, il alla dans les catacombes. Becky n'était pas de service et l'autre sœur gloussa quand il lui fit un clin d'œil.

Très content de le voir, Warren eut du mal à dissimuler son excitation. Dès qu'ils se furent enfermés dans une des « pièces du fond », il commença à ouvrir les volumes posés sur le bureau.

— Tout ce que tu m'as dit m'a été très utile. (La Taupe désigna un paragraphe auquel Richard ne comprit rien.) Regarde-moi ça ! Il ne suffit pas, pour libérer le Gardien, que la Pierre des Larmes soit dans notre monde !

— Ce qui signifie, en clair ?

— Il y a plusieurs verrous à la porte de sa prison, et la pierre est la clé d'un seul. Donc, elle ne lui permet pas de s'évader. Sauf si elle est utilisée dans notre monde par quelqu'un qui a le double don. À ce moment-là, elle le libère. Avec elle, un sorcier doué pour la seule Magie Additive peut déchirer davantage le voile, mais pas faire traverser le Gardien. Bref, si nous sommes prudents, la présence chez nous de la pierre noire n'est pas dangereuse.

— Elle n'est pas noire ! D'où as-tu tiré cette idée ? Je t'ai décrit sa forme, et précisé sa taille, mais jamais sa couleur.

— Pas noire ? s'étonna Warren. Alors, comment est-elle ?

— Ambre.

— Le Créateur soit loué ! s'exclama Warren. C'est la meilleure nouvelle que j'aie entendue depuis des années ! Ça signifie qu'elle a été touchée par la larme d'un sorcier. Mon ami, ça repousse le Gardien. Comme quand on nous sert de la viande pourrie ! Ses agents n'y toucheront pas !

Richard sourit de toutes ses dents. Sûrement un coup de Zedd ! Et ça expliquait pourquoi il avait pensé à son vieil ami en voyant la pierre. Cette découverte, ajoutée à sa « révélation » au sujet de Kahlan, manqua faire défaillir de joie le jeune homme.

— Warren, j'ai une autre bonne nouvelle. Je suis amoureux et je vais me marier !

La Taupe sourit… puis se décomposa.

— Ce n'est pas Pasha ? Enfin, j'espère… Sinon, je comprendrais… Vous feriez un magnifique couple…

— Pas d'inquiétude, mon vieux ! Il ne s'agit pas de Pasha. Mais je te parlerai plus tard de mon histoire avec la Mère Inquisitrice. Quelles sont tes autres découvertes ?

Warren tira un nouveau livre en travers du bureau.

— J'ai déniché quelques références précieuses au sujet de ton os rond et des skrins. Un des textes, une prophétie à fourches, est lié au prochain solstice d'hiver. C'est un vrai casse-tête, avec une multitude de fourches et d'intersections. Très récemment, nous avons appris que la prophétie concernant cette femme et son peuple dérive d'une bonne fourche.

Chaque fois que Warren se lançait dans ce type de discours, Richard était perdu. Tout ce qu'il retint de cette tirade-là furent les deux mots « solstice d'hiver ».

— Quel rapport avec le solstice d'hiver ? demanda-t-il.

— Le jour le plus court de l'année… Et la nuit la plus longue. Tu saisis ?

— Pas du tout. Quel lien ça a avec un skrin ?

— La plus longue nuit… Ça veut dire une période d'obscurité très étendue. À certains moments, le Gardien exerce une plus grande influence sur notre monde. À d'autres, elle diminue. Son monde étant celui des ténèbres, pendant le solstice d'hiver, le voile est très affaibli. Du coup, le Gardien peut nous faire plus de mal que d'habitude.

— Bref, dans quelques semaines, lors du prochain solstice, nous serons en danger.

Warren rayonna soudain.

— Exact, mais tu m'as fourni les informations nécessaires pour déchiffrer une prophétie à très court terme. Nous connaissions déjà la bonne fourche, et nous savons maintenant que le danger se présentera lors de *ce* solstice d'hiver.

» Il faudra qu'un certain nombre d'éléments soient en place pour qu'il s'agisse d'une bonne fourche – du point de vue du Gardien. D'abord, le portail devra être ouvert. Il faudra aussi qu'il ait un agent dans notre monde, et que celui-ci puisse compter sur l'aide d'un skrin. Si l'agent détient l'os dont nous avons parlé, il invoquera l'esprit protecteur et le détruira. Dans ce cas, le Gardien pourra emprunter le passage.

— Warren, ça me semble très inquiétant.

— Mais non, mais non… Beaucoup de prophéties sont terribles, comme celle-là. Sauf que les éléments sont rarement en place. Alors, on s'aperçoit qu'il s'agissait d'une mauvaise fourche. Les livres en sont pleins, à cause de…

— Warren, pas de théorie ! Viens-en aux faits !

— Si tu préfères… Bon, tu m'as dit que ton amie détenait l'os qui peut invoquer le skrin. De plus, le Gardien a besoin d'un agent et il n'en a pas. Sans l'os, et avec la prophétie à court terme dont nous sommes certains, nous nous trouvons face à une fausse fourche et ne risquons rien.

Richard n'en était pas si sûr. Mais l'assurance de Warren balaya ses doutes, et il lui flanqua une grande claque sur l'épaule.

— Bien joué, mon vieux. À présent, je vais me concentrer sur mon apprentissage.

— Merci, Richard ! Grâce à toi, j'ai progressé à pas de géant.

Tout sourires, le Sourcier hocha la tête, émerveillé.

— Warren, je n'ai jamais rencontré quelqu'un de si jeune qui soit aussi intelligent !

La Taupe éclata de rire.

— J'ai dit un truc drôle ?

— Ben, oui ! Ta blague était hilarante !

— Quelle blague ?

— Sur ma jeunesse. C'est le genre d'humour que j'adore.

— Tu m'en vois ravi… Mais en quoi était-ce amusant ?

— Parce que j'ai cent cinquante-sept ans, mon ami !

— À présent, c'est toi qui plaisantes. Tu te fiches de moi, n'est-ce pas ?

Warren cessa de sourire.

— Richard, ne me dis pas que tu n'es pas au courant ? Les sœurs ont dû t'expliquer. Depuis le temps que tu es là…

— M'expliquer quoi ? Warren, maintenant, tu ne peux plus te taire. Si tu es vraiment mon ami, crache le morceau !

La Taupe s'éclaircit la gorge.

— Je suis navré, Richard. Je pensais que tu savais. Sinon, je t'en aurais parlé depuis longtemps. Je te le jure !

— Accouche, bon sang !

— C'est à cause de la magie du Palais des Prophètes. Elle a des composantes, à la fois additives et soustractives, qui la lient à d'autres univers. Du coup, ici, le temps s'écoule différemment.

— Et ça affecte tous ceux qui portent un collier ?

— Non, ça touche tous les résidents du palais, y compris les sœurs. Ces murs sont ensorcelés. Quand les sœurs y vivent, elles vieillissent au même rythme que nous. Plus lentement… Le temps est… hum… différent.

— Que veux-tu dire par là ?

— La magie ralentit notre vieillissement. Quand nous prenons un an, les gens de l'extérieur en encaissent entre dix et quinze.

Richard sentit sa tête tourner comme un manège.

— Warren, c'est impossible ! (Il tenta de trouver un argument frappant.) Pasha ! Elle doit avoir…

— Richard, je la connais depuis plus de cent ans…

— Ridicule ! Pourquoi en serait-il ainsi ?

Warren eut l'air désolé.

— Il faut beaucoup de temps pour entraîner un sorcier. Dans le reste du monde, vingt ans ont passé avant que je sois capable de toucher mon Han. Mais au palais, j'ai vieilli d'à peine deux ans. Deux décennies avaient passé aussi, comprends-tu, mais je n'avais pris que le dixième de ce temps. Sans la magie, nous mourrions tous de vieillesse avant de pouvoir allumer une lampe avec notre Han.

» À ma connaissance, il n'a jamais fallu moins de deux cents ans pour former un sorcier. En général, c'est plutôt trois cents, et il arrive qu'on frôle les quatre cents.

» Les sorciers qui ont fondé le palais le savaient, donc ils ont lié la magie à celle des autres mondes, où le temps n'a aucune importance. J'ignore comment ça marche, mais c'est comme ça…

— Warren…, fit Richard, je dois me débarrasser du Rada'Han et rejoindre Kahlan. Impossible d'attendre si longtemps ! Tu dois m'aider !

— Désolé, Richard, mais je ne sais pas comment ouvrir les colliers, ni traverser les barrières qui nous retiennent ici. Tu sais, je comprends ce que tu ressens. C'est pour ça que je me suis muré dans les catacombes depuis cinquante ans. En revanche, certains de nos collègues s'en fichent. Parce que ça leur laisse plus de temps pour profiter des femmes.

— Je ne peux pas y croire…, gémit le Sourcier.

— Excuse-moi, mon ami. Je regrette de t'avoir blessé. Tu as toujours été si…

Richard posa une main sur l'épaule de Warren.

— Tu n'y es pour rien. Il ne faut jamais accuser le porteur d'une mauvaise nouvelle. Au contraire, je te remercie de m'avoir dit la vérité.

Richard sortit de la salle comme un automate. Tous ses rêves venaient de s'envoler en fumée. S'il ne pouvait pas se défaire du collier, il aurait tout perdu.

Les sœurs Ulicia et Finella s'écartèrent quand elles virent l'expression du jeune homme. Un peu plus tôt, les gardes avaient fait de même…

Il franchit le bouclier, et la porte de la Dame Abbesse s'ouvrit devant lui sans… qu'il lui soit venu à l'idée d'utiliser la poignée.

Annalina était assise à son bureau, les mains jointes. Impassible, elle regarda le Sourcier avancer vers elle.

— Je dois reconnaître, dit-elle, que je n'attendais pas *cette* visite avec impatience.

— Pourquoi sœur Verna ne m'a-t-elle rien dit ?

— Parce que je le lui avais ordonné.

— Et pourquoi ne m'avez-vous rien dit ?

— Je voulais que tu en découvres plus long sur toi-même, pour mieux mesurer ton importance. Utiliser les gens est aussi le fardeau des Dames Abbesses…

Richard tomba à genoux devant le bureau.

— Anna, je vous en prie, aidez-moi ! Retirez-moi le Rada'Han. J'aime Kahlan et j'ai besoin d'elle. Il faut que j'aille la retrouver, car mon absence a déjà trop duré. Par pitié, Anna, libérez-moi !

La Dame Abbesse ferma les yeux un long moment. Quand elle les rouvrit, ils étaient voilés de mélancolie.

— Je ne t'ai pas menti, mon enfant. Sans ton aide, nous ne pouvons pas ouvrir le collier. Et il faudra du temps pour que tu aies appris ce qu'il faut savoir…

— Anna, n'y a-t-il pas un autre moyen ?

— Hélas, non…, Avec le temps, tu t'y résigneras. Comme les autres. C'est plus facile pour eux, parce qu'ils sont si jeunes, en arrivant, qu'ils ne comprennent pas tout de suite… Nous n'avons jamais eu un sujet aussi âgé que toi.

— Mais quand je sortirai d'ici, *elle* sera vieille, comme tous les gens que j'ai connus…

— Richard, je crains que tu n'aies pas l'esprit très clair… Quand tu seras formé, les arrière-arrière-arrière-petits-enfants de tous tes proches seront morts et enterrés depuis longtemps.

Le Sourcier essaya d'assimiler cette notion. Mais les chiffres tourbillonnèrent dans sa tête.

Soudain, il se rappela l'avertissement de Shota : un piège dans le temps !

Et il y était tombé.

Les Sœurs de la Lumière lui avaient tout pris. Il ne verrait plus jamais Zedd, Chase, ni aucun de ses amis.

Et Kahlan ne viendrait plus se blottir dans ses bras.

Jusqu'à son dernier souffle, elle ignorerait qu'il l'aimait et qu'il avait mesuré l'énormité du sacrifice auquel elle avait consenti pour lui.

Chapitre 63

Assis à même le sol, Richard leva les yeux quand il vit entrer Warren. Son ami avait frappé, mais il n'avait rien entendu.

Le voyant si abattu, la Taupe vint s'agenouiller près de lui.

— Richard, j'ai réfléchi à quelque chose que tu m'as dit... Tu étais sur le point d'épouser la Mère Inquisitrice ?

Le Sourcier sortit de son hébétude.

— La prophétie qui se réalisera au solstice d'hiver la concerne, n'est-ce pas ?

— C'est possible... Mais je n'en sais pas assez long pour le dire. La Mère Inquisitrice porte-t-elle du blanc ?

— Oui. Les Inquisitrices ont pour vocation de découvrir la vérité... et elle est la dernière.

— Une formidable nouvelle ! Selon moi, au solstice d'hiver, elle trouvera le bonheur et l'apportera à son peuple.

Richard se souvint de sa vision, dans la Tour de la Perdition. À cause de l'horreur de ces instants, les paroles de « Kahlan » étaient à jamais gravées dans sa mémoire.

Il les cita à Warren.

— « *Parmi tous ceux qui sont nés de la magie pour délivrer la vérité, un seul survivra quand la menace des ténèbres sera dissipée. Alors viendra une pire obscurité : celle des morts. Afin que la vie ait une chance, celle qui est en blanc devra être offerte à son peuple, pour lui apporter la joie et la prospérité.* »

— C'est exactement ça ! Je crois que la « pire obscurité » fait référence au Gardien *et* au solstice d'hiver. Et selon moi, ça veut dire... Richard, où as-tu lu cette prophétie ?

— Nulle part. La Mère Inquisitrice me l'a récitée dans une vision.

Warren écarquilla les yeux.

— Tu as eu une vision prophétique ?

— Oui. Elle m'a récité le texte et montré ce qu'il signifiait.

— À savoir ?

— Je ne peux pas te le dire. Elle m'a précisé que j'avais le droit de répéter les mots, mais pas de décrire la vision. Je ne peux pas passer outre cette interdiction sans connaître les conséquences d'une transgression. Mais sache que la réalisation de cette prophétie ne lui apportera aucune joie. Et à moi non plus.

— Tu as raison, fit Warren, après une courte réflexion. Richard, je dois te dire, au sujet des prophéties, quelque chose que peu de gens connaissent : les mots ne sont pas toujours le reflet de leur sens véritable.

— Que veux-tu dire ?

— Parfois, en lisant une prophétie, il m'arrive d'avoir une vision. Elle se réalise, comme la prédiction, mais pas de la façon qu'on imagine en lisant le texte. Selon moi, la véritable manière d'interpréter ces phrases passe par le don – et par les visions.

— Les sœurs le savent-elles ?

— Non. Je crois que c'est le privilège des prophètes. Si tu as entendu les mots et eu une vision, tu en es peut-être un.

— D'après la Dame Abbesse, j'ai un autre talent. Si elle a raison, avoir eu cette vision peut être simplement une composante de mon aptitude à être… ce que je suis vraiment.

— Et tu serais quoi ?

— Un sorcier de guerre…

Warren blêmit.

— Ces sorciers-là ont le don pour les deux magies ! Il y a des milliers d'années que personne n'est né avec le don de la Magie Soustractive. La Dame Abbesse se trompe peut-être…

— Je suis le premier à l'espérer, mais ça expliquerait tant de choses. Un de mes amis m'a dit que la Magie Additive utilise ce qui existe pour le multiplier ou l'altérer. En somme, son domaine, c'est le « faire ». La Magie Soustractive *défait* les choses. Les boucliers des sœurs participent de la Magie Additive. Même ceux qui ont le don peinent à les traverser, parce qu'ils contrôlent la même variante de pouvoir. Moi, je les franchis sans même y penser. L'intervention de la Magie Soustractive expliquerait ce phénomène. L'Additive *fait* et la Soustractive *défait*.

— Tu as essayé, m'as-tu dit, de franchir la barrière qui nous empêche de partir d'ici. C'est une sorte de bouclier. Si tu contrôlais la Magie Soustractive, tu aurais dû pouvoir passer.

— Warren, fit Richard, soudain pensif, qui a érigé cette « barrière » ?

— Ceux qui ont mis en place toute la magie du palais. Les sorciers de l'ancien temps…

— Ceux qui maîtrisaient aussi la Magie Soustractive ! Et c'est le seul bouclier qu'ils aient installé. L'unique que ma Magie Soustractive, si tout ça est vrai, ne peut pas neutraliser. Tu vois ce que je veux dire ?

— Oui… Ça se tient… Et ça colle avec certaines prophéties te concernant. Si tu es vraiment un sorcier de guerre… et Celui qui est Né dans la Vérité.

— Ces prophéties disent-elles si je vaincrai ?

Warren jeta un coup d'œil hésitant à l'épée posée non loin du Sourcier.

— Si je dis « lame blanche », ça évoque quelque chose pour toi ?

Richard soupira au souvenir de cet atroce moment de sa vie.

— Je peux faire virer la lame de mon épée au blanc avec la magie…

— Alors, j'ai peur que nous soyons dans de sales draps. Une prophétie dit : « *Si les forces de la confiscation se déchaînent, le monde sera obscurci par une luxure plus noire encore qui jaillira de la déchirure. Les chances de salut, alors, seront aussi fines que la lame blanche de Celui qui est Né dans la Vérité.* »

— La déchirure… Une autre façon de nommer le portail.

— Dans ce cas, la « luxure plus noire » serait le Gardien.

— Warren, je dois faire quelque chose au sujet de cette prophétie. C'est très important. Tu connais quelqu'un qui pourrait m'aider ?

La Taupe hésita un long moment.

— Oui… Enfin, je crois. Un prophète est… hum… hébergé… au palais. On ne m'a pas autorisé à le voir. Selon les sœurs, ce serait trop dangereux tant que je sais si peu de choses. Mais elles ont promis, plus tard, de me laisser parler avec lui.

— Où est-il… hébergé ?

— Je l'ignore. Dans une des zones interdites, sans doute. Mais laquelle ? Je n'en sais rien et je ne vois pas comment le découvrir.

— Moi si, conclut Richard en se levant.

Le Sourcier sut qu'il s'était adressé au bon garde lorsque le pauvre Kevin Andellmere devint blanc comme un linge à la mention du prophète. Au début, il feignit de ne rien savoir, mais quand Richard lui rappela – avec tact – tout ce qu'il lui devait, le soldat lui révéla ce qu'il voulait apprendre.

L'endroit où résidait le prophète était un des plus surveillés du palais. Richard savait où se tenaient les gardes, car il était souvent allé cueillir des fleurs à cet endroit, s'offrant même une promenade sur les remparts pour « admirer l'océan ». Autre avantage, ces soldats étaient des clients assidus du bordel qu'il avait réquisitionné.

Il ne ralentit pas en passant le portail, se contentant de répondre d'un hochement de tête aux clins d'œil de ses « copains » militaires. Ceux qui défendaient l'accès aux remparts, plus coriaces, tentèrent de l'empêcher de passer. Il répondit à leurs cris et à leurs gestes par de grands saluts amicaux, comme s'il pensait qu'ils le congratulaient. Ils finirent par abandonner, reprirent leurs postes, et le regardèrent s'éloigner, sa cape ouverte volant derrière lui.

Au bout du chemin de ronde, un escalier en colimaçon conduisait aux quartiers du prophète.

Les gardes affectés à la porte étaient les deux types qu'il avait eu tant de mal à se mettre dans la poche. Ceux à qui il avait offert deux femmes à la fois…

Ils se redressèrent en le voyant.

— Walsh, Bollesdun, comment ça va, les amis ?

Les deux hommes placèrent leurs piques en travers de la porte.

— Richard, qu'est-ce que tu fiches ici ? Les roses poussent à la surface.

— Walsh, je veux voir le prophète.

— Ne nous mets pas dans l'embarras. Tu sais que nous ne pouvons pas. Les sœurs nous écorcheraient vifs !

— Je ne leur dirai pas que vous m'avez laissé entrer. Si quelqu'un apprend notre petit secret, prétendez que vous ne m'avez pas vu passer. Je confirmerai si nécessaire.

— Richard, tu es vraiment…

— Vous ai-je jamais apporté des ennuis ? Depuis mon arrivée, je vous paye à boire, je vous prête de l'argent et je vous fournis des filles. Ai-je demandé un service en retour ?

Le Sourcier posa la main sur la garde de son arme. D'une façon ou d'une autre, il franchirait cette porte.

Walsh écarta sa pique.

— Bollesdun, va faire ta ronde. Moi, j'ai un besoin urgent de pisser.

— Merci, Walsh, dit Richard. Je te revaudrai ça…

En approchant des quartiers du prophète, le Sourcier sentit des boucliers, qui le ralentirent à peine.

La pièce où il entra était aussi spacieuse que la sienne, et encore plus richement meublée. Il y régnait un remarquable désordre, des livres gisant un peu partout, y compris sur le sol couvert de tapis bleu et jaune.

Un homme était assis devant la cheminée éteinte.

— Il faudra me dire comment tu as réussi ce coup-là, lança-t-il d'une voix profonde – sans se retourner. J'adorerais connaître ce truc.

— Quel truc ?

— Celui qui te permet de traverser les boucliers. Moi, je grillerais vif…

— Si je découvre un jour comment ça marche, je ne manquerai pas de vous informer. Et si vous n'êtes pas trop occupé, j'aimerais vous parler. Au fait, mon nom est Richard.

— Occupé ! La bonne blague !

L'homme se leva en riant aux éclats. Richard fut surpris par sa taille. À voir ses cheveux blancs, il s'attendait à découvrir un vieillard ratatiné. Il ne s'était pas trompé sur l'âge du bonhomme. Mais on ne pouvait pas le qualifier de vieillard et il n'avait rien de ratatiné. Véritable force de la nature, il afficha, en se retournant, un sourire à la fois convivial et terrifiant. Comme le Sourcier, il portait un Rada'Han.

— Je m'appelle Nathan, Richard, et j'attendais impatiemment notre rencontre. Mais je n'aurais pas cru que tu trouverais ton chemin tout seul…

— C'était essentiel, pour que nous puissions parler librement.

— Sais-tu que je suis un prophète ?

— Je ne suis pas venu apprendre à cuire le pain !

Cette fois, Nathan sourit, mais il n'éclata pas de rire. Les sourcils froncés, il baissa le ton et siffla :

— Tu veux que je te parle de ta mort, Richard ? De la façon dont tu rendras l'âme ?

Le Sourcier se laissa tomber sur un sofa et posa les pieds sur une table. Soutenant le regard du vieil homme, il se fendit aussi d'un sourire terrifiant.

— Avec plaisir ! Je brûle de connaître tous les détails de ma fin. Quand vous aurez fini, je décrirai *votre* mort.

— Tu es un prophète, gamin ?

— Assez pour vous dire comment vous mourrez.

— Sans blague ? Vas-y, ça m'intéresse rudement !

Richard prit une poire dans une superbe coupe posée sur la table, la frotta contre sa jambe de pantalon et la mordit à belles dents.

— Vous crèverez ici, Nathan, dans cette pièce, très très vieux, et sans avoir jamais revu le monde extérieur.

— On dirait que tu es un foutu prophète, mon gars…, grogna Nathan, l'air maussade.

— En revanche, si vous m'aidez, il y a des chances pour que je revienne vous faire sortir de ce trou à rats.

— Et que veux-tu ?

— Me débarrasser de ce collier.

— On dirait que nous avons des objectifs communs, Richard…

— L'ennui, selon les sœurs, c'est que je ne vivrai pas longtemps sans mon Rada'Han.

— Ces mégères exigent que les autres soient sincères, mais elles s'embarrassent une fois par siècle de l'être en retour. Elles ont leur façon de voir les choses, mon garçon. Par bonheur, il n'y a jamais qu'un seul chemin pour traverser une forêt.

— Elles disent que je dois d'abord savoir utiliser mon Han. À la vitesse où elles me forment, je mourrai de vieillesse avant…

— Tu aurais plus de chances d'apprendre à chanter à une souche ! Ces bonnes femmes sont incapables de t'enseigner ça ! Fiston, tu as le double don. Elles ne peuvent rien pour toi.

— Et vous ?

— Peut-être… (Le prophète fit tourner son fauteuil, se rassit et dévisagea Richard.) Dis-moi, as-tu lu *les Aventures de Bonnie Day* ?

— Lu et relu ! C'est mon livre de chevet. J'adorerais rencontrer son auteur et le féliciter.

Nathan rayonna soudain.

— Fiston, tu as ce génie sous les yeux !

— Quoi ? s'écria Richard. C'est vous qui… Sans blague ?

Nathan cita quelques passages du roman pour montrer qu'il n'affabulait pas.

— J'ai donné ce livre à ton père, avec mission de te le remettre quand tu serais en âge de lire. À l'époque, tu venais de naître.

— Vous étiez avec George et la Dame Abbesse ? Elle ne me l'a pas raconté…

— Dire la vérité n'a jamais été son fort… Anna n'avait pas le pouvoir d'entrer dans la Forteresse du Sorcier. J'ai aidé George à s'y introduire, pour qu'il subtilise le *Grimoire des Ombres Recensées*. On trouve des livres de prophéties sacrément intéressants en Aydindril…

— On dirait que nous sommes de vieilles connaissances…, souffla le Sourcier.

— Plus que ça, Richard Rahl. C'est Nathan Rahl qui te le dit !

— Pardon ? Vous seriez mon arrière-arrière quelque chose ?

— Il faudrait trop longtemps pour citer tous les « arrière », petit ! Je fêterai bientôt mon millième anniversaire ! (Nathan brandit un index sentencieux.) Je m'intéresse à toi depuis longtemps, parce que tu figures dans les prophéties.

» J'ai écrit *les Aventures de Bonnie Day* pour les gamins dotés d'un grand potentiel. En somme, c'est un livre de prophéties. Assez simple pour qu'un jeune esprit le comprenne et en tire de précieuses leçons. Ce bouquin t'a aidé ?

— Plus d'une fois…, avoua Richard, toujours éberlué.

— Voilà qui me comble d'aise… Nous avions donné le livre à une poignée de gamins triés sur le volet. Tu es le dernier vivant. Les autres sont morts dans des « accidents inexplicables ».

Richard finit la poire, histoire de se donner le temps de réfléchir. Décidément, tout ce qui concernait la Magie Soustractive, dans sa vie, lui déplaisait beaucoup.

— Vous pourriez m'aider à utiliser mon pouvoir ?

— Fais fonctionner tes méninges, gamin. Les sœurs t'ont-elles torturé avec le Rada'Han ?

— Non, mais elles y viendront.

— Livrer la guerre de la veille, Richard… Tu te souviens de ce que Bonnie Day dit aux soldats de Warwick qui protègent les landes ? « L'ennemi n'attaquera pas deux fois de la même façon. Et vous gaspillez stupidement votre énergie à tenter de livrer la guerre de la veille ! » (Nathan fronça les sourcils.) Il semble que tu n'aies pas assimilé cette leçon. Quelque chose t'est arrivé une fois, fiston. Ça ne veut pas dire que ça se reproduira. Pense à demain, pas à hier.

— Dans une tour, j'ai… eu une vision. Sœur Verna utilisait le collier pour me faire souffrir.

— Et ça t'a mis en rage ?

— Oui. J'ai invoqué ma magie et je l'ai tuée.

Nathan secoua la tête, l'air un peu déçu.

— Cette vision venait de ton esprit, qui essayait de te dire quelque chose. Tu devines quoi ? Que tu es capable de te défendre si les sœurs essayent ce coup-là, et que tu les vaincrais. Ton cerveau et ton don coopéraient. Mais tu n'as pas capté le message, trop occupé à livrer la guerre de la veille.

Vexé, Richard ne fit pas de commentaires. Il avait eu peur que les sœurs ne le torturent, comme Denna, négligeant ainsi leurs autres moyens de lui nuire. Par peur de revivre un cauchemar, il n'avait pas compris le comportement de Kahlan. Pourtant, Zedd lui avait appris à penser à la solution, pas au problème. Mais l'arbre du passé lui avait caché la forêt de l'avenir.

— Je vois ce que vous voulez dire, Nathan, admit-il enfin. Mais pourquoi les sœurs n'ont-elles pas *tenté* de me torturer avec le collier ?

— Anna sait que tu es un sorcier de guerre. Je le lui ai annoncé cinq cents ans avant ta naissance. Elle a dû donner des ordres aux sœurs. Faire souffrir un type comme toi est aussi idiot que frapper un putois sur le cul…

— Vous pensez que la douleur est la clé de mon pouvoir ?

— Non, son résultat : la colère. (Nathan désigna l'Épée de Vérité.) C'est comme ça que tu utilises cette lame. Ta colère invoque la magie. Hum, non, c'est plus compliqué que ça. Tu invoques la magie, qui éveille ta colère, laquelle permet à la magie de fonctionner. Tu me suis ? Voudrais-tu que je te montre comment toucher ton Han ?

— Oui, répondit Richard. Je n'espérais pas que vous me le proposeriez, mais j'accepte avec joie. Il faut que je parte d'ici !

— Tends la main, paume visible. Très bien. (Le prophète sembla soudain auréolé d'une incroyable autorité.) À présent, noie-toi dans mon regard.

Richard s'immergea dans les yeux bleu azur de Nathan. Sa respiration s'accéléra, comme quand il était fou de rage. Mais ça n'était pas le fait de sa volonté.

— Invoque la colère, Sourcier ! Appelles-en à la rage ! À la haine et au courroux !

Richard éprouva la même furie que lorsqu'il dégainait l'épée.

— À présent, sens la chaleur que diffuse ton ire. Brûle-toi à ses flammes. Puis concentre toutes ces sensations sur la paume de ta main.

Le Sourcier obéit, ses dents grinçant à cause du pouvoir qui circulait en lui.

— Regarde ta paume ! Vois ce que tu éprouves !

Richard baissa les yeux sur sa main. Une boule de feu bleu et jaune lévitait au-dessus de sa peau. Quand le flot de fureur augmenta, la sphère grossit.

— Dirige la rage, la haine, la colère et le feu vers la cheminée.

Le Sourcier tendit la main. La boule de feu se déplaça avec elle. Alors, il regarda la cheminée et expulsa la rage de son corps et de son esprit.

Le projectile magique percuta le foyer et explosa avec un craquement semblable à celui d'un éclair.

— Voilà comment tu dois faire, mon garçon, rayonna Nathan, très fier de lui. Même en cent ans, les sœurs ne seraient pas fichues de t'apprendre ça. Pas de doute, tu es un sorcier de guerre. Un instinctif !

— Nathan, je n'ai pas senti mon Han. À vrai dire, je n'ai rien éprouvé de nouveau. La colère était la même que lorsque j'utilise l'épée. J'ai une réaction identique quand je me coince un doigt dans une porte.

— Tu te trompes, mon enfant... Tu es un sorcier de guerre. Les autres détiennent seulement une facette du don. Pour leur magie, ils utilisent ce qui est à leur disposition : l'air, la chaleur, le feu, le froid ou l'eau...

» Les sorciers de guerre ne fonctionnent pas comme ça. Ils puisent le pouvoir en eux-mêmes, comprends-tu ? Ceux-là ne contrôlent pas leur Han, mais leurs sentiments. Les sœurs veulent t'enseigner le « pourquoi » et le « comment » de toute chose. Pour ton type de pouvoir, ça n'a aucun sens. Dans ton cas, seuls les résultats comptent, car tu puises ta magie à l'intérieur de toi-même. C'est pour ça que les sœurs ne peuvent rien t'enseigner.

— Que voulez-vous dire ?

— As-tu jamais vu une couturière piquer une épingle à côté d'une pelote ? Les sœurs veulent que tu observes ta main, l'épingle et la pelote. Les autres sorciers utilisent leur magie comme ça. Ceux de ton espèce n'observent rien, ils font ! Leur Han agit instinctivement.

— Tout à l'heure, c'était du... Feu de Sorcier ?

— Le Feu de Sorcier est comparable à un taureau enragé. Ce que tu as fait me rappelle plutôt un papillon énervé...

Richard essaya de nouveau. Rien ne se produisit. La colère se refusa à lui. Il aurait pu invoquer la rage de l'épée, mais elle était différente de celle que Nathan avait fait jaillir de lui.

— Ça ne marche pas. Pourquoi ?

— Parce que je t'ai aidé, te guidant avec mon propre pouvoir. Pour le moment, tu ne peux pas réussir ça seul.

— Pour quelle raison ?

Nathan tendit une main et tapota le crâne du Sourcier.

— Parce que ça doit venir de là-dedans. Il faut que tu t'acceptes toi-même, fiston. Pour l'instant, tu n'y crois pas, et tu luttes contre ta véritable nature. Tant qu'il en sera ainsi, tu ne pourras pas accéder à ton Han, sauf en cas de grave danger.

— Et les migraines que m'inflige mon don ? D'après les sœurs, sans le collier, elles me tueraient.

— Pour les sœurs, la vérité est un morceau de viande plein de nerfs et de tendons. Elles en mangent uniquement quand elles crèvent de faim. Ces garces nous font prisonniers pour que nous devenions comme elles. Ce qu'elles tentent d'accomplir, quand elles travaillent avec toi, est exactement ce que *je* viens de réussir. Les migraines sont dangereuses, c'est vrai, mais seulement quand on laisse un jeune sorcier se débrouiller seul avec son pouvoir. Quand tu en avais, parvenais-tu à les enrayer ?

— Oui. Lorsque je me concentrais sur le tir à l'arc, quand j'étais en danger, ou quand je puisais la magie de l'épée, elles me laissaient tranquille.

— Parce que le don était en harmonie avec ton esprit ! Pour que la magie ne te nuise pas, il suffit d'une formation du type de celle que je viens de te prodiguer.

» Entraîner les sorciers devrait être le privilège exclusif… des sorciers. Pour un collègue plus expérimenté, mettre ton esprit et ton don en harmonie est un jeu d'enfant. Tu sais pourquoi ? Parce qu'un Han masculin éduque un Han masculin ! Ce que nous venons de faire suffit à empêcher le don de te nuire. Pour un très long moment, et sans avoir besoin du Rada'Han !

» Plus tard, t'associer à un sorcier te permettra d'aborder la prochaine étape, et te protégera tant que tu ne l'auras pas franchie. Les sœurs auraient eu besoin de cent ans pour te montrer – peut-être ! – ce que je t'ai fait découvrir ce soir. Les migraines sont un prétexte pour nous mettre un Rada'Han. Elles nous capturent parce qu'elles ont une vision très particulière de la formation d'un sorcier. En réalité, leur but est de nous contrôler.

— Pourquoi ?

— Elles nous jugent responsables de tous les maux qui ont accablé l'humanité. En nous emprisonnant, puis en nous endoctrinant, elles espèrent apporter à tous les peuples la lumière de leur théologie à la noix. Ce sont des fanatiques, Richard. Elles prétendent être les seules à connaître le chemin qui mène directement à la droite du Créateur. Bien entendu, avec des idées aussi foireuses, elles pensent que la fin justifie les moyens.

— Si j'ai bien compris, dit Richard, notre petite séance de tout à l'heure suffit à empêcher le don de me tuer. Même si je ne porte plus de collier.

— En gros, c'est ça, mais il faudra beaucoup d'autres séances, comme tu dis, pour que tu deviennes un véritable sorcier. J'ai en quelque sorte retenu l'étalon par son mors pour qu'il ne te désarçonne pas. Ne va pas te prendre pour un cavalier émérite !

— Si vous avez raison, fit Richard, les mâchoires serrées, les sœurs ont vraiment frappé un putois sur le cul. Merci de m'avoir aidé… Nathan, des heures sombres nous attendent, et c'est pour bientôt. J'ai besoin d'informations. Connaissez-vous la Deuxième Leçon du Sorcier ?

— Bien entendu. Mais tu dois apprendre la première avant de découvrir celle-là.

— C'est déjà fait. J'ai tué Darken Rahl avec la Première Leçon. Elle dit que les gens croient n'importe quoi. Parce qu'ils ont envie d'y croire, ou parce qu'ils ont peur que ce ne soit vrai.

— Et qui ne fonctionne pas ainsi ?

— Personne ! C'est le grand secret… Je dois être sans cesse vigilant, ne pas me croire immunisé, et savoir que je reste vulnérable à la crédulité. Bref, rien n'empêche que je sois un jour victime de la Première Leçon.

— Excellent…

— Alors, la deuxième ?

— C'est une affaire de… hum… résultats imprévus.

— Pardon ?

— La Deuxième Leçon dit que les pires maux découlent des meilleures intentions. Ça semble paradoxal, mais la bonté et la bienveillance peuvent être un chemin insidieux vers la destruction. Parfois, faire ce qui semble bien est une erreur. Le seul remède, c'est la connaissance, la sagesse, la prévoyance… et une bonne compréhension de la Première Leçon. Mais ça n'est pas toujours assez…

— Avoir de bonnes intentions et faire le bien peut être destructeur ? Comment ?

Nathan haussa les épaules.

— Il peut paraître gentil de donner des sucreries à un enfant. Les gosses aiment tant ça ! Mais la connaissance, la sagesse et la prévoyance nous avertissent que ça le rendra malade s'il ne consomme que ça, au détriment d'une nourriture saine.

— Tout le monde sait ça !

— Alors, prenons un autre exemple. Une personne se casse la jambe et tu lui apportes à manger pendant sa convalescence. Le temps passe, mais le malade ne veut toujours pas se lever, parce que la rééducation est douloureuse. Du coup, tu continues à le nourrir. Au fil du temps, la jambe perd ses muscles et il devient encore plus difficile de l'utiliser. Toi, tu joues toujours les pères nourriciers. À la fin, ton patient sera impotent à cause de ta gentillesse ! Tes bonnes intentions auront provoqué un désastre.

— Ce genre de situation est trop rare pour être un problème.

— Richard, je te donne volontairement des exemples simples. Tente de les appliquer à des cas plus difficiles, et tu comprendras une loi qui peut paraître absconse.

» Trop de gentillesse peut encourager la paresse et rendre indolent un esprit pourtant sain. Plus on aide les gens, plus ils ont besoin d'assistance. Si ta bienveillance n'a pas de limites, elle les privera de la discipline, de la dignité et de la confiance en soi dont ils ont besoin. Ta bonté finira par les dévaloriser.

» Imagine que tu donnes une pièce à un mendiant dont la famille, dit-il, meurt de faim. Au lieu d'acheter à manger, il se soûle et tue quelqu'un. Es-tu coupable ? Non, puisque c'est lui qui a pris une vie. Mais si tu lui avais offert de la nourriture, ou si tu étais allé en apporter aux siens, il n'y aurait pas eu de crime. Tes bonnes intentions, une fois encore, ont mal tourné.

» C'est ça, la Deuxième Leçon du Sorcier. La violer peut avoir des conséquences désastreuses.

» Certains dirigeants prêchent la non-violence et condamnent même la légitime défense. La meilleure intention du monde, non ? Hélas, ça conduit souvent à des massacres, alors que la menace d'une riposte aurait empêché l'attaque et renforcé la paix. Ces gens placent l'idéalisme au-dessus des réalités de la vie. Ils accusent les guerriers d'être assoiffés de sang, alors qu'ils auraient pu éviter une boucherie.

— Vous essayez de dire que je ne dois pas avoir honte d'être un sorcier de guerre ?

— Vanter les mérites d'un régime végétarien ne fait aucun bien aux moutons si les loups refusent de changer d'habitudes alimentaires.

Richard eut soudain l'impression de converser avec son bon vieux Zedd !

— D'accord, mais la gentillesse ne peut pas être toujours néfaste.

— Bien sûr que non ! C'est là qu'intervient la sagesse. Il faut être assez avisé pour prévoir les conséquences de ses actes. Le problème, avec la Deuxième Leçon, c'est qu'on ne peut jamais dire si on y contrevient ou si on agit comme il faut. En plus, la magie est dangereuse. Quand on la combine à de bonnes intentions, il faut savoir quel flocon de neige sera de trop sur le versant de la montagne. Car les ravages de l'avalanche seront sans rapport avec le poids du minuscule flocon que tu auras ajouté sans y voir de mal…

— Nathan, fit Richard en posant le bout des doigts sur la garde de son épée, je crains d'avoir déchiré le voile en violant la Deuxième Leçon.

— Ta crainte est justifiée.

— Mais comment ai-je fait ça ?

— Tu as utilisé ta magie pour vaincre. Cela a nourri celle des boîtes et du portail, et déchiré le voile. Ton péché fut l'ignorance. Tu ne savais pas que les résultats imprévus de ta « bonne action » risquaient de détruire toute vie. Un insignifiant flocon de neige… Oui, fiston, la magie est dangereuse.

— Comment réparer mon erreur ?

— La Pierre des Larmes doit retourner chez le Gardien, et il faudra refermer le verrou. Quand la pierre sera revenue dans le royaume des morts, l'influence du Gardien sur notre monde diminuera. Pour réussir ça, il faut contrôler les deux magies…

» Ensuite, il conviendra de « faire tourner la clé dans le verrou », c'est-à-dire fermer le portail. Pour ça aussi, les deux magies sont indispensables. Tenter l'aventure avec une seule éventrera le voile. Un sorcier comme moi, exclusivement doué pour la Magie Additive, ne peut rien faire. Toi, en revanche…

» Tant que ce ne sera pas accompli, nous serons en danger. Si tu te trompes, ou si tu te sers de la pierre à des fins égoïstes, tu es assez puissant pour détruire l'équilibre, finir de déchirer le voile et nous condamner tous à une nuit éternelle.

— Nathan, savez-vous ce qu'est un « agent » ?

— Tu parles des problèmes prévus pour le prochain solstice d'hiver ? Un agent est quelqu'un qui commerce avec le Gardien. Par exemple en lui livrant des âmes d'enfants innocents en échange de connaissances sur la Magie Soustractive.

Nathan jeta un regard noir au Sourcier.

— Mais ça n'est pas grave, puisque tu as expédié Darken Rahl dans le royaume des morts, d'où il n'a aucun pouvoir sur notre monde. Il est bien dans le royaume des morts, n'est-ce pas ?

L'estomac de Richard se noua. Non content d'avoir déchiré le voile, il avait violé une seconde fois la Deuxième Leçon en convoquant un conseil des devins. À cause de lui, Darken Rahl, un agent, était revenu dans le monde des vivants, où il pourrait s'attaquer au voile.

De quoi se sentir très mal…

— Nathan, je dois me débarrasser de ce collier.

— Désolé, mais je ne peux pas t'aider.

Venu pour ça, le Sourcier décida de poser la question qui le hantait.

— Nathan, il y a une… personne… très importante pour moi. Elle est en danger et je dois voler à son secours. Il existe une prophétie à son sujet, et j'ai également eu une vision…

— Quelle prophétie ?

— *« Parmi tous ceux qui sont nés de la magie pour délivrer la vérité, un seul survivra quand la menace des ténèbres sera dissipée… »*

De sa voix profonde, Nathan prit le relais :

— *« Alors viendra une pire obscurité : celle des morts. Afin que la vie ait une chance, celle qui est en blanc devra être offerte à son peuple, pour lui apporter la joie et la prospérité. »*

— Donc, vous savez tout à ce sujet… Nathan, j'ai *vu* la prophétie se réaliser. Je n'ai pas le droit d'en parler, mais ça n'avait rien de joyeux, à mes yeux…

— Elle sera décapitée…, lâcha le prophète. C'est le véritable sens du texte.

— Nathan, il faut que je parte d'ici ! Ça ne doit pas arriver !

— Fiston, regarde-moi, et retiens tes larmes ! Tu dois savoir la vérité. Si cette prédiction ne se réalise pas, il n'y a rien au-delà ! Nous mourrons tous. Plus de vie nulle part ! La victoire totale du Gardien !

» Sers-toi de ton pouvoir pour modifier les événements, et tu déchireras totalement le voile ! Alors, le Gardien engloutira le monde des vivants.

— Pourquoi ? cria Richard en se levant. Au nom de quoi devrait-elle se sacrifier pour préserver la vie ? C'est absurde ! (Il ferma le poing sur la garde de son arme.) J'empêcherai ça ! Elle ne mourra pas à cause d'une stupide devinette !

— Richard, un jour viendra où tu devras faire un choix. Depuis très longtemps, j'espère que tu sauras, quand l'heure sonnera, prendre la bonne décision. Si tu te trompes, tu as le pouvoir de nous détruire tous.

— Je ne resterai pas ici à vous écouter prétendre qu'il faut la laisser mourir. Les esprits du bien n'ont rien fait pour l'aider, donc je dois me substituer à eux.

Richard sortit en trombe de la pièce. Sur son passage, les murs du couloir se craquelèrent et des fragments de plâtre tombèrent du plafond. Il s'en aperçut à peine, mais cela le combla d'aise, considérant son humeur. Quand il traversa le bouclier, la peinture des murs se lézarda.

Ses pensées tourbillonnaient dans toutes les directions. S'il ne faisait rien, il le savait désormais, sa vision se réaliserait. Pour sauver Kahlan, il devait sortir d'ici. Mais le sens caché de la prophétie était peut-être qu'il n'y parviendrait pas…

Dans la cour intérieure de ce bâtiment du palais, il vit des gardes affolés courir en tous sens. Cette panique ne l'étonna plus quand il aperçut un guerrier baka ban mana, encerclé par une centaine de soldats qui le lorgnaient d'un air méfiant sans trop oser avancer.

Et l'homme semblait s'en ficher comme d'une guigne !

À coups de coude, le Sourcier se fraya un chemin jusqu'à lui.

— Que fais-tu ici ?

— *Caharin*, fit le guerrier en s'inclinant, je me nomme Jiaan. Ton épouse, Du Chaillu, m'envoie te délivrer un message.

Pour l'heure, Richard décida de ne pas polémiquer sur la notion d'« épouse ».

— Je t'écoute.

— Elle a suivi les instructions de son cher mari. Nous sommes désormais en paix avec les Majendies. Et avec les gens qui vivent ici.

— Une merveilleuse nouvelle, Jiaan ! Dis-lui que je suis très fier d'elle et de votre peuple.

— *Notre* peuple, corrigea Jiaan. Je dois aussi t'apprendre qu'elle a décidé de garder l'enfant. Et que nous sommes prêts à retourner vers notre terre ancestrale. Elle veut savoir quand tu reviendras afin de nous guider.

Richard balaya la foule du regard. Il y avait des soldats, mais aussi des sœurs. Il reconnut certaines de ses formatrices : Tovi, Nicci et Armina. Pasha aussi était là. Tout comme sœur Verna, au dernier rang des curieux. Pour ne rien arranger, il reconnut, sur un lointain balcon, la silhouette ramassée de la Dame Abbesse.

— Jiaan, dis-leur de se tenir prêts. Je viendrai bientôt.

— Merci, *Caharin*. Nous t'attendrons.

— Cet homme est venu en paix, cria Richard aux soldats. J'entends qu'il reparte librement.

Jiaan s'éloigna, nonchalant comme s'il était seul dans la cour. Les gardes le suivirent. Ils ne le lâcheraient pas d'un pouce, devina le Sourcier, avant qu'il soit sorti de la ville.

Les curieux se dispersèrent.

Le cœur de Richard battait la chamade. En violant une seconde fois la Deuxième Leçon, dans la maison des esprits, il avait ramené son père dans le monde des vivants. Une bonne intention catastrophique : selon Warren, le Gardien avait besoin d'un agent pour s'évader, et il lui en avait obligeamment fourni un.

Un cauchemar ! Il venait de découvrir que Kahlan n'avait jamais cessé de l'aimer, et voilà qu'il était coincé ici pour des siècles. S'il ne trouvait pas un moyen de filer, sa bien-aimée périrait pendant le solstice d'hiver.

Les pensées tournaient dans sa tête, lui donnant le mal de mer.

Conscient d'avoir peu de temps devant lui, il décida d'aller voir la seule personne susceptible de l'aider.

Chapitre 64

La Dame Abbesse entendit des voix dans l'antichambre et espéra qu'elles annonçaient la visite qu'elle attendait. Ce qui allait suivre ne l'enchantait pas, mais il n'était plus temps de tergiverser. Richard avait sûrement trouvé un moyen de voir Nathan, et le prophète aurait fait sa part du travail. À présent, à elle d'assurer la sienne !

Loin de se fier aveuglément à Nathan, elle savait pourtant, dans le cas présent, pouvoir compter sur lui. Les conséquences d'un échec auraient été trop terribles. Cela dit, elle ne lui enviait pas sa mission : ajouter *ce* flocon-là n'était pas une sinécure.

Du bout des doigts, Annalina ouvrit sa porte. Les menuisiers avaient dû réparer le chambranle, mis à mal par le Han de Richard – sans qu'il s'en aperçoive. Et il avait « réussi » ça avant d'être allé voir Nathan…

Les trois sœurs cessèrent de se disputer et tournèrent la tête vers la Dame Abbesse, attendant ses ordres.

— Ulicia et Finella, il est tard. Vous devriez regagner vos bureaux et vous occuper de la paperasse. Sœur Verna, entrez, je vous prie…

Anna se leva pour accueillir sa visiteuse. Elle aimait beaucoup Verna et détestait ce qu'elle allait devoir lui faire. Mais le temps lui manquait. Après des siècles de méticuleuse préparation, les événements lui coulaient entre les doigts comme de l'eau.

L'univers était au bord du gouffre.

— Salutations, Dame Abbesse, dit Verna en s'inclinant.

— Asseyez-vous, je vous prie. Il y a si longtemps que nous ne nous sommes pas vues…

Verna tira une chaise et prit place en face d'Annalina, le dos bien droit et les mains jointes.

— Je suis touchée que vous me consacriez enfin un peu de votre précieux temps, Dame Abbesse, dit-elle sèchement.

Anna faillit sourire. Faillit, seulement…

Cher Créateur, merci de l'avoir mise dans d'aussi mauvaises dispositions. Ma tâche n'en sera pas moins accablante, mais un peu plus facile…

— J'ai été occupée…

— Moi aussi. Pendant ces vingt dernières années.

— Apparemment, pas assez… Nous avons des difficultés avec le garçon que vous avez ramené. Et vous n'avez rien tenté pour les éviter quand vous l'aviez sous la main.

— Si on ne m'avait pas interdit de faire mon devoir, dit Verna, rouge de colère, il n'en aurait pas été ainsi.

— Seriez-vous dépourvue de ressources au point de ne pas savoir gérer des restrictions mineures ? Pasha, une simple novice, s'en sort mieux que vous, et elle a reçu les mêmes ordres.

— Vous voyez les choses comme ça ? Selon vous, il serait sous notre contrôle ?

— Depuis que Pasha l'a pris en charge, il n'a tué personne…

— Je connais bien Richard, Dame Abbesse. À votre place, je ne serais pas si confiante.

Anna baissa les yeux sur des documents, faisant mine de se concentrer sur des textes qu'elle ne lisait pas.

— Je tiendrai compte de votre avis, sœur Verna. Merci d'être venue.

— Je n'ai pas fini ! s'écria Verna. En réalité, je n'ai pas commencé !

— Élevez encore la voix devant moi, et vous n'en aurez pas l'occasion…

— Dame Abbesse, excusez mon éclat, mais je dois vous parler de sujets d'une importance capitale.

— Oui, oui… Tout le monde prétend ça… Venez-en au fait, ma sœur, parce que je n'ai pas beaucoup de temps.

— Richard a grandi avec son grand-père…

— Le petit veinard !

Verna marqua une pause, choquée par cette interruption.

— Le grand-père en question est un sorcier du Premier Ordre. Et il était d'accord pour le former.

— Eh bien, nous nous en chargerons à sa place. C'est tout ?

— Dois-je vous rappeler qu'il s'agit d'une violation de la trêve ? Quand un garçon est accepté comme apprenti par un sorcier, nous n'avons pas le droit de le prendre avec nous. On m'a dit qu'il n'y avait plus de sorcier dans le Nouveau Monde, et c'était un mensonge. J'ai été manipulée pour *enlever* un garçon !

Annalina eut un sourire indulgent.

— Ma sœur, nous servons le Créateur pour apporter Sa Lumière au monde. Face à cette mission, que pèse un accord conclu avec des sorciers mécréants ?

Verna en resta sans voix.

Cher Créateur, pensa Annalina, *j'aime tant cette femme. Donnez-moi la force de la briser.*

Nathan avait ajouté son flocon de neige… et elle devait ajouter le sien.

— Pendant vingt ans, j'ai suivi une piste sans savoir pourquoi, dit Verna. On m'a abusée, mes deux collègues sont mortes – dont une de ma main – et on m'a empêchée d'utiliser mon pouvoir pour…

— Croyez-vous que c'était un caprice ? C'est ça, votre problème, Verna ? Si ça vous tracasse tant que cela, voilà la réponse : je voulais vous sauver la vie !

— Si je me souviens bien de mes cours, dans les catacombes, il n'y a qu'une explication à ça. Si c'est vrai…

Anna sourit intérieurement. Verna tenait à jouer cartes sur table.

— Bien raisonné. Oui, Richard a le don de la Magie Soustractive…

— Vous le saviez ? Et vous lui avez fait mettre un collier ? Pour qu'il vienne au palais ? Pourquoi courir un tel risque ?

— Parce que des Sœurs de l'Obscurité se sont infiltrées parmi nous.

Verna ne sursauta pas.

Elle était au courant, pensa Annalina. *Au moins, elle le soupçonnait. Soyez bénie, Verna, d'être si brillante. Et pardonnez-moi pour ce que je dois faire.*

— La pièce est protégée par un bouclier ? demanda Verna.

— Bien sûr…

Anna ne crut pas bon de préciser que son sortilège serait inefficace contre ce type de sœurs.

— Avez-vous des preuves de ce que vous avancez, Dame Abbesse ?

— Je n'en ai pas besoin, pour l'instant, car cette conversation restera entre nous. Vous n'y ferez allusion devant personne. Dérogez à cette règle, et je nierai tout en bloc, prétendant qu'une sœur dévorée d'ambition accuse la Dame Abbesse de blasphème pour se faire valoir. Dans ce cas, nous devrons vous pendre. Aucune de nous ne le désire, n'est-ce pas ?

— C'est exact, Dame Abbesse. Mais quel rapport avec la venue de Richard au palais ?

— Quand une maison est envahie par les souris, il faut se procurer un chat.

— Ce « chat » nous prend toutes pour des souris… Peut-être pas sans raison. Certains mauvais esprits pourraient penser que vous ne vous êtes pas procuré un chat pour éliminer vos souris, mais un appât. Richard est un gentil garçon. Je n'aimerais pas du tout qu'il soit sacrifié…

— Savez-vous pourquoi vous avez été choisie pour partir à sa recherche ?

— J'ai pris cela pour un témoignage de confiance de votre part…

— En un sens, c'était ça… Je ne suis pas sûre qu'il y ait des Sœurs de l'Obscurité au palais, Verna. Mais si c'est le cas, Grace et Elizabeth, qui occupaient les deux premières places de la liste, risquaient fort d'en être. Dans des prophéties que moi seule ai lues, j'avais appris que Richard aurait probablement le don de la Magie Soustractive – donc qu'il refuserait les deux premières propositions.

» Si les disciples de Celui Qui N'A Pas De Nom en étaient informées, ai-je pensé, elles feraient tout pour que la troisième sœur soit aussi une des leurs. J'ai usé de mes prérogatives pour vous désigner.

— Vous étiez sûre de moi à ce point ? s'étonna Verna.

Annalina ravala les paroles qui lui brûlaient les lèvres : *Je vous ai connue toute petite, Verna. Je sais tout de votre intelligence, de votre courage et de votre loyauté. Parmi les sœurs, une seule méritait que je lui confie le destin du monde. Avec vous, je savais que Richard serait en sécurité.*

Impossible de dire ça !

— Je vous ai choisie parce que vous étiez tout en bas de la liste. Et à cause de votre parfaite insignifiance.

— Je vois, fit Verna après un long silence.

Anna feignit l'indifférence. Pourtant, elle avait le cœur brisé.

— Je doutais que vous soyez une de mes ennemies... Votre manque de relief renforçait ma conviction. Si Grace et Elizabeth étaient arrivées en haut de la liste, c'était sûrement parce que la femme qui dirige les Sœurs de l'Obscurité les jugeait sacrifiables. J'ai copié sa tactique.

» Comment risquer la vie de sœurs vraiment utiles à notre cause ? Richard nous servira, c'est vrai, mais il n'est pas essentiel aux affaires du palais. À mission subalterne, agent subalterne... Et si vous n'étiez pas revenue, comme tout bon général, je me serais félicitée de ne pas avoir mis en danger la vie d'un élément de valeur.

— Je comprends très bien, Dame Abbesse, croassa Verna.

— Comme je l'ai dit, j'ai du travail. Vous en avez terminé, sœur Verna ?

— Oui, Dame Abbesse...

Quand la porte se referma derrière sa visiteuse, Anna se prit la tête à deux mains. Des larmes coulèrent sur ses précieux documents...

Liliana soutint un long moment le regard de Richard. Sans savoir si elle allait accepter ou non, il avait dû en dire beaucoup plus que prévu. Ne pouvant se permettre d'échouer, il avait pris le risque de se fier à la seule Sœur de la Lumière dont il se sentait vraiment proche.

— Très bien, Richard, je t'aiderai. Si la moitié de ce que tu m'as dit est vrai, je ne peux pas faire autrement.

Le Sourcier soupira de soulagement.

— Merci, Liliana. Je n'oublierai jamais ta réaction. Tu es l'unique personne du palais accessible à la raison. Pouvons-nous agir tout de suite ? Le temps presse.

— Maintenant ? Et ici ? Richard, si tu as le double don, comme tu le prétends, t'enlever ton Rada'Han ne sera pas facile. Il me faut emprunter un artéfact que les sœurs surveillent jalousement. C'est un focus, pour amplifier le pouvoir. Avec lui, et si tu m'aides, ça suffira peut-être pour ouvrir le collier.

» Ce n'est pas le seul obstacle. Si Celui Qui N'A Pas De Nom est impliqué, qui sait de quelles oreilles, ou de quel Han, nous pourrions attirer l'attention ?

— Alors, quand ? Et où ? Il faut agir vite.

— Je peux me procurer l'artéfact avant ce soir. Donc, on devrait essayer cette nuit. Mais où ? Au palais, ce serait trop dangereux.

— Le bois de Hagen, proposa Richard. Personne n'y va.

— Tu plaisantes ? C'est un endroit dangereux !

— Pas pour moi. Tu sais que je sens venir les mriswiths. Nous ne risquerons rien et personne ne viendra nous déranger.

— D'accord..., soupira Liliana. Richard, je viole beaucoup de règles par amitié pour toi. Je sais que c'est pour la bonne cause, mais si nous nous faisons prendre, les sœurs s'assureront que nous ne recommencions jamais.

— Je suis prêt. Allons-y !

— Non, je dois d'abord aller chercher l'artéfact. (Liliana fronça les sourcils.) Je viens de penser à autre chose... Les sœurs répètent sans cesse que tu ne dois pas laisser le soleil se coucher pendant que tu es dans le bois de Hagen. Pourquoi ?

— Parce que c'est dangereux.

— Avec tout ce que tu as appris, tu les crois ? Tu leur fais confiance ? Elles racontent peut-être ça parce que tu apprendrais quelque chose d'utile… Tu m'as dit que le bois de Hagen a été créé par d'anciens sorciers qui contrôlaient la Magie Soustractive. Pour aider les garçons comme toi, si j'ai bien compris. Et si les sœurs te faisaient peur pour que tu ne bénéficies pas de cette aide ?

La Première Leçon du Sorcier. Avait-il gobé un mensonge ?

— Tu as peut-être raison… Nous irons avant le coucher du soleil.

— Pas ensemble… Il ne faut pas qu'on nous voie côte à côte. De plus, j'aurai besoin de temps pour subtiliser l'artéfact. Tu connais l'endroit où un rocher fendu se dresse dans un ruisseau, au sud-ouest du bois de Hagen ?

— Oui.

— Très bien. Vas-y avant le coucher du soleil. La magie de ce bois t'est destinée… À partir du rocher, enfonce-toi dans le bois un bon moment. Attache des morceaux de tissu aux branches basses pour que je puisse te suivre et te rejoindre. Je te retrouverai vers minuit. Surtout, ne parle de ça à personne, car tu mettrais en danger nos vies… et celle de Kahlan.

— Je serai muet comme une carpe. À cette nuit, donc…

Richard marcha de long en large dans sa chambre après le départ de son alliée. Le temps pressait terriblement ! Si Darken Rahl s'était déjà procuré l'os de skrin, tout était perdu… Mais comment aurait-il pu ? Après tout, c'était un fantôme. Comme disait Warren, les éléments, par bonheur, étaient rarement tous en place…

Pourtant, Kahlan risquait de mourir et il devait l'aider.

Des coups frappés à sa porte firent sursauter le Sourcier. Pensant que Liliana était de retour pour une raison inconnue, il ouvrit… et laissa entrer le pauvre Perry, l'air très perturbé.

— Richard, j'ai besoin de ton aide ! (Il saisit à pleines mains sa tunique unie.) Regarde ça, on m'a promu !

— Félicitations, Perry. C'est génial !

— Un désastre, oui !

— Comment ça, un désastre ?

— Parce que je ne peux plus aller en ville ! Dans cette tenue, on ne me laissera pas traverser le pont.

— Sans doute… Mais je ne vois pas comment t'aider.

— Richard, il y a une femme à Tanimura… Je la fréquente régulièrement depuis des années et je l'adore. Nous avons rendez-vous ce soir. Si je ne vais pas lui dire que je ne pourrai plus jamais la rejoindre, elle croira que je ne me soucie pas d'elle.

— Je comprends, mais que veux-tu que j'y fasse ?

— Les sœurs m'ont pris mes autres vêtements… Si tu me prêtes une tenue, on ne me reconnaîtra pas. Alors, je pourrai filer en ville et voir ma douce amie. Tu veux bien m'aider ?

Richard réfléchit un moment. Il se fichait de violer les règles absurdes du palais. Mais il s'inquiétait pour son ami…

— Tous les gardes me connaissent. Ils diront aux sœurs qu'ils t'ont vu dans mes vêtements, et ça bardera pour toi.

Perry encaissa l'objection, le front plissé.

— J'attendrai la nuit pour sortir ! Dans l'obscurité, tes copains tomberont dans le panneau. Alors, tu acceptes ?

— Si tu veux courir ce risque, je suis ton homme. Mais ne te fais pas attraper. Je ne voudrais pas avoir contribué à te fourrer dans la mouise. (Il désigna la chambre, où se trouvait sa garde-robe.) Prends ce que tu veux. Tu es un peu plus petit que moi, mais ça ira…

— Le manteau rouge ? Je peux l'avoir ? Elle m'adorera là-dedans.

— Pas de problème… (Richard guida Perry vers la chambre.) Si tu le trouves bien, n'hésite pas. Je serais content que quelqu'un ait du plaisir à le porter.

Perry fouilla la garde-robe à la recherche d'un pantalon et d'une chemise qui le mettraient à son avantage.

— En arrivant, j'ai vu sœur Liliana sortir de ta chambre. (Il brandit triomphalement une chemise blanche à jabot.) Elle te donne des leçons ?

— Oui. Je l'aime bien. C'est la plus gentille du lot…

Perry mit la chemise sur sa poitrine.

— Ça me va comment ?

— Mieux qu'à moi ! Tu connais Liliana.

— Pas vraiment… Mais elle me fait toujours frissonner, avec ses yeux bizarres.

Richard pensa aux étranges yeux bleu pâle tachés de violet de son alliée.

— Au début, ça me faisait aussi tout drôle… Mais elle est si pétulante et amicale, que je ne remarque plus son regard. Avec son sourire chaleureux, on finit par ne plus rien voir d'autre.

Chapitre 65

Richard s'assit en tailleur, l'Épée de Vérité sur les genoux. Il avait mis la cape du mriswith, afin que Pasha et sœur Verna ne sachent pas où il était. Si elles apprenaient qu'il avait laissé le soleil se coucher pendant qu'il était dans le bois de Hagen, il pourrait dire adieu à sa tranquillité, parce qu'elles viendraient le rejoindre à toutes jambes.

Il avait déniché une petite clairière, assez surélevée pour que le sol soit sec, attendant jusqu'à ce que l'astre du jour ait disparu. À voir la position de la lune, entre les branches denses, il estimait qu'il était près de minuit. Quoi qu'il soit censé arriver quand on laissait le soleil se coucher sur le bois, les lieux ressemblaient à ce qu'il avait vu lors de toutes ses visites nocturnes.

Il entendit l'appel de Liliana, lui répondit et la vit sortir de derrière un énorme chêne. Quand elle sonda la clairière, il ne lut aucune inquiétude dans son regard. À l'évidence, elle approuvait son choix.

Elle vint s'asseoir en face de lui.

— J'ai l'artéfact...

— Bravo, Liliana.

Elle sortit l'objet magique de sous son manteau. La statuette représentait un homme qui tenait une sorte de cristal.

— Comment ça fonctionne ?

— Le cristal amplifie le don. Si tu détiens vraiment la Magie Soustractive, je n'aurai pas assez de pouvoir pour te libérer du Rada'Han. Parce que je contrôle uniquement la Magie Additive... Tu poseras la statuette sur tes genoux. Quand nous unirons nos esprits, l'artéfact augmentera ta magie. Alors, je m'en servirai pour défaire le sortilège.

— Parfait ! Allons-y.

— Pas avant que je t'aie dit le reste.

— J'écoute...

— Tu ne peux pas ouvrir le collier parce que tu ne contrôles pas ton don.

Autrement dit, tu ne sais pas canaliser le pouvoir. L'artéfact compensera cette lacune. Enfin, je l'espère…

— Tu essayes de m'avertir d'un danger ?

— Ignorant comment maîtriser le flot de pouvoir, tu seras à la merci du cristal. L'ennui, c'est qu'il ne reconnaît pas la douleur. Il m'aidera, mais rien de plus.

— Compris : je risque de souffrir ! J'ai l'habitude… Ne perdons plus de temps !

— « Risquer » n'est pas le bon verbe. C'est dangereux et tu souffriras à coup sûr. Ton esprit te semblera sur le point d'exploser. Je sais que tu es décidé, mais je refuse de te tromper. Tu croiras être en train de mourir.

Richard sentit une sueur froide ruisseler dans son cou.

— Allons-y, de toute façon, je n'ai pas le choix…

— Je mobiliserai mon Han pour tenter de briser l'emprise du collier. L'artéfact puisera du pouvoir en toi, pour m'aider à vaincre le Rada'Han. Ce sera très douloureux.

— Liliana, je peux encaisser ça. Ne t'en fais pas.

— Écoute-moi, Richard. Je sais que tu es déterminé, mais il faut m'écouter. Je t'arracherai ton don pour qu'il m'aide à vaincre le Rada'Han. Tu croiras que je veux te dérober ta vie. Ton inconscient réagira comme si j'essayais de m'emparer pour de bon de ta magie.

» Tu devras supporter cet atroce sentiment. Si tu tentes d'interrompre le processus quand mon pouvoir sera en toi, afin de…

— J'ai compris ! Même si je veux revenir en arrière, ce ne sera pas possible. Parce que ça me tuerait, c'est ça ?

— Exactement. Résiste-moi, et tu mourras. C'est aussi simple que ça. Si tu ne me fais pas confiance, tu périras, et Kahlan sera perdue. Es-tu sûr de tenir le coup ?

— Pour Kahlan, je subirais n'importe quoi. Liliana, je remets ma vie entre tes mains.

La sœur posa la statuette sur les genoux de Richard. Elle le regarda dans les yeux un long moment, s'embrassa le bout des doigts et les lui passa sur la joue.

— Alors, plongeons ensemble dans l'abîme. Merci de ta confiance, Richard. Tu ne sauras jamais combien elle aura été importante pour moi.

— Merci à toi, Liliana. Que dois-je faire ?

— La même chose que pendant nos leçons. Essaye de toucher ton Han. Je me chargerai du reste.

Liliana avança jusqu'à ce que leurs genoux soient en contact. Ils se prirent les mains, inspirèrent à fond et fermèrent les yeux.

Au début, ce ne fut pas différent d'une leçon, et le Sourcier se détendit très vite en se concentrant sur l'image de l'Épée de Vérité. La douleur arriva, presque imperceptible, comme un picotement, puis se focalisa à la base de sa colonne vertébrale. Très vite, cependant, elle commença à remonter le long de son dos.

Sans crier gare, elle se diffusa dans tout son corps, lui rappelant les effets de l'Agiel : une souffrance brûlante qui pénétrait jusque dans la moelle de ses os.

Richard remercia muettement Denna. Grâce à elle, il avait appris à supporter ce genre de torture. Et cela sauverait Kahlan.

Le Sourcier se raidit, le souffle coupé. La douleur venait d'exploser dans son cerveau, manquant faire disparaître l'image de l'épée. Il lutta pour la conserver, les larmes aux yeux.

Chaque nerf, dans son corps, brûlait comme un tison ardent. Un instant, il crut que son cœur allait exploser.

Richard s'était surestimé : personne ne pouvait supporter ça !

La suite fut pourtant dix fois pire. Incapable de crier, de respirer ou de bouger, il aurait juré qu'on lui arrachait l'âme.

Même si Liliana l'avait prévenu, il pensa qu'il allait mourir. On le spoliait de son essence. Quand il ne lui resterait plus rien, la mort viendrait prendre son dû.

Une illusion, bien sûr, puisque Liliana allait en réalité lui rendre la vie !

Il aurait voulu crier, pour se soulager un peu, mais c'était impossible. Tous ses muscles semblaient à l'agonie, comme son esprit.

Sa tête tomba sur sa poitrine.

Par pitié, Liliana, dépêche-toi !

Richard ne devait pas résister ! S'il combattait la sœur, le destin de Kahlan serait scellé.

Il avait ouvert les yeux, s'aperçut-il soudain. Sur ses genoux, le cristal émettait une lumière orange foncé.

Ça signifiait sans doute que la méthode choisie par son amie marchait.

D'autant plus que la lueur orange augmentait d'intensité !

Vite, Liliana ! Je t'en prie !

L'obscurité l'enveloppait, la douleur elle-même devenant lointaine et diffuse. La vie lui coulait entre les doigts. Le vide l'envahissait, implacable, triomphant, insondable…

Du fond de son gouffre mental, il sentit une présence.

Des mriswiths.

Tout près de lui. Ils les encerclaient…

Alors, de très très loin, il entendit la voix de Liliana.

— Attendez, mes petits… Quand j'en aurai fini avec lui, vous aurez les restes… Attendez un peu…

Richard sentit que les monstres reculaient.

Pourquoi Liliana leur avait-elle parlé ? Et pour quelle raison avaient-ils obéi ?

Rendu fou par la douleur, Richard venait-il d'avoir une hallucination ?

Il sentit une nouvelle présence dans son dos. Pas un mriswith, mais un monstre dix fois plus redoutable.

— J'ai dit d'attendre…, souffla Liliana.

La créature s'éloigna, mais beaucoup moins que les mriswiths.

Que signifiait « vous aurez les restes » ? Qu'il allait mourir, bien sûr ! C'était évident, et tout son corps le lui hurlait.

Non ! Liliana l'avait averti qu'il penserait ça. Tout se déroulait comme elle l'avait prévu, et il devait tenir le coup pour Kahlan.

Mais il lui restait si peu de forces… Pas de doute, la mort approchait !

Sur ses genoux, le cristal brillait de plus en plus fort.

La créature approcha de nouveau.

— Attends ! cria Liliana. J'en aurai terminé dans quelques minutes, et tu auras son cadavre.

À cet instant, une petite voix intérieure souffla à Richard qu'il n'avait plus qu'une chance de se sauver. S'il ne la saisissait pas, c'en serait fini de lui.

Au plus profond de son être, il ranima la flamme agonisante de sa volonté et ramena à lui, au prix d'un terrible effort, la vie et le pouvoir qu'on essayait de lui voler.

Il y eut comme un coup de tonnerre et l'onde de choc sépara le Sourcier de la sœur. Il atterrit sur le dos, à une extrémité de la clairière, et Liliana à l'autre.

L'Épée de Vérité était tombée sur le sol, entre eux. Les mriswiths et la créature inconnue coururent se réfugier entre les arbres.

Richard prit une inspiration douloureuse, se rassit et secoua la tête pour s'éclaircir les idées. La statuette gisait près de son arme. Le cristal ne brillait plus.

Liliana se releva sans effort, comme si une main invisible l'avait aidée.

Elle eut un rictus que le Sourcier n'aurait jamais cru voir s'afficher sur son visage. De la pure perversité !

— Richard, j'étais si près du but… Je n'ai jamais vécu une expérience pareille ! Tu ne sais rien du trésor qui se cache en toi. Mais il sera bientôt mien.

De quel côté s'enfuir ? se demanda le jeune homme.

Quel imbécile il avait été ! Étrangement, cela ne le mettait pas en colère. Non, il éprouvait un terrible sentiment… de deuil.

— Liliana, je te faisais confiance. Et je croyais que tu avais de l'affection pour moi.

— Vraiment ? Et qui te dit que je n'en ai pas ? C'est peut-être pour ça que j'ai choisi la méthode la plus douce. À présent, il faudra adopter la plus dure.

— La plus dure ?

— Le quillion était miséricordieux… J'ai pris le don de beaucoup de mâles, mais tu as résisté à un moment du processus où ils n'en étaient plus capables. Maintenant, il me faudra t'écorcher vif pour m'approprier ton pouvoir. Et tu ne pourras pas bouger un cil pendant que je le ferai…

Liliana tendit une main. Une épée cachée derrière le grand chêne lévita dans les airs et vint se caler dans sa main droite.

La sœur bondit sur sa proie en hurlant.

D'instinct, Richard leva aussi une main et invoqua la magie de son arme. En une fraction de seconde, la colère le submergea et il sentit la garde de l'Épée de Vérité se nicher dans sa paume au moment où Liliana abattait son arme.

Porté par la magie et les esprits des anciens Sourciers, il para le coup de son adversaire.

Dans un coin de sa tête, il se demanda pourquoi l'acier de son épée n'avait pas fait éclater celui de la lame de Liliana…

Puis le ballet de mort commença.

Ils se rendirent coup pour coup, chacun mobilisant toute sa science de l'escrime. Mais Liliana se déplaçait à la vitesse du vent, comme s'il combattait une ombre. Aucun être humain ne pouvait bouger aussi vite. Même pas le Sourcier…

Dans son dos, il sentit la présence menaçante. Esquivant un estoc de Liliana, Richard recula d'un pas, se retourna et fit décrire un arc de cercle à sa lame. Avant que le monstre ne se désintègre, il aperçut un rictus malveillant encadré par des crocs étincelants.

Liliana en profita pour attaquer. Richard plongea en avant, fit un roulé-boulé et se releva d'un bond.

Le duel continua.

Pour lui résister aussi bien, Liliana devait avoir une arme magique comparable à l'Épée de Vérité. Plus des pouvoirs qu'il avait peine à imaginer.

Mais qu'il découvrit bien trop tôt à son goût.

Soudain, Liliana bondit en arrière, et lui expédia une boule de feu. Richard se baissa à temps. Le projectile alla percuter le tronc d'un chêne... qui explosa.

La cime s'abattit sur le Sourcier et le fit basculer en arrière.

Liliana tailla en pièces d'énormes branches pour accéder à sa proie. Richard se dégagea du piège végétal et reprit le combat.

Ils s'enfoncèrent dans un bosquet, puis s'engagèrent sur la pente abrupte d'une colline. L'esprit plus clair, le Sourcier commença à analyser la tactique de Liliana. Elle se battait férocement, mais sans grâce, comme un soldat sur un champ de bataille, pas un maître d'escrime.

D'où lui était venue cette notion ? se demanda Richard, étranger aux subtilités militaires. De l'esprit de ses prédécesseurs, sans doute...

Les attaques brouillonnes de la sœur offraient de nombreuses occasions de riposter. Le Sourcier attendit une occasion, feinta et frappa. Le coup, qui aurait dû couper Liliana en deux, fut hélas dévié par une force invisible. Une protection magique !

Alors qu'il haletait, ne tenant plus que sur les nerfs, la femme ne semblait même pas essoufflée.

— Tu ne peux pas gagner, Richard ! cria-t-elle. Je t'aurai !

— Pourquoi te donner cette peine ? À la fin des fins, tu perdras aussi !

— Mais j'aurai ma récompense.

Le jeune homme se baissa et sentit la lame de la sœur siffler au-dessus de sa tête.

— Si tu aides le Gardien à s'échapper, il détruira la vie. Partout !

— Tu te trompes ! Au contraire, il m'accordera des faveurs que le Créateur ne m'aurait jamais consenties.

— C'est un mensonge ! cria Richard en portant un coup de taille qui rata sa cible.

— Nous avons un accord... Scellé par mon serment.

— Et tu crois qu'il tiendra parole ?

— Joins-toi à nous, Richard, et je te ferai découvrir les délices qui attendent ceux qui le servent. Tu vivras éternellement.

— Jamais ! rugit le Sourcier en sautant sur un rocher.

— Au début, ce combat m'amusait, lâcha Liliana, mais il commence à me casser les pieds.

Elle tendit sa main libre et un éclair en jaillit. Un éclair noir !

Aussi sombre que la pierre de nuit, les boîtes d'Orden ou la mort, ce rayon avait une source que Richard n'eut pas de mal à deviner : la Magie Soustractive !

Liliana bougea la main. L'éclair balaya le sol, coupant au passage un rocher à la base. Derrière lui, Richard entendit le craquement d'arbres qui s'abattaient, vaincus par un bûcheron invisible. En voulant éviter une nouvelle attaque, il perdit l'équilibre et dévala la pente.

Dès qu'il en atteignit le pied, il se contorsionna pour se placer sur le dos.

Liliana se campait déjà au-dessus de lui ! Il devina, à l'orientation de son épée tenue à deux mains, qu'elle préméditait de lui couper les jambes.

Sa façon de se battre, jusque-là, ne lui avait rien rapporté. S'il n'imaginait pas autre chose, il ne s'en sortirait pas.

Liliana leva son épée.

Richard s'abandonna entièrement à la force nichée au cœur même de son être – son don, s'il fallait l'appeler ainsi. Cette entité mystérieuse prendrait le contrôle de son esprit et de son corps... ou il mourrait. Il n'y avait pas d'autre solution.

Il plongea au centre de son âme, où régnait un calme serein, et se laissa guider par son instinct.

L'Épée de Vérité jaillit vers le haut, sa lame plus blanche que de la neige.

De toutes ses forces, Richard enfonça l'arme entre les côtes de Liliana. Quand la pointe traversa sa colonne vertébrale et ressortit entre ses omoplates, elle ne bougea plus, embrochée comme un lapin.

Elle lâcha son arme et baissa les yeux sur son bourreau.

— Je te pardonne, Liliana, murmura Richard.

De la terreur dans le regard, la sœur essaya de parler, mais cracha un flot de sang.

Alors, un roulement de tonnerre retentit. Un éclair noir balaya la clairière, marée d'obscurité qui fit manquer un battement au cœur de Richard.

Puis ce fut fini. Liliana était morte et le Gardien, comprit Richard, était venu la chercher.

La première fois, il avait fait virer la lame au blanc en toute connaissance de cause. Ce soir, suivant les conseils de Nathan, il s'était fié à son instinct – ou à son don – pour invoquer la magie. Une double surprise : avoir appelé la magie blanche *et* ne pas l'avoir fait consciemment.

En lui, quelque chose avait compris que c'était le seul moyen de neutraliser la haine du Gardien qui habitait Liliana. Mais comment en était-elle arrivée là ? Une amie... Quelqu'un à qui il faisait confiance...

Quoi qu'il en soit, il était revenu à son point de départ : un collier autour du cou, et aucune idée quant au moyen de s'en débarrasser ! Rada'Han ou pas, il devait recouvrer sa liberté. Il allait retourner au palais, récupérer ses affaires et tenter de franchir le mur invisible.

Alors qu'il essuyait sa lame sur la robe de la sœur, il se souvint que l'épée avait été au centre de la clairière, loin de lui. Il l'avait fait venir à lui en invoquant sa magie. L'arme s'était envolée pour venir se caler dans sa main.

Intrigué, il la posa sur le sol et tenta de répéter l'expérience. La colère l'envahit, comme d'habitude, mais l'Épée de Vérité ne bougea pas d'un pouce.

Frustré, il la remit au fourreau. Puis il ramassa la lame de Liliana et la brisa sur son genou. Quand il la jeta au loin, il remarqua une forme blanche, près de l'endroit où elle atterrit.

Des ossements couleur de chaux, voilà tout ce qui restait d'une moitié de cadavre desséché. Seul le torse subsistait, des animaux sauvages ayant dû dévorer le reste...

Non... Plus loin, il aperçut le bassin et les jambes.

Le Sourcier se baissa et examina la partie supérieure de la dépouille. Pas une marque de crocs ! En revanche, le bas de la colonne vertébrale avait explosé. Cette femme – on devinait son sexe aux lambeaux de sa robe – semblait avoir été coupée en deux vivante.

La magie… La seule cause possible d'une mort pareille.

— Qui t'a fait ça ? murmura Richard à la morte.

Un bras squelettique se leva lentement. Une fine chaîne en or était enroulée à la phalange décharnée d'un index.

Tous les poils hérissés de terreur, le Sourcier s'en empara. Au bout, un petit morceau d'or délicatement travaillé formait distinctement la lettre J.

— Jedidiah, souffla Richard.

Chapitre 66

Une petite foule s'était massée sur le pont de pierre, toutes les têtes baissées vers le fleuve. Se frayant un chemin sans douceur, Richard aperçut Pasha, penchée comme les autres à la balustrade, et lui lança :

— Que se passe-t-il ?

La novice se retourna et sursauta.

— Richard ! Je te croyais…

Après un dernier coup d'œil au fleuve, elle se jeta dans les bras du jeune homme.

— Tu me croyais quoi ? demanda-t-il.

— J'ai pensé que tu étais mort ! Mais que le Créateur soit loué, ce n'était pas toi !

Richard se dégagea, puis se pencha pour voir ce que tout le monde regardait. Plusieurs barques, des lanternes à la proue, ramenaient vers le rivage un cadavre pris dans leurs filets de pêche. Malgré la chiche illumination, le Sourcier reconnut le manteau rouge…

Il courut à l'autre bout du pont et dévala la berge. Quand les barques accostèrent, il aida les pêcheurs à hisser sur la rive leur macabre prise.

Le pauvre Perry avait été abattu par derrière, comme le montrait un petit trou rond, dans le dos du vêtement.

La Deuxième Leçon du Sorcier…

Perry était mort parce que Richard, une nouvelle fois, l'avait violée. Animé des meilleures intentions, il avait provoqué un désastre. Le dacra lui était destiné, pas à son malheureux ami. Les assassins pensaient sûrement avoir réussi leur coup…

— Richard, j'ai eu si peur, dit Pasha en le rejoignant. J'ai cru que c'était toi… Mais pourquoi portait-il ton manteau rouge ?

— Parce que je le lui avais prêté… (Le jeune homme enlaça brièvement sa compagne.) Je dois partir, Pasha.

— Du palais ? Tu sais que c'est impossible ! La barrière ne te laissera pas passer.

— Je pars, un point c'est tout. Bonne nuit, Pasha.

Richard abandonna la dépouille de Perry et rentra au palais. Quelqu'un avait voulu le tuer et ça ne pouvait pas être Liliana…

De retour dans sa chambre, alors qu'il faisait ses bagages, quelqu'un frappa à sa porte. Il se pétrifia, une chemise à demi pliée dans les mains.

— C'est moi, Verna…

Richard alla ouvrir, décidé à ne pas se laisser marcher sur les pieds, mais l'expression de la sœur lui fit oublier son agressivité.

— Sœur Verna, ça ne va pas ? Entrez et venez vous asseoir.

La sœur se laissa tomber sur une chaise. Le Sourcier s'agenouilla devant elle et lui prit les mains.

— Qu'y a-t-il, sœur Verna ?

— J'attendais ton retour avec impatience… Richard, je n'ai jamais eu autant besoin d'un ami. Et tu es le seul qui me soit venu à l'esprit.

Pour gagner son amitié, il avait été clair là-dessus, Verna devait l'aider à se débarrasser du collier. Allait-elle le lui proposer ? Bien que ce soit impossible ?

— Richard, en mourant, Grace et Elizabeth m'ont transmis leur don. J'ai plus de pouvoir que les autres sœurs, à présent… Hélas, je doute que ça suffise à te libérer. Pourtant, je veux essayer.

Selon Nathan, aucune sœur ne pouvait y parvenir. Mais les prophètes eux-mêmes étaient susceptibles de se tromper.

— Très bien. Allez-y !

— Ce sera très douloureux…

— J'ai déjà entendu ça, ce soir, ma sœur… Et si…

— Pas pour toi, coupa Verna. Pour moi.

— Comment ça, pour vous ?

— Je sais que tu as un double don… La Magie Soustractive…

— Quel rapport avec le Rada'Han ?

— Tu l'as mis toi-même à ton cou. Pour se verrouiller, il utilise la magie de son porteur. Moi, je contrôle seulement l'Additive. Je crains que ce ne soit pas suffisant pour briser le lien…

» Face à la Magie Soustractive, je suis impuissante. Elle s'opposera à moi et me blessera. Toi, tu ne risqueras rien.

Richard se demanda s'il devait croire ce joli discours. Était-ce une variante de la tactique employée un peu plus tôt par Liliana ?

Verna posa les mains sur le cou du jeune homme. Avant qu'elle ne ferme les yeux, il les vit se voiler d'une manière caractéristique : elle touchait son Han.

La main sur la garde de son épée, tendu à craquer, le Sourcier se prépara à réagir à la vitesse de l'éclair si elle tentait de lui faire du mal. Il doutait que sœur Verna veuille lui nuire, mais n'avait-il pas eu une confiance aveugle en Liliana ?

Richard éprouva un picotement agréable. Un bourdonnement sourd résonna dans la pièce. Les coins des tapis se relevèrent et les cadres des fenêtres vibrèrent.

Verna tremblait sous l'effort. Le miroir en pied de la chambre éclata en même temps que les vitres. La porte du balcon s'ouvrit. Des morceaux de plâtre tombèrent du plafond et une armoire s'écroula…

La sœur gémit de douleur.

Le Sourcier la prit par les poignets et la força à lâcher le collier.

— Richard, gémit-elle, je suis navrée, mais je n'y arrive pas.

— Ce n'est pas grave, dit le jeune homme en la serrant brièvement dans ses bras. Je sais que vous avez tout tenté… et vous venez de gagner un ami !

— Richard, il faut que tu partes d'ici !

— Qu'est-ce qui vous a fait changer d'avis ?

— Il y a des Sœurs de l'Obscurité au palais !

— Des Sœurs de l'Obscurité ? Qu'est-ce que c'est ?

— Les Sœurs de la Lumière ont mission de faire découvrir aux vivants la gloire du Créateur. Les Sœurs de l'Obscurité servent le Gardien. On n'a jamais pu prouver leur existence. Et sans preuve, une accusation est un crime. Richard, je sais que tu ne vas pas me croire. Ça semble fou, mais…

— Ce soir, j'ai tué sœur Liliana. Donc, je vous crois…

— Tu as fait quoi ?

— Elle a accepté de me retirer mon collier. Nous nous sommes retrouvés dans le bois de Hagen, et elle a tenté de me voler mon don.

— Impossible ! Une femme ne peut pas dérober le pouvoir d'un homme. L'inverse n'est pas imaginable non plus.

— Liliana a prétendu l'avoir réussi souvent. Et quand elle a essayé, ça m'a semblé fichtrement possible ! J'ai senti qu'elle m'arrachait la vie, et elle a failli y arriver.

— Je ne vois pas comment…

Richard sortit la statuette de sa poche.

— Elle a utilisé cet artéfact. Le cristal émettait une lueur orange pendant qu'elle me drainait ma magie. Savez-vous ce qu'est cet objet ?

— Non… Il me semble l'avoir déjà vu, mais je ne me rappelle plus où. C'était avant mon départ du palais. Mais comment t'en es-tu sorti ?

— J'ai utilisé mon pouvoir pour repousser l'attaque de Liliana. Elle a fait léviter une épée cachée derrière un arbre, avec l'intention de m'écorcher vif. Une autre façon de me voler mon don, d'après elle. Elle voulait me couper les jambes, mais j'ai réussi à lui passer ma lame au travers du corps.

» Sœur Verna, Liliana avait le don de la Magie Soustractive. Je l'ai vue y recourir. Et il y a pire. Quelqu'un d'autre a l'intention de me tuer. J'avais prêté mon manteau rouge à Perry, et on vient de repêcher son cadavre dans le fleuve, avec un trou de dacra au milieu du dos.

— Par le Créateur ! gémit Verna. Au palais, on sait que tu as le double don, et on t'utilise comme appât pour faire sortir de l'ombre les sbires du Gardien. (Elle prit la main du Sourcier.) Richard, j'ai participé à cette machination. J'aurais dû m'interroger sur certaines choses louches, mais j'ai fermé les yeux. Une loyauté si mal placée !

— Quelles « choses louches » ?

— Tu n'aurais jamais dû porter un Rada'Han ! On m'a dit qu'il n'y avait plus de sorciers, dans le Nouveau Monde, pour former les garçons… Alors, j'ai cru que tu allais mourir si nous ne t'aidions pas. Mais ton ami Zedd aurait pu empêcher le don de te faire du mal. La Dame Abbesse le savait. Pour des raisons égoïstes, elle nous a laissées t'arracher à tes amis et à ta future épouse. Le Rada'Han n'était pas nécessaire pour te sauver la vie.

— Je sais… Nathan me l'a dit.

— Tu as vu le prophète ? Que t'a-t-il raconté d'autre ?

— D'après lui, j'ai plus de pouvoir que tous les sorciers nés depuis trois mille ans. Mais j'ignore comment l'utiliser. En plus, je suis doué pour la Magie Soustractive. À cause de ça, aucune sœur ne peut me libérer du collier.

— Désolée de t'avoir attiré tant d'ennuis, Richard…

— Sœur Verna, vous avez été manipulée autant que moi. Nous sommes deux victimes. Des pantins qu'on a utilisés… Mais il y a pire que ça. D'après une prophétie, Kahlan mourra au prochain solstice d'hiver. Je dois empêcher ça ! Et ce n'est pas tout… Darken Rahl, mon père et un agent du Gardien, est dans notre monde. C'est sa marque que je porte sur la poitrine. Si tous les éléments requis sont réunis, il finira de déchirer le voile. Ma sœur, je dois partir d'ici. Et traverser la barrière…

— Je t'aiderai à trouver un moyen de la franchir. Mais il restera la vallée des Âmes Perdues… Je doute que tu puisses revenir dans le Nouveau Monde. Maintenant que le Rada'Han a développé ta Magie Soustractive, les sortilèges seront attirés comme par un aimant. Cette fois, la magie te localisera !

— Il doit y avoir une solution… C'est une question de vie ou de mort.

— Le Gardien fera tout pour t'en empêcher. Les autres Sœurs de l'Obscurité aussi. Liliana n'était sûrement pas la seule.

— Qui l'a chargée de me former ?

— Le Bureau de la Dame Abbesse. Mais Annalina ne s'en est sûrement pas occupée elle-même. En général, elle confie ce genre de tâches à ses administratrices.

— Ses administratrices ?

— Les sœurs Ulicia et Finella.

— Je croyais qu'elles étaient ses gardes du corps.

— Non… La Dame Abbesse a plus de pouvoir qu'elles, et nul besoin qu'on la protège. Certains de nos pensionnaires les prennent pour des cerbères parce qu'elles les empêchent de voir Annalina. En réalité, elles font seulement une partie de leur travail dans l'antichambre de la Dame Abbesse. Mais elles ont leurs propres bureaux, où elles s'acquittent du travail administratif.

— Les Sœurs de l'Obscurité ont peut-être décidé d'agir contre moi parce qu'elles ont été démasquées.

— Non. Annalina ne connaît aucun nom…

— Quelqu'un a-t-il pu espionner votre conversation ?

— Impossible ! La pièce était protégée par magie.

— Sœur Verna, Liliana contrôlait la Magie Soustractive. Les boucliers d'Annalina sont inefficaces contre ce type de pouvoir. Et une des « administratrices » m'a affecté Liliana…

— Et les cinq autres ! Si Ulicia ou Finella – voire les deux – ont entendu ma conversation avec la Dame Abbesse, il… (Verna s'interrompit.) Le bureau de sœur Ulicia ! C'est là que j'ai vu la statuette !

— Venez ! cria Richard en se levant. Les Sœurs de l'Obscurité vont tenter d'assassiner Annalina avant qu'elle prévienne quelqu'un d'autre !

Ils sortirent de la chambre, dévalèrent les marches et quittèrent le pavillon

Gillaume. Traversant les cours à la lumière de la lune, ils longèrent des couloirs avant d'arriver devant l'arche des quartiers de la Dame Abbesse. Kevin n'était pas de service, mais le garde, informé que Richard avait libre accès à la zone, les laissa passer sans poser de questions.

Le Sourcier comprit qu'ils arrivaient trop tard quand il vit les portes du bureau d'Annalina arrachées de leurs gonds.

Verna était encore dans le couloir lorsqu'il entra dans le fief de la Dame Abbesse, épée brandie. On eût dit qu'une tempête s'était déchaînée dans la première pièce. Le cadavre de sœur Finella gisait sur le sol, derrière son bureau. Son sang et une partie de ses entrailles avaient volé jusqu'à un mur. Derrière lui, Richard entendit Verna crier de terreur.

Il flanqua un coup de pied dans la porte intérieure et entra dans le refuge d'Annalina, l'épée tenue à deux mains. Ici, le carnage était encore pire. Sur les étagères, les livres avaient explosé, jonchant le sol de papier. Le bureau en noyer, fracassé, avait volé jusqu'au mur du fond. Plus aucune lampe ne brûlait, la seule lumière provenant de la porte ouverte du jardin intérieur.

Verna invoqua une flamme de poing. À sa lueur, Richard aperçut une silhouette, près du bureau brisé.

Sœur Ulicia !

Le Sourcier s'écarta quand un éclair bleu jaillit des mains de la femme. Derrière lui, Verna riposta avec un jet de flammes jaunes. Pour l'éviter, Ulicia fila dans le jardin intérieur.

Richard la suivit, Verna sur ses talons.

— Baissez-vous ! cria-t-il.

Un rayon noir siffla au-dessus de sa tête une fraction de seconde après qu'il se fut aplati sur le sol.

Fou de rage, le Sourcier se releva et franchit à son tour la porte du jardin. Une silhouette sombre s'éloignait dans l'allée principale…

Des rayons noirs fusèrent de nouveau, déracinant les arbres. Avec un vacarme assourdissant, un mur entier s'écroula.

Quand le calme revint, Richard se redressa et voulut se lancer à la poursuite d'Ulicia. Mais une main invisible le tira en arrière.

— Richard ! cria Verna. Reviens dans la pièce !

Il obéit, et, à bout de souffle, se campa devant la sœur.

— Je dois aller…

— Où ? Te faire tuer ? Au nom de quoi ? Tu crois que ça aidera Kahlan ? Sœur Ulicia a des pouvoirs que tu peux à peine imaginer.

— Elle va s'enfuir du palais…

— C'est vrai, mais tu seras toujours vivant ! À présent, aide-moi à déplacer ce bureau. Je sens qu'Annalina est toujours vivante.

— Vous en êtes sûre ? Ce serait merveilleux !

Richard déblaya les débris et découvrit rapidement Annalina. Verna ne s'était pas trompée. La Dame Abbesse vivait toujours, mais elle était gravement blessée.

Elle gémit quand il la prit délicatement dans ses bras. À l'évidence, il ne lui restait pas beaucoup de temps à vivre…

— Il nous faut de l'aide, dit Richard.

— Elle est très mal en point, fit Verna en passant les mains au-dessus du corps de la vieille femme. Je sens ses blessures. Elles dépassent mes compétences, et peut-être pas que les miennes…

— Je refuse de la laisser mourir…, dit le Sourcier. Nathan pourra peut-être l'aider. Allons-y !

Alertés par le bruit, des gardes et des sœurs couraient partout dans le couloir. Richard et Verna fendirent cette foule paniquée sans prendre le temps de s'expliquer…

Dès qu'ils l'appelèrent, Nathan émergea de son jardin intérieur.

— Tout ce bruit, c'était quoi ? demanda-t-il. Qu'est-il arrivé ?

— Anna est blessée, annonça Richard.

— Dépose-la dans ma chambre, dit le prophète. Je savais bien que cette vieille tête de mule cherchait les ennuis avec une lanterne !

Le Sourcier allongea doucement la Dame Abbesse sur le lit.

Sous le regard de Verna, restée sur le seuil, Nathan passa une main le long du corps de la moribonde.

— C'est très grave, dit-il en retroussant ses manches. Je ne sais pas si je peux…

— Nathan, coupa Richard, vous devez essayer !

— Bien sûr, mon garçon… Vous deux, débarrassez-moi le plancher ! Dans une heure, je saurai si mon intervention est utile… Fichez le camp ! Vous me déconcentrez !

Ils obéirent. Tandis que Richard marchait de long en large, Verna s'assit dans un fauteuil, le dos bien droit.

— Pourquoi t'inquiètes-tu pour Annalina ? demanda-t-elle. Elle t'a piégé ici alors que ce n'était pas nécessaire…

— Eh bien… Elle aurait pu me capturer quand j'étais petit, et elle m'a laissé grandir avec mes parents. Ainsi, j'ai profité de leur amour. Qu'y a-t-il de plus précieux au monde ? Elle avait le pouvoir de m'en priver, et elle ne l'a pas utilisé…

— Je suis contente que tu ne sois pas amer…

Richard continua à faire les cent pas.

Pas très longtemps…

— Ma sœur, ici je ne sers à rien. Je vais parler aux gardes. Nous devons savoir où sont mes « formatrices » et découvrir ce qu'elles préparent. Les soldats s'en chargeront pour moi.

— Ce serait utile, en effet. Va voir les hommes. Ça te distraira un peu, de toute façon…

Richard sortit, l'esprit tourbillonnant d'idées. Il devait savoir où étaient Tovi, Cecilia, Merissa, Nicci et Armina. Chacune d'elles – ou toutes ! – pouvait être une Sœur de l'Obscurité. Quel plan risquaient-elles d'ourdir ? Surtout que…

Un coup terrible le fit reculer, comme si on venait de le frapper avec une massue. Titubant, il ne put rien faire quand un deuxième coup l'atteignit à la nuque.

Une silhouette noire se campa au-dessus de lui. Au prix d'un effort surhumain, Richard parvint à se relever. Voulant saisir son épée, il ne se rappela plus s'il était gaucher ou droitier. D'où lui venait cette étrange confusion ?

— Alors, le bouseux, lança une voix moqueuse, on se promenait un peu ?

Richard leva les yeux sur Jedidiah, debout devant lui, les mains glissées dans ses manches. Trouvant enfin la garde de son arme, le Sourcier la dégaina et invoqua sa magie.

Au moment où la colère explosait dans son cerveau embrumé, Jedidiah sortit ses mains de leur refuge. Il leva le bras droit, un dacra serré dans le poing.

Était-ce un cauchemar ? se demanda Richard. Allait-il se réveiller dans son lit ? Et sinon, que devait-il faire ?

Alors que l'arme allait s'abattre sur le Sourcier, un rayon lumineux sembla jaillir d'entre les yeux de Jedidiah. Sans un gémissement, il lâcha le dacra et s'écroula face contre terre.

Comme lors de la mort de Liliana, une vague d'obscurité balaya le couloir.

Quand la lumière revint, Richard aperçut Verna, un dacra à la main. Il tenta de lui sourire, mais tomba à genoux, incapable de se ressaisir.

La sœur s'accroupit près de lui et lui prit la tête entre ses mains tremblantes. Aussitôt, la brume mentale se dissipa. Se relevant d'un bond, Richard étudia le cadavre du sorcier, et vit qu'il avait un petit trou rond dans le dos.

— J'étais sortie pour aller voir certaines de mes amies, expliqua Verna. Afin que le plus de gens possible soient au courant au sujet des Sœurs de l'Obscurité…

— C'était lui, n'est-ce pas ? Votre amoureux de jadis ?

— Il n'avait plus aucun rapport avec le Jedidiah que j'ai connu, dit Verna en essuyant le dacra sur sa manche. À l'époque, c'était un homme de bien…

— Je suis désolé, ma sœur…

— Oui, oui… Va parler aux gardes. Moi, je m'occupe de prévenir des collègues. Quand tu auras fini, rejoins-moi chez Nathan. Nous dormirons quelques heures, si possible… Mais nos chambres ne sont plus sûres.

— Compris. Dès l'aube, nous irons chercher nos affaires et nous filerons d'ici.

Quand il entendit Nathan entrer dans le salon, Richard se rassit correctement dans son fauteuil et se frotta les yeux. Verna se leva du sofa, encore ensommeillée.

Tous les deux avaient très peu dormi.

Le palais était en ébullition. Le sort terrible de la Dame Abbesse était une preuve suffisante de l'existence des Sœurs de l'Obscurité. Et pour convaincre les sceptiques, il suffisait de leur montrer le carnage, dans le bureau et le jardin, avec sur les murs les traces des éclairs noirs. À part la Magie Soustractive, aucune force n'aurait pu faire ça…

Richard avait chargé les gardes de localiser discrètement Ulicia et ses cinq formatrices. Des amies de Verna les cherchaient également. Le Sourcier était aussi allé dans les catacombes informer Warren des derniers événements.

— Comment va Anna ? demanda-t-il en se levant. Elle se rétablira ?

— Elle est un peu mieux, répondit Nathan, l'air hagard, mais il est trop tôt pour se prononcer. Quand elle se sera reposée, je reprendrai mon traitement.

— Merci… Anna ne pourrait pas être entre de meilleures mains…

— Ouais… En somme, tu me demandes de sauver ma geôlière.

— Elle vous en sera reconnaissante. Et elle vous libérera peut-être… Sinon, je reviendrai et j'essaierai de vous sortir de là.

— Revenir ? Tu vas quelque part, mon garçon ?

— Oui. Et j'ai besoin de votre aide.

— Pour filer détruire le monde comme un crétin ?

— La prophétie dit-elle que vous devez m'en empêcher ?

— Foutu Sourcier…, soupira Nathan. Que veux-tu ?

— Traverser la barrière. Mon Rada'Han m'en empêche. Que dois-je faire ?

— Comment le saurais-je ?

— Nathan, ne me prenez pas pour un imbécile ! Je ne suis pas d'humeur… Vous avez traversé pour aller chercher le grimoire en Aydindril ! Et si vous n'aviez pas eu votre collier, vous en auriez profité pour filer.

— Il faut neutraliser le Rada'Han avec un bouclier… Anna m'avait aidé. Verna fera la même chose pour toi. Je lui donnerai le mode d'emploi…

— Et pour traverser la vallée des Âmes Perdues ?

— Tu as trop de pouvoir, désormais… Les sortilèges te fondront dessus comme une meute de loups. Sœur Verna ne pourra pas passer non plus. Elle a fait son second voyage. De toute façon, elle aussi a trop de pouvoir. Elle ne sortira plus jamais de l'Ancien Monde.

— Pourtant, dit Richard, vous devez avoir traversé trois fois… Une pour venir de D'Hara, votre pays d'origine. Une autre pour aller en Aydindril avec Anna. Et une dernière pour en revenir. Comment est-ce possible… si c'est impossible ?

— Je n'ai traversé qu'une fois, fit Nathan avec un petit sourire. (Il leva la main pour étouffer dans l'œuf les protestations de Richard.) Anna et moi avons contourné l'obstacle. Nous avons navigué hors de portée de la zone d'effet des sorts, très loin sur l'océan, puis accosté à l'extrême sud de Terre d'Ouest. Un long et difficile voyage, mais nous avons réussi. Ce n'est pas le cas de tous ceux qui l'ont tenté…

— La mer ! Je n'ai pas le temps de voguer. Le solstice d'hiver est dans moins d'une semaine. La vallée sera ma seule chance d'arriver à temps.

— Richard, dit Verna, je comprends tes sentiments, mais il te faudra six ou sept jours pour l'atteindre. Même si tu trouves un moyen de traverser, ce sera trop tard.

— Je n'ai aucune expérience de la magie, et mon don ne me sert à rien. Pour cette raison, je me fiche d'apprendre ou non à le contrôler. Mais je suis aussi le Sourcier, sœur Verna. Et dans ce domaine, je ne manque pas d'expérience. Rien ne m'arrêtera ! J'ai promis à Kahlan de ne jamais l'abandonner, quitte à aller dans le royaume des morts pour combattre le Gardien en personne ! Et je le ferai.

— Je t'ai pourtant averti, fiston, dit Nathan. Si cette prophétie ne se réalise pas, le Gardien nous aura tous. Tu ne dois pas intervenir, parce que tu as le pouvoir de livrer à notre ennemi le monde des vivants.

— Une stupide devinette ! grogna le Sourcier, bien qu'il sût que ce n'était pas vrai.

Nathan le foudroya avec le fameux regard des Rahl dont lui aussi avait hérité.

— Richard, la mort fait partie intégrante de la vie. C'est le Créateur Lui-même qui l'a inventée. Fais le mauvais choix, et le monde entier payera le prix de ton idiotie. N'oublie pas non plus ce que je t'ai dit au sujet de la Pierre des Larmes. Si tu t'en sers à tort pour bannir une âme dans les profondeurs du royaume des morts, tu détruiras l'équilibre universel.

— La Pierre des Larmes, répéta Verna, soupçonneuse. Quel rapport Richard aurait-il avec cet artéfact ?

Le Sourcier éluda la question.

— Le temps presse… Je vais chercher mes affaires. Nous devons partir au plus vite.

— Richard, dit Nathan, Anna avait tout misé sur toi. Elle t'a laissé profiter de l'amour des tiens, pour que tu comprennes mieux le sens profond de la vie. Penses-y quand viendra le moment de choisir.

— Merci de votre aide, prophète, mais Kahlan ne mourra pas à cause d'une antique devinette. J'espère que nous nous reverrons, parce que nous avons beaucoup à nous dire…

Richard vida dans son sac la coupe pleine de pièces d'or. Puis il y fourra à la hâte le reste de ses possessions.

Si cet argent pouvait l'aider à sauver Kahlan, ce serait une juste contribution du palais, après tous les torts qu'il lui avait causés.

Cet or avait contribué à amollir le caractère des pensionnaires des Sœurs de la Lumière. Sans lui, Jedidiah n'aurait peut-être jamais cédé aux promesses fallacieuses du Gardien.

À part Warren, les jeunes sorciers avaient perdu le goût de l'effort et du travail. Couverts d'or, sans connaître vraiment sa valeur, ils étaient devenus des parasites. Une autre façon, pour le Palais des Prophètes, de détruire la vie des gens. Sans parler des bâtards que ces hommes avaient engendrés en s'offrant, à grands renforts de largesses, les faveurs des femmes de Tanimura.

Richard sortit sur le balcon pour évaluer la situation. Des gardes et des sœurs passaient le palais au peigne fin. Les six Sœurs de l'Obscurité ne leur échapperaient pas indéfiniment. Mais il resterait à les maîtriser, et ça, c'était une autre histoire…

Entendant frapper à la porte, il supposa que c'était Verna. Sans doute venait-elle le chercher.

Quand il se retourna pour voir qui était entré, il n'eut pas le temps de réagir.

Pasha fondit sur lui, les mains tendues. La porte coulissante du balcon s'arracha à son cadre, vola dans les airs et bascula par-dessus la balustrade. Après une chute de trente pieds, elle s'écrasa dans la cour.

Frappé de plein fouet par un mur d'air solide, Richard manqua suivre le même chemin. Alors qu'il titubait, après s'être retenu à la balustrade, un deuxième assaut le repoussa en arrière. Sa nuque percuta la pierre, et il vit une traînée de sang la maculer.

La novice hurlait de rage. Un flot de paroles incohérentes – à moins que, trop sonné, le Sourcier ne fût plus capable de les comprendre.

Il réussit à se redresser un peu et s'adossa à la balustrade.

— Pasha, que se,,,

— Ferme ta gueule, salaud ! Je ne veux pas entendre un mot sortir de ta bouche ! Pasha approcha de lui, un dacra au poing.

— Tu es un agent du Gardien ! hurla-t-elle, des larmes dans les yeux. Un de ses maudits disciples ! Tu ne sais rien faire, à part nuire aux défenseurs du bien.

— De quoi parles-tu ? parvint à demander Richard.

— Sœur Ulicia m'a tout raconté. Tu as tué Liliana parce que tu sers le Gardien.

— Pasha, Ulicia est une Sœur de l'Obscurité !

— Elle m'a avertie que tu dirais ça. Grâce à elle, je sais que tu as utilisé ta magie noire pour éliminer sœur Finella et la Dame Abbesse. C'est pour ça que tu voulais pouvoir aller dans son bureau. Pour assassiner celle qui nous guidait dans la Lumière ! Tu es un monstre !

— Pasha, tout cela est faux…, souffla Richard.

Le monde tournait autour de lui et il voyait deux Pasha lui hurler des insultes au visage.

— Hier, tu as sauvé ta peau grâce aux ruses du Gardien. Pour m'humilier, tu as donné à ton ami le manteau que j'aimais tant. Sœur Ulicia m'a dit que Celui Qui N'A Pas De Nom te murmure sans cesse des conseils à l'oreille.

» Quand je t'ai vu sur le pont, hier, j'aurais dû te tuer. Ça aurait sauvé Liliana et la Dame Abbesse ! Mais j'ai cru pouvoir t'arracher à l'emprise du Gardien. Quelle idiote j'ai été ! Par la ruse, tu m'as forcée à assassiner ce pauvre Perry ! Mais cette fois, rien ne te tirera d'affaire. Ne compte pas sur les tromperies du royaume des morts !

— Pasha, écoute-moi… Tu as été manipulée. La Dame Abbesse n'est pas morte. Je peux te conduire à elle…

— Tu espères m'assassiner aussi ? Depuis que tu es là, tu n'as que le verbe « tuer » à la bouche. Tu nous as toutes souillées ! Et dire que je pensais t'aimer…

Elle leva son dacra et bondit pour porter le coup de grâce au Sourcier. Richard réussit à dégainer son épée. Mais des deux Pasha qu'il voyait, laquelle était la bonne ?

La magie de l'arme lui redonnant un peu de force, il leva le bras au moment où les images de la novice se rejoignaient.

La lame ne l'embrocha jamais. Propulsée dans les airs, Pasha bascula par-dessus la balustrade et tomba dans le vide.

Elle hurla jusqu'à la fin.

Dans un brouillard, Richard distingua Warren, debout sur le seuil. Alors, il se souvint de l'« accident » de Jedidiah, dans un escalier.

— Esprits du bien, par pitié, non…

Le Sourcier se leva et regarda en bas. Des gens couraient vers le cadavre à la tête éclatée comme une noix. Sentant que Warren approchait, Richard se retourna et lui barra le chemin.

— Ne regarde pas, mon ami…

Pourquoi as-tu fait ça, mon pauvre vieux ? Je m'en serais sorti. J'aurais tué Pasha à ta place…

Richard posa une main sur l'épaule de Warren. Sœur Verna venait d'entrer et approchait du balcon.

— Elle a tué Perry, dit Warren. Je l'ai entendue te l'avouer… et elle t'aurait abattu aussi.

Non, je m'en serais sorti. Tu n'avais pas besoin d'intervenir.

Une vérité que Richard dissimulerait toujours à son ami…

— Merci de m'avoir sauvé, Warren…

— Mais pourquoi voulait-elle te tuer ? Pourquoi ?

— Les Sœurs de l'Obscurité l'ont manipulée, dit Verna en avançant. Le Gardien a rempli son esprit de mensonges. Warren, il peut convaincre les meilleurs d'entre nous d'écouter ses sinistres murmures. Tu as bien agi, mon garçon.

— Alors, pourquoi ai-je honte à ce point ? Je l'aimais, et je l'ai tuée.

Richard serra Warren contre lui et le laissa pleurer tout son soûl.

Verna les poussa dans la chambre. Elle demanda au Sourcier de se baisser et examina sa blessure.

— Il te faut des soins. C'est trop grave pour mes maigres compétences.

— Je m'en charge, dit Warren. Je suis plutôt bon guérisseur…

Quand la Taupe eut terminé, Verna demanda à Richard de se pencher au-dessus d'une cuvette. Elle lui lava les cheveux, rougissant l'eau de sang. Warren s'assit au bord d'un fauteuil, la tête entre les mains.

Il s'ébroua quand Verna en eut fini.

— J'ai reconstitué la Première Leçon du Sorcier…, dit-il. Les gens croient les mensonges parce qu'ils en ont envie, ou parce qu'ils redoutent qu'ils soient vrais. C'est ce qui est arrivé à Pasha. Je me trompe ?

— Pas du tout, mon ami…

— Sœur Verna, reprit la Taupe, pourriez-vous m'enlever mon collier ?

— Pour ça, il faudrait que tu passes l'épreuve de souffrance…

— Sœur Verna, intervint Richard, je crois qu'il vient de le faire.

— Que veux-tu dire ?

— Les jeunes sorciers peuvent traverser la vallée parce qu'ils n'ont pas assez de pouvoir pour attirer les sortilèges. En somme, ce ne sont pas encore de véritables sorciers. Zedd m'a dit qu'il fallait passer une épreuve de souffrance pour en devenir un. Depuis des millénaires, les Sœurs de la Lumière croient qu'il s'agit de souffrance physique. Je pense qu'elles se trompent. Elles ne pourront jamais torturer Warren davantage que ce qu'il vient de vivre. Ai-je tort, mon ami ?

— Rien ne me ravagera plus…

— Ma sœur, je vous ai raconté l'histoire de la femme que j'ai tuée… en l'aimant. Parce que ça m'a permis de faire tourner la lame au blanc. Une sorte d'épreuve de souffrance. Et je sais à quel point c'est terrible.

— Tu veux dire qu'il faut tuer quelqu'un qu'on aime pour devenir un vrai sorcier ? Richard, ça n'est pas pensable !

— Il ne s'agit pas d'exécuter quelqu'un qu'on aime, ma sœur, mais de s'avérer capable de prendre la bonne décision. De prouver qu'on peut opter pour un bien supérieur… Ceux qui ont le don serviraient-ils correctement votre Créateur s'ils agissaient toujours pour des raisons égoïstes ?

» Torturer un sujet, comme le font les sœurs, ne démontre rien, à part qu'il n'en meurt pas. Servir la lumière de la vie, et l'aimer, c'est se montrer apte, de sa propre volonté, à préférer le bien de tous à son propre intérêt. Oui, ma sœur, savoir faire le bon choix, même quand il vous brise le cœur.

— Créateur vénéré, souffla Verna, me suis-je trompée pendant toutes ces années ? Dire que nous pensions apporter Ta Lumière à ces jeunes gens…

Verna se campa devant Warren et posa les mains sur son Rada'Han. Dès qu'elle ferma les yeux, l'air commença à bourdonner. Quand le silence revint, le collier se cassa en deux et tomba sur le sol.

Warren le regarda avec une jubilation qui serra le cœur du Sourcier. Si ça avait pu être aussi simple pour lui…

— Que vas-tu faire ? demanda-t-il. Quitter le palais ?

— Peut-être… Mais si les sœurs m'y autorisent, j'aimerais d'abord continuer à étudier les livres.

— Tu en auras la permission, assura Verna. Je m'en assurerai.

— Alors, plus tard, j'irai peut-être en Aydindril, consulter les ouvrages de la Forteresse du Sorcier.

— Un excellent programme, Warren, approuva Richard. Ma sœur, je dois partir.

Verna se tourna vers la Taupe.

— Warren, pourquoi ne nous accompagnerais-tu pas jusqu'à la vallée ? Après les événements de cette nuit, t'absenter un peu ne te fera pas de mal. De plus, tu pourras penser à autre chose. Et si Richard réussit ce qu'il prémédite, j'aurai besoin de ton aide, quand nous atteindrons la vallée.

Alors qu'ils se dirigeaient vers les écuries, trois gardes – Kevin, Walsh et Bollesdun – les aperçurent et les rattrapèrent.

— Richard, annonça Kevin, nous les avons peut-être trouvées.

— Comment ça, « peut-être » ? Où sont-elles ?

— La nuit dernière, le *Dame Sefa* a appareillé. Des gens, sur les docks, ont vu plusieurs femmes embarquer. La majorité des témoins parlent de *six* passagères.

— Que veut dire « appareiller » ? demanda Richard.

— Quitter le port, pour un navire. Le *Dame Sefa* est un coursier des océans. Il a levé l'ancre dans la nuit, avec la marée, et aucun bateau, paraît-il, n'a une chance de le rattraper.

— De toute façon, dit Verna, nous ne pourrions pas les poursuivre… et remplir notre autre mission.

— Vous avez raison, concéda Richard. Si c'étaient elles, j'ai une petite idée de leur destination. Nous nous en occuperons plus tard. Désormais, le Palais des Prophètes est en sécurité. Ne perdons plus de temps. En selle, mes amis !

Chapitre 67

K ahlan courut dans les couloirs de pierre noire, puis traversa une enfilade de salles à l'atmosphère sépulcrale. Quand elle s'engagea dans un escalier, elle crut que son cœur allait exploser. Elle se pressait ainsi depuis que Jebra lui avait dit avoir aperçu de la lumière dans la Forteresse du Sorcier.

Zedd était revenu !

L'Inquisitrice se souvint de ce qu'on éprouvait en courant avec des cheveux longs : leur poids, leurs mouvements réguliers en rythme avec chaque foulée. Tout cela lui avait été volé… Mais ça n'importait pas. Seul comptait le soulagement de savoir le vieux sorcier de retour. Après l'avoir attendu si longtemps, elle ne pouvait s'empêcher de crier son nom à tue-tête.

En entrant dans la salle de lecture, Kahlan s'immobilisa, haletante. Zedd se tenait devant une table couverte de livres et de rouleaux de parchemins. Rien n'avait changé depuis la dernière fois qu'elle était venue, des mois plus tôt. À la lumière des chandelles, l'atmosphère avait quelque chose… d'intime.

Un colosse aux sourcils en broussaille et au visage parcheminé leva les yeux de la canne sophistiquée qu'il étudiait. Assise dans un coin, Adie tourna la tête vers l'Inquisitrice.

— Zedd… Je suis si contente de vous revoir !

— Zedd ? (Le sorcier consulta le grand type du regard.) Zedd ? (L'homme hocha la tête.) Moi, je préfère Ruben…

— Zedd, j'ai besoin de votre aide !

— Qui est-ce ? demanda Adie.

— Adie, c'est moi, Kahlan !

— Kahlan ? (La dame des ossements tourna la tête vers le sorcier.) Tu sais qui c'est ?

— Une jolie fille aux cheveux courts… Ça se voit, non ? Et elle semble nous connaître.

— Que racontez-vous là ? s'écria l'Inquisitrice. J'ai besoin d'aide ! Zedd, Richard a des problèmes. Il faut vous en charger !

— Richard ? répéta le vieil homme. Je connais ce nom, je crois…

— Zedd, vous êtes devenu fou ? Vous me reconnaissez, quand même ? Il s'agit de Richard ! Richard !

— Richard… Ça me dit bien quelque chose, mais…

— Votre petit-fils ! Par les esprits du bien, l'avez-vous oublié aussi ?

— Petit-fils ? Il me semble que… Non, ça ne me revient pas.

— Zedd, écoutez-moi ! Les Sœurs de la Lumière sont venues et elles l'ont emmené.

Les yeux du vieil homme se levèrent lentement et se rivèrent à ceux de Kahlan.

— Les Sœurs de la Lumière tiennent Richard ?

— Oui. (Derrière le sorcier, une lézarde s'ouvrit dans le mur.) Il est parti avec l'une d'elles.

Zedd s'appuya à la table et se pencha vers l'Inquisitrice.

— Impossible ! Pour ça, il aurait fallu qu'elles lui mettent autour du cou un de leurs fichus colliers. Et ça, il ne l'aurait jamais accepté.

— Pourtant, il l'a fait, dit Kahlan.

Elle sentit que ses genoux commençaient à trembler.

— Et pourquoi l'aurait-il fait, Inquisitrice ? rugit Zedd.

— Parce que, dit Kahlan d'une toute petite voix, je le lui ai ordonné.

Plusieurs bougies fondirent à une vitesse folle, constellant le sol de flaques de cire. Un bras du chandelier s'affaissa soudain, comme une plante manquant d'eau. Prudent, le colosse se plaqua contre un mur.

— Tu as fait quoi, Inquisitrice ? siffla le vieil homme.

— Il refusait… Pour le sauver, je lui ai dit d'accepter le collier. Afin de me prouver son amour…

Kahlan vola dans les airs, percuta un mur et s'écroula sur le sol. Quand elle tenta de se relever, une main invisible la souleva et l'envoya de nouveau s'écraser contre le mur.

Zedd avança et se pencha sur elle.

— Tu as fait ça à Richard ?

— Vous ne comprenez pas… Il le fallait… Il m'a demandé de vous rejoindre et de tout vous raconter. Par pitié, Zedd, acceptez de l'aider !

Furieux, le sorcier la gifla. Kahlan retomba et s'écorcha les mains sur les dalles en se réceptionnant. Il la releva d'un seul bras et la propulsa une troisième fois contre le mur.

— Je ne peux rien pour lui, espèce d'idiote ! Personne n'a le pouvoir de l'aider !

— Pourquoi ? Zedd, nous ne devons pas l'abandonner !

Kahlan leva les bras quand elle vit partir une nouvelle gifle. Une défense futile. Le coup porta et sa tête percuta de nouveau la pierre.

À un doigt de s'évanouir, la jeune femme pensa qu'elle n'avait jamais vu un sorcier dans une telle rage. À coup sûr, il allait la tuer pour ce qu'elle avait fait à Richard.

— Idiote ! Perfide imbécile ! Stupide traîtresse ! Plus personne ne peut l'aider !

— Vous en êtes capable ! J'en suis sûre !

— Non ! Nul ne peut accéder à lui, pas même moi. Les tours ne me laisseraient pas passer. Richard est à jamais perdu pour nous. Tu m'as pris tout ce qui me restait !

— Pourquoi serait-il perdu à jamais ? cria Kahlan malgré le sang qui coulait de sa bouche. Il reviendra un jour…

— Pas de notre vivant… Un sort temporel enveloppe le Palais des Prophètes.

Richard y restera pendant près de trois cents ans, et nous ne le reverrons jamais. Nous l'avons perdu, te dis-je, petite dinde sans cervelle !

— Non ! Par les esprits du bien, ça ne peut pas être vrai. Nous le reverrons !

— Jamais, Mère Inquisitrice ! Grâce à toi, il est hors de notre portée. J'ai perdu mon petit-fils et toi ton amoureux. Dans trois siècles, quand il reviendra, nos os pourriront au fond de la terre ! Tout ça parce que tu l'as forcé, pour te prouver son amour, à remettre un collier...

Zedd tourna le dos à Kahlan, qui tomba à genoux.

— Non ! hurla-t-elle en martelant le sol de coups de poing. Richard, mon Richard ! Esprits du bien, pourquoi m'avoir infligé ça ?

— Qu'est-il arrivé à tes cheveux, Mère Inquisitrice ? demanda Zedd sans se retourner.

— Le Conseil m'a condamnée pour trahison... Je devais être décapitée, et les gens se sont réjouis en entendant la sentence. Ils avaient hâte d'assister au spectacle. Heureusement, je me suis évadée...

— Priver le peuple de distraction n'est pas gentil, fit Zedd. (Il saisit Kahlan par ce qu'il lui restait de cheveux et la tira à travers la pièce.) Pour te punir, tu seras bel et bien décapitée !

— Zedd, non ! Par pitié, pas ça !

Le vieil homme utilisa sa magie pour la traîner dans le couloir comme si elle ne pesait rien.

— Demain, pour le festival du solstice d'hiver, le peuple verra ce qu'il désire. La jolie tête de la Mère Inquisitrice tombera de ses épaules devant une foule en liesse. Je m'en assurerai ! Oui, le Premier Sorcier y veillera !

Kahlan cessa de protester. Quelle importance, après tout ? Les esprits du bien l'avaient abandonnée. Et dépouillée de tout ce qui comptait pour elle.

Pire que tout, elle avait condamné Richard à trois siècles de calvaire. Trois cents ans avec un collier autour du cou !

L'Inquisitrice désirait mourir. Et le plus vite serait le mieux.

Les poings sur les hanches, Richard regardait les nuages noirs que formaient les sortilèges dans la vallée des Âmes Perdues. Au lever du soleil, zébrés de lumière jaune, ils étaient merveilleux à voir. D'une beauté mortelle...

Du Chaillu lui posa une main sur le bras.

— Mon mari me remplit de fierté, aujourd'hui, dit-elle. Il nous rend notre terre, comme les anciens mots le promettaient.

— Du Chaillu, je te l'ai répété cent fois : je ne suis pas ton mari ! Tu as mal interprété les anciens mots. Ils veulent seulement dire que nous devons agir ensemble. Et nous n'avons encore rien réalisé ! Tu n'aurais pas dû venir avec tous les tiens. J'ignore si ça marchera, et nous risquons d'y laisser notre peau.

La Baka Ban Mana lui tapota gentiment le bras.

— Le *Caharin* est là et rien ne lui est impossible. Il nous rendra notre terre. (Elle l'abandonna à ses pensées et se mit en route vers le camp.) Tous les nôtres devaient être présents. C'est leur droit. (Elle se retourna.) Partirons-nous bientôt, *Caharin* ?

— Oui, répondit distraitement Richard.

— Je vais rejoindre mon peuple… Appelle-moi lorsque tu seras prêt.

Tous les Baka Ban Mana campaient à la lisière de la vallée. Des milliers de tentes avaient poussé sur les collines comme des champignons. Malgré tous ses efforts, le Sourcier n'avait pas pu l'éviter.

Au fond, pourquoi s'en faire ? S'il se trompait, la déception d'un peuple entier ne pèserait pas sur sa conscience, puisqu'il serait mort.

Derrière lui, il entendit Warren et Verna approcher.

— Richard, nous pouvons te parler ? demanda la Taupe.

— Bien sûr, répondit le Sourcier sans se retourner. Qu'est-ce qui t'arrive ?

Renonçant enfin à sonder les nuages, Richard fit face à son ami, qui glissa ses mains dans les manches de sa tunique. Dans cette posture, il faisait très « sorcier aguerri ». Et aux yeux de son ami, il incarnait le modèle du bon sorcier : un homme sage, plein de compassion et bardé de connaissance. Bref, de quoi avoir confiance en l'avenir. S'ils ne mouraient pas tous aujourd'hui…

— Sœur Verna et moi, dit Warren, avons parlé de ce que tu comptes faire après avoir traversé la vallée. Richard, je connais ton plan, mais tu n'auras pas le temps de le mettre en application. Demain, ce sera le solstice d'hiver. C'est irréalisable !

— Une chose n'est pas infaisable parce tu ignores comment la faire, mon vieux…

— Je ne comprends pas…

— Dans quelques heures, tu saisiras. Et vous aussi, sœur Verna.

— Si tu le dis, fit Warren en se grattant le nez. Si tu le dis…

Verna n'émit aucun commentaire. Une nouveauté qui déconcerta le sorcier, habitué à la voir monter sur ses grands chevaux quand il jouait les mystérieux. Mais il n'aurait pas parié qu'elle n'en mourait pas d'envie…

— Warren, tu es sûr que la prophétie sur le portail parle de *ce* solstice d'hiver ? (La Taupe hocha la tête.) Imaginons qu'il y ait un agent, une boîte d'Orden ouverte et un os de skrin… Ce sont les seuls éléments indispensables pour ouvrir le portail et déchirer le voile ?

— Oui… Mais Darken Rahl est mort. Donc, il manque l'agent.

Plus une question angoissée qu'une affirmation, pensa Richard.

— Cet agent doit-il être vivant ? demanda Verna.

— Pas obligatoirement, répondit Warren, mal à l'aise. S'il avait été rappelé dans ce monde… Je doute que ce soit possible, mais si ça l'était, ça ferait l'affaire.

— Et cet agent fantôme, s'enquit Richard, pourrait agir exactement comme s'il était vivant ?

— Oui et non, fit Warren, de plus en plus inquiet. Il faudrait un élément supplémentaire. Un esprit ne remplit pas les conditions « physiques » requises pour déchirer le voile. Il lui faudrait un assistant.

— En clair, un esprit ne pouvant pas se charger de certaines tâches matérielles, il aurait besoin de bras pour s'en occuper à sa place. Des bras qui auraient une influence physique, comme tu dis, sur notre univers.

— Oui. Avec de l'aide, un esprit réussirait. Mais comment rappeler un agent dans notre monde ? À ma connaissance, c'est impossible.

— Richard, tu ferais mieux de le lui dire, fit Verna.

Le Sourcier remonta sa chemise et dévoila sa cicatrice.

— Quand je l'ai *rappelé*, sans le vouloir, crois-moi, Darken Rahl m'a marqué. Et il a dit être venu pour déchirer le voile…

— Si Darken Rahl est un agent, comme tu l'affirmes, fit Warren, et s'il a un « assistant », notre salut, ou notre destruction, ne tient plus qu'à l'os de skrin. Nous devons savoir ce qu'il en est.

— Sœur Verna, lança soudain Richard, accepteriez-vous de m'aider ?

— Volontiers, mais à quoi ?

— Lors de notre première leçon, en voyage, j'ai choisi de me concentrer sur l'image de mon épée. Mais cette fois-là, j'y ai ajouté un fond. Il était tiré du livre dont je vous ai parlé. Le *Grimoire des Ombres Recensées*.

» Quelque chose de très étrange s'est produit. J'ai été propulsé en D'Hara, dans le Palais du Peuple, où sont restées les boîtes d'Orden. J'ai vu Darken Rahl. Il me voyait aussi, et il m'a parlé. Pour dire qu'il m'attendait !

— Et ça t'est arrivé d'autres fois ? demanda Verna, le front plissé.

— Non. Ça m'a tellement terrorisé que je n'ai plus utilisé ce fond. Si je m'en sers maintenant, je devrais découvrir ce qui se passe là-bas.

— Je n'ai jamais entendu parler de ce phénomène, admit Verna, mais il doit avoir un rapport avec la Magie d'Orden. Face à toi, j'ai l'habitude d'être surprise. Cela dit, ça peut être réel… ou une sorte de rêve.

— J'aimerais essayer. Mais avec votre aide. Sinon, j'ai peur de ne plus pouvoir « revenir ».

— Bien sûr, Richard… (Verna s'assit en tailleur dans la poussière et tendit les mains.) Viens, je ne te lâcherai pas d'un pouce.

Le Sourcier prit place en face d'elle et enroula autour de lui la cape du mriswith.

— Ce vêtement dissimule mon Han. Il empêchera peut-être Rahl de me voir…

Richard prit les mains de Verna, se détendit et invoqua l'image de l'Épée de Vérité sur un fond noir entouré de blanc.

Et cela recommença ! L'arme, le carré noir et le cadre blanc se brouillèrent et disparurent lentement. Une nouvelle fois, le Sourcier vit se former devant ses yeux le décor du Jardin de la Vie, dans le palais des Rahl.

À la place des cadavres qu'il avait découverts la première fois, il ne restait plus que des ossements blanchis. À part ça, rien n'avait changé.

Darken Rahl était là, tout de blanc vêtu, mais il ne se tenait pas devant les trois boîtes d'Orden. Debout à la lisière du cercle de sable blanc – celui qui avait disparu dans la vision précédente – il regardait la femme en jupe marron et chemisier blanc agenouillée à ses pieds.

Le Sourcier « approcha » et vit qu'elle dessinait des figures géométriques dans le sable étincelant. Certaines rappelèrent au jeune homme celles que Rahl avait tracées avant d'ouvrir une des boîtes.

Suivant les mouvements de la femme, Richard vit qu'il lui manquait l'auriculaire de la main droite.

Au centre du cercle reposait un petit objet rond. Un os sculpté ! À coup sûr celui dont lui avait parlé la Dame Abbesse…

Richard eut envie de hurler de rage.

À cet instant, Darken Rahl releva les yeux et les planta dans les siens. Ses lèvres dessinèrent lentement un sourire.

Regardait-il vraiment Richard ?

Le jeune homme n'attendit pas de s'en assurer. Se concentrant, il invoqua de nouveau l'image de l'épée – sans le fond – qui s'abattit comme une porte sur celle du Jardin de la Vie.

Puis il ouvrit les yeux.

— Richard, ça va ? demanda Verna. Tu es resté « absent » une heure. Quand je t'ai senti lutter pour revenir, je t'ai aidé. Qu'est-il arrivé ? Qu'as-tu vu ?

— Une heure, répéta le Sourcier, haletant. Darken Rahl détient l'os de skrin. Et une femme dessine pour lui les sortilèges dans le sable de sorcier.

— Ne nous affolons pas, dit Warren. C'était peut-être une hallucination.

— Possible…, fit Verna, pensive. À quoi ressemblait la femme ?

— Environ votre taille, des cheveux bruns jusqu'aux épaules… Hélas, je n'ai pas pu voir son visage. Mais… Sa main ! Il lui manquait le petit doigt de la main droite !

Warren blêmit et Verna ferma les yeux.

— Quoi ? Qu'est-ce qui vous arrive ?

— Sœur Odette…, soupira Verna. C'était sœur Odette.

— Elle est partie depuis plus de six mois, confirma Warren. Je pensais qu'elle suivait la piste d'un sujet…

— Maudits soient les esprits ! jura Richard en se levant. Warren, va chercher Du Chaillu et dis-lui que nous partons sur-le-champ.

Richard pensait avoir tout le temps qu'il lui fallait. Une erreur. Mais ça pourrait encore coller, à condition de se dépêcher.

Du Chaillu, en transe, se laissait conduire par Richard. L'Épée de Vérité dans l'autre main, le Sourcier aussi évoluait dans un monde qui n'appartenait qu'à lui. Sa colère répondait point pour point à la fureur des nuages noirs. Les sortilèges les encerclaient comme une meute de chiens forçant un cerf, mais ils gardaient leurs distances, dans l'attente d'une ouverture.

Des volutes de lumière jaillissaient des ténèbres et tourbillonnaient autour d'eux, irrésistiblement attirées par l'aura qui enveloppait Du Chaillu. Dès le contact, ces tentacules de pouvoir disparaissaient. La Baka Ban Mana absorbait la magie, comme Verna l'avait dit naguère à Richard. Ensemble, la femme-esprit et le Sourcier devenaient le « lien » qui, selon les livres de Warren, pourrait assimiler le pouvoir et abattre les tours.

À travers la brume et les colonnes de vapeur, Richard vit le premier édifice. Il tira sa compagne vers le mur noir brillant, presque invisible dans les ténèbres ambiantes. De la poussière voleta autour d'eux tandis qu'ils couraient vers l'arche qui s'ouvrait dans la muraille. Des sortilèges tentèrent de les arrêter, mais la Baka Ban Mana les absorba comme les autres.

Richard agissait d'instinct, sans savoir ce qui le poussait en avant, ni tenter de s'y opposer. Pour réussir, et sauver Kahlan, il lui fallait se laisser guider par les étranges forces tapies en lui. S'il avait le don, il saurait quoi faire, comme Nathan le lui avait dit. Et s'il ne l'avait pas, tout était perdu…

Du Chaillu ne sembla pas remarquer le sable noir qui couvrait le sol de la tour. Elle ne prêtait plus attention au monde extérieur, immergée dans le pouvoir que lui avaient transmis les bâtisseurs des tours – ceux-là même qui avaient volé leur terre à ses ancêtres. Jusque-là, elle avait rempli sa part du contrat : protéger Richard. À présent, c'était à lui de s'acquitter de la sienne !

Cédant à une impulsion, il serra plus fort la main de sa compagne, leva son épée et la pointa vers la voûte de la tour. Puis il laissa la colère de la magie le submerger, et sentit sa chaleur envahir le calme, au centre de son âme, qu'il cherchait depuis toujours.

Alors, il laissa la fureur remplir le vide.

Dans un vacarme assourdissant, des éclairs fusèrent de l'épée, rebondirent d'un mur à l'autre et se perdirent dans les ténèbres, au-dessus de leurs têtes.

La lueur courut sur la pierre noire jusqu'à ce que la tour entière brille comme une étoile, ses murs virant lentement au blanc dans la chaleur d'une explosion de lumière.

Richard eut le sentiment que ces éclairs le traversaient aussi. Ils le remplissaient d'un pouvoir qui sortait de son corps à travers l'Épée de Vérité, toujours pointée sur la voûte. Sans la colère, comprit-il, il n'aurait pas supporté la violence de la force dont il était devenu le vecteur.

Des torrents de lumière ruisselèrent des murs et traversèrent le sable noir jusqu'à ce que tout ne soit plus que blancheur aveuglante. Le sable de sorcier blanchit lui aussi et le monde devint un vortex de flammes et d'éclairs.

Soudain, cela cessa. Les éclairs moururent et le feu s'évanouit comme celui d'une bougie mise sous l'éteignoir. Dans un silence de mort, Richard vit que les cloisons noires de la tour étaient d'un blanc brillant qui le fit cligner des yeux.

Du Chaillu n'était toujours pas sortie de sa transe. Richard la tira en avant pour achever la mission qu'ils étaient tous les deux nés pour accomplir.

Dans la tour blanche, quand il leva de nouveau son épée, il s'attendit à la même réaction que précédemment. Une erreur d'appréciation, car le contraire se produisit. Une affaire d'équilibre, comme toujours…

L'air vibra si fort que le Sourcier redouta de voir sa chair se détacher de ses os. Des éclairs noirs jaillirent vers la voûte, creusant une poche de vide dans la lumière. Comme dans l'autre édifice, Richard sentit le pouvoir monter du plus profond de lui-même.

Le serpent de vide courut le long des cloisons. Dans un vacarme de fin du monde, il fora un abîme de néant dans les ténèbres qui dissimulaient la voûte.

À cet instant, les ombres qui suintèrent des murs blancs et en dégoulinèrent comme de la vase donnèrent l'impression qu'elles se fondaient dans les profondeurs d'une nuit éternelle. Cette marée obscure atteignit le sol et s'infiltra dans le sable blanc, qui vira peu à peu au noir.

Richard n'eut même pas l'idée de fuir les féroces tentacules de cette nuit au-delà de la nuit. Quand ils les enveloppèrent, Du Chaillu et lui, il eut le sentiment de plonger dans une mare d'eau glacée. Les yeux fermés, la Baka Ban Mana frissonna. Le Sourcier aussi sentit le froid. À travers la fureur que lui communiquait l'Épée de Vérité, cette sensation, très lointaine, réussit surtout à exacerber sa colère.

Le monde semblait avoir à jamais disparu dans une nuit d'encre. Au point que le souvenir de la lumière paraissait avoir déserté la mémoire du Sourcier.

Le reptile d'obscurité cessa soudain de creuser son tunnel de vide dans le monde des vivants, comme si on lui avait coupé la tête. Dans le silence revenu, Richard entendit sa respiration haletante – et celle de Du Chaillu. La lumière, la vie et la chaleur émergèrent du néant glacial.

Dehors, à travers les arches, désormais noires comme le reste de la tour, Richard vit la clarté traverser les nuages de plus en plus fins. Le sol, jadis nu et aride, redevenait verdoyant. Sans se lâcher la main, Du Chaillu et lui vinrent se camper devant l'arche et regardèrent le brouillard se dissiper au-dessus d'un paysage que nul n'avait pu admirer depuis des milliers d'années.

Ils sortirent, marchèrent sur l'herbe grasse et se laissèrent caresser par les rayons de soleil. Les tempêtes de sortilèges ne faisaient plus rage, et les colonnes de brume qu'ils traversaient s'évaporèrent à leur contact. Autour d'eux, dans l'air frais et limpide, la vie se réveillait et bruissait.

La vallée s'étendait à perte de vue, semée de verdure et de bosquets tout au long des lacets des cours d'eau.

Richard comprit pourquoi les Baka Ban Mana s'étaient languis de leur pays pendant des millénaires. Ici, on se sentait chez soi, tout simplement. Un lieu de lumière et d'espoir gravé au fil des siècles dans le cœur d'un peuple obstinément fidèle à ses racines. Cette oasis de bonheur n'appartenait pas aux Baka Ban Mana, pensa Richard. C'étaient eux, au-delà du temps et de l'espace, qui lui appartenaient…

— Tu as réussi, *Caharin*, dit Du Chaillu. Notre terre a émergé du brouillard, grâce à toi.

Dans le lointain, Richard aperçut des silhouettes qui erraient dans cette splendeur retrouvée. Les voyageurs prisonniers des sortilèges depuis d'innombrables années… Parmi ces miraculés hébétés, il allait devoir trouver deux amis à lui…

Verna et Warren galopaient vers le Sourcier, Bonnie tenue par la bride. Dès qu'ils furent à son niveau, il sauta en selle. Désireuse de l'accompagner, Du Chaillu tendit la main. À contrecœur, il la hissa en selle avec lui.

— Richard, s'exclama Warren, c'est incroyable ! Comment as-tu fait ça ?

— Je n'en ai pas la moindre idée, mon vieux ! Mais j'espérais que tu aurais une explication.

Le Sourcier poussa Bonnie vers l'endroit où il se souvenait avoir vu Chase et Rachel, lors de son premier passage dans la vallée. Warren et Verna le suivant comme des ombres, il repéra très vite ses amis, assis sur la berge d'un étang. Un bras autour des épaules de l'enfant, le garde-frontière semblait totalement perdu. Son expression, d'habitude sévère, oscillait entre l'extase et l'effarement.

— Chase, ça va ? cria le Sourcier en sautant à terre.

— Richard ? Que se passe-t-il ? Où sommes-nous ? Nous étions à ta recherche, et… Bon sang, tu ne dois pas traverser la vallée ! Zedd a besoin de toi, parce que le voile est déchiré.

— Je sais… (Richard confia les rênes de Bonnie à Verna et fit rapidement les présentations.) Mes amis t'expliqueront tout, Chase.

Il s'agenouilla devant Rachel. La Pierre des Larmes, de couleur ambre, pendait à son cou, comme dans son souvenir.

— Rachel, tu te sens bien ?

— C'était un endroit merveilleux, Richard, dit la fillette en clignant des yeux.

— Le nouveau est agréable aussi... Tout ira bien, maintenant. Rachel, c'est Zedd qui t'a donné ce pendentif ?

— Il a dit que je devais le garder jusqu'à ce que tu viennes le prendre.

— C'est pour ça que je suis là, ma petite chérie. Je peux l'avoir ?

L'enfant sourit et fit passer la chaîne autour de son cou. Richard l'ouvrit pour récupérer la pierre. Dès qu'elle fut dans sa paume, il sentit sa chaleur... et la présence de Zedd.

La chaîne étant trop petite pour lui, il la rendit à Rachel, lui assura qu'elle la porterait mieux que lui, et fixa la Pierre des Larmes à une lanière de cuir qu'il avait emportée à cette fin.

Il la mit à son cou, avec l'Agiel et le croc d'Écarlate.

Du coin de l'œil, il regarda le point noir qui grossissait dans le ciel, à l'horizon.

— Richard, dit Warren, après ce que je viens de voir, je te crois capable de tout, mais tu n'auras pas le temps d'atteindre ta destination dans les délais. Demain, si tu n'es pas là où tu dois être, ce sera la fin du monde. Que vas-tu faire ?

— Où devons-nous aller, mon époux ? demanda Du Chaillu.

— *Nous* n'irons nulle part. Toi, tu restes ici avec les tiens.

— Époux ? répéta Chase, redevenant enfin méfiant comme à ses plus beaux jours.

— Elle s'est fichu cette idée dans la tête, mais c'est du délire... (Dans le ciel, la silhouette rouge se précisait.) Chase, je suis trop pressé pour t'expliquer. Sœur Verna et Warren s'en occuperont.

— Que comptes-tu faire ? demanda Verna, l'air perplexe. Warren a raison, le temps te manque.

Au loin, Écarlate amorçait déjà son piqué. Richard décrocha son sac de la selle de Bonnie et le passa à son épaule. Après avoir récupéré son arc et son carquois, il flatta l'encolure de la jument en guise d'au revoir.

La femelle dragon était sur le point de se poser.

— J'aurai assez de temps, ma sœur. Si je pars tout de suite.

— Partir comment ? Que veux-tu...

À cet instant, Écarlate redressa son vol, rasant la terre à une vitesse incroyable.

— Je n'ai qu'une chance d'arriver dans les délais : voler !

— Voler ? s'exclamèrent en chœur Verna et Warren.

Écarlate rugit et tout le monde la vit enfin. Ses énormes ailes battant follement pour la ralentir, elle entra en contact avec le sol et réussit un atterrissage parfait.

— Richard, soupira Verna, tu as de drôles de goûts en matière d'animaux de compagnie...

— Les dragons rouges ne sont les « animaux de compagnie » de personne, ma sœur. Écarlate est une très chère amie à moi...

Le Sourcier approcha du reptile volant, qui exhala un petit nuage de fumée grise.

— Richard, je suis sacrément contente de te revoir ! Comme tu m'as appelée avec le croc, je suppose que tu t'es encore fourré dans la mouise.

— Ça, tu peux le dire, mon amie. Tu m'as manqué, Écarlate…

— Dommage que j'aie déjà mangé… Mais un voyage m'ouvrira l'appétit. Après, je te dévorerai.

Richard éclata de rire.

— Où est ton petit ?

— À la chasse. Gregory n'est plus si « petit » que ça… Tu sais qu'il se languit de toi ?

— J'adorerais le voir… Pour l'instant, je suis trop pressé par le temps.

— Richard ! cria Du Chaillu. Je dois t'accompagner, comme une bonne épouse est censée le faire !

Le Sourcier fit signe à Écarlate de baisser la tête, et lui murmura à l'oreille :

— Une toute petite flamme… Pour l'effrayer sans la blesser…

Quand une langue de feu carbonisa l'herbe, à ses pieds, la Baka Ban Mana recula en criant d'indignation.

— Du Chaillu, ton peuple a retrouvé sa terre ancestrale. Tu dois rester près de lui pour le guider. Et je te charge aussi d'une mission : défendre les tours qui se dressent sur votre territoire. J'ignore si elles sont encore dangereuses, mais le *Caharin* ordonne que personne n'y entre. Surveille-les, et assure-toi que nul n'en approche.

» Vivez en paix avec ceux qui ne vous menacent pas, mais continuez de vous entraîner au combat au cas où on vous attaquerait.

Du Chaillu se redressa de toute sa hauteur. Les bandelettes de tissu de sa robe de prière volèrent au vent en même temps que sa crinière noire.

— Le *Caharin* parle sagement, concéda-t-elle. Je lui obéirai, et j'attendrai qu'il revienne près de son peuple et de sa chère épouse.

— Richard, demanda Verna, sais-tu où trouver Kahlan ?

— En Aydindril… Elle doit y être, puisque la prophétie parle de *son* peuple.

— L'heure du choix a sonné, Richard. Où iras-tu ?

— En D'Hara, répondit le jeune homme.

Après un court silence approbateur, Verna le serra dans ses bras et l'embrassa sur les deux joues.

— Et ensuite ?

— Quand j'aurai arrêté ce qui est en cours au Palais du Peuple, je filerai en Aydindril. Prenez garde à vous, mes amis.

— Warren et moi nous occuperons des gens que les sortilèges ont relâchés. Voilà deux cents ans que je suis une Sœur de la Lumière, et mon but a toujours été d'aider les autres. Heureusement, tu m'as ouvert les yeux : rien ne justifiait de capturer des jeunes gens comme nous l'avons fait. En secourant ces miraculés, j'espère me racheter un peu…

— Merci, Richard, dit Warren en donnant l'accolade à son ami. J'espère te revoir bientôt.

— Essaye d'éviter les « aventures », vieux frère.

— Je viens avec toi ! lança Chase.

— Non, mon ami. Rentre chez toi. Conduis Rachel dans sa nouvelle famille.

Emma doit se ronger les sangs. Voilà une éternité qu'elle ne t'a pas vu. Retourne dans ton foyer, Chase. Bientôt, je devrai absolument regagner le mien. Sœur Verna, il faudra agir au sujet des six fugitives. Elles voguent vers Terre d'Ouest, et les gens, là-bas, sont incapables de lutter contre la magie. Elles y seront comme un renard dans un poulailler…

— Le voyage leur prendra du temps, Richard. Il n'y a pas d'urgence…

— Tant mieux. Kahlan voudra sûrement que nous célébrions nos noces chez les Hommes d'Adobe. Ensuite, je reviendrai vous demander conseil sur la manière de neutraliser ces femmes. Parlez-en à Nathan et à Anna. Nous déciderons d'une stratégie à mon retour.

— Sois prudent, dit Warren en glissant les mains dans ses manches. Et je ne parle pas que de ta sécurité. Souviens-toi de ce que Nathan et moi t'avons dit. En utilisant la Pierre des Larmes, tu as le pouvoir de mettre l'univers entier en danger…

— Je ferai de mon mieux…

Écarlate se baissa pour que le jeune homme puisse sauter sur ses épaules. Il s'accrocha à des piques à pointe noire et vint se nicher sur la nuque de la femelle dragon.

— En route pour D'Hara, mon amie ! Une fois de plus !

Écarlate cracha une gerbe de flammes et décolla en rugissant.

Chapitre 68

Aux premières lueurs de l'aube, Richard distinguait nettement la lumière verte, dans le lointain. Elle montait du Palais du Peuple, à travers le toit vitré du Jardin de la Vie, comme une balise. Cette nuance de vert n'existait que dans un seul endroit : le royaume des morts.

Le vent glacial brassé par les ailes d'Écarlate le gelait jusqu'à la moelle des os. La femelle dragon avait fait un effort terrible pour atteindre D'Hara. Concernée par les plans du Gardien, qui l'attirerait aussi dans son domaine, elle détestait de plus Darken Rahl, qui lui avait volé son œuf pour la réduire en esclavage.

Alors qu'elle amorçait sa descente, elle jeta un coup d'œil au Sourcier – en se tordant quelque peu le cou.

— Tout va bien, Richard… Le soleil se lève à peine. Je te conduirai en Aydindril dans les délais.

— Je n'en doute pas, Écarlate. De mon côté, j'essayerai de ne pas te laisser trop de repos !

La femelle dragon vira sur la gauche pour toucher terre à l'endroit où elle l'avait déposé lors de leur première visite au palais. Un terrain assez dégagé pour réussir un bon atterrissage, même dans la pénombre.

Mais un éclair jaillit du sol encore plongé dans les ténèbres, et les frôla, éblouissant le Sourcier. Avant qu'il ait compris ce qui se passait, un autre suivit la même trajectoire.

Écarlate cria de douleur et tomba en vrille. Alors qu'elle tentait de redresser son vol, Richard s'accrocha désespérément à ses piques.

Sur les marches qui menaient aux portes intérieures du palais, Richard aperçut la femme qui les bombardait. Un autre rayon fusa, arrachant un nouveau grognement à la femelle dragon.

Encore un coup au but, et elle tomberait comme une pierre.

Le Sourcier prit son arc et sortit une flèche du carquois.

— Écarlate, crache du feu, que je la voie même quand elle ne tire pas !

Alors qu'il bandait l'arc, la corde contre sa joue, son amie fit ce qu'il lui demandait.

À la lueur de ses flammes, il vit leur ennemie lever les bras. Hélas, avant qu'il ait pu *appeler* cette cible, leur vol désordonné la retira de sa ligne de mire.

— Écarlate, attention !

La femelle dragon piqua sur la droite, évitant de justesse un nouvel éclair. Mais le sol approchait à une vitesse effrayante…

À la faveur d'un jet de flammes, Richard vit la femme se préparer à leur porter le coup de grâce.

Cette fois il parvint à tirer – juste au moment où jaillissait un éclair.

— À gauche ! cria Richard.

Écarlate vira sur l'aile. Une manœuvre hardie – et limite – puisque le rayon d'énergie passa juste sous son cou…

… avant de s'éteindre comme une bougie qu'on souffle…

La flèche avait fait mouche. Le passage d'une marée d'obscurité totale, au-dessus d'eux, apprit à Richard que le Gardien était venu chercher sœur Odette.

Désarçonné par un atterrissage en catastrophe, le Sourcier vola dans les airs et s'écrasa sur le sol. Prenant à peine le temps de récupérer, il se leva d'un bond et se tourna vers son amie.

— Écarlate, tu es gravement blessée ? Tu vis encore, j'espère ?

— Ne t'occupe pas de moi… Mon aile gauche est un peu amochée, c'est tout. File arrêter Rahl avant qu'il nous condamne tous pour l'éternité !

— Je reviendrai vite, dit Richard en caressant le museau du monstre rouge. Tiens le coup !

Il dégaina son épée et commença à gravir l'imposant escalier. Inutile d'invoquer la colère de l'arme : elle l'avait envahi avant même qu'il ne saisisse la garde.

Quand il franchit les portes, une poignée de soldats sortirent des ombres pour lui barrer le chemin. Sans marquer de pause, il entreprit de les tailler en pièces.

Le Sourcier dansa avec les esprits et fit un carnage. En quelques instants, le sang de quinze cadavres rougit les dalles de marbre.

Le messager de la mort reprit imperturbablement son chemin.

Comme accueil en fanfare, ça valait son pesant d'or ! Pourtant, après qu'il eut tué Darken Rahl, l'armée de D'Hara lui avait juré fidélité. Ces hommes ne l'avaient-ils pas reconnu ? Ou l'avaient-ils, au contraire, identifié au premier coup d'œil ?

Richard s'engouffra dans un couloir qui menait au Jardin de la Vie. Au-dessus de lui, sur les trois niveaux de balcons, la plupart des torches étaient éteintes. En passant devant les cours de dévotion, il ne vit pas l'ombre d'un fidèle.

Déboulant d'un escalier latéral, une demi-douzaine de Mord-Sith en uniforme de cuir rouge foncèrent sur lui. Voyant qu'elles brandissaient toutes un Agiel, Richard, malgré sa colère, se souvint à temps qu'il ne devait pas utiliser son épée contre elles. Sinon, elles le captureraient en prenant le contrôle de sa magie. Incapable de les semer, il allait être obligé de les tuer.

À contrecœur, il rengaina son épée et sortit son couteau. Jadis, Denna lui avait fait une confidence : s'il avait agi ainsi, lors de leur rencontre, il aurait eu le dessus sur elle.

La plus grande, une blonde qui menait la charge, leva une main quand il bondit vers elle.

— Maître Rahl, non !

Les cinq autres s'arrêtèrent sur les talons de leur compagne.

Richard voulut poignarder la blonde, mais elle recula et écarta les bras.

— Seigneur Rahl, arrêtez ! Nous voulons vous aider !

Bien qu'il eût rengainé son épée, le Sourcier était toujours fou de rage. Pour sauver Kahlan, il devait se débarrasser de Darken Rahl. Dans ces conditions, pas besoin de la magie de l'arme pour être furieux !

— Vous m'aiderez depuis le royaume des morts, où je vais vous envoyer très vite !

— Non, maître Rahl ! Je me nomme Cara. Croyez-moi, nous sommes de votre côté. Si vous continuez dans ce couloir, vous n'arriverez jamais à destination.

— Je ne vous crois pas ! Vous cherchez à me capturer, et je sais ce que les Mord-Sith font à leurs prisonniers.

— J'ai connu Denna, votre maîtresse, et je vois que vous portez son Agiel. Les Mord-Sith ne se consacrent plus à torturer les gens. Vous nous avez libérées, seigneur Rahl. À aucun prix, nous ne lèverions la main sur l'homme que nous vénérons.

— Vous portez des uniformes rouges ! Avant de partir d'ici, j'ai ordonné aux soldats de brûler ces tenues et de vous en trouver d'autres. Les Agiels aussi devaient disparaître. Si vous me vénérez, pourquoi avoir désobéi à mes ordres ?

Cara sourit, le front plissé au-dessus de ses yeux bleus.

— Parce qu'on ne sauve pas les gens pour leur imposer un nouvel esclavage. Grâce à vous, nous avons retrouvé notre libre-arbitre. Et choisi ce que nous voulions être.

» De notre plein gré, nous avons juré de vous défendre au péril de nos vies. Les soldats de la Première Phalange ne sont pas les seuls à vous protéger. Désormais, nous sommes vos gardes du corps et nous n'obéissons qu'à vous.

— Alors, fichez-moi la paix ! C'est un ordre.

— Désolé, seigneur Rahl, mais celui-là, nous ne pouvons pas l'accepter.

Que croire ? se demanda Richard. Était-ce un piège de plus ?

— Je viens combattre Darken Rahl. Pour ça, je dois aller dans le Jardin de la Vie. Si vous vous dressez sur mon chemin, je vous tuerai.

— Nous savons où vous voulez aller, dit Cara. Nous vous y conduirons, mais pas par ce chemin. Cette partie du palais est entre les mains des rebelles. Pour venir à votre rencontre, la Première Phalange aurait perdu un millier d'hommes. Nous avons proposé d'accomplir la mission, arguant qu'un petit groupe vous ferait courir moins de risques. Les soldats ont accepté pour cette unique raison.

— Je ne vous crois pas, et l'enjeu est trop élevé pour parier sur votre bonne foi. Écartez-vous ou mourez !

— Continuez dans ce couloir, seigneur Rahl, et c'est vous qui périrez. Me laisserez-vous approcher et vous souffler dans l'oreille un message secret ? (Cara tendit son Agiel à une de ses collègues.) Je suis désarmée. Et vous pouvez me plaquer votre couteau sous la gorge.

Richard ne se fit pas prier. Il saisit la Mord-Sith par les cheveux et lui posa sa lame sur la carotide. Au moindre geste suspect, un geyser de sang jaillirait.

— Nous sommes là pour vous aider, seigneur Rahl, murmura Cara. C'est vrai comme verrue de verrat !

— Où avez-vous entendu ça ?

— Vous savez ce que ça veut dire ? Le général en chef Trimack affirme que c'est un message codé du sorcier Zorander. Un signe de reconnaissance que je ne dois répéter qu'à vous…

— Qui est le général Trimack ?

— Le chef de la Première Phalange. Ces hommes sont le cercle de fer qui protège le seigneur Rahl. Le sorcier Zorander a ordonné au général de défendre coûte que coûte le Jardin de la vie. Il y a deux jours, la femme qui lance des éclairs est arrivée. Pour entrer dans le jardin, elle a tué près de trois cents de nos hommes. Notre magie étant impuissante contre elle, nous n'avons rien pu faire. En sortant, ce soir, elle a abattu cent nouveaux soldats…

» Mais nous l'avons suivie et nous avons vu, par une fenêtre du troisième étage, comment vous l'avez éliminée. Seul le vrai maître Rahl pouvait réussir cet exploit.

» Seigneur, je vous en prie ! Des événements terribles se déroulent dans le Jardin de la Vie. Laissez-nous vous y conduire, et mettez un terme à ces horreurs.

Richard ne pouvait plus atermoyer. Cette femme connaissait le « message codé » de Zedd. Il devait lui faire confiance.

— D'accord, allons-y ! Mais le temps presse.

Les six femmes sourirent. Cara reprit son Agiel et saisit à pleines mains la chemise du Sourcier, sur son épaule gauche. Une autre Mord-Sith faisant de même sur la droite, elles commencèrent à courir, le tirant avec elles. Les quatre autres partirent en éclaireuses.

Ses deux gardes du corps entraînèrent Richard dans un labyrinthe de couloirs et de salles. Devant chaque escalier, elles plaquaient leur seigneur contre un mur, lui indiquaient de se taire, et attendaient que les éclaireuses, d'un sifflement, signalent que la voie était libre.

Sur un palier, Richard faillit piétiner le cadavre d'une des quatre Mord-Sith. Une épée lui avait fendu le crâne, mais huit soldats d'harans agonisaient, du sang coulant de leurs oreilles. Un symptôme classique quand on était tué par un Agiel…

Une des femmes, au bout du couloir, leur fit signe d'avancer. Cara et sa compagne tirèrent de nouveau Richard, qui commençait à se sentir aussi indépendant qu'un sac de linge sale. Mais il devait reconnaître que cette méthode de protection rapprochée fonctionnait à merveille…

Il perdit vite tout sens de l'orientation et se concentra pour suivre le rythme frénétique des Mord-Sith. Passant devant une fenêtre, il constata que le jour s'était levé.

Enfin, il reconnut le grand couloir dans lequel ils déboulèrent. Le Jardin de la Vie était proche…

Les centaines de soldats qui gardaient les lieux s'agenouillèrent dès qu'ils virent leur seigneur. Quand ils l'eurent salué en se frappant la poitrine du poing, tous se relevèrent et un officier avança vers Richard.

— Seigneur Rahl, je suis le général en chef Trimack, et je vous guiderai jusqu'au Jardin de la Vie.

— Je connais le chemin.

— Seigneur, il faut faire vite ! Les généraux rebelles ont lancé une attaque.

J'ignore si nous tiendrons longtemps cette position, mais nous lutterons jusqu'au dernier tant que vous serez derrière nos lignes.

— Merci, général. Résistez jusqu'à ce que j'aie renvoyé ce salaud de Darken Rahl dans le royaume des morts !

Trimack salua et Richard continua son chemin. Remontant un couloir aux murs de granit dont il se souvenait très bien, il arriva vite devant les portes du jardin.

Quasiment en transe tant il était furieux, il entra et fonça tête baissée vers le cercle de sable blanc où trônait l'os de skrin, entouré de runes complexes. Sur l'autel, les trois boîtes d'Orden – le portail ! – étaient si noires qu'on les eût dites sur le point d'aspirer toute la lumière qui tombait du plafond.

Une colonne de lumière verte montait de celle dont Darken Rahl avait retiré le couvercle. Le portail était déjà ouvert – ou en tout cas, entrebâillé.

Silhouette spectrale brillante, Darken Rahl regarda le Sourcier approcher et sourit quand il s'arrêta à la lisière du cercle de sable, du côté opposé à l'autel.

— Bienvenue, mon fils…

Richard sentit la cicatrice brûler, sur sa poitrine. Ignorant la douleur, il vit que les yeux bleus du Petit Père Rahl fixaient la Pierre des Larmes pendue à son cou.

— J'ai engendré un très grand sorcier, dit-il. Nous aimerions que tu te joignes à nous, Richard.

Le Sourcier ne répondit pas. Fou de rage de voir le sourire de son père s'élargir, il s'abandonna à la colère, cherchant en même temps le calme, au centre de son être.

— Rien n'égale ce que nous t'offrons, mon fils. Le Créateur Lui-même ne peut pas S'aligner ! À côté de nous, c'est un nain. Rallie le camp des vainqueurs, cher enfant.

— Que peux-tu proposer de si tentant ?

— L'immortalité…, lâcha Darken Rahl en écartant théâtralement les bras.

— Depuis quand me penses-tu assez bête pour te croire ? demanda Richard, trop furieux pour éclater de rire.

— C'est la vérité, mon fils. Nous avons le pouvoir de t'accorder la vie éternelle.

— Faire gober des mensonges à quelques Sœurs de la Lumière a dû être facile. Avec moi, ce sera une autre affaire.

— Nous sommes le Gardien du royaume des morts. Maître de la vie et de la mort, nous dispensons l'une et l'autre à notre guise. Quelqu'un d'aussi puissant que toi mérite de ne jamais connaître la fin. Tu régneras sur le monde des vivants, comme je l'aurais fait sans ton… intervention.

— Désolé, ça ne me dit rien. Tu as autre chose dans ta manche ?

— Oui, mon fils… Pour ça, oui !

Darken Rahl tendit une main vers le cercle de sable. Une colonne de lumière apparut, se transformant peu à peu en une silhouette familière.

Kahlan !

Vêtue de sa robe blanche, les cheveux courts, elle était agenouillée, comme dans la vision de Richard. Des larmes coulèrent de ses yeux fermés quand son cou se posa sur le billot.

— Richard, je t'aime…, murmura-t-elle.

— La femelle dragon est blessée, mon fils. Elle ne pourra pas te conduire en

Aydindril. Le temps te manque, et tu n'as plus qu'une option : accepter notre aide.

— Qu'entends-tu par là ?

— Dois-je te répéter que nous sommes maître de la vie et de la mort ? Si tu ne fais rien, vois ce qui arrivera ce soir à la Mère Inquisitrice, devant son peuple.

Le tranchant d'une hache se matérialisa dans l'air et s'abattit sur la nuque de Kahlan.

Richard serra les poings.

La tête de sa bien-aimée tomba dans le sable. Son corps couvert de sang bascula sur le côté.

— Non ! cria le Sourcier. Non !

Darken Rahl passa une main au-dessus du cadavre, qui disparut dans une gerbe d'étincelles.

— Tout comme je viens de dissiper cette illusion, nous pouvons modifier la réalité. Rejoins-nous, Richard, et nous offrirons aussi l'immortalité à Kahlan Amnell.

Le Sourcier ne réagit pas, enfin conscient qu'il était piégé. Blessée, Écarlate ne pourrait pas voler jusqu'en Aydindril. En ce jour du solstice d'hiver, Kahlan serait décapitée, et il n'avait aucun moyen d'intervenir.

C'était le sens profond de la prophétie. S'il acceptait la proposition de Darken Rahl, Kahlan vivrait, mais ce serait la fin du monde pour tous les autres.

Il pensa à Chase, qui amenait Rachel dans sa nouvelle famille. Qu'elle serait heureuse, entourée d'amour et de tendresse ! Comme lui, près de ses parents… Les bons moments, et même les moins bons, resteraient à jamais gravés dans son cœur. L'humus de son âme…

Il pensa à son amour pour Kahlan, et à tous les êtres, en ce monde, qui connaissaient le bonheur d'être deux. Et qui le connaîtraient à l'avenir, s'il y en avait un…

— Tu marcheras main dans la main avec elle, Richard. Pour toujours.

— Sur les cendres de millions de morts, jusqu'à la fin des temps !

Que deviendraient Kahlan, et son amour pour lui, s'il lui offrait un destin si égoïste ? Horrifiée, elle verrait un monstre chaque fois qu'elle poserait les yeux sur lui.

Pour l'éternité !

Il vivrait à jamais avec son dégoût, pas son amour. Ainsi, en la sauvant, il aurait détruit le monde des vivants… et le cœur de sa compagne.

Un prix trop élevé, même pour un si grand amour.

Mais l'autre solution mettrait aussi un terme à sa vie. Et à son amour.

Furieux et étrangement serein en même temps, Richard croisa le regard brillant de Darken Rahl.

— La souillure de ta haine empoisonnerait notre vie. Tu ne connais même pas le sens du verbe « aimer ».

La fureur bouillonnait en Richard. Darken Rahl allait payer pour tout ça.

L'heure de la vengeance sonnait.

Le Sourcier referma le poing sur la Pierre des Larmes.

— Réfléchis avant d'agir…, souffla Darken Rahl en reculant d'un pas.

— C'est tout réfléchi…

Richard prit une poignée de sable noir dans sa poche et la jeta dans le cercle de sable blanc.

— Non ! Tu es fou !

Le sable blanc se convulsa de douleur, comme s'il était vivant. Les runes s'enroulèrent sur elles-mêmes tels des serpents et le sol trembla avant de se craqueler.

Des éclairs jaillirent du sable et explosèrent dans tout le Jardin de la Vie.

Dans un vacarme de fin du monde, le sable devint une mare de feu liquide bleu.

— Non ! cria Darken Rahl en levant les poings au ciel.

Voyant Richard avancer vers lui, la Pierre des Larmes à la main, il se ressaisit et tendit les bras pour l'arrêter.

Le Sourcier s'immobilisa, le souffle coupé par la brûlure de la cicatrice, sur sa poitrine. Vieux compagnon de la douleur, il serra les dents et parvint à se remettre en mouvement. Chaque pas augmentant ses souffrances, il crut que sa chair en feu communiquait l'incendie à la moelle de ses os. Mais dans son oasis de calme, au centre de la tempête de colère, il parvint à ignorer le mal qui le rongeait de l'intérieur.

Il leva la Pierre des Larmes, la faisant osciller devant le visage décomposé de Darken Rahl, qui recula encore.

— Tu la porteras à jamais dans le royaume des morts ! Agenouille-toi !

Le spectre obéit, les yeux rivés sur la pierre.

Richard baissa la main pour lui passer la lanière autour du cou.

Mais il n'acheva pas son geste. Derrière Darken Rahl, sur l'autel, la boîte ouverte émettait toujours sa lueur verte. Une balise…

Anna, Nathan et Warren avaient tous dit la même chose : si Richard utilisait la pierre à des fins égoïstes, pour assouvir sa haine, cela déchirerait le voile. Il désirait plus que tout renvoyer Darken Rahl dans le royaume des morts, où il subirait à jamais un juste châtiment. Mais c'était le plus sûr moyen de concéder la victoire au Gardien.

De plus, Richard le savait, il avait attiré le malheur sur sa propre tête. Ne pas en avoir eu l'intention ne changeait rien. La vie n'était pas juste, elle se contentait d'exister. Quand on marchait par hasard sur un serpent venimeux, on se faisait mordre. Et les intentions n'avaient rien à voir dans l'affaire.

— Je suis le père de mes douleurs, murmura Richard. Et je dois subir les conséquences de mes actes. Nul ne payera pour le mal que j'ai fait, intentionnellement ou non.

Quand le Sourcier remit la pierre à son cou, Darken Rahl se leva d'un bond.

— Mon fils, tu ne sais plus ce que tu dis. Punis-moi ! Venge-toi en accrochant à mon cou la Pierre des Larmes !

Richard se tourna à demi vers la mare de feu liquide et tendit une main. L'os de skrin lévita dans les airs puis vint se poser sur sa paume – sans la brûler.

Sous l'emprise de sa fureur – et en même temps de son calme – Richard invoqua le pouvoir tapi en lui.

Des éclairs jaunes brûlants fusèrent de son poing et frappèrent Darken Rahl.

D'autres éclairs, noirs et glacés, percutèrent la même cible.

Ils se mêlèrent les uns aux autres, mortelle quintessence de la colère du skrin.

Une marée d'obscurité déferla dans le Jardin de la Vie. Quand elle fut passée, Richard sentit contre sa peau le contact de l'os, désormais glacial.

Darken Rahl avait disparu. Les éclairs aussi.

La lumière verte qui se déversait de la boîte brilla plus fort, faisant bourdonner l'air. Richard enleva de son cou la Pierre des Larmes, qui vira au noir au moment où la lanière de cuir s'en détachait.

Quand le Sourcier tendit la main, la gemme obscure vola vers la colonne de lumière verte où elle tourbillonna un moment, portée par un vent invisible. Puis la lueur faiblit. La Pierre des Larmes tomba vers les boîtes, devint transparente et disparut.

La balise de lumière verte s'éteignit. Un grand silence s'abattit sur le Jardin de la Vie.

Richard tendit de nouveau la main. Les éclairs jumeaux jaillirent, leur roulement plus fort que celui du tonnerre. Lorsqu'ils se dissipèrent, dans un silence de *vie*, le Sourcier regarda les boîtes, sur l'autel.

Les trois étaient fermées.

Pour les rouvrir, il faudrait disposer du *Grimoire des Ombres Recensées*. Et ce texte, désormais, n'existait plus que dans sa tête. Les boîtes d'Orden et le portail resteraient clos à tout jamais.

Richard entendit un bruit métallique. Puis celui d'un objet qui tombe sur l'herbe.

Le Rada'Han s'était détaché de son cou.

Libre, il était libre !

La douleur aussi avait disparu. Glissant une main sous sa chemise, Richard constata que la cicatrice s'était volatilisée.

Il ne comprenait pas vraiment ce qui venait de se passer, ni comment il avait réussi tout ça. Mais c'était fini…

Pour lui, *tout* était fini.

Ce soir, Kahlan serait décapitée.

Le Sourcier courut vers la porte du Jardin de la Vie. La journée commençait à peine…

Dès qu'il déboula dans le grand couloir, les cinq Mord-Sith l'entourèrent. Sans leur prêter attention, il continua à courir et aperçut le général Trimack, couvert de sang et de poussière, qui l'attendait près de ses hommes, en aussi mauvais état que lui.

Tout au long du couloir, les soldats s'agenouillèrent et se frappèrent la poitrine du poing. Trimack se releva et avança vers Richard.

Cara lui barra le chemin.

— Écarte-toi, femme !

— Personne ne touche un cheveu du seigneur Rahl !

— Je suis son protecteur autant que…

— Assez, tous les deux ! explosa Richard.

Cara s'écarta. Oubliant sa raideur militaire, Trimack posa une main sur l'épaule du Sourcier.

— Seigneur Rahl, vous avez réussi ! Ça vous a pris longtemps, mais vous l'avez fait !

— Fait quoi ? Et que voulez-vous dire par « longtemps » ?

— Vous êtes resté dans le jardin presque toute la journée.

— Quoi ?

— Nous avons résisté des heures, mais à un contre quinze, c'était sans espoir. Alors, vous avez envoyé les éclairs. Je n'ai jamais rien vu de pareil…

» Le sorcier Zorander m'a dit que le palais est un sortilège géant dessiné sur le plateau pour protéger le seigneur Rahl et lui fournir du pouvoir. Je n'y aurais pas cru si je ne l'avais pas vu de mes yeux. Des éclairs ont volé partout dans le palais… Tous les généraux loyaux à Darken Rahl ont été coupés en deux par ces rayons. Leurs troupes aussi. Les survivants qui ont déposé les armes pour se rallier à nous ont été épargnés…

— J'en suis ravi, général, mais je ne puis m'attribuer le mérite de cette victoire. Souvenez-vous que je ne suis pas sorti du Jardin. Je ne sais pas trop ce que j'y ai fait, alors pour les événements qui se sont déroulés à l'extérieur…

— Nous sommes l'acier qui combat l'acier. Seigneur Rahl, vous avez affronté la magie, et nous sommes tous très fiers de vous. (Trimack tapa sur l'épaule de Richard.) Quoi que vous ayez fait, c'était la bonne décision.

— Quelle heure est-il ? demanda Richard, pensif.

— La nuit tombera bientôt…

— Je dois y aller !

Le Sourcier partit au pas de course et tous le suivirent. Très vite, perdu dans le dédale de couloirs, il s'arrêta et se tourna vers Cara.

— Quel chemin prendre ?

— Pour aller où, seigneur Rahl ?

— Le grand escalier !

— Suivez-nous, seigneur !

Richard courut derrière les cinq femmes, l'entière garnison du palais à ses basques – ou peu s'en fallait. Dans un fracas de bottes et d'armures, cette étrange colonne traversa le palais pendant près d'une heure.

Richard haletait quand ils arrivèrent enfin à l'endroit où Écarlate gisait sur le flanc dans la neige, la respiration laborieuse.

— Mon amie, tu es vivante ! cria le Sourcier. (Il caressa le museau de la femelle dragon.) J'étais si inquiet…

— Tu t'es encore débrouillé pour survivre, marmonna Écarlate. Ça devait être moins difficile que tu ne le pensais. (Elle tenta de « sourire » mais n'y parvint pas.) Désolée, mon ami, mais je ne peux pas voler. Mon aile est abîmée. J'ai essayé en vain. Jusqu'à sa guérison, je serai clouée au sol.

Richard écrasa la larme qui coulait sur le museau du reptile volant.

— Je comprends… En m'amenant ici, tu as sauvé le monde des vivants. L'histoire n'a jamais connu plus noble héroïne. Guériras-tu vraiment ?

— Oui… Mais pas avant un bon mois. La blessure est moins grave qu'il n'y paraît.

Le Sourcier se tourna vers les officiers qui se pressaient autour d'eux.

— Écarlate est mon amie. Et elle nous a tous sauvés. J'ordonne qu'on lui apporte à manger, et tout ce qu'elle voudra d'autre, jusqu'à son rétablissement. Protégez-la comme vous me protégeriez.

Les hommes saluèrent.

— Général, il me faut un cheval solide. Sur-le-champ. Et un itinéraire pour aller en Aydindril.

— Exécution ! cria Trimack. Allez chercher pour le seigneur Rahl des cartes des Contrées et un étalon puissant !

Les hommes partirent au pas de course.

— Écarlate, je suis désolé que tu souffres, dit Richard en se retournant vers son amie.

— La blessure n'est pas si grave… Regarde au bout de mon flanc gauche.

Le cou sinueux d'Écarlate suivit Richard tandis qu'il s'exécutait. Ébahi, il vit un œuf niché dans un repli de la queue de la femelle dragon rouge.

— Un nouveau petit ! dit-elle. C'est la principale raison de ma faiblesse. Dans cet état, il vaut mieux, de toute façon, que je reste au sol.

Elle réchauffa l'œuf en crachant quelques flammèches, puis le couva d'une serre protectrice.

Richard pensa à la beauté de la vie… et se réjouit que d'autres continuent d'en profiter.

Mais l'image de la hache s'abattant sur la nuque de Kahlan le hantait. Et ça se passait peut-être à l'instant même.

Un homme accourut, une carte sous le bras.

— Regardez, maître Rahl, dit-il en la dépliant. Aydindril est ici. Et voilà le chemin le plus rapide. Mais il vous faudra des semaines.

Le Sourcier replia la carte au moment où un autre soldat arrivait au galop sur un magnifique destrier.

Le général tint les rênes de l'animal pendant que son seigneur récupérait l'arc, le carquois et le sac tombés dans la neige lors de l'atterrissage.

— Il y a des vivres dans les sacoches de selle, maître Rahl. Quand comptez-vous revenir ?

Richard entendit la question dans un brouillard de confusion. Devant ses yeux, la hache se levait et s'abattait sans cesse.

— Je n'en sais rien, répondit-il avant de sauter en selle. Quand je pourrai… Je vous confie le palais. Continuez à défendre le Jardin de la Vie. Personne ne doit y entrer.

— Bon voyage, seigneur Rahl. Nos cœurs vous accompagnent.

Des centaines d'hommes se frappèrent la poitrine au moment où Richard talonna son cheval et partit au galop.

Chapitre 69

Richard jura entre ses dents quand le cheval s'écroula sous lui, raide mort. Après un roulé-boulé dans la neige, il se releva, alla récupérer ses affaires sur la selle de l'animal, puis rendit silencieusement hommage à son courage et à son dévouement.

Il avait perdu le compte des étalons et des juments qui avaient galopé jusqu'au bout de leurs forces. Certains s'étaient simplement arrêtés net, refusant de faire un pas de plus. D'autres, après être passés au trot, n'avaient plus jamais voulu accélérer. D'autres encore, comme celui-là, avaient fendu le vent jusqu'à ce que leur cœur explose.

Conscient d'être trop dur avec eux, le Sourcier avait tenté de se maîtriser. Mais impossible de ralentir le rythme ! Dès qu'une monture l'avait laissé tomber, il s'était débrouillé pour en trouver une autre. Quelques propriétaires s'étaient fait tirer l'oreille, histoire d'augmenter les enchères. Une grosse poignée de pièces d'or les avait promptement ramenés à de meilleurs sentiments.

Ayant dormi et mangé à peine, Richard était au bord de l'épuisement. Parfois obligé de marcher pour soulager un cheval, il courait comme un fou dès qu'il fallait en dénicher un autre.

Il hissa le sac sur son épaule et repartit. Son départ de D'Hara remontait à deux semaines. Aydindril ne devait plus être très loin.

Le solstice d'hiver était passé depuis longtemps. Mais ça ne comptait pas dans l'esprit du Sourcier, étrangement persuadé qu'il pourrait encore, s'il se hâtait, épargner à Kahlan un sort atroce. Comme si le temps, ému par sa détermination, avait pu décider de l'attendre !

Haletant, il s'arrêta au sommet d'une butte. Devant lui, sous un soleil étincelant, s'étendait enfin Aydindril. Au loin, adossée au flanc des montagnes, se dressait la Forteresse du Sorcier.

Richard courut dans la neige.

Les rues de la ville étaient noires de monde malgré le froid mordant. Alors qu'il se frayait un chemin dans la foule, le jeune homme vit que l'Épée de Vérité attirait tous les regards. Prudent, il la dissimula sous la cape du mriswith.

Le boniment d'un colporteur, au coin d'une ruelle, le tira de ses pensées.

— Qui veut des cheveux d'Inquisitrice ! beuglait le type. Une mèche de la Mère Inquisitrice, tout droit venue de son infâme tête. Il n'en reste plus beaucoup ! Un magnifique souvenir pour vos enfants !

Richard reconnut les longs cheveux de Kahlan, pendus à un poteau. Il les décrocha et les glissa sous sa chemise. Leur « propriétaire » tenta de les récupérer. D'une main, son « voleur » le prit par le col, le souleva de terre et le plaqua contre un mur.

— Où as-tu eu ça, chien ?

— C'est le… Conseil. Oui, je les ai achetés au Conseil, pour les vendre. Au secours ! Au secours ! On me détrousse !

Quand une petite foule accourut pour défendre le type, Richard dégaina son épée. Les intrépides sauveteurs détalèrent… et le colporteur leur emboîta le pas.

Bien qu'il eût rengainé son épée, Richard sentit sa colère augmenter tandis qu'il se dirigeait vers le palais, bien visible dans le lointain.

Kahlan ne lui avait pas menti : l'édifice était somptueux.

Elle lui avait aussi parlé d'une cuisinière… Non, d'une chef de cuisine, qui s'appelait… Bon sang, quel était son nom ? Sand quelque chose… Sanderholt ! Maîtresse Sanderholt !

Les odeurs de nourriture le guidèrent vers l'entrée de l'office. Il poussa les portes, fonça dans les cuisines et vit reculer devant lui une légion de maîtres queux et de marmitons. À l'évidence, ces gens ne voulaient en rien avoir affaire avec lui.

— Sanderholt ! beugla-t-il. Je cherche maîtresse Sanderholt ! Où est-elle ?

Deux ou trois personnes désignèrent un couloir. Avant que le Sourcier y ait fait dix pas, une femme très mince vint à sa rencontre.

— Qui m'appelle ? Et que se passe-t-il ?

— C'est moi qui veux vous voir, dit Richard.

— Que puis-je faire pour toi, jeune homme ? demanda la vieille femme en le dévisageant.

Richard tenta de parler d'une voix aussi peu menaçante que possible. Le résultat ne lui parut pas très convaincant.

— Kahlan… Je cherche Kahlan !

— Tu dois être Richard, dit maîtresse Sanderholt, très pâle. Oui, tu corresponds parfaitement à la description… Elle m'a parlé de toi, tu sais !

— Où est-elle ?

— Richard, le Conseil l'a condamnée à mort… Elle a été exécutée lors du festival du solstice d'hiver. Je suis navrée, mon garçon…

Le Sourcier se demanda s'ils parlaient de la même personne.

— Je crois qu'il y a un malentendu… Ma Kahlan est la Mère Inquisitrice. Elle ne peut pas être morte. Je suis venu aussi vite que possible, car…

Maîtresse Sanderholt essuya ses yeux ruisselants de larmes et secoua la tête.

— Viens, mon enfant, dit-elle en lui posant une main bandée sur le bras. Tu as l'air affamé. Un bon bol de soupe te réconfortera.

Richard laissa tomber sur le sol son arc, son carquois et son sac.

— Le Conseil l'a condamnée à mort ? répéta-t-il.

— Oui… Elle s'est échappée, mais ses juges l'ont reprise et ont confirmé la sentence devant le peuple, le jour de la décapi… de l'exécution. Tous les conseillers rayonnaient et le peuple applaudissait.

— Elle s'est peut-être évadée au dernier moment… C'est une femme pleine de ressources.

— J'étais là, souffla maîtresse Sanderholt d'une voix brisée. Ne me force pas à raconter ce que j'ai vu. J'adorais Kahlan depuis toujours…

Y avait-il un moyen de remonter dans le temps pour arriver avant la catastrophe ? se demanda Richard, au bord de la folie. Bon sang, ce devait être possible !

Non, tout était accompli. Pour vaincre le Gardien, il avait dû laisser mourir Kahlan. La prophétie l'avait battu à plate couture.

— Où est la salle du Conseil ?

La vieille femme hésita, puis désigna un couloir et donna au Sourcier les indications requises.

— Richard, gémit-elle, je l'aimais aussi… Mais c'est trop tard. Tu ne peux plus rien faire…

Le jeune homme était déjà parti. À peine conscient de ce qui l'entourait, il avançait vers sa destination finale comme une de ses flèches volant vers la cible, après qu'il l'eut *appelée*.

Le palais grouillait de gardes, mais il s'en fichait. Se souciaient-ils de sa présence ? Il l'ignorait et ça ne l'inquiétait pas. Les bruits de bottes et d'armures atteignaient à peine ses oreilles. Et pour voir les soldats postés sur les balcons, il aurait dû lever la tête…

Devant les portes de la salle du Conseil, au bout d'un couloir à colonnades, des hommes tentèrent de lui barrer le chemin. Sans dégainer son épée, Richard avança. La magie se déversa dans ses veines, flot de fureur et de haine.

Le Sourcier voulait voir disparaître les misérables moustiques qui se dressaient sur son chemin ! Le pouvoir jaillit de lui sans qu'il l'ait invoqué, comme par réflexe. Il sentit l'air vibrer et vit les murs, autour de lui, se couvrir de sang.

Richard émergea du vortex de flammes qu'il venait de déchaîner et franchit le trou, dans le mur, qu'il avait percé sans même y penser. Derrière les portes pulvérisées, des débris, des pièces d'armure et des corps jonchaient le sol.

À l'autre bout de la salle, les hommes tapis à l'abri de sièges et de bureaux se relevèrent d'un bond. Le pas toujours aussi vif, Richard dégaina son épée. La note métallique retentit comme un glas…

— Je suis le Conseiller Suprême Thurstan, cria l'homme debout près du siège le plus imposant. Que signifie cette intrusion ?

— Parmi vous, lança Richard, y en a-t-il un qui n'ait pas voté la mort pour la Mère Inquisitrice ?

— Elle a été condamnée pour trahison ! À l'unanimité, et dans la plus stricte légalité. Gardes, emparez-vous de cet homme !

Des soldats accoururent, mais le Sourcier avait déjà pris pied sur l'estrade.

Les conseillers tirèrent leurs couteaux.

L'Épée de Vérité coupa Thurstan en deux, du sommet du crâne à l'entrejambe.

Un coup latéral fit sauter des têtes et les survivants tentèrent de poignarder leur agresseur.

Des amateurs, trop lents pour être dangereux. Implacable, le Sourcier abattit tous les dignitaires, y compris ceux qui essayaient de fuir.

Tout fut terminé avant que les gardes aient atteint l'estrade.

Richard s'adossa au lutrin, l'arme tenue à deux mains. Qu'ils viennent donc, ces champions du mal. Il n'attendait que ça !

— Je suis le Sourcier ! cria-t-il. Ces hommes ont assassiné la Mère Inquisitrice et je viens de les châtier. À vous de choisir ! Voulez-vous avoir la gorge tranchée, ou vous ranger du côté du droit ?

Les soldats ralentirent, se consultèrent du regard et s'immobilisèrent.

Un officier étudia le trou, dans le mur, puis balaya les débris du regard.

— Êtes-vous un sorcier ?

— À ton avis, soldat ?

Le type rengaina son épée.

— Les histoires de magie ne nous regardent pas. Je ne mourrai pas pour une affaire qui dépasse mes compétences.

D'abord lentement, puis de plus en plus vite, tous les gardes rengainèrent leurs armes. Se détournant, ils quittèrent la salle, où Richard resta bientôt seul.

Il sauta de l'estrade et examina le grand fauteuil, miraculeusement épargné par le sang. Le siège de Kahlan… Celui où elle avait dû prendre place tant de fois…

Richard remit au fourreau l'Épée de Vérité. C'était fini. Tout ce qui devait être accompli l'avait été.

Les esprits du bien l'avaient abandonné. Et ils s'étaient détournés de Kahlan. Après tant de combats menés en leur nom, ils n'avaient rien fait pour aider leurs champions.

Que le Gardien les emporte !

Richard tomba à genoux. Il voulut ressortir son épée, mais se ravisa. Avec sa magie, l'arme ne conviendrait sûrement pas pour ce qu'il prévoyait de faire.

Mais le couteau, en revanche…

Le Sourcier avait rempli sa mission. Désormais, il ne servait plus à rien.

Il plaça la pointe du couteau contre sa poitrine.

Très calme, il baissa les yeux pour s'assurer qu'il visait bien son cœur. Les cheveux de Kahlan repris au colporteur dépassaient de sa chemise. De sa poche, il sortit la mèche qu'elle lui avait offerte pour qu'il n'oublie jamais à quel point elle l'aimait.

Il était temps d'en finir avec la douleur.

— Elle est réveillée, dit le prince Harold. Et elle vous demande…

Kahlan leva les yeux de la cheminée, dont elle contemplait les flammes. Puis elle jeta un regard glacial au vieux sorcier assis sur un banc près d'Adie. Si Zedd avait recouvré la mémoire, la dame des ossements restait dans le brouillard. Persuadée de se nommer Elda, elle était toujours aveugle…

L'Inquisitrice traversa la salle à manger déserte. À leur arrivée, l'auberge était vide, comme le reste de la ville. Tout ça à cause de l'avancée irrésistible des forces de Kelton.

Une excellente étape pour se reposer un peu de deux semaines de fuite éperdue.

Une semaine après leur départ d'Aydindril, Zedd, Adie, Ahern, Jebra, Chandalen, Orsk et Kahlan avaient été interceptés par le détachement du prince Harold. Ayant survécu au massacre perpétré dans la cour du palais, il avait attendu le jour de l'exécution de sa sœur. Au prix d'une héroïque intervention, ses soldats et lui avaient arraché Cyrilla à la hache du bourreau.

Quatre jours plus tard, la petite colonne avait rencontré le capitaine Ryan et ses neuf cents survivants. Il ne restait pas un soldat de l'Ordre Impérial. À un prix terrible, les « gamins » de Kahlan avaient accompli leur mission.

Bien qu'elle se fût gardée de le leur montrer, même l'annonce de leur victoire ne parvint pas à remonter le moral de l'Inquisitrice.

Après avoir pris une compresse dans une cuvette, Kahlan s'assit au bord du lit où reposait sa demi-sœur.

Cyrilla était consciente, mais ça ne durerait pas… Au bout de quelques minutes, elle retombait immanquablement dans son hébétude. Aveugle, sourde et muette, elle se coupait alors totalement du monde.

Dans ses moments de lucidité, elle pleurait sans cesse et ne supportait pas d'autre interlocuteur que Kahlan. Apercevoir un homme la faisait hurler… ou replonger dans sa transe.

— Kahlan, tu as réfléchi à ma proposition ? demanda-t-elle pendant que l'Inquisitrice lui humidifiait le front.

— Oui. Je ne veux pas devenir la reine de Galea. De toute façon, la place est déjà prise. Par toi.

— Je t'en prie, Kahlan… Le peuple a besoin d'un chef solide, et je ne suis plus en état de jouer ce rôle.

— Cyrilla, tout s'arrangera, tu verras…

— Je ne peux plus régner, à présent…

— Cyrilla, je comprends mieux que tu ne le penses. J'ai été dans ce trou, avec les brutes… Même si mon sort fut plus clément que le tien, je sais ce que tu éprouves. Mais tu te remettras. Je le jure !

— Accepteras-tu la couronne ? Pour le bien du peuple…

— Si j'y consens, ce sera temporaire, jusqu'à ce que tu sois rétablie.

— Non…, gémit Cyrilla. Par pitié ! Esprits du bien, aidez-moi… non…

Sur ces mots, la reine replongea dans son monde intérieur peuplé d'atroces visions. Kahlan l'embrassa sur la joue et se leva.

— Comment va ma sœur ? demanda Harold, qui attendait sur le seuil de la chambre.

— Il n'y a pas d'améliorations… Mais ça viendra, soyez sans crainte.

— Kahlan, vous devez lui obéir. C'est la reine !

— Et pourquoi ne deviendriez-vous pas roi ? Ce serait plus logique.

— Ma place est sur les champs de bataille, pour défendre mon peuple et les Contrées du Milieu. Comment me battre si je dois assumer la gestion d'un royaume ? Je suis un soldat et ça me suffit amplement. Vous vous nommez Kahlan Amnell, fille du roi Wyborn. La couronne vous revient.

Kahlan voulut rejeter ses cheveux derrière son épaule, mais ils n'étaient plus là. Comme on avait du mal à perdre les habitudes de toute une vie !

— J'y réfléchirai…, dit-elle en s'éloignant.

Elle se campa de nouveau devant la cheminée, l'unique source de lumière de la pièce. Devant ses yeux, le bois jadis vivant se transformait en cendres. Le sort de chacun en ce monde…

Personne n'osa la déranger.

Après un long moment, elle s'aperçut que Zedd se tenait derrière elle. Il lui avait fallu du temps pour s'habituer à le voir dans cette tenue excentrique…

— Un peu de thé te ferait du bien, dit-il en brandissant une tasse.

— Non, merci…

— Kahlan, cesse de t'accabler de reproches. Ce n'est pas ta faute…

— Vous mentez mal, sorcier. J'ai vu la haine, dans vos yeux, quand j'ai raconté mon histoire. Vous vous souvenez ?

— Je t'ai déjà expliqué ça ! J'étais sous le coup d'un sort jeté par trois magiciennes. Seul un choc émotionnel pouvait le neutraliser. La colère a fait l'affaire. Mais pour que ça marche, elle devait être dévastatrice. Ne me suis-je pas déjà excusé ?

— Vous vouliez me tuer !

— Je devais agir ainsi, Mère Inquisitrice.

— Kahlan… Ce titre ne veut plus rien dire.

— Prends le nom qui te chante, tu resteras quand même ce que tu es ! Te voiler la face n'y changera rien. Et quant à mon comportement, il était inévitable. Pour qu'un sort de mort fonctionne, il faut que la personne concernée croie qu'elle va mourir. Ma mémoire revenue, j'ai compris que c'était la seule solution. Un acte désespéré, mon enfant… Si je ne t'avais pas convaincue que je voulais ta mort, le peuple n'aurait pas cru qu'il assistait à ton exécution.

Kahlan frissonna à ce souvenir. Jusqu'à son dernier souffle, elle n'oublierait jamais le contact glacial du sort de mort.

— Vous auriez pu abattre les conseillers. Me sauver en massacrant ces chiens !

— Comme ça, tout le monde aurait su que tu avais survécu. À l'heure actuelle, nous aurions à nos trousses l'armée et une bonne partie de la populace. Avec ma façon de faire, on nous fiche la paix, et nous pouvons nous consacrer à notre devoir.

— Débrouillez-vous tout seul ! Moi, j'ai démissionné. La cause des esprits du bien ne m'intéresse plus.

— Kahlan, tu sais ce qui arrivera si nous baissons les bras. L'automne dernier, tu es venue en Terre d'Ouest me convaincre de reprendre le combat. Grâce à toi, je suis retourné à la magie, j'ai aidé les innocents, et j'ai contribué à priver notre adversaire de la victoire.

— Les esprits du bien ont trouvé judicieux de ne pas intervenir. Ils n'ont pas bronché quand j'ai livré Richard aux Sœurs de la Lumière. Un seul signe d'eux, et l'homme que j'aime ne serait pas perdu à jamais ! Mais ils ont choisi l'autre camp…

— Ils ne sont pas là pour diriger le monde des vivants, Kahlan. C'est notre travail et notre responsabilité à tous.

— Allez raconter ça à quelqu'un qui s'en soucie !

— Tu t'en soucies, mais pour le moment, tu n'en as pas conscience. J'ai perdu un être cher, comme toi. Dois-je me détourner du bien ? Richard t'aurait-il aimée si tu étais du genre à abandonner ceux qui ont besoin d'aide ?

L'Inquisitrice encaissant le coup, Zedd poussa son avantage.

— Il t'aime en partie à cause de ta passion pour la vie ! Parce que tu t'es battue pour elle avec autant d'ardeur que lui !

— Richard est la seule faveur que j'aie demandée aux esprits du bien. Et voyez où j'en suis ! Il pense que je l'ai trahi. De fait, je l'ai forcé à porter un collier – son pire cauchemar ! Zedd, je ne suis pas capable d'aider les autres…

— Kahlan, tu as un pouvoir magique. Et la magie ne doit pas mourir, parce qu'elle protège le monde des vivants. Sans elle, notre univers serait en danger, et il disparaîtrait peut-être…

» Personne ne sait que nous sommes toujours prêts à combattre. Nous irons à Ebinissia, ce que nos ennemis ne prévoient pas, et nous unirons les forces des Contrées pour organiser une contre-attaque. Et nul ne saura, avant qu'il ne soit trop tard, que nous aurons relevé la ville de ses cendres.

— D'accord ! Si ça peut vous fermer le clapet, j'accepte de régner sur Galea. Jusqu'à la guérison de Cyrilla…

— Mère Inquisitrice, tu sais que ce n'est pas de ça que je parlais, dit le sorcier.

Kahlan se mordit les lèvres pour ne pas pleurer devant lui.

— Les anciens sorciers ont créé les Inquisitrices, continua Zedd. Elles détiennent une magie unique et tu es la dernière de toutes. Ton pouvoir ne doit pas mourir avec toi, Kahlan. Richard est perdu pour nous, mais il faut *continuer* quand même. La vie et la magie devront être transmises. Tu dois choisir un partenaire et offrir au futur les bienfaits de ton pouvoir.

Kahlan ne répondit pas, le regard perdu dans les flammes de la cheminée.

— Mon enfant, murmura le vieil homme, fais-le au nom de l'amour que Richard éprouvait pour toi. Et de la confiance qu'il t'accordait.

Kahlan se retourna enfin. Près de Chandalen, assis en tailleur sur le sol, Orsk ne la quittait pas du regard. Toutes les autres personnes, dans la salle, faisaient mine de ne pas la voir.

— Orsk, appela-t-elle.

Le colosse se leva d'un bond et accourut. Il se campa devant elle, tête inclinée, à ses ordres, qu'il s'agisse de lui servir une tasse de thé… ou de tuer quelqu'un.

— Orsk, monte dans ma chambre et attends-moi.

— Bien, maîtresse.

Il gravit les marches à toute vitesse. Kahlan entendit craquer le lit quand il s'assit dessus.

Lorsqu'elle s'engagea à son tour dans l'escalier, Zedd la retint par le bras.

— Mère Inquisitrice, tu trouveras certainement un compagnon mieux adapté à tes goûts…

— Quelle différence ça fera ? Je l'ai déjà touché avec mon pouvoir. Inutile de nuire à quelqu'un d'autre pour une raison aussi insignifiante…

— Kahlan, je n'ai jamais dit que ça devait être ce soir ! Un jour, tu devras t'y résoudre. Mais tu as le temps…

— Aujourd'hui, demain ou l'année prochaine… Ça changera quoi ? Dans une décennie, ce sera pareil. Les sorciers se servent des Inquisitrices depuis des milliers d'années. Pourquoi perdre les bonnes habitudes ? Pour vous satisfaire, je vais agir sans tarder.

— Tu ne dois pas le prendre ainsi. L'espoir de la vie est en cause.

Kahlan vit du chagrin dans les yeux du vieil homme. Mais elle n'éprouva aucune pitié pour lui.

— Appelez ça comme vous voudrez ! Le nom importe peu : ça reste un viol ! Mes ennemis n'y sont pas parvenus. Il aura fallu que mes amis s'en chargent…

— Je sais ce que tu ressens, mon enfant… Tu ignores à quel point je le sais !

Kahlan voulut monter les marches, mais Zedd l'en empêcha.

— Tu veux bien me faire une petite faveur, avant ? Va te promener un peu, pour réfléchir et demander conseil aux esprits du bien. Implore-les de te guider, et…

— Je n'ai rien à leur dire ! C'est eux qui m'imposent ce calvaire. Ils parlent par votre bouche, Zedd.

— Alors, fais-le pour Richard.

Kahlan hésita. Puis elle se détourna et approcha de la porte du jardin de l'auberge.

— Pour Richard, dit-elle en sortant.

Chapitre 70

Assis sur le grand fauteuil de Kahlan, Richard caressait les longues mèches de cheveux qu'il avait tirées de sa chemise pour ne pas se poignarder à travers. Il n'aurait su dire combien de temps il était resté ainsi, perdu dans le souvenir des jours heureux. Mais dehors, la nuit tombait.

Il posa délicatement les cheveux sur le bras du siège et reprit le couteau. Dans un brouillard d'angoisse, les phalanges blanches sur la garde, il le pointa vers son cœur.

L'heure était venue.

Au moins, tout serait fini. La douleur disparaîtrait.

Soudain, il plissa le front. Qu'avait dit maîtresse Sanderholt ? Kahlan lui ayant parlé de lui, elle avait peut-être laissé un ultime message à son intention. Pourquoi ne pas lui poser la question ?

Ensuite, il pourrait mourir serein.

Il alla retrouver la vieille femme dans les cuisines et la poussa dans un petit garde-manger dont elle ferma la porte.

— Qu'as-tu fait, Richard ?

— J'ai exécuté ses meurtriers.

— Eh bien, je ne peux pas dire que ça m'arrache des larmes. Ces hommes n'étaient pas dignes d'appartenir au Conseil. Tu as faim ?

— Non. Je n'ai besoin de rien, maîtresse Sanderholt. Vous avez dit que Kahlan vous a parlé de moi. C'est vrai ?

Réticente à réveiller de douloureux souvenirs, maîtresse Sanderholt hésita un peu.

— Elle est revenue, mais tout avait changé, ici… Les Keltiens…

— Je me fiche de la politique ! Parlez-moi de Kahlan.

— Le prince Fyren a été assassiné. Kahlan fut accusée à tort de ce crime, et de beaucoup d'autres, dont la trahison. Le sorcier qui avait pris le pouvoir l'a condamnée… à être exécutée.

— Décapitée…, précisa Richard.

— Oui… Elle s'est évadée avec l'aide de quelques amis. En s'échappant, elle a tué le sorcier. Après, ils se sont cachés, mais elle m'a fait contacter, et j'ai pu la voir. Elle m'a raconté vos aventures... et parlé de toi. Son sujet favori !

— Pourquoi n'a-t-elle pas fui Aydindril ?

— Elle devait attendre un sorcier nommé Zedd. Pour qu'il t'aide.

— Et c'est à cause de ça qu'ils l'ont eue...

— Non... Le sorcier est revenu. C'est lui qui l'a livrée au bourreau !

— Quoi ? Zedd était ici ? Il n'aurait jamais fait ça à Kahlan !

— Et pourtant, il l'a trahie... Il paradait sur l'échafaud, devant la foule en liesse, et c'est lui qui a donné l'ordre au bourreau. Je l'ai vu faire, ce misérable !

— Zedd ? Un vieil homme très maigre, avec des cheveux blancs en broussaille ?

— C'est bien lui... Le Premier Sorcier Zeddicus Zu'l Zorander.

L'espoir renaquit en Richard. Il ne savait pas tout de son grand-père, mais en matière de « trucs », c'était un sacré expert. Se pouvait-il que...

— Où est la tombe de Kahlan, maîtresse Sanderholt ?

La vieille femme le conduisit dans le petit cimetière intérieur où reposaient toutes les Inquisitrices. Kahlan, lui expliqua-t-elle, avait été incinérée sous la supervision du sorcier.

Ensuite, maîtresse Sanderholt laissa le jeune homme seul devant l'immense stèle où figurait une épitaphe :

« KAHLAN AMNELL, MÈRE INQUISITRICE. ELLE N'EST PAS ICI, MAIS DANS LE CŒUR DE CEUX QUI L'AIMAIENT. »

— Elle n'est pas ici...

Un message ? Kahlan était-elle vivante ? Zedd avait-il improvisé une ruse pour lui sauver la vie ? Mais pourquoi ?

Pour qu'on ne la poursuive pas, bien sûr...

Richard tomba à genoux devant la stèle. Devait-il espérer, au risque de voir tout s'écrouler de nouveau ?

Il joignit les mains et inclina la tête.

— Esprits du bien vénérés, je ne vous ai jamais rien demandé. Mais si vous devez m'aider une fois, que ce soit aujourd'hui ! Je vous en supplie. Si vous ne me répondez pas, comment continuer à vivre ? J'ai renoncé à tout pour que le bien triomphe. Par pitié, dites-moi si elle est vivante !

À travers ses larmes, Richard vit l'air scintiller devant lui. Un spectre se matérialisait lentement.

Quand il le reconnut, il frémit.

Kahlan avait fait des dizaines de fois le tour du jardin. Et elle hésitait encore, craignant d'entendre confirmer ses pires angoisses.

Enfin, elle s'agenouilla, joignit les mains et inclina la tête.

— Esprits vénérés, je sais que je suis indigne de vous, mais accordez-moi quand même une faveur. Puis-je savoir si Richard va bien et s'il m'aime encore ?

» Le reverrai-je un jour, esprits vénérés ? Je sais que je vous ai manqué de respect, et je vous implore de me pardonner. Si vous m'accordez cette requête, je ferai tout ce que vous m'ordonnerez.

À travers ses larmes, Kahlan vit l'air scintiller devant elle. Un spectre se matérialisait lentement.

Un doux sourire s'afficha sur son visage lumineux.

— C'est vraiment toi ? demanda Kahlan.

— Oui, c'est moi, Denna.

— Mais tu as été chez le Gardien à la place de Richard… Tu avais pris la marque de Darken Rahl, et…

Le sourire de Denna s'élargit, emplissant de joie le cœur de Kahlan.

— Le Gardien a été dégoûté par mon sacrifice. Il n'a pas voulu de moi. Alors, j'ai rejoint ceux que tu appelles les esprits du bien.

» Mon acte m'a valu une paix que je n'espérais plus. De la même façon, tout ce que vous avez fait pour les gens, Richard et toi – et aussi l'un pour l'autre – justifie que vous connaissiez cette paix. Comme chacun de vous contrôle les deux facettes de la magie, et à cause du lien qui vous unit à moi, j'ai reçu le pouvoir, avant de retraverser le voile, de vous emmener pour un moment dans un lieu entre les mondes où vous serez heureux ensemble.

Denna écarta les mains.

— Mon enfant, viens dans mes bras et je te conduirai à lui.

Richard se laissa tendrement envelopper par les bras lumineux de Denna. Autour de lui, les contours du monde se brouillèrent. Il ignorait ce qui l'attendait, mais plus rien ne comptait, puisqu'il allait voir Kahlan !

L'aura de Denna devint éblouissante. Puis elle baissa lentement d'intensité.

Kahlan se matérialisa devant Richard. Elle cria de joie et se jeta dans ses bras, murmurant son prénom pendant qu'elle l'étreignait.

Ils se serrèrent l'un contre l'autre, sans dire un mot, grisés par leurs retrouvailles.

Le Sourcier savoura la chaleur, le souffle et jusqu'à la façon de trembler de joie de Kahlan.

Ils se laissèrent tomber sur la surface souple qui tenait ici lieu de sol. Richard ne savait pas de quoi il s'agissait, et il s'en fichait, tant que c'était assez solide pour les soutenir.

Kahlan cessa de pleurer et posa la tête sur son épaule. Un long moment après, elle se releva sur un coude et plongea ses magnifiques yeux verts dans ceux du jeune homme.

— Excuse-moi de t'avoir obligé à porter un collier…

— Plus un mot, Kahlan… Tu avais une bonne raison d'agir ainsi. J'ai mis du temps à comprendre que tu as été très courageuse. Bon sang, quel crétin je suis, parfois ! Tu as consenti à un énorme sacrifice pour me sauver, je le sais, et je t'aime plus que jamais.

— Richard… Mon Richard ! Je suis si bien avec toi… Mais comment es-tu arrivé ici ?

— J'ai prié les esprits du bien et Denna est apparue.

— La même chose m'est arrivée… Denna aussi s'est sacrifiée pour toi. Elle a absorbé le pouvoir de la marque, afin que tu vives. Sans elle, je t'aurais perdu. À présent, elle est en paix.

— Je sais… (Richard caressa les cheveux de la jeune femme.) Qui t'a fait ça ?

— Un sorcier…

— Vraiment ? Alors, il faut qu'un autre sorcier répare le mal.

Se souvenant de la manière dont Zedd s'était fait pousser la barbe, Richard caressa les cheveux de Kahlan, descendant chaque fois un peu plus bas sur sa nuque, puis sur ses épaules. La crinière de Kahlan se reconstitua lentement. Quand elle eut atteint sa longueur d'origine, il s'arrêta.

— Comment as-tu fait ça ? s'extasia l'Inquisitrice.

— J'ai le don, l'aurais-tu oublié ?

En échange de cette remarque, le jeune homme eut droit au « sourire spécial » qu'il était le seul à connaître.

— Ça m'ennuie de te dire ça, fit Kahlan, taquine, mais je n'aime pas ta barbe. Je te trouvais mieux avant…

— Sans blague ? Eh bien, puis que nous avons restauré la Kahlan originale, faisons de même avec le Sourcier.

Richard invoqua le pouvoir niché au centre de lui-même, dans un lieu plein de calme, et se passa une main sur les joues.

— Richard ! Ta barbe a disparu ! C'est… incroyable !

— Pas quand on est doué pour les deux formes de magie.

— La Magie Soustractive ? Je me demande si je ne suis pas en train de rêver…

Richard attira Kahlan vers lui et l'embrassa.

— Moi, ça m'a paru bien réel…, souffla-t-il.

— Richard, j'ai peur… Tu es avec les Sœurs de la Lumière, et je ne te reverrai jamais. Comment vivre en sachant que…

— Je ne suis pas à Tanimura, mais en Aydindril.

— Aydindril !

— J'ai quitté le Palais des Prophètes avec l'aide de sœur Verna. Après, j'ai fait un petit détour par D'Hara…

Richard résuma ce qui lui était arrivé depuis leur séparation. Quand sa compagne fit de même, il eut du mal à en croire ses oreilles.

— Je suis si fier de toi… Tu es la plus grande Mère Inquisitrice de l'histoire des Contrées du Milieu !

— Retourne jeter un coup d'œil au panthéon, devant la salle du Conseil, et tu verras des femmes bien plus « grandes » que je ne le serai jamais.

— Ça, ma chérie, permets-moi d'en douter…

Ils s'embrassèrent de nouveau… plus passionnément que jamais.

— Es-tu vraiment débarrassé de la marque de Darken Rahl ? demanda Kahlan.

Richard ouvrit sa chemise pour qu'elle le constate *de visu*.

— C'est vrai, murmura la jeune femme en lui caressant la poitrine.

Elle le couvrit de petits baisers et lui mordilla même le bout d'un sein.

— Tu triches, dit Richard, le souffle court. Je veux embrasser sur toi tout ce que tu embrasses sur moi !

Les yeux dans ceux du jeune homme, Kahlan entreprit de déboutonner son chemisier.

— Marché conclu !

Elle continua de se déshabiller pendant qu'il la couvrait de baisers.

— Kahlan, et si les esprits du bien nous regardent ?

La jeune femme le fit basculer sur le dos.

— S'ils sont vraiment bienveillants, ils détourneront les yeux.

Autour d'eux, la douce lueur semblait pulser au rythme de leur respiration.

— Kahlan Amnell, dit Richard, je t'aime. Maintenant et pour toujours.

— Je t'aime aussi, Richard…

Dans un lieu entre les mondes où le temps n'existait plus, les deux jeunes gens s'unirent enfin pour ne plus faire qu'un.

Chapitre 71

L e cœur et le corps débordant de joie, Kahlan entra dans l'auberge et avança vers la cheminée… d'une démarche un peu vacillante.

Toutes les têtes se tournèrent sur son passage.

— Fichtre et foutre, cria Zedd en se levant d'un bond, qu'as-tu fichu toute la nuit ? L'aube se lève ! Nous avons passé la ville au peigne fin pour te trouver ! Où étais-tu ?

— Dans le jardin, dehors…

— Ce n'est pas vrai ! Je t'aurais vue !

— Eh bien, j'y étais… Mais j'ai rejoint Richard… Zedd, il a échappé aux Sœurs de la Lumière et il est en Aydindril.

— Kahlan, je sais que tu en as bavé, ces derniers temps. Je comprends que tu aies eu une hallucination, mais…

— Non, Zedd. J'ai prié les esprits du bien. Alors, une femme est venue et m'a conduite près de Richard, dans un lieu étrange situé entre les mondes.

— Kahlan, ce n'est pas…

L'Inquisitrice avança encore, passant de l'ombre à la lueur de la cheminée.

— Qu'est-il arrivé à tes cheveux ? s'écria le vieux sorcier.

— Richard me les a rendus. Il a le don, vous savez… (Elle leva l'Agiel pendu à son cou.) Il m'a aussi donné cet objet. Selon lui, il n'en aura plus besoin.

— Mais… Il doit y avoir une autre explication !

— J'ai un message pour vous, Zedd… Richard vous remercie de ne pas avoir fermé la boîte d'Orden. Il est content que son grand-père ait été assez futé pour ne pas violer la Deuxième Leçon du Sorcier.

— Son grand-père… Tu l'as vu ! Fichtre et foutre, tu l'as vraiment vu ! Et il va bien.

Kahlan enlaça le sorcier.

— Oui, Zedd ! Tout est arrangé. La Pierre des Larmes est retournée dans le royaume des morts et la boîte d'Orden est refermée. Richard m'a dit que c'était un portail, et qu'il fallait maîtriser les deux magies pour remettre le couvercle sans détruire toute vie dans notre monde…

— Richard contrôle la Magie Soustractive ? (Zedd se dégagea et prit Kahlan par les épaules.) C'est impossible !

— Il avait une barbe et il l'a fait disparaître. Souvenez-vous du petit cours que vous lui avez donné un jour… Seule la Magie Soustractive peut accomplir ça.

— Bon sang de bon sang… J'ai toujours su qu'il n'y avait qu'une lettre de différence entre un Sourcier et un sorcier, mais là, il m'en bouche un coin ! (Zedd fronça les sourcils.) Tu es en nage, ma fille. (Il palpa le front de l'Inquisitrice.) Pourtant, tu n'as pas de fièvre… Pourquoi cette abondante transpiration ?

— Eh bien… il faisait très chaud dans ce lieu…

— Et tes cheveux emmêlés ? Quel sorcier à la noix, ce Richard ! Avec moi, tu aurais eu une belle chevelure lisse et soyeuse. Ce garçon a encore besoin de travailler…

— Zedd, fit Kahlan en rosissant, ils n'étaient pas emmêlés, au début…

— Qu'avez-vous fait jusqu'à l'aube ? demanda Zedd, soupçonneux. Tu as proprement découché, ma fille ! Qu'avez-vous donc fichu ?

Kahlan sentit ses oreilles rougir et se félicita d'avoir retrouvé sa chevelure.

— Eh bien… Comment dire ? À quoi passez-vous le temps avec Adie, la nuit, quand vous ne dormez pas ?

— Hum… Nous… (Le sorcier brandit un index décharné.) Nous parlons ! Voilà, c'est ça… Nous avons de longues conversations.

— Nous aussi. Mais nous avons eu une *très* longue conversation.

Zedd sourit de toutes ses dents.

— Je suis très content pour toi, chère enfant.

Il prit Kahlan par la main et l'entraîna dans une danse. Ahern sortit une petite flûte et improvisa un accompagnement.

— Mon petit-fils est un sorcier ! Il sera un *formidable* sorcier, comme son grand-père !

Tout le monde tapa du pied pendant que le vieil homme et sa jeune amie dansaient en riant.

Tout le monde, sauf Adie, assise dans un coin, l'air perdue et triste.

Kahlan vint s'agenouiller devant elle et lui prit les mains.

— Moi aussi, je suis contente pour toi, mon enfant…, souffla la dame des ossements.

— Adie, les esprits avaient un message pour vous.

— Désolée, ma petite, mais ça ne me dira rien. Je n'ai plus aucun souvenir de la femme que tu appelles Adie.

— J'ai promis de vous transmettre ce message. Quelqu'un qui ne vit plus dans notre monde tient à ce que vous l'ayez. Vous voulez bien l'entendre ?

— Vas-y… Mais je ne le comprendrai pas…

— Il vient d'un certain Pell.

Adie se redressa, les yeux remplis de larmes, et serra très fort les mains de Kahlan.

— Pell ? Mon Pell ?

— Oui, Adie. Il vous aime et il a trouvé la paix. Je suis chargée de vous dire une chose : il sait que vous ne l'avez pas trahi. Il n'a jamais douté de votre amour, et son cœur saigne à l'idée que vous ayez tant souffert. À présent que tout est clair entre vous, il vous demande d'être heureuse.

— Pell sait que je ne l'ai pas trahi ? répéta la dame des ossements.

— Oui. Et il n'a jamais cessé de vous aimer.

La vieille femme attira Kahlan dans ses bras.

— Merci, mon enfant. Tu viens de redonner un sens à ma vie. À la vie, en général ! Tu ne sauras jamais à quel point ça compte pour moi.

— Vous vous trompez, Adie… Je le sais…

— Peut-être bien, ma petite… Peut-être bien…

Jebra et Chandalen allèrent préparer le petit déjeuner pendant que les autres discutaient de stratégie. Retirer tous les cadavres des rues et des maisons d'Ebinissia serait une mission terrible. Par bonheur, on était en hiver, pas au printemps… Une fois redevenue habitable, la ville serait le fer de lance des Contrées du Milieu.

Kahlan annonça que Richard essayerait de les rejoindre dans la capitale galeienne. Ensuite, il aurait sans doute besoin de retourner en Terre d'Ouest avec Zedd, afin de s'occuper des Sœurs de l'Obscurité. Pour l'instant, elles étaient en mer et ne représentaient donc pas un danger.

Après un petit déjeuner joyeux et animé, ils commencèrent à plier bagage. L'air mal à l'aise, Chandalen attira Kahlan à l'écart.

— Mère Inquisitrice, j'ai une question à te poser. J'aurais préféré éviter ça, mais je n'ai personne d'autre…

— Je t'écoute, mon ami.

— *Comment dit-on « seins » dans ta langue ?*

— *Pardon ?*

— *Quel mot désigne les seins d'une femme ? Je voudrais dire à Jebra que les siens sont très jolis.*

— *Chandalen, je t'avais promis que nous aurions une conversation à ce sujet… Mais nous n'avons jamais eu le temps…*

— *Alors, prenons-le ! J'ai envie de dire à Jebra que j'aime beaucoup ses seins.*

— *Chez toi, c'est une façon appropriée de parler à une femme. Un compliment raffiné. Ici, ça passe pour un outrage tant que deux personnes ne se connaissent pas très bien…*

— *Je la connais bien !*

— *Pas encore assez… Me feras-tu confiance ? Si tu l'aimes beaucoup, ne lui dis pas ça, ou tu la vexeras.*

— *Les femmes de chez vous n'aiment pas entendre la vérité ?*

— *Ce n'est pas si simple… Même si c'était vrai, annoncerais-tu à une Femme d'Adobe que tu désirerais la voir sans boue dans les cheveux ?*

— *Présenté comme ça, je vois ce que tu veux dire…*

— *Tu aimes autre chose que ses seins ?*

— *Et comment ! J'adore tout en elle !*

— *Alors, avoue-lui que son sourire, ses cheveux ou ses yeux te plaisent beaucoup.*

— *Comment distinguer un compliment d'un… outrage ?*

Kahlan eut un petit soupir.

— *Pour le moment, limite-toi à ce qui n'est pas caché par ses vêtements. C'est un bon truc…*

— Tu es très maligne, Mère Inquisitrice. Heureusement que tu as pris Richard pour partenaire. Sinon, tu m'aurais sûrement choisi…

Kahlan éclata de rire et donna à l'Homme d'Adobe une accolade qu'il lui rendit de bon cœur.

Dehors, elle salua gaiement les hommes qu'elle connaissait : Ryan, Hobson, Brin, Peter et beaucoup d'autres. Ils lui sourirent, gagnés par sa bonne humeur.

Kahlan alla voir Nick à l'écurie. Avant leur départ d'Aydindril, Chandalen avait récupéré le grand étalon, qui hennit de plaisir en voyant sa cavalière.

— Comment vas-tu, vieil ami ? Que dirais-tu de conduire la reine de Galea dans son palais d'Ebinissia ?

Nick hocha vigoureusement la tête, pressé de sortir de sa stalle.

Avec la neige qui fondait sur le toit de l'écurie, des gouttes d'eau s'écrasaient sur le sol. Par une fenêtre, Kahlan jeta un coup d'œil à l'horizon. Une journée d'hiver exceptionnellement clémente se préparait.

Bientôt, ce serait le printemps…

Maîtresse Sanderholt ne cacha pas sa surprise quand Richard se servit un autre bol de soupe et prit une nouvelle tranche de pain.

— Maîtresse Sanderholt, vous faites la meilleure soupe aux épices du monde. Après la mienne !

Dans la cuisine, les assistants préparaient le petit déjeuner. La vieille femme ferma la porte pour qu'ils ne les entendent pas.

— Richard, je suis contente que tu ailles mieux. Hier, tu étais si triste que j'ai eu peur de te voir faire une… bêtise. Mais ce revirement, mon garçon, est trop spectaculaire pour qu'il ne se soit rien passé !

— Je vous dirai tout, si vous promettez de garder le secret. Au moins pour l'instant… Si vous parlez, ça pourrait avoir de graves conséquences.

— Je serai muette comme une tombe.

— Kahlan n'est pas morte !

— Richard, tu es encore plus fou que je le pensais. J'ai vu de mes…

— Je sais… Le sorcier est mon grand-père. Il a jeté un sort pour que tout le monde croie qu'on la décapitait. Ainsi, personne ne les a poursuivis, et ils ont pu s'échapper sans problème. Kahlan est en sécurité.

Maîtresse Sanderholt sauta au cou du Sourcier.

— Que les esprits du bien soient loués !

— Ils le méritent, approuva Richard.

Il alla finir sa soupe dehors, histoire d'admirer l'aube. Fou de joie, il ne pouvait plus tenir en place à l'intérieur. Assis sur les marches, il admira les somptueuses ambassades qui se dressaient autour de lui.

En finissant sa soupe, il contempla une gargouille perchée sur un fronton à frise soutenu par des colonnes à cannelures. Les nuages roses qui dérivaient dans le ciel éclairaient par-derrière la grotesque silhouette de pierre.

Le Sourcier ouvrait la bouche, sa cuiller en suspension, au moment où il crut voir la gargouille… prendre une profonde inspiration.

Se levant d'un bond, il plissa les yeux et vit la « sculpture » bouger de nouveau.

— Gratch ! Gratch, c'est toi ?

La silhouette ne broncha pas. Une hallucination ?

— Gratch, si c'est toi, pardonne-moi, je t'en supplie ! Tu m'as tellement manqué.

Déployant ses ailes, le garn sauta de son perchoir et se posa en souplesse à quelques pas du jeune homme.

— Gratch, j'avais tellement envie de te revoir ! (Le garn fronça ses énormes sourcils, perplexe.) Je ne pensais pas ce que je t'ai dit, tu comprends ? Je voulais te sauver la vie… Richard aime Gratch !

— Grrrratch aaaime Raaach aard.

Le garn sauta dans les bras du Sourcier et le renversa sur les marches. Les deux amis s'étreignirent, chacun tapotant le dos de l'autre et lui souriant à sa façon.

Quand ils eurent terminé leurs effusions, Gratch se pencha, dévisagea Richard, puis lui tapota la joue du bout d'une énorme griffe.

— Plus de barbe, mon vieux ! J'en ai fini avec ça !

Gratch ne dissimula pas sa désapprobation.

— Tu t'y feras, mon ami ! Tu sais que je suis un sorcier ?

Le garn lâcha un rire moqueur. Comment savait-il ce qu'était un sorcier ? Les capacités intellectuelles du « monstre » avaient quelque chose de stupéfiant.

— Ce n'est pas une blague, vieux frère ! Regarde, je sais invoquer le feu.

Richard ouvrit la paume et invoqua son pouvoir. Rien ne se produisit. Pas la moindre étincelle, aussi fort qu'il essayât ! Un bide total qui ne manqua pas de dérider Gratch.

Et voir un garn pris de fou rire valait le détour !

Un souvenir revint à la mémoire de Richard. Quelque chose que Denna lui avait dit lorsqu'il lui avait demandé comment il avait réussi tant d'exploits avec la magie. Selon elle, il devait se réjouir d'avoir pris les bonnes décisions, mais ne pas tomber dans l'arrogance en imaginant que tous les événements étaient de son fait.

Richard se demanda où se trouvait la ligne de démarcation entre ses actes… et le reste. Avant de devenir un vrai sorcier, il lui restait beaucoup à apprendre. Au début, il avait refusé sa propre nature. À présent, il s'acceptait totalement : un homme né avec le don et destiné à être un « caillou dans la mare ». Le fils de Darken Rahl, certes, mais assez chanceux pour avoir grandi auprès de parents aimants.

Il sentit la garde de son épée, contre sa hanche. Une arme faite pour lui.

Il était le Sourcier. Le véritable Sourcier.

Ses pensées entrèrent de nouveau en contact avec le spectre qui lui avait apporté tant de bonheur – plus qu'il ne l'avait fait souffrir avant de passer dans l'autre monde. Il se réjouissait que Denna ait trouvé la paix. Que désirer de plus pour quelqu'un qu'on aime ?

Richard émergea de sa méditation et tapota le bras du garn.

— Attends-moi ici. J'ai une surprise pour toi…

Filant à la cuisine, le jeune homme y dénicha un superbe gigot de mouton. Quand il le rejoignit, Gratch, très excité, sautait d'une patte sur l'autre. Ils se rassirent ensemble. Richard finit sa soupe pendant que le garn dévorait son festin – l'os compris !

Quand ils eurent fini, le jeune homme tira de sa poche une longue mèche de cheveux.

— Elle appartient à la femme que j'aime. (Gratch tendit délicatement une griffe.) Je veux que tu la gardes. Je lui ai parlé de toi, et elle sait que tu es mon ami. Gratch, elle t'aimera autant que moi ! Tu pourras venir nous voir quand tu voudras, et rester aussi longtemps que ça te plaira. Tiens la mèche une seconde, mon vieux…

Gratch saisit délicatement la relique.

Richard retira de son cou la lanière où pendait le croc d'Écarlate. Le conserver ne servirait à rien, puisqu'il l'avait utilisé. Il accrocha la mèche à la lanière puis passa – non sans peine – le pendentif autour de la grosse tête du garn.

Gratch tapota délicatement le bijou. Puis il sourit, dévoilant ses superbes crocs.

— Je vais la rejoindre… Ça te dirait de venir avec moi ?

Enthousiaste, le garn hocha la tête et battit frénétiquement des ailes.

Richard regarda au loin. En ville, des troupes faisaient mouvement. Des milliers de soldats de l'Ordre Impérial… Bientôt, ils trouveraient le courage d'enquêter sur le massacre de la salle du Conseil, même si un sorcier l'avait perpétré.

— On devrait filer, mon vieux. L'air deviendra vite malsain, par ici. Le temps de me trouver un cheval, et nous levons le camp.

Richard sonda l'horizon. La journée serait belle…

Une brise presque tiède fit voleter sa cape.

Le printemps ne tarderait plus…